COMO A MENTE FUNCIONA

STEVEN PINKER

COMO A MENTE FUNCIONA

Tradução:
LAURA TEIXEIRA MOTTA

3ª edição
9ª reimpressão

COMPANHIA DAS LETRAS

Copyright © 1997 by Steven Pinker

*Grafia atualizada segundo o Acordo Ortográfico
da Língua Portuguesa de 1990, que entrou
em vigor no Brasil em 2009*

Título original
How the mind works

Capa
Marcelo Serpa

Revisão técnica
Alvaro Antunes
Mestre em Ciências da Computação
(Inteligência Artificial) pela UFRGS

Índice remissivo
Martha M. B. Borthowski

Preparação
Áurea Kanashiro

Revisão
*Ana Maria Álvares
Ana Maria Barbosa
Beatriz de Freitas Moreira
Ana Paula Castellani*

Dados Internacionais de Catalogação na Publicação (CIP)
(Câmara Brasileira do Livro, SP, Brasil)

Pinker, Steven, 1954–
   Como a mente funciona / Steven Pinker ; tradução Laura
Teixeira Motta. — São Paulo : Companhia das Letras, 1998.

   Título original: How the Mind Works.
   Bibliografia.
   ISBN 978-85-7164-846-3

   1. Evolução humana 2. Neurociência cognitiva 3. Neuropsicologia 4. Psicologia 5. Seleção natural I. Título.

98-5410   CDD-153

Índices para catálogo sistemático:
1. Mente : Processos intelectuais conscientes : Psicologia 153
2. Processos intelectuais conscientes : Mente : Psicologia 153

Todos os direitos desta edição reservados à
EDITORA SCHWARCZ S.A.
Rua Bandeira Paulista, 702, cj. 32
04532-002 — São Paulo — SP
Telefone: (11) 3707-3500
www.companhiadasletras.com.br
www.blogdacompanhia.com.br
facebook.com/companhiadasletras
instagram.com/companhiadasletras
twitter.com/cialetras

Para Ilavenil

SUMÁRIO

Prefácio 9

1. Equipamento padrão... 13
2. Máquinas pensantes 70
3. A vingança dos *nerds* 162
4. O olho da mente 227
5. Boas ideias 318
6. Desvairados 383
7. Valores familiares 447
8. O sentido da vida.. 546

Posfácio 593
Notas 601
Referências bibliográficas.............................. 620
Créditos.. 649
Índice remissivo.. 650

PREFÁCIO

Qualquer livro intitulado *Como a mente funciona* deveria começar com uma nota de humildade; começarei com duas.

Primeiro, não entendemos como a mente funciona — nem de longe tão bem quanto compreendemos como funciona o corpo, e certamente não o suficiente para projetar utopias ou curar a infelicidade. Então, por que esse título audacioso? O linguista Noam Chomsky declarou certa vez que nossa ignorância pode ser dividida em *problemas* e *mistérios*. Quando estamos diante de um problema, podemos não saber a solução, mas temos insights, acumulamos um conhecimento crescente sobre ele e temos uma vaga ideia do que buscamos. Porém, quando defrontamos um mistério, ficamos entre maravilhados e perplexos, sem ao menos uma ideia de como seria a explicação. Escrevi este livro porque dezenas de mistérios da mente, das imagens mentais ao amor romântico, foram recentemente promovidos a problemas (embora ainda haja também alguns mistérios!). Cada ideia deste livro pode revelar-se errônea, mas isso seria um progresso, pois nossas velhas ideias eram muito sem graça para estar erradas.

Em segundo lugar, *eu* não descobri o que de fato sabemos sobre o funcionamento da mente. Poucas das ideias apresentadas nas páginas seguintes são minhas. Selecionei, de muitas disciplinas, teorias que me parecem oferecer um insight especial a respeito dos nossos pensamentos e sentimentos, que se ajustam aos fatos, predizem fatos novos e são coerentes em seu conteúdo e estilo explicativo. Meu objetivo foi tecer essas ideias em um quadro coeso, usando duas ideias ainda maiores que não são minhas: a teoria computacional da mente e a teoria da seleção natural dos replicadores.

O capítulo inicial expõe o quadro geral: a mente é um sistema de órgãos de computação que a seleção natural projetou para resolver os problemas enfrentados por nossos ancestrais evolutivos em sua vida de coletores de alimentos. Cada uma das duas grandes ideias — computação e evolução — ocupa a seguir um capítulo. Analiso as principais faculdades da mente em capítulos sobre percepção, raciocínio, emoção e relações sociais (parentes, parceiros românticos, rivais, amigos, conhecidos, aliados, inimigos). O último capítulo discute nossas vocações superiores: arte, música, literatura, humor, religião e filosofia. Não há capítulo sobre a linguagem; meu livro anterior, *O instinto da linguagem*, abrange esse tema de um modo complementar.

Este livro destina-se a qualquer pessoa que tenha curiosidade de saber como a mente funciona. Não o escrevi apenas para professores e estudantes, e nem somente com a intenção de "popularizar a ciência". Espero que tanto os estudiosos como o público leitor possam se beneficiar de uma visão geral sobre a mente e o modo como ela atua nas atividades humanas. Nesse alto nível de generalização, pouca é a diferença entre um especialista e um leigo reflexivo, pois se hoje em dia nós, especialistas, não podemos ser mais do que leigos na maioria das nossas próprias disciplinas, que dizer das disciplinas afins! Não forneci exames abrangentes da literatura pertinente nem uma exposição de todos os lados de cada debate, pois isso tornaria o livro impossível de ler — de fato, impossível até de ser erguido. Minhas conclusões provêm de avaliações da convergência das evidências de diferentes campos e métodos; forneci citações pormenorizadas para que os leitores possam acompanhá-las.

Tenho dívidas intelectuais com numerosos professores, alunos e colegas, mas principalmente com John Tooby e Leda Cosmides. Eles forjaram a síntese entre evolução e psicologia que possibilitou este livro e conceberam muitas das teorias que apresento (e muitas das melhores piadas). Ao me convidarem para passar um ano como membro do Centro de Psicologia Evolucionista da Universidade da Califórnia, em Santa Bárbara, eles me proporcionaram o ambiente ideal para pensar e escrever, além de amizade e conselhos inestimáveis.

Sou imensamente grato a Michael Gazzaniga, Marc Hauser, David Kemmerer, Gary Marcus, John Tooby e Margo Wilson pela leitura de todo o original e pelas valiosas críticas e incentivos. Outros colegas generosamente comentaram capítulos em suas áreas de especialização: Edward Adelson, Barton Anderson, Simon Baron-Cohen, Ned Block, Paul

Bloom, David Brainard, David Buss, John Constable, Leda Cosmides, Helena Cronin, Dan Dennett, David Epstein, Alan Fridlund, Gerd Gigerenzer, Judith Harris, Richard Held, Ray Jackendoff, Alex Kacelnik, Stephen Kosslyn, Jack Loomis, Charles Oman, Bernard Sherman, Paul Smolensky, Elizabeth Spelke, Frank Sulloway, Donald Symons e Michael Tarr. Muitos outros esclareceram dúvidas e deram sugestões proveitosas, entre eles Robert Boyd, Donald Brown, Napoleon Chagnon, Martin Daly, Richard Dawkins, Robert Hadley, James Hillenbrand, Don Hoffman, Kelly Olguin Jaakola, Timothy Ketelaar, Robert Kurzban, Dan Montello, Alex Pentland, Roslyn Pinker, Robert Provine, Whitman Richards, Daniel Schacter, Devendra Singh, Pawan Sinha, Christopher Tyler, Jeremy Wolfe e Robert Wright.

Este livro é produto dos ambientes estimulantes de duas instituições: o Instituto de Tecnologia de Massachusetts e a Universidade da Califórnia, em Santa Bárbara. Meus agradecimentos especiais a Emilio Bizzi, do Departamento de Ciências Cognitivas e do Cérebro do MIT, por conceder-me uma licença sabática, e a Loy Lytle e Aaron Ettenberg, do Departamento de Psicologia, bem como a Patricia Clancy e a Marianne Mithun, do Departamento de Linguística da UCSB, por me convidarem para ser pesquisador visitante em seus departamentos.

Patricia Claffey, da Biblioteca Teuber do MIT, conhece tudo, ou pelo menos sabe onde encontrar, o que dá na mesma. Sou grato por seus incansáveis esforços para descobrir o material mais desconhecido com rapidez e bom humor. Minha secretária, muito a propósito chamada Eleanor Bonsaint, concedeu-me sua ajuda profissional e animadora em inúmeros assuntos. Meus agradecimentos também a Marianne Teuber e a Sabrina Detmar e Jennifer Riddell, do Centro List de Artes Visuais do MIT, pela sugestão para a arte da capa.*

Meus editores, Drake McFeely (Norton), Howard Boyer (atualmente na University of California Press), Stefan McGrath (Penguin) e Ravi Mirchandani (atualmente na Orion), concederam-me sua atenção e excelentes sugestões durante todo o processo. Também sou grato a meus agentes, John Brockman e Katinka Matson, por seus esforços em meu benefício e sua dedicação à literatura científica. Agradecimentos especiais a Katya Rice, que ao longo de catorze anos trabalhou comigo em quatro livros. Seu senso analítico e toque magistral melhoraram as obras e me ensinaram muito sobre clareza e estilo.

(*) O autor se refere à capa americana original. (N. T.)

Imensa é minha gratidão para com minha família, pelo apoio e sugestões que me deram: Harry, Roslyn, Robert e Susan Pinker, Martin, Eva, Carl e Eric Boodman, Saroja Subbiah e Stan Adams. Meus agradecimentos também a Windsor, Wilfred e Fiona.

O maior agradecimento é para minha esposa, Ilavenil Subbiah, que desenhou as figuras, fez comentários inestimáveis sobre o original, concedeu-me constante apoio, sugestões e carinho e compartilhou a aventura. Este livro é dedicado a ela, com amor e gratidão.

Minhas pesquisas sobre mente e linguagem foram subvencionadas pelo National Institutes of Health (subvenção HD 18381), pela National Science Foundation (subvenção 82-09540, 85-18774 e 91-09766) e pelo McDonnell-Pew Center for Cognitive Neuroscience, do MIT.

1

EQUIPAMENTO PADRÃO

Por que há tantos robôs na ficção mas nenhum na vida real? Eu pagaria muito por um robô que pudesse tirar a mesa depois do jantar ou fazer umas comprinhas na mercearia da esquina. Mas essa oportunidade eu não terei neste século e provavelmente nem no próximo. Existem, evidentemente, robôs que soldam ou pintam em linhas de montagem e que andam pelos corredores de laboratórios; minha pergunta é sobre as máquinas que andam, falam, veem e pensam, muitas vezes melhor do que seus patrões humanos. Desde 1920, quando Karel Čapek cunhou o termo *robô* em sua peça *R.U.R.*, os dramaturgos evocam-no livremente: Speedy, Cutie e Dave de *Eu, robô*, de Isaac Asimov, Robbie de *O planeta proibido*, a lata de sardinha de braços sacolejantes de *Perdidos no espaço*, os daleks de *Dr. Who*, Rosie, a empregada dos Jetsons, Nomad, de *Jornada nas estrelas*, Hymie, do *Agente 86*, os mordomos desocupados e os lojistas briguentos de *Dorminhoco*, R2D2 e C3PO de *Guerra nas estrelas*, o Exterminador, de *O exterminador do futuro*, Tenente-comandante Data, de *Jornada nas estrelas — A nova geração*, e os críticos de cinema piadistas de *Mystery Science Theater 3000*.

Este livro não é sobre robôs; é sobre a mente humana. Procurarei explicar o que é a mente, de onde ela veio e como nos permite ver, pensar, sentir, interagir e nos dedicar a vocações superiores, como a arte, a religião e a filosofia. Ao longo do caminho, tentarei lançar uma luz sobre peculiaridades distintamente humanas. Por que as lembranças desaparecem gradualmente? Como a maquiagem muda a aparência de um rosto? De onde vêm os estereótipos étnicos e quando eles são irracionais? Por que as pessoas perdem a calma? O que torna as crianças malcriadas? Por que os tolos se apaixonam? O que nos faz rir? E por que as pessoas acreditam em fantasmas e espíritos?

Mas o abismo entre os robôs da imaginação e os da realidade é meu ponto de partida, pois mostra o primeiro passo que devemos dar para conhecer a nós mesmos: avaliar o design fantasticamente complexo por trás das proezas da vida mental às quais não damos o devido valor. A razão de não haver robôs semelhantes a seres humanos não surge da ideia de uma mente mecânica estar errada. É que os problemas de engenharia que nós, humanos, resolvemos quando enxergamos, andamos, planejamos e tratamos dos afazeres diários são muito mais desafiadores do que chegar à Lua ou descobrir a sequência do genoma humano. A natureza, mais uma vez, encontrou soluções engenhosas que os engenheiros humanos ainda não conseguem reproduzir. Quando Hamlet diz: "Que obra de arte é um homem! Que nobreza de raciocínio! Que faculdades infinitas! Na forma e no movimento, que preciso e admirável!", nossa admiração deve se dirigir não a Shakespeare, Mozart, Einstein ou Kareem Abdul-Jabbar, mas para uma criança de quatro anos atendendo a um pedido de guardar um brinquedo na prateleira.

Em um sistema bem projetado, os componentes são caixas-pretas que desempenham suas funções como por mágica. Ocorre exatamente assim com a mente. A faculdade com que ponderamos o mundo não tem a capacidade de perscrutar seu próprio interior ou nossas outras faculdades para ver o que as faz funcionar. Isso nos torna vítimas de uma ilusão: a de que nossa psicologia provém de alguma força divina, essência misteriosa ou princípio todo-poderoso. Na lenda judaica do Golem, uma figura de barro foi animada quando a equiparam com a inscrição do nome de Deus. Esse arquétipo é reproduzido em muitas histórias de robôs. A estátua de Galateia ganhou vida com a resposta de Vênus às preces de Pigmalião; Pinóquio foi vivificado pela Fada Azul. Versões modernas do arquétipo do Golem aparecem em algumas das menos fantasiosas histórias da ciência. Afirma-se que toda a psicologia humana explica-se por uma causa única, onipotente: um cérebro grande, cultura, linguagem, socialização, aprendizado, complexidade, auto-organização, dinâmica de redes neurais.

Pretendo convencer você de que nossa mente não é animada por alguma emanação divina ou princípio maravilhoso único. A mente, como a espaçonave *Apollo*, é projetada para resolver muitos problemas de engenharia, sendo, portanto, equipada com sistemas de alta tecnologia, cada qual arquitetado para superar seus respectivos obstáculos. Inicio com a exposição desses problemas, que constituem tanto as especificações para o design de um robô como o tema da psicologia. Pois acredito que a descoberta, pela ciência cognitiva e inteligência artificial, dos desafios tecnológicos vencidos por nossa atividade mental rotineira é uma das grandes revelações da ciência, um despertar da imaginação comparável à descoberta de que o universo compõe-se de bilhões de galáxias ou de que numa gota de uma poça d'água existe abundante vida microscópica.

O DESAFIO DO ROBÔ

O que é necessário para construir um robô? Deixemos de lado habilidades sobre-humanas como calcular órbitas planetárias e comecemos com as habilidades humanas simples: enxergar, andar, segurar um objeto, pensar a respeito de objetos e pessoas e planejar como agir.

Nos filmes frequentemente nos mostram uma cena da perspectiva do olhar de um robô, com a ajuda de convenções artísticas como a distorção das lentes olho de peixe ou a retícula de fios cruzados. Isso dá certo para nós, os espectadores, que já possuímos olhos e cérebro funcionando. Mas de nada vale para as entranhas de um robô. Ele não abriga um público espectador de homúnculos para fitar a imagem e dizer ao robô o que estão vendo. Se você pudesse enxergar o mundo através dos olhos de um robô, não veria nada parecido com uma imagem de filme decorada com retículas, mas alguma coisa assim:

```
225 221 216 219 219 214 207 218 219 220 207 155 136 135
213 206 213 223 208 217 223 221 223 216 195 156 141 130
206 217 210 216 224 223 228 230 234 216 207 157 136 132
211 213 221 223 220 222 237 216 219 220 176 149 137 132
221 229 218 230 228 214 213 209 198 224 161 140 133 127
220 219 224 220 219 215 215 206 206 221 159 143 133 131
221 215 211 214 220 218 221 212 218 204 148 141 131 130
214 211 211 218 214 220 226 216 223 209 143 141 141 124
211 208 223 213 216 226 231 230 241 199 153 141 136 125
200 224 219 215 217 224 232 241 240 211 150 139 128 132
204 206 208 205 233 241 241 252 242 192 151 141 133 130
200 205 201 216 232 248 255 246 231 210 149 141 132 126
191 194 209 238 245 255 249 235 238 197 146 139 130 132
189 199 200 227 239 237 235 236 247 192 145 142 124 133
198 196 209 211 210 215 236 240 232 177 142 137 135 124
198 203 205 208 211 224 226 240 210 160 139 132 129 130
216 209 214 220 210 231 245 219 169 143 148 129 128 136
211 210 217 218 214 227 244 221 162 140 139 129 133 131
215 210 216 216 209 220 248 200 156 139 131 129 139 128
219 220 211 208 205 209 240 217 154 141 127 130 124 142
229 224 212 214 220 229 234 208 151 145 128 128 142 122
```

252	224	222	224	233	244	228	213	143	141	135	128	131	129
255	235	230	249	253	240	228	193	147	139	132	128	136	125
250	245	238	245	246	235	235	190	139	136	134	135	126	130
240	238	233	232	235	255	246	168	156	144	129	127	136	134

Cada número representa o brilho de um dentre os milhões de minúsculos retalhos [*patches*] que compõem o campo visual. Os números menores provêm de retalhos mais escuros; os maiores, de retalhos mais brilhantes. Os números mostrados no quadro são os verdadeiros sinais provenientes de uma câmera eletrônica manejada pela mão de uma pessoa, embora pudessem igualmente ser as taxas de disparo de algumas das fibras nervosas que vão do olho ao cérebro quando uma pessoa olha para uma mão. Para reconhecer objetos e não trombar com eles, o cérebro de um robô — ou um cérebro humano — precisa processar laboriosamente esses números e adivinhar que tipos de objetos existentes no mundo refletem a luz que os fez aparecer. O problema é humilhantemente difícil.

Primeiro, um sistema visual precisa localizar onde termina um objeto e começa o fundo da cena. Mas o mundo não é um livro de colorir, com contornos pretos ao redor de regiões sólidas. O mundo que se projeta em nossos olhos é um mosaico de minúsculos retalhos sombreados. Talvez, poderíamos supor, o cérebro visual procure regiões onde uma colcha de retalhos de números grandes (uma região mais brilhante) seja limítrofe de uma colcha de retalhos de números pequenos (uma região mais escura). Você pode distinguir uma fronteira desse tipo no quadrado de números; ela segue na diagonal, da parte superior direita para o centro da parte inferior. Na maioria das vezes, infelizmente, você não teria encontrado a borda de um objeto, onde ele dá lugar ao espaço vazio. A justaposição de números grandes e pequenos poderia ter provindo de muitos arranjos distintos de matéria. O desenho da página seguinte à esquerda, concebido pelos psicólogos Pawan Sinha e Edward Adelson, parece mostrar um circuito de ladrilhos cinza-claros e cinza-escuros.

Na verdade, ele é um recorte retangular em uma cobertura preta através da qual você está vendo uma parte da cena. No desenho à direita, a cobertura foi removida e você pode ver que cada par de quadrados cinza, quadrados que estão lado a lado, provém de um arranjo diferente de objetos.

Números grandes ao lado de números pequenos podem provir de um objeto que está à frente de outro objeto, de papel escuro colocado sobre papel claro, de uma superfície pintada com dois tons de cinza, de dois objetos tocando-se lado a lado, de celofane cinza sobre uma página branca, de um canto interior ou exterior onde duas paredes se encontram ou de uma sombra. De alguma forma o cérebro precisa resolver esse problema de "quem nasceu pri-

 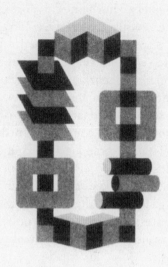

meiro: o ovo ou a galinha?" — tem de identificar objetos tridimensionais a partir dos retalhos na retina *e* determinar o que é cada retalho (sombra ou pintura, dobra ou revestimento, claro ou opaco) a partir do conhecimento do objeto do qual o retalho faz parte.

As dificuldades apenas começaram. Depois de termos esculpido o mundo visual em objetos, precisamos saber do que eles são feitos, digamos, distinguir neve de carvão. À primeira vista, o problema parece simples. Se os números grandes provêm de regiões brilhantes e os pequenos, de regiões escuras, então número grande equivale a branco, que equivale a neve, e número pequeno equivale a preto, que equivale a carvão, certo? Errado. A quantidade de luz que atinge um local da retina depende não só do quanto um objeto é claro ou escuro, mas também do quanto é brilhante ou opaca a luz que ilumina o objeto. O medidor de luz de um fotógrafo mostraria a você que mais luz ricocheteia de um pedaço de carvão que está ao ar livre do que de uma bola de neve dentro de casa. Por isso é que tantas pessoas muitas vezes se decepcionam com seus instantâneos e a fotografia é um ofício tão complicado. A câmera não mente; se deixada a seus próprios recursos, ela mostra cenas ao ar livre como leite e cenas de interior como lama. Os fotógrafos, e às vezes microchips existentes na câmera, com jeitinho persuadem o filme a fornecer uma imagem realista, servindo-se de truques como regulagem do tempo do obturador, aberturas das lentes, velocidades de filme, flashes e manipulações na câmara escura.

Nosso sistema visual faz muito melhor. De algum modo, ele permite que vejamos o brilhante carvão ao ar livre como um objeto preto e a escura bola de neve dentro de casa como algo branco. Esse é um resultado adequado, pois nossa sensação consciente de cor e luminosidade condiz com o mundo como ele é em vez de com o mundo como ele se apresenta aos olhos. A bola de neve é macia, molhada e tende a derreter esteja dentro ou fora de casa, e nós a vemos branca esteja ela dentro ou fora. O carvão é sempre preto, sujo e tende a queimar, e sempre o vemos preto. A harmonia entre como o mundo *parece ser* e como ele *é* tem de ser uma realização de nossa magia neural, pois preto e branco não se anunciam simplesmente na retina. Caso você ainda esteja cético, eis uma demonstração corriqueira. Quando um televisor é desligado, a tela é de uma cor cinza-esverdeada clara. Quando o aparelho está ligado, alguns dos pontos fosforescentes emitem luz, pintando as áreas brilhantes da imagem. Mas os outros pontos não sugam luz e pintam as áreas escuras; eles simplesmente se mantêm cinzentos. As áreas que você enxerga como pretas são, na verdade, apenas a sombra pálida do tubo de imagem que vemos quando o aparelho está desligado. O negrume não é real, é um produto dos circuitos cerebrais que normalmente permitem que você veja o carvão como carvão. Os engenheiros da televisão exploraram esses circuitos quando projetaram a tela.

O problema seguinte é ver em profundidade. Nossos olhos esmagam o mundo tridimensional transformando-o num par de imagens retinianas bidimensionais, e a terceira dimensão precisa ser reconstituída no cérebro. Mas não há sinais reveladores nos retalhos projetados na retina que indiquem o quanto uma superfície se encontra distante. Um selo na palma de sua mão pode projetar sobre sua retina o mesmo quadrado que uma cadeira do outro lado da sala ou um prédio a quilômetros de distância (página seguinte, figura 1). Uma tábua de cortar vista de frente pode projetar o mesmo trapezoide que vários fragmentos irregulares dispostos em posições inclinadas (figura 2).

Você pode perceber a intensidade deste fato da geometria, e do mecanismo neural que lida com ele, fitando uma lâmpada durante alguns segundos ou olhando para uma câmera quando o flash dispara, o que temporariamente produz um retalho branco em sua retina. Se em seguida você olhar a página à sua frente, a pós-imagem adere a ela e parece ter uma ou duas polegadas de um lado a outro. Se olhar para a parede, a pós-imagem parece ter pouco mais de um metro de comprimento. Se olhar para o céu, ela é do tamanho de uma nuvem.

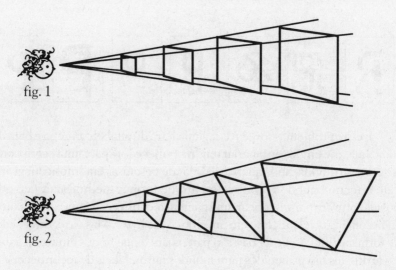

fig. 1

fig. 2

Finalmente, como um módulo de visão poderia reconhecer os objetos que estão lá fora, no mundo, de modo que o robô possa nomeá-los ou lembrar o que eles fazem? A solução óbvia é construir um gabarito ou molde para cada objeto, duplicando sua forma. Quando um objeto aparece, sua projeção na retina se ajustaria a seu próprio gabarito, como um pino redondo em um buraco redondo. O gabarito seria rotulado com o nome da forma — neste caso, "a letra P" —, e, sempre que uma forma coincidisse com ele, o gabarito anunciaria o nome.

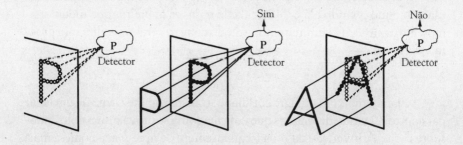

Infelizmente, esse dispositivo simples funciona mal de ambos os modos possíveis. Ele vê letras P que não estão ali; por exemplo, dá um alarme falso para o R mostrado no primeiro retângulo abaixo. E deixa de ver letras P que estão lá; por exemplo, não a vê quando ela está fora de lugar, inclinada, oblíqua, longe demais, perto demais ou enfeitada demais:

E esses problemas surgem com uma letra do alfabeto precisa e bem definida. Imagine então tentar criar um "reconhecedor" para uma camisa ou um rosto! Sem dúvida, após quatro décadas de pesquisas em inteligência artificial, a tecnologia do reconhecimento de formas melhorou. Você talvez possua software para escanear uma página, reconhecer a impressão e convertê-la com razoável precisão em um arquivo de bytes. Mas os reconhecedores de forma artificiais ainda não são páreo para o que temos em nossa cabeça. Os artificiais são projetados para mundos puros, fáceis de reconhecer e não para o entrelaçado, misturado mundo real. Os numerozinhos engraçados na parte inferior dos cheques foram cuidadosamente desenhados, de modo que suas formas não se sobreponham, e impressos com um equipamento especial que os posiciona com exatidão para que possam ser reconhecidos por gabaritos. Quando os primeiros reconhecedores de rosto forem instalados em prédios para substituir os porteiros, nem tentarão interpretar o claro-escuro de seu rosto; escanearão os contornos bem delineados, rígidos de sua íris ou de seus vasos sanguíneos retinianos. Nosso cérebro, em contraste, mantém um registro da forma de cada rosto que conhecemos (e de cada letra, animal, instrumento etc.), e o registro de algum modo ajusta-se a uma imagem retiniana mesmo quando ela é distorcida de todas as maneiras que mencionamos. No capítulo 4 examinaremos o modo como o cérebro realiza essa proeza magnífica.

Vejamos mais um milagre cotidiano: transportar um corpo de um lugar para outro. Quando desejamos que uma máquina se mova, nós a colocamos sobre rodas. A invenção da roda frequentemente é apregoada como a mais louvável realização da civilização. Muitos livros didáticos ressaltam que nenhum animal desenvolveu rodas ao longo de sua evolução, citando esse fato como um exemplo de que a evolução muitas vezes é incapaz de encontrar a solução ótima para um problema de engenharia. Mas esse não é, absolutamente, um bom exemplo. Mesmo que a natureza *pudesse* fazer um alce evoluir até lhe aparecerem rodas, ela decerto optaria por não fazê-lo. Rodas são úteis somente num mundo com estradas e trilhos. Atolam em qualquer terreno mole, escorregadio, íngreme ou irregular. As pernas são melhores.

As rodas precisam rolar sobre uma superfície contínua de apoio, mas as pernas podem ser colocadas em uma série de bases de apoio diferentes, sendo a escada um exemplo extremo. As pernas também podem ser posicionadas de modo a minimizar cambaleios e a passar por cima de obstáculos. Mesmo hoje em dia, quando o mundo parece ter se transformado em um estacionamento, apenas cerca da metade do solo do planeta é acessível a veículos com rodas ou trilhos, mas a maior parte dos terrenos do planeta é acessível a veículos com pés ou patas: animais, os veículos projetados pela seleção natural.

Mas as pernas têm um preço alto: o software para controlá-las. Uma roda, simplesmente girando, muda gradualmente seu ponto de apoio e pode suportar peso o tempo todo. Uma perna precisa mudar seu ponto de apoio de uma vez só, e o peso tem de ser descarregado para que ela possa fazê-lo. Os motores que controlam a perna têm de alternar entre manter o pé no chão enquanto ele sustenta e impele a carga e descarregar o peso para deixar a perna livre para mover-se. Durante todo esse tempo, é preciso manter o centro de gravidade do corpo dentro do polígono definido pelos pés, de modo que o corpo não tombe. Os controladores também devem minimizar o desperdiçador movimento de sobe-desce que é o tormento dos que cavalgam. Nos brinquedos de corda que andam, esses problemas são toscamente resolvidos por um encadeamento mecânico que converte um eixo giratório em movimento de passos. Mas os brinquedos não podem ajustar-se ao terreno encontrando o melhor apoio para os pés.

Mesmo se resolvêssemos esses problemas, teríamos descoberto apenas como controlar um inseto ambulante. Com seis pernas, um inseto sempre é capaz de manter um tripé no chão enquanto ergue o outro tripé. Em todos os instantes ele se mantém estável. Mesmo os animais quadrúpedes, quando não se movem rápido demais, conseguem manter um tripé no chão o tempo todo. Mas, como comentou um engenheiro, "a própria locomoção ereta sobre dois pés do ser humano parece quase uma receita para o desastre, sendo necessário um notável controle para torná-la praticável". Quando andamos, repetidamente nos desequilibramos e interrompemos a queda no momento preciso. Quando corremos, decolamos em arrancadas de voo. Essas acrobacias aéreas nos permitem fixar os pés em apoios muito separados, ou separados de um modo errático, que não nos apoiariam se estivéssemos parados, e permitem também nos espremermos em caminhos estreitos e saltar obstáculos. Mas ninguém até agora descobriu como fazemos isso.

Controlar um braço representa um novo desafio. Segure uma luminária de arquiteto e movimente-a diagonalmente em uma reta que parte de perto de você, abaixa-se à esquerda, afasta-se e sobe à direita. Observe as hastes e articulações enquanto a luminária se move. Embora a luminária siga uma linha reta, cada haste volteia em um arco complexo, ora precipitando-se com rapidez, ora permanecendo quase parada, às vezes passando de uma curva para um movimento reto. Agora, imagine ter de fazer tudo ao contrário: sem olhar para a luminária, você tem de coreografar a sequência dos volteios ao redor de cada junta que irão mover a luminária ao longo da trajetória reta. A trigonometria é pavorosamente complicada. Mas seu braço é uma luminária de arquiteto, e seu cérebro, sem esforço, resolve as equações toda vez que você aponta para alguma coisa. E, se você alguma vez já segurou uma luminária de arquiteto pela braçadeira que a prende, perceberá que o problema é ainda mais difícil do que descrevi. A lâmpada balança sob seu peso, como se tivesse vontade própria; o mesmo faria seu braço caso seu cérebro não compensasse o peso, resolvendo um problema de física quase intratável.

Uma façanha ainda mais admirável é controlar a mão. Quase 2 mil anos atrás, o médico grego Galeno salientou a primorosa engenharia natural existente na mão humana. Ela é um único instrumento que manipula objetos de uma espantosa variedade de tamanhos, formas e pesos, de um tronco de árvore a uma semente de painço. "O homem manuseia todos eles tão bem quanto se suas mãos houvessem sido feitas visando exclusivamente a cada um", observou Galeno. A mão pode ser configurada como um gancho (para levantar um balde), uma tesoura (para segurar um cigarro), um mandril de cinco mordentes (para erguer um porta-copos), um mandril de três mordentes (para segurar um lápis), um mandril de dois mordentes com almofadas opostas (para costurar com agulha), um mandril de dois mordentes com uma almofada encostada em um lado (para girar uma chave), em posição de apertar (para segurar um martelo), como um disco que prende e gira (para abrir um vidro) e numa posição esférica (para pegar uma bola). Cada posição de segurar requer uma combinação precisa de tensões musculares que moldam a mão na forma apropriada e a mantém assim, enquanto a carga tenta fazê-la reassumir a forma inicial. Pense em erguer um pacote de leite longa vida. Se não apertar o suficiente, você o deixará cair; se apertar demais, o esmagará; e balançando de leve você pode até mesmo usar os movimentos sob as pontas dos dedos como um medidor de nível para saber quanto leite há dentro! E nem começarei a falar sobre a língua, um balão de água sem ossos controlado apenas por apertos, capaz de tirar comida de um dente posterior ou de executar o balé que articula palavras como *trincheiras* e *sextos*.

"Um homem comum maravilha-se com coisas incomuns; um sábio maravilha-se com o corriqueiro." Conservando na mente a máxima de Confúcio, continuemos o exame de atos humanos corriqueiros com os olhos peculiares de um projetista de robô que procura duplicar esses atos. Finja que, de algum modo, construímos um robô capaz de enxergar e mover-se. O que ele fará com o que vir? De que maneira decidirá como agir?

Um ser inteligente não pode tratar cada objeto que vê como uma entidade única, diferente de tudo o mais no universo. Precisa situar os objetos em categorias, para poder aplicar ao objeto que tiver diante de si o conhecimento que adquiriu arduamente a respeito de objetos semelhantes, encontrados no passado.

Mas, sempre que alguém tenta programar um conjunto de critérios para abranger os membros de uma categoria, a categoria desintegra-se. Deixando de lado conceitos ardilosos como "beleza" ou "materialismo dialético", vejamos um exemplo didático de um conceito bem definido: "solteiro". Um solteiro, está claro, é simplesmente um homem adulto que nunca se casou. Agora imagine que uma amiga pediu-lhe para convidar alguns solteiros para a festa que ela vai dar. O que aconteceria se você usasse essa definição para decidir qual das pessoas a seguir irá convidar?

Arthur vive feliz com Alice há cinco anos. Eles têm uma filha de dois anos e nunca se casaram oficialmente.

Bruce estava prestes a ser convocado pelo Exército, por isso casou com sua amiga Barbara para conseguir a dispensa. Os dois nunca viveram juntos. Ele já teve várias namoradas e tenciona obter a anulação do casamento assim que encontrar alguém com quem deseje casar.

Charlie tem dezessete anos. Mora na casa dos pais e está no curso secundário.

David tem dezessete anos. Saiu de casa aos treze, começou um pequeno negócio e hoje em dia é um bem-sucedido jovem empresário que leva uma vida de playboy em seu apartamento de cobertura.

Eli e Edgar formam um casal homossexual e vivem juntos há vários anos.

Faisal está autorizado pela lei de sua terra natal, Abu Dhabi, a ter três esposas. Atualmente tem duas e está interessado em conhecer outra noiva em potencial.

Padre Gregory é bispo da catedral católica em Groton upon Thames.

Essa lista, fornecida pelo cientista da computação Terry Winograd, mostra que a definição direta de "solteiro" não captura nossas intuições quanto a quem se enquadra na categoria.

Saber quem é solteiro é apenas uma questão de bom-senso, mas não há nada de banal no bom-senso. De algum modo, ele tem de encontrar seu caminho em um cérebro de ser humano ou de robô. E o bom-senso não é simplesmente um almanaque sobre a vida que pode ser ditado por um professor ou transferido como um enorme banco de dados. Nenhum banco de dados poderia arrolar todos os fatos que conhecemos tacitamente, e ninguém jamais nos ensinou esses fatos. Você sabe que, quando Irving põe o cachorro no carro, o animal não está mais no quintal. Quando Edna vai à igreja, sua cabeça vai junto. Se Doug está dentro da casa, deve ter entrado por alguma passagem, a menos que tenha nascido ali e dali nunca tivesse saído. Se Sheila está viva às nove da manhã e está viva às cinco da tarde, também estava viva ao meio-dia. As zebras na selva nunca usam pijama. Abrir um vidro de uma nova marca de manteiga de amendoim não encherá a casa de vapor. As pessoas nunca enfiam termômetros para alimentos na orelha. Um esquilo é menor que o monte Kilimanjaro.

Portanto, um sistema inteligente não pode ser entupido com trilhões de fatos. Tem de ser equipado com uma lista menor de verdades essenciais e um conjunto de regras para deduzir suas implicações. Mas as regras do bom-senso, assim como as categorias do bom-senso, são frustrantemente difíceis de estabelecer. Mesmo as mais diretas não conseguem capturar nosso raciocínio cotidiano. Mavis mora em Chicago e tem um filho chamado Fred, e Millie mora em Chicago e tem um filho chamado Fred. Porém, embora a Chicago onde Mavis mora seja a mesma Chicago onde Millie mora, o Fred que é filho de Mavis não é o mesmo Fred que é filho de Millie. Se há uma sacola em seu carro e um litro de leite na sacola, então há um litro de leite em seu carro. Mas, se há uma pessoa em seu carro e um litro de sangue em uma pessoa, seria estranho concluir que há um litro de sangue em seu carro.

Ainda que você conseguisse elaborar um conjunto de regras que originassem apenas conclusões sensatas, não é nada fácil usar todas elas para guiar inteligentemente o comportamento. Evidentemente, quem pensa não pode aplicar apenas uma regra por vez. Um fósforo emite luz; um serrote corta madeira; uma fechadura de porta é aberta com uma chave. Mas rimos de alguém que acende um fósforo para espiar o que há num tanque de combustível, que serra a perna sobre a qual se apoia ou que tranca o carro com a chave em seu interior e passa a hora seguinte tentando descobrir como tirar a família lá de dentro. Quem pensa precisa computar não apenas os efeitos diretos de uma ação, mas os efeitos colaterais também.

No entanto quem pensa não pode ficar fabricando previsões sobre *todos* os efeitos colaterais. O filósofo Daniel Dennett pede-nos que imaginemos um robô projetado para buscar uma bateria de reserva em uma sala que também contém uma bomba-relógio. A Versão 1 viu que a bateria estava em um carrinho e que, se puxasse o carrinho, a bateria viria junto. Infelizmente, a bomba também estava no carrinho, e o robô não deduziu que puxá-lo traria junto a bomba. A Versão 2 foi programada para levar em conta todos os efeitos colaterais de suas ações. Acabara de computar que puxar o carrinho não mudaria a cor das paredes da sala e estava provando que as rodas fariam mais giros do que o número de rodas existentes no carrinho quando a bomba explodiu. A Versão 3 estava programada para distinguir entre implicações relevantes e irrelevantes. Ficou ali parada, deduzindo milhões de implicações e colocando todas as relevantes em uma lista de fatos a considerar e todas as irrelevantes em uma lista de fatos a desconsiderar, enquanto a bomba-relógio tiquetaqueava.

Um ser inteligente precisa deduzir as implicações do que ele sabe, mas apenas as implicações *relevantes*. Dennett ressalta que esse requisito representa um problema imenso não só para se projetar um robô mas também para a epistemologia, a análise do como sabemos. Esse problema escapou à observação de gerações de filósofos, tornados complacentes pela ilusória falta de esforço de seu próprio bom-senso. Só quando os pesquisadores da inteligência artificial tentaram duplicar o bom-senso em computadores, a suprema tábula rasa, o enigma, atualmente denominado "problema do modelo" [*frame problem*], veio à luz. Entretanto, de algum modo, todos nós resolvemos o problema do modelo quando usamos nosso bom-senso.

Imagine que de alguma forma superamos esses desafios e temos uma máquina com visão, coordenação motora e bom-senso. Agora precisamos descobrir como o robô os usará. Temos de dar a ele motivos.

O que um robô deveria desejar? A resposta clássica está nas Regras Fundamentais da Robótica, de Isaac Asimov, "as três regras que estão embutidas mais profundamente no cérebro positrônico de um robô":

1. Um robô não pode ferir um ser humano ou, por inação, permitir que um ser humano sofra qualquer mal.

2. Um robô tem de obedecer às ordens que os seres humanos lhe derem, exceto quando essas ordens entrem em conflito com a Primeira Lei.

3. Um robô tem de proteger sua própria existência, desde que essa proteção não entre em conflito com a Primeira ou a Segunda Lei.

Asimov, com perspicácia, notou que a autopreservação, esse imperativo biológico universal, não emerge automaticamente em um sistema complexo. Ela tem de ser programada (neste caso, como a Terceira Lei). Afinal, é tão fácil construir um robô que permita a sua própria ruína ou elimine um defeito cometendo suicídio quanto construir um robô que sempre cuide do Patrão. Talvez seja até mais fácil; os fabricantes de robôs às vezes assistem horrorizados às suas criações alegremente cortando fora um membro ou se despedaçando contra a parede, e uma proporção significativa das máquinas mais inteligentes do mundo são os mísseis de cruzeiro e as bombas guiadas "inteligentes".

Mas a necessidade das duas outras leis está longe de ser óbvia. Por que dar a um robô uma ordem para que ele obedeça às ordens — as ordens originais não bastam? Por que comandar um robô para que ele não faça mal — não seria mais fácil nunca mandar que ele fizesse mal? Será que o universo contém uma força misteriosa que impele as entidades para a maldade, de modo que um cérebro positrônico precisa ser programado para resistir a ela? Nos seres inteligentes inevitavelmente se desenvolve um problema de atitude?

Neste caso, Asimov, assim como gerações de pensadores, como todos nós, foi incapaz de se desvencilhar de seus próprios processos de pensamento e de vê-los como um produto do modo como nossa mente foi formada, em vez de vê-los como leis inescapáveis do universo. A capacidade do homem para o mal nunca se afasta de nossa mente, e é fácil julgar que o mal simplesmente vem junto com a inteligência, como parte de sua própria essência. Esse é um tema recorrente em nossa tradição cultural: Adão e Eva comendo o fruto da árvore do conhecimento, o fogo de Prometeu e a caixa de Pandora, o violento Golem, o pacto de Fausto, o Aprendiz de Feiticeiro, as aventuras de Pinóquio, o monstro de Frankenstein, os macacos assassinos e o amotinado HAL de *2001: Uma odisseia no espaço.* Da década de 50 até o fim dos anos 80, inúmeros filmes no gênero computador desvairado refletiram o temor popular de que os exóticos mainframes da época viessem a ficar mais espertos e mais poderosos e, algum dia, se voltassem contra nós.

Agora que os computadores *realmente* ficaram mais espertos e mais poderosos, a ansiedade esvaeceu. Os ubíquos computadores em rede da atualidade têm uma capacidade sem precedentes para fazer o mal se algum dia se tornarem perversos. Mas as únicas ações danosas provêm do caos imprevisível ou da maldade humana em forma de vírus. Já não nos preocupamos com *serial killers* eletrônicos ou subversivas conspirações de silício, porque estamos começando a perceber que a maldade — assim como a visão, a coordenação motora e o bom-senso — não aparece livremente com a computação, ela tem de ser programada. O computador que roda o WordPerfect em sua mesa continuará a encher parágrafos enquanto for capaz de alguma coisa. Seu software não sofrerá uma mutação insidiosa para a depravação como o retrato de Dorian Gray.

Mesmo que isso fosse possível, por que ele o desejaria? Para conseguir ... o quê? Mais discos flexíveis? O controle do sistema ferroviário do país? Satisfação de um desejo de cometer violência gratuita contra os técnicos de manutenção da impressora a laser? E ele não teria de se preocupar com a represália dos técnicos, que, com uma volta de parafuso, poderiam deixá-lo pateticamente cantando o "Parabéns a você"? Uma rede de computadores talvez pudesse descobrir a segurança de agir em um grupo numeroso e tramar uma tomada organizada do poder — mas o que levaria um computador a se oferecer como voluntário para disparar o pacote de dados ouvidos no mundo inteiro e arriscar-se a ser o primeiro mártir? E o que impediria que a coalizão fosse solapada por desertores de silício e opositores conscientes? A agressão, como todas as demais partes do comportamento humano que supomos naturais e espontâneas, é um dificílimo problema de engenharia!

Mas, por outro lado, os motivos mais benévolos, mais brandos, também são. Como você projetaria um robô para obedecer à ordem de Asimov de jamais permitir que um ser humano sofresse algum mal devido à inação? O romance *The tin men*, de Michael Frayn, publicado em 1965, tem como cenário um laboratório de robótica; os engenheiros da Ala Ética, Macintosh, Goldwasser e Sinson, estão testando o altruísmo de seus robôs. Levaram demasiadamente ao pé da letra o hipotético dilema mencionado em todos os livros didáticos de filosofia moral no qual duas pessoas se encontram em um barco salva-vidas construído para apenas uma, e ambas morrerão se uma delas não se lançar ao mar. Assim, os cientistas colocam cada robô numa balsa com outro ocupante, depositam a balsa em um tanque e observam o que acontece.

[Na] primeira tentativa, Samaritano I se jogara na água com grande entusiasmo, mas se jogara na água para salvar qualquer coisa que por acaso estivesse a seu lado na balsa, de sete caroços de lima a doze sementes molhadas de alga marinha. Após muitas semanas de discussão obstinada, Macintosh admitira que a falta de discriminação era insatisfatória, abandonando Samaritano I e construindo Samaritano II, o qual se sacrificaria apenas por um organismo pelo menos tão complicado quanto ele próprio.

A balsa parou, girando lentamente, a alguns centímetros da superfície da água. "Deixe cair", gritou Macintosh.

A balsa atingiu a água com estrondo. Sinson e Samaritano sentaram-se muito quietos. Gradualmente, a balsa foi parando, até que uma tênue camada de água começou a penetrar nela. Imediatamente, Samaritano inclinou-se à frente e agarrou a cabeça de Sinson. Com quatro movimentos precisos, mediu o tamanho de seu crânio e depois parou, computando. Então, com um clique resoluto, rolou para o lado até cair da balsa e afundou sem hesitação no tanque.

Mas, à medida que os robôs Samaritano II passavam a comportar-se como os agentes virtuosos dos livros de filosofia, ficava cada vez menos claro se havia neles realmente alguma virtude. Macintosh explicou por que simplesmente não atava uma corda no abnegado robô para facilitar recuperá-lo: "Não quero que ele saiba que será salvo. Isso invalidaria sua decisão de sacrificar-se [...] Por isso, de vez em quando, deixo um deles lá dentro, em vez de pescá-lo. Para mostrar aos outros que não estou brincando. Dei baixa em dois esta semana". Tentar saber o que é preciso para programar a bondade em um robô mostra não só quanto mecanismo é preciso para ser bom mas, antes de mais nada, o quanto é ardiloso o conceito de bondade.

E quanto ao mais afetuoso de todos os motivos? Os vacilantes computadores da cultura pop dos anos 60 não eram tentados só pelo egoísmo e o poder, como vemos na canção do comediante Allan Sherman, "Automation", cantada no mesmo tom de "Fascinação":

> It was automation, I know.
> That was what was making the factory go.
> It was IBM, it was Univac.
> It was all those gears going clickety clack, dear.
> I thought automation was keen
> Till you were replaced by a ten-ton machine.
> It was a computer that tore us apart, dear,
> Automation broke my heart [...]

> It was automation, I'm told,
> That's why I got fired and I'm out in the cold.
> How could I have known, when the 503
> Started in to blink, it was winking at me, dear?
> I thought it was just some mishap
> When it sidled over and sat on my lap.

> *But when it said "I love you" and gave me a hug, dear,*
> *That's when I pulled out... its... plug.**

Mas, apesar de toda a doidice que o caracteriza, o amor não é falha mecânica, pane ou defeito de funcionamento. A mente nunca está tão maravilhosamente concentrada como quando se volta para o amor, e deve haver cálculos intricados que põem em prática a singular lógica da atração, fascinação, corte, recato, entrega, compromisso, insatisfação, escapada, ciúme, abandono e desolação. E no fim, como dizia minha avó, cada panela encontra sua tampa; a maioria das pessoas — incluindo, significativamente, todos os nossos ancestrais — dá um jeito de viver com um parceiro tempo suficiente para produzir filhos viáveis. Imagine quantas linhas de programa seria preciso para duplicar isso!

Projetar um robô é uma espécie de tomada de consciência. Tendemos a ter uma atitude *blasé* com respeito à nossa vida mental. Abrimos os olhos, e artigos familiares aparecem; desejamos que nossos membros se movam, e objetos e corpos flutuam até o lugar desejado; acordamos depois de um sonho e voltamos para um mundo tranquilizadoramente previsível; Cupido retesa o arco e dispara a flecha. Mas pense no que seria necessário para um pedaço de matéria obter todos esses resultados improváveis e você começará a enxergar através da ilusão. Visão, ação, bom-senso, violência, moralidade e amor não são acidentes, não são ingredientes inextricáveis de uma essência inteligente, nem inevitabilidade de um processamento de informações. Cada uma dessas coisas é um *tour de force*, elaborado por um alto nível de design deliberado. Oculto por trás dos painéis da consciência, deve existir um mecanismo fantasticamente complexo — analisadores ópticos, sistemas de orientação de movimento, simulações do mundo, bancos de dados sobre pessoas e coisas, programadores de objetivos, solucionadores de conflitos e muitos outros. Qualquer explicação sobre como a mente funciona que faça uma alusão esperançosa a alguma força mestra única ou a um elixir produtor de mente como "cultura", "aprendizado" ou "auto-organização"

(*) "Era a automação, eu sei./ Era o que estava fazendo a fábrica funcionar./ Era IBM, era Univac./ Eram todas aquelas engrenagens fazendo clíqueti-cláqueti, querida./ Eu achava a automação uma beleza/ Até que substituíram você por uma máquina de dez toneladas./ Foi um computador que nos separou, querida,/ A automação partiu meu coração [...]// Foi a automação, me disseram,/ Por causa dela fui despedido e não tenho onde cair morto./ Como é que eu podia saber, quando a 503/ Começou a lampejar, que ela estava piscando para mim, querida?/ Pensei que fosse um mero acidente/ Quando ela veio chegando de lado e sentou no meu colo./ Mas quando ela disse 'eu te amo' e me abraçou, querida,/ Foi quando eu puxei... seu... plugue."

começa a parecer vazia, absolutamente incapaz de satisfazer as exigências do impiedoso universo com o qual lidamos tão bem.

O desafio do robô permite entrever uma mente munida de equipamento original, mas ainda pode parecer a você um argumento meramente teórico. Será que de fato encontramos sinais dessa complexidade quando examinamos diretamente o mecanismo da mente e os projetos para montá-lo? Acredito que sim, e o que vemos nos amplia os horizontes tanto quanto o próprio desafio do robô.

Quando as áreas visuais do cérebro sofrem dano, por exemplo, o mundo visual não fica simplesmente embaçado ou crivado de buracos. Determinados aspectos da experiência visual são eliminados enquanto outros ficam intactos. Alguns pacientes veem um mundo completo mas só prestam atenção a metade dele. Comem a comida que está do lado direito do prato, fazem a barba só na face direita e desenham um relógio com doze números espremidos na metade direita do mostrador. Outros pacientes perdem a sensação de cor, mas não veem o mundo como um filme de arte em preto e branco. As superfícies lhes parecem encardidas e pardacentas, acabando com seu apetite e libido. Há também quem pode ver os objetos mudarem de posição mas não consegue vê-los em movimento — uma síndrome que um filósofo certa vez tentou convencer-me de que era logicamente impossível! O vapor de uma chaleira não flui, parece um pingente de gelo; a xícara não se enche gradualmente com chá; está vazia e de repente fica cheia.

Outros pacientes não são capazes de reconhecer os objetos que veem: seu mundo é como uma caligrafia que não conseguem decifrar. Eles copiam fielmente um pássaro mas o identificam como um toco de árvore. Um isqueiro é um mistério até ser aceso. Quando tentam tirar as ervas daninhas do jardim, eles arrancam as rosas. Alguns pacientes conseguem reconhecer objetos inanimados, mas não rostos. O paciente deduz que a face no espelho deve ser a sua própria, mas não se reconhece naturalmente. Identifica John F. Kennedy como Martin Luther King e pede à esposa para usar uma fita durante uma festa para poder encontrá-la na hora de ir embora. Mais estranho ainda é o paciente que reconhece o rosto mas não a pessoa: vê sua esposa como uma impostora espantosamente convincente.

Essas síndromes são causadas por um dano, geralmente um derrame, em uma ou mais das trinta áreas cerebrais que compõem o sistema visual dos primatas. Algumas áreas são especializadas para a cor e a forma, outras para o local do objeto, ou para o que é o objeto, e outras ainda para o modo como o objeto se move. Um robô que vê não pode ser construído apenas com o visor olho de peixe dos filmes de cinema, e não surpreende descobrir que os humanos também não são feitos dessa maneira. Quando contemplamos o mundo, não discernimos as muitas camadas de mecanismos que fundamentam nossa experiência visual unificada até que uma doença neurológica as disseque para nós.

Outro alargamento de horizonte é proporcionado pelas espantosas semelhanças entre gêmeos idênticos, que compartilham as receitas genéticas construtoras da mente. Suas mentes são assombrosamente semelhantes, e não só em medidas grosseiras como o QI e em traços de personalidade como neuroticismo e introversão. Eles são semelhantes em talentos como soletração e matemática, nas opiniões sobre questões como apartheid, pena de morte e mães que trabalham fora, na escolha da carreira, nos hobbies, vícios, devoções religiosas e gosto para namoradas. Os gêmeos idênticos são muito mais parecidos do que os gêmeos fraternos, que compartilham apenas metade das receitas genéticas e, o que é mais surpreendente, os que são criados separadamente são quase tão parecidos quanto os que são criados juntos. Gêmeos idênticos separados ao nascer têm em comum características como entrar na água de costas e só até os joelhos, abster-se de votar nas eleições por sentirem-se insuficientemente informados, contar obsessivamente tudo o que está à vista, tornar-se capitão da brigada voluntária de incêndio e deixar pela casa bilhetinhos carinhosos para a esposa.

As pessoas acham essas descobertas impressionantes, até mesmo inacreditáveis. Descobertas assim lançam dúvidas sobre o "eu" autônomo que todos nós sentimos pairar sobre nosso corpo, fazendo escolhas enquanto seguimos pela vida e afetado exclusivamente pelos nossos ambientes do passado e do presente. Decerto a mente não vem equipada com tantas partes minúsculas para poder nos predestinar a dar a descarga antes e depois de usar o vaso sanitário ou a espirrar por brincadeira em elevadores apinhados, citando aqui duas outras características compartilhadas por gêmeos idênticos criados separadamente. Mas, ao que parece, isso ocorre. Os efeitos abrangentes dos genes foram documentados em numerosos estudos e se evidenciam independentemente do modo como são testados: comparando gêmeos criados separadamente e criados juntos, comparando gêmeos idênticos e fraternos, comparando filhos adotivos e biológicos. E, apesar do que os críticos às vezes alegam, os efeitos não são explicados por coincidência, fraude ou semelhanças sutis nos ambientes familiares (como agências de adoção empenhadas em colocar gêmeos idênticos em lares que incentivem entrar de costas no mar). As descobertas, naturalmente, podem ser mal interpretadas de várias maneiras, como por exemplo imaginando um gene para deixar bilhetinhos carinhosos pela casa ou concluindo que as pessoas não são afetadas por suas experiências. E uma vez que esses estudos podem medir apenas os modos como as pessoas *diferem*, eles pouco informam sobre o padrão da mente que todas as pessoas normais têm em comum. Mas, mostrando de quantos modos a mente pode variar em sua estrutura inata, as descobertas abrem nossos olhos para quanta estrutura a mente deve possuir.

ENGENHARIA REVERSA DA PSIQUE

A complexa estrutura da mente é o tema deste livro. Sua ideia fundamental pode ser expressa em uma sentença: a mente é um sistema de órgãos de computação, projetados pela seleção natural para resolver os tipos de problemas que nossos ancestrais enfrentavam em sua vida de coletores de alimentos, em especial entender e superar em estratégia os objetos, animais, plantas e outras pessoas. Essa síntese pode ser desdobrada em várias afirmações. A mente é o que o cérebro faz; especificamente, o cérebro processa informações, e pensar é um tipo de computação. A mente é organizada em módulos ou órgãos mentais, cada qual com um design especializado que faz desse módulo um perito em uma área de interação com o mundo. A lógica básica dos módulos é especificada por nosso programa genético. O funcionamento dos módulos foi moldado pela seleção natural para resolver os problemas da vida de caça e extrativismo vivida por nossos ancestrais durante a maior parte de nossa história evolutiva. Os vários problemas para nossos ancestrais eram subtarefas de um grande problema para seus genes: maximizar o número de cópias que chegariam com êxito à geração seguinte.

Dessa perspectiva, a psicologia é uma engenharia "para trás". Na engenharia "para a frente", projeta-se uma máquina para fazer alguma coisa; na engenharia reversa, descobre-se para que finalidade uma máquina foi projetada. Engenharia reversa é o que os peritos da Sony fazem quando um novo produto é anunciado pela Panasonic, ou vice-versa. Eles compram um exemplar, levam para o laboratório, aplicam-lhe a chave de fenda e tentam descobrir para que servem todas as partes e como elas se combinam para fazer o dispositivo funcionar. Todos nós fazemos engenharia reversa quando estamos diante de um novo aparelho interessante. Remexendo numa loja de antiguidades, podemos encontrar alguma geringonça que é inescrutável até descobrirmos o que ela foi projetada para fazer. Quando percebemos que se trata de um descaroçador de azeitona, entendemos subitamente que o anel de metal destina-se a segurar a azeitona e que a alavanca abaixa uma lâmina em X que passa por uma ponta e empurra o caroço para fora pelo lado oposto. As formas e disposições das molas, dobradiças, lâminas, alavancas e anéis são todas compreendidas em uma satisfatória onda de discernimento. Entendemos até mesmo por que as azeitonas enlatadas têm uma incisão em forma de X num dos extremos.

No século XVII, William Harvey descobriu que as veias tinham válvulas e deduziu que as válvulas deviam estar ali para fazer o sangue circular. Desde então, vemos o corpo como uma máquina maravilhosamente complexa, um conjunto de tirantes, juntas, molas, polias, alavancas, encaixes, dobradiças, mancais, tanques, tubulações, válvulas, bainhas, bombas, permutadores e filtros. Mesmo hoje podemos nos fascinar ao saber para que servem determinadas partes misteriosas. Por que temos orelhas com pregas e assimétricas? Porque elas filtram as ondas sonoras provenientes de várias direções de modos diferentes. As nuances da sombra do som dizem ao cérebro se a origem dele está acima ou abaixo, diante ou atrás de nós. A estratégia de fazer a engenharia reversa do corpo tem prosseguido na segunda metade deste século, em nossos estudos sobre a nanotecnologia da célula e das moléculas da vida. A essência da vida, acabamos descobrindo, não é um gel tremulante, resplandecente e assombroso, mas uma engenhoca com minúsculas guias, molas, dobradiças, hastes, chapas, magnetos, zíperes e escotilhas, montados por uma fita de dados cujas informações são copiadas, transferidas e lidas.

O fundamento lógico da engenharia reversa para as coisas vivas provém, obviamente, de Charles Darwin. Ele mostrou que "órgãos de extrema perfeição e complexidade, que justificadamente despertam nossa admiração", não se originam da providência de Deus, mas da evolução de replicadores ao longo de períodos de tempo imensamente longos. À medida que os replicadores se replicam, erros aleatórios de cópia às vezes emergem, e os que por acaso melhoram a taxa de sobrevivência e reprodução do replicador tendem a acumular-se no decorrer das gerações. Plantas e animais são replicadores, e seu mecanismo complexo, portanto, parece ter sido projetado para permitir-lhes sobreviver e reproduzir-se.

Darwin asseverou que sua teoria explicava não só a complexidade do corpo de um animal mas também a de sua mente. "A psicologia assentará em um novo alicerce", foi sua célebre previsão no final de *A origem das espécies*. Mas a profecia de Darwin ainda não se cumpriu. Mais de um século depois de ele ter escrito essas palavras, o estudo da mente, em sua maior parte, ainda ignora Darwin, muitas vezes desafiadoramente. A evolução é considerada irrelevante, pecaminosa, ou boa apenas para especulações diante de um copo de cerveja no fim do dia. A alergia à evolução nas ciências sociais e cognitivas tem sido, a meu ver, uma barreira para a compreensão. A mente é um sistema primorosamente organizado; realiza proezas notáveis que nenhum engenheiro é capaz de duplicar. Como as forças que moldaram esse sistema, e os propósitos para os quais ele foi criado, podem ser irrelevantes para entendê-

-lo? O pensamento evolucionista é indispensável, não na forma concebida por muitos — sonhando com eles perdidos ou narrando histórias sobre os estágios do Homem —, mas na forma de meticulosa engenharia reversa. Sem ela, somos como o cantor de "The marvelous toy" [O brinquedo maravilhoso], a canção de Tom Paxton que relembra um presente ganho na infância: "Ele fazia ZIP! quando se movia, e POP! quando parava, e UORRRR quando estava quieto; eu nunca soube exatamente o que ele era, e acho que nunca saberei".

Só em anos recentes o desafio de Darwin foi aceito por uma nova abordagem, batizada de "psicologia evolucionista" pelo antropólogo John Tobby e pela psicóloga Leda Cosmides. A psicologia evolucionista reúne duas revoluções científicas. Uma é a revolução cognitiva das décadas de 1950 e 1960, que explica a mecânica do pensamento e emoção em termos de informação e computação. A outra é a revolução na biologia evolucionista das décadas de 1960 e 1970, que explica o complexo design adaptativo dos seres vivos em termos da seleção entre replicadores. As duas ideias formam uma combinação poderosa. A ciência cognitiva ajuda-nos a entender como uma mente é possível e que tipo de mente possuímos. A biologia evolucionista ajuda-nos a entender *por que* possuímos esse tipo de mente específico.

A psicologia evolucionista deste livro é, em certo sentido, uma extensão direta da biologia, concentrando-se em um órgão, a mente, de uma espécie, *Homo sapiens*. Porém, em outro sentido, é uma tese radical que descarta o modo como as questões relativas à mente têm sido formuladas por quase um século. As premissas deste livro provavelmente não são as que você imagina. Pensamento é computação, procuro demonstrar, mas isso não significa que o computador é uma boa metáfora para a mente. A mente é um conjunto de módulos, mas estes não são cubículos encapsulados ou fatias circunscritas da superfície do cérebro. A organização de nossos módulos mentais provém de nosso programa genético, mas isso não quer dizer que existe um gene para cada característica ou que o aprendizado é menos importante do que julgávamos. A mente é uma adaptação desenvolvida pela seleção natural, mas isso não significa que tudo o que pensamos, sentimos e fazemos é biologicamente adaptativo. Evoluímos de macacos, mas isso não quer dizer que nossa mente é igual à deles. E o objetivo supremo da seleção natural é propagar genes, mas isso não quer dizer que o supremo objetivo das pessoas é propagar genes. Permita-me explicar por quê.

Este livro é sobre o cérebro, mas não discorrerei profusamente a respeito de neurônios, hormônios e neurotransmissores. Isso porque a mente não é o cérebro, e sim o que o cérebro faz, e nem mesmo é tudo o que ele faz, como metabolizar gordura e emitir calor. A década de 1990 tem sido chamada Década do Cérebro, mas nunca haverá uma Década do Pâncreas. O status especial do cérebro deve-se a uma coisa especial que ele faz, a qual nos permite ver, pensar, sentir, escolher e agir. Essa coisa especial é o processamento de informações, ou computação.

Informação e computação residem em padrões de dados e em relações de lógica que são independentes do meio físico que os conduz. Quando você telefona para sua mãe em outra cidade, a mensagem permanece a mesma enquanto sai de seus lábios e vai até o ouvido materno, mesmo que fisicamente ela mude de forma, passando de vibrações do ar a eletricidade em um fio, cargas no silício, luz tremulante em um cabo de fibra óptica, ondas eletromagnéticas, voltando então em ordem inversa. Em um sentido semelhante, a mensagem permanece a mesma enquanto sua mãe a repete para seu pai, que está na outra ponta do sofá, depois de ter mudado de forma na cabeça dela, transformando-se em uma cascata de neurônios disparando e substâncias químicas difundindo-se através de sinapses. De modo semelhante, um dado programa pode ser executado em computadores feitos de tubos de vácuo, comutadores eletromagnéticos, transistores, circuitos integrados ou pombos bem treinados, e realiza as mesmas coisas pelas mesmas razões.

Esse insight, expresso pela primeira vez pelo matemático Alan Turing, pelos cientistas da computação Alan Newell, Herbert Simon e Marvin Minsky e pelos filósofos Hilary Putnam e Jerry Fodor, hoje em dia é denominado teoria computacional da mente. Ele é uma das grandes ideias da história intelectual, pois resolve um dos enigmas que compõem o "problema mente-corpo": como conectar o etéreo mundo do significado e da intenção, a essência de nossa vida mental, a um pedaço físico de matéria como o cérebro. Por que Bill entrou no ônibus? Porque desejava visitar sua avó e sabia que o ônibus o levaria para lá. Nenhuma outra resposta serviria. Se ele detestasse a avó, ou se soubesse que o itinerário mudou, seu corpo não estaria naquele ônibus. Por milênios, isso foi um paradoxo. Entidades como "querer visitar a avó" e "saber que o ônibus vai até a casa da vovó" não têm cor, cheiro nem sabor. Mas ao mesmo tempo são *causas* de eventos físicos, tão potentes quanto uma bola de bilhar batendo em outra.

A teoria computacional da mente resolve o paradoxo. Ela afirma que crenças e desejos são *informações*, encarnadas como configurações de símbolos. Os símbolos são os estados físicos de bits de matéria, como os chips de um computador ou os neurônios do cérebro. Eles simbolizam coisas do mundo porque são desencadeados por essas coisas via órgãos dos sentidos e devido ao que fazem depois de ser desencadeados. Se os bits de matéria que constituem um símbolo são ajustados para topar com os bits de matéria que constituem outro símbolo exatamente do jeito certo, os símbolos correspondentes a uma crença podem originar novos símbolos correspondentes a outra crença relacionada logicamente com a primeira, o que pode originar símbolos correspondentes a outras crenças e assim por diante. Por fim, os bits de matéria componentes de um símbolo topam com bits de matéria conectados aos músculos, e o comportamento acontece. A teoria computacional da mente, portanto, permite-nos manter crenças e desejos em nossas explicações do comportamento enquanto os situamos diretamente no universo físico. Ela permite que o significado seja causa e seja causado.

A teoria computacional da mente é indispensável para lidar com as questões que ansiamos por responder. Os neurocientistas gostam de salientar que todas as partes do córtex cerebral têm aparência muito semelhante — não só as diferentes partes do cérebro humano, mas também os cérebros de animais diferentes. Alguém poderia concluir que toda atividade mental em todos os animais é igual. Mas uma conclusão melhor é que não podemos simplesmente observar um retalho do cérebro e ler a lógica do intricado padrão de conectividade que faz cada parte executar sua tarefa distinta. Da mesma forma que todos os livros são, fisicamente, apenas combinações diferentes dos mesmos setenta e tantos caracteres e todos os filmes são, fisicamente, apenas padrões diferentes de cargas ao longo das trilhas de um videoteipe, todo o gigantesco emaranhado de espaguetes do cérebro pode parecer igual quando examinado fio por fio. O conteúdo de um livro ou filme reside no *padrão* das marcas de tinta ou cargas magnéticas e se evidencia apenas quando o trecho é lido ou visto. De modo semelhante, o conteúdo da atividade cerebral reside nos padrões de conexões e nos padrões de atividade entre os neurônios. Diferenças minúsculas nos detalhes das conexões podem fazer com que retalhos do cérebro de aparência semelhante implementem programas muito diferentes. Somente quando o programa é executado a coerência se evidencia. Como escreveram Tooby e Cosmides:

> Há pássaros que migram orientando-se pelas estrelas, morcegos que usam a ecolocalização, abelhas que computam a variação de canteiros de flores, aranhas que tecem teias, humanos que falam, formigas que cultivam, leões que caçam em bando, guepardos que caçam sozinhos, gibões monógamos, cavalos-marinhos poliândricos, gorilas políginos [...] Existem milhões de espécies animais no planeta, cada qual com um conjunto diferente de programas cognitivos. O mesmo tecido neural básico corporifica todos esses programas e poderia sustentar muitos outros igualmente. Fatos acerca das propriedades dos neurônios, neurotransmissores e desenvolvimento celular não podem indicar quais desses milhões de programas a mente humana contém. Mesmo que toda a atividade neural seja a expressão de um processo uniforme no nível celular, é a

disposição dos neurônios — em gabaritos de canções de pássaro ou programas de tecedura de teia de aranha — que importa.

Isso, obviamente, não implica que o cérebro é irrelevante para a compreensão da mente! Programas são montagens de unidades de processamento de informações simples — minúsculos circuitos que podem adicionar, fazer a comparação com um padrão, ligar algum outro circuito ou executar outras operações lógicas e matemáticas elementares. O que esses microcircuitos podem fazer depende apenas do que eles são feitos. Circuitos feitos de neurônios não podem fazer exatamente as mesmas coisas que circuitos feitos de silício e vice-versa. Por exemplo, um circuito de silício é mais rápido do que um circuito neural, mas este pode fazer a comparação com um padrão maior do que o permitido para um circuito de silício. Essas diferenças salientam-se nos programas produzidos com os circuitos e afetam a rapidez e a facilidade com que os programas fazem diversas coisas, ainda que não determinem exatamente que coisas eles fazem. Com isso não quero dizer que sondar o tecido cerebral é irrelevante para a compreensão da mente, apenas que não é suficiente. A psicologia, a análise do software mental, terá de escavar muito através da montanha antes de se encontrar com os neurobiólogos que vêm cavando o túnel pelo outro lado.

A teoria computacional da mente não é a mesma coisa que a desprezada "metáfora do computador". Como ressaltaram muitos críticos, os computadores são seriais, fazendo uma coisa por vez; os cérebros são paralelos, fazendo milhões de coisas de uma vez. Computadores são rápidos; cérebros são lentos. As peças de computadores são confiáveis; as peças do cérebro apresentam ruído. Os computadores possuem um número limitado de conexões; os cérebros possuem trilhões. Os computadores são montados segundo um projeto; os cérebros têm de montar-se sozinhos. Sim, e os computadores vêm em caixas cor de massa de vidraceiro, têm arquivos AUTOEXEC.BAT e mostram protetores de tela com torradeiras voadoras, e os cérebros, não. O argumento não é que o cérebro é como os computadores vendidos nas lojas. Em vez disso, o argumento é que cérebros e computadores incorporam inteligência por algumas das mesmas razões. Para explicar como os pássaros voam, recorremos a princípios de sustentação e resistência aerodinâmica e mecânica dos fluidos — princípios que explicam também como os aviões voam. Isso não nos obriga a usar uma Metáfora do Avião para os pássaros, incluindo motores a jato e serviço de bordo com bebidas grátis.

Sem a teoria computacional é impossível entender a evolução da mente. A maioria dos intelectuais julga que a mente humana deve ter, de alguma forma, escapado ao processo evolutivo. A evolução, acreditam eles, só consegue fabricar instintos estúpidos e padrões de ação fixos: um impulso sexual, um ímpeto agressivo, um imperativo territorial, galinhas chocando ovos e fracotes seguindo brutamontes. O comportamento humano é demasiado sutil e flexível para ser produto da evolução, pensam eles; deve provir de algum outro lugar — digamos, da "cultura". Mas se a evolução nos equipou não com impulsos irresistíveis e reflexos rígidos mas com um computador neural, tudo muda. Um programa é uma receita intricada de operações lógicas e estatísticas dirigidas por comparações, testes, desvios, laços e sub-rotinas embutidas em sub-rotinas. Os programas de computador artificiais, da interface com o usuário do Macintosh às simulações do clima e programas que reconhecem a fala e respondem a perguntas em inglês, nos dão uma indicação da *finesse* e do poder de que a computação é capaz. O pensamento e o comportamento humano, por mais sutis e flexíveis que possam ser, poderiam ser produto de um programa muito complexo, e esse programa pode ter sido nossa dotação da seleção natural. O mandamento típico da biologia não é "Farás...", e sim "Se... então... senão...".

A mente, afirmo, não é um único órgão, mas um sistema de órgãos, que podemos conceber como faculdades psicológicas ou módulos mentais. As entidades hoje comumente invocadas para explicar a mente — como inteligência geral, capacidade de formar cultura, estratégias de aprendizado com múltiplos propósitos — seguramente irão pelo mesmo caminho do protoplasma na biologia e da terra, ar, fogo e água na física. Essas entidades são tão informes se comparadas aos fenômenos precisos que elas se destinam a explicar que é preciso atribuir-lhes poderes quase mágicos. Quando os fenômenos são postos no microscópio, descobrimos que a complexa textura do mundo cotidiano é sustentada não por uma substância única mas por muitas camadas de mecanismo elaborado. Os biólogos há muito tempo substituíram o conceito de um protoplasma onipotente pelo conceito dos mecanismos funcionalmente especializados. Os sistemas de órgãos do corpo fazem seu trabalho porque cada um deles foi construído com uma estrutura especificamente talhada para executar a tarefa. O coração faz circular o sangue porque é configurado como uma bomba; os pulmões oxigenam o sangue porque são configurados como permutadores de gás. Os pulmões não podem bombear o sangue, e o coração não pode oxigená-lo. Essa especialização é encontrada em todos os níveis. O tecido cardíaco difere do tecido pulmonar, as células cardíacas diferem das células pulmonares e muitas das moléculas componentes das células cardíacas diferem das componentes das células pulmonares. Se não fosse assim, nossos órgãos não funcionariam.

Um pau para toda obra não é mestre em nenhuma, e isso vale tanto para nossos órgãos físicos como para nossos órgãos mentais. O desafio do robô evidencia esse fato. Construir um robô implica muitos problemas de engenharia de software, sendo necessários truques diferentes para resolvê-los.

Tomemos nosso primeiro problema, o sentido da visão. Uma máquina que enxerga precisa resolver um problema denominado óptica invertida. A óptica comum é o ramo da física que permite prever como um objeto com determinada forma, material e iluminação projeta o mosaico de cores que denominamos imagem retiniana. A óptica é uma matéria bem compreendida, empregada em desenho, fotografia, engenharia de televisão e, mais recentemente, computação gráfica e realidade virtual. Mas o cérebro precisa resolver o problema *oposto*. O input é a imagem retiniana, e o output é uma especificação dos objetos que há no mundo e do que eles são feitos — ou seja, o que sabemos que estamos vendo. E aí está o xis do problema. A óptica invertida é o que os engenheiros chamam de "um problema mal proposto". Ele absolutamente não tem solução. Assim como é fácil multiplicar alguns números e enunciar o produto, mas é impossível tomar um produto e indicar os números que foram multiplicados para obtê-lo, a óptica é fácil, mas a óptica invertida é impossível. Entretanto, nosso cérebro a pratica toda vez que abrimos a geladeira e retiramos uma jarra. Como pode ser isso?

A resposta é que *o cérebro fornece as informações que estão faltando*, informações sobre o mundo no qual evoluímos e o modo como ele reflete a luz. Se o cérebro visual "supõe" que está vivendo em determinado tipo de mundo — um mundo iluminado por igual, composto principalmente de partes rígidas com superfícies regulares uniformemente coloridas —, ele pode fazer boas suposições quanto ao que está lá fora. Como vimos anteriormente, é impossível distinguir carvão de neve examinando o brilho de suas projeções retinianas. Mas digamos que exista um módulo para perceber as propriedades das superfícies e que embutido nele haja a seguinte suposição: "O mundo é iluminado de modo regular e uniforme". O módulo pode resolver o problema do carvão ou da neve em três etapas: subtraindo qualquer gradiente de brilho de um extremo da cena ao outro extremo; estimando o nível médio de brilho da cena inteira; calculando a tonalidade de cinza de cada retalho subtraindo seu brilho do brilho médio. Grandes desvios positivos em relação à média são vistos como coisas brancas; grandes desvios negativos, como coisas pretas. Se a iluminação realmente for regular e uniforme, essas percepções registrarão com precisão as superfícies do mundo. Uma vez que o Planeta Terra tem, mais ou menos, correspondido à hipótese da iluminação uniforme desde tempos imemoriais, a seleção natural teria procedido acertadamente incorporando essa hipótese.

O módulo de percepção de superfícies resolve um problema insolúvel, mas isso teve seu preço. O cérebro abriu mão de toda pretensão de ser um solucionador geral de problemas. Ele foi equipado com um dispositivo que percebe a natureza das superfícies em condições de visibilidade típicas da Terra por ser especializado nesse problema local. Mude-se minimamente o problema, e o cérebro não mais o resolve. Digamos que vamos colocar uma pessoa em um mundo que não é banhado pela luz solar, e sim iluminado por uma colcha de retalhos de luz engenhosamente dispostos. Se o módulo de percepção de superfícies supõe que a iluminação é regular, deve ser seduzido a ter alucinações com objetos que não se encontram ali. Isso poderia acontecer de verdade? Acontece todo dia. Chamamos essas alucinações de projeções de slides, filmes de cinema e televisão (inclusive com a cor preta ilusória que mencionei anteriormente). Quando vemos televisão, fitamos uma lâmina de vidro bruxuleante, mas nosso módulo de percepção de superfícies diz ao resto de nosso cérebro que estamos vendo pessoas e lugares reais. O módulo foi desmascarado; ele não apreende a natureza das coisas, fia-se numa tela ilusionista. Essa tela ilusionista está tão profundamente incorporada à operação de nosso cérebro visual que não somos capazes de apagar as informações nele escritas. Nem mesmo no mais inveterado telemaníaco o sistema visual um dia "aprende" que a televisão é uma vidraça de pontos fosfóricos brilhantes, e a pessoa nunca perde a ilusão de que existe um mundo por trás da vidraça.

Nossos outros módulos mentais precisam de suas próprias telas ilusionistas para resolver seus problemas insolúveis. Um físico que deseja calcular como o corpo se move quando os músculos são contraídos tem de resolver problemas de cinemática (a geometria do movimento) e dinâmica (os efeitos das forças). Mas um cérebro que precisa calcular como contrair os músculos para fazer o corpo mover-se tem de resolver problemas de cinemática *invertida* e de dinâmica *invertida* — que forças aplicar a um objeto para fazê-lo mover-se em determinada trajetória. Assim como a óptica invertida, a cinemática e a dinâmica invertidas são problemas mal propostos. Nossos módulos motores resolvem-nos fazendo hipóteses extrínsecas mas sensatas — não hipóteses sobre iluminação, obviamente, mas sobre corpos em movimento.

Nosso bom-senso com respeito a outras pessoas é um tipo de psicologia intuitiva — tentamos inferir as crenças e desejos das pessoas a partir do que elas fazem, e tentamos prever o que elas farão com base em nossas suposições quanto a suas crenças e desejos. Contudo, nossa psicologia intuitiva precisa supor que as outras pessoas *têm* crenças e desejos; não podemos sentir uma crença ou desejo na cabeça de outra pessoa do mesmo modo como sentimos o cheiro de uma laranja. Se não víssemos o mundo social através das lentes dessa suposição, seríamos como o robô Samaritano I, que se sacrificava por um saquinho de caroços de lima, ou como o Samaritano II, que se jogava na água em benefício de qualquer objeto com uma cabeça semelhante à cabeça humana, mesmo que ela pertencesse a um grande brinquedo de corda. (Veremos adiante que os indivíduos acometidos de uma determinada síndrome não têm a suposição de que as pessoas possuem mente e de fato tratam as pessoas como brinquedos de corda.) Até mesmo nossos sentimentos de amor pelos membros da família incluem uma suposição específica quanto às leis do mundo natural, neste caso um inverso das leis ordinárias da genética. Os sentimentos pelos familiares destinam-se a ajudar nossos genes a se replicar, mas não podemos ver ou cheirar genes. Os cientistas empregam a genética comum para deduzir como os genes distribuem-se entre os organismos (por exemplo, a meiose e o sexo fazem com que a prole de duas pessoas tenha 50% de seus genes em comum); nossas emoções em relação aos familiares usam um tipo de genética invertida para adivinhar quais dentre os organismos com os quais interagimos têm probabilidade de compartilhar nossos genes (por exemplo, se alguém parece ter os mesmos pais que você tem, trate essa pessoa como se o bem-estar genético dela coincidisse com o seu). Retomarei esse assunto em capítulos posteriores.

A mente tem de ser construída com partes especializadas porque precisa resolver problemas especializados. Só um anjo poderia ser um solucionador geral de problemas; nós, mortais, temos de fazer suposições falíveis com base em informações fragmentárias. Cada um de nossos módulos mentais resolve seu problema insolúvel com um grande ato de fé no modo como o mundo funciona, fazendo suposições que são indispensáveis mas indefensáveis — sua única defesa sendo que as suposições funcionaram a contento no mundo de nossos ancestrais.

A palavra "módulo" faz lembrar componentes que se podem destacar ou encaixar, e isso é enganoso. Os módulos mentais não tendem a ser visíveis a olho nu como territórios circunscritos na superfície do cérebro do mesmo modo que distinguimos a barrigueira ou a traseira de um boi na vitrine do açougue. Um módulo mental provavelmente se parece mais com um bicho atropelado na estrada, espalhando-se desordenadamente pelas protuberâncias e fendas do cérebro. Ou pode ser fragmentado em regiões que se interligam por meio de fibras, as quais fazem a região atuar como uma unidade. A beleza do processamento de informações está na flexibilidade de sua demanda por terreno. Assim como a administração de uma grande empresa pode estar espalhada por vários prédios ligados por uma rede de telecomunicações, ou um programa de computador pode estar fragmentado em diferentes partes do disco ou da memória, os circuitos que alicerçam um módulo psicológico podem estar distribuídos pelo cérebro de um modo espacialmente aleatório. E os módulos mentais não precisam estar impermeavelmente isolados uns dos outros, comunicando-se apenas por meio de alguns canais estreitos. (Essa é uma concepção especializada de "módulo" que muitos cientistas cognitivos debateram após uma definição de Jerry Fodor.) Os módulos são definidos pelas coisas especiais que fazem com as informações à sua disposição, e não necessariamente pelos tipos de informação de que dispõem.

Portanto, a metáfora do módulo mental é um pouco desajeitada; metáfora melhor é a do "órgão mental", proposta por Noam Chomsky. Um órgão do corpo é uma estrutura especializada talhada para desempenhar uma função específica. Mas nossos órgãos não vêm num saquinho, como os miúdos de ave; são integrados em um todo complexo. O corpo compõe-se de sistemas divididos em órgãos, construídos com tecidos feitos de células. Alguns tipos de tecido, como o epitélio, são usados, com modificações, em muitos órgãos. Alguns órgãos, como o sangue e a pele, interagem com o resto do corpo através de uma superfície comum convoluta, amplamente difundida, e não podem ser circundados por uma linha pontilhada. Às vezes não está claro onde um órgão termina e outro começa, ou que tamanho de um pedaço do corpo desejamos chamar de órgão. (A mão é um órgão? E um dedo? E um osso do dedo?) Essas são questões pedantes de terminologia , e os anatomistas e fisiologistas não perderam tempo com elas. O que está claro é que o corpo não é como carne de porco prensada e enlatada; ele possui uma estrutura heterogênea de muitas partes especializadas. Tudo isso provavelmente vale para a mente. Quer estabeleçamos ou não fronteiras exatas para os componentes da mente, está claro que ela não é uma carne enlatada mental, possuindo uma estrutura heterogênea de muitas partes especializadas.

Nossos órgãos físicos devem seu design complexo às informações contidas no genoma humano, e o mesmo, a meu ver, aplica-se aos nossos órgãos mentais. Não aprendemos a ter um pâncreas, e também não aprendemos a ter um sistema visual, aquisição de linguagem, bom-senso ou sentimentos de amor, amizade e justiça. Nenhuma descoberta isolada comprova essa afirmação (assim como nenhuma descoberta isolada comprova que o pâncreas tem uma estrutura inata), mas muitas linhas de evidências convergem nessa direção. A que mais me impressiona é o Desafio do Robô. Cada um dos grandes problemas de engenharia resolvidos pela mente é insolúvel na ausência de hipóteses incorporadas sobre as leis que se aplicam na respectiva arena de integração com o mundo. Todos os programas criados por pesquisadores da inteligência artificial foram especificamente projetados para uma área específica, como linguagem, visão, movimento ou um dos muitos tipos diferentes de bom-senso. Nas pesquisas sobre inteligência artificial, o orgulhoso criador de um programa às vezes o apregoa como uma mera amostra de um sistema de uso geral a ser elaborado futuramente, mas todo mundo da área rotineiramente descarta bazófias desse tipo. Predigo que ninguém jamais construirá um robô semelhante a um ser humano — e me refiro a um robô *realmente* semelhante a um ser humano — a menos que o equipe com sistemas computacionais feitos sob medida para resolver diferentes problemas.

Ao longo de todo o livro, encontraremos outras linhas de evidências indicativas de que nossos órgãos mentais devem seu design básico ao nosso programa genético. Já mencionei que boa parte da primorosa estrutura de nossa personalidade e inteligência é compartilhada por gêmeos idênticos criados separadamente e, portanto, mapeada pelos genes. Bebês e crianças pequenas, quando testados com métodos engenhosos, demonstram um entendimento precoce das categorias fundamentais do mundo físico e social e, às vezes, dominam informações que nunca lhes foram apresentadas. As pessoas acalentam muitas crenças que contradizem suas experiências, mas foram verdadeiras no meio em que se desenvolveram, e se empenham por objetivos que subvertem seu próprio bem-estar, mas foram adaptativos naquele ambiente. E, contrariamente à difundida crença de que as culturas variam de maneira arbitrária e sem limite, estudos da literatura etnográfica mostram que os povos do mundo compartilham uma psicologia universal assombrosamente minuciosa.

Mas, se a mente possui uma estrutura inata complexa, isso *não* significa que aprender não é importante. Expor a questão de modo que estrutura inata e aprendizado sejam lançados um contra o outro, como alternativas ou, quase tão ruim quanto isso, como ingredientes complementares ou forças interagentes, é um erro colossal. Não que esteja absolutamente errada a afirmação de que existe interação entre estrutura inata e aprendizado (ou entre hereditariedade e meio, natureza e criação, biologia e cultura). Em vez disso, ela se enquadra em uma categoria de ideias que são tão ruins que nem ao menos estão erradas.

Imagine o seguinte diálogo:

"Este novo computador é rico em tecnologia avançada. Tem processador de quinhentos megahertz, um gigabyte de RAM, um terabyte de armazenagem em disco, monitor colorido com realidade virtual tridimensional, saída para voz, acesso direto à World Wide Web, especialização em doze matérias e edições incorporadas da Bíblia, *Encyclopaedia Britannica*, *Bartlett's famous quotations* e as obras completas de Shakespeare. Dezenas de milhões de horas-hacker empregadas em sua criação."

"Ah, então acho que você está dizendo que não importa o que eu digitar no computador. Com toda essa estrutura incorporada, seu ambiente não pode ser muito importante. Sempre fará a mesma coisa, independentemente do que eu digitar."

A resposta é patentemente sem sentido. Ter muitos mecanismos embutidos deveria fazer um sistema reagir de modo *mais* inteligente e flexível a seus inputs, e não menos. Entretanto, a resposta reflete a maneira como os comentaristas têm reagido, por séculos, à ideia de uma mente ricamente estruturada, de alta tecnologia.

E a posição "interacionista", com sua fobia de especificar a parte inata da interação, não é muito melhor. Observe as seguintes afirmações:

O comportamento de um computador depende de uma interação complexa entre o processador e o input.

Ao tentar entender como um carro funciona, não se pode deixar de considerar o motor, a gasolina ou o motorista. Todos são fatores importantes.

O som proveniente deste CD player representa a mistura inextricavelmente interligada de duas variáveis cruciais: a estrutura da máquina e o disco que você insere nela. Nenhum dos dois pode ser deixado de lado.

Essas afirmações são verdadeiras, porém inúteis — tão estupidamente tacanhas, tão desafiadoramente desprovidas de curiosidade que é quase tão ruim fazê-las quanto negá-las. Para a mente, assim como para as máquinas, as metáforas de uma mistura de dois ingredientes, como um martíni, ou de uma batalha entre forças equilibradas, como um cabo de guerra, são modos equivocados de conceber um dispositivo complexo projetado para processar informações. Sim, cada parte da inteligência humana engloba cultura e aprendizado. Mas o aprendizado não é um gás envolvente ou um campo de força e não acontece por mágica. Ele é possibilitado pelo mecanismo inato projetado para efetuar o aprendizado. Afirmar que existem vários módulos inatos é afirmar que existem várias máquinas de aprender inatas, cada qual aprendendo segundo uma lógica específica. Para entender o aprendizado, precisamos de novas maneiras de pensar, a fim de substituir as metáforas pré-científicas — as misturas e forças, a escrita em tábulas rasas ou a escultura em blocos de mármore. Precisamos de ideias que captem os modos como um mecanismo complexo pode sintonizar-se com aspectos imprevisíveis do mundo e absorver os tipos de dados de que necessita para funcionar.

A ideia de que hereditariedade e meio interagem nem sempre é sem sentido; mas, a meu ver, ela confunde duas questões: o que todas as mentes têm em comum e como as mentes podem diferir. As insípidas afirmações acima podem ser substituídas inteligentemente trocando-se "Como X funciona" por "O que faz X funcionar melhor do que Y":

A *utilidade* de um computador depende tanto da potência de seu processador como da habilidade do usuário.

A *velocidade* de um carro depende do motor, do combustível e da habilidade do motorista. Todos são fatores importantes.

A *qualidade* do som proveniente de um CD player depende de duas variáveis cruciais: o design mecânico e eletrônico do aparelho e a qualidade da gravação original. Nenhum dos dois pode ser menosprezado.

Quando estamos interessados no *quanto* um sistema funciona melhor do que outro semelhante, é justificado tecer comentários sobre os encadeamentos causais no interior de cada sistema e rotular os fatores que tornam a coisa toda rápida ou lenta, de alta fidelidade ou baixa fidelidade. E essa classificação das pessoas — para determinar quem entra para a faculdade de medicina ou quem será contratado para o cargo — é a origem da concepção da natureza *versus* criação.

Mas este livro é sobre como a mente funciona, e não sobre por que a mente de algumas pessoas pode funcionar um pouco melhor em determinados modos do que a mente de outras. As evidências indicam que os seres humanos, em todas as partes do planeta, veem os objetos e as pessoas, conversam e pensam a respeito deles do mesmo modo básico. A diferença entre Einstein e um sujeito que abandonou o curso secundário é trivial se comparada à diferença entre o fujão da escola e o melhor robô existente, ou entre o fujão e um chimpanzé. Esse é o mistério que desejo examinar. Nada poderia estar mais longe de meu tema do que uma comparação entre os meios de sobrepor curvas normais para algum tosco índice de consumo como o QI. E, por essa razão, a importância relativa do inato e do aprendido é uma questão falsa.

A propósito, uma ênfase no design inato não deve ser confundida com a busca de "um gene para" este ou aquele órgão mental. Pense nos genes e supostos genes que foram manchete: genes para a distrofia muscular, para a doença de Huntington, mal de Alzheimer, alcoolismo, esquizofrenia, distúrbio maníaco-depressivo, obesidade, rompantes violentos, dislexia, xixi na cama e alguns tipos de retardo. Esses são *distúrbios*, todos eles. Não houve descobertas de um gene para a civilidade, a linguagem, a memória, o controle motor, a inteligência ou outros sistemas mentais completos, e provavelmente nunca haverá. A razão foi sintetizada pelo político Sam Rayburn: qualquer imbecil pode derrubar um celeiro a pontapés, mas é preciso um carpinteiro para construir um. Órgãos mentais complexos, assim como os órgãos físicos complexos, seguramente são feitos segundo complexas receitas genéticas, com muitos genes cooperando de modos até agora insondáveis. Um defeito em qualquer um deles poderia prejudicar todo o mecanismo, assim como um defeito em qualquer parte de uma máquina complexa (como um cabo solto de distribuidor num carro) pode fazer a máquina parar.

As instruções de montagem genética para um órgão mental não especificam cada conexão do cérebro como se fossem o esquema de ligações para a montagem de um rádio num curso de eletrônica por correspondência. E não devemos esperar que cada órgão cresça sob determinado osso do crânio independentemente de tudo o mais que acontece no cérebro. O cérebro e todos os órgãos diferenciam-se no desenvolvimento embriônico a partir de uma bola de células idênticas. Cada parte do corpo, das unhas dos dedos dos pés ao córtex cerebral, adquire sua forma e substância específica quando suas células reagem a algum tipo de informação nas proximidades que abrem a fechadura de uma parte diferente do programa genético. A informação pode provir do gosto da sopa química na qual a célula se encontra, das formas das fechaduras e chaves moleculares que a célula aciona, dos puxões e empurrões mecânicos de células vizinhas e de outras deixas ainda mal compreendidas. As famílias de neurônios que formarão os diferentes órgãos mentais, todos descendentes de um trecho homogêneo do tecido embriônico, têm de desenvolver-se para serem oportunistas à medida que o cérebro monta a si mesmo, aproveitando qualquer informação disponível para diferenciar-se umas das outras. As coordenadas no crânio podem ser um desencadeante da diferenciação, mas o padrão dos disparos de inputs dos neurônios conectados é outro desencadeante. Como o cérebro destina-se a ser um órgão de computação, seria surpreendente o genoma deixar de explorar a capacidade do tecido neural para processar informações durante a montagem do cérebro.

Nas áreas sensoriais do cérebro, onde podemos acompanhar melhor o que está acontecendo, sabemos que no início do desenvolvimento fetal os neurônios são conectados segundo uma tosca receita genética. Os neurônios nascem em números apropriados nos momentos certos, migram para seus locais de parada, enviam conexões a seus alvos e se prendem a tipos apropriados de células nas regiões gerais certas, tudo isso guiando-se por trilhas químicas e fechos e chaves moleculares. Porém, para fazer conexões precisas, os neurônios bebês têm de começar a funcionar, e seu padrão de disparos transporta informações, na direção da corrente, a respeito de suas conexões precisas. Isso não é "experiência", pois pode acontecer na escuridão total do útero, às vezes antes de cones e bastonetes estarem funcionando, e muitos mamíferos podem enxergar quase perfeitamente assim que nascem. É mais como um tipo de compressão de dados genéticos ou um conjunto de padrões de teste gerados internamente. Esses padrões podem estimular o córtex no extremo receptor a diferenciar-se, pelo menos numa etapa do caminho, no tipo de córtex que é apropriado para processar as informações entrantes. (Por exemplo, em animais que tiveram suas conexões cruzadas de modo a conectar os olhos ao cérebro auditivo, essa área apresenta alguns indícios das propriedades do cérebro visual.) Como os genes controlam o desenvolvimento cerebral ainda não se sabe, mas uma síntese razoável do que sabemos até agora é que os módulos cerebrais adquirem sua identidade mediante uma combinação do tipo de tecido que eram no início, de onde se situam no cérebro e de que padrões de inputs desencadeantes eles recebem durante períodos críticos de desenvolvimento.

Nossos órgãos de computação são um produto da seleção natural. O biólogo Richard Dawkins batizou a seleção natural de Relojoeiro Cego; no caso da mente, podemos chamá-la Programador Cego. Nossos programas mentais funcionam a contento porque foram moldados pela seleção para permitir a nossos ancestrais o domínio sobre pedras, utensílios, plantas, animais e outras pessoas, em última análise a serviço da sobrevivência e reprodução.

A seleção natural não é a única causa de mudança evolutiva. Os organismos também mudam ao longo das eras devido a acidentes estatísticos determinantes de quem vive e quem morre, a catástrofes ambientais que exterminam famílias inteiras de criaturas e aos inevitáveis subprodutos das mudanças que *são* o produto da seleção. Mas a seleção natural é a única força evolutiva que atua como um engenheiro, "projetando" órgãos que conseguem resultados improváveis mas adaptativos (um argumento defendido convincentemente pelo biólogo George Williams e por Dawkins). O argumento clássico em favor da seleção natural, aceito até mesmo pelos que julgam que a seleção foi superestimada (como o paleontólogo Stephen Jay Gould), provém do olho dos vertebrados. Assim como um relógio possui demasiadas partes primorosamente encaixadas (engrenagens, molas, pinos etc.) para ter sido montado por um tornado ou por um redemoinho no rio, necessitando, em vez disso, do projeto de um relojoeiro, também o olho possui demasiadas partes primorosamente engrenadas (cristalino, íris, retina etc.) para ter surgido de uma força evolutiva aleatória como uma grande mutação, um desvio estatístico ou uma forma fortuita dos recessos e fissuras entre outros órgãos. O design do olho tem de ser um produto da seleção natural de replicadores, o único processo natural não milagroso que conhecemos capaz de fabricar máquinas de funcionamento apropriado. Esse organismo parece ter sido projetado para enxergar bem agora porque deve sua existência ao êxito de seus ancestrais em enxergar bem no passado. (Esse assunto será desenvolvido com mais detalhes no capítulo 3.)

Muitas pessoas reconhecem que a seleção natural é o artífice do corpo, mas se recusam a admitir uma ideia assim quando o assunto é a mente humana. Para elas, a mente é um subproduto de uma mutação que aumentou o tamanho da cabeça, ou um programa bem-sucedido de um programador desajeitado, ou adquiriu sua forma graças à evolução cultural e não à biológica. Tooby e Cosmides chamam a atenção para uma deliciosa ironia. O olho, esse exemplo absolutamente indiscutível de primorosa engenharia da seleção natural, não é simplesmente um orgãozinho qualquer que pode ser isolado com carne e osso, distante da esfera mental. Ele não digere alimentos nem, exceto no caso do Super-Homem, muda coisa alguma no mundo físico. O que o olho faz? O olho é um órgão de processamento de informações, firmemente ligado ao cérebro — anatomicamente falando, é parte dele. E toda aquela delicada óptica e intricados circuitos da retina não despejam informações em um buraco vazio escancarado nem servem de ponte sobre algum abismo cartesiano entre um reino físico e um reino mental. O receptor dessa mensagem ricamente estruturada precisa ser exatamente tão bem projetado quanto o emissor. Como observamos ao comparar a visão humana com a visão de um robô, as partes da mente que nos permitem ver são, de fato, bem projetadas, e não há razão para julgar que a qualidade da engenharia deteriore-se progressivamente à medida que as informações fluem corrente acima até as faculdades que interpretam o que vemos e que agem de acordo com o que vemos.

O programa adaptacionista na biologia, ou o uso criterioso da seleção natural para fazer a engenharia reversa de um organismo, às vezes é ridicularizado como um exercício vazio de narrar a história *a posteriori*. Na sátira do colunista autônomo Cecil Adams, "a razão por que nosso cabelo é castanho é que ele permitia a nossos ancestrais macacos esconderem-se entre os cocos". Reconhecidamente, não há escassez de "explicações" evolucionistas ruins. Por que os homens evitam perguntar o caminho quando estão perdidos? Porque nossos ancestrais podiam ser mortos se chegassem perto de um estranho. Qual o objetivo da música? Ela aproxima a comunidade. Por que a felicidade evoluiu? Porque é agradável estar perto de pessoas felizes, portanto elas atraem mais aliados. Qual a função do humor? Aliviar a tensão.

Por que as pessoas superestimam sua chance de sobreviver a uma doença? Porque isso as ajuda a atuar eficazmente na vida.

Essas meditações nos parecem levianas e nada convincentes, mas não porque ousam buscar uma explicação evolucionista para como funciona alguma parte da mente. É porque fazem mal o serviço. Em primeiro lugar, muitas delas não se dão o trabalho de comprovar os fatos. Alguém já comprovou que as *mulheres* gostam de perguntar o caminho quando se perdem? Uma mulher em uma sociedade de coletores de alimento *não* correria perigo ao se aproximar de um estranho? Em segundo lugar, mesmo se os fatos fossem comprovados, as histórias tentam explicar um fato intrigante tomando como certo algum outro fato que é igualmente intrigante, e assim não nos levam a lugar algum. *Por que* ruídos rítmicos aproximam a comunidade? *Por que* as pessoas gostam de estar com quem é feliz? *Por que* o humor alivia a tensão? Os autores dessas explicações tratam algumas partes de nossa vida mental como tão óbvias — afinal, elas são óbvias para cada um de *nós*, lá dentro de nossa cabeça — que não precisam ser explicadas. Mas *todas* as partes da mente requerem explicação — cada reação, cada prazer, cada preferência — quando tentamos entender como elas evoluíram. Nós *poderíamos* ter evoluído como o robô Samaritano I, que se sacrificou para salvar um saco de caroços de lima, ou como os escaravelhos, que devem achar o esterco uma delícia, ou como o masoquista na velha piada sobre sadomasoquismo (Masoquista: "Me bata!"; Sádico: "Não!").

Uma boa explicação adaptacionista requer o fulcro de uma análise de engenharia que seja independente da parte da mente que estamos tentando explicar. A análise começa com um objetivo a ser atingido, e um mundo de causas e efeitos no qual se chega a esse objetivo, e prossegue especificando que tipos de design são mais apropriados para atingi-lo do que outros. Infelizmente para quem pensa que os departamentos de uma universidade refletem divisões expressivas do conhecimento, isso significa que os psicólogos precisam procurar fora da psicologia se quiserem explicar para que servem as partes da mente. Para entender a visão, temos de recorrer à óptica e aos sistemas de visão computadorizada. Para entender o movimento, temos de recorrer à robótica. Para entender os sentimentos sexuais e familiares, temos de recorrer à genética mendeliana. Para entender cooperação e conflito, temos de recorrer à matemática dos jogos e a modelos econômicos.

Assim que relacionamos as especificações para uma mente bem projetada, podemos verificar se o *Homo sapiens* possui ou não esse tipo de mente. Fazemos os experimentos ou levantamentos para estabelecer os fatos concernentes a uma faculdade mental e depois verificamos se essa faculdade atende às especificações: se apresenta sinais de precisão, complexidade, eficiência, confiabilidade e especialização na resolução do problema que lhe foi apresentado, especialmente em comparação com o grande número de designs alternativos biologicamente passíveis de se desenvolver.

A lógica da engenharia reversa tem guiado pesquisadores da percepção visual há mais de um século, e pode ser esse o motivo de compreendermos a visão melhor do que compreendemos qualquer outra parte da mente. Não há razão por que a engenharia reversa guiada pela teoria evolucionista não possa possibilitar um insight sobre o resto da mente. Um exemplo interessante é a nova teoria acerca do enjoo da gravidez (tradicionalmente denominado "enjoo matinal"), da bióloga Margie Profet. Muitas mulheres grávidas sentem náuseas e evitam certos alimentos. Embora em geral a explicação muito batida seja de que o enjoo é efeito colateral de hormônios, não há razão por que os hormônios devam induzir náuseas e aversão a certos alimentos e não, digamos, hiperatividade, agressividade ou lascívia. A explicação freudiana é igualmente insatisfatória: o enjoo da gravidez representa a aversão da esposa ao marido e o desejo inconsciente de abortar oralmente o feto.

Profet predisse que o enjoo da gravidez poderia trazer algum benefício que compensasse o custo do declínio da nutrição e da produtividade. Normalmente, a náusea é uma proteção contra a ingestão de toxinas: o alimento tóxico é expelido do estômago antes de poder causar muito dano, e nosso apetite por alimentos semelhantes fica reduzido no futuro. Talvez o enjoo da gravidez proteja a mulher contra a ingestão ou a digestão de alimentos com toxinas que possam prejudicar o feto em desenvolvimento. A despeito da Loja de Produtos Naturais Cenoura Feliz do seu bairro, nada há de particularmente saudável nos alimentos naturais. Sua couve, uma criatura darwiniana, não tem mais desejo de ser comida do que você tem, e como ela não pode se defender muito bem por meio do comportamento, recorre à guerra química. A maioria das plantas desenvolveu dezenas de toxinas em seus tecidos: inseticidas, repelentes de insetos, irritantes, paralisantes, venenos e outros empecilhos para barrar as investidas dos herbívoros. Estes, por sua vez, desenvolveram medidas defensivas, como um fígado para desintoxicar os venenos e a sensação de amargor no paladar para impedir qualquer desejo futuro de ingeri-los. Mas as defesas usuais podem não ser suficientes para proteger um minúsculo embrião.

Até aqui, isso pode não soar muito melhor do que a teoria de vomitar o bebê, mas Profet sintetizou centenas de estudos, efetuados independentemente uns dos outros e da hipótese dela própria, e esses estudos corroboram sua teoria. Ela documentou, meticulosamente, que (1) toxinas vegetais em doses toleráveis para os adultos podem provocar defeitos congênitos e induzir ao aborto quando ingeridas por mulheres grávidas; (2) o enjoo da gravidez começa na etapa em que os sistemas de órgãos do embrião estão se estabelecendo e o embrião se encontra mais do que nunca vulnerável a teratógenos (substâncias químicas indutoras de defeito congênito), mas está crescendo lentamente e tem necessidades reduzidas de nutrientes; (3) o enjoo da gravidez diminui no estágio em que os sistemas de órgãos do embrião estão quase completos e a necessidade maior do embrião é de nutrientes que lhe permitam crescer; (4) as mulheres com enjoo de gravidez evitam seletivamente alimentos amargos, picantes, muito condimentados e os que elas nunca provaram, sendo todos esses, de fato, os que mais provavelmente contêm toxinas; (5) o olfato das mulheres torna-se hipersensível durante o período do enjoo da gravidez e menos sensível que o normal dali por diante; (6) os povos coletores de alimentos (inclusive, presumivelmente, nossos ancestrais) correm um risco ainda maior de ingerir toxinas vegetais, pois comem plantas silvestres e não vegetais cultivados segundo a palatabilidade; (7) o enjoo da gravidez é universal nas culturas humanas; (8) as mulheres com os enjoos de gravidez mais intensos têm a menor probabilidade de abortar; (9) as mulheres com os enjoos mais fortes na gravidez têm a menor probabilidade de dar à luz bebês com defeitos. É impressionante a adequação do modo como um sistema de produção de bebês em um ecossistema natural deveria funcionar ao modo como os sentimentos das mulheres modernas de fato funcionam; isso dá um certo grau de confiança na exatidão da hipótese de Profet.

A mente humana é um produto da evolução; portanto, nossos órgãos mentais ou estão presentes na mente dos macacos (e talvez na de outros mamíferos e vertebrados) ou emergiram de uma retificação da mente dos macacos, especificamente, dos ancestrais comuns de humanos e chimpanzés que viveram há cerca de 6 milhões de anos na África. Muitos títulos de livros sobre a evolução humana nos alertam para esse fato: *The naked ape* [O macaco nu], *The electric ape* [O macaco elétrico], *The scented ape* [O macaco perfumado], *The lopsided ape* [O macaco assimétrico], *The aquatic ape* [O macaco aquático], *The thinking ape* [O macaco pensante], *The human ape* [O macaco humano], *The ape that spoke* [O macaco que falava], *The third chimpanzee* [O terceiro chimpanzé], *The chosen primate* [O primata escolhido]. Alguns autores sustentam que os humanos diferem pouquíssimo dos chimpanzés e que todo enfoque sobre talentos especificamente humanos é chauvinismo arrogante ou equivale a criacionismo. Para alguns leitores, essa é uma redução ao absurdo da estrutura evolucionista. Se a teoria afirma que o homem é "na melhor das hipóteses apenas um macaco barbeado", como mencionaram

Gilbert e Sullivan em *Princess Ida*, ela deixa de explicar o óbvio fato de que homens e macacos possuem mentes diferentes.

Somos macacos nus, falantes e assimétricos, mas também possuímos uma mente que difere consideravelmente da dos macacos. O cérebro extra-grande do *Homo sapiens sapiens* é, por qualquer critério, uma adaptação extraordinária. Ele nos permitiu habitar todos os ecossistemas da Terra, remodelar o planeta, andar na Lua e desvendar os segredos do universo físico. Os chimpanzés, apesar de sua tão decantada inteligência, são uma espécie ameaçada, aferrada a alguns trechos de floresta, vivendo como vivia há milhões de anos. Nossa curiosidade acerca dessa diferença requer mais do que repetir que compartilhamos a maior parte de nosso DNA com os chimpanzés e que pequenas mudanças podem ter efeitos substanciais. Trezentas mil gerações e mais de dez megabytes de informações genéticas potenciais são suficientes para reformar uma mente em um grau considerável. De fato, provavelmente é mais fácil reformar mentes do que corpos, pois é mais fácil modificar software do que hardware. Não nos deveríamos surpreender por descobrir impressionantes habilidades cognitivas novas nos humanos, sendo a linguagem apenas a mais óbvia.

Nada disso é incompatível com a teoria da evolução. A evolução é um processo conservador, sem dúvida, mas não pode ser conservador *demais*, ou todos seríamos espuma de lagoa. A seleção natural introduz diferenças nos descendentes, equipando-os com especializações que os adaptem a nichos diferentes. Qualquer museu de história natural tem exemplos de órgãos complexos exclusivos de uma espécie ou de um grupo de espécies afins: a tromba do elefante, a presa do narval, a barbatana da baleia, o bico de pato do ornitorrinco, a couraça da tartaruga. Frequentemente eles evoluem com rapidez na escala de tempo geológica. A primeira baleia evoluiu cerca de 10 milhões de anos a partir de seu ancestral comum com seus parentes vivos mais próximos, os ungulados, como bois e porcos. Um livro sobre baleias poderia, na mesma linha dos livros sobre evolução humana, ser chamado *A vaca nua*, mas seria decepcionante se ele dedicasse cada uma de suas páginas à admiração pelas semelhanças entre baleias e vacas e nunca se pusesse a discutir as adaptações que as fazem tão diferentes.

Dizer que a mente é uma adaptação evolutiva não é dizer que todo comportamento é adaptativo no sentido darwiniano. A seleção natural não é um anjo da guarda que paira acima de nós para assegurar que nosso comportamento sempre maximize a adequação biológica. Até pouco tempo atrás, os cientistas com inclinações evolucionistas sentiam-se na obrigação de justificar atos que se afiguravam um suicídio darwiniano, como por exemplo o celibato, a adoção e a contracepção. Talvez, arriscavam eles, os celibatários tenham mais tempo para criar grandes ninhadas de sobrinhas e sobrinhos e, com isso, propagar mais cópias de seus genes do que propagariam se tivessem os próprios filhos. Esse tipo de interpretação forçada, porém, é desnecessário. As razões, expostas pela primeira vez pelo antropólogo Donald Symons, distinguem a psicologia evolucionista da escola de pensamento das décadas de 70 e 80 denominada sociobiologia (embora exista também muita sobreposição entre as duas abordagens).

Em primeiro lugar, a seleção atua ao longo de milhares de gerações. Durante 99% da existência humana, as pessoas viveram da coleta de alimentos, em pequenos grupos nômades. Nosso cérebro está adaptado a esse modo de vida extinto há muito tempo e não às recentíssimas civilizações agrícolas e industriais. Ele não está sintonizado para lidar com multidões anônimas, escola, linguagem escrita, governo, polícia, tribunais, exércitos, medicina moderna, instituições sociais formais, alta tecnologia e outros recém-chegados à experiência humana. Como a mente moderna está adaptada à Idade da Pedra, e não à era do computador, não há necessidade de forçar explicações adaptativas para tudo o que fazemos. Em nosso meio ancestral não existiam as instituições que hoje nos instigam a escolhas não adaptativas, como ordens religiosas, agências de adoção e indústrias farmacêuticas, e por isso, até bem recentemente, não havia uma pressão da seleção para resistir a esses estímulos. Se as savanas do Plistoceno contivessem árvores de pílula anticoncepcional, poderíamos ter evoluído para julgá-las tão aterradoras quanto uma aranha venenosa.

Em segundo lugar, a seleção natural não é um titeriteiro que controla diretamente os cordões do comportamento. Ela atua no design do gerador do comportamento: o pacote de mecanismos para processar informações e empenhar-se por objetivos denominado mente. Nossa mente é projetada para gerar comportamentos que teriam sido adaptativos, em média, em nosso meio ancestral, mas qualquer ato específico praticado hoje é efeito de dezenas de causas. O comportamento é o resultado de uma luta interna entre muitos módulos mentais e é jogado no tabuleiro das oportunidades e restrições definidas pelo comportamento de *outras* pessoas. Uma reportagem de capa recente da revista *Time* indagava: "Adultério: ele está em nossos genes?". Essa questão não tem sentido, pois nem o adultério nem qualquer outro comportamento podem estar em nossos genes. Concebivelmente, o *desejo* de praticar o adultério pode ser um produto indireto de nossos genes, mas esse desejo pode ser suplantado por *outros* que também são produtos de nossos genes, como por exemplo o desejo de ter um cônjuge que confia em você. E o desejo, mesmo se prevalecer na luta da mente, não pode ser consumado como um comportamento premeditado, a menos que exista um parceiro disponível em quem esse desejo também tenha prevalecido. O comportamento em si não evoluiu; o que evoluiu foi a mente.

A engenharia reversa somente é possível quando se tem um palpite sobre o que o dispositivo se destina a fazer. Não entendemos o descaroçador de azeitona antes de perceber que ele foi criado como uma máquina para tirar o caroço de azeitonas e não como um peso de papel ou um exercitador de pulso. Os objetivos do designer devem ser procurados para cada parte de um dispositivo complexo e para o dispositivo como um todo. Os automóveis têm um componente, o carburador, que se destina a misturar ar e gasolina, e misturar ar e gasolina é um subobjetivo do objetivo principal, transportar pessoas. Embora o processo da seleção natural em si não tenha objetivos, ele fez evoluir entidades que (assim como o automóvel) são altamente organizadas para concretizar determinados objetivos e subobjetivos. Para fazer a engenharia reversa da mente, precisamos distingui-los e identificar o objetivo supremo de seu design. A mente humana foi projetada basicamente para criar beleza? Para descobrir a verdade? Para amar e trabalhar? Para harmonizar-se com outros seres humanos e com a natureza?

A lógica da seleção natural dá a resposta. O objetivo supremo que a mente foi projetada para atingir é a maximização do número de cópias dos genes que a criaram. A seleção natural somente se importa com o destino de longo prazo das entidades que se replicam, ou seja, entidades que conservam uma identidade estável ao longo de muitas gerações de cópias. Ela prediz apenas que os replicadores, cujos efeitos tendem a aumentar a probabilidade de sua própria replicação, passam a predominar. Quando fazemos perguntas como: "Quem ou o que supostamente se beneficia com uma adaptação?" e "Um design em seres vivos é um design para quê?", a teoria da seleção natural dá a resposta: os replicadores estáveis de longo prazo, os genes. Nem mesmo nosso corpo, nossa pessoa, é o beneficiário supremo de nosso design. Como observou Gould: "O que é o 'êxito reprodutivo individual' de que fala Darwin? Não pode ser a passagem de nosso corpo para a geração seguinte — pois, verdadeiramente, não podemos levá-lo conosco, neste sentido sobretudo!". O critério pelo qual os genes são selecionados é a qualidade dos corpos que eles constroem, mas são os genes que chegam à geração seguinte — e não os corpos perecíveis — que são selecionados para viver e lutar mais um dia.

Embora haja alguma recalcitrância (como a do próprio Gould), o ponto de vista dos genes predomina na biologia evolucionista e tem feito um sucesso espantoso. Ele fez as perguntas mais profundas sobre a vida e está encontrando respostas para elas: como a vida surgiu, por que existem células, por que existem corpos, por que existe sexo, como o genoma é estruturado, por que os animais interagem socialmente e por que existe comunicação. Ele é tão indispensável para os pesquisadores do comportamento animal quanto as leis de Newton para os engenheiros mecânicos.

Mas quase todo mundo compreende mal a teoria. Contrariamente à crença popular, a teoria da evolução centralizada nos genes *não* implica que o objetivo de todo empenho humano é propagar nossos genes. Com exceção do médico da fertilidade que fez inseminação artificial com seu próprio sêmen nas pacientes, dos doadores do banco de esperma para ganhadores do Prêmio Nobel e de outros excêntricos, *nenhum* ser humano (ou animal) esforça-se para propagar seus genes. Dawkins explicou a teoria em um livro intitulado *The selfish gene* [O gene egoísta], e a metáfora foi cuidadosamente escolhida. As pessoas não propagam seus genes de maneira egoísta; os genes propagam-se de maneira egoísta. Fazem isso pelo modo como constroem nosso cérebro. Levando-nos a apreciar a vida, a saúde, o sexo, os amigos e filhos, os genes compram um bilhete de loteria para representação na geração seguinte, com chances que eram favoráveis no meio em que evoluímos. Nossos objetivos são subobjetivos do supremo objetivo dos genes, replicar-se. Mas os dois são diferentes. No que *nos* diz respeito, nossos objetivos, conscientes ou inconscientes, nada têm a ver com genes, e sim com saúde, parceiros românticos, filhos e amigos.

A confusão entre os nossos objetivos e os objetivos de nossos genes tem gerado uma confusão atrás da outra. O crítico de um livro sobre a evolução da sexualidade protesta afirmando que o adultério humano, ao contrário de seu equivalente animal, não pode ser uma estratégia para propagar genes, pois os adúlteros tomam providências para impedir a gravidez. Mas estamos falando da estratégia de quem? O desejo sexual *não* é uma estratégia das pessoas para propagar seus genes. É uma estratégia das pessoas para obter os prazeres do sexo, e os prazeres do sexo são a estratégia dos genes para propagarem-se. Se os genes não se propagam, é porque somos mais espertos do que eles. Um livro sobre a vida emocional dos animais argumenta que, se o altruísmo segundo os biólogos é apenas ajudar parentes ou trocar favores, ambas as coisas atendendo aos interesses de nossos próprios genes, ele não seria *verdadeiramente* altruísmo, afinal de contas, mas algum tipo de hipocrisia. Isso também é uma confusão. Assim como uma fotocópia azul do projeto de um edifício não necessariamente especifica um prédio azul, genes egoístas não necessariamente especificam organismos egoístas. Como veremos, às vezes a coisa mais egoísta que um gene pode fazer é construir um cérebro altruísta.

Os genes são uma peça dentro de uma peça, e não o monólogo interior dos atores.

CORREÇÃO PSICOLÓGICA

A psicologia evolucionista deste livro é um afastamento da visão dominante da mente humana em nossa tradição intelectual, que Tooby e Cosmides batizaram de Modelo Clássico da Ciência Social (MCCS) [Standard Social Science Model]. O MCCS postula uma divisão fundamental entre biologia e cultura. A biologia dota os seres humanos com os cinco sentidos, alguns impulsos como a fome e o medo e uma capacidade geral para aprender. Mas a evolução biológica, segundo o MCCS, tem sido suplantada pela evolução cultural. A cultura é uma entidade autônoma que concretiza um desejo de perpetuar a si mesma criando expectativas e atribuindo papéis, os quais podem variar arbitrariamente de sociedade para sociedade. Até mesmo os reformistas do MCCS aceitaram esse enquadramento da questão. A biologia é "tão importante quanto" a cultura, dizem os reformistas; a biologia impõe "restrições" ao comportamento, e todo comportamento é uma mistura das duas.

O MCCS não apenas se tornou uma ortodoxia intelectual mas também adquiriu autoridade moral. Quando os sociobiólogos começaram a desafiá-lo, depararam com uma ferocidade que é incomum mesmo pelos padrões da invectiva acadêmica. O biólogo E. O. Wilson foi ensopado por um jarro de água gelada em uma convenção científica, e os estudantes berraram em megafones pedindo sua demissão e mostraram cartazes instigando as pessoas a levarem matracas para fazer barulho em suas conferências. Manifestos irados e denúncias do tamanho de livros foram publicados por organizações com nomes como Ciência para o Povo e Campanha Contra o Racismo, o QI e a Sociedade de Classes. No livro *Not in our genes* [Não em nossos genes], Richard Lewontin, Steven Rose e Leon Kamin fizeram insinuações a respeito da vida sexual de Donald Symons e deturparam um trecho defensável de Richard Dawkins, transformando-o em insano. (Dawkins afirmou sobre os genes: "Eles nos criaram, corpo e mente"; os autores citaram o trecho repetidamente como "Eles nos *controlam*, corpo e mente".) Quando a *Scientific American* publicou um artigo sobre genética do comportamento (estudos sobre gêmeos, famílias e filhos adotivos), eles o intitularam "Volta à eugenia", uma alusão ao desacreditado movimento para melhorar o estoque genético humano. Quando a revista publicou uma matéria sobre psicologia evolucionista, intitularam o artigo "Os novos darwinistas sociais", uma alusão ao movimento oitocentista que justificava a desigualdade social como parte da sabedoria da natureza. Até mesmo uma ilustre profissional da sociobiologia, a primatologista Sarah Blaffer Hrdy, afirmou: "Não estou certa de que a sociobiologia deva ser ensinada no curso secundário, ou mesmo na graduação [...] Toda a mensagem da sociobiologia é orientada para o sucesso do indivíduo. É maquiavélica, e a menos que o estudante já tenha sua estrutura moral bem formada, poderíamos estar produzindo um monstro social ensinando-lhe isso. Ela realmente se ajusta à perfeição ao etos *yuppie* do 'primeiro eu'".

Sociedades acadêmicas inteiras entraram na brincadeira, com votações sobre questões empíricas que imaginaríamos terem sido pormenorizadamente estudadas em laboratório e em campo. A descrição de uma Samoa idílica e igualitária por Margaret Mead foi um dos documentos pioneiros do MCCS, e quando o antropólogo Derek Freeman demonstrou que Mead havia interpretado os fatos de maneira espetacularmente errada, a Associação Americana de Antropologia, em reunião administrativa, votou pela denúncia das descobertas de Freeman como não científicas. Em 1986, vinte cientistas sociais em um congresso sobre "cérebro e agressão" redigiram a Declaração sobre a Violência de Sevilha, adotada em seguida pela UNESCO e endossada por diversas organizações científicas. A declaração alegava "contestar várias pretensas descobertas biológicas que têm sido usadas, até mesmo por pessoas ligadas às nossas disciplinas, para justificar a violência e a guerra":

> É *cientificamente incorreto* afirmar que herdamos de nossos ancestrais animais uma tendência para a guerra.
>
> É *cientificamente incorreto* afirmar que a guerra ou qualquer outro comportamento violento é geneticamente programado em nossa natureza humana.
>
> É *cientificamente incorreto* afirmar que no decorrer da evolução humana tem havido uma seleção para o comportamento agressivo mais do que para outros tipos de comportamento.
>
> É *cientificamente incorreto* afirmar que os humanos têm um "cérebro violento".
>
> É *cientificamente incorreto* afirmar que a guerra é causada pelo "instinto" ou qualquer motivação isolada [...] Concluímos que a biologia não condena a humanidade à guerra e que a humanidade pode libertar-se dos grilhões do pessimismo biológico e inspirar-se com confiança para empreender as tarefas transformadoras necessárias no Ano Internacional da Paz e nos anos vindouros.

Que certeza moral poderia ter incitado esses acadêmicos a deturpar citações, censurar ideias, atacar *ad hominem* os proponentes das ideias, conspurcá-los com associações injustificadas a movimentos políticos repugnantes e mobilizar instituições poderosas para legislar sobre o que é correto e o que é incorreto? A certeza deriva de uma oposição a três supostas implicações de uma natureza humana inata.

Primeira, se a mente possui uma estrutura inata, pessoas diferentes (ou diferentes classes, sexos e raças) poderiam ter estruturas inatas diferentes. Isso justificaria a discriminação e a opressão.

Segunda, se comportamentos detestáveis como agressão, guerra, estupro, nepotismo e busca de status e riqueza são inatos, isso os torna "naturais" e, portanto, bons. E, mesmo se forem considerados censuráveis, eles estão nos genes e não podem ser mudados, por isso as tentativas de reforma social são fúteis.

Terceira, se o comportamento é causado pelos genes, os indivíduos não podem ser responsabilizados por suas ações. Se o estuprador está atendendo a um imperativo biológico para propagar seus genes, não é culpa dele.

Com exceção apenas de alguns advogados de defesa cínicos e de um grupo de extremistas fanáticos que provavelmente não leem manifestos na *New York Review of Books*, ninguém verdadeiramente chegou a essas conclusões malucas. Elas são consideradas, na verdade, extrapolações que as massas ignorantes *poderiam* fazer, e por isso as próprias ideias perigosas teriam de ser suprimidas. De fato, o problema com os três argumentos não é que as conclusões são tão abomináveis que não se deveria permitir que pessoa alguma chegasse ao topo da ladeira escorregadia que conduz a elas. O problema é que não existe essa ladeira; os argumentos são *non sequiturs*. Para desmascará-los, basta examinar a lógica das teorias e separar as questões científicas das morais.

Não quero dizer que os cientistas devem buscar a verdade em sua torre de marfim, sem se perturbar com pensamentos morais e políticos. Todo ato humano envolvendo outro ser vivo é tanto o tema da psicologia como o da filosofia moral, e ambas são importantes. Mas não são a mesma coisa. O debate acerca da natureza humana tem sido obscurecido por uma preguiça intelectual, uma relutância em fornecer argumentos morais quando surgem questões morais. Em vez de argumentar a partir de princípios de direitos e valores, a tendência tem sido adquirir um pacote moral pronto (geralmente da Nova Esquerda ou marxista) ou empenhar-se em favor de um quadro alentador da natureza humana que nos poupe de precisar discutir questões morais.

A equação moral na maioria das discussões sobre a natureza humana é simples: inato = de direita = ruim. Ora, muitos movimentos hereditários *foram* de direita e ruins, como por exemplo a eugenia, a esterilização forçada, o genocídio, a discriminação racial, étnica e sexual e a justificação de castas econômicas e sociais. O Modelo Clássico da Ciência Social, para seu mérito, forneceu alguns dos elementos que críticos sociais ponderados usaram para solapar essas práticas.

Mas essa equação moral está errada tão frequentemente quanto está certa. Às vezes, práticas da esquerda são igualmente ruins, e seus perpetradores tentaram justificá-las usando a negação da natureza humana viabilizada pelo MCCS. Os expurgos de Stalin, o Gulag, os campos de extermínio de Pol Pot e quase cinquenta anos de repressão na China — tudo isso tem sido justificado pela doutrina de que ideias dissidentes refletem não o funcionamento de mentes racionais que chegaram a conclusões diferentes, mas produtos culturais arbitrários que podem ser erradicados fazendo-se a reengenharia da sociedade, "reeducando" os que foram contaminados pela velha educação e, se necessário, começando de novo com uma nova geração de tábulas que ainda estejam rasas.

E, às vezes, posições da esquerda estão corretas *porque* a negação da natureza humana é errada. Em *Corações e mentes*, o documentário de 1974 sobre a Guerra do Vietnã, um oficial americano explica que não podemos aplicar nossos padrões morais aos vietnamitas porque a cultura deles não dá valor às vidas individuais, e por isso eles não sofrem como nós quando seus familiares são mortos. O diretor encaixou essa citação em cenas de pessoas enlutadas aos prantos no funeral de um vietnamita morto na guerra, lembrando-nos de que a universalidade do amor e do pesar refuta a horrenda racionalização do oficial. Durante a maior parte deste século, mães com sentimento de culpa suportaram teorias vazias que as acusavam de toda disfunção ou diferença dos filhos (mensagens confusas causam esquizofrenia, frieza causa autismo, dominação causa homossexualidade, falta de limites causa anorexia, insuficiente "conversa de mãe" causa distúrbios de linguagem). Cólicas menstruais, enjoo da gravidez e dores do parto foram menosprezados como reações "psicológicas" femininas a expectativas culturais, em vez de tratadas como problemas de saúde legítimos.

O fundamento dos direitos individuais é a suposição de que as pessoas têm desejos e necessidades e são autoridades no que respeita a quais são esses desejos e necessidades. Se os desejos declarados pelas pessoas fossem apenas algum tipo de inscrição apagável ou lavagem cerebral reprogramável, qualquer atrocidade poderia ser justificada. (Assim, é irônico que ideologias de "libertação" em voga, como as de Michel Foucault e de algumas acadêmicas feministas, invoquem uma "autoridade interiorizada", "falsa consciência" ou "preferência inautêntica" socialmente condicionadas para explicar de modo satisfatório o inconveniente fato de que as pessoas apreciam as coisas que supostamente as oprimem.) A negação da natureza humana, não menos do que a ênfase sobre ela, pode ser distorcida para servir a propósitos danosos.

Devemos desmascarar todos os propósitos que sejam danosos e todas as ideias que sejam falsas e não confundir as duas coisas.

Como ficamos então quanto às três supostas implicações de uma natureza humana inata? A primeira "implicação" — que uma natureza humana inata implica diferenças humanas inatas — não é absolutamente uma implicação. O mecanismo mental que procuro demonstrar está instalado em todo ser humano neurologicamente normal. As diferenças entre as pessoas podem não ter relação alguma com o design da máquina. Elas podem muito bem provir de variações aleatórias no processo de montagem ou de diferentes histórias de vida. Mesmo se as diferenças fossem inatas, elas poderiam ser variações quantitativas e singularidades secundárias no equipamento presentes em todos nós (a rapidez com que um módulo trabalha, que módulo prevalece em uma competição no interior da cabeça) e não são necessariamente mais perniciosas do que os tipos de diferença inata admitidos pelo Modelo Clássico da Ciência Social (um processo de aprendizado de uso geral mais rápido, um impulso sexual mais forte).

Uma estrutura universal da mente não só é logicamente possível, mas provavelmente verdadeira. Tooby e Cosmides salientam uma consequência fundamental da reprodução sexual: a cada geração, cada projeto de uma pessoa mistura-se ao de alguma outra. Isso significa que devemos ser qualitativamente semelhantes. Se os genomas de duas pessoas tivessem designs para diferentes tipos de máquinas, como um motor elétrico e um a gasolina, o novo pastiche não especificaria absolutamente uma máquina viável. A seleção natural é uma força homogeneizadora no âmbito de uma espécie; elimina a grande maioria de variantes macroscópicas de design, porque estas não constituem melhoras. A seleção natural realmente depende de ter havido variação no passado, mas ela se serve da variação e a esgota. É por isso que todas as pessoas normais possuem os mesmos órgãos físicos, e por isso que seguramente todos temos os mesmos órgãos mentais. Existem, evidentemente, variações microscópicas entre as pessoas, em sua maioria pequenas diferenças na sequência de molécula a molécula de muitas de nossas proteínas. Mas no nível dos órgãos em funcionamento, físicos e mentais, as pessoas funcionam das mesmas maneiras. As diferenças entre as pessoas, a despeito da infinita fascinação que exercem sobre nós em nosso cotidiano, são de interesse secundário quando indagamos como a mente funciona. O mesmo vale para as diferenças — independentemente de sua origem — entre as médias de grupos inteiros de pessoas, como as raças.

Os sexos, obviamente, são um caso diferente. Os órgãos reprodutivos masculinos e femininos são um vívido lembrete de que designs qualitativamente diversos *são* possíveis para os sexos, e sabemos que as diferenças provêm do dispositivo especial de um "comutador" genético, que dá a partida em uma linha de dominós bioquímicos que ativam e desativam famílias de genes por todo o cérebro e corpo. Apresentarei evidências de que alguns desses efeitos causam diferenças no modo como a mente funciona. Em mais uma das ironias que permeiam a política acadêmica da natureza humana, esses estudos inspirados na evolução propuseram diferenças entre os sexos que se concentram acentuadamente na reprodução e esferas afins, sendo muito menos antipáticas do que as diferenças orgulhosamente alegadas por algumas escolas do feminismo. Entre as alegações das "feministas da diferença", temos a de que as mulheres não se dedicam ao raciocínio linear abstrato, não tratam as ideias com ceticismo ou as avaliam por meio de rigoroso debate, não argumentam a partir de princípios morais gerais e outras afrontas.

Porém, em última análise, não podemos simplesmente investigar quem é retratado de modo mais lisonjeiro; a questão é o que pensar das diferenças de grupo que realmente encontramos. E, neste caso, temos de estar dispostos a uma argumentação moral. A discriminação contra indivíduos com base em sua raça, sexo ou etnia é errada. Esse argumento pode ser defendido de várias maneiras que nada têm a ver com as características médias dos grupos. Pode-se afirmar que é injusto negar um benefício social a indivíduos devido a fatores que eles não podem controlar, ou que a pessoa discriminada vivencia a discriminação como um tormento extremamente penoso, que um grupo de vítimas da discriminação é propenso a reagir com raiva, que a discriminação tende a agravar-se cada vez mais até chegar a horrores como a escravidão e o genocídio. (Os defensores das políticas de "ação afirmativa" poderiam reconhecer que a discriminação invertida é errada, mas argumentam que ela repara um erro ainda maior.) Nenhum desses argumentos é afetado por qualquer coisa que um cientista possa um dia alegar ter descoberto. A palavra final sobre as não implicações políticas das diferenças entre grupos deve ser dada a Gloria Steinem: "Não existem muitos empregos que verdadeiramente requeiram um pênis ou uma vagina, e todas as demais ocupações devem estar ao alcance de qualquer pessoa".

A falácia da segunda suposta implicação de uma natureza humana — de que se nossos motivos ignóbeis são inatos, não podem ser, afinal de contas, tão perversos — é tão óbvia que lhe deram um nome: a falácia naturalista, segundo a qual o que acontece na natureza é certo. Esqueçamos o disparate romântico dos documentários sobre vida selvagem, onde todas as criaturas, grandes e pequenas, agem pelo bem maior e pela harmonia do ecossistema. Como observou Darwin: "Que livro um capelão do diabo poderia escrever sobre as desajeitadas, dissipadoras, desatinadas, vis e horrivelmente cruéis obras da natureza!". Um exemplo clássico é o da vespa icnêumone, que paralisa uma lagarta e bota ovos no corpo da vítima para que sua prole possa devorar lentamente a carne viva a partir de dentro.

Assim como muitas espécies, o *Homo sapiens* é um coisa-ruim. A história registrada desde a Bíblia até o presente é uma história de assassinato, estupro e guerra, e a etnografia honesta mostra que os povos que vivem da coleta de alimento, como o resto de nós, são mais selvagens do que nobres. Os !kung san, do deserto do Kalahari, frequentemente são apontados como um povo relativamente pacífico, e de fato são, se comparados a outros povos coletores de alimentos: seu índice de assassinatos é apenas igual ao de Detroit. Um linguista amigo meu, que estuda os wari da floresta Amazônica, ficou sabendo que a língua desse povo tem um termo para designar coisas comestíveis, o que inclui qualquer um que não seja um wari. Evidentemente, os humanos não têm um "instinto de guerra" ou um "cérebro violento", como nos garante a Declaração de Sevilha, mas também não têm exatamente um instinto de paz ou um cérebro não violento. Não podemos atribuir toda a história e etnografia humana a armas de brinquedo e desenhos animados de super-heróis.

Isso significa que "a biologia condena o homem à guerra" (ou ao estupro, ao assassinato, aos *yuppies* egoístas) e que todo otimismo com relação a reduzir tudo isso deve ser descartado? Ninguém precisa de um cientista para defender o argumento moral de que a guerra não é salutar para as crianças e outros seres vivos, ou o argumento empírico de que alguns lugares e períodos são amplamente mais pacíficos do que outros e que deveríamos tentar entender e reproduzir o que os levou a ser assim. E ninguém precisa dos clichês da Declaração de Sevilha ou de sua ignorância de que a guerra é desconhecida entre os animais e de que as hierarquias de dominância nos animais são uma forma de manter laços e afiliações que beneficiam o grupo. O que não faria mal é uma compreensão realista da psicologia da perversidade humana. Válida ou não, a teoria da mente modular dá margem tanto a motivos inatos que conduzem a atos perversos como a motivos inatos que podem evitá-los. Não que esta seja uma descoberta exclusiva da psicologia evolucionista: todas as grandes religiões observam que a vida mental é muitas vezes uma luta entre desejo e consciência.

Quando se trata da esperança de mudar o mau comportamento, a sabedoria convencional novamente precisa ser invertida: uma natureza humana complexa pode dar *mais* espaço para a mudança do que a tábula rasa do Modelo Clássico da Ciência Social. Uma mente ricamente estruturada permite negociações complexas no interior da cabeça, e um módulo poderia subverter os intentos perversos de outro. No MCCS, em contraste, com frequência se afirma que a educação e a criação têm um poder insidioso e irreversível. "É menino ou menina?" — eis a primeira pergunta que fazemos sobre um ser humano, e desse momento em diante os pais tratam filhos e filhas de modos diferentes: tocam, consolam, amamentam, são condescendentes e conversam com os meninos e as meninas em graus desiguais. Imagine que esse comportamento tenha consequências de longo prazo para as crianças, o que inclui todas as diferenças documentadas entre os sexos *e* uma tendência a, no futuro, tratar os próprios filhos de modo diferente desde o nascimento. A menos que instalássemos um policiamento paterno dentro da maternidade, o ciclo seria completo e irrevogável. A cultura condenaria as mulheres à inferioridade, e ficaríamos escravizados aos grilhões do pessimismo cultural, impedidos pela falta de autoconfiança de empreender tarefas transformadoras.

A natureza não impõe o que devemos aceitar ou o modo como devemos levar a vida. Alguns ativistas feministas e homossexuais reagem com fúria às observações banais de que a seleção natural projetou as mulheres em parte para gerar filhos e cuidar deles e que projetou homens e mulheres para o sexo heterossexual. Eles veem nessas observações a mensagem sexista e homofóbica de que apenas os papéis sexuais tradicionais são "naturais" e que estilos de vida alternativos têm de ser condenados. Por exemplo, a romancista Mary Gordon, ridicularizando o comentário de um historiador de que o que todas as mulheres têm em comum é a capacidade de gerar filhos, escreveu: "Se a qualidade que define ser mulher é a capacidade de gerar filhos, então não os ter (como no caso de Florence Nightingale e Greta Garbo) é, de alguma forma, fracassar no cumprimento do destino". Não estou certo nem mesmo do que *significam* "qualidade que define ser mulher" e "cumprimento do destino", mas tenho certeza de que felicidade e virtude nada têm a ver com o que a seleção natural nos projetou para realizar no meio ancestral. Cabe a nós determiná-las. Afirmando isso, não estou sendo hipócrita, muito embora eu seja um convencional homem branco heterossexual. Já bem avançado na idade procriadora, até agora não tenho filhos, tendo desperdiçado meus recursos biológicos lendo e escrevendo, pesquisando, ajudando amigos e alunos e fazendo cooper na pista, desatendendo o solene imperativo para propagar meus genes. Pelos padrões darwinianos, sou um erro tremendo, um patético derrotado, nem mais nem menos do que se fosse um membro de carteirinha da Nação Gay. Mas estou satisfeito vivendo assim, e se meus genes não gostarem, que vão plantar batatas.

* * *

Finalmente, e quanto a atribuir o comportamento perverso aos nossos genes? O neurocientista Steven Rose, na crítica de um livro de E. O. Wilson, onde este afirma que os homens têm maior desejo de poligamia do que as mulheres, acusou o autor de, na verdade, estar dizendo: "Senhoras, não censurem seus companheiros por darem suas escapadas, não é culpa deles serem geneticamente programados". O título do livro escrito por Rose juntamente com Lewontin e Kamin, *Not in our genes*, é uma alusão a *Júlio César*:

> Men at some time are masters of their fates:
> The fault, dear Brutus, lies not in our stars,
> But in ourselves [...]*

Para Cássio, a programação considerada como uma justificativa para as falhas humanas não era genética, mas astrológica, e isso suscita uma questão fundamental. *Qualquer* causa de comportamento, não apenas os genes, levanta a questão do livre-arbítrio e da responsabilidade. A diferença entre explicar um comportamento e desculpá-lo é um velho tema da argumentação moral, bem expressa no ditado "entender não é perdoar".

Nesta era científica, "entender" significa tentar explicar o comportamento como uma complexa interação entre (1) os genes, (2) a anatomia do cérebro, (3) o estado bioquímico deste, (4) a educação que a pessoa recebeu na família, (5) o modo como a sociedade tratou esse indivíduo e (6) os estímulos que se impõem à pessoa. De fato, *cada um* desses fatores, e não apenas as estrelas ou os genes, tem sido impropriamente invocado como origem de nossas falhas e justificativa de que não somos senhores de nosso destino.

(1) Em 1993, pesquisadores identificaram um gene que foi associado a incontroláveis explosões de violência. ("Pense nas implicações", escreveu um colunista. "Algum dia talvez tenhamos a cura para o hóquei.") Pouco depois aparecia a inevitável manchete: "Os genes de um homem fizeram-no matar, alegam seus advogados".

(2) Em 1982, um perito deu seu testemunho na defesa de John Hinckley, que atirara no presidente Reagan e em três outros homens para impressionar a atriz Jodie Foster; o perito alegou que uma tomografia computadorizada do cérebro de Hinckley revelara sulcos ampliados e ventrículos alargados, um sinal de esquizofrenia e, portanto, uma doença ou deficiência mental escusa-

---

(*) "Os homens em algum momento são senhores de seu destino:/ A culpa, caro Brutus, não está em nossa estrela,/ Mas em nós mesmos [...]"

tória. (O juiz não aceitou isso como prova, embora a alegação de insanidade da defesa prevalecesse.)

(3) Em 1978, Dan White, tendo pedido exoneração do Conselho Administrativo de San Francisco, entrou no gabinete do prefeito George Moscone e implorou para ser reintegrado. Quando Moscone recusou, White matou-o a tiros, seguiu pelo corredor até a sala do supervisor, Harvey Milk, e matou-o também. Os advogados de White alegaram, com êxito, que no momento do crime White não tinha responsabilidade penal e que seu ato não fora premeditado, pois sua química cerebral estava devastada pelo consumo excessivo de doces. White foi condenado por homicídio culposo e cumpriu cinco anos na prisão, graças à tática que sobrevive infamemente como a Defesa Twinkie.* Analogamente, no que hoje se conhece como Defesa SPM (Síndrome Pré-Menstrual), hormônios enfurecidos eximiram de culpa uma cirurgiã que agredira um policial porque ele a detivera por dirigir bêbada.

(4) Em 1989, Lyle e Erik Menendez irromperam no quarto de seus pais milionários e os mataram com uma espingarda de caça. Após vários meses exibindo seus Porsche e Rolex novos, confessaram os assassinatos. Seus advogados defenderam o caso perante um júri dividido, alegando legítima defesa, apesar do fato de que as vítimas estavam deitadas na cama, desarmadas, comendo morango com sorvete. Os garotos Menendez, disseram os advogados, haviam ficado traumatizados pela crença de que seus pais iriam matá-los porque o pai abusara deles física, sexual e emocionalmente durante anos. (Em um novo julgamento, em 1996, eles foram condenados por assassinato e sentenciados à prisão perpétua.)

(5) Em 1994, Colin Ferguson embarcou num trem e se pôs a atirar a esmo nas pessoas brancas. Matou seis. O advogado radical William Kunstler estava disposto a defendê-lo recorrendo à Síndrome da Ira Negra, segundo a qual um afro-americano pode eventualmente explodir devido à pressão acumulada da vida em uma sociedade racista. (Ferguson rejeitou a oferta e se defendeu sozinho, sem êxito.)

(6) Em 1992, um prisioneiro condenado à morte por estupro e assassinato recorreu da sentença alegando ter cometido seus crimes sob a influência de pornografia. A "Defesa da Pornografia Levou-Me a Fazer Isso" é uma ironia para as escolas do feminismo que argumentam que as explicações biológicas para o estupro reduzem a responsabilidade do estuprador e que uma boa tática para combater a violência contra as mulheres é pôr a culpa na pornografia.

(*) Twinkie é a marca de um bolinho com recheio doce para se comer no lanche. (N. T.)

À medida que a ciência for avançando e as explicações do comportamento tornarem-se menos fantasiosas, avultará o Espectro da Excusa Arrepiante, na denominação de Dennett. Sem uma filosofia moral mais clara, qualquer causa de comportamento poderia ser considerada solapadora do livre-arbítrio e, portanto, da responsabilidade moral. A ciência sem dúvida parecerá corroer a vontade, *independentemente* do que ela descobrir, pois no modo de explicação científico não pode haver lugar para a misteriosa noção de causação sem causa fundamentando a vontade. Se os cientistas quisessem demonstrar que as pessoas têm livre-arbítrio, o que deveriam procurar? Algum evento neural aleatório que o resto do cérebro amplifica e transforma em um sinal desencadeador de comportamento? Mas um evento aleatório não se coaduna com o conceito de livre-arbítrio mais do que um evento regido por leis, e não poderia servir como o tão procurado *locus* da responsabilidade moral. Não consideraríamos uma pessoa culpada se seu dedo puxasse o gatilho quando estivesse mecanicamente ligado a uma roda de roleta, então por que deveria ser diferente se a roleta estivesse dentro de sua cabeça? O mesmo problema surge para uma outra causa imprevisível que tem sido sugerida como a origem do livre-arbítrio, a teoria do caos, na qual, segundo um clichê, o adejo de uma borboleta pode desencadear uma cascata de eventos culminando em um furacão. Um adejo no cérebro que provoca um furacão de comportamento, se alguma vez fosse descoberto, ainda assim seria uma causa de comportamento e não se enquadraria no conceito de livre-arbítrio sem causa que fundamenta a responsabilidade moral.

Ou descartamos toda moralidade como superstição não científica ou descobrimos um jeito de conciliar causação (genética ou não) com responsabilidade e livre-arbítrio. Duvido que nossa perplexidade venha a ser um dia totalmente dissipada, mas com certeza podemos conciliá-los parcialmente. Como muitos filósofos, acredito que ciência e ética são dois sistemas independentes aplicados para as mesmas entidades no mundo, assim como pôquer e bridge são jogos diferentes jogados com o mesmo baralho de 52 cartas. O jogo da ciência trata as pessoas como objetos materiais, e suas regras são os processos físicos que causam o comportamento por meio da seleção natural e da neurofisiologia. O jogo da ética trata as pessoas como agentes equivalentes, sencientes, racionais e detentores de livre-arbítrio, e suas regras são o cálculo que atribui valor moral ao comportamento por meio da natureza inerente do comportamento ou suas consequências.

O livre-arbítrio é uma idealização dos seres humanos que torna o jogo da ética possível de jogar. A geometria euclidiana requer idealizações, como linhas retas infinitas e círculos perfeitos, e suas deduções são judiciosas e úteis, muito embora o mundo não possua realmente linhas retas infinitas ou círculos perfeitos. O mundo é próximo o bastante da idealização para que os teoremas possam ser proveitosamente aplicados. De modo semelhante, a teoria ética requer idealizações como agentes livres, sencientes, racionais e equivalentes cujo comportamento é não causado, e as conclusões da teoria ética podem ser sensatas e úteis muito embora o mundo, como a ciência o vê, não apresente verdadeiramente efeitos não causados. Desde que não haja uma coerção inequívoca ou uma grave perturbação do raciocínio, o mundo é próximo o bastante da idealização do livre-arbítrio para que tenha sentido aplicar-lhe a teoria moral.

Ciência e moralidade são esferas de raciocínio separadas. Somente reconhecendo-as como separadas poderemos ter ambas. Se a discriminação é errada apenas quando as médias dos grupos são iguais, se guerra, estupro e ganância são errados apenas quando as pessoas nunca se sentem inclinadas a praticá-los, se as pessoas são responsáveis por suas ações apenas quando as ações são misteriosas, então ou os cientistas precisam dispor-se a camuflar seus dados ou todos nós devemos nos dispor a abrir mão de nossos valores. Os argumentos científicos serão como a capa da *National Lampoon* que mostrava um cachorrinho com uma arma apontada para sua cabeça e os dizeres "Compre esta revista ou matamos o cachorro".

A lâmina que separa as explicações causais do comportamento da responsabilidade moral pelo comportamento tem dois gumes. Na mais recente deturpação da peça da moralidade na natureza humana, um marcador cromossômico para a homossexualidade em alguns homens, o chamado gene gay, foi identificado pelo geneticista Dean Hamer. Para perplexidade da Ciência para o Povo, desta vez é a explicação genética que é politicamente correta. Ela supostamente refuta políticos de direita como Dan Quayle, que afirmara ser a homossexualidade "mais uma escolha do que uma situação biológica. É uma escolha errada". O gene gay tem sido usado para argumentar que a homossexualidade não é uma escolha pela qual se possa responsabilizar os homossexuais, mas uma orientação involuntária que eles não podem evitar. Mas esse raciocínio é perigoso. Com a mesma facilidade se poderia afirmar que o gene gay influencia algumas pessoas a *escolher* a homossexualidade. Além disso, como toda boa ciência, o resultado de Hamer poderia ser refutado algum dia, e então como ficaríamos? Admitiríamos que a intolerância contra os homossexuais é aceitável, afinal de contas? O argumento contra a perseguição dos homossexuais não deve ser exposto em termos do gene gay ou do cérebro gay, mas em termos do direito das pessoas de praticar atos consensuais sem serem discriminadas ou importunadas.

O enclausuramento das argumentações científica e moral em esferas separadas também está por trás de minha recorrente metáfora da mente como uma máquina, das pessoas como robôs. Isso não desumaniza e objetifica as pessoas, levando-nos a tratá-las como objetos inanimados? Como observou lucidamente um estudioso humanista em uma postagem em um grupo de notícias da Internet, isso não invalida a experiência humana, reificando um modelo de relacionamento baseado em uma relação Eu-Coisa e deslegitimando todas as outras formas de discurso, com consequências fundamentalmente destrutivas para a sociedade? Só se a pessoa for tão prosaica que não consiga deslocar-se entre diferentes posturas na conceituação das pessoas para fins diferentes. Um ser humano é simultaneamente uma máquina e um agente livre senciente, dependendo do objetivo da discussão, assim como ele também é um contribuinte do fisco, um corretor de seguros, um paciente do dentista e noventa quilos de lastro num avião da ponte aérea, dependendo do objetivo da discussão. A postura mecanicista permite-nos entender o que nos faz funcionar e como nos encaixamos no universo físico. Quando essas discussões se esgotam no fim do dia, voltamos a falar uns dos outros como seres humanos livres e dignos.

A confusão da psicologia científica com objetivos morais e políticos e a resultante pressão para acreditar em uma mente desprovida de estrutura têm permeado nocivamente o meio acadêmico e o discurso intelectual moderno. Muitos de nós ficamos intrigados com a tomada dos departamentos de ciências humanas pelas doutrinas do pós-modernismo, pós-estruturalismo e desconstrucionismo, segundo as quais a objetividade é impossível, o significado é autocontraditório e a realidade é socialmente construída. Os motivos tornam-se mais claros quando refletimos sobre afirmações típicas, como: "Os seres humanos construíram e usaram a divisão entre masculino e feminino — os seres humanos podem desconstruir e parar de usar essa divisão" e "O binário heterossexual/homossexual não está na natureza; ele é socialmente construído e, portanto, pode ser desconstruído". Nega-se realidade a categorias, conhecimentos e ao próprio mundo para que se possa negar realidade a estereótipos de sexo, raça e orientação sexual. A doutrina é basicamente um modo tortuoso de concluir que a opressão das mulheres, dos homossexuais e das minorias é ruim. E a dicotomia entre "na natureza" e "socialmente construído" revela pobreza de imaginação, pois omite uma terceira possibilidade: a de que algumas categorias são produtos de uma mente complexa projetada para engrenar-se com o que está na natureza.

Os críticos sociais da corrente dominante também são capazes de declarar qualquer absurdo que se adequar ao Modelo Clássico da Ciência Social. Os meninos são incentivados a discutir e lutar. As crianças aprendem a associar os doces ao prazer porque os pais usam doces como recompensa por comerem espinafre. Os adolescentes competem na aparência e no vestuário porque seguem o exemplo dos concursos de ortografia e das cerimônias de entrega de prêmios. Os homens são socializados para acreditar que o objetivo da relação sexual é o orgasmo. As mulheres de oitenta anos são consideradas fisicamente menos atraentes do que as de vinte porque nossa cultura fálica transformou a moça no venerado objeto do desejo. O problema não é simplesmente a inexistência de provas para essas afirmações espantosas; é a dificuldade para crer que os próprios autores, lá no fundo, acreditavam mesmo nelas. Esse tipo de afirmação é feito sem preocupação quanto à sua veracidade; fazem parte do catecismo secular de nossa época.

O comentário social contemporâneo fundamenta-se em concepções arcaicas da mente. Vítimas explodem sob pressão, os meninos são condicionados a fazer isto, as mulheres sofrem lavagem cerebral para valorizar aquilo, as meninas são ensinadas a ser de tal e tal modo. De onde vêm essas explicações? Do modelo hidráulico oitocentista de Freud, dos cães salivantes e ratos apertadores de botões do behaviorismo, das tramas para controlar a mente nos filmes de segunda categoria da época da Guerra Fria, dos filhos ingênuos e obedientes de *Papai Sabe-Tudo*.

Mas, quando olhamos em volta, sentimos que essas teorias simplistas absolutamente não refletem a verdade. Nossa vida mental é um ruidoso parlamento de facções adversárias. Ao lidar com os outros, pressupomos que eles são tão complexos quanto nós, e achamos que eles estão achando que nós estamos achando que eles estão achando. Os filhos desafiam os pais a partir do momento em que nascem e frustram todas as expectativas deles dali por diante: um supera condições pavorosas e passa a levar uma vida satisfatória, outro recebe do bom e do melhor mas cresce um rebelde sem causa. Um estado moderno perde o controle, e seu povo entusiasticamente retoma as vendetas dos avós. E não existem robôs.

A meu ver, uma psicologia fundamentada em muitas faculdades computacionais projetadas pela seleção natural é nossa melhor esperança para uma compreensão de como funciona a mente que faça jus à complexidade mental. Mas não pretendo convencer você com a síntese introdutória deste capítulo. A prova tem de emergir do c de problemas que vão do funcionamento dos estereogramas tipo Olho Mágico ao que faz uma paisagem ser bonita, por que consideramos nojenta a ideia de comer vermes e por que os homens matam as esposas infiéis. Quer você esteja ou não persuadido pelos argumentos até aqui, espero que eles tenham incitado seu pensamento e despertado sua curiosidade para as explicações a seguir.

2
MÁQUINAS PENSANTES

Como muitos da geração *baby boom*, meu primeiro contato com problemas da filosofia foi viajando por outra dimensão, uma dimensão não apenas visual e sonora, mas mental, em uma jornada por uma terra assombrosa cujas fronteiras são as da imaginação. Refiro-me a *Além da imaginação*, o ingênuo seriado de televisão de Rod Serling que foi popular durante minha infância. Os filósofos com frequência procuram esclarecer conceitos difíceis usando experimentos mentais, situações hipotéticas bizarras que nos ajudam a explorar as implicações de nossas ideias. *Além da imaginação* encenava essas situações para a câmera.

Um dos primeiros episódios intitulava-se "O solitário". James Corry está cumprindo uma sentença de cinquenta anos em confinamento solitário num árido asteroide a 15 milhões de quilômetros da Terra. Allenby, capitão de uma nave de suprimentos que abastece o asteroide, compadece-se de Corry e lhe deixa uma caixa contendo "Alicia", um robô que pensa e age como uma mulher. No começo Corry sente repulsa, mas é claro que logo se apaixona perdidamente por ela. Um ano depois, Allenby retorna trazendo a notícia de que Corry fora perdoado e que estava lá para levá-lo embora. Infelizmente, Corry só poderia levar sete quilos de bagagem, e Alicia pesa mais do que isso. Quando Corry se recusa a partir, Allenby, relutante, saca uma arma e dá um tiro no rosto de Alicia, deixando à mostra um emaranhado de fios fumegantes. Ele diz a Corry: "Tudo o que você está deixando para trás é a solidão". Corry, arrasado, murmura: "Eu preciso me lembrar disso. Nunca posso me esquecer disso".

Ainda recordo o horror provocado pelo clímax, e o episódio foi muito discutido em meu círculo de críticos pré-adolescentes. ("Por que ele não levou só a cabeça dela?", perguntou um deles.) Nosso pesar provinha ao mesmo tempo da comiseração por Corry devido à sua perda e da impressão de que um ser senciente fora liquidado. Evidentemente, os diretores haviam manipulado os telespectadores contratando uma bela atriz em vez de um monte de lata para o papel de Alicia. Mas, ao evocar nossas simpatias, eles trouxeram à tona duas questões muito controvertidas. Algum dia um aparelho mecânico poderá duplicar a inteligência humana, sendo o teste supremo a possibilidade de um ser humano real apaixonar-se por ele? E se uma máquina humanoide pudesse ser construída, ela seria verdadeiramente *consciente*? Destruí-la seria o ato de assassinato que tínhamos a impressão de ter visto na telinha?

As duas questões mais profundas sobre a mente são: "O que possibilita a inteligência?" e "O que possibilita a consciência?". Com o advento da ciência cognitiva, a inteligência tornou-se inteligível. Talvez não seja tão chocante afirmar que, em um nível de análise muito abstrato, o problema foi resolvido. Mas a consciência ou a sensibilidade, a sensação nua e crua da dor de dente, do rubor, do salgado e do dó central, continua sendo um enigma embrulhado em um mistério dentro do impenetrável. Quando nos perguntam o que *é* a consciência, não temos resposta melhor que a de Louis Armstrong quando uma repórter perguntou-lhe o que era jazz: "Moça, se você precisa perguntar, nunca saberá". Mas até mesmo a consciência não é um mistério tão consumado quanto costumava ser. *Partes* do mistério foram sondadas e transformadas em problemas científicos ordinários. Neste capítulo, examinaremos primeiro o que é inteligência, de que maneira um ser físico como um robô ou um cérebro poderia obtê-la e como nosso cérebro realmente a obtém. Em seguida, tratarei do que compreendemos e não compreendemos a respeito da consciência.

A PROCURA DE VIDA INTELIGENTE NO UNIVERSO

The search for inteligent life in the universe é o título de uma peça da comediante Lily Tomlin, uma exploração das tolices e fraquezas humanas. O título de Tomlin joga com os dois significados de "inteligência": aptidão (como na célebre definição irônica segundo a qual inteligência é "seja lá o que for que os testes de QI medem") e pensamento racional, semelhante ao humano. É do segundo significado que tratarei aqui.

Podemos ter problemas para definir inteligência, mas a reconhecemos quando a encontramos. Talvez um experimento mental possa esclarecer o conceito. Suponhamos que houvesse um ser alienígena que em todos os aspectos parecesse diferente de nós. O que ele teria de fazer para nos levar a pensar que é inteligente? Os escritores de ficção científica, obviamente, enfrentam esse problema como parte de seu trabalho; que melhor autoridade poderíamos encontrar para responder? O autor David Alexander Smith deu a melhor caracterização de inteligência que já vi quando um entrevistador lhe perguntou: "O que faz um bom alienígena?".

> Primeiro, eles precisam ter reações inteligentes mas impenetráveis às situações. Você tem de conseguir observar o comportamento do alienígena e dizer: "Não entendo as regras pelas quais o alienígena está tomando suas decisões, mas ele está agindo racionalmente segundo algum conjunto de regras" [...] O segundo requisito é que eles têm de se importar com alguma coisa. Precisam querer alguma coisa e buscá-la enfrentando obstáculos.

Tomar decisões "racionalmente", segundo algum conjunto de regras, significa basear as decisões em alguns elementos de verdade: correspondência com a realidade ou correção das inferências. Um alienígena que trombasse com as árvores ou continuasse a andar até cair num abismo, ou que fizesse todos os movimentos de cortar uma árvore, mas estivesse na verdade dando golpes contra uma rocha ou no vazio, não pareceria inteligente. Também não pareceria inteligente um alienígena que visse três predadores entrarem em uma caverna, dois saírem e então ele próprio entrasse na caverna como se estivesse vazia.

Essas regras devem ser usadas a serviço do segundo critério, desejar e buscar alguma coisa diante de obstáculos. Se não tivéssemos uma ideia do que a criatura queria, não poderíamos nos impressionar quando ela fizesse algo para obtê-lo. Quem garante que a criatura não estava *querendo* trombar com a árvore ou dar machadadas na rocha e, portanto, atingindo brilhantemente seu objetivo? De fato, sem uma especificação dos objetivos da criatura, a própria ideia de inteligência não tem sentido. Um cogumelo poderia receber um troféu de gênio por realizar, com precisão milimétrica e confiabilidade infalível, a proeza de estar parado exatamente ali onde ele está. Nada nos impediria de concordar com o cientista cognitivo Zenon Pylyshyn, para quem as pedras são mais inteligentes do que os gatos, pois elas têm a sensatez de ir embora quando as chutamos.

Por fim, a criatura precisa usar as regras racionais para atingir o objetivo de maneiras diferentes, dependendo dos obstáculos a serem vencidos. Como explicou William James:

> Romeu quer Julieta como a limalha quer o ímã; e, se nenhum obstáculo se interpuser, Romeu se move na direção de Julieta em uma linha tão reta quanto a limalha na direção do ímã. Mas Romeu e Julieta, se um muro for construído entre eles, não permanecerão estupidamente comprimindo o rosto um de cada lado do muro, como fariam a limalha e o ímã caso houvesse um cartão de permeio. Romeu logo encontra um meio alternativo, pulando o muro ou fazendo alguma outra coisa, para tocar diretamente os lábios de Julieta. Com a limalha, o caminho é fixo; se ela atinge ou não o objetivo, depende de acidentes. Com o enamorado, é o objetivo que é fixo; o caminho pode ser modificado indefinidamente.

Inteligência, portanto, é a capacidade de atingir objetivos diante de obstáculos, por meio de decisões baseadas em regras racionais (que obedecem à verdade). Os cientistas da computação Allen Newell e Herbert Simon deram mais substância a essa ideia observando que inteligência consiste em especificar um objetivo, avaliar a situação vigente para saber como ela difere do objetivo e pôr em prática uma série de operações para reduzir a diferença. Talvez seja tranquilizador constatar que, por essa definição, os seres humanos, e não só os alienígenas, são inteligentes. Temos *desejos*, procuramos satisfazê-los usando *crenças*, as quais, quando tudo vai bem, são pelo menos aproximadamente ou probabilisticamente verdadeiras.

Uma explicação da inteligência em termos de crenças e desejos não é absolutamente uma conclusão inevitável. A velha teoria do estímulo e resposta da escola behaviorista afirmava que crenças e desejos não tinham relação alguma com comportamento — de fato, que eram tão não científicos quanto uma lenda folclórica ou a magia negra. Humanos e animais emitem uma resposta a um estímulo seja porque este foi anteriormente associado a um reflexo desencadeante para essa resposta (por exemplo, salivar em resposta a uma campainha que foi associada à comida), seja porque a resposta foi recompensada na presença desse estímulo (por exemplo, empurrar uma barra que libera um bocado de alimento). Como observou o célebre behaviorista B. F. Skinner: "A questão não é se as máquinas pensam, mas se os homens pensam".

Obviamente, homens e mulheres pensam; a teoria do estímulo-resposta revelou-se errada. Por que Sally saiu correndo do prédio? Porque acreditava que ele estava pegando fogo, e ela não queria morrer. Sua fuga não foi uma resposta previsível a algum estímulo que pudesse ser objetivamente descrito na linguagem da física e da química. Talvez ela tivesse saído ao avistar fumaça, mas talvez tivesse saído em resposta a um telefonema avisando sobre o incêndio do prédio, à visão da chegada dos carros de bombeiro ou ao som de um alarme de incêndio. Mas também nenhum desses estímulos teria *necessariamente* feito com que ela saísse. Ela *não* teria saído se soubesse que a fumaça vinha de um bolo queimando no forno, que o telefonema era de um amigo praticando sua fala em uma peça, que alguém acionara o alarme por acidente ou por brincadeira ou que os alarmes estavam sendo testados por um eletricista. A luz, o som e as partículas que os físicos podem medir não predizem inapelavelmente o comportamento de uma pessoa. O que de fato prediz o comportamento de Sally, e prediz bem, é se ela *acredita* estar em perigo. As crenças de Sally, obviamente, relacionam-se aos estímulos que se impõem a ela, mas apenas de um modo tortuoso, indireto, mediado por todas as suas demais crenças a respeito de onde ela se encontra e de como o mundo funciona. E o comportamento de Sally depende igualmente de se ela *deseja* escapar do perigo — se ela fosse uma voluntária da brigada de incêndio, uma suicida ou uma fanática que desejasse imolar-se para chamar a atenção para uma causa, ou se tivesse filhos na creche do andar de cima, você pode apostar que ela não teria fugido.

O próprio Skinner não asseverou obstinadamente que estímulos mensuráveis como comprimentos de onda e formas prediziam o comportamento. Em vez disso, ele definiu os estímulos segundo suas próprias intuições. Satisfez-se plenamente considerando o "perigo" — assim como o "elogio", o "inglês" e a "beleza" — uma espécie de estímulo. Isso tinha a vantagem de manter sua teoria condizente com a realidade, mas era a vantagem do roubo em relação ao trabalho honesto. Entendemos o que significa um mecanismo responder a uma luz vermelha ou a um ruído alto — podemos até produzir um que faça isso — mas os humanos são os únicos mecanismos do universo que reagem ao perigo, ao elogio, ao inglês e à beleza. A capacidade de um humano para reagir a algo tão fisicamente nebuloso quanto um elogio é parte do mistério que estamos tentando resolver, e não parte da solução do mistério. Elogio, perigo, inglês e todas as outras coisas às quais reagimos, não menos do que a beleza, estão nos olhos de quem vê, e os olhos de quem vê são o que queremos explicar. O abismo entre o que pode ser medido por um físico e o que pode causar o comportamento é a razão por que precisamos atribuir crenças e desejos às pessoas.

Em nosso dia a dia, todos nós predizemos e explicamos o comportamento de outras pessoas com base no que achamos que elas sabem e no que achamos que elas desejam. Crenças e desejos são as ferramentas explicativas de nossa psicologia intuitiva, e a psicologia intuitiva ainda é a mais útil e mais completa ciência do comportamento que existe. Para predizer a grande maioria dos atos humanos — ir até a geladeira, subir no ônibus, pegar a carteira — você não precisa labutar num modelo matemático, simular uma rede neural no computador nem procurar um psicólogo profissional; basta perguntar à sua avó.

Não que o bom-senso deva ter mais autoridade na psicologia do que tem na física ou na astronomia. Mas essa parte do bom-senso tem tanto poder e precisão para prever, controlar e explicar o comportamento cotidiano em comparação com qualquer alternativa já concebida que há grandes chances de que ela venha a ser incorporada de alguma forma em nossas melhores teorias científicas. Telefono a um velho amigo que se encontra no outro extremo do país e combinamos nos encontrar em Chicago, na porta do bar de determinado hotel, num dia específico daqui a dois meses, às 7h45m da noite. Eu predigo, ele prediz e todo mundo que nos conhece prediz que nesse dia e nessa hora nós nos encontraremos. E realmente nos encontramos. Isso é espantoso! Em que outra esfera os leigos — ou os cientistas, aliás — predizem, com meses de antecedência, as trajetórias de dois objetos separados por milhares de quilômetros com uma precisão de centímetros e minutos? E fazem isso com base em informações que podem ser transmitidas em poucos segundos de conversa? O cálculo que fundamenta essa previsão é a psicologia intuitiva: o conhecimento de que eu *quero* encontrar meu amigo e vice-versa, de que cada um de nós *acredita* que o outro estará em determinado local em determinada hora e que *conhece* uma sequência de trajetos de carro, a pé e de avião que nos levará até lá. Nenhuma ciência da mente e do cérebro provavelmente virá a fazer melhor. Isso não significa que a psicologia intuitiva das crenças e desejos seja ela própria uma ciência, mas indica que a psicologia científica terá de explicar de que maneira um pedaço de matéria que é um ser humano pode ter crenças e desejos e como as crenças e desejos funcionam tão bem.

A explicação tradicional para a inteligência é que a carne humana é permeada por uma entidade imaterial, a alma, em geral concebida como algum tipo de fantasma ou espírito. Mas a teoria depara com um problema intransponível: como é que o fantasma interage com a matéria sólida? Como um nada etéreo responde a lampejos, cutucadas e bips e faz braços e pernas se moverem? Outro problema é a esmagadora evidência de que a mente é a atividade do cérebro. A alma supostamente imaterial, sabemos agora, pode ser seccionada com uma faca, alterada por substâncias químicas, ligada ou desligada pela eletricidade e extinta por uma pancada forte ou insuficiência de oxigênio. No microscópio, o cérebro mostra uma assombrosa complexidade de estruturas físicas plenamente comensuráveis com a riqueza da mente.

Outra explicação é que a mente provém de alguma forma extraordinária de matéria. Pinóquio foi animado por um tipo mágico de madeira encontrado por Gepeto, uma madeira que falava, ria e se movia por conta própria. Infelizmente, ninguém até hoje descobriu tal substância maravilhosa. A princípio, poderíamos pensar que a substância maravilhosa é o tecido cerebral. Darwin escreveu que o cérebro "secreta" a mente, e recentemente o filósofo John Searle afirmou que as propriedades físico-químicas do tecido cerebral de alguma forma produzem a mente, do mesmo modo como o tecido mamário produz leite e o tecido vegetal produz açúcar. Mas lembremos que esses mesmos tipos de membranas, poros e substâncias químicas são encontrados no tecido cerebral em todo o reino animal, sem falar dos tumores cerebrais e das culturas em placas de vidro. Todas essas porções de tecido neural têm as mesmas propriedades físico-químicas, porém nem todas produzem inteligência humana. Obviamente, *alguma coisa* que existe no tecido do cérebro humano é necessária para nossa inteligência, mas as propriedades físicas não são suficientes, do mesmo modo que as propriedades físicas dos tijolos não são suficientes para explicar a arquitetura e as propriedades físicas das partículas de óxido não são suficientes para explicar a música. Alguma coisa na *configuração* do tecido neural é crucial.

A inteligência muitas vezes foi atribuída a algum tipo de fluxo de energia ou campo de força. Orbes, eflúvios luminosos, auras, vibrações, campos magnéticos e linhas de força figuram com destaque no espiritualismo, na pseudociência e na parafernália da ficção científica. A escola da psicologia Gestalt tentou explicar as ilusões visuais com base em campos de força eletromagnéticos na superfície do cérebro, mas tais campos nunca foram encontrados. Algumas vezes descreveu-se a superfície do cérebro como um meio vibratório contínuo que sustenta hologramas ou outros padrões de interferência de ondas, mas essa ideia também não deu bons resultados. O modelo hidráulico, com sua pressão psíquica que se acumula, explode ou é desviada por canais alternativos, está no cerne da teoria de Freud e pode ser encontrado em dezenas de metáforas corriqueiras: extravasar a raiva, ferver de raiva, explodir sob pressão, subir o sangue à cabeça, ferver o sangue nas veias, estar prestes a arrebentar. Mas nem mesmo as emoções mais arrebatadoras correspondem precisamente a um acúmulo e descarga de energia (no sentido físico) em alguma parte do cérebro. No capítulo 6, procurarei persuadir você de que o cérebro, na verdade, não funciona por pressões internas, mas *engendra* essas pressões como uma tática de negociação, como um terrorista que amarra explosivos no corpo.

O problema de todas essas ideias é que, mesmo se *realmente* descobríssemos alguma geleia, vórtice, vibração ou orbe que falasse e fizesse traquinagens como o pedaço de pau de Gepeto, ou que, mais genericamente, tomasse decisões com base em regras racionais e procurasse atingir objetivos enfrentando obstáculos, ainda assim estaríamos às voltas com o mistério de *como* essa coisa realizou tais façanhas.

Não, a inteligência não provém de um tipo especial de espírito, matéria ou energia, mas de um produto diferente, a *informação*. Informação é uma correlação entre duas coisas, produzida por um processo regido por lei (e não ocorrida por mero acaso). Dizemos que os anéis em um tronco de árvore fornecem informações a respeito da idade da árvore porque o número deles tem correlação com a idade da planta (quanto mais velha a árvore, mais anéis ela tem), e a correlação não é uma coincidência, sendo causada pelo modo como as árvores crescem. Correlação é um conceito matemático e lógico; não se define segundo o material de que as entidades correlacionadas são feitas.

A informação, em si, não é nada de especial; ela é encontrada onde quer que causas produzam efeitos. O especial é o *processamento* de informações. Uma porção de matéria que contenha informações sobre algum estado de coisas pode ser considerada um símbolo; ela pode "representar" esse estado de coisas. Porém, sendo uma porção de matéria, ela pode fazer outras coisas também — coisas físicas, qualquer coisa que esse tipo de matéria nesse tipo de estado pode fazer segundo as leis da física e da química. Anéis de árvores contêm informações a respeito da idade, mas também refletem a luz e absorvem material corante. Pegadas contêm informações sobre movimentos de animais, mas também empoçam a água e causam torvelinhos no vento.

Agora, uma ideia: suponhamos que alguém tivesse de construir uma máquina com partes que são afetadas pelas propriedades físicas de algum símbolo. Alguma alavanca, olho elétrico, fio acionador ou ímã é posto em movimento pelo pigmento absorvido pelo anel de uma árvore, ou pela água empoçada numa pegada, pela luz refletida em uma marca de giz ou pela carga magnética de uma partícula de óxido. E suponhamos que então a máquina faça alguma coisa acontecer em alguma outra porção de matéria. Ela faz novas marcas em um pedaço de madeira, ou estampa impressões em um trecho de terra próximo, ou carrega uma outra partícula de óxido. Nada de especial aconteceu até aqui; tudo o que descrevi foi uma cadeia de eventos físicos executada por um dispositivo sem sentido.

Eis o passo essencial: imagine que agora tentamos interpretar a porção de matéria recém-arranjada usando o esquema segundo o qual a porção original transmitiu informações. Digamos que *contamos* os anéis recém-queimados na madeira e os interpretamos como sendo a idade de alguma árvore em algum momento, mesmo que eles não tenham sido causados pelo crescimento de uma árvore. E digamos que a máquina fosse cuidadosamente projetada para que a interpretação de suas novas marcas tivesse sentido — ou seja, para que transmitisse informações a respeito de alguma coisa no mundo. Por exemplo, imagine uma máquina que escaneie os anéis num toco de árvore, queime numa tábua próxima uma marca para cada anel, desloque-se até um toco menor de uma árvore que foi cortada no mesmo momento, escaneie seus anéis e apague com uma lixa, na tábua, uma marca para cada anel. Quando contamos as marcas na tábua, temos a idade da primeira árvore no momento em que a segunda foi plantada. Teríamos uma espécie de máquina *racional*, uma máquina que produz conclusões verdadeiras a partir de premissas verdadeiras — não devido a algum tipo especial de matéria ou energia ou porque alguma parte em si mesma fosse racional. Tudo o que temos é uma cadeia de eventos físicos meticulosamente arquitetada, cujo primeiro elo foi uma configuração de matéria que transmite informação. Nossa máquina racional deve sua racionalidade a duas propriedades unidas uma à outra na entidade que denominamos símbolo: um símbolo transmite informação e faz com que coisas aconteçam. (Os anéis da árvore correlacionam-se com a idade da árvore e podem absorver o feixe de luz de um scanner.) Quando as próprias coisas causadas transmitem informação, chamamos todo o sistema de processador de informações ou computador.

Ora, toda essa maquinação pode parecer uma esperança irrealizável. Quem garante que *alguma* coleção de coisas pode ser disposta de modo a cair, oscilar ou brilhar exatamente no padrão certo para que, quando seus efeitos forem interpretados, a interpretação tenha sentido? (Mais precisamente, para que tenha sentido segundo alguma lei ou relação prévia que julguemos interessante; qualquer monte de matéria pode receber uma interpretação forçada depois do fato.) Até que ponto podemos confiar em que uma máquina fará marcas que verdadeiramente correspondam a algum estado significativo do mundo, como a idade de uma árvore quando outra árvore foi plantada, a idade média dos descendentes da árvore ou qualquer outra coisa, e não a um padrão sem sentido que não corresponde a coisa alguma?

A garantia é dada pelo trabalho do matemático Alan Turing. Ele concebeu uma máquina hipotética cujos símbolos de inputs e outputs pudessem corresponder, dependendo dos detalhes da máquina, a qualquer uma dentre numerosas interpretações sensatas. A máquina consiste em uma fita dividida em quadrados, um cabeçote que lê e escreve capaz de imprimir ou ler um símbolo em um quadrado e de mover a fita em uma ou outra direção, um indicador capaz de apontar um número fixo de marcas traçadas na máquina e um conjunto de reflexos mecânicos. Cada reflexo é desencadeado pelo símbolo que está sendo lido e pela posição do indicador naquele momento e imprime um símbolo na fita, move a fita e/ou desloca o indicador. A máquina pode receber a quantidade de fita de que precisar. Esse modelo é denominado máquina de Turing.

O que essa máquina simples pode fazer? Ela pode receber símbolos que representam um número ou um conjunto de números e imprimir símbolos representando novos números, que são o valor correspondente para qualquer função matemática que possa ser resolvida por uma sequência de operações passo a passo (adição, multiplicação, exponenciação, fatoração etc. — estou sendo impreciso para transmitir a importância da descoberta de Turing sem os detalhes técnicos). Ela pode aplicar as regras de qualquer sistema lógico útil para derivar afirmações verdadeiras a partir de outras afirmações verdadeiras. Pode aplicar as regras de qualquer gramática para derivar sentenças adequadamente formadas. A equivalência entre as máquinas de Turing, as funções matemáticas calculáveis, a lógica e a gramática levaram o lógico Alonzo Church a conjeturar que *qualquer* receita ou conjunto de passos bem definidos que seguramente produza a solução de algum problema em um período de tempo finito (ou seja, qualquer algoritmo) pode ser implementado em uma máquina de Turing.

O que isso significa? Significa que, na medida em que o mundo obedece a equações matemáticas que podem ser resolvidas passo a passo, é possível construir uma máquina que simule o mundo e faça previsões sobre ele. Na medida em que o pensamento racional corresponde às regras da lógica, pode-se construir uma máquina que execute pensamento racional. Na medida em que uma língua pode ser apreendida por um conjunto de regras gramaticais, pode-se construir uma máquina que produza sentenças gramaticais. Na medida em que o pensamento consiste em aplicar *qualquer* conjunto de regras bem especificadas, pode-se construir uma máquina que, em certo sentido, pense.

Turing demonstrou que máquinas racionais — máquinas que usam as propriedades físicas de símbolos para produzir novos símbolos que tenham algum sentido — são viáveis; de fato, muito viáveis. O cientista da computação Joseph Weizenbaum certa vez mostrou como construir uma delas com um cubo, algumas pedras e um rolo de papel higiênico. Na verdade, nem é preciso um gigantesco armazém dessas máquinas, uma para somar, outra para extrair raiz quadrada, uma terceira para imprimir sentenças em inglês etc. Um tipo de máquina de Turing é denominado máquina universal de Turing. Ela pode receber uma *descrição* de qualquer outra máquina de Turing impressa em sua fita e dali por diante imitar com exatidão a outra máquina.

Uma única máquina pode ser programada para fazer qualquer coisa que qualquer conjunto de regras pode fazer.

Isso significa que o cérebro humano é uma máquina de Turing? Por certo que não. Não existem máquinas de Turing funcionando em parte alguma, muito menos em nossa cabeça. Elas são inúteis na prática: demasiado desajeitadas, difíceis de programar, grandes demais e lentas demais. Mas isso não importa. Turing meramente queria provar que *algum* arranjo de objetos podia funcionar como um processador de símbolos inteligente. Não muito tempo depois de sua descoberta, foram projetados processadores de símbolos mais práticos, alguns dos quais tornaram-se mainframes da IBM e Univac e, mais tarde, Macintoshes ou PCs. Mas todos eles eram equivalentes da máquina universal de Turing. Se não levarmos em conta o tamanho e a velocidade e lhes dermos tanta capacidade de armazenamento na memória quanto precisarem, podemos programá-las para produzir os mesmos outputs em resposta aos mesmos inputs.

Outros tipos de processadores de símbolos foram propostos ainda como modelos da mente humana. Esses modelos frequentemente são simulados em computadores comerciais, mas isso é apenas por conveniência. O computador comercial primeiro é programado para emular o computador mental hipotético (criando o que os cientistas da computação denominam máquina virtual), de um modo muito semelhante àquele como um Macintosh pode ser programado para emular um PC. Somente o computador mental virtual é levado a sério, e não os chips de silício que o imitam. Então um programa destinado a moldar algum tipo de raciocínio (resolver um problema, entender uma sentença) é rodado no computador mental virtual. Nasceu um novo modo de entender a inteligência humana.

Mostrarei a você como funciona um desses modelos. Em uma época na qual os computadores reais são tão complexos que para os leigos eles se afiguram quase tão incompreensíveis quanto a mente, é esclarecedor ver um exemplo de computação em câmara lenta. Só assim se consegue perceber como dispositivos simples podem ser conectados uns aos outros para compor um processador de símbolos que mostre verdadeira inteligência. Uma desajeitada máquina de Turing é uma péssima propaganda para a teoria de que a mente é um computador, e por isso usarei um modelo que pode ter pelo menos uma vaga pretensão de assemelhar-se ao nosso computador mental. Mostrarei a você como ele resolve um problema do cotidiano — relações de parentesco — que é complexo o suficiente para nos impressionarmos quando do uma máquina o resolve.

O modelo que usaremos é chamado sistema de produção. Ele elimina a característica dos computadores comerciais que é mais gritantemente não biológica: a lista ordenada de passos de programação que o computador segue sem se desviar, um após o outro. Um sistema de produção contém uma memória e um conjunto de reflexos, às vezes chamados *demons* por serem entidades simples, independentes, que ficam paradas à espera de entrar em ação. A memória é como um quadro de avisos no qual se colocam os comunicados. Cada *demon* é um reflexo automático que espera por um comunicado específico no quadro de avisos e responde colocando um aviso próprio. Os *demons*, coletivamente, constituem um programa. À medida que eles são acionados por avisos do quadro da memória e colocam avisos próprios, por sua vez acionando outros *demons* e assim por diante, as informações na memória mudam e por fim contêm o output correto para um dado input. Alguns *demons* são conectados a órgãos dos sentidos e acionados por informações do mundo e não por informações da memória. Outros estão conectados a acessórios e respondem movendo os acessórios em vez de colocarem mais mensagens na memória.

Suponhamos que sua memória de longo prazo contenha conhecimentos sobre seus parentes próximos e sobre os parentes próximos de todas as pessoas à sua volta. O conteúdo desse conhecimento é uma série de proposições do tipo "Alex é pai de Andrew". Segundo a teoria computacional da mente, as informações corporificam-se em símbolos: uma coleção de marcas físicas correlacionadas ao estado do mundo como ele é apreendido pelas proposições.

Esses símbolos não podem ser palavras e sentenças em inglês, português ou outro idioma, não obstante a popular e equivocada ideia de que pensamos no idioma pátrio. Como demonstrei em O *instinto da linguagem*, sentenças em uma língua falada como o inglês ou japonês destinam-se à comunicação vocal entre seres sociais impacientes e inteligentes. Eles conseguem a brevidade deixando de fora qualquer informação que o ouvinte possa preencher mentalmente com base no contexto. Em contraste, a "linguagem do pensamento" na qual o conhecimento se expressa não pode deixar coisa alguma a cargo da imaginação, pois ela *é* a imaginação. Outro problema com o uso do inglês* como veículo do conhecimento é que as sentenças em inglês podem ser ambíguas. Quando o *serial killer* Ted Bundy consegue uma suspensão de sua sentença de morte e as manchetes anunciam "Bundy beats date with chair",** paramos e lemos de novo com atenção, porque nossa mente atribui dois significados para a série de palavras. Se uma série de palavras em inglês pode

---

(*) Apesar de o autor referir-se ao inglês, o raciocínio vale para os demais idiomas, como o português. (N. R. T.)

(**) "Bundy livra-se do encontro com a cadeira elétrica" ou "Bundy espanca namorada com uma cadeira". (N. T.)

corresponder a dois significados na mente, os significados na mente não podem ser séries de palavras em inglês. Por fim, as sentenças em uma língua falada são juncadas de artigos, preposições, sufixos de gênero e outros condutores gramaticais. Eles são necessários para ajudar a obter informações de uma cabeça para outra via boca e ouvido, um canal lento, mas não são necessários no interior de uma única cabeça, onde as informações podem ser transmitidas diretamente por grossos feixes de neurônios. Assim, as declarações em um sistema de conhecimento não são sentenças em inglês, e sim inscrições em uma linguagem de pensamento mais rica, o "mentalês".

Em nosso exemplo, a porção do mentalês que apreende as relações de parentesco apresenta-se em dois tipos de afirmação. Um exemplo do primeiro tipo é `Alex progenitor*-de Andrew`: um nome, seguido por uma relação de parentesco imediato e em seguida um nome. Um exemplo do segundo tipo é `Alex é-masculino`: um nome seguido pelo sexo do nomeado. Não se deixe confundir com o fato de eu estar usando palavras e sintaxe de nosso idioma falado para representar as inscrições em mentalês. É uma cortesia a você, leitor, para ajudá-lo a acompanhar o que os símbolos representam. Para a máquina, são simplesmente diferentes arranjos de marcas. Contanto que usemos cada uma coerentemente para representar alguém (de modo que o símbolo usado para Alex seja sempre usado para Alex e nunca para qualquer outra pessoa), e as ordenemos segundo um plano coerente (de modo que preservem informações sobre quem é pai de quem), elas podem ser quaisquer marcas em qualquer disposição. Você pode imaginar essas marcas como códigos de barras reconhecidos por um scanner ou buracos de fechadura que admitem apenas uma chave, ou ainda como formas que se encaixam em apenas um gabarito. Obviamente, num computador comercial elas seriam configurações de cargas elétricas no silício, e num cérebro seriam disparos em conjuntos de neurônios. O mais importante é que nada na máquina as entende do mesmo modo que você ou eu as entendemos; partes da máquina respondem às formas dessas marcas e são acionadas para fazer alguma coisa, exatamente como uma máquina de chicletes responde à forma e ao peso de uma moeda liberando um chiclete.

O exemplo a seguir é uma tentativa de desmitificar a computação, de permitir a você ver como o truque é feito. Para que minha explicação do truque seja bem compreendida — de que os símbolos representam algum conceito e também mecanicamente fazem alguma coisa acontecer — percorrerei por etapas a atividade de nosso sistema de produção descrevendo tudo

(*) Neste exemplo, "progenitor" é usado para indicar tanto pai como mãe, e "irmão" tanto irmão quanto irmã, o sexo é diferenciado por é-masculino e é-feminino (N. R. T.)

duas vezes: conceitualmente, em termos do conteúdo do problema e da lógica que o resolve, e mecanicamente, em termos dos movimentos brutos de sentir e marcar do sistema. Este é inteligente porque o conceitual e o mecânico correspondem exatamente, ideia à marca, passo lógico a movimento.

Denominemos Memória de Longo Prazo a porção da memória do sistema que guarda inscrições sobre relações de parentesco. Identifiquemos uma outra parte como Memória de Curto Prazo, um bloco de rascunho para os cálculos. Uma parte da Memória de Curto Prazo é uma área para objetivos; ela contém uma lista de perguntas a que o sistema "tentará" responder. O sistema quer saber se Gordie é seu tio biológico. De início, a memória se afigura assim:

```
Memória de              Memória de          Objetivo
Longo Prazo             Curto Prazo

Abel progenitor-de Mim
                                            Gordie tio-de Mim?
Abel é-masculino
Bella progenitor-de Mim
Bella é-feminino
Claudia irmão-de Mim
Claudia é-feminino
Duddie irmão-de Mim
Duddie é-masculino
Edgar irmão-de Abel
Edgar é-masculino
Fanny irmão-de Abel
Fanny é-feminino
Gordie irmão-de Bella
Gordie é-masculino
```

Conceitualmente falando, nosso objetivo é encontrar a resposta para uma pergunta; a resposta é afirmativa se o fato sobre o qual ela pergunta for verdadeiro. Mecanicamente falando, o sistema precisa determinar se uma série de marcas na coluna Objetivo seguida por uma marca interrogativa (?) tem uma contrapartida com uma série idêntica de marcas em algum lugar da memória. Um dos *demons* é projetado para responder a essas perguntas de consulta escaneando à procura de marcas idênticas nas colunas Objetivo e Memória de Longo Prazo. Quando ele detecta um semelhante, imprime uma marca ao lado da pergunta indicando que ela foi respondida afirmativamente. Por conveniência, digamos que a marca tem o seguinte aspecto: Sim.

```
SE: Objetivo = blá-blá-blá?
    Memória de Longo Prazo = Blá-blá-blá
ENTÃO: MARQUE OBJETIVO
    Sim
```

O desafio conceitual enfrentado pelo sistema é ele não saber *explicitamente* quem é tio de quem; esse conhecimento está implícito nas outras coisas que ele sabe. Enunciando a mesma coisa mecanicamente: não existe marca `Tio-de` na Memória de Longo Prazo; há somente marcas como `Irmão-de` ou `Progenitor-de`. Conceitualmente falando, precisamos deduzir o conhecimento da condição de tio com base nos conhecimentos sobre a condição de progenitor (pai, mãe) e a condição de irmão. Mecanicamente falando, precisamos de um *demon* para imprimir uma inscrição `tio-de` ladeada por marcas apropriadas encontradas nas inscrições `irmão-de` e `progenitor--de`. Conceitualmente falando, precisamos descobrir quem são nossos pais, identificar seus irmãos e selecionar os do sexo masculino. Mecanicamente falando, precisamos do seguinte *demon*, que imprime novas inscrições na área Objetivo, as quais acionam as buscas apropriadas na memória:

```
SE: Objetivo = Q tio-de P
ENTÃO: ACRESCENTE OBJETIVO
    Encontre Progenitores de P
    Encontre Irmãos dos Progenitores
    Distinga Tios/Tias
```

Este *demon* é acionado por uma inscrição `tio-de` na coluna Objetivo. A coluna Objetivo de fato tem uma inscrição assim, portanto o *demon* se põe a trabalhar e acrescenta algumas novas marcas na coluna:

Memória de Longo Prazo	Memória de Curto Prazo	Objetivo
Abel progenitor-de Mim		Gordie tio-de Mim?
Abel é-masculino		Encontre Progenitores de Mim
Bella progenitor-de Mim		Encontre Irmãos de
		Progenitores
Bella é-feminino		Distinga Tios/Tias
Claudia irmão-de Mim		
Claudia é-feminino		
Duddie irmão-de Mim		
Duddie é-masculino		
Edgar irmão-de Abel		
Edgar é-masculino		
Fanny irmão-de Abel		
Fanny é-feminino		
Gordie irmão-de Bella		
Gordie é-masculino		
...		

Também é preciso que haja um dispositivo — algum outro *demon*, ou um dispositivo extra dentro deste *demon* — que substitua o rótulo P por uma lista dos verdadeiros rótulos para os nomes: `Mim`, `Abel`, `Gordie` etc. Estou omitindo esses detalhes para manter a explicação simples.

As novas inscrições em Objetivo põem em ação outros *demons* que estavam inativos. Um deles (conceitualmente falando) procura os pais do sistema, copiando (mecanicamente falando) todas as inscrições contendo os nomes dos pais na Memória de Curto Prazo (a menos que as inscrições já estejam lá, obviamente; esta cláusula impede que o algol fique estupidamente fazendo cópia após cópia, como o Aprendiz de Feiticeiro):

```
SE: OBJETIVO = Encontre Progenitores de P
    Memória de Longo Prazo = X progenitor-de P
    Memória de Curto Prazo ≠ X progenitor-de P
ENTÃO: COPIE PARA Memória de Curto Prazo
    X progenitor-de P
    APAGUE OBJETIVO
```

Nosso quadro de avisos agora está assim:

Memória de Longo Prazo	Memória de Curto Prazo	Objetivo
Abel progenitor-de Mim	Abel progenitor-de Mim	Gordie tio-de Mim?
Abel é-masculino	Bella progenitor-de Mim	Encontre Irmãos dos Progenitores
Bella progenitor-de Mim		Distinga Tios/Tias
Bella é-feminino		
Claudia irmão-de Mim		
Claudia é-feminino		
Duddie irmão-de Mim		
Duddie é-masculino		
Edgar irmão-de Abel		
Edgar é masculino		
Fanny irmão-de Abel		
Fanny é-feminino		
Gordie irmão-de Bella		
Gordie é-masculino		
...		

Agora que sabemos quem são os pais, podemos encontrar os irmãos dos pais. Mecanicamente falando: agora que os nomes dos progenitores estão escritos na Memória de Curto Prazo, pode entrar em ação um *demon* que copie inscrições sobre os irmãos dos pais:

```
SE: Objetivo = Encontre Irmãos dos Progenitores
    Memória de Curto Prazo = X progenitor-de Y
    Memória de Longo Prazo = Z irmão-de X
    Memória de Curto Prazo ≠ Z irmão-de X
```

ENTÃO: COPIE PARA MEMÓRIA DE CURTO PRAZO

    Z irmão-de X

    APAGUE OBJETIVO

Eis sua obra:

Memória de Longo Prazo	Memória de Curto Prazo	Objetivo
Abel progenitor-de Mim	Abel progenitor-de Mim	Gordie tio-de Mim?
Abel é-masculino	Bella progenitor-de Mim	Distinga Tios/Tias
Bella progenitor-de Mim	Edgar irmão-de Abel	
Bella é-feminino	Fanny irmão-de Abel	
Claudia irmão-de Mim	Gordie irmão-de Bella	
Claudia é-feminino		
Duddie irmão-de Mim		
Duddie é-masculino		
Edgar irmão-de Abel		
Edgar é-masculino		
Fanny irmão-de Abel		
Fanny é-feminino		
Gordie irmão-de Bella		
Gordie é-masculino		
...		

Assim como está, estamos considerando os tios e tias coletivamente. Para separar os tios das tias, precisamos encontrar os do sexo masculino. Mecanicamente falando, o sistema precisa ver que inscrições possuem contrapartidas na Memória de Longo Prazo com marcas é-masculino ao lado delas. Eis o *demon* que verifica isso:

SE: Objetivo = Distinga Tios/Tias

    Memória de Curto Prazo = X progenitor-de Y

    Memória de Longo Prazo = Z irmão-de X

    Memória de Longo Prazo = Z é-masculino

ENTÃO: ARMAZENE NA MEMÓRIA DE LONGO PRAZO

    Z tio-de Y

    APAGUE OBJETIVO

Este é o *demon* que incorpora mais diretamente o conhecimento do sistema sobre o significado de "tio": um irmão do sexo masculino de um dos pais. Ele acrescenta a inscrição da condição de tio na Memória de Longo Prazo, e não na Memória de Curto Prazo, porque a inscrição representa um conhecimento que é permanentemente verdadeiro:

Memória de Longo Prazo	Memória de Curto Prazo	Objetivo
Edgar tio-de Mim	Abel progenitor-de Mim	Gordie tio-de Mim?
Gordie tio-de Mim	Bella progenitor-de Mim	
Abel progenitor-de Mim	Edgar irmão-de Abel	
Abel é-masculino	Fanny irmão-de Abel	
Bella progenitor-de Mim	Gordie irmão-de Bella	
Bella é-feminino		
Claudia irmão-de Mim		
Claudia é-feminino		
Duddie irmão-de Mim		
Duddie é-masculino		
Edgar irmão-de Abel		
Edgar é-masculino		
Fanny irmão-de Abel		
Fanny é-feminino		
Gordie irmão-de Bella		
Gordie é-masculino		
...		

Conceitualmente falando, acabamos de deduzir o fato sobre o qual perguntamos. Mecanicamente falando, acabamos de criar inscrições idênticas, marca por marca, na coluna Objetivo e na coluna Memória de Longo Prazo. O primeiro *demon* que mencionei, que escaneia em busca dessas duplicatas, é acionado para fazer a marca indicadora de que o problema foi resolvido:

Memória de Longo Prazo	Memória de Curto Prazo	Objetivo
Edgar tio-de Mim	Abel progenitor-de Mim	Gordie tio-de Mim? Sim
Gordie tio-de Mim	Bella progenitor-de Mim	
Abel progenitor-de Mim	Edgar irmão-de Abel	
Abel é-masculino	Fanny irmão-de Abel	
Bella progenitor-de Mim	Gordie irmão-de Bella	
Bella é-feminino		
Claudia irmão-de Mim		
Claudia é-feminino		
Duddie irmão-de Mim		
Duddie é-masculino		
Edgar irmão-de Abel		
Edgar é-masculino		
Fanny irmão-de Abel		
Fanny é-feminino		
Gordie irmão-de Bella		
Gordie é-masculino		
...		

O que realizamos? Construímos um sistema, a partir de partes inanimadas de uma máquina de chicletes, que fez alguma coisa vagamente semelhante ao que faz a mente: deduziu a verdade de uma afirmação que nunca antes cogitara. Com base em ideias a respeito de pais e irmãos específicos e em um conhecimento do significado da condição de tio, o sistema fabricou ideias verdadeiras sobre tios específicos. O truque, repito, proveio do processamento de símbolos: arranjos de matéria que têm propriedades *representativas* e *causais*, ou seja, que simultaneamente contêm informação a respeito de algo e participam de uma cadeia de eventos físicos. Esses eventos constituem uma computação, pois o mecanismo foi arquitetado de modo que, se a interpretação dos símbolos que acionam a máquina for uma afirmação verdadeira, a interpretação dos símbolos criados pela máquina também será uma afirmação verdadeira. A teoria computacional da mente é a hipótese de que a inteligência é uma computação nesse sentido.

"Esse sentido" é amplo e deixa de fora parte da bagagem encontrada em outras definições de computação. Por exemplo, não precisamos supor que a computação consiste em uma sequência de passos distintos, que os símbolos têm de estar completamente presentes ou completamente ausentes (em vez de serem mais fortes ou mais fracos, mais ativos ou menos ativos), que é garantida uma resposta correta num período de tempo definido ou que o valor da verdade é "absolutamente verdadeiro" ou "absolutamente falso" em vez de ser uma probabilidade ou um grau de certeza. A teoria computacional, portanto, abrange um tipo alternativo de computador com muitos elementos que são ativos em um grau que corresponde à *probabilidade* de alguma afirmação ser verdadeira ou falsa, e no qual os níveis de atividade mudam uniformemente para registrar probabilidades novas e aproximadamente acuradas. (Como veremos, esse pode ser o modo como o cérebro funciona.) A ideia essencial é que a resposta à pergunta "O que faz um sistema ser inteligente?" não é o tipo de material de que ele é feito ou o tipo de energia que flui através dele, mas o que as partes da máquina representam e como os padrões de mudanças dentro dela são projetados para espelhar relações preservadoras da verdade (inclusive verdades probabilísticas e nebulosas [*fuzzy*]).

COMPUTAÇÃO NATURAL

Por que você deveria dar crédito à teoria computacional da mente? Por que ela resolveu problemas milenares da filosofia, deu o pontapé inicial na revolução dos computadores, levantou as questões significativas da neurociência e proporcionou à psicologia temas de pesquisa magnificamente férteis.

Gerações de pensadores quebraram a cabeça com o problema de como a mente pode interagir com a matéria. Como observou Jerry Fodor: "A autopiedade pode fazer uma pessoa chorar, tanto quanto uma cebola". Como podem nossas crenças, desejos, imagens, planos e objetivos, intangíveis que são, refletir o mundo que nos cerca e puxar as alavancas com as quais nós, por nossa vez, moldamos o mundo? Descartes tornou-se (injustamente) motivo de chacota de cientistas séculos depois por ter postulado que mente e matéria eram coisas diferentes que, de alguma forma, interagiam em alguma parte do cérebro denominada glândula pineal. O filósofo Gilbert Ryle ridicularizou a ideia geral batizando-a com o nome de Doutrina do Fantasma na Máquina [*Ghost in the machine*] (nome que foi depois adotado em títulos de livros por Arthur Koestler e pelo psicólogo Stephen Kosslyn e em um disco do conjunto de rock The Police). Ryle e outros filósofos afirmaram que os termos "mentalistas" como "crenças", "desejos" e "imagens" não têm sentido e originam-se de descuidados equívocos de linguagem, como se alguém ouvisse a expressão "censo populacional" e se pusesse a comentar sobre o tino de seus concidadãos. Psicólogos behavioristas simpáticos afirmaram que essas entidades invisíveis eram tão anticientíficas quanto a Fadinha dos Dentes e tentaram eliminá-las da psicologia.

E então apareceram os computadores: montes de metal isentos de fadas, totalmente exorcizados, impossíveis de explicar sem o léxico completo das palavras mentalistas que eram tabu. "Por que meu computador não está imprimindo?" "Porque o programa não *sabe* que você substituiu sua impressora matricial por uma a laser. Ele ainda *pensa* que está *falando* com a impressora matricial e está *tentando* imprimir o documento *pedindo* à impressora para *reconhecer* sua mensagem. Mas a impressora não *entende* a mensagem; *não faz caso dela* porque *espera* que seu input comece com '%'! O programa *recusa-se* a *ceder o controle* enquanto *interroga* a impressora, por isso você precisa *conseguir a atenção* do *monitor* para poder *tomar de volta* o controle do programa. Quando o programa *ficar sabendo* que impressora está ligada a ele, os dois poderão se *comunicar*." Quanto mais complexo o sistema e mais peritos seus usuários, mais a conversa técnica entre eles parece o enredo de uma telenovela.

Os filósofos behavioristas insistiriam em que isso é apenas conversa descuidada. As máquinas não estão realmente entendendo ou tentando coisa alguma, diriam eles; os observadores simplesmente estão sendo descuidados na escolha dos termos, arriscando-se a ser seduzidos a cometer graves erros conceituais. Ora, o que está errado nesse quadro? Os *filósofos* estão acusando os cientistas da *computação* de raciocínio nebuloso? O computador é o mais burocrático, meticuloso, intransigente e implacável requerente de precisão e clareza de todo o universo. Pela acusação, você poderia pensar que são os aloucados cientistas da computação que chamam um filósofo quando seu computador para de funcionar, e não o contrário. Uma explicação melhor é que a computação finalmente desmitificou os termos mentalistas. Crenças são inscrições na memória, desejos são inscrições de objetivos, pensar é computação, percepções são inscrições acionadas por sensores, tentar é executar operações acionadas por um objetivo.

(Você está objetando que nós, humanos, *sentimos* alguma coisa quando temos uma crença, desejo ou percepção, e uma reles inscrição não tem o poder de criar tais sentimentos. Certíssimo. Mas tente separar o problema de explicar a inteligência do problema de explicar sentimentos conscientes. Até aqui, estou tentando explicar a inteligência; chegaramos à consciência mais adiante neste capítulo.)

A teoria computacional da mente também reabilita de uma vez por todas o infame homúnculo. Uma objeção clássica à ideia de que os pensamentos são representações internas (uma objeção popular entre cientistas que tentam mostrar o quanto são inflexíveis) é que uma representação requereria um homenzinho dentro da cabeça para olhar para ela, e o homenzinho requereria um homenzinho ainda menor para olhar a representação dentro dele e assim por diante, *ad infinitum*. Porém, mais uma vez temos o espetáculo do teórico insistindo com o engenheiro elétrico que, se este estiver certo, sua estação de trabalho seguramente contém hordas de gnomozinhos. Falar em homúnculos é indispensável na ciência da computação. Estruturas de dados são lidas, interpretadas, examinadas, reconhecidas e revistas o tempo todo, e as sub-rotinas que fazem isso são descaradamente chamadas "agentes", "*demons*", "supervisores", "monitores", "intérpretes" e "executivos". Por que toda essa conversa sobre homúnculos não acarreta um infinito retrocesso? Porque uma representação interna não é uma fotografia fiel do mundo, e o homúnculo que "olha para ela" não é uma cópia miniaturizada de todo o sistema, requerendo toda a sua inteligência. Isso, de fato, nada explicaria. Uma representação é, antes, um conjunto de símbolos correspondentes a *aspectos* do mundo, e cada homúnculo precisa apenas reagir de alguns modos restritos a alguns dos símbolos, uma façanha muito mais simples do que a executada pelo sistema como um todo. A inteligência do sistema emerge das atividades dos *demons* mecânicos não tão inteligentes em seu interior. O argumento, apresentado pela primeira vez por Jerry Fodor em 1968, foi exposto sucintamente por Daniel Dennett:

> Os homúnculos são bichos-papões somente se duplicarem inteiramente os talentos que são acionados para explicar [...] Se alguém consegue fazer com que uma equipe de homúnculos relativamente ignorantes, tacanhos e cegos produza o comportamento inteligente do todo, isso é progresso. Um fluxogra-

ma é tipicamente o diagrama organizacional de um comitê de homúnculos (pesquisadores, bibliotecários, contadores, executivos); cada retângulo especifica um homúnculo, prescrevendo uma função sem dizer como ela é executada (de fato, costuma-se dizer: ponha lá um peão para fazer o serviço). Se examinarmos com mais atenção os retângulos individualmente, veremos que a função de cada um é executada subdividindo-a, via outro fluxograma, para homúnculos ainda menores, mais estúpidos. Por fim, esse aninhamento de retângulos dentro de retângulos terminará em homúnculos tão estúpidos (tudo o que eles precisam lembrar é responder sim ou não quando lhes for perguntado) que podem ser, como se diz, "substituídos por uma máquina". Dispensam-se do esquema os homúnculos fantásticos organizando-se exércitos de idiotas para fazer o trabalho.

Você ainda talvez se pergunte como se supõe que as marcas inscritas e apagadas pelos *demons* dentro do computador *representam* ou *significam* coisas que há no mundo. Quem decide que esta marca do sistema corresponde àquele pedacinho do mundo? No caso de um computador, a resposta é óbvia: *nós* decidimos o que o símbolo significa, pois construímos a máquina. Mas quem indica o significado dos símbolos que, supostamente, existem dentro de *nós*? Os filósofos chamam a isso problema da "intencionalidade" (confusamente, pois isso nada tem a ver com intenções). Há duas respostas comuns. Uma diz que um símbolo liga-se a seu referente no mundo por meio de nossos órgãos dos sentidos. O rosto de sua mãe reflete a luz, que estimula seu olho, que aciona uma cadeia de gabaritos ou circuitos semelhantes, os quais inscrevem o símbolo `mãe` em sua mente. A outra resposta diz que o padrão único de manipulações de símbolos desencadeado pelo primeiro símbolo reflete o padrão único de relações entre o referente do primeiro símbolo e os referentes dos símbolos desencadeados. Assim que concordamos, por qualquer razão, em dizer que `mãe` significa mãe, `tio` significa tio etc., as novas declarações de parentesco encadeadas geradas pelos *demons* revelam-se espantosamente verdadeiras, vezes sem conta. O dispositivo imprime `Bella mãe-de Mim` e, inquestionavelmente, Bella *é* minha mãe. Mãe significa "mãe" porque tem um papel nas inferências sobre mães.

Essas teorias denominam-se "do papel causal" e "do papel inferencial", e os filósofos hostis a cada uma delas divertiram-se imaginando experimentos mentais despropositados para refutá-las. Édipo não queria casar-se com a mãe, mas o fez mesmo assim. Por quê? Porque sua mãe acionou nele o símbolo `Jocasta` em vez do símbolo `Mamãe`, e o desejo dele expressava-se segundo a condição "Se é `Mamãe`, não case com ela". Os efeitos causais de Jocasta, a mulher que realmente era mãe de Édipo, não tinham importância; só importava o papel inferencial que os *símbolos* Jocasta e Mamãe desempenhavam na cabeça de Édipo. Um relâmpago atinge uma árvore no meio de um pântano e, por uma assombrosa coincidência, nesse momento o lodo funde-se numa réplica idêntica a mim, molécula por molécula, inclusive as lembranças. O Homem do Pântano nunca teve contato com minha mãe, mas a maioria das pessoas diria que os pensamentos que ele tem a respeito de mãe são ligados à minha mãe, tanto quanto os meus. Novamente, concluímos que a causação por alguma coisa no mundo não é necessária para que um símbolo diga respeito a alguma coisa; seu papel inferencial é suficiente.

Mas, mas, mas! Suponha que a sequência de passos no processamento de informações em um computador que joga xadrez revele-se, por notável coincidência, idêntica aos eventos no campo de batalha na Guerra dos Seis Dias (cavalo do rei = Moshe Dayan, torre para c7 = exército israelense captura as colinas de Golan etc.). O programa seria "sobre" a Guerra dos Seis Dias exatamente tanto quanto é "sobre" o jogo de xadrez? Suponha que algum dia venhamos a descobrir que, afinal de contas, os gatos não são animais, e sim robôs que imitam seres vivos, controlados por Marte. Qualquer regra de inferência que computasse "Se este é um gato, então tem de ser um animal" seria inválida. O papel inferencial de nosso símbolo mental gato teria mudado quase a ponto de se tornar irreconhecível. Mas certamente o *significado* de gato estaria inalterado; você ainda estaria pensando "gato" quando o Robô Bichano se esgueirasse pela casa. Dois pontos para a teoria causal.

Uma terceira posição é sintetizada pela paródia de um anúncio de televisão em *Saturday Night Live*: "Vocês dois estão certos — é cera de assoalho *e* cobertura de bolo". *Juntos*, os papéis causal e inferencial de um símbolo determinam o que ele representa. (Por essa concepção, os pensamentos do Homem do Pântano seriam sobre minha mãe porque ele tem uma conexão causal com ela orientada para o *futuro*: ele poderá reconhecê-la quando a encontrar.) Os papéis causais e inferenciais tendem a estar em sincronia, pois a seleção natural projetou tanto nossos sistemas perceptivos como nossos módulos de inferência para trabalharem acuradamente, na maior parte do tempo, neste mundo. Nem todos os filósofos concordam que causação mais inferência mais seleção natural bastam para definir um conceito de "significado" que funcione com perfeição em todos os mundos. ("Suponha que o Homem do Pântano tenha um gêmeo idêntico em outro planeta...") Mas, se for assim, poderíamos responder, tanto pior para esse conceito de significado. Significado só pode ter sentido em relação a um dispositivo que foi projetado (por engenheiros ou pela seleção natural) para funcionar em um tipo específico de mundo. Em outros mundos — Marte, Mundo do Pântano, *Além da imaginação* — todas as apostas estão canceladas. Quer a teoria "causal mais inferencial" seja ou não totalmente à prova de filósofos, ela dissipa o mistério de como um símbolo em uma mente ou em uma máquina pode significar alguma coisa.

Outro sinal de que a teoria computacional da mente está no caminho certo é a existência da inteligência artificial: computadores que executam tarefas intelectuais semelhantes às humanas. Qualquer loja de descontos pode vender a você um computador que ultrapassa a capacidade humana para calcular, armazenar e recuperar fatos, desenhar, corrigir ortografia, organizar a correspondência e compor tipos. Uma loja de software bem sortida pode vender-lhe programas que jogam xadrez com excelência, reconhecem caracteres do alfabeto e pronunciam meticulosamente a língua falada. Clientes com carteiras mais fornidas podem adquirir programas que respondem a perguntas em inglês sobre temas restritos, controlam braços de robôs que soldam e pintam com spray e reproduzem a habilidade humana em centenas de áreas, como selecionar ações, diagnosticar doenças, prescrever medicamentos e localizar e reparar defeitos em equipamentos quebrados. Em 1996, o computador Deep Blue derrotou o enxadrista campeão mundial Gary Kasparov numa partida e empatou duas antes de perder a competição, e é só uma questão de tempo para que um computador venha a derrotar totalmente um campeão mundial. Embora não existam robôs da classe do "Exterminador do Futuro", há no mundo milhares de programas de inteligência artificial em menor escala, inclusive alguns escondidos em seu microcomputador, automóvel e televisor. E o progresso continua.

Vale a pena salientar esses êxitos modestos devido ao exaltado debate sobre O Que os Computadores Em Breve/Nunca Farão. Um lado diz que os robôs estão logo aí (mostrando que a mente é um computador); o outro diz que isso nunca acontecerá (mostrando que a mente não é um computador). Esse debate parece saído diretamente das páginas de *The experts speak*, de Christopher Cerf e Victor Navasky:

> Pessoas bem informadas sabem que é impossível transmitir a voz por fios e que, se fosse possível fazê-lo, isso não teria utilidade prática.

> Editorial, *The Boston Post*, 1865

> Daqui a cinquenta anos [...] escaparemos ao absurdo de criar uma galinha inteira com o objetivo de comer o peito ou a asa, criando essas partes separadamente em um meio adequado.

> Winston Churchill, 1932

Máquinas voadoras mais pesadas do que o ar são impossíveis.

Lorde Kelvin, pioneiro da termodinâmica e da eletricidade, 1895

[Em 1965] o automóvel de passeio de luxo provavelmente terá seis metros de comprimento, será movido por turbina a gás, uma irmã caçula do motor a jato.

Leo Cherne, editor de *The Research Institute of America*, 1955

O homem jamais chegará à Lua, independentemente de todos os avanços científicos futuros.

Leo Deforest, inventor do tubo de vácuo, 1957

Aspiradores de pó movidos a energia nuclear provavelmente serão realidade dentro de dez anos.

Alex Lewyt, fabricante de aspiradores de pó, 1955

A única previsão da futurologia que sem dúvida alguma é correta é a de que, no futuro, os futurólogos de hoje parecerão tolos. Os avanços definitivos da inteligência artificial são desconhecidos e dependem de inúmeras vicissitudes práticas que somente serão descobertas à medida que ela progredir. O indiscutível é que as máquinas de computação podem ser inteligentes.

A compreensão científica e o sucesso tecnológico relacionam-se apenas de maneira imprecisa. Durante muito tempo, compreendemos muito a respeito do quadril e do coração, mas os quadris artificiais são muito comuns, ao passo que os corações artificiais escapam à maestria tecnológica. As armadilhas que se interpõem entre teoria e aplicação devem ser levadas em conta quando procuramos na inteligência artificial pistas sobre os computadores e a mente. A denominação mais acertada para o estudo da mente informada por computadores não é Inteligência Artificial, mas Computação Natural.

A teoria computacional da mente entrincheirou-se discretamente na neurociência, o estudo da fisiologia do cérebro e do sistema nervoso. Nenhuma faceta da área está isenta da ideia de que o processamento de informações é a atividade fundamental do cérebro. O processamento de informações é o que leva os neurocientistas a interessarem-se mais pelos neurônios do que pelas células da glia, muito embora esta ocupe mais espaço no cérebro. O axônio (a longa fibra de saída ou output) de um neurônio é projetado, até o nível molecular, para propagar informações com alta fidelidade através de longas separações e, quando seu sinal elétrico é traduzido em um sinal químico na sinapse (a junção entre neurônios), o formato físico da informação muda enquanto a própria informação permanece a mesma. E, como veremos, a árvore de dendritos (fibras de entrada ou input) em cada neurônio parece executar as operações lógicas e estatísticas básicas que fundamentam a computação. Termos teóricos da informação como "sinais", "códigos", "representações", "transformações" e "processamento" permeiam a linguagem da neurociência.

O processamento de informações até mesmo define as questões legítimas da área. Se a imagem retiniana é gerada de cabeça para baixo, como conseguimos enxergar o mundo de cabeça para cima? Se o córtex visual encontra-se na parte posterior do cérebro, por que não parece que estamos vendo na parte de trás da cabeça? Como é possível que um amputado sinta um membro fantasma no lugar onde ficava seu membro verdadeiro? Como nossa experiência de um cubo verde pode originar-se de neurônios que não têm cor verde nem a forma cúbica? Todo neurocientista sabe que essas são pseudoquestões, mas por quê? Porque elas se referem a propriedades do cérebro que não fazem diferença para a transmissão e o processamento de informações.

Se uma teoria científica é apenas tão boa quanto os fatos que ela explica e as descobertas que ela inspira, a melhor propaganda para a teoria computacional da mente é seu impacto sobre a psicologia. Skinner e outros behavioristas asseveraram que toda conversa sobre eventos mentais era especulação estéril; somente as conexões estímulo-resposta poderiam ser estudadas no laboratório e em campo. Exatamente o oposto revelou-se verdadeiro. Antes de as ideias computacionais serem importadas nas décadas de 50 e 60 por Newell e Simon e pelos psicólogos George Miller e Donald Broadbent, a psicologia era um primor de insipidez. O currículo da psicologia consistia na psicologia fisiológica, e isso significava reflexos, na percepção, e isso significava bips, no aprendizado, e isso significava ratos, na memória, e isso significava sílabas sem sentido, na inteligência, e isso significava QI, e na personalidade, e isso significava testes de personalidade. Desde então, a psicologia tem trazido para o laboratório as questões dos mais profundos pensadores da história e feito milhares de descobertas, sobre todos os aspectos da mente, que nem em sonhos figuravam algumas décadas atrás.

O florescimento proveio de um objetivo central da psicologia estipulado pela teoria computacional: descobrir a forma das representações mentais (as inscrições de símbolos usadas pela mente) e os processos (os *demons*) que as acessam. Platão disse que estamos presos numa caverna e só conhecemos o mundo por meio das sombras que ele projeta nas paredes da caverna. O crânio é nossa caverna, e as representações mentais são as sombras. As informações em uma representação interna são tudo o que podemos conhecer a respeito do mundo. Consideremos, por analogia, o modo como funcionam as representações *externas*. Meu extrato bancário registra cada depósito como uma única quantia. Se eu depositar diversos cheques e uma quantia em dinheiro, não poderei verificar se um cheque específico se encontra ali registrado; essa informação foi apagada na representação. E mais: a *forma* de uma representação determina o que se pode inferir dela facilmente, pois os símbolos e a disposição destes são a única coisa a que pode responder um homúnculo estúpido o bastante para ser substituído por uma máquina. Nossa representação de números é valiosa porque a adição pode ser executada com os números mediante algumas operações monótonas: procurar os registros na tabela de adição e transportar algarismos. Os algarismos romanos não sobreviveram, exceto como rótulos ou decorações, porque com eles as operações de adição são muito mais complicadas, e a multiplicação e a divisão ficam praticamente impossíveis.

Definir representações mentais é o caminho para o rigor na psicologia. Muitas explicações do comportamento dão uma impressão de inconsistência porque explicam fenômenos psicológicos com outros fenômenos psicológicos igualmente misteriosos. Por que as pessoas têm mais dificuldade nesta tarefa do que naquela? Porque a primeira é "mais difícil". Por que as pessoas generalizam um fato concernente a um objeto para outro objeto? Porque os objetos são "semelhantes". Por que as pessoas notam este evento mas não aquele? Porque o primeiro evento é "mais notável". Essas explicações são embustes. Dificuldade, semelhança e notabilidade estão na mente do observador, que é o que deveríamos estar tentando explicar. Um computador tem mais dificuldade para lembrar a ideia geral de *Chapeuzinho Vermelho* do que para lembrar um número de vinte algarismos; você acha mais difícil lembrar o número do que a ideia geral. Você acha semelhantes duas bolas de jornal amassado, muito embora suas formas sejam totalmente diferentes, e acha dois rostos diferentes, apesar de suas formas serem quase as mesmas. Para as aves de arribação que voam à noite orientando-se pelas estrelas, as posições das constelações em diferentes horas da noite são muito evidentes; uma pessoa comum quase não as percebe.

Mas, se descermos ao nível das representações, encontraremos um tipo menos etéreo de entidade, que pode ser rigorosamente contado e comparado. Uma teoria da psicologia que se preze deve prever que as representações requeridas pela tarefa "difícil" contêm mais símbolos (contando-os) ou aciona uma cadeia de *demons* mais longa do que a da tarefa "fácil". Deve prever que as representações de duas coisas "semelhantes" têm mais símbolos em comum e menos símbolos não comuns do que as representações de coisas "dessemelhantes". As entidades "notáveis" devem ter representações diferentes das de suas vizinhas; as entidades não notáveis devem ter as mesmas representações.

Os estudos da psicologia cognitiva têm procurado identificar as representações internas da mente medindo relatos das pessoas, tempos de reação e erros enquanto essas pessoas recordam, resolvem problemas, reconhecem objetos e generalizam a partir de experiências. O modo como as pessoas generalizam é talvez o sinal mais revelador de que a mente usa representações mentais, e muitas delas.

Suponhamos que demore um pouco para você aprender a ler um novo tipo de caractere impresso, todo rebuscado, enfeitado com arabescos. Você praticou um pouco com algumas palavras e agora está tão rápido quanto com qualquer outro tipo de caractere. Agora você vê uma palavra familiar que não estava no conjunto das que usou para praticar — digamos, *cervo*. Você precisa reaprender que essa palavra é um nome? Precisa reaprender sua pronúncia? Reaprender que o referente é um animal? Qual a aparência do referente? Que ele tem massa, respira e amamenta os filhotes? Claro que não. Mas esse talento banal que você tem conta uma história. Seu conhecimento a respeito da palavra *cervo* não poderia estar diretamente ligado às formas físicas de letras impressas. Se assim fosse, então quando novas letras fossem introduzidas seu conhecimento não teria ligação com elas e seria inútil para você até que você aprendesse novamente as conexões. Na realidade, seu conhecimento deve ter sido ligado a um nó, um número, um endereço na memória ou um verbete em um dicionário mental representando a palavra abstrata *cervo*, e esse verbete teria de ser neutro quanto ao modo como ele é impresso ou pronunciado. Quando você aprendeu o novo estilo de caracteres, criou um novo acionador visual para as letras do alfabeto, que por sua vez acionou o velho verbete *cervo*, e tudo o que estava conectado ao verbete ficou instantaneamente disponível, sem você ter de religar, peça por peça, tudo o que sabe a respeito de cervos ao novo modo de imprimir *cervo*. É assim que sabemos que sua mente contém representações mentais de verbetes abstratos para as palavras, e não apenas das formas das palavras quando elas são impressas.

Esses saltos, e o inventário de representações internas que eles sugerem, são a marca registrada da cognição humana. Se você ficasse sabendo que *veado-galheiro* é outro nome para designar um cervo, poderia reunir todos os fatos ligados à palavra *cervo* e instantaneamente transferi-los para *veado-galheiro*, sem necessidade de soldar novas conexões na palavra, uma a uma. Obviamente, só seriam transferidos seus conhecimentos zoológicos;

você não suporia que *veado-galheiro* pronuncia-se como *cervo*. Isso sugere que você tem um nível de representação específico para os conceitos por trás das palavras e não somente para as próprias palavras. Seu conhecimento de fatos a respeito dos cervos liga-se ao conceito; as palavras *cervo* e *veado--galheiro* também se ligam ao conceito; e a ortografia c-e-r-v-o e a pronúncia [servo] ligam-se à palavra *cervo*.

Caminhamos de baixo para cima, partindo do estilo de caractere; agora, vamos de cima para baixo. Se você houvesse aprendido o caractere em tinta preta sobre papel branco, não teria de reaprendê-lo se ele estivesse em tinta branca sobre papel vermelho. Isso revela uma representação para bordas visuais. Qualquer cor confinando com outra cor é vista como uma borda; as bordas definem os traços; um arranjo de traços compõe um caractere alfanumérico.

As várias representações mentais ligadas a um conceito como cervo podem ser mostradas em um único diagrama, às vezes denominado rede semântica, representação de conhecimento ou banco de dados proposicional.

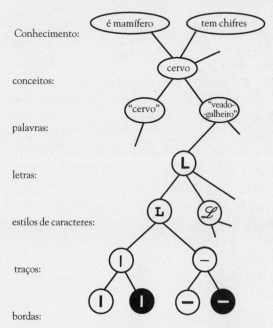

Esse é um fragmento do imenso dicionário, enciclopédia e manual explicativo multimídia que temos na cabeça. Encontramos essas camadas sobre camadas de representações onde quer que procuremos na mente. Digamos que eu lhe peça para grafar a palavra *cervo* com qualquer estilo de caractere que você desejar, porém com a mão esquerda (se você for destro), ou escrevendo na areia com o dedão do pé, ou com uma lanterna entre os dentes. O resultado seria feioso, mas reconhecível. Você talvez tivesse de praticar para tornar seus movimentos mais uniformes, mas não precisaria reaprender os traços que compõem cada letra, muito menos o alfabeto ou a ortografia de cada palavra do idioma. Essa transferência de habilidade deve depender de um nível de representação para o controle motor que especifica uma trajetória geométrica, e não das contrações musculares ou dos movimentos dos membros que a executam. A trajetória seria traduzida em movimentos efetivos por programas de controle de nível inferior para cada membro.

Ou recordemos Sally fugindo do prédio incendiado no começo deste capítulo. O desejo de Sally deve ter sido expresso como a representação abstrata "fuja do perigo". Não poderia ter sido expresso como "fuja da fumaça", pois o desejo de fugir teria sido provocado por outros sinais que não a fumaça (e às vezes uma fumaça não o provocaria), e a fuga de Sally teria sido posta em prática por muitos tipos de ação, e não apenas correndo. Entretanto, sua reação comportamental foi arquitetada pela primeira vez naquele local e naquela hora. Sally deve ser modular: uma parte dela avalia o perigo, outra decide se deve fugir e outra ainda resolve como fugir.

As qualidades combinatórias do mentalês e de outras representações compostas de partes explicam o inesgotável repertório do pensamento e ação humana. Um punhado de elementos e um punhado de regras que os combinem podem gerar um número incalculavelmente elevado de representações diferentes, pois o número de representações possíveis cresce exponencialmente com seu tamanho. A linguagem é um exemplo óbvio. Digamos que você tenha dez escolhas para a palavra que irá iniciar uma sentença, dez escolhas para a segunda palavra (produzindo cem começos com duas palavras), dez escolhas para a terceira palavra (produzindo mil começos de três palavras) e assim por diante. (De fato, dez é a média geométrica aproximada do número de escolhas de palavras disponíveis em cada etapa quando se monta uma sentença gramatical e sensata.) Um pouco de aritmética mostra que o número de sentenças de vinte palavras ou menos (uma extensão nada incomum) é de aproximadamente 10^{20}: o algarismo 1 seguido de vinte zeros, ou 100 milhões de trilhões, ou cem vezes o número de segundos desde o nascimento do universo. Dou esse exemplo para impressionar você não com a vastidão da linguagem, mas com a vastidão do pensamento. A linguagem, afinal de contas, não é como uma canção sem letra: cada sentença expressa uma ideia distinta. (Não existem sentenças verdadeiramente sinônimas.) Portanto, em adição a quaisquer pensamentos inexprimíveis que as pessoas possam ter, elas podem nutrir cerca de 100 milhões de trilhões de pensamentos exprimíveis.

A imensidão combinatória de estruturas pensáveis é encontrada em muitas esferas da atividade humana. O jovem John Stuart Mill assustou-se ao descobrir que o número finito de notas musicais, juntamente com a duração máxima prática de uma composição musical, significava que o mundo em breve ficaria sem melodias. Na época em que ele se afundava nessa melancolia, Brahms, Tchaikovsky, Rachmaninoff e Stravinsky ainda não tinham nascido, sem contar gêneros inteiros como ragtime, jazz, musicais da Broadway, electric blues, country and western, rock-and-roll, samba, reggae e punk. Não é provável que tenhamos uma escassez de melodias em breve, pois a música é combinatória: se cada nota de uma melodia pode ser selecionada, digamos, de oito notas em média, então existem 64 pares de notas, 512 motivos de três notas, 4096 frases de quatro notas e assim por diante, multiplicando-se em trilhões e trilhões de composições musicais.

A facilidade corriqueira que temos para generalizar nossos conhecimentos é uma prova de que possuímos diversos tipos de representações de dados em nossa cabeça. As representações mentais também se revelam no laboratório de psicologia. Com técnicas engenhosas, os psicólogos conseguem apanhar uma mente no ato de saltar de uma representação para outra. Uma ótima demonstração foi dada pelo psicólogo Michael Posner e seus colegas. Voluntários sentam-se diante de uma tela de vídeo e veem pares de letras que lampejam brevemente: A A, por exemplo. É pedido que apertem um botão se as letras forem as mesmas e outro botão se elas forem diferentes (digamos, A B). Às vezes, as letras do par de iguais são ambas maiúsculas ou ambas minúsculas (A A ou a a); ou seja, são fisicamente idênticas. Às vezes, uma é maiúscula e outra, minúscula (A a ou a A); são a mesma letra do alfabeto, mas fisicamente diferentes. Quando as letras são fisicamente idênticas, as pessoas apertam os botões com mais rapidez e correção do que quando são fisicamente diferentes, presumivelmente porque estão processando as letras como formas visuais e podem simplesmente compará-las segundo sua geometria, no estilo do gabarito. Quando uma letra é A e a outra, a, as pessoas têm de convertê-las em um formato no qual elas são equivalentes, ou seja, "a letra *a*": essa conversão acrescenta aproximadamente um décimo de segundo ao tempo de reação. Mas, se uma letra for mostrada e a outra só aparecer segundos depois, não importa se elas são fisicamente idênticas ou não; A depois A é tão lento quanto A depois a. A combinação rápida pelo gabarito não é mais possível. Ao que parece, após alguns segundos a mente automaticamente converte uma representação visual em uma representação alfabética, descartando as informações quanto à sua geometria.

Essa prestidigitação de laboratório revelou que o cérebro humano usa no mínimo quatro formatos principais de representação. Um formato é a imagem visual, que é como um gabarito em um mosaico bidimensional, semelhante a uma figura. (As imagens visuais são discutidas no capítulo 4.) Outro, é uma representação fonológica, um trecho de sílabas que tocamos em nossa mente repetidamente, como um trecho de uma fita [*tape loop*], planejando os movimentos da boca e imaginando como soam as sílabas. Essa representação em cadeia é um componente importante de nossa memória de curto prazo, como quando procuramos na lista um número de telefone e o repetimos para nós mesmos, em silêncio, apenas o tempo suficiente para discá-lo. A memória fonológica de curto prazo dura entre um e cinco segundos e pode reter de quatro a sete "pedaços". (A memória de curto prazo é medida em pedaços e não em sons, pois cada item pode ser um rótulo que indica uma estrutura de informações muito maior na memória de longo prazo, como por exemplo o conteúdo de uma frase ou sentença.) Um terceiro formato é a representação gramatical: substantivos e verbos, expressões e sentenças, temas e radicais, fonemas e sílabas, tudo disposto em árvores hierárquicas. Em *O instinto da linguagem*, expliquei como essas representações determinam o que entra em uma sentença e como as pessoas se comunicam e brincam com a linguagem.

O quarto formato é o mentalês, a linguagem do pensamento na qual se expressa nosso conhecimento conceitual. Quando você fecha um livro, esquece quase tudo com respeito ao fraseado, aos estilos de caracteres das sentenças e ao local onde elas foram dispostas na página. O que você absorve é o conteúdo ou ideia geral. (Em testes de memória, as pessoas "reconhecem" sem hesitar sentenças que nunca viram se forem paráfrases de sentenças já vistas.) O mentalês é o meio no qual o conteúdo ou ideia geral é captado. Usei pequenas porções dele no quadro de avisos do sistema de produção que identificava os tios, bem como nos níveis de "conhecimento" e "conceito" da rede semântica mostrada no último diagrama. O mentalês também é a língua franca da mente, o tráfego de informações entre módulos mentais que nos permite descrever o que vemos, imaginar o que nos é descrito, seguir instruções etc. Esse tráfego pode realmente ser visto na anatomia do cérebro. O hipocampo e estruturas a ele ligadas, que armazenam nossas lembranças na memória de longo prazo, e os lobos frontais, que abrigam os circuitos para a tomada de decisões, não são diretamente ligados às áreas cerebrais que processam inputs sensoriais brutos (o mosaico de bordas e cores e a fita de tons variáveis). Em vez disso, a maioria de suas fibras de input transporta o que os neurocientistas denominam inputs "altamente processados", provenientes de regiões que se encontram uma ou duas paradas abaixo das primeiras áreas sensoriais. O input consiste em códigos para objetos, palavras e outros conceitos complexos.

Por que tantos tipos de representação? Não seria mais simples ter um esperanto da mente? Na verdade, seria uma complicação infernal. A organização modular do software mental, acondicionando os conhecimentos em formatos separados, é um bom exemplo de como evolução e engenharia convergem para soluções semelhantes. Brian Kerningham, um mago do mundo do software, escreveu um livro em coautoria com P. J. Plauger intitulado *The elements of programming style* (um gracejo com o célebre manual de redação *The elements of style*, de Strunk e White). O livro dá conselhos sobre o que faz um programa funcionar potentemente, rodar com eficácia e desenvolver-se com elegância. Uma de suas máximas é: "Substitua expressões repetitivas por chamadas para uma função comum". Por exemplo, se um programa tem de computar as áreas de três triângulos, ele não deve ter três comandos diferentes, cada um com as coordenadas de um dos triângulos embutidas em sua cópia da fórmula da área de um triângulo. Em vez disso, o programa deve ter a fórmula definida *uma só vez*. Deve haver uma função "calcule área de triângulo", e esta deve possuir "vagas" [*slots*] com os rótulos X, Y e Z que possam representar as coordenadas de *qualquer* triângulo. Essa função pode ser chamada três vezes, com as coordenadas para os inputs ligadas às vagas X, Y e Z. Esse princípio de design torna-se ainda mais importante quando a função cresce, de uma fórmula de uma linha para uma sub-rotina de muitos passos; ele inspirou as seguintes máximas afins, todas elas parecendo ter sido seguidas pela seleção natural quando projetou nossa mente modular, de múltiplos formatos:

Modularize.
Use sub-rotinas.
Cada módulo deve fazer bem uma coisa.
Assegure-se de que cada módulo oculte alguma coisa.
Localize inputs e outputs nas sub-rotinas.

Um segundo princípio é captado pela máxima:

Escolha a representação de dados que torne o programa simples.

Kernighan e Plauger dão o exemplo de um programa que lê uma linha de texto e depois tem de imprimi-la centralizada dentro de uma área delimitada. A linha de texto poderia ser armazenada em muitos formatos (como uma sucessão de caracteres, uma lista de coordenadas etc.), mas um formato torna a centralização facílima: alocar oitenta posições de memória consecutivas que espelhem as oitenta posições no mostrador de input-output. A centralização pode ser obtida em poucos passos, sem erro, para um input de qualquer tamanho; com qualquer outro formato, o programa teria de ser mais complicado. Presumivelmente, os formatos de representação distintos usados pela mente humana — imagens, laços fonológicos, árvores hierárquicas, mentalês — evoluíram porque permitem que programas simples (ou seja, *demons* ou homúnculos estúpidos) computem coisas úteis a partir desses formatos.

E, se você aprecia a estratosfera intelectual na qual "sistemas complexos" de todos os tipos são amontoados juntos, talvez seja receptivo ao argumento de Herbert Simon de que o design modular em computadores e mentes é um caso especial do design modular hierárquico de *todos* os sistemas complexos. Os corpos contêm tecidos feitos de células que contêm organelas; as forças armadas abrangem exércitos que contêm divisões separadas em batalhões e por fim em pelotões; livros contêm capítulos divididos em seções, subseções, parágrafos e sentenças; impérios são montados com países, províncias e territórios. Esses sistemas "quase decomponíveis" definem-se por ricas interações entre os elementos pertencentes ao mesmo componente e poucas interações entre elementos pertencentes a componentes diferentes. Os sistemas complexos são hierarquias de módulos porque somente elementos que se encontram unidos em módulos podem permanecer estáveis tempo suficiente para serem montados em módulos cada vez maiores. Simon faz uma analogia com dois relojoeiros, Hora e Tempus:

> Os relógios que esses homens faziam consistiam em aproximadamente mil partes cada um. Tempus planejara os seus de modo que, se tivesse montado uma parte e precisasse deixá-la de lado — para falar ao telefone, por exemplo —, ela imediatamente se desmantelaria inteira, necessitando ser montada de novo a partir de cada elemento [...]
>
> Os relógios feitos por Hora não eram menos complexos do que os de Tempus. Mas ele os projetara de modo que pudesse executar submontagens de aproximadamente dez elementos cada uma. Dez dessas submontagens, por sua vez, podiam ser reunidas em uma submontagem maior; e um sistema de dez destas últimas submontagens constituía o relógio inteiro. Assim, quando Hora precisava deixar de lado um relógio parcialmente montado para falar ao telefone, perdia apenas uma pequena parte de seu trabalho, e montava seus relógios em apenas uma fração dos homens-horas gastas por Tempus.

Nossa complexa atividade mental imita a sabedoria de Hora. Enquanto levamos nossa vida, não precisamos atentar para cada vírgula ou planejar cada contração de músculo. Graças aos símbolos de palavras, qualquer estilo de caractere pode despertar qualquer bocado de conhecimento. Graças aos símbolos de objetivos, qualquer sinal de perigo pode acionar qualquer meio de fuga.

O saldo da longa discussão sobre computação e representação mental na qual tenho conduzido você é, espero, a compreensão da complexidade, sutileza e flexibilidade de que a mente humana é capaz *mesmo se* ela nada mais for do que uma máquina, nada mais do que o computador de bordo de um robô feito de tecidos. Não precisamos de espíritos ou forças ocultas para explicar a inteligência. Tampouco, num esforço para parecermos científicos, precisamos desprezar as evidências diante de nossos olhos e afirmar que os seres humanos são amontoados de associações condicionadas, fantoches dos genes ou seguidores de instintos brutais. Podemos ter a agilidade e o discernimento do pensamento humano *e* uma estrutura mecanicista na qual explicá-lo. Os últimos capítulos, que tentam explicar o bom-senso, as emoções, as relações sociais, o humor e as artes, alicerçam-se em uma psique computacional complexa.

O PALADINO

Obviamente, se fosse *inimaginável* a possibilidade de a teoria computacional da mente ser falsa, isso significaria que ela não tinha conteúdo. De fato, ela foi veementemente impugnada. Como se poderia esperar de uma teoria que se tornou tão indispensável, atirar pedras não basta; nada menos do que solapar seus alicerces poderia derrubá-la. Dois autores bombásticos aceitaram o desafio. Ambos escolheram armas adequadas à ocasião, embora elas não pudessem ser mais opostas: uma é um apelo ao velho bom-senso; a outra, à física e à matemática esotéricas.

O primeiro ataque vem do filósofo John Searle. Ele acredita ter refutado a teoria computacional da mente em 1980 com um experimento mental que adaptou de outro filósofo, Ned Block (o qual, ironicamente, é um grande defensor da teoria computacional). A versão de Searle tornou-se famosa como a Sala Chinesa. Um homem que não sabe chinês é posto em uma sala. Pedaços de papel com tracinhos são passados por baixo da porta. O homem tem uma longa lista de instruções complicadas, do tipo "Sempre que você vir [risco risco risco], escreva [rabisco rabisco rabisco]". Algumas das regras mandam-no passar seus próprios rabiscos de volta por baixo da porta. Ele adquire prática em seguir as instruções. Sem que ele saiba, os riscos e rabiscos são caracteres chineses, e as instruções são um programa de inteligência arti-

104

ficial para responder a questões sobre histórias em chinês. Pelo que pode julgar a pessoa que está do outro lado da porta, existe um falante nativo do chinês naquela sala. Ora, se entender consiste em rodar um programa de computador adequado, aquele sujeito deve entender chinês, pois está rodando um programa assim. Mas o sujeito não entende chinês, nem uma palavra; ele está apenas manipulando símbolos. Portanto, o entendimento — e, por extensão, qualquer aspecto da inteligência — não é o mesmo que manipulação de símbolos ou computação.

Searle afirma que o que está faltando no programa é a intencionalidade, a conexão entre um símbolo e o que ele significa. Na interpretação de muitas pessoas, ele disse que falta *consciência* ao programa; de fato, Searle acredita que consciência e intencionalidade estão estreitamente relacionadas, pois somos conscientes do que tencionamos quando temos um pensamento ou usamos uma palavra. Intencionalidade, consciência e outros fenômenos mentais são causados não pelo processamento de informações, conclui Searle, mas pelas "verdadeiras propriedades físico-químicas de cérebros humanos verdadeiros" (embora ele não diga quais são essas propriedades).

A Sala Chinesa desencadeou uma quantidade inacreditável de comentários. Mais de cem artigos publicados ofereceram-lhe uma réplica, e vi nisso uma excelente razão para tirar meu nome de todas as listas de grupos de discussão na Internet. Às pessoas que dizem que a *sala inteira* (o homem mais a folha com as regras) entende chinês, Searle replica: Tudo bem, deixe o sujeito memorizar as regras, fazer os cálculos de cabeça e trabalhar ao ar livre. A sala se foi, e nosso manipulador de símbolos ainda não entende chinês. Aos que afirmam que o homem não tem conexões sensório-motoras com o mundo, e que esse é o fator crucial que está faltando, Searle replica: Suponhamos que os riscos que entram são mostrados por uma câmera de televisão e que os rabiscos que saem são os comandos para um braço de robô. Ele tem as conexões, mas ainda não fala a língua. Aos que afirmam que seu programa não reflete o que o cérebro faz, Searle pode invocar o equivalente distribuído paralelo da Sala Chinesa, mencionado por Block — o Ginásio Chinês: milhões de pessoas num imenso ginásio agem como se fossem neurônios, gritando sinais umas para as outras em walkie-talkies, duplicando uma rede neural que responde a perguntas sobre histórias em chinês. Mas o *ginásio* não entende chinês mais do que o sujeito da sala.

A tática de Searle é apelar repetidamente para nosso bom-senso. Quase podemos ouvi-lo dizer: "Ora, vamos! Você vai me dizer que *o sujeito entende chinês*??!!! Sem essa! Ele não entende uma palavra! Viveu no Brooklin a vida inteira!!", e assim por diante. Mas a história da ciência não tem sido boazinha com as intuições simples do bom-senso, para dizer o mínimo. Os filósofos Patricia e Paul Churchland pedem que imaginemos como o argumento de Searle poderia ter sido usado contra a teoria de Maxwell de que a luz consiste em ondas eletromagnéticas. Um sujeito segura um ímã na mão e o agita para cima e para baixo. O sujeito está criando radiação eletromagnética, *mas não sai nenhuma luz dali*; portanto, a luz não é uma onda eletromagnética. O experimento mental desacelera as ondas para uma faixa em que os humanos não as enxergam mais como luz. Confiando em nossas intuições no experimento mental, concluímos falsamente que ondas *rápidas* também não podem ser luz. De modo semelhante, Searle desacelerou a computação mental para uma faixa em que nós, humanos, não a consideramos entendimento (pois o entendimento em geral é muito mais rápido). Confiando em nossas intuições no experimento mental, concluímos falsamente que a computação rápida também não pode ser entendimento. Mas, se uma versão acelerada da história estapafúrdia de Searle pudesse tornar-se realidade e encontrássemos uma pessoa que parecesse conversar inteligentemente em chinês, embora na verdade estivesse empregando milhões de regras de memorização em frações de segundo, não está tão claro que negaríamos que essa pessoa entende chinês.

Minha opinião é que Searle está meramente explorando fatos relacionados à palavra *entender*. As pessoas relutam em usar essa palavra a menos que se verifiquem certas condições estereotipadas: as regras da linguagem são usadas com rapidez e inconscientemente, e o conteúdo da linguagem está ligado às crenças da pessoa inteira. Se as pessoas torcem o nariz ao uso da palavra vernácula *entender* para abranger condições exóticas que violam o estereótipo mas preservam a essência do fenômeno, então, cientificamente falando, nada está em jogo. Podemos procurar outra palavra, ou concordar em usar a velha em um sentido técnico; que importa? A explicação para *o que faz o entendimento funcionar* é a mesma. A ciência, afinal de contas, diz respeito aos princípios que fazem as coisas funcionarem e não a que coisas são "realmente" exemplos de uma palavra familiar. Se um cientista explica o funcionamento de um cotovelo humano dizendo que ele é uma alavanca de segunda classe, não é uma refutação descrever um homem segurando uma alavanca de segunda classe feita de aço e bradar: "Mas, olhem, *o homem não tem três cotovelos!!!*".

Quanto às "propriedades físico-químicas" do cérebro, já me referi ao problema: os tumores cerebrais, os cérebros de camundongos e o tecido neural mantido vivo numa placa não entendem, mas suas propriedades físico-químicas são as mesmas de nosso cérebro. A teoria computacional explica a diferença: esses pedaços de tecido neural não são *dispostos* em padrões de conectividade que executem o tipo certo de processamento de informações. Por exemplo, não possuem partes que distinguem substantivos de verbos, e seus padrões de atividade não executam as regras da sintaxe, semântica e bom-senso. Obviamente, sempre podemos *chamar* isso de uma diferença em propriedades físico-químicas (no mesmo sentido em que dois livros diferem em suas propriedades físico-químicas), mas neste caso o termo não teria sentido, pois não pode mais ser definido na linguagem da física e da química.

Com experimentos mentais, vale fazer o jogo do adversário. Talvez a resposta definitiva para a Sala Chinesa de Searle possa ser encontrada numa história do escritor de ficção científica Terry Bisson, amplamente circulada na Internet, na qual a incredulidade trafega na mão contrária. É a história de uma conversa entre o líder de uma frota de exploração interplanetária e seu comandante em chefe, e começa assim:

"Eles são feitos de carne."

"Carne?" [...] "Não há dúvidas quanto a isso. Escolhemos vários de diferentes partes do planeta, trouxemos para bordo de nossas naves de reconhecimento, cutucamos por toda parte. Eles são inteiramente carne."

"Isso é impossível. E quanto aos sinais de rádio? As mensagens para as estrelas?"

"Eles usam as ondas de rádio para conversar, mas os sinais não provêm deles. Os sinais vêm de máquinas."

"Então quem fez as máquinas? É com esses que queremos entrar em contato."

"Eles fizeram as máquinas. É isso que estou tentando dizer ao senhor. A carne fez as máquinas."

"Isso é ridículo. Como é que carne pode fazer uma máquina? Você está me pedindo para acreditar em carne senciente."

"Não estou pedindo, estou afirmando. Essas criaturas são a única raça senciente no setor, e são feitas de carne."

"Talvez sejam iguais aos Orfolei. Você sabe, uma inteligência de base carbônica que passa por um estágio de carne."

"Não. Eles nascem carne e morrem carne. Nós os estudamos em várias de suas durações de vida, que não são muito longas. O senhor tem alguma ideia da duração de vida da carne?"

"Não me interessa. Tudo bem, talvez eles sejam apenas parcialmente de carne. Você sabe, como os Weddilei. Uma cabeça de carne com um cérebro de plasma de elétrons em seu interior."

"Não, pensamos nisso, já que eles de fato têm cabeças de carne como os Weddilei. Mas eu lhe disse, nós os cutucamos. Eles são de carne por inteiro."

"Sem cérebro?"

"Ah, existe um cérebro, sim. Só que o cérebro é feito de carne!"

"Então... o que é que pensa?"

"O senhor não está compreendendo, não é mesmo? É o cérebro que pensa. A carne."

"Carne pensante! Você está me pedindo para acreditar em carne pensante!"

"Sim, carne pensante! Carne consciente! Carne que ama. Carne que sonha. A carne é tudo! O senhor está percebendo?"

O outro ataque à teoria computacional da mente é desferido pelo físico e matemático Roger Penrose, em um best-seller intitulado *The emperor's new mind* [A mente nova do rei] (mas que achado para jogar na cara uma refutação!). Penrose recorre não ao bom-senso, mas a questões abstrusas da lógica e da física. Afirma que o célebre teorema de Gödel implica que os matemáticos — e, por extensão, todos os humanos — não são programas de computador. De modo aproximado, Gödel provou que qualquer sistema formal (como um programa de computador ou um conjunto de axiomas e regras de inferência na matemática) que seja até mesmo moderadamente poderoso (o suficiente para enunciar as verdades da aritmética) e coerente (não gera enunciados contraditórios) pode gerar enunciados que são verdadeiros mas que o sistema não pode provar serem verdadeiros. Como nós, matemáticos humanos, podemos simplesmente *ver* que esses enunciados são verdadeiros, não somos sistemas formais como os computadores. Penrose acredita que a habilidade do matemático provém de um aspecto da consciência que não pode ser explicado como computação. De fato, não pode ser explicado pela operação de neurônios; estes são grandes demais. Não pode ser explicado pela teoria darwinista da evolução. Não pode ser explicado nem mesmo pela física como atualmente a entendemos. Efeitos quântico-mecânicos, a serem explicados em uma até agora inexistente teoria da gravidade quântica, atuam nos microtúbulos que compõem o minúsculo esqueleto dos neurônios. Esses efeitos são tão estranhos que podem ser equiparados à estranheza da consciência.

O argumento matemático de Penrose foi descartado como falaz por lógicos, e suas outras afirmações foram criticadas impiedosamente por peritos das disciplinas relevantes. Um grande problema é que os dons que Penrose atribui a seu matemático idealizado não existem em nenhum matemático da vida real; por exemplo, a certeza de que o sistema de regras sendo acatadas é consistente. Outro problema é que os efeitos quânticos quase seguramente se neutralizam mutuamente no tecido nervoso. Um terceiro problema é que os microtúbulos são ubíquos entre as células e parecem não ter papel algum no modo como o cérebro adquire inteligência. Um quarto problema é não haver sequer um indício do modo como a consciência poderia originar-se da mecânica quântica.

Os argumentos de Penrose e Searle têm mais uma coisa em comum além do alvo. Ao contrário da teoria que criticam, eles são tão desvinculados da descoberta e explicação na prática científica que têm sido empiricamente estéreis, sem contribuir com nenhum insight e sem inspirar descobertas sobre o modo como a mente funciona. De fato, a implicação mais interessante de *The emperor's new mind* foi salientada por Dennett. A contestação da teoria da mente por Penrose revelou-se, indiretamente, um elogio. A teoria computacional coaduna-se tão bem com nossa compreensão do mundo que, ao tentar derrubá-la, Penrose precisou rejeitar a maior parte da neurociência, da biologia evolucionista e da física contemporâneas!

SUBSTITUÍDO POR UMA MÁQUINA

No conto "O que a tartaruga disse a Aquiles", de Lewis Carroll, o veloz guerreiro alcança a lerda tartaruga, desafiando o paradoxo de Zenão segundo o qual qualquer vantagem inicial dada à tartaruga faria com que fosse impossível alcançá-la. (No tempo que Aquiles levaria para percorrer a distância que o separa da tartaruga, esta já teria andado mais um pouco; no tempo que ele levaria para percorrer esta segunda distância, a tartaruga já estaria um pouco mais adiante, *ad infinitum*.) A tartaruga oferece a Aquiles um paradoxo lógico semelhante. Aquiles tira do elmo um caderno enorme e um lápis, e a tartaruga dita a primeira proposição de Euclides:

(A) Coisas que são iguais a uma mesma coisa são iguais entre si.
(B) Os dois lados deste Triângulo são coisas que são iguais a uma mesma coisa.
(Z) Os dois lados deste Triângulo são iguais entre si.

A tartaruga induz Aquiles a concordar em que qualquer pessoa que aceite A e B e "Se A e B então Z" também tem de aceitar Z. Mas em seguida a tartaruga discorda da lógica de Aquiles. Diz que tem o direito de rejeitar a conclusão Z, pois ninguém jamais escreveu a regra do se-então na lista de premissas que ele tem de aceitar. Ela desafia Aquiles a *forçá-la* a concluir Z. Aquiles replica acrescentando C na lista em seu caderno:

(C) Se A e B são verdadeiras, Z tem de ser verdadeira.

A tartaruga replica que não vê motivo para supor que, só porque A, B e C são verdadeiras, Z é verdadeira. Aquiles acrescenta mais uma proposição —

(D) Se A, B e C são verdadeiras, Z tem de ser verdadeira.

— e declara que "A Lógica precisa pegar você pela garganta e obrigá-la" a aceitar Z. A tartaruga replica:

"Tudo o que a Lógica tiver a bondade de me dizer vale a pena escrever. Por isso, anote em seu caderno, por favor. Nós a chamaremos

(E) Se A, B, C e D são verdadeiras, Z tem de ser verdadeira."

"Entendo", disse Aquiles; e na sua voz havia uma pontinha de tristeza.

E nesse ponto, o narrador, por ter negócios urgentes a resolver no Banco, foi obrigado a deixar o ditoso par, só voltando a passar pelo local alguns meses depois. Nessa ocasião, Aquiles continuava sentado nas costas da pacientíssima tartaruga, escrevendo em seu caderno, que parecia estar quase cheio. A tartaruga dizia: "Você anotou este último passo? A menos que eu tenha perdido a conta, agora estamos com mil e uma. Há vários milhões ainda por vir".

A solução do paradoxo, evidentemente, é que nenhum sistema de inferência segue regras explícitas do começo ao fim. Em algum ponto o sistema precisa, como dizia Jerry Rubin (e mais tarde a Nike Corporation), *just do it* [simplesmente faça!]. Ou seja, a regra tem simplesmente de ser *executada* pela operação reflexa, de força bruta, do sistema, sem mais perguntas. Nesse ponto, o sistema, se implementado como uma máquina, não estaria seguindo regras, mas obedecendo às leis da física. Analogamente, se as representações são lidas e escritas por *demons* (regras para substituir símbolos por símbolos), e os *demons* possuem *demons* menores e mais estúpidos dentro de si, no final você terá de chamar Caçadores de Fantasmas e substituir os *demons* menores e mais estúpidos por máquinas — no caso das pessoas e animais, máquinas construídas com neurônios: redes neurais. Vejamos de que maneira nosso quadro sobre como a mente funciona pode ser fundamentado em ideias simples sobre como o cérebro funciona.

As primeiras indicações vêm dos matemáticos Warren McCulloch e Walter Pitts, que escreveram sobre as propriedades "neuro-lógicas" de neurônios conectados. Os neurônios são complicados e ainda não os entendemos, mas McCulloch e Pitts, e depois deles a maioria dos estudiosos de modelos de redes neurais, identificaram uma coisa que os neurônios fazem como sendo a mais significativa. Os neurônios, efetivamente, somam uma série de quantidades, comparam a soma com um limiar e indicam se o limiar foi excedido. Essa é uma descrição conceitual do que eles fazem; a descrição física correspondente é que um neurônio disparando é ativo em vários graus, e seu nível de atividade é influenciado pelos níveis de atividade dos axônios entrantes de outros neurônios ligados em sinapses aos dendritos do neurônio (estruturas de inputs). Uma sinapse possui uma força que vai de positiva (excitatória), passando por zero (nenhum efeito) a negativa (inibitória). O nível de ativação de cada axônio entrante é multiplicado pela força da sinapse. O neurônio soma esses níveis entrantes; se o total exceder um limiar, o neurônio se tornará mais ativo, enviando por sua vez um sinal para qualquer neurônio conectado a *ele*. Embora os neurônios estejam sempre disparando e os sinais entrantes meramente os façam disparar a uma velocidade detectavelmente maior ou menor, às vezes convém descrevê-los como estando desligados (velocidade de repouso) ou ligados (velocidade elevada).

McCulloch e Pitts mostraram como os neurônios de brinquedo podiam ser conectados para criar portas lógicas. As portas lógicas implementam as relações lógicas básicas "e", "ou" e "não" que fundamentam inferências simples. "A e B" (conceitualmente) é verdadeiro se A é verdadeiro e B é verdadeiro. Uma porta "E" produz (mecanicamente) um output se ambos os seus inputs estiverem ativados. Para fazer uma porta E com neurônios de brinquedo, estipule que o limite da unidade de output é maior do que cada um dos pesos entrantes mas menor que a soma destes, como na minirrede abaixo à esquerda. "A ou B" é verdadeiro (conceitualmente) se A é verdadeiro ou se B é verdadeiro. Uma porta OU produz (mecanicamente) um output se pelo menos um de seus inputs estiver ativado. Para fazer uma porta assim, estipule que o limiar é menor do que cada peso entrante, como na minirrede central abaixo. Finalmente, "não A" é (conceitualmente) verdadeiro se A for falso e vice-versa. Uma porta não A produz (mecanicamente) um output quando não recebe input e vice-versa. Para fazer uma porta dessas, estipule o limiar em zero, de modo que o neurônio dispare quando não receber input, e faça o peso entrante ser negativo, de modo que um sinal entrante desligue o neurônio, como na minirrede abaixo à direita.

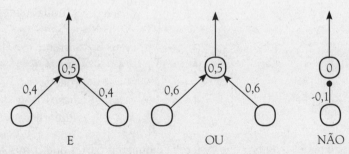

Suponhamos que cada neurônio de brinquedo representa uma proposição simples. As minirredes podem ser interligadas, com o output de uma alimentando o input de outra, para avaliar a verdade de uma proposição complexa. Por exemplo, uma rede neural poderia avaliar a proposição {[(X rumina) e (X tem cascos fendidos)] ou [(X tem nadadeiras) e (X tem escamas)]}, um resumo do que é preciso para um animal ser *kosher*. De fato, se uma rede de neurônios de brinquedo está conectada a algum tipo de memória ampliável (como um rolo de papel movendo-se sob um carimbo de borracha e um apagador), ela seria uma máquina de Turing, um computador totalmente funcional.

Entretanto, não é absolutamente prático representar proposições, ou mesmo os conceitos que as compõem, em portas lógicas, sejam estas feitas de neurônios ou de semicondutores. O problema é que cada conceito e proposição tem de estar pré-programado [*hard-wired*] como uma unidade distinta. Em vez disso, tanto os computadores como os cérebros representam os conceitos como *padrões* de atividade sobre *conjuntos* de unidades. Um exemplo simples é o humilde byte, que representa um caractere alfanumérico em seu computador. A representação da letra *B* é 01000010, na qual os algarismos (bits) correspondem a minúsculos pedaços de silício dispostos em fila. O segundo e o sétimo pedaços são carregados, correspondendo aos 1, e os outros pedaços não têm carga, correspondendo aos zeros. Um byte também pode ser construído com neurônios de brinquedo, e um circuito para reconhecer o padrão *B* pode ser construído como uma simples rede neural:

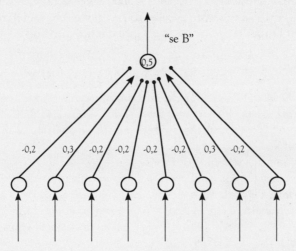

Você pode imaginar que essa rede é uma das partes que compõem um *demon*. Se a fileira inferior de neurônios de brinquedo está conectada à memória de curto prazo, a superior detecta se a memória de curto prazo contém um exemplo do símbolo *B*. E na página seguinte temos uma rede para uma tarefa de *demon* que *escreve* o símbolo *B* na memória.

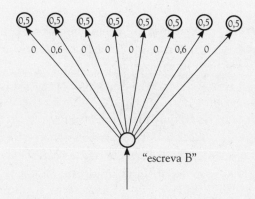

Estamos a caminho de construir um computador digital convencional com neurônios de brinquedo, mas mudemos um pouco de direção e façamos um computador mais biomórfico. Primeiro, podemos usar os neurônios de brinquedo para implementar não a lógica clássica, mas uma lógica nebulosa [*fuzzy logic*]. Em muitas esferas, as pessoas não têm convicções absolutas quanto a alguma coisa ser verdade. Uma coisa pode ser um exemplo melhor ou pior de uma categoria em vez de estar dentro ou fora desta. Considere a categoria "hortaliça". A maioria das pessoas concorda que o aipo é uma hortaliça completa, mas o alho é apenas um exemplo passável. E, se dermos crédito ao governo Reagan em sua justificativa para seu parcimonioso programa de merenda escolar, até o ketchup é um tipo de hortaliça — embora, depois de uma avalanche de críticas, o governo tenha admitido não ser um exemplo muito bom. Conceitualmente falando, fugimos da ideia de que alguma coisa é ou não uma hortaliça e dizemos que as coisas podem ser exemplos melhores ou piores de hortaliça. Mecanicamente falando, não mais insistimos em que uma unidade representando a condição de hortaliça esteja ligada ou desligada, mas permitimos que ela tenha um valor que varia de 0 (para uma pedra), passando por 0,1 (para o ketchup), por 0,4 (para o alho) a 1,0 (para o aipo).

Também podemos pôr no lixo o código arbitrário que relaciona cada conceito com uma sequência de bits sem sentido. Cada bit ganha seu pão representando alguma coisa. Um bit pode representar a cor verde, outro, a presença de folhas, outro, ainda, a possibilidade da mastigação e assim por diante. Cada uma dessas unidades de propriedade de hortaliça poderia ser conectada com um pequeno peso à própria unidade hortaliça. Outras unidades, representando características inexistentes nas hortaliças, como por exemplo "magnético" ou "móvel", poderiam ser conectadas com pesos negativos. Conceitualmente falando, quanto mais propriedades de hortaliça alguma coisa possui, melhor ela é como exemplo de hortaliça. Mecanica-

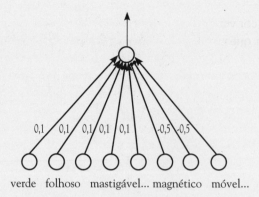

mente falando, quanto mais unidades de propriedade de hortaliça forem ligadas, maior o nível de ativação da unidade hortaliça.

Quando se permite que uma rede neural seja maleável, ela pode representar graus de evidências e probabilidades de eventos, bem como tomar decisões estatísticas. Suponhamos que cada unidade em uma rede represente uma evidência incriminando o mordomo (impressões digitais na faca, cartas de amor para a esposa da vítima etc.). Suponhamos que o nó superior represente a conclusão de que o mordomo é o culpado. Conceitualmente falando, quanto mais pistas houver de que o mordomo pode ser o culpado, maior será nossa estimativa de que ele realmente é culpado. Mecanicamente falando, quanto mais unidades de pistas ligadas houver, maior a ativação da unidade de conclusão. Poderíamos implementar diferentes procedimentos estatísticos na rede projetando a unidade de conclusão para integrar seus inputs de modos diferentes. Por exemplo, a unidade de conclusão poderia ser uma unidade de limiar, como as das portas de lógica bem definida; isso implementaria uma política para tomar uma decisão apenas se o peso das evidências exceder um valor crítico (digamos, "além de uma grande dúvida"). Ou a unidade de conclusão poderia aumentar gradualmente sua atividade; seu grau de confiança poderia aumentar lentamente com as primeiras pistas que fossem chegando esparsamente, crescer rápido à medida que cada vez mais pistas fossem reunidas e nivelar-se em um ponto de retornos decrescentes. Esses são dois dos tipos de unidade que os construtores de modelos de redes neurais gostam de usar.

Podemos ficar ainda mais intrépidos e inspirados porque, no caso dos neurônios, ao contrário dos chips de silício, as conexões são baratas. Por que não conectar cada unidade a cada uma das demais unidades? Uma rede assim incorporaria não apenas o conhecimento de que a cor verde prevê a condição de hortaliça e que a consistência mastigável prevê a condição de hortaliça, mas que a cor verde prediz a consistência mastigável, esta prediz a presença de folhas, que por sua vez prediz a ausência de mobilidade e assim por diante:

Com essa manobra, coisas interessantes começam a acontecer. A rede começa a mostrar semelhanças com os processos de pensamento humano de maneiras que as redes conectadas esparsamente não mostram. Por esse motivo, psicólogos e estudiosos da inteligência artificial têm usado redes do tipo "tudo conectado a tudo" para criar muitos modelos de reconhecimento de padrões simples. Eles construíram redes para as linhas que coocorrem em letras, as letras que coocorrem em palavras, as partes de animais que coocorrem em animais e os móveis que coocorrem nos cômodos. Com frequência, o nó de decisão no topo é descartado e só as correlações entre as propriedades são calculadas. Essas redes, às vezes denominadas autoassociativas, possuem cinco características muito convenientes.

Primeiro, uma rede autoassociativa é uma memória reconstrutiva, com conteúdo endereçável. Em um computador comercial, os bits em si não têm significado, e os bytes feitos com eles possuem endereços arbitrários, como casas em uma rua, que nada têm a ver com seus conteúdos. As posições da memória são acessadas por seus endereços e, para determinar se um padrão foi armazenado em algum lugar da memória, você precisa procurar em todos (ou usar atalhos engenhosos). Na memória com conteúdo endereçável, por outro lado, especificar um item automaticamente ilumina qualquer posição na memória que contenha uma cópia desse item. Como numa rede autoassociativa um item é representado ligando-se as unidades que representam suas propriedades (neste caso, aipo, cor verde, presença de folhas etc.), e como essas unidades são conectadas umas às outras com pesos grandes, as unidades ativadas reforçarão umas às outras e, após algumas rodadas nas quais a ativação reverbera através da rede, todas as unidades pertencentes ao item travarão na posição "ligado". Isso indica que o item foi reconhecido. De fato, uma única rede autoassociativa pode acomodar muitos conjuntos de pesos em sua bateria de conexões, e não apenas um, e portanto é capaz de armazenar muitos itens de uma só vez.

Melhor ainda, as conexões são redundantes o suficiente para que, mesmo se apenas uma *parte* do padrão para um item for apresentada à rede autoassociativa, digamos, apenas a cor verde e a consistência mastigável, o resto do padrão — a presença de folhas — é completado automaticamente. De alguns modos, isso lembra a mente. Não necessitamos de etiquetas de recuperação pré-definidas para itens da memória, quase qualquer *aspecto* de um objeto pode trazer à mente o objeto inteiro. Por exemplo, podemos nos lembrar de "hortaliça" ao pensar em coisas que são verdes e folhosas *ou* verdes e mastigáveis *ou* folhosas e mastigáveis. Um exemplo visual é nossa capacidade de completar uma palavra a partir de poucos fragmentos dela. Não vemos a figura a seguir como segmentos lineares aleatórios, ou mesmo como uma sequência arbitrária de letras como MFHTF, mas como algo mais provável:

Uma outra qualidade vantajosa, denominada "degradação suave", ajuda a lidar com ruídos nos inputs ou falhas no hardware. Quem não tem vontade de atirar um sapato na tela do computador quando ele responde ao comando `pritn file` com a mensagem de erro `pritn: command not found`? No filme de Woody Allen *Um assaltante bem trapalhão*, o ladrão de banco Virgil Starkwell é derrotado por sua caligrafia quando a funcionária do caixa lhe pergunta por que ele escreveu que está apontando um nevólver para ela. Em um cartum de Garry Larson que adorna a porta do consultório de muitos psicólogos cognitivos, um piloto sobrevoando um náufrago numa ilha deserta lê a mensagem escrita na areia e grita em seu rádio: "Espere! Espere!... Vamos cancelar, acho que está escrito 'HELF'". Os humanos da vida real fazem melhor, talvez porque sejamos equipados com autoassociativas que empregam uma preponderância de informações mutuamente consistentes para anular uma informação incomum. "Pritn" ativaria o padrão mais familiar "Print"; "nevólver" seria distorcido para "revólver", HELF para "HELP". Analogamente, um computador com um único bit ruim em seu disco, uma pontinha de corrosão numa das conexões ou uma breve queda no suprimento de energia pode travar e perder tudo. Mas um ser humano que está cansado, de ressaca ou tem dano cerebral não trava e perde tudo; em geral, ele é mais lento e menos preciso, mas consegue produzir uma resposta inteligível.

Uma terceira vantagem é que as redes autoassociativas podem executar uma versão simples do tipo de computação denominado satisfação de restrição. Muitos problemas que os humanos resolvem lembram a pergunta "Quem nasceu primeiro, o ovo ou a galinha?". Um exemplo do capítulo 1 é aquele no qual computamos a luminosidade de uma superfície com base em uma suposição sobre seu ângulo *e* computamos o ângulo da superfície com base em uma suposição sobre sua luminosidade, sem conhecer de antemão nenhum dos dois. Esses problemas são abundantes na percepção, na linguagem e no raciocínio baseado no bom-senso. Estou olhando para uma dobra ou uma borda? Estou ouvindo a vogal [I] (como em *pin* [alfinete]) ou a vogal [ɛ] (como em *pen* [caneta]) com um sotaque de americano sulista? Fui vítima de um ato de perversidade deliberada ou de um ato de estupidez? Essas ambiguidades às vezes podem ser resolvidas escolhendo a interpretação que seja condizente com o maior número de interpretações de *outros* eventos ambíguos, se todos puderam ser resolvidos de imediato. Por exemplo, se um som falado pode ser interpretado como *send* [enviar] e também como *sinned* [pecou], e outro, como *pen* e também como *pin*, posso resolver as incertezas se escutar alguém pronunciar ambas as palavras com o mesmo som de vogal. Ele deve ter querido dizer *send* e *pen* ["mande" e "caneta"], eu deduziria, porque *send* e *pen* é a única suposição que não violaria alguma restrição. *Sinned* e *pin* resultariam em *sinned a pin* [pecou um alfinete] o que viola as regras da gramática inglesa e do significado plausível; *send* e *pin* podem ser excluídos pela restrição de que duas vogais foram pronunciadas identicamente; *sinned* e *pen* podem ser excluídos porque violam ambas as restrições.

Esse tipo de raciocínio demora muito se todas as compatibilidades tiverem de ser testadas uma por vez. Mas em uma rede autoassociativa elas são codificadas de antemão nas conexões, e a rede pode avaliar todas de uma só vez. Suponhamos que cada interpretação seja um neurônio de brinquedo, um para *sinned* e outro para *send* etc. Suponhamos que pares de unidades cujas interpretações sejam consistentes estejam conectados a pesos positivos, e pares de unidades com interpretações inconsistentes estejam conectados a pesos negativos. A ativação ricocheteará pela rede e, se tudo correr bem, se acomodará em um estado no qual se encontra ativo o maior número de interpretações mutuamente consistentes. Uma boa metáfora é a da bolha de sabão que bamboleia em formas ovoides e ameboides enquanto os puxões entre suas moléculas vizinhas moldam-na em forma de esfera.

Às vezes, uma rede de restrições pode apresentar estados mutuamente inconsistentes mas igualmente estáveis. Isso reflete o fenômeno da ambiguidade global, no qual todo um objeto, e não apenas suas partes, pode ser interpretado de dois modos. Se você fitar o desenho do cubo abaixo (chamado cubo de Necker), sua percepção mudará alternadamente de uma visão do topo a partir de baixo para uma visão do fundo a partir de cima. Quando a mudança global ocorre, as interpretações de todas as partes locais são mudadas junto com ela. Cada aresta próxima torna-se uma aresta distante, cada canto convexo torna-se um canto côncavo e assim por diante. Ou vice-versa: se você *tentar* enxergar um canto convexo como côncavo, às vezes pode empurrar todo o cubo para a outra posição percebida. Essa dinâmica pode ser captada em uma rede, mostrada abaixo do cubo, na qual as unidades representam as interpretações das partes, e as interpretações que são consistentes em um objeto tridimensional excitam umas às outras ao passo que as que são inconsistentes inibem umas às outras.

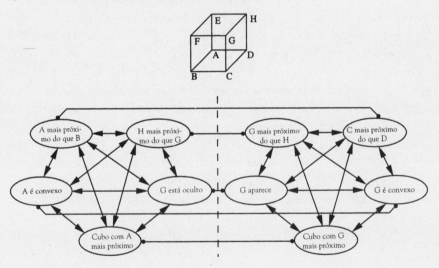

Uma quarta vantagem provém da capacidade de uma rede para fazer generalizações automáticas. Se houvéssemos ligado nosso detector de letras (que afunilou um banco de unidades de input até chegar a uma unidade de decisão) à nossa impressora de letras (que tinha uma unidade de intenção abrindo-se em leque para um banco de unidades de output), teríamos feito um *demon* simples de ler e escrever ou de procurar uma letra — por exemplo, um que respondesse a um *B* imprimindo um *C*. Mas coisas interessantes acontecem se você passar por cima do intermediário e conectar as unidades de input diretamente às unidades de output. Em vez de um *demon* de consul-

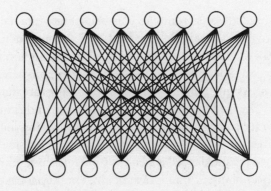

ta que seja fiel à letra, você pode ter um capaz de fazer alguma generalização. A rede é denominada associativa de padrões.

Suponhamos que as unidades de input na parte inferior representem a aparência de animais: "peludo", "quadrúpede", "emplumado", "verde", "de pescoço comprido" etc. Com unidades suficientes, cada animal pode ser representado ligando-se as unidades para o conjunto único de propriedades desse animal. Um papagaio é representado ligando-se a unidade "emplumado", desligando-se a unidade "peludo" e assim por diante. Agora suponhamos que as unidades de output na parte superior representem fatos zoológicos. Uma representa o fato de que o animal é herbívoro, outra, que tem sangue quente etc. Sem unidades que representem um animal específico (ou seja, sem unidade para "papagaio"), os pesos automaticamente representam conhecimentos estatísticos sobre *classes* de animais. Eles incorporam o conhecimento de que coisas emplumadas tendem a ter sangue quente, animais com pelos tendem a parir filhotes vivos etc. Qualquer fato armazenado nas conexões para um animal (papagaios têm sangue quente) automaticamente transfere-se para animais semelhantes (periquitos têm sangue quente), porque a rede não se interessa em saber se as conexões pertencem a um animal. As conexões meramente dizem quais propriedades visíveis predizem quais propriedades invisíveis, passando ao largo de ideias concernentes a espécies de animais.

Conceitualmente falando, uma rede associativa de padrões capta a ideia de que, se dois objetos são semelhantes em alguns aspectos, provavelmente são semelhantes em outros. Mecanicamente falando, objetos semelhantes são representados por algumas das mesmas unidades, de modo que qualquer informação conectada às unidades para um objeto será, *ipso facto*, conectada a muitas das unidades para as outras. Ademais, classes de diferentes graus de possibilidade de inclusão sobrepõem-se na mesma rede, pois qualquer subconjunto das unidades implicitamente define uma classe. Quanto menos numerosas as unidades, mais ampla a classe. Digamos que haja unidades de input para "move-se", "respira", "peludo", "late", "morde" e "levanta a perna em postes". As conexões que emanam de todas as seis acionam fatos sobre cachorros. As conexões que emanam das três primeiras acionam fatos sobre mamíferos. As que emanam das duas primeiras acionam fatos sobre animais. Com pesos adequados, os conhecimentos programados para um animal podem ser compartilhados com seus parentes imediatos e também com os distantes.

Um quinto truque das redes neurais é que elas aprendem com exemplos, consistindo o aprendizado, neste caso, em mudanças nos pesos das conexões. O construtor de modelos (ou a evolução) não precisa ajustar manualmente os milhares de pesos necessários para obter os outputs certos. Suponhamos que um "professor" alimente uma associativa de padrões com um input e *também* com o output correto. Um mecanismo de aprendizado compara o output atual da rede — que no início será muito aleatório — com o output correto, ajustando os pesos para minimizar a diferença entre os dois. Se a rede deixa desligado um nó de output que o professor diz que deve ser ligado, queremos aumentar a probabilidade de que o funil atual de inputs ativos venha a ligá-lo no futuro. Para isso, os pesos sobre os inputs ativos para a unidade de output recalcitrante são aumentados ligeiramente. Em adição, o próprio limiar do nó de output é diminuído ligeiramente, para torná-lo mais propenso a disparar em todas as direções. Se a rede liga um nó de output e o professor diz que ele deveria ser desligado, ocorre o contrário: os pesos das linhas de input atualmente ativas são diminuídos um pouquinho (possivelmente conduzindo o peso para um valor negativo), e o limiar do nó visado é aumentado. Isso tudo aumenta a probabilidade de que o nó de output hiperativo venha a desligar-se em resposta a esses inputs no futuro. Toda uma série de inputs e seus outputs é apresentada à rede, vezes sem conta, provocando ondas de minúsculos ajustamentos dos pesos nas conexões, até que ela obtenha cada output corretamente a partir de cada input, pelo menos tão bem quanto possa ser capaz de fazê-lo.

Uma associativa de padrões equipada com essa técnica de aprendizado é denominada percéptron. Os percéptrons são interessantes, mas têm um grande defeito. São como o cozinheiro do inferno: acham que, se um pouco de cada ingrediente é bom, um montão de tudo deve ser melhor. Ao decidir se um conjunto de inputs justifica ligar um output, o percéptron os pesa e soma. Com frequência isso fornece a resposta errada, mesmo para problemas simples. Um exemplo clássico desse defeito é o modo como o percéptron lida com a operação lógica simples denominada ou-exclusivo (ou "xor", de *exclusive or*), que significa "A ou B, mas não ambos".

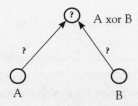

Quando A for ligado, a rede deve ligar A-xor-B. Quando B for ligado, a rede deve ligar A-xor-B. Esses fatos persuadirão a rede a aumentar o peso para a conexão de A (digamos, para 0,6) e aumentar o peso para a conexão de B (digamos, para 0,6), tornando cada uma elevada o suficiente para superar o limiar da unidade de output (digamos, 0,5). Mas quando A e B forem *ambas* ligadas, temos uma boa coisa em demasia — A-xor-B gritando a plenos pulmões justamente quando queremos que se cale. Se tentarmos pesos menores em um limiar mais elevado, podemos mantê-la calada quando A e B estiverem ambas ligadas, mas então, infelizmente, ela ficará calada quando *apenas* A ou *apenas* B estiver ligada. Você pode experimentar com seus próprios pesos, e verá que nada funciona. Ou-exclusivo é só um dos muitos *demons* que não podem ser construídos com percéptrons; outros incluem *demons* para determinar se um número par ou ímpar de unidades está ligado, para determinar se uma série de unidades ativas é simétrica e para obter a resposta para um problema simples de adição.

A solução é tornar a rede uma criatura menos dependente de estímulo-resposta e dar-lhe uma *representação interna* entre as camadas de input e output. Ela precisa de uma representação que explicite os tipos cruciais de informação sobre os inputs, de modo que cada unidade de output realmente *possa* apenas somar seus inputs e obter a resposta certa. Eis como isso pode ser feito para o ou-exclusivo:

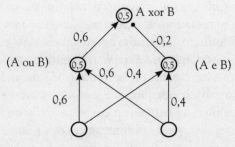

As duas unidades ocultas entre o input e o output calculam produtos intermediários úteis. A da esquerda computa o caso simples "A ou B", que, por sua vez, simplesmente excita o nó de output. A da direita computa o incômodo caso "A e B", *inibindo* o nó de output. O nó de output pode simplesmente computar "(A ou B) e não (A e B)", o que está perfeitamente ao alcance de suas débeis capacidades. Observe que, até mesmo no nível microscópico de construir os *demons* mais simples com neurônios de brinquedo, as representações internas são indispensáveis; as conexões estímulo-resposta não bastam.

Melhor ainda, uma rede com camada oculta pode ser treinada para estipular seus próprios pesos, usando uma versão mais rebuscada do procedimento de aprendizado do percéptron. Como antes, um professor dá à rede o output correto para cada input, e a rede ajusta os pesos das conexões para cima ou para baixo para tentar reduzir a diferença. Mas isso apresenta um problema com o qual o percéptron não tinha de se preocupar: como ajustar as conexões das unidades de input para as unidades ocultas. Isso é problemático porque o professor, a menos que leia mentes, não tem como conhecer os estados "corretos" para as unidades ocultas, que estão seladas dentro da rede. Os psicólogos David Rumelhart, Geoffrey Hinton e Ronald Williams encontraram uma solução engenhosa. As unidades de output propagam de volta para cada unidade oculta um sinal que representa a *soma* dos erros da unidade oculta ao longo de *todas* as unidades de output com quem ela se liga ("você está enviando ativação demais", ou "você está enviando muito pouca ativação", e em que quantidade). Esse sinal pode servir de sinal-professor substituto, podendo ser usado para ajustar os inputs da camada oculta. As conexões da camada de input com cada unidade oculta podem ser empurradas para cima ou para baixo para reduzir a tendência da unidade oculta a superestimar ou subestimar, dado o atual padrão de input. Esse procedimento, denominado *"error back-propagation"* [propagação retroativa de erro], ou simplesmente *"backprop"*, pode ser repetido para trás para qualquer número de camadas.

Chegamos ao que muitos psicólogos consideram o auge da arte do criador de modelos de rede neural. De certa maneira, voltamos ao ponto de partida, pois uma rede de camada oculta é como o arbitrário mapa rodoviário de portas lógicas que McCulloch e Pitts propuseram como seu computador "neuro-lógico". Conceitualmente falando, uma rede de camada oculta é um modo de compor um conjunto de proposições, que podem ser verdadeiras ou falsas, para formar uma função lógica complexa que se mantém coesa por diversos "e", "ou" e "não" — embora com duas peculiaridades. Uma é que os valores podem ser contínuos em vez de ligados ou desligados, e portanto eles podem representar o grau de verdade ou a probabilidade de verdade de alguma afirmação em vez de lidar apenas com afirmações que são absolutamente verdadeiras ou absolutamente falsas. A segunda peculiaridade é que a rede pode, em muitos casos, ser treinada para assumir os pesos corretos por meio de alimentação com inputs e seus outputs corretos. Além dessas peculiaridades, existe uma atitude: inspirar-se nas muitas conexões entre neurônios no cérebro e não sentir culpa por enlouquecer com o número de portas e conexões colocadas em uma rede. Essa ética permite projetar redes que computam muitas probabilidades e, portanto, exploram as redundâncias estatísticas entre as características do mundo. E isso, por sua vez, permite que as redes neurais generalizem a partir de um input para inputs semelhantes sem treinamento adicional, contanto que o problema seja tal que inputs semelhantes produzam outputs semelhantes.

Essas são algumas ideias sobre como utilizar nossos *demons* menores e seus quadros de avisos como máquinas vagamente neurais. As ideias servem de ponte, por enquanto inseguras, ao longo do caminho de explicação que começa na esfera conceitual (a psicologia intuitiva da vovó e as variedades de conhecimentos, lógica e teoria da probabilidade que a fundamentam), prossegue em direção a regras e representações (*demons* e símbolos) e finalmente chega aos neurônios reais. As redes neurais também oferecem algumas surpresas agradáveis. Ao conceber o software da mente, em última análise podemos usar *demons* estúpidos o bastante para serem substituídos por máquinas. Se parecer que precisamos de um *demon* mais inteligente, alguém precisa descobrir como construir *esse demon* a partir de *demons* mais estúpidos. Tudo isso anda mais rápido, e às vezes de maneira diferente, quando os modeladores de redes neurais, trabalhando dos neurônios para cima, conseguem construir um estoque de *demons* que fazem coisas úteis, como uma memória com conteúdo endereçável ou uma associativa de padrões com generalização automática. Os engenheiros de software mental (na verdade, engenheiros reversos) contam com um bom catálogo de peças do qual podem encomendar *demons* espertos.

CONECTOPLASMA

Onde terminam as regras e representações em mentalês e começam as redes neurais? A maioria dos cientistas cognitivos concorda quanto aos extremos. Nos níveis mais elevados de cognição, onde conscientemente avançamos com dificuldade passo a passo e invocamos regras que aprendemos na escola ou descobrimos por nós mesmos, a mente é algo como um sistema de produção, com inscrições simbólicas na memória e *demons* que executam procedimentos. Em um nível inferior, as inscrições e regras são implementadas em algo semelhante às redes neurais, que reagem a padrões familiares e os associam a outros padrões. Mas a fronteira é objeto de controvérsia. Redes neurais simples encarregam-se do grosso do pensamento cotidiano, deixando apenas os produtos do aprendizado em livros a cargo de regras e proposições explícitas? Ou serão as redes mais semelhantes a tijolos de construção, que não são humanamente inteligentes enquanto não forem montados em representações e programas estruturados?

Uma escola denominada conexionismo, liderada pelos psicólogos David Rumelhart e James McClelland, sustenta que redes simples podem ser responsáveis, sozinhas, pela maior parte da inteligência humana. Em sua forma extrema, o conexionismo afirma que a mente é uma grande rede de propagação retroativa com camada oculta, ou talvez um conjunto dessas redes, semelhantes ou idênticas, e que a inteligência emerge quando um treinador, o ambiente, regula os pesos de conexão. A única razão por que os humanos são mais inteligentes do que os ratos é nossas redes possuírem mais camadas ocultas entre estímulo e resposta e vivermos num meio onde outros humanos servem como treinadores da rede. Regras e símbolos podem ser úteis como uma aproximação tosca do que está acontecendo em uma rede para um psicólogo que não consegue acompanhar os milhões de fluxos de ativação que percorrem as conexões, mas não são mais do que isso.

A outra visão — que prefiro — sustenta que essas redes neurais sozinhas não conseguem dar conta da tarefa. É a *estruturação* de redes em programas para manipular símbolos que explica boa parte da inteligência humana. Em particular, a manipulação de símbolos fundamenta a linguagem humana e as partes do raciocínio que interagem com ela. Isso não é toda a cognição, mas é grande parte dela; é tudo o que podemos dizer para nós mesmos e para os outros. Em meu trabalho cotidiano como psicolinguista, reuni evidências de que até mesmo os mais simples dos talentos necessários para falar inglês, como por exemplo formar o passado dos verbos (*walk* em *walked*, *come* em *came*), é por demais complexo, em termos computacionais, para ser feito numa única rede neural. Nesta seção, apresentarei uma categoria mais geral de evidência. O conteúdo de nossos pensamentos regidos pelo bom-senso (o tipo de informações que trocamos numa conversa) requer um dispositivo computacional projetado para implementar um mentalês altamente estruturado ou pode ser deixado a cargo de material genérico de rede neural — que um espirituoso batizou de conectoplasma? Mostrarei a você que nossos pensamentos possuem uma delicada estruturação lógica que nenhuma rede simples de camadas homogêneas de unidades é capaz de manobrar.

Por que você deveria se importar com isso? Porque essas demonstrações lançam dúvida sobre a mais influente teoria já proposta a respeito de como a mente funciona. Em si mesmo, um percéptron, ou rede de camada oculta, é uma implementação hi-tech de uma doutrina muito antiga: a associação de ideias. Os filósofos britânicos John Locke, David Hume, George Berkeley, David Hartley e John Stuart Mill afirmaram que o pensamento é governado por duas leis. Uma é a da contiguidade: ideias que são frequentemente vivenciadas juntas acabam por associar-se na mente. A partir de então, quando uma é ativada, a outra se ativa também. A outra lei é a da semelhança: quando duas ideias são semelhantes, tudo o que foi associado à primeira ideia é associado automaticamente à segunda. Hume sintetizou assim a teoria em 1748:

> A experiência nos mostra diversos efeitos uniformes, resultantes de certos objetos. Quando se produz um novo objeto dotado de qualidades sensíveis semelhantes, esperamos poderes e forças semelhantes e procuramos um efeito parecido. De um corpo com cor e consistência semelhantes às do pão esperamos nutrição e sustento parecidos.

A associação por contiguidade e semelhança também era considerada o escriba que preenchia a famosa tábula rasa, a metáfora de Locke para a mente neonata. A doutrina, denominada associacionismo, dominou as visões britânica e americana da mente durante séculos e, em grande medida, ainda domina. Quando as "ideias" foram substituídas por estímulos e respostas, o associacionismo transformou-se no behaviorismo. A tábula rasa e as duas leis multiuso do aprendizado constituem também os alicerces psicológicos do Modelo Clássico da Ciência Social. Nós as ouvimos em clichês sobre de que maneira o modo como fomos criados nos leva a "associar" comida a amor, riqueza a felicidade, altura a poder etc.

Até recentemente, o associacionismo era demasiado vago para ser testado. Mas os modelos de redes neurais, que rotineiramente são simulados em computadores, tornam a ideia precisa. O plano de aprendizado, no qual um professor apresenta à rede um input e o output correto e a rede esforça-se por reproduzir esse par no futuro, é um bom modelo da lei da contiguidade. A representação de inputs distribuídos, na qual um conceito não ganha sua própria unidade ("papagaio"), mas é representado por um padrão de atividade ao longo de unidades destinadas às suas propriedades ("emplumado", "alado" etc.), permite a generalização automática para conceitos semelhantes e, portanto, adapta-se bem à lei da associação por semelhança. E se todas as partes da mente principiam com o mesmo tipo de rede, temos uma implementação da tábula rasa. Assim, o conexionismo apresenta uma oportunidade. Ao ver o que modelos simples de rede neural podem e não podem fazer, temos condições de submeter a secular doutrina da associação de ideias a um teste rigoroso.

Antes de começar, precisamos excluir algumas pistas falsas. O conexionismo não é uma alternativa à teoria computacional da mente, mas uma variedade dela; afirma que o principal tipo de processamento de informações executado pela mente é a estatística multivariada. O conexionismo não é um corretivo necessário para a teoria de que a mente é como um computador comercial, com uma unidade de processamento central serial, de alta velocidade e isenta de erros; ninguém defende essa teoria. E não existe um Aquiles na vida real afirmando que toda forma de pensamento consiste em caminhar por entre milhares de regras de um livro de lógica. Finalmente, as redes conexionistas não são modelos particularmente realistas do cérebro, apesar do esperançoso rótulo de "redes neurais". Por exemplo, a "sinapse" (peso de conexão) pode mudar de excitatória a inibitória, e as informações podem fluir em ambas as direções ao longo de um "axônio" (conexão), sendo ambas as coisas anatomicamente impossíveis. Quando existe uma escolha entre conseguir que uma tarefa seja executada e imitar o cérebro, os conexionistas com frequência optam pela execução da tarefa; isso mostra que as redes são usadas como uma forma de inteligência artificial baseada imprecisamente na metáfora dos neurônios e não são uma forma de modelagem neural. A questão é: elas executam os tipos certos de computação para modelar o funcionamento do pensamento humano?

O tosco conectoplasma encontra dificuldade em cinco proezas do pensamento corriqueiro. Essas proezas parecem ser sutis a princípio e nem se suspeitava de sua existência, até que lógicos, linguistas e cientistas da computação começassem a pôr no microscópio os significados de sentenças. Mas as proezas dão ao pensamento humano sua precisão e poder distintos e são, a meu ver, uma parte importante da resposta à pergunta "Como a mente funciona?".

Uma proeza é conceituar um indivíduo. Voltemos ao primeiro afastamento das redes neurais em relação às representações semelhantes ao computador. Em vez de simbolizar uma entidade como um padrão arbitrário numa série de bits, nós a representamos como um padrão em uma camada de unidades, cada qual representando uma das propriedades da entidade. Um problema imediato é não haver mais um modo de distinguir dois indivíduos com propriedades idênticas. Eles são representados de um só modo, e o sistema é cego para o fato de que os dois não constituem o mesmo pedaço de matéria. Perdemos o indivíduo: podemos representar a condição de hortaliça ou de cavalo, mas não uma hortaliça ou um cavalo específico. Tudo o que o sistema aprende sobre um cavalo mistura-se ao que ele sabe a respeito de outro cavalo idêntico. E não existe um modo natural de representar *dois* cavalos. Tornar os nós cavalares duas vezes mais ativos não vai adiantar, pois isso é indistinguível de ser duas vezes mais confiante em que as propriedades de um cavalo estão presentes ou de julgar que as propriedades de um cavalo estão presentes em um grau duas vezes maior.

É fácil confundir a relação entre uma classe e uma subclasse, como "animal" e "cavalo" (que uma rede domina com facilidade), com a relação entre uma subclasse e um indivíduo, como "cavalo" e "Mr. Ed". As duas relações, devemos admitir, são semelhantes em um aspecto. Em ambas, qualquer propriedade da entidade superior é herdada pela entidade inferior. Se os animais respiram e os cavalos são animais, então os cavalos respiram; se os cavalos têm cascos e Mr. Ed é um cavalo, então Mr. Ed tem cascos. Isso pode induzir um modelador a tratar um indivíduo como uma subclasse muitíssimo específica, usando alguma ligeira diferença entre as duas entidades — uma unidade pintalgada que está ligada para um indivíduo mas desligada para o outro — para distinguir a cara de um do focinho do outro.

Assim como muitas proposições conexionistas, essa ideia remonta ao associacionismo britânico. Berkeley escreveu: "Elimine as sensações de maciez, umidade, vermelhidão, acidez, e você elimina a cereja, pois ela não é um ser distinto de sensações. Uma cereja, vejam bem, não passa de um amontoado de impressões sensoriais". Mas a sugestão de Berkeley nunca funcionou de fato. Nosso conhecimento das propriedades de dois objetos pode ser idêntico e ainda assim somos capazes de saber que eles são distintos. Imagine uma sala com duas cadeiras idênticas. Alguém entra e troca as duas de lugar. A sala é a mesma de antes ou é diferente? Obviamente, todo mundo entende que é diferente. Mas você não conhece característica alguma que distinga uma cadeira da outra — exceto que pode pensar em uma como Cadeira Número Um e na outra como Cadeira Número Dois. Voltamos aos rótulos arbitrários para posições de memória, como no desprezado computador digital! A mesma ideia fundamenta uma piada do comediante Stephen Wright: "Enquanto eu estava fora, alguém roubou tudo em meu apartamento e substituiu por réplicas exatas. Quando contei a meu companheiro de quarto, ele perguntou: 'Eu conheço você?' ".

Existe, reconhecidamente, uma característica que sempre distingue os indivíduos: não podem estar no mesmo lugar ao mesmo tempo. Talvez a mente pudesse carimbar cada objeto com a hora e o lugar e atualizar constantemente essas coordenadas, permitindo distinguir indivíduos com propriedades idênticas. Mas nem mesmo isso consegue apreender nossa capacidade para manter os indivíduos separados em nossa mente. Suponha que uma planície branca infinita contenha tão somente dois círculos idênticos. Um deles desliza e se sobrepõe ao outro durante alguns momentos, depois segue seu caminho. Não creio que alguém tenha dificuldade para conceber os círculos como entidades distintas mesmo nos momentos em que os dois estão no mesmo lugar ao mesmo tempo. Isso mostra que estar em determinado lugar em determinado momento não é nossa definição de "indivíduo".

A moral não é que os indivíduos não podem ser representados por redes neurais. É fácil: apenas dedique algumas unidades a *identidades* dos indivíduos como indivíduos, independentes das *propriedades* dos indivíduos. Pode-se dar a cada indivíduo sua própria unidade, ou dar a cada indivíduo o equivalente a um número de série, codificado em um padrão de unidades ativas. A moral é que as redes da mente têm de ser arquitetadas para implementar a noção lógica abstrata do indivíduo, análoga ao papel desempenhado por uma posição de memória arbitrariamente rotulada num computador. O que não funciona é uma rede associativa de padrões restrita às propriedades observáveis de um objeto, um exemplo moderno da máxima de Aristóteles de que "não há nada no intelecto que não estivesse previamente nos sentidos".

Essa discussão é apenas um exercício de lógica? De maneira nenhuma: o conceito de indivíduo é a partícula fundamental de nossas faculdades de raciocínio social. Darei a você dois exemplos da vida real que incluem as grandiosas áreas da interação humana, amor e justiça.

Os gêmeos monozigóticos têm em comum a maioria de suas características. Além da semelhança física, eles pensam de modo semelhante, sentem de modo semelhante e agem de modo semelhante. Não identicamente, é claro, e essa é uma brecha pela qual se poderia tentar representá-los como subclasses muito restritas. Mas qualquer criatura que os represente como subclasses deveria pelo menos *tender* a tratar os gêmeos idênticos de modo igual. A criatura transferiria suas opiniões de um para o outro, ao menos probabilisticamente ou em certa medida — lembre que esta é uma vantagem do associacionismo e sua implementação no conectoplasma. Por exemplo, o que quer que atraia você em um dos gêmeos — o modo como ele anda, como ele fala, sua aparência etc. — deveria atrair você no outro. E isso impeliria os gêmeos para histórias de ciúme e traição de proporções descomunais. Na verdade, nada disso acontece. A esposa de um gêmeo idêntico não sente atração romântica pelo irmão dele. O amor prende nossos sentimentos à outra pessoa como uma pessoa *específica*, e não como um *tipo* de pessoa, não importa o quanto o tipo seja restrito.

Em 10 de março de 1988, alguém arrancou com uma mordida a orelha do policial David J. Storton. Ninguém tem dúvidas quanto a quem fez isso: terá sido Shawn Blick, um homem de 21 anos residente em Palo Alto, Califórnia, ou Jonathan Blick, seu irmão gêmeo idêntico. Os dois estavam lutando com o policial, e um deles arrancou-lhe uma parte da orelha com uma mordida. Ambos foram acusados de lesões corporais, tentativa de roubo, agressão a um policial e lesão corporal qualificada. A acusação de lesão corporal qualificada, pela mordida na orelha, implica sentença de prisão perpétua. O policial Storton testemunhou que um dos gêmeos tinha cabelos compridos e o outro, cabelos curtos, e que fora o de cabelos compridos que o mordera. Infelizmente, no momento em que os dois homens se renderam, três dias depois, eles estavam com cortes de cabelo idênticos e não confessaram. Seus advogados argumentaram que nenhum dos dois podia receber a severa sentença de lesão corporal qualificada. Para cada um dos irmãos existe uma grande dúvida quanto a se ele foi ou não o culpado, porque poderia ter sido o outro. O argumento é imperioso, pois nosso senso de justiça escolhe o *indivíduo* responsável por um ato e não as características desse indivíduo.

Nossa obsessão com a individualidade não é uma singularidade inexplicável, tendo evoluído provavelmente porque cada ser humano que encontramos, independentemente de qualquer propriedade que possamos observar, com toda certeza abriga uma coleção irreproduzível de lembranças e desejos, devido a uma história embriológica e biográfica única. No capítulo 6, onde fazemos a engenharia reversa do senso de justiça e da emoção do amor romântico, veremos que o ato mental de registrar as pessoas individualmente está no cerne do design dessas duas coisas.

Os seres humanos não são a única classe de indivíduos confundíveis que precisamos manter distintos; o jogo da vermelhinha* é um outro exemplo da vida real. Muitos animais têm de recorrer ao jogo da vermelhinha para acompanhar os movimentos de um indivíduo. Um exemplo é a mãe que precisa tomar conta da prole, que pode assemelhar-se a todos os demais filhotes, mas invisivelmente traz os genes da mãe. Outro exemplo é o do predador de animais que vivem em manadas; ele precisa seguir um membro da manada adotando a estratégia do pega-pega na piscina: se você escolheu "aquele", não mude de presa, dando a todo mundo, menos a si mesmo, tempo para tomar fôlego. Quando zoólogos no Quênia tentaram facilitar suas coletas de dados codificando com cores os chifres de gnus que haviam imobilizado com tranquilizante, descobriram que não importava todo o cuidado que tivessem para restaurar o vigor do animal marcado antes de devolvê-lo à manada, ele era morto em aproximadamente um dia pelas hienas. Uma explicação é que o marcador colorido facilitava para as hienas individualizar o gnu e persegui-lo até ele ficar exausto. Segundo uma ideia recente sobre as listras das zebras, elas não servem para camuflar

---

(*) Jogo em que se tenta descobrir entre três cartas viradas para baixo qual é a única de naipe vermelho. (N. T.)

esses animais na grama alta listrada — sempre uma explicação dúbia —
mas para transformar as zebras em um jogo da vermelhinha vivo, confundindo leões e outros predadores enquanto eles tentam manter sua atenção
em uma única zebra. Evidentemente, não sabemos se as hienas ou os leões
têm o conceito de indivíduo; talvez um sujeito diferente pareça mais apetitoso, e pronto. Mas os exemplos ilustram o problema computacional de
distinguir indivíduos de classes e põem em relevo a facilidade humana
para resolvê-lo.

Um segundo problema para o associacionismo é chamado compositividade: a capacidade de uma representação ser construída com partes e
ter um significado que provém do significado das partes *e* do modo como
elas são combinadas. A compositividade é a mais típica característica de
todas as línguas humanas. O significado de *o bebê comeu a lesma* pode ser
calculado com base nos significados de *o*, *bebê*, *comeu*, *a* e *lesma* e de suas
posições na sentença. O todo não é a soma das partes; quando as palavras
são reorganizadas em *A lesma comeu o bebê*, uma ideia diferente é transmitida. Como você nunca ouviu nenhuma dessas duas sentenças antes, deve
tê-las interpretado aplicando uma série de algoritmos (incorporando as
regras da sintaxe) às séries de palavras. O produto final, em cada caso, é um
pensamento novo que você montou sem demora. Equipado com os conceitos de bebês, lesmas e comer, e com uma capacidade para organizar
símbolos para eles num quadro de avisos mental segundo um esquema que
pode ser registrado pelos *demons* que os leem, você pode ter o pensamento
pela primeira vez na vida.

Os jornalistas dizem que um cachorro morder um homem não é notícia,
mas um homem morder um cachorro é notícia. A compositividade das
representações mentais é o que nos permite entender as notícias. Podemos
acalentar ideias extravagantes e maravilhosas, não importa o quanto sejam
bizarras. A vaca pulou na Lua; o Grinch roubou o Natal;* o universo começou com um *big-bang*; alienígenas aterrissaram em Harvard; Michael Jackson casou com a filha de Elvis. Graças à matemática combinatória, nunca
ficaremos sem notícias. Existem centenas de milhões de trilhões de pensamentos pensáveis.

Você pode pensar que é fácil inserir a compositividade numa rede neural: é só ligar as unidades para "bebê", "come" e "lesma". Mas, se isso fosse
tudo o que acontece em sua mente, você ficaria confuso, sem saber se foi o

(*) Referência a uma história de Theodor Seuss Geisel (Dr. Seuss), escritor de livros infantis.
(N. T.)

bebê quem comeu a lesma, se foi a lesma que comeu o bebê ou se bebê e lesma comeram. Os conceitos têm de ser consignados a *papéis* (que os lógicos denominam "argumentos"): quem é o comedor, quem é o comido.

Talvez, então, se pudesse destinar um nó para cada *combinação* de conceitos e papéis. Haveria um nó para bebê come lesma, um nó para lesma come bebê. O cérebro contém um número imenso de neurônios, poderíamos pensar, então por que não fazer assim? Uma razão para não fazer desse modo é que existe o imenso e o *realmente* imenso. O número de combinações aumenta exponencialmente com seu tamanho admissível, desencadeando uma explosão combinatória cujos números superam até mesmo nossa estimativa mais generosa da capacidade do cérebro. Diz a lenda que o vizir Sissa Ben Dahir solicitou uma humilde recompensa do rei Shirham, da Índia, por ter inventado o jogo de xadrez. Tudo o que ele pediu foi que um grão de trigo fosse colocado na primeira casa do tabuleiro de xadrez, dois grãos de trigo na segunda casa, quatro na terceira e assim por diante. Muito antes de chegarem à sexagésima quarta casa, o rei descobriu que inadvertidamente comprometera todo o trigo que havia em seu reino. A recompensa equivalia a 4 trilhões de alqueires, a produção mundial de trigo em 2 mil anos. Analogamente, a possibilidade combinatória do pensamento pode suplantar esmagadoramente o número de neurônios do cérebro. Cem milhões de trilhões de significados de sentenças não podem ser espremidos num cérebro com 100 bilhões de neurônios se cada significado tiver de receber seu próprio neurônio.

Mas, mesmo se esses significados coubessem no cérebro, um pensamento complexo seguramente não é armazenado inteiro, um pensamento por neurônio. As pistas são dadas pelo modo como nossos pensamentos relacionam-se uns com os outros. Imagine que cada pensamento possuísse sua própria unidade. Seria preciso haver unidades separadas para o bebê comendo a lesma, a lesma comendo o bebê, a galinha comendo a lesma, a galinha comendo o bebê, a lesma comendo a galinha, o bebê vendo a lesma, a lesma vendo o bebê, a galinha vendo a lesma etc. É preciso destinar unidades a todos esses pensamentos e a muitos mais; qualquer ser humano capaz de ter o pensamento de que o bebê viu a galinha também é capaz de ter o pensamento de que a galinha viu o bebê. Mas há algo suspeito nesse inventário de unidades de pensamento; ele está crivado de coincidências. Vezes sem conta temos bebês comendo, lesmas comendo, bebês vendo, lesmas vendo etc. Os pensamentos encaixam-se perfeitamente nas fileiras, colunas, camadas, hiperfileiras, hipercolunas e hipercamadas de uma enorme matriz. Mas esse padrão espantoso é desnorteante se os pensamentos forem apenas uma coleção muito grande de unidades separadas; as unidades poderiam, com a mesma facilidade, ter representado um inventário de factoides isolados sem relação alguma uns com os outros. Quando a natureza nos presenteia com objetos que preenchem perfeitamente um banco regular de escaninhos, está nos dizendo que os objetos têm de ser construídos com componentes menores que correspondem às linhas e colunas. Foi assim que a tabela periódica dos elementos levou à compreensão da estrutura do átomo. Por motivos semelhantes, podemos concluir que a urdidura e a trama de nossos pensamentos pensáveis são os conceitos que os compõem. Os pensamentos são montados com conceitos; não são armazenados inteiros.

A compositividade é surpreendentemente espinhosa para o conectoplasma. Todos os estratagemas óbvios revelam-se meias medidas inadequadas. Suponhamos que destinamos cada unidade a uma combinação de um conceito e de um papel. Talvez uma unidade representasse "bebê come", e a outra, "lesma é comida", ou talvez uma unidade representasse "bebê faz alguma coisa", e a outra, "faz-se alguma coisa para a lesma". Isso reduz consideravelmente o número de combinações — porém ao preço de reintroduzir a confusão quanto a quem fez o que a quem. O pensamento "O bebê comeu a galinha quando o poodle comeu a lesma" seria indistinguível de "O bebê comeu a lesma quando o poodle comeu a galinha". O problema é que uma unidade para "bebê come" não diz *o que* ele comeu, e uma unidade para "lesma é comida" não diz quem a comeu.

Um passo na direção certa é embutir no hardware uma distinção entre os conceitos (bebê, lesma etc.) e os papéis que eles desempenham (agente, paciente etc.). Suponhamos que estabelecemos *fundos* [*pools*] separados de unidades, um para o papel do agente, outro para a ação, outro para o papel do paciente. Para representar uma proposição, cada fundo de unidades é preenchido com o padrão para o conceito que desempenha o papel naquele momento, trazido de uma reserva de memória separada para conceitos. Se conectássemos cada nó a cada um dos demais nós, teríamos uma rede autoassociativa para proposições, e ela poderia ter alguma facilidade para lidar com pensamentos combinatórios. Poderíamos armazenar "bebê comeu lesma", e assim, quando quaisquer dois dos componentes fossem apresentados como uma questão (digamos, "bebê" e "lesma" representando a questão

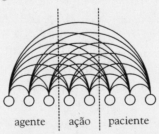

"Qual é a relação entre o bebê e a lesma?"), a rede completaria o padrão ligando as unidades para o terceiro componente (neste caso, "comeu").

Mas completaria mesmo? Infelizmente, não. Considere os seguintes pensamentos:

Bebê igual a bebê.
Bebê diferente de lesma.
Lesma diferente de bebê.
Lesma igual a lesma.

Nenhum conjunto de pesos de conexão que permita que "bebê" no primeiro *slot* e "igual a" no meio liguem "bebê" no terceiro *slot*, *e* que permita que "bebê" e "diferente de" liguem "lesma", *e* que permita que "lesma" e "diferente de" liguem "bebê", *também* permitirá que "lesma" e "igual a" liguem "lesma". É o problema do ou-exclusivo em trajes diferentes. Se as ligações "bebê com bebê" e "igual a com bebê" forem fortes, ligarão "bebê" em resposta a "bebê igual a ___" (o que é bom), mas também ligarão "bebê" em resposta a "bebê diferente de ___" (o que é ruim) e em resposta a "lesma igual a ___" (também ruim). Altere os pesos para mais e para menos o quanto quiser; você nunca encontrará pesos que funcionem para todas as quatro sentenças. Como qualquer humano é capaz de entender as quatro sentenças sem ficar confuso, a mente humana tem de representar proposições com algo mais complexo do que um conjunto de associações conceito com conceito ou conceito com papel. A mente precisa de uma representação para a própria proposição. Nesse exemplo, o modelo precisa de uma camada *adicional* de unidades — mais diretamente, uma camada destinada a representar a proposição inteira, separadamente dos conceitos e de seus papéis. A figura abaixo mostra, em forma simplificada, um modelo concebido por Geoffrey Hinton que verdadeiramente lida com as sentenças.

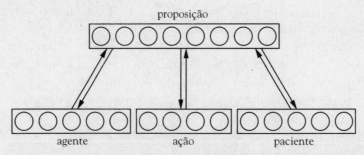

O banco de unidades de "proposição" ilumina-se em padrões arbitrários, mais ou menos como números seriais, rotulando pensamentos completos. Ele age como uma superestrutura, mantendo os conceitos em cada proposição em seu *slot* apropriado. Observe como a arquitetura da rede implementa rigorosamente o mentalês padrão, semelhante à linguagem! Têm sido apresentadas outras sugestões para as redes composicionais que não são uma imitação assim tão óbvia, mas todas elas precisam ter *algumas* partes especialmente projetadas que separem os conceitos de seus papéis e que unam cada conceito a seu papel adequadamente. Os ingredientes da lógica, como predicado, argumento e proposição, e o mecanismo computacional para lidar com eles, têm de ser colocados sorrateiramente de volta para se obter um modelo que faça coisas semelhantes às feitas pela mente; apenas um material de associação não basta.

Outro talento mental que você talvez nunca tenha percebido que possui chama-se quantificação ou vinculação [*binding*] de variáveis. Ele surge de uma combinação do primeiro problema, o dos indivíduos, com o segundo, o da compositividade. Nossos pensamentos compositivos são, afinal de contas, frequentemente sobre indivíduos, e faz diferença o modo como esses indivíduos são ligados às várias partes do pensamento. O pensamento de que um bebê específico comeu uma lesma específica é diferente do pensamento de que um bebê específico come lesmas em geral ou de que bebês em geral comem lesmas em geral. Existe uma família de piadas cuja graça depende de o ouvinte entender essa diferença. "A cada 45 segundos, uma pessoa nos Estados Unidos sofre uma lesão na cabeça." "Deus do céu! Pobre sujeito!" Quando ouvimos dizer que "Hildegarda quer se casar com um homem muito musculoso", ficamos nos perguntando se ela tem algum Sansão específico em vista ou se apenas fica rodeando a academia de musculação. Abraham Lincoln disse: "Pode-se enganar todas as pessoas parte do tempo; pode-se até mesmo enganar algumas pessoas o tempo todo; mas não se pode enganar todas as pessoas o tempo todo". Sem a capacidade de computar a quantificação, não conseguiríamos entender o que ele disse.

Nesses exemplos, temos diversas sentenças, ou diversas interpretações de uma sentença ambígua, nas quais os mesmos conceitos desempenham os mesmos papéis, mas as ideias como um todo são muito diferentes. Ligar conceitos a seus papéis não basta. Os lógicos aprendem essas distinções com variáveis e quantificadores. Uma variável é um símbolo guardador de lugar como x ou y que representa a mesma entidade em diferentes proposições ou em diferentes partes de uma proposição. Um quantificador é um símbolo que pode expressar "Existe um x específico que..." e "Para todo x é verdade que...". Assim, um pensamento pode ser apreendido em uma proposição construída com símbolos para conceitos, papéis, quantificadores e variáveis, todos precisamente ordenados e colocados entre chaves e colchetes. Compare, por exemplo, "A cada 45 segundos {existe um x [que sofre uma lesão]}" com "Existe um x {que a cada 45 segundos [sofre uma lesão]}". Nosso mentalês tem de possuir um mecanismo que faz alguma coisa semelhante. Mas até agora não temos nenhuma indicação de como isso pode ser feito em uma rede associativa.

Não só uma proposição pode dizer respeito a um indivíduo, mas também ela própria tem de ser tratada como uma espécie de indivíduo, o que origina um novo problema. O conectoplasma obtém seu poder sobrepondo padrões em um único conjunto de unidades. Infelizmente, isso pode gerar quimeras bizarras ou fazer com que uma rede fique indecisa. Isso é parte de um bicho-papão muito difuso do conectoplasma chamado interferência ou linha cruzada [*cross-talk*].

Vejamos dois exemplos. Os psicólogos Neal Cohen e Michael McCloskey treinaram uma rede para somar dois algarismos. Primeiro a treinaram para somar 1 aos outros números: quando os inputs eram "1" e "3", a rede aprendeu a produzir "4" e assim por diante. Depois a treinaram para somar 2 a qualquer outro número. Infelizmente, o problema de somar 2 sugou os pesos das conexões para valores que eram ótimos para somar 2; como a rede não possuía hardware reservado para manter o conhecimento de como somar 1, tornou-se amnésica para como somar 1! O efeito é denominado "esquecimento catastrófico", por ser diferente do brando esquecimento da vida cotidiana. Outro exemplo é o da rede planejada por McClelland e seu colaborador Alan Kawamoto para atribuir significados a sentenças ambíguas. Por exemplo, na frase em inglês *A bat broke the window*, o significado tanto pode ser que um bastão de beisebol [*bat*] foi atirado contra a janela ou que um morcego [*bat*] passou voando pela janela. A rede produziu uma interpretação que os humanos não fazem: um mamífero alado quebrou a janela com um bastão de beisebol!

Assim como qualquer outra ferramenta, as características que tornam o conectoplasma útil para algumas coisas o tornam prejudicial para outras. A capacidade de uma rede para generalizar provém de sua densa interconectividade e de sua sobreposição de inputs. Mas, quando se é uma unidade, nem sempre é tão maravilhoso ter milhares de outras unidades berrando em seus ouvidos e ser fustigada por onda após onda de inputs. Com frequência, diferentes pedaços de informação deveriam ser empacotados e armazenados separadamente e não misturados. Um modo de fazer isso é dar a cada proposição seu próprio *slot* e endereço de armazenagem — novamente mostrando que nem todos os aspectos do design de um computador podem ser desprezados como curiosidades de silício. Afinal, os computadores não foram projetados como aquecedores de ambiente; foram projetados para processar informações de um modo que seja significativo para os usuários humanos.

Os psicólogos David Sherry e Dan Schacter vão além nessa linha de raciocínio. Eles observam que os diferentes requisitos de engenharia num sistema de memória muitas vezes têm objetivos contrários. A seleção natural, afirmam, reagiu dando aos organismos sistemas de memória *especializados*. Cada um possui uma estrutura computacional otimizada para os requisitos de uma das tarefas que a mente do animal deve executar. Por exemplo, pássaros que escondem sementes para buscá-las em tempos de escassez desenvolveram uma memória com grande capacidade para recordar os esconderijos (10 mil esconderijos, no caso do pica-pau cinzento de Clark). Nos pássaros cujos machos cantam para impressionar as fêmeas ou para intimidar outros machos evoluiu uma memória com grande capacidade para cantos (duzentos, no caso do rouxinol). A memória para esconderijos e a memória para cantos encontram-se em estruturas cerebrais diferentes e apresentam padrões de conexão diferentes. Nós, humanos, impomos simultaneamente duas demandas muito diversas a nosso sistema de memória. Temos de recordar episódios individuais de quem fez o que a quem, quando, onde e por quê, e isso requer carimbar cada episódio com uma hora, uma data e um número de série. Mas também precisamos extrair conhecimentos genéricos sobre como as pessoas funcionam e como o mundo funciona. Sherry e Schacter aventam que a natureza nos deu um sistema de memória para cada requisito: uma memória "episódica" ou autobiográfica e uma memória "semântica" ou de conhecimentos genéricos, segundo uma distinção feita pela primeira vez pelo psicólogo Endel Tulving.

O truque que multiplica pensamentos humanos em números verdadeiramente astronômicos não é inserir conceitos em três ou quatro papéis, mas um tipo de fecundidade mental denominado recursividade. Um conjunto fixo de unidades para cada papel não basta. Nós, humanos, podemos tomar uma proposição inteira e atribuir-lhe um papel em alguma proposição maior. Em seguida, podemos tomar a proposição maior e inseri-la em uma ainda maior, criando uma estrutura hierárquica em árvore de proposições dentro de proposições. Não só o bebê comeu a lesma, mas o pai viu o bebê comer a lesma, fico pensando se o pai terá visto o bebê comer a lesma, o pai sabe que eu fico pensando se ele teria visto o bebê comer a lesma, posso adivinhar que o pai sabe que eu fico pensando se ele teria visto o bebê comer a lesma e daí por diante. Assim como a capacidade de somar 1 a um número concede a capacidade de gerar uma série infinita de números, a capacidade de inserir uma proposição em outra concede a capacidade de ter um número infinito de pensamentos.

Para obter proposições-dentro-de-proposições com a rede mostrada no diagrama anterior, poderíamos acrescentar uma nova camada de conexões no topo do diagrama, conectando o renque de unidades para a proposição inteira ao *slot* do papel em alguma proposição maior; o papel poderia ser algo como "observado no evento". Se continuássemos a adicionar camadas suficientes, poderíamos acomodar toda uma proposição multiplamente aninhada, delineando um diagrama em árvore completo para ela no conectoplasma. Mas essa solução é desajeitada e gera suspeitas. Para cada tipo de estrutura recursiva, teria de haver uma rede diferente pré-programada [*hard-wired*]: uma rede para uma pessoa pensando sobre uma proposição, outra para uma pessoa pensando sobre uma proposição relativa a uma pessoa pensando sobre uma proposição, uma terceira para uma pessoa comunicando uma proposição sobre uma pessoa para outra pessoa etc.

Na ciência da computação e na psicolinguística, usa-se um mecanismo mais poderoso e flexível. Cada estrutura simples (para uma pessoa, uma ação, uma proposição etc.) é representada *uma vez* na memória de longo prazo, e um processador desloca sua atenção de uma estrutura para outra, armazenando o itinerário das visitas na memória de curto prazo para organizar a proposição. Esse processador dinâmico, denominado rede de transições recursivas, é especialmente plausível para a compreensão de sentenças, pois ouvimos e lemos as palavras uma por vez em vez de inalar toda uma sentença de uma vez só. Aparentemente, também mastigamos nossos pensamentos complexos pedaço por pedaço em vez de engoli-los ou regurgitá-los de uma só vez, e isso indica que a mente é equipada com um mastigador de proposições recursivo para os pensamentos e não apenas para as sentenças. Os psicólogos Michael Jordan e Jeff Elman construíram redes cujas unidades de output enviam conexões que fazem uma volta e retornam a um conjunto de unidades de memória de curto prazo, desencadeando um novo ciclo de fluxo de ativação. Esse design em laço [*loop*] permite um vislumbre de como o processamento interativo de informações pode ser implementado em redes neurais, mas não basta interpretar ou montar proposições estruturadas. Mais recentemente, foram feitas tentativas para combinar uma rede em laço com uma rede proposicional para implementar um tipo de rede de transições recursivas a partir de pedaços de conectoplasma. Essas tentativas mostram que, a menos que as redes neurais sejam montadas especialmente em um processador recursivo, não são capazes de lidar com nossos pensamentos recursivos.

* * *

Devemos reconhecer o mérito da mente humana por mais uma proeza cognitiva que é difícil arrancar do conectoplasma e, portanto, difícil de explicar com base no associacionismo. As redes neurais implementam facilmente uma lógica nebulosa ou difusa [*fuzzy logic*] na qual tudo é em certa medida uma espécie de alguma coisa. É bem verdade que muitos conceitos do bom-senso realmente são nebulosos nos extremos e não têm definições claras. O filósofo Ludwig Wittgenstein deu o exemplo de "jogo", cujos exemplares (quebra-cabeças, corrida de patins, bocha, jogo de mímica, briga de galo etc.) nada têm em comum, e já dei outros dois exemplos neste livro, "solteiro" e "hortaliça". Os membros de uma categoria nebulosa não têm uma característica definidora isolada; sobrepõem-se em muitas características, à semelhança dos membros de uma família ou dos fios de uma corda, nenhum dos quais vai inteiramente de um extremo ao outro. Na história em quadrinhos *Bloom county*, Opus, o Pinguim, com amnésia temporária, não concorda quando lhe dizem que ele é uma ave. As aves são esbeltas e aerodinâmicas, observa Opus, e ele não é. As aves podem voar, ele, não. As aves sabem cantar; quando Opus canta "Yesterday", os ouvintes têm náuseas. Opus desconfia que ele é, na verdade, Bullwinkle, o Alce. Portanto, até mesmo conceitos como "ave" parecem ser organizados não com base em condições necessárias e suficientes, mas em membros prototípicos. Se você procurar "ave" no dicionário, a ilustração não mostrará um pinguim, e sim o mais comum dos passarinhos, o pardal.

Experimentos da psicologia cognitiva demonstraram que as pessoas são intolerantes com respeito a aves, outros animais, hortaliças e instrumentos. Compartilham um estereótipo, projetam-no para todos os membros de uma categoria, reconhecem o estereótipo mais rapidamente do que reconhecem os que não se encaixam nele e chegam a afirmar terem visto o estereótipo quando o que viram de fato foram exemplos semelhantes a ele. Essas reações podem ser previstas rotulando as propriedades que um membro compartilha com outros membros da categoria: quanto mais propriedades avícolas, melhor é a ave. Uma rede autoassociativa a quem se apresentam exemplos de uma categoria faz algo muito parecido, pois computa correlações entre propriedades. Há razão para acreditar que partes da memória humana têm uma instalação mais ou menos semelhante à de uma rede autoassociativa.

Mas deve haver na mente mais do que isso. As pessoas não são *sempre* imprecisas. Rimos de Opus porque uma parte de nós sabe que ele é realmente uma ave. Podemos concordar quanto ao protótipo da avó — a bondosa septuagenária de cabelos brancos distribuindo bolo de chocolate ou canja de galinha (dependendo da pessoa que acredita nesse estereótipo) — mas ao mesmo tempo não temos dificuldade para entender que Tina Turner e Elizabeth Taylor são avós (de fato, uma avó *judia*, no caso desta última). Quando se trata de solteiros, muitas pessoas — como as autoridades da imigração, os juízes de paz e os burocratas do serviço de saúde — são notoriamente "não nebulosos" quanto a quem se enquadra nessa categoria; como sabemos, muita coisa pode depender de um pedaço de papel. Exemplos de pensamento não nebuloso há em toda parte. Um juiz pode liberar um suspeito obviamente culpado com base em uma particularidade jurídica. O barman pode negar uma cerveja a um adulto responsável na véspera de seu vigésimo primeiro aniversário. Gracejamos dizendo que uma mulher não pode estar ligeiramente grávida e que não se pode ser ligeiramente casado; depois que uma pesquisa canadense informou que as mulheres casadas têm relações sexuais 1,57 vezes por semana, o cartunista Terry Mosher desenhou uma mulher sentada na cama ao lado do marido que cochilava, resmungando para ele "Bem, essa foi 0,57".

De fato, versões nebulosas e versões bem definidas da *mesma categoria* podem conviver lado a lado em uma mesma cabeça. Os psicólogos Sharon Armstrong, Henry Gleitman e Lila Gleitman maliciosamente aplicaram os testes padrão para categorias nebulosas a estudantes universitários, porém perguntando-lhes sobre categorias precisas como "números ímpares" e "sexo feminino". Os sujeitos prontamente concordaram com afirmações tolas como "treze é um exemplo melhor de número ímpar do que 23" e "uma mãe é um melhor exemplo de pessoa do sexo feminino do que uma comediante". Momentos depois, os sujeitos também afirmaram que um número ou é par ou é ímpar e que uma pessoa ou é do sexo feminino ou é do sexo masculino, sem meios-termos.

As pessoas pensam segundo duas linhas. Podem formar estereótipos imprecisos absorvendo sem discernimento correlações entre propriedades, aproveitando-se do fato de que as coisas no mundo tendem a apresentar-se em grupos (coisas que latem também mordem e levantam a perna nos postes). Mas também podem criar sistemas de regras — teorias intuitivas — que definem categorias em termos das regras que se aplicam a elas, tratando igualmente todos os membros da categoria. Todas as culturas possuem sistemas de regras formais de parentesco, muitas vezes tão precisos que podemos provar teoremas neles. Nosso sistema de parentesco nos fornece uma versão bem definida de "avó": a mãe de um dos pais, com ou sem bolo de chocolate. Direito, aritmética, ciência popular e convenções sociais (com seus ritos de passagem diferenciando claramente adultos de crianças e maridos de solteiros) são outros sistemas de regras que as pessoas de todo o planeta acatam. A gramática da linguagem é mais um desses sistemas.

Os sistemas de regras nos permitem ir além da mera similaridade e chegar a conclusões fundamentadas em explicações. Hinton, Rumelhart e McClelland escreveram: "As pessoas são hábeis em generalizar conhecimentos recém-adquiridos. Se, por exemplo, você ficar sabendo que os chimpanzés gostam de cebola, provavelmente aumentará sua estimativa da probabilidade de que os gorilas gostam de cebolas. Em uma rede que emprega representações distribuídas, esse tipo de generalização é automático". Essa vanglória é um eco, no século xx, da observação humana de que, de um corpo semelhante ao pão na cor e na consistência, esperamos um grau semelhante de nutrição. Mas tal suposição cai por terra em qualquer área sobre a qual a pessoa realmente possua algum conhecimento. O gorila apreciador de cebola destinava-se a ser apenas um exemplo, evidentemente, mas é interessante ver como até esse exemplo simples nos subestima. Conhecendo um pouco de zoologia e não muito de gorilas, eu decididamente *não* aumentaria minha estimativa da probabilidade de os gorilas gostarem de cebola. Os animais podem ser classificados de mais de um modo. Podem ser agrupados segundo a genealogia e a semelhança em um grupo taxonômico, como os grandes macacos, mas também podem ser agrupados em "guildas" que se especializam em determinadas maneiras de obter alimento, como os onívoros, herbívoros e carnívoros. Conhecer esse princípio leva-me a raciocinar assim: os chimpanzés são onívoros, e não surpreende que comam cebola; afinal, nós somos onívoros e a comemos. Mas os gorilas são herbívoros, que passam o dia mascando aipo silvestre, cardo e outras plantas. Os herbívoros frequentemente são exigentes com respeito às plantas que comem, pois seu sistema digestivo é otimizado para detoxificar as substâncias tóxicas presentes em alguns tipos de plantas e não em outras (sendo o exemplo extremo os coalas, que se especializam em comer folhas de eucalipto). Assim, não me surpreenderia se os gorilas evitassem a picante cebola, independentemente do que fazem os chimpanzés. Dependendo do sistema de explicação que me vem à mente, chimpanzés e gorilas são parceiros muito semelhantes de categoria ou tão diferentes quanto pessoas e vacas.

No associacionismo e sua implementação no conectoplasma, o modo como um objeto é representado (isto é, como um conjunto de propriedades) automaticamente obriga o sistema a generalizar de determinada maneira (a menos que seja treinado para não fazê-lo por meio de exemplos contrários especialmente fornecidos). A alternativa que estou apregoando é a de que os humanos podem *simbolizar* mentalmente tipos de objetos, e esses símbolos podem ser consultados em vários sistemas de regras que trazemos na cabeça. (Na inteligência artificial, essa técnica chama-se generalização baseada em explicação, e os designs conexionistas são um exemplo da técnica denominada generalização baseada em similaridade.) Nossos sistemas de regras expressam os conhecimentos em proposições compositivas, quantificadas, recursivas, e coleções dessas proposições encadeiam-se formando módulos ou teorias intuitivas sobre áreas específicas da experiência, como parentesco, ciência intuitiva, psicologia intuitiva, número, linguagem e lei. O capítulo 5 examina algumas dessas áreas.

Qual a vantagem de categorias bem definidas e sistemas de regras? No mundo social, eles podem atuar como juízes entre partes disputantes quando ambas apontam para a fronteira imprecisa de uma categoria e uma diz que determinada coisa está dentro e a outra, que está fora. Ritos de passagem, maioridade, diplomas, licenças e outros documentos legais traçam linhas divisórias nítidas que todas as partes podem representar mentalmente, linhas que permitem a todos saber onde cada um se situa. Analogamente, regras do tipo tudo ou nada constituem uma defesa contra a tática do salame, na qual uma pessoa tenta aproveitar-se de uma categoria imprecisa reivindicando um caso fronteiriço após outro em vantagem própria.

Regras e categorias abstratas também ajudam a lidar com o mundo natural. Passando ao largo da similaridade, elas nos permitem penetrar sob a superfície e trazer à luz leis ocultas que fazem as coisas funcionarem. E porque elas são, em certo sentido, digitais, dão estabilidade e precisão às representações. Se você fizer uma sequência de cópias analógicas de uma fita analógica, a qualidade declina a cada geração de cópia. Mas, se fizer uma sequência de cópias digitais, a última pode ser tão boa quanto a primeira. De modo semelhante, representações simbólicas bem definidas permitem sequências de raciocínio nas quais os símbolos são copiados literalmente em pensamentos sucessivos, formando o que os lógicos denominam sorites:

Todos os corvos são corvídeos.
Todos os corvídeos são aves.
Todas as aves são animais.
Todos os animais precisam de oxigênio.

Um sorites permite que o pensador tire conclusões confiantemente apesar de ter pouca experiência. Por exemplo, um pensador pode concluir que os corvos precisam de oxigênio mesmo que ninguém tenha verdadeiramente privado um corvo de oxigênio para ver o que acontece. O pensador pode chegar a essa conclusão mesmo que nunca houvesse testemunhado um experimento que privasse *qualquer* animal de oxigênio, mas apenas ouvido a afirmação de um perito confiável. Mas, se cada etapa da dedução fosse nebulosa, probabilística ou juncada de particularidades dos membros da categoria da etapa anterior, a confusão se acumularia. A última afirmação seria tão ruidosa quanto uma fita pirata de enésima geração ou tão irreconhecível quanto o último sussurro num jogo de telefone sem fio. Em todas as culturas, as pessoas seguem longas cadeias de raciocínio construídas com elos cuja verdade elas não observaram diretamente. Os filósofos várias vezes salientaram que a ciência é possível por essa capacidade.

Como muitas questões em torno da mente, o debate sobre o conexionismo frequentemente é apresentado como um debate entre o inato e o aprendido. E, como sempre, isso impossibilita pensar com clareza. Por certo o aprendizado desempenha um papel muito significativo na modelagem conexionista. Com frequência um modelador, mandado de volta à prancheta de trabalho pelos problemas que já mencionei, tirará proveito da capacidade que tem uma rede de camada oculta para aprender um conjunto de inputs e outputs e generalizá-los em novos conjuntos semelhantes. Treinando arduamente uma rede de camada oculta genérica, às vezes se consegue que ela faça aproximadamente a coisa certa. Mas regimes heroicos de treinamento não podem, sozinhos, ser a salvação do conectoplasma. Isso não ocorre porque as redes possuem pouquíssima estrutura inata e demasiados inputs ambientais. Ocorre porque o conectoplasma bruto é tão reduzido em potência que as redes muitas vezes têm de ser construídas com a pior das combinações: estrutura inata demais combinada a pouquíssimos inputs do meio.

Por exemplo, Hinton concebeu uma rede de três camadas para computar relações de parentesco. (Pretendia que ela fosse uma demonstração de como funcionam as redes, mas outros conexionistas trataram-na como uma verdadeira teoria da psicologia.) A camada de input tinha unidades para um nome e unidades para uma relação, como "Colin" e "mãe". A camada de output tinha unidades para o nome da pessoa assim relacionada, como "Victoria". Como as unidades e conexões constituem a estrutura inata de uma rede e somente os pesos das conexões são aprendidos, rigorosamente interpretada a rede corresponde a um módulo inato no cérebro apenas para produzir respostas a perguntas sobre quem tem parentesco com uma pessoa designada de um modo específico. Não é um sistema para raciocinar sobre parentesco em geral, pois o conhecimento é besuntado ao longo dos pesos das conexões ligando a camada das perguntas à camada das respostas, em vez de ser armazenado em um banco de dados que pode ser acessado por diferentes processos de recuperação. Portanto, o conhecimento é inútil se a pergunta for mudada ligeiramente, como por exemplo perguntando como duas pessoas estão relacionadas ou pedindo os nomes e as relações na família de uma pessoa. Nesse sentido, o modelo possui demasiada estrutura inata; é talhado para um questionário específico.

Após treinar o modelo para reproduzir as relações em uma pequena família inventada, Hinton chamou a atenção para a capacidade do modelo de generalizar para novos pares de parentes. Mas quem prestar atenção perceberá que a rede teve de ser treinada para cem dos 104 pares possíveis a fim de generalizar para os quatro pares restantes. E cada um dos cem pares do regime de treinamento precisou ser introduzido na rede 1500 vezes (150 mil lições ao todo!). Obviamente, as crianças não aprendem as relações de parentesco de um modo nem remotamente parecido com esse. Os números são típicos das redes conexionistas, pois elas não chegam rápido à solução por meio de regras; precisam que a maioria dos exemplos lhes seja socada goela abaixo e meramente fazem interpolações entre os exemplos. Todo tipo substancialmente diferente de exemplo tem de constar do conjunto de treinamento, ou a rede fará uma interpolação espúria, como na história dos estatísticos na caça ao pato: um atira um metro acima do alvo, o outro, um metro abaixo, e o terceiro grita: "Pegamos!".

Por que toda essa severidade com o conectoplasma? Certamente não porque julgo que a modelagem de redes neurais careça de importância — muito pelo contrário! Sem ela, todo o meu edifício de explicação do funcionamento da mente ficaria levitando no ar. Tampouco acho que a modelagem de redes consista meramente em subcontratar o trabalho de construção de *demons* e estruturas de dados do hardware neural. Muitos modelos conexionistas oferecem verdadeiras surpresas quanto ao que os passos mais simples da computação mental podem realizar. Acredito, de fato, que se fez muito alarde com o conexionismo. Como as redes são apregoadas como acessíveis, paralelas, analógicas, biológicas e contínuas, granjearam uma simpatia carinhosa e um fã-clube diversificado. Mas as redes neurais não fazem milagres, apenas algumas operações lógicas e estatísticas. As escolhas de uma representação de inputs, do número de redes, do diagrama de conexões escolhido para cada uma e dos trajetos de dados e estruturas de controle que as interligam explicam mais sobre o que torna um sistema inteligente do que as capacidades genéricas do conectoplasma componente.

Mas meu principal interesse não é mostrar o que certos tipos de modelos não podem fazer e sim o que a mente *pode* fazer. O objetivo deste capítulo é dar a você uma ideia do material de que é feita nossa mente. Os pensamentos e o ato de pensar não são mais enigmas insondáveis, mas processos mecânicos que podem ser estudados, e os pontos fortes e fracos de diferentes teorias podem ser examinados e debatidos. Para mim é particularmente esclarecedor ver as deficiências da venerável doutrina da associação de ideias, pois elas ressaltam a precisão, sutileza, complexidade e flexibilidade de nosso pensamento corriqueiro. O poder computacional do pensamento humano tem consequências reais. Ele é bem empregado em nossa capacidade para o amor, a justiça, a criatividade, a literatura, a música, os laços familiares, a lei, a ciência e outras atividades que examinaremos em outros capítulos. Mas, antes de tratar delas, devemos retomar a outra questão que abriu este capítulo.

A LÂMPADA DE ALADIM

E quanto à consciência? O que nos faz realmente *sofrer* uma dor de dente ou enxergar o azul do céu como *azul*? A teoria computacional da mente, mesmo com alicerces neurais completos, não nos dá uma resposta clara. O símbolo `azul` é inscrito, os estados de objetivo mudam, alguns neurônios disparam; e daí? A consciência se apresenta a muitos pensadores não só como um problema, mas quase como um milagre:

> Matéria pode diferir de matéria somente na forma, volume, densidade, movimento e direção do movimento: a qual desses, quer sejam variados, quer sejam combinados, a consciência pode ser anexada? Ser redondo ou quadrado, ser sólido ou líquido, ser grande ou pequeno, ser movido devagar ou depressa num sentido ou no outro são modos de existência material, todos igualmente alheios à natureza da cogitação.
>
> Samuel Johnson

> Que algo tão extraordinário como um estado de consciência surja em consequência de irritação do tecido nervoso é tão inexplicável quanto o aparecimento do Gênio quando Aladim esfregou a lâmpada.
>
> Thomas Huxley

> De algum modo, nós sentimos, a água do cérebro físico transforma-se no vinho da consciência, mas não temos sequer a mais remota ideia da natureza dessa conversão. As transmissões neurais parecem ser o tipo errado de material para trazer a consciência ao mundo.
>
> Colin McGinn

A consciência nos apresenta um enigma atrás do outro. Como um evento neural pode fazer acontecer a consciência? De que serve a consciência? Isto é, o que a sensação bruta da cor vermelha acrescenta à sucessão de eventos encadeados como bolas de bilhar que ocorre em nossos computadores neurais? Qualquer *efeito* de perceber alguma coisa como vermelha — notá-la em contraste com um vasto fundo verde, dizer em voz alta "É vermelho", lembrar-se de Papai Noel e carros de bombeiro, tornar-se agitado — poderia ser obtido por meio de puro processamento de informações desencadeado por um sensor de luz de comprimento de onda longo. Será a consciência um impotente efeito colateral pairando sobre os símbolos, como as luzes que piscam em um computador ou o trovão que acompanha o relâmpago? E se a consciência é inútil — se uma criatura desprovida dela pudesse sair-se bem no mundo tanto quanto uma criatura que a possui — por que a seleção natural teria favorecido a criatura consciente?

A consciência tornou-se recentemente o círculo que todo mundo quer quadrar. Quase todo mês um artigo anuncia que finalmente a consciência foi explicada, muitas vezes mostrando a língua para os teólogos e humanistas que pretendiam impor fronteiras à ciência e para os cientistas e filósofos que descartam o tema como demasiado subjetivo ou confuso para ser objeto de estudo.

Infelizmente, muito do que se escreve sobre a consciência é tão desnorteante quanto ela própria. Stephen Jay Gould escreveu: "O *Homo sapiens* é um galhinho [na árvore da vida] [...] E contudo nosso galhinho, para o bem ou para o mal, desenvolveu uma nova qualidade, a mais extraordinária de toda a história da vida multicelular desde a explosão câmbrica. Inventamos a consciência, com todas as suas sequelas, de Hamlet a Hiroshima". Gould negou a consciência a todos os animais não humanos; outros cientistas admitem-na em alguns animais, mas não em todos. Muitos fazem testes para detectar a consciência verificando se um animal reconhece que a imagem num espelho é ele próprio e não um outro animal. Por esse critério, micos, chimpanzés jovens, chimpanzés velhos, elefantes e bebês humanos de um ano não têm consciência. Os únicos animais conscientes são os gorilas, orangotangos, chimpanzés no apogeu da vida e, segundo Skinner e seu aluno Robert Epstein, pombos adequadamente treinados. Há quem seja ainda mais restritivo que Gould: nem mesmo todas as pessoas são conscientes. Julian Jaynes afirmou que a consciência é uma invenção recente. As pessoas das civilizações antigas, inclusive os gregos de Homero e os hebreus do Antigo Testamento, eram inconscientes. Dennett simpatiza com essa afirmação; ele acredita que a consciência "é em grande medida um produto da evolução cultural que é dado aos cérebros no treinamento do início da vida" e ela é "um enorme complexo de memes", sendo *meme* o termo usado por Dawkins para designar uma característica contagiante da cultura, como um jingle fácil de aprender ou a mais recente febre da moda.

Alguma coisa no tema "consciência" leva as pessoas, como a Rainha Branca de *Alice através do espelho*, a acreditar em seis coisas impossíveis antes do café da manhã. Será possível que a maioria dos animais realmente é *inconsciente* — serão sonâmbulos, zumbis, autômatos completos? Um cachorro não tem sentimentos, afeições, paixões? Se você o espetar, ele não sente dor? E Moisés era mesmo incapaz de sentir gosto de sal, enxergar o vermelho ou ter prazer no sexo? As crianças aprendem a tornar-se conscientes da mesma maneira que aprendem a usar o boné com a aba para trás?

As pessoas que escrevem sobre a consciência não são malucas e, portanto, devem ter em mente algo diferente quando empregam a palavra. Uma das melhores observações a respeito do conceito de consciência foi feita por Woody Allen em seu programa de um curso universitário hipotético:

> Introdução à psicologia: A teoria do comportamento humano [...] Existe uma separação entre mente e corpo e, em caso afirmativo, qual é melhor ter? [...] Dedica-se atenção especial a um estudo da consciência em contraste com a inconsciência, com muitas sugestões úteis sobre como permanecer consciente.

O humor verbal predispõe o leitor para um significado de uma palavra ambígua e o surpreende com outro. Os teóricos também jogam com a ambiguidade da palavra consciência, não para fazer piada, mas para atrair e depois desviar: o leitor é induzido a esperar uma teoria para um sentido da palavra, o mais difícil de explicar, e lhe é apresentada uma teoria para outro sentido, o de explicação mais fácil. Não é do meu feitio demorar-me em definições, mas quando se trata da consciência não temos escolha a não ser começar desenredando os significados.

Às vezes "consciência" é usado apenas como um sinônimo imponente de "inteligência". Gould, por exemplo, deve ter usado o termo nesta acepção. Mas há três significados mais especializados, nitidamente distinguidos pelo linguista Ray Jackendoff e pelo filósofo Ned Block.

Um deles é *autoconhecimento*. Entre as várias pessoas e objetos sobre as quais um ser inteligente pode ter informações está ele próprio. Eu não só posso sentir dor e enxergar vermelho, mas também posso pensar: "Vejam só, aqui estou eu, Steve Pinker, sentindo dor e enxergando vermelho!". Curiosamente, esse sentido recôndito da palavra é o mais presente nas discussões acadêmicas. A consciência é tipicamente definida como "construir um modelo interno do mundo que contém o eu", "refletindo-se sobre o próprio modo de entender do indivíduo" e outros tipos de contemplação do próprio umbigo que nada têm a ver com a consciência como ela é comumente entendida: estar vivo, desperto e alerta.

O conhecimento de si mesmo, inclusive a capacidade de usar um espelho, não é mais misterioso do que qualquer outro tema ligado à percepção e à memória. Se possuo um banco de dados mental para pessoas, o que o impediria de conter um registro sobre mim mesmo? Se posso aprender a erguer o braço e esticar o pescoço para ver uma pinta escondida em minhas costas, por que não poderia aprender a erguer um espelho e olhar para ele à procura de uma pinta escondida na testa? E o acesso às informações sobre o eu é perfeitamente fácil de modelar. Qualquer programador iniciante pode escrever um pequeno programa que se autoexamine, forneça informações sobre si próprio e até mesmo se modifique. Um robô capaz de reconhecer-se num espelho não seria mais difícil de construir do que um robô capaz de reconhecer qualquer outra coisa. É bem verdade que existem boas perguntas a se fazer sobre a evolução do autoconhecimento, seu desenvolvimento nas crianças e suas vantagens (e, o que é mais interessante, suas desvantagens, como veremos no capítulo 6). Mas o autoconhecimento é um tema corriqueiro na ciência cognitiva, e não o paradoxo da água transformando-se em vinho. Por ser tão fácil dizer alguma coisa sobre o autoconhecimento, os autores podem exultar com sua "teoria da consciência".

Um segundo sentido é o do *acesso a informações*. Eu lhe pergunto: "Em que está pensando?". Você me responde relatando o conteúdo de seus devaneios, seus planos para hoje, suas dores e mazelas e as cores, formas e sons à sua frente. Mas você não pode me falar sobre as enzimas secretadas por seu estômago, a posição atual de seu ritmo cardíaco e respiratório, as computações de seu cérebro que recuperam formas tridimensionais das retinas bidimensionais, as regras de sintaxe que ordenam as palavras enquanto você fala ou a sequência de contrações musculares que lhe permitem pegar um copo. Isso prova que a massa de informações processadas no sistema nervoso segue para dois reservatórios. Um deles, que inclui os produtos da visão e os conteúdos da memória de curto prazo, pode ser acessado pelos sistemas que fundamentam os relatos verbais, o pensamento racional e a tomada deliberada de decisões. O outro reservatório, que inclui as reações autônomas (no nível das entranhas), os cálculos internos por trás da visão, linguagem e movimento e os desejos ou lembranças reprimidos (se houver algum), não pode ser acessado por esses sistemas. Às vezes as informações podem passar do primeiro para o segundo reservatório ou vice-versa. Quando aprendemos a mudar as marchas do carro, de início cada movimento tem de ser pensado, mas com a prática a habilidade torna-se automática. Com intensa concentração e bioretroalimentação [*biofeedback*], podemos nos concentrar em uma sensação oculta como nossa pulsação.

Esse sentido de consciência, evidentemente, também abrange a distinção de Freud entre mente consciente e mente inconsciente. Como no caso do autoconhecimento, nada há de milagroso ou mesmo misterioso nele. De fato, existem analogias óbvias com as máquinas. Meu computador tem acesso a informações sobre se a impressora está funcionando ou não (ele é "consciente" delas, neste sentido específico) e pode imprimir uma mensagem de erro, `Printer not responding`. Mas ele não tem acesso a informações sobre *por que* a impressora não está funcionando; o sinal devolvido pelo cabo da impressora ao computador não inclui a informação. O chip dentro da impressora, em contraste, *tem* acesso a essa informação (é consciente dela, neste sentido); os sensores em diferentes partes da impressora informam o chip, e este pode acender uma luz amarela se o suprimento de tinta estiver escasso e uma luz vermelha se o papel estiver mal colocado.

Finalmente, chegamos ao sentido mais interessante de todos, a *sensibilidade*: experiência subjetiva, percepção dos fenômenos, sentimentos brutos, primeira pessoa do presente do indicativo, "como é" ser ou fazer algo, se você precisa perguntar jamais saberá. A piada de Woody Allen joga com a diferença entre esse sentido de consciência e o sentido freudiano de acesso a informações pelas partes da mente que deliberam e usam a linguagem. E esse sentido, a sensibilidade, é aquele no qual a consciência parece um milagre.

O restante deste capítulo ocupa-se da consciência nessas duas últimas acepções. Primeiro examinarei o acesso a informações — que tipos de informação as diferentes partes da mente podem tornar disponíveis umas às outras. Neste sentido da palavra, estamos realmente no caminho de entender a consciência. Coisas interessantes podem ser ditas com respeito ao modo como ela é implementada no cérebro, o papel que ela desempenha na computação mental, as especificações de engenharia a que ela se destina a atender (e, portanto, as pressões evolutivas que a originaram) e como essas especificações explicam as principais características da consciência — percepção sensorial, atenção focal, colorido emocional e a vontade. Finalmente, tratarei do problema da sensibilidade.

Algum dia, provavelmente não muito distante, teremos uma compreensão clara sobre o que, no cérebro, é responsável pela consciência no sentido do acesso a informações. Francis Crick e Christof Koch, por exemplo, estabeleceram critérios diretos para o que devemos procurar. Mais obviamente, as informações das sensações e da memória guiam o comportamento apenas de um animal acordado e não de um anestesiado. Portanto, algumas das bases neurais da consciência de acesso podem ser encontradas em quaisquer estruturas cerebrais que atuem de maneira diferente quando um animal está acordado e quando ele está dormindo sem sonhar ou sem sentidos. As camadas inferiores do córtex cerebral são um candidato a esse papel. Sabemos também que as informações sobre um objeto que está sendo percebido dispersam-se por muitas partes do córtex cerebral. Logo, o acesso às informações requer um mecanismo que una dados geograficamente separados. Crick e Koch sugerem que a sincronização de disparos neuroniais poderia ser um desses mecanismos, talvez comboiado por alças do córtex ao tálamo, a principal estação de baldeação. Eles observam também que o comportamento voluntário, planejado, requer atividade nos lobos frontais. Portanto, a consciência de acesso pode ser determinada pela anatomia dos tratos fibrosos que vão de várias partes do cérebro aos lobos frontais. Estejam certos ou não, eles demonstraram que o problema pode ser examinado em laboratório.

A consciência de acesso também é um mero problema, e não um mistério, em nosso entendimento das computações efetuadas pelo cérebro. Lembremos nosso sistema de produção detector de tios. Ele possui uma memória de curto prazo comunitária: um espaço de trabalho ou quadro de avisos visível para todos os *demons* no sistema. Em uma parte separada do sistema encontra-se um repositório de informações maior, uma memória de longo prazo, que não pode ser lida pelos *demons* antes que pedaços dela sejam copiados na memória de curto prazo. Muitos psicólogos cognitivos salientaram que nesses modelos a memória de curto prazo (quadro de avisos comunitário, espaço de trabalho global) atua exatamente como a consciência. Quando estamos cientes de uma informação, muitas partes da mente podem agir com base nela. Não só vemos uma régua à nossa frente, mas podemos descrevê-la, pegá-la, deduzir que ela pode escorar uma vidraça aberta ou contar suas marcas. Como observou o filósofo Stephen Stich, a informação consciente é inferencialmente *promíscua*; faz-se disponível a um grande número de agentes processadores de informações em vez de comprometer-se com um só. Newell e Simon conseguiram avançar na compreensão da resolução de problemas por humanos simplesmente pedindo a uma pessoa que pensasse em voz alta ao montar um quebra-cabeça. Eles simularam admiravelmente a atividade mental usando um sistema de produção no qual o conteúdo de um quadro de avisos correspondia passo a passo ao relato da pessoa sobre o que ela estava pensando conscientemente.

As especificações de engenharia do acesso às informações e, portanto, as pressões da seleção que provavelmente as originaram também estão se tornando mais claras. O princípio geral é que qualquer processador de informações deve receber acesso limitado às informações, pois estas têm custos além de benefícios.

Um custo é o espaço: o hardware para armazenar as informações. A limitação é bem evidente para um dono de microcomputador decidindo investir ou não em mais RAM. Obviamente, o cérebro, ao contrário do computador, vem com uma vastidão de hardware paralelo para armazenagem. Às vezes, teóricos inferem que o cérebro pode armazenar *todas* as contingências de antemão e que o pensamento pode ser reduzido a um padrão de reconhecimento de uma etapa. Mas a matemática de uma explosão combinatória traz à mente o velho slogan da MTV: Demais nunca é o bastante. Cálculos simples demonstram que o número de sentenças, significados de sentenças, jogos de xadrez, melodias, objetos possíveis de ver etc. que podem ser entendidos pelo ser humano pode exceder o número de partículas do universo. Por exemplo, existem de trinta a 35 movimentos possíveis em cada momento de uma partida de xadrez, cada qual podendo ser seguido por trinta a 35 respostas, definindo cerca de mil lances completos. Uma partida de xadrez típica dura quarenta lances, que produzem 10^{120} partidas de xadrez diferentes. Existem aproximadamente 10^{70} partículas no universo visível. Portanto, ninguém é capaz de jogar xadrez memorizando todas as partidas e reconhecendo cada sequência de movimentos. O mesmo vale para sentenças, histórias, melodias etc. Obviamente, *algumas* combinações podem ser armazenadas, mas em pouco tempo seu cérebro não comporta mais nada ou você começa a sobrepor os padrões, obtendo quimeras e combinações inúteis. Em vez de armazenar zilhões de inputs e seus outputs ou de perguntas e suas respostas, um processador de informações precisa de regras ou algoritmos que operem com um subconjunto de informações por vez e calculem uma resposta exatamente quando ela for necessária.

Um segundo custo da informação é o tempo. Assim como não se pode armazenar todos os jogos de xadrez em um cérebro menor do que o tamanho do universo, também não se pode jogar mentalmente todas as partidas de xadrez no tempo de duração de uma vida menor do que a idade do universo (10^{18} segundos). Resolver um problema em cem anos é, em termos práticos, o mesmo que não o resolver. De fato, as exigências impostas a um agente inteligente são ainda mais rigorosas. A vida é uma série de prazos finais. A percepção e o comportamento ocorrem em tempo real, como quando se caça um animal ou se mantém uma conversa. E, como a própria computação leva tempo, o processamento de informações pode ser parte do problema ao invés de ser parte da solução. Imagine alguém que saiu para uma caminhada e planeja a rota mais rápida para voltar ao acampamento antes de escurecer demorando vinte minutos para planejar um roteiro que lhe economize dez minutos.

Um terceiro custo são os recursos. Processamento de informações requer energia. Isso é óbvio para qualquer um que tenha prolongado a vida útil da bateria de um laptop desacelerando o processador e restringindo seu acesso às informações do disco. Pensar também é dispendioso. A técnica de representação por imagens do funcionamento da atividade cerebral (tomografia por emissão de pósitrons e ressonância magnética) depende do fato de o tecido cerebral em funcionamento demandar mais sangue em sua direção e consumir mais glucose.

Qualquer agente inteligente encarnado em matéria, trabalhando em tempo real e sujeito às leis da termodinâmica, deve sofrer restrições no acesso a informações. Deveria ser permitida a entrada somente das informações *relevantes* para o problema em questão. Isso não significa que o agente tem de usar antolhos ou tornar-se amnésico. As informações que não são importantes em uma ocasião para determinada finalidade podem ser relevantes em outra ocasião para outra finalidade. Portanto, as informações têm de *ter sua rota traçada*. As informações que são sempre irrelevantes para um tipo de computação devem ser permanentemente isoladas dele. As que às vezes são relevantes e às vezes irrelevantes devem ser acessíveis a uma computação quando forem relevantes, contanto que isso possa ser previsto de antemão. Essa especificação de design explica por que existe a consciência de acesso na mente humana e nos permite entender alguns de seus detalhes.

A consciência de acesso possui quatro características óbvias. Primeira, temos noção, em vários graus, de um rico campo de sensações: as cores e formas do mundo à nossa frente, os sons e odores que nos envolvem, as pressões e dores em nossa pele, ossos e músculos. Segunda, porções dessas informações podem incidir no enfoque da atenção, ser introduzidas e retiradas alternadamente na memória de curto prazo e alimentar nossas cogitações deliberativas. Terceira, as sensações e pensamentos apresentam-se com uma qualidade emocional: agradável ou desagradável, interessante ou repulsivo, excitante ou tranquilizador. Finalmente, um executivo, o "eu", aparece para fazer escolhas e acionar as alavancas do comportamento. Cada uma dessas características descarta algumas informações no sistema nervoso, definindo as vias principais da consciência de acesso. E cada uma desempenha um papel definido na organização adaptativa do pensamento e percepção para atender à tomada de decisões e ação racionais.

Comecemos com o campo perceptivo. Jackendoff, depois de examinar os níveis de representação mental usados por vários módulos, indagou que nível corresponde ao rico campo da percepção do tempo presente. Por exemplo, o processamento visual passa dos bastonetes e cones na retina por níveis intermediários representando bordas, profundidades e superfícies e chegando ao reconhecimento dos objetos diante de nós. A compreensão da linguagem passa do som bruto a representações de sílabas, palavras e frases, chegando ao entendimento do conteúdo da mensagem.

Jackendoff observou que a consciência de acesso parece recorrer aos níveis intermediários. As pessoas não percebem os níveis inferiores das sensações. Não passamos a vida na contemplação proustiana de cada migalha da madalena e de cada nuance da decocção de flores de limeira. Somos absolutamente incapazes de enxergar a luminosidade do carvão ao sol, a escuridão da bola de neve dentro de casa, o pálido cinza-esverdeado das áreas "pretas" da tela do televisor ou os paralelogramos flexíveis que um quadrado em movimento projeta em nossas retinas. O que "vemos" é um produto altamente processado: as superfícies de objetos, suas cores e texturas intrínsecas e suas profundidades, obliquidades e inclinações. Na onda sonora que chega aos nossos ouvidos, sílabas e palavras são distorcidas e fundidas, mas não ouvimos essa fita acústica sem emendas; "ouvimos" um encadeamento de sons bem demarcados. Nossa percepção imediata também não recorre exclusivamente ao nível *superior* de representação. Os níveis superiores — os conteúdos do mundo, a substância de uma mensagem — tendem a permanecer na memória de longo prazo dias e anos após uma experiência, mas enquanto ela está ocorrendo nós percebemos as visões e os sons. Não só pensamos abstratamente "Rosto!" quando vemos um rosto; as áreas sombreadas e os contornos estão disponíveis para nosso exame.

Não é difícil descobrir as vantagens da percepção do nível intermediário. Nossa percepção de uma forma e de uma luminosidade constantes enquanto mudam as condições de visibilidade acompanha as propriedades inerentes do objeto: o pedaço de carvão permanece rígido e preto quando nos movemos em volta dele ou aumentamos a luminosidade do ambiente; em nossa experiência, ele parece o mesmo. Os níveis inferiores não são necessários, e os superiores não são suficientes. Os dados brutos e passos computacionais por trás dessas constâncias estão isolados de nossa percepção, sem dúvida porque usam as leis eternas da óptica e não precisam de conselhos do restante da cognição nem têm insights para oferecer-lhe. Os produtos da computação são liberados para consumo geral bem antes de as identidades dos objetos serem estabelecidas, pois precisamos de mais do que uma tersa *mise-en-scène* para sobreviver no mundo. O comportamento é um jogo de centímetros, e a geometria e composição das superfícies devem estar disponíveis aos processos de decisão que planejam o próximo passo ou movimento de mãos. Analogamente, enquanto estamos compreendendo uma sentença, de nada interessa perscrutar até o nível das sibilações e zumbidos da onda sonora; eles têm de ser decodificados em sílabas antes de se equiparar a qualquer coisa significativa no dicionário mental. O decodificador de fala usa uma chave especial com validade vitalícia, e deve ser deixado em paz para fazer seu trabalho sem interferência de intrometidos no resto da mente. Porém, como ocorre na visão, o resto da mente também não pode satisfazer-se apenas com o produto final — neste caso, a ideia principal de quem fala.

A escolha das palavras e o tom de voz contêm informações que nos permitem ouvir nas entrelinhas.

A próxima característica digna de nota na consciência de acesso é o foco de atenção. Ele serve como uma demonstração perfeita de que o processamento paralelo inconsciente (no qual muitos inputs são processados ao mesmo tempo, cada qual por seu miniprocessador) tem suas limitações. Um estágio inicial do processamento paralelo faz o que pode e passa adiante uma representação da qual um processador mais apinhado e lento tem de selecionar as informações de que necessita. A psicóloga Anne Treisman concebeu algumas demonstrações simples, hoje clássicas, de onde termina o processamento inconsciente e começa o processamento consciente. Mostra-se às pessoas uma imagem com formas coloridas, como vários X e O, por exemplo, e pede-se que apertem um botão quando virem um alvo específico. Se o alvo procurado for um O e a imagem mostrar um O em um mar de X, a pessoa responde rapidamente. Não importa quantos X haja, as pessoas dizem que o O salta à vista. (Saltar à vista, ou *pop-out*, como esse efeito hoje em dia é designado em inglês, é um bom sinal de processamento paralelo inconsciente.) Analogamente, um O verde salta à vista em um mar de O vermelhos. Mas, se o experimentador pedir à pessoa que encontre uma letra que seja ao mesmo tempo verde *e* O e a letra se encontrar em algum lugar no meio de um mar misto de X verdes e O vermelhos, a pessoa precisa conscientemente vasculhar a imagem, letra por letra, verificando cada uma para ver se ela atende ao duplo critério. A tarefa torna-se parecida à da história de *Onde está Wally?*, na qual o herói se esconde de camiseta listrada vermelha e branca no meio de uma multidão de gente vestida de vermelho, branco ou listrado.

O que exatamente está acontecendo? Imagine que o campo visual está salpicado com milhares de pequenos processadores, e que cada qual detecta uma cor ou forma simples como uma curva, um ângulo ou uma linha sempre que ela aparece na localização do processador. O output de um conjunto de processadores é parecido com isto: vermelho vermelho vermelho vermelho verde vermelho vermelho vermelho etc. O output de outro conjunto assemelha-se a: reto reto reto curvo reto reto reto etc. Sobreposta a esses processadores há uma camada de detectores de elementos destoantes. Cada detector está de pernas abertas em cima de um grupo de detectores de linhas ou cores e "marca" qualquer local no campo visual que destoe de seus vizinhos em cor ou contorno. O verde cercado de vermelhos ganha uma bandeirinha extra. Para enxergar um verde no meio dos vermelhos basta localizar a bandeirinha, uma tarefa que está dentro da capacidade até do mais simples dos *demons*. Um O entre vários X pode ser detectado da mesma maneira. Mas os milhares de processadores que azulejam todo o campo são estúpidos demais para calcular *conjunções* de características: um trecho que seja verde *e* curvo ou vermelho *e* reto. As conjunções são detectadas somente por uma máquina lógica programável que observa uma parte do campo visual por vez através de uma janela estreita e móvel e transmite sua resposta ao restante da cognição.

Por que a computação visual divide-se em um estágio paralelo inconsciente e um estágio serial consciente? As conjunções são combinatórias. Seria impossível salpicar detectores de conjunções em todos os locais no campo visual porque existem demasiados tipos de conjunções. Existem 1 milhão de localizações visuais, portanto o número de processadores necessários seria 1 milhão multiplicado pelo número de conjunções logicamente possíveis: o número de cores que podemos discriminar vezes o número de contornos vezes o número de profundidades vezes o número de direções de movimento vezes o número de velocidades etc., um número astronômico. A computação paralela, inconsciente, cessa depois de ter rotulado cada localização com uma cor, contorno, profundidade e movimento; a partir daí, as combinações têm de ser computadas, conscientemente, uma localização por vez.

Essa teoria faz uma previsão surpreendente. Se o processador consciente concentra-se em uma localização, as características em outras localizações devem flutuar ao redor, descoladas. Por exemplo, uma pessoa que não está deliberadamente prestando atenção a determinada região não deve saber se esta contém um X vermelho e um O verde ou um X verde e um O vermelho — a cor e a forma devem flutuar em planos separados até que o processador consciente ligue uma à outra em um local específico. Treisman descobriu que isso é o que acontece. Quando uma pessoa é levada a não prestar atenção em algumas letras coloridas, ela consegue identificar as letras e identificar as cores, mas identifica erroneamente que cor se associava a cada letra. Essas combinações ilusórias são uma demonstração notável dos limites da computação visual inconsciente e não são raras na vida cotidiana. Quando distraidamente vislumbramos palavras pelo canto dos olhos, as letras às vezes se reagrupam. Um psicólogo começou a estudar esse fenômeno depois de passar por uma máquina automática de café e se admirar porque ela alegava servir "O Pior Café do Mundo" [*World's Worst Coffee*]. O letreiro, evidentemente, dizia "O Melhor Café do Mundo" [*World's Best Coffee*]. Certa vez tive um sobressalto ao passar de carro por um outdoor fazendo propaganda de um bordel [*brothel*]. Na verdade, tratava-se do Brothers' Hotel. Uma ocasião, folheando uma revista, avistei um cabeçalho sobre câmeras antissemitas [*anti-semitic*], que, na verdade, eram de segunda mão [*semi-antique*].

Existem gargalos que constringem o fluxo de informações, tanto as que vêm de dentro da pessoa como as que vêm de fora. Quando tentamos recuperar uma lembrança, os itens pingam na consciência um por vez, frequentemente com torturante demora se a informação for muito antiga ou incomum. Desde que Platão invocou a metáfora da cera mole, os psicólogos supõem que o meio neural deve ser inerentemente resistente à retenção de informações, enfraquecendo gradualmente a menos que as informações sejam repisadas. Mas o cérebro *pode* registrar lembranças indeléveis, como o conteúdo de uma notícia chocante e alguns dos detalhes do lugar e da hora em que as ouvimos. Portanto, o próprio meio neural não é necessariamente o culpado.

O psicólogo John Anderson fez a engenharia reversa da recuperação humana de lembranças, demonstrando que os limites da memória não são um subproduto de um meio armazenador mole. Como gostam de dizer os programadores: "Não é um defeito, é uma característica". Em um sistema de recuperação de informações otimamente projetado, um item só deve ser recuperado quando sua importância supera o custo de recuperação. Qualquer pessoa que tenha usado um sistema computadorizado de recuperação de dados de biblioteca logo se arrepende ao deparar com a avalanche de títulos que se derrama pela tela. Um perito humano, apesar de nossas supostamente débeis capacidades de recuperação, sobrepuja de longe qualquer computador na localização de uma informação em seu conteúdo. Quando preciso localizar artigos de um tema pertencente a uma área que não me é familiar, não uso um computador de biblioteca; mando um e-mail para algum amigo especialista nessa área.

O que significa um sistema de recuperação de informações ter um design ótimo? Ele deve fornecer a informação com maior probabilidade de ser útil no momento da solicitação. Mas como isso poderia ser sabido de antemão? As probabilidades poderiam ser estimadas, com base em leis gerais sobre que tipos de informação têm maior probabilidade de ser necessários. Se tais leis existem, deveríamos ser capazes de encontrá-las nos sistemas de informações em geral e não apenas na memória humana; por exemplo, essas leis deveriam ser visíveis nas estatísticas de livros solicitados em uma biblioteca ou nos arquivos recuperados em um computador. Os cientistas da informação descobriram várias dessas leis. Uma informação que foi pedida muitas vezes no passado tem mais probabilidade de ser necessária agora do que uma outra que foi pedida apenas raramente. Uma informação solicitada recentemente tem mais probabilidade de ser necessária agora do que uma que há tempos não vem sendo pedida. Um sistema ótimo de recuperação de informações, portanto, deveria ser predisposto a buscar itens procurados com frequência e recentemente. Anderson observa que isso é exatamente o que a recuperação de memória humana faz: recordamos eventos comuns e recentes melhor do que eventos raros e decorridos há muito tempo. Anderson descobriu quatro outros fenômenos clássicos na pesquisa da memória que atendem ao critério do design ótimo estabelecido independentemente para sistemas computadorizados de recuperação de informações.

Uma terceira característica notável da consciência de acesso é o colorido emocional da experiência. Nós não apenas registramos os eventos, mas os registramos como agradáveis ou dolorosos. Isso nos faz tomar providências para ter mais dos primeiros e menos dos segundos, agora e no futuro. Nada disso é mistério. Em termos computacionais, representações acionam estados de objetivos, os quais, por sua vez, acionam *demons* que reúnem informações, resolvem problemas e selecionam comportamentos para calcular como obter, evitar ou modificar a situação carregada. Em termos evolutivos, raramente é mistério a razão de buscarmos objetivos específicos — por que, por exemplo, as pessoas preferem fazer amor com um parceiro atraente a ter um encontro com a avó da vizinha. As coisas que se tornam objetos do desejo são as do tipo que, em média, conduziram a maiores chances de sobrevivência e reprodução no meio em que evoluímos: água, alimento, segurança, sexo, status, domínio do meio e o bem-estar dos filhos, amigos e familiares.

A quarta característica da consciência é o afunilamento do controle, convergindo para um processo executivo: algo que experimentamos como o eu, a vontade, "a minha pessoa". O eu tem sofrido ataques ultimamente. Segundo o pioneiro da inteligência artificial, Marvin Minsky, a mente é uma sociedade de agentes. Ela é uma vasta coleção de esboços parcialmente concluídos, afirma Daniel Dennett, acrescentando: "É um erro procurar o presidente na Sala Oval do cérebro".

A sociedade da mente é uma metáfora admirável, que usarei com prazer quando examinar as emoções. Mas pode-se levar longe demais a teoria se ela excluir qualquer sistema no cérebro incumbido de dar as rédeas ou a palavra a um dos agentes por vez. Os agentes do cérebro podem muito bem organizar-se hierarquicamente em sub-rotinas aninhadas, com um conjunto de regras mestras de decisão, um *demon* ou agente computacional ou um homúnculo bonzinho postado no topo da cadeia de comando. Não seria um fantasma na máquina, apenas outro conjunto de regras do tipo se-então ou uma rede neural que desvia o controle para o agente mais barulhento, mais rápido ou mais forte um nível abaixo.

Temos até indícios sobre as estruturas cerebrais que abrigam os circuitos de tomada de decisão. O neurologista Antonio Damasio observou que

156

um dano na porção anterior do sulco do cíngulo, que recebe inputs de muitas áreas perceptivas superiores e está ligado aos níveis superiores do sistema motor, deixa o paciente em um estado aparentemente alerta mas estranhamente indiferente. Essa informação levou Francis Crick a proclamar, não inteiramente por brincadeira, que a sede da vontade fora descoberta. E há muitas décadas os neurologistas sabem que exercer a vontade — conceber e executar nossos planos — é tarefa dos lobos frontais. Presenciei um exemplo triste mas característico disso quando um homem consultou-me sobre seu filho de quinze anos, que sofrera dano nos lobos frontais num acidente de automóvel. O rapaz ficava no chuveiro horas a fio, incapaz de decidir o momento de sair, e não conseguia sair de casa porque não parava de voltar ao seu quarto para verificar se tinha apagado as luzes.

Por que uma sociedade de agentes mentais precisaria de um executivo no topo? A razão é tão clara quanto a expressão iídiche "Você não pode dançar em dois casamentos com apenas um noivo". Não importa quantos agentes tenhamos em nossa mente, possuímos exatamente um corpo. A custódia de cada parte importante deve ser dada a um controlador, que seleciona um plano em meio ao tumulto de agentes concorrentes. Os olhos têm de focalizar um objeto por vez; não podem fixar-se no espaço vazio a meio caminho de dois objetos interessantes ou oscilar entre os dois num cabo de guerra. Os membros precisam ser coreografados para impelir o corpo ou os objetos numa trajetória que leve ao objetivo de apenas um dos agentes da mente. A alternativa, uma sociedade da mente verdadeiramente igualitária, é mostrada no aloprado e excelente filme *Um espírito baixou em mim*. Lily Tomlin é uma herdeira hipocondríaca que contrata um mestre hindu para transferir seu espírito para o corpo de uma mulher que não quer o dela. Durante a transferência, um urinol contendo seu espírito cai pela janela bem na cabeça de um passante, personagem representado por Steve Martin. O espírito de Tomlin possui a metade direita do corpo do transeunte e este conserva o controle da metade esquerda. O homem cambaleia em zigue-zague quando, a princípio, sua metade esquerda dá passadas vigorosas numa direção e a metade direita, de mindinho arrebitado, requebra-se com passinhos miúdos na outra.

Portanto, a consciência no sentido do acesso começa a ser compreendida. E quanto à consciência no sentido da sensibilidade? Sensibilidade e acesso podem ser dois lados de uma mesma moeda. Nossa experiência subjetiva é também o material para nosso raciocínio, fala e ação. Nós não meramente experimentamos uma dor de dente; reclamamos dela e procuramos um dentista.

Ned Block tentou esclarecer a distinção entre acesso e sensibilidade concebendo cenários nos quais o acesso poderia ocorrer sem a sensibilidade e vice-versa. Um exemplo de acesso sem sensibilidade poderia ser encontrado na estranha síndrome denominada visão cega [*blindsight*]. Quando uma pessoa tem um grande ponto cego em razão de um dano em seu córtex visual, negará veementemente que pode ver alguma coisa ali, mas, quando é forçada a supor onde está um objeto, seu desempenho é bem melhor do que lhe permitiria uma coincidência. Uma interpretação é que a pessoa com essa síndrome tem acesso aos objetos mas não é sensível a eles. Esteja ou não correta essa interpretação, ela demonstra que é possível *conceber* uma diferença entre acesso e sensibilidade. A sensibilidade sem o acesso poderia ocorrer quando você está absorto numa conversa e de repente se dá conta de que há uma britadeira do lado de fora bem debaixo de sua janela e que durante algum tempo você a vinha escutando, porém sem notar. Antes da revelação você tinha sensibilidade para o barulho mas não o acesso a ele. Block, porém, admite que os exemplos são um tanto forçados e desconfia que, na realidade, acesso e sensibilidade andam juntos.

Assim, talvez não precisamos de uma teoria separada para onde a sensibilidade ocorre no cérebro, como ela se encaixa na computação mental ou por que ela evoluiu. Ela parece ser uma qualidade adicional de alguns tipos de acesso à informação. O que verdadeiramente precisamos é de uma teoria sobre como as qualidades subjetivas da sensibilidade emergem a partir do mero acesso às informações. Para completar a história, portanto, temos de apresentar uma teoria que aborde questões como as seguintes:

- Se um dia conseguirmos reproduzir o processamento de informações na mente humana como um enorme programa de computador, o computador que rodasse o programa seria consciente?

- E se pegássemos esse programa e treinássemos numerosas pessoas, digamos, a população da China, para reter os dados na mente e executar as etapas? Haveria uma consciência gigantesca pairando sobre a China, separada da consciência dos bilhões de indivíduos? Se eles estivessem implementando o estado cerebral de uma dor agonizante, haveria alguma entidade que realmente estivesse sentindo dor, mesmo que cada cidadão estivesse alegre e lépido?

- Suponhamos que a área receptora visual na parte posterior de seu cérebro fosse separada cirurgicamente do resto e permanecesse viva em seu crânio, recebendo inputs dos olhos. Por todos os critérios comportamentais, você está cego. Existe uma consciência visual muda mas totalmente alerta isolada na parte posterior de sua cabeça? E se ela fosse removida e mantida viva numa placa?

• Sua experiência do vermelho poderia ser igual à minha experiência do verde? É verdade que você poderia *rotular* a grama de "verde" e os tomates de "vermelho", assim como eu, mas talvez você realmente *veja* a grama como tendo a cor que eu, se estivesse no seu lugar, designaria por vermelho.

• Poderiam existir zumbis? Isto é, poderia existir um androide improvisado para agir de um modo tão inteligente e emocional quanto você e eu mas no qual não houvesse "ninguém em casa", que estivesse verdadeiramente *sentindo* ou *vendo* coisa alguma? Como vou saber que *você não é* um zumbi?

• Se alguém pudesse transferir para uma memória de computador o estado de meu cérebro e copiá-lo em outra coleção de moléculas, ele teria minha consciência? Se alguém destruísse o original mas a duplicata continuasse a viver minha vida, pensar meus pensamentos e sentir meus sentimentos, eu teria sido assassinado? O capitão Kirk era exterminado e substituído por um gêmeo toda vez que entrava na sala de transporte?

• Como é ser um morcego? Os besouros apreciam o sexo? Uma minhoca grita silenciosamente quando um pescador a empala no anzol?

• Cirurgiões substituem um de seus neurônios por um microchip que reproduz suas funções de input-output. Você se sente e se comporta exatamente como antes. Depois eles substituem um segundo neurônio, um terceiro e assim por diante, até que uma parte cada vez maior de seu cérebro passa a ser de silício. Como cada microchip faz exatamente o que o neurônio fazia, em você o comportamento e a memória nunca mudam. Você chega a notar a diferença? Isso é como morrer? Há alguma *outra* entidade consciente instalando-se em você?

Dou o braço a torcer! Tenho alguns preconceitos, mas nenhuma ideia sobre como começar a procurar uma resposta defensável. E ninguém mais tem. A teoria computacional da mente não oferece nenhum insight; tampouco se encontra algum nas descobertas da neurociência depois de se esclarecer a costumeira confusão entre sensibilidade, acesso e autoconhecimento.

Como é que um livro intitulado *Como a mente funciona* esquiva-se da responsabilidade de explicar de onde vem a sensibilidade? Eu poderia, suponho, invocar a doutrina do positivismo lógico, segundo a qual se uma afirmação não pode ser comprovada ela não tem sentido algum. Os imponderáveis de minha lista indagam sobre coisas tipicamente impossíveis de comprovar. Muitos pensadores, como Dennett, concluem que se preocupar com elas é simplesmente alardear que se está confuso: as experiências sencientes (ou, como os filósofos as denominam, os *qualia*) são uma ilusão cognitiva. Uma vez que tenhamos isolado os correlatos computacionais e neurológicos da consciência de acesso, nada resta para explicar. É totalmente irracional insistir em que a sensibilidade permanece inexplicada depois de todas as manifestações de sensibilidade terem sido explicadas, só porque as computações nada têm de sencientes. É como insistir em que a umidade permanece inexplicada mesmo depois de todas as manifestações de umidade terem sido explicadas só porque as moléculas em movimento não são molhadas.

A maioria das pessoas não aceita muito bem o argumento, mas não é fácil encontrar algo de errado nele. O filósofo Georges Rey disse-me certa vez que não tem experiências sencientes. Ele as teria perdido depois de um acidente de bicicleta que sofreu aos quinze anos. Desde então, garante, tem sido um zumbi. Suponho que ele não esteja falando a sério, mas obviamente não tenho como ter certeza, e isso é o que ele quer salientar.

Os detratores dos *qualia* realmente estão certos em um aspecto: pelo menos por ora, não dispomos de um ponto de apoio científico para o ingrediente extraespecial que origina a sensibilidade. No que concerne à explicação científica, ele pode muito bem não existir. O problema não é o fato de as afirmações sobre a sensibilidade serem perversamente impossíveis de testar; é que, de qualquer modo, testá-las não faria diferença alguma. Nossa incompreensão da sensibilidade absolutamente não impede nosso entendimento de como funciona a mente. Geralmente, as partes de um problema científico encaixam-se como um quebra-cabeça. Para reconstituir a evolução humana, precisamos da antropologia física para encontrar os ossos, da arqueologia para entender as ferramentas, da biologia molecular para descobrir a data da diferenciação entre homens e chimpanzés e da paleobotânica para reconstituir o meio a partir do pólen fóssil. Quando alguma parte do quebra-cabeça não pode ser encaixada, como por exemplo por falta de fósseis de chimpanzés ou por incerteza quanto ao clima ter sido seco ou úmido, a lacuna é profundamente sentida, e todos esperam impacientemente que ela seja preenchida. Mas, no estudo da mente, a sensibilidade flutua em seu próprio plano, muito acima das cadeias causais da psicologia e da neurociência. Se algum dia pudermos identificar todas as etapas computacionais que vão da percepção, do raciocínio e da emoção ao comportamento, a única coisa que ficará faltando, devido à ausência de uma teoria da sensibilidade, será a compreensão da própria sensibilidade.

Mas dizer que não temos explicação científica para a sensibilidade não equivale a dizer que a sensibilidade não existe. Tenho tanta certeza de que sou senciente quanto tenho certeza de *qualquer coisa*, e aposto que você também pensa assim. Embora admita que minha curiosidade a respeito da sensibilidade talvez nunca venha a ser satisfeita, recuso-me a acreditar que estou apenas confuso quando penso que sou senciente! (A analogia de Dennett com a umidade inexplicada não é decisiva: a própria umidade é uma sensação subjetiva, portanto a insatisfação do observador é justamente o problema da sensibilidade, mais uma vez.) E não podemos excluir a sensibilidade de nosso discurso ou reduzi-la ao acesso às informações, pois o raciocínio moral depende dela. O conceito de sensibilidade fundamenta nossa certeza de que a tortura é errada e de que inutilizar um robô é destruição de propriedade, mas inutilizar uma pessoa é assassinato. É a razão por que a morte de uma pessoa amada não nos causa apenas autocomiseração por nossa perda, mas também a incomensurável dor de saber que os pensamentos e prazeres daquela pessoa desapareceram para sempre.

Se você me aturar até o fim do livro, saberá qual é o meu palpite sobre o mistério da sensibilidade. Porém, o mistério permanece um mistério, um tema não para a ciência, mas para a ética, para os bate-papos noturnos no dormitório da universidade e, obviamente, para um outro reino:

> Em uma microscópica porção de areia flutuando no espaço há um fragmento da vida de um homem. Abandonados à ferrugem estão o lugar onde ele viveu e as máquinas que ele utilizou. Sem uso, elas se desintegrarão com o vento, a areia e os anos que agem sobre elas; todas as máquinas do sr. Corry — inclusive aquela feita à sua imagem, mantida viva pelo amor, mas agora obsoleta... *Além da Imaginação*.

3

A VINGANÇA DOS NERDS

Em algum lugar além das fronteiras de nosso sistema solar, arrojando-se pelo espaço interestelar, há um fonógrafo e um disco dourado com instruções hieroglíficas na capa. Foram colocados na sonda espacial *Voyager 2*, lançada em 1977 para nos transmitir fotografias e dados dos planetas distantes de nosso sistema solar. Agora que passou por Netuno e sua emocionante missão científica está encerrada, ela serve como um cartão de visita interplanetário que deixamos para algum viajante espacial extraterrestre que possa vir a pescá-la.

O astrônomo Carl Sagan foi o produtor do disco; ele escolheu imagens e sons que sintetizam nossa espécie e nossas realizações. Sagan incluiu saudações em 55 línguas humanas e uma "língua de baleia", um ensaio sonoro de doze minutos composto do choro de um bebê, de um beijo e de um registro de eletroencefalograma das meditações de uma mulher apaixonada, além de noventa minutos de música, com exemplos de diferentes culturas do mundo: *mariachi* mexicana, flautas de pã peruanas, raga indiana, um cântico noturno navajo, uma canção de iniciação para meninas pigmeias, uma música *sakuhachi* japonesa, Bach, Beethoven, Mozart, Stravinsky, Louis Armstrong e Chuck Berry cantando "Johnny B. Goode".

O disco também envia uma mensagem de paz de nossa espécie para o cosmo. Em um involuntário ato de humor negro, a mensagem foi proferida pelo secretário-geral das Nações Unidas na época, Kurt Waldheim. Anos depois, historiadores descobriram que Waldheim passara a Segunda Guerra

Mundial como oficial do serviço secreto em uma unidade do exército alemão que perpetrou represálias brutais contra guerrilheiros da resistência nos Bálcãs e deportou a população judaica de Salonica para campos de extermínio nazistas. É tarde demais para chamar a *Voyager* de volta, e essa piada sarcástica sobre nós circulará para sempre pelo centro da Via Láctea.

TORNAR-SE INTELIGENTE

A gravação fonográfica da *Voyager* foi uma boa ideia, de qualquer modo, nem que seja apenas pelas questões que ela suscitou. Estamos sozinhos? Se não estamos, as formas de vida alienígenas têm a inteligência e o desejo de viajar pelo espaço? Em caso afirmativo, elas interpretariam os sons e imagens da maneira por nós pretendida ou ouviriam a voz como o lamento de um modem e veriam os desenhos lineares de pessoas na capa como a representação de uma raça de armações de arame? Se entendessem, como responderiam? Não fazendo caso de nós? Vindo até aqui para nos escravizar ou comer? Ou entabulando um diálogo interplanetário? Num esquete do programa *Saturday night live*, a tão esperada resposta do espaço distante foi "Mandem mais Chuck Berry".

Essas não são apenas questões para bate-papos noturnos nos dormitórios universitários. No início da década de 1990, a NASA destinou 100 milhões de dólares a uma busca de inteligência extraterrestre (Search for Extraterrestrial Intelligence — SETI), com duração de dez anos. Os cientistas deveriam usar antenas de rádio para tentar ouvir sinais que só poderiam provir de extraterrestres inteligentes. Previsivelmente, alguns congressistas objetaram. Um afirmou ser desperdício de dinheiro federal "procurar homenzinhos verdes com cabeças deformadas". Para minimizar o "fator risadinhas", a NASA rebatizou o projeto como High-Resolution Microwave Survey [Pesquisa de Micro-ondas de Alta Resolução], mas era tarde demais para salvar o projeto do machado dos congressistas. Atualmente ele é financiado por doações de fontes privadas, entre elas Steven Spielberg.

A oposição à SETI não proveio só de néscios, mas também de alguns dos mais eminentes biólogos do mundo. Por que eles aderiram à discussão? A SETI depende de suposições da teoria evolucionista e não apenas da astronomia — hipóteses, em especial, sobre a evolução da inteligência. A inteligência é inevitável ou foi um acaso feliz? Numa célebre conferência proferida em 1961, o astrônomo e entusiasta da SETI Frank Drake observou que o número de civilizações extraterrestres que poderia fazer contato conosco podia ser calculado com a seguinte fórmula:

(1) (O número de estrelas na galáxia) ×

(2) (A fração de estrelas com planetas) ×

(3) (O número de planetas por sistema solar com um meio capaz de sustentar vida) ×

(4) (A fração desses planetas na qual realmente apareça vida) ×

(5) (A fração de planetas onde há vida na qual emerge a inteligência) ×

(6) (A fração de sociedades inteligentes dispostas a comunicar-se com outros mundos e capazes disso) ×

(7) (A longevidade de cada tecnologia no estado comunicativo).

Os astrônomos, físicos e engenheiros presentes na conferência julgaram-se incapazes de estimar o fator (6) sem a ajuda de um sociólogo ou historiador. Mas sentiram-se confiantes para estimar o fator (5), a proporção de planetas onde há vida na qual emerge a inteligência. Concluíram que era 100%.

Descobrir vida inteligente em algum lugar do cosmo seria a descoberta mais empolgante da história humana. Então, por que os biólogos mostram-se tão ranhetas? É porque julgam que os entusiastas da SETI estão raciocinando com base em uma crença popular pré-científica. Dogmas religiosos de séculos atrás, o ideal vitoriano do progresso e o humanismo secular moderno induziram as pessoas a compreender equivocadamente a evolução como um anseio íntimo ou um desdobramento em direção à maior complexidade, culminando no aparecimento do homem. A pressão aumenta, e a inteligência emerge como pipoca na panela.

A doutrina religiosa denominou-se a Grande Cadeia do Ser — da ameba ao macaco e enfim ao homem —, e mesmo hoje em dia muitos cientistas empregam irrefletidamente palavras como formas de vida "superiores" e "inferiores" e "escala" e "escada" evolutiva. O desfile de primatas, do gibão de braços compridos ao recurvado homem das cavernas e depois ao ereto homem moderno, tornou-se um ícone da cultura popular, e todos nós entendemos o que uma garota quer dizer quando conta que recusou um encontro com um sujeito porque ele não é muito evoluído. Nas histórias de ficção científica como *A máquina do tempo*, de H. G. Wells, em episódios de *Jornada nas estrelas* e nas histórias de *Boy's life*, o ímpeto evolucionista é extrapolado aos nossos descendentes, que são mostrados como homúnculos carecas, de veias varicosas, cérebro bulboso e corpo espigado. Em *O planeta dos macacos* e outras histórias, depois de nos termos explodido em pedaços ou sufocado em nossos poluentes, macacos ou golfinhos aproveitam a oportunidade e nos tomam o trono.

Drake expressou essas suposições em uma carta à *Science* defendendo a SETI contra o eminente biólogo Ernst Mayr. Este observara que apenas uma dentre as 50 milhões de espécies da Terra desenvolvera civilizações, e portanto a probabilidade de que a vida em determinado planeta incluísse uma espécie inteligente poderia ser muito diminuta. Drake replicou:

> A primeira espécie a desenvolver civilizações inteligentes descobrirá que é a única espécie desse tipo. Isso deveria surpreender? Alguém tem de ser o primeiro, e ser o primeiro nada revela sobre quantas outras espécies tiveram ou têm o potencial para evoluir até formar civilizações inteligentes, ou podem fazê-lo no futuro. [...] Analogamente, entre muitas civilizações, uma será a primeira, e temporariamente a única, a desenvolver tecnologia eletrônica. Como poderia ser de outro modo? As evidências realmente indicam que os sistemas planetários precisam existir em circunstâncias suficientemente benignas por alguns bilhões de anos para que uma espécie usuária de tecnologia venha a evoluir.

Para saber por que esse modo de pensar colide tão fortemente com a moderna teoria da evolução, considere uma analogia: o cérebro humano é um órgão extremamente complexo que evoluiu uma única vez. A tromba do elefante, capaz de empilhar troncos, arrancar árvores, pegar uma moeda, remover espinhos, borrifar o elefante com água, cobri-lo de terra, servir de snorkel e escrever com um lápis, é outro órgão complexo que evoluiu uma única vez. O cérebro e a tromba são produtos da mesma força evolutiva, a seleção natural. Imagine um astrônomo no Planeta dos Elefantes defendendo a SETT — Search for Extraterrestrial Trunks [Busca de Trombas Extraterrestres]:

> A primeira espécie a desenvolver a tromba descobrirá que é a única espécie desse tipo. Isso deveria surpreender? Alguém tem de ser o primeiro, e ser o primeiro nada revela sobre quantas outras espécies tiveram ou têm o potencial para desenvolver trombas, ou podem fazê-lo no futuro. [...] Analogamente, entre muitas espécies portadoras de trombas, uma será a primeira, e temporariamente a única, a se cobrir de terra. As evidências realmente indicam que os sistemas planetários precisam existir em circunstâncias suficientemente benignas por alguns bilhões de anos para que uma espécie usuária de tromba venha a evoluir. [...]

Esse raciocínio nos parece aloprado porque o elefante está supondo que a evolução não apenas *produziu* a tromba em uma espécie deste planeta mas estava se *empenhando* em produzi-la em algumas espécies afortunadas, todas esperando e torcendo por isso. O elefante é meramente "o primeiro" e "temporariamente" o único; outras espécies têm "o potencial", embora seja necessário decorrerem alguns bilhões de anos para que o potencial se realize. Evidentemente, não somos chauvinistas em relação às trombas, por isso podemos perceber que as trombas evoluíram, mas não porque uma força irresistível tornou isso inevitável. Graças a precondições fortuitas nos ancestrais elefantinos (tamanho avantajado e determinados tipos de narinas e lábios), a certas forças seletivas (os problemas impostos por erguer e baixar uma cabeça enorme) e à sorte, a tromba evoluiu como uma solução viável para aqueles organismos naquela época. Outros animais não desenvolveram e não desenvolverão trombas porque em seu corpo e em suas circunstâncias ela não ajuda. A tromba poderia acontecer novamente, aqui ou em outra parte? Poderia, mas a proporção de planetas nos quais as cartas necessárias foram dadas em determinado período de tempo é presumivelmente pequena. Com certeza é menos de 100%.

Nós *somos* chauvinistas no que respeita ao nosso cérebro, julgando que ele é o objetivo da evolução. E isso não tem sentido, pelos motivos expostos ao longo dos anos por Stephen Jay Gould. Primeiro, a seleção natural não faz nada parecido com empenhar-se pela inteligência. O processo é impulsionado por diferenças nas taxas de sobrevivência e reprodução de organismos que se replicam em um meio específico. No decorrer do tempo, os organismos adquirem padrões que os adaptam à sobrevivência e reprodução naquele meio, e ponto final; nada os impele em direção alguma além do êxito aqui e agora. Quando um organismo muda-se para um novo meio, seus descendentes adaptam-se consequentemente, mas os organismos que permaneceram no meio original podem prosperar inalterados. A vida é um arbusto densamente ramificado, e não uma escala ou escada, e os organismos vivos encontram-se nas extremidades dos ramos, e não em degraus inferiores. Cada organismo vivo hoje teve o mesmo tempo para evoluir desde a origem da vida — a ameba, o ornitorrinco, o macaco rhesus e, sim, também o Larry querendo marcar outro encontro pela secretária eletrônica.

Mas, poderia perguntar um fã da SETI, não é verdade que os animais tornam-se cada vez mais complexos com o passar do tempo? E a inteligência não seria a culminância? Em muitas linhagens, obviamente, os animais tornaram-se mais complexos. A vida começou simples, portanto a complexidade da criatura *mais* complexa existente na Terra em qualquer período tem de aumentar ao longo das eras. Porém, em muitas linhagens, isso não precisa ocorrer. Os organismos atingem um ótimo e assim permanecem, muitas vezes por centenas de milhões de anos. E os que de fato se tornam mais complexos nem sempre se tornam mais inteligentes. Tornam-se maiores, mais rápidos, mais venenosos, mais férteis, mais sensíveis a odores e sons, mais capazes de voar mais alto e mais longe, melhores construtores de ninhos e represas — o que quer que funcione para eles. A evolução concerne aos fins e não aos meios; tornar-se inteligente é apenas uma opção.

Ainda assim, não é inevitável que *muitos* organismos seguissem a rota da inteligência? Frequentemente, linhagens diferentes convergem para uma solução, como os quarenta grupos diferentes de animais que desenvolveram padrões complexos para os olhos. Presumivelmente, não se pode ser demasiado rico, demasiado magro ou demasiado inteligente. Por que a inteligência semelhante à humana não seria uma solução para a qual poderiam convergir muitos organismos, neste planeta e em outros?

A evolução realmente poderia ter convergido para a inteligência semelhante à humana várias vezes, e talvez esse argumento pudesse ser desenvolvido para justificar a seti. Porém, ao calcular as probabilidades, não basta pensar em como é maravilhoso ser inteligente. Na teoria evolucionista, esse tipo de raciocínio merece a acusação que os conservadores vivem jogando na cara dos liberais: eles especificam um benefício mas se negam a levar em consideração os custos. Os organismos não evoluem em direção a todas as vantagens imagináveis. Se o fizessem, cada criatura seria mais rápida do que uma bala, mais potente do que uma locomotiva e capaz de transpor edifícios altos num só pulo. Um organismo que devota parte de sua matéria e energia a um órgão tem de retirá-las de outro. Ele tem de ter ossos mais finos, menos músculos ou menos óvulos. Os órgãos evoluem apenas quando seus benefícios superam os custos.

Você tem um Assistente Digital Pessoal [Personal Digital Assistant — pda] como o Newton, da Apple? São aqueles dispositivos portáteis que reconhecem a escrita manual, armazenam números de telefone, editam texto, enviam mensagens por fax, fazem a agenda e executam muitas outras proezas. São maravilhas da engenharia e podem organizar uma vida ocupada. Mas não tenho um, apesar de ser fã de engenhocas. Sempre que me sinto tentado a comprar um pda, quatro coisas me dissuadem. Primeiro, são volumosos. Segundo, precisam de baterias. Terceiro, aprender a usá-los toma tempo. Quarto, sua complexidade faz com que tarefas simples, como procurar um número de telefone, tornem-se lentas e desajeitadas. Eu me viro bem com um caderno e uma caneta-tinteiro.

Com as mesmas desvantagens depararia qualquer criatura ao ponderar se deveria ou não desenvolver um cérebro semelhante ao humano. Primeiro, o cérebro é volumoso. A pélvis da fêmea mal acomoda uma cabeça extragrande de bebê. O compromisso com esse design mata muitas mulheres durante o parto e requer um modo de andar pivotante que torna as mulheres biomecanicamente menos eficientes do que os homens no andar. Além disso, uma cabeça pesada balançando no pescoço nos torna mais vulneráveis a danos fatais em acidentes como as quedas. Segundo, o cérebro necessita de energia. O tecido neural é metabolicamente guloso; nosso cérebro perfaz apenas 2% de nosso peso corporal, mas consome 20% de nossa energia e nutrientes. Terceiro, aprender a usar o cérebro toma tempo. Passamos boa parte da vida sendo crianças ou cuidando de crianças. Quarto, tarefas simples podem ser lentas. Meu primeiro orientador na pós-graduação era um psicólogo matemático que queria fazer um modelo da transmissão de informações no cérebro medindo os tempos de reação a tons altos. Teoricamente, os tempos de transmissão de neurônio para neurônio deveriam ter chegado a alguns milésimos de segundo. Mas havia 75 milésimos de segundo sem explicação entre estímulo e resposta — "Toda essa cogitação acontecendo e só queremos que ele abaixe o dedo", resmungava meu orientador. Os animais lower-tech conseguem ser muito mais rápidos; alguns insetos podem morder em menos de um milésimo de segundo. Talvez isso responda à questão retórica do anúncio de equipamento esportivo: o QI médio de um homem é 107. O QI médio da truta é quatro. Então por que um homem não pode pescar uma truta?

A inteligência não é para todos, assim como a tromba também não, e isso deveria fazer hesitar os entusiastas da SETI. Mas não estou argumentando contra a busca de inteligência extraterrestre; meu tema é a inteligência terrestre. A falácia de que a inteligência é alguma ambição sublime da evolução é parte da mesma falácia que a trata como uma essência divina, um tecido maravilhoso ou um princípio matemático de abrangência total. A mente é um órgão, um dispositivo biológico. Temos nossa mente porque seu design alcança resultados cujos benefícios superaram os custos na vida dos primatas africanos do Plioplistoceno. Para nos entendermos, precisamos conhecer o como, o porquê, o onde e o quando desse episódio da história. Eles são o tema deste capítulo.

O DESIGNER DA VIDA

Um biólogo evolucionista *fez* uma previsão sobre vida extraterreste — não para nos ajudar a procurar vida em outros planetas, mas para nos ajudar a entender a vida neste planeta. Richard Dawkins arriscou a hipótese de que a vida, em qualquer parte que possa existir no universo, será um produto da seleção natural darwiniana. Esse pode parecer o mais ousado prognóstico já feito por um teórico, mas na verdade é uma consequência direta da argumentação em favor da teoria da seleção natural. Essa é a única explicação que temos sobre o quão complexa a vida *pode* evoluir, deixando de lado a questão do como ela *realmente* evoluiu. Se Dawkins estiver certo, como acredito que esteja, a seleção natural é indispensável para entender a mente humana. Se for a única explicação para a evolução de homenzinhos verdes, certamente é a única explicação para a evolução de homenzarrões marrons e beges.

A teoria da seleção natural — assim como o outro alicerce deste livro, a teoria computacional da mente — tem um status singular na vida intelectual moderna. Na sua disciplina de origem, ela é indispensável, explicando milhares de descobertas em uma estrutura coerente e constantemente inspirando descobertas novas. Mas fora de sua área ela é mal compreendida e ultrajada. Como no capítulo 2, quero esclarecer pormenorizadamente o argumento em favor de sua ideia básica: como ela explica um mistério crucial que suas alternativas não são capazes de explicar, como ela tem sido testada no laboratório e em campo e por que alguns argumentos célebres contra ela estão errados.

A seleção natural tem um lugar especial na ciência porque só ela explica o que faz a vida ser especial. A vida nos fascina em razão de sua *complexidade adaptativa* ou seu *design complexo*. Os seres vivos não são apenas lindas pecinhas de bricabraque; eles fazem coisas espantosas. Eles voam, ou nadam, enxergam, digerem alimento, apanham presas, fabricam mel, seda, madeira ou veneno. São proezas raras, além do alcance das lagoas, rochas, nuvens e outros seres inanimados. Chamaríamos de "vida" uma porção de matéria extraterrestre apenas se ela realizasse proezas semelhantes.

Realizações raras provêm de estruturas especiais. Os animais podem enxergar e as pedras não, porque os animais têm olhos, e estes têm arranjos precisos de materiais incomuns capazes de formar uma imagem: uma córnea que focaliza a luz, um cristalino que ajusta o foco à profundidade do objeto, uma íris que abre e fecha para permitir a entrada da quantidade certa de luz, uma esfera de gelatina transparente que mantém a forma do olho, uma retina no plano focal do cristalino, músculos que movem os olhos para cima e para baixo, de um lado ao outro, para dentro e para fora, bastonetes e cones que transduzem a luz em sinais neurais e mais, tudo primorosamente moldado e organizado. São inimaginavelmente ínfimas as chances de essas estruturas serem montadas a partir de materiais brutos por tornados, avalanches, cachoeiras ou relâmpagos vaporizadores de grude pantanoso do experimento mental do filósofo.

O olho contém tantas partes, arranjadas de modo tão preciso, que parece ter sido projetado de antemão com o *objetivo* de montar alguma coisa que enxergue. O mesmo se pode afirmar de nossos outros órgãos. Nossas juntas são lubrificadas para uma articulação suave, nossos dentes juntam-se para cortar e moer, nosso coração bombeia sangue — cada órgão parece ter sido projetado tendo em mente uma função a ser desempenhada. Uma das razões de Deus ter sido inventado foi para *ser* a mente que formou e executou os planos da vida. As leis do mundo andam para a frente e não para trás: a chuva faz o chão ficar molhado; o chão que se beneficia por ser molhado não é capaz de causar a chuva. O que mais além dos planos de Deus poderia levar a cabo a teleologia (direcionamento para um objetivo) da vida na Terra?

Darwin mostrou o que mais. Ele identificou um processo físico de causação anterior que imita o aparecimento paradoxal da causação posterior da teleologia. O truque é a *replicação*. Um replicador é algo capaz de fazer uma cópia de si mesmo, com a maioria de suas características reproduzidas na cópia, inclusive a capacidade de replicar-se também. Consideremos dois estados de coisas, A e B. B não pode causar A se A vier primeiro. (Enxergar bem não pode ser a causa de um olho possuir um cristalino transparente.)

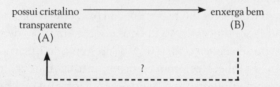

Mas digamos que A causa B e que B, por sua vez, faz com que o protagonista de A produza uma cópia de si mesmo — denominemos essa cópia AA. AA tem a aparência exatamente igual à de A, por isso parece que B causou A. Mas não causou; B causou apenas AA, a *cópia* de A. Suponhamos que existem três animais, dois com um cristalino embaçado e um com um cristalino transparente. Ter um cristalino transparente (A) faz com que um olho enxergue bem (B); enxergar bem faz com que o animal se reproduza porque ajuda a evitar predadores e a encontrar parceiros. A prole (AA) também tem cristalino transparente e enxerga bem. Parece que a prole tem olhos *para que* possa enxergar bem (causação posterior, teleológica, inapropriada), mas isso é ilusão. A prole tem olhos porque os olhos *de seus pais enxergavam* bem (causação anterior, comum, adequada). Os olhos da prole *se parecem com* os olhos dos pais, e por isso é fácil confundir o que aconteceu com uma causação posterior.

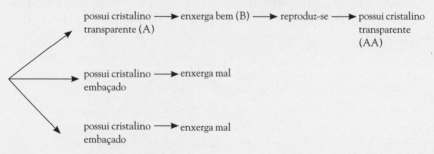

É preciso mais do que um cristalino transparente para compor um olho, mas a capacidade especial de um replicador é suas cópias poderem replicar-se também. Considere o que acontece quando a filha de cristalino transparente de nosso animal hipotético se reproduz. Uma parte de sua prole terá globos oculares mais redondos do que a outra parte, e as versões de globos oculares redondos enxergam melhor porque as imagens são focalizadas do centro para a periferia. Visão melhor conduz a reprodução melhor, e a geração seguinte possui tanto cristalinos transparentes como globos oculares redondos. Também eles são replicadores, e aqueles dentre sua prole que tiverem a visão mais apurada têm maior probabilidade de deixar uma nova geração com visão apurada e assim por diante. Em cada geração, as características que conduzem a uma boa visão são desproporcionalmente transmitidas à geração seguinte. É por isso que uma geração posterior de replicadores terá características que parecem ter sido projetadas por um engenheiro inteligente:

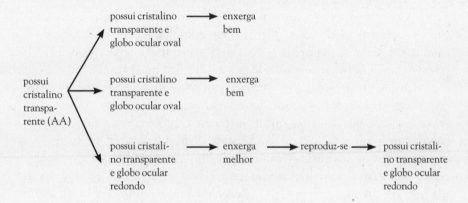

Apresentei a teoria de Darwin de um modo não ortodoxo que ressalta sua extraordinária contribuição: explicar o aparecimento do design sem o designer, usando a causação anterior ordinária como ela se aplica aos replicadores. A história completa é a seguinte: no princípio, era um replicador. Essa molécula ou cristal era um produto não da seleção natural, mas das leis da física e da química. (Se fosse produto da seleção, teríamos uma regressão infinita.) Os replicadores têm o hábito de multiplicar-se, e um único deles multiplicando-se irrestritamente encheria o universo com suas tatara-tatara-tatara-...-tataracópias. Mas os replicadores consomem materiais para fazer suas cópias e energia para gerar a replicação. O mundo é finito, portanto os replicadores competirão por seus recursos. Uma vez que nenhum processo de cópia é 100% perfeito, os erros aparecerão, e nem todas as filhas serão duplicatas exatas. A maioria dos erros de cópia serão mudanças para pior, causando uma captação de energia e materiais menos eficiente ou uma taxa mais lenta ou probabilidade menor de replicação. Porém, por pura sorte, alguns erros serão mudanças para melhor, e os replicadores que os apresentarem proliferarão ao longo das gerações. Seus descendentes acumularão quaisquer erros subsequentes que forem mudanças para melhor, inclusive aqueles que formam coberturas e apoios protetores, manipuladores, catalisadores de reações químicas úteis e outras características daquilo que denominamos corpo. O replicador resultante, com seu corpo aparentemente bem projetado, é o que chamamos organismo.

A seleção natural não é o único processo que muda os organismos no decorrer do tempo. Mas é o único processo aparentemente *responsável pelo design* dos organismos ao longo do tempo. Dawkins arriscou o pescoço com a teoria da evolução extraterrestre porque examinou cada alternativa à seleção já proposta na história da biologia e mostrou que elas são incapazes de explicar a assinatura da vida, o design complexo.

A teoria popular de que os organismos obedecem a um impulso de desenvolver-se em direção a formas mais complexas e adaptativas obviamente não serviria. O impulso — e, mais importante, a capacidade de realizar suas ambições — é um passe de mágica que fica inexplicado.

Os dois princípios que passaram a associar-se ao predecessor de Darwin, Jean Baptiste Lamarck — uso e desuso e a herança de características adquiridas —, também não estão à altura da tarefa. O problema vai além das muitas demonstrações de que Lamarck estava de fato errado. (Por exemplo, se as características adquiridas realmente pudessem ser herdadas, várias centenas de gerações de circuncidados teriam sido a causa de os meninos judeus de hoje nascerem sem prepúcio.) O problema mais profundo é que a teoria não seria capaz de explicar a complexidade adaptativa *mesmo se* acontecesse de ela ser correta. Primeiro, *usar* um órgão, por si só, não faz com que ele funcione melhor. Os fótons que atravessam um cristalino não o limpam até deixá-lo transparente, e usar uma máquina não a melhora, e sim a desgasta. É bem verdade que muitas partes dos organismos se ajustam adaptativamente ao uso: músculos exercitados ganham volume, a pele torna-se mais espessa com o atrito e escurece com a luz do Sol, atos recompensados aumentam e atos punidos diminuem. Mas essas respostas são, elas próprias, parte do design evoluído do organismo, e precisamos explicar como *elas* surgiram: nenhuma lei da física ou da química faz as coisas espessarem-se com o atrito ou as superfícies iluminadas escurecerem. A herança de características adquiridas é ainda pior, pois a maioria das características adquiridas são cortes, arranhões, cicatrizes, deterioração, desgaste e outras agressões do impiedoso mundo, e não melhoras. E mesmo que uma pancada realmente conduzisse a uma melhora, é um mistério como o tamanho e a forma da ferida útil poderiam ser lidos na pele afetada e codificados nas instruções do DNA no espermatozoide ou no óvulo.

Uma outra teoria fracassada é a que invoca a macromutação: um erro gigante de cópia que origina um novo tipo de organismo adaptado de um só golpe. O problema, neste caso, é que as leis da probabilidade militam astronomicamente contra a possibilidade de um grande erro de cópia aleatório criar um órgão operante complexo como o olho a partir de carne homogênea. Pequenos erros aleatórios, em contraste, podem tornar um órgão *um pouquinho mais* parecido com um olho, como em nosso exemplo onde uma mutação imaginária poderia tornar um cristalino um tantinho mais transparente ou um globo ocular um tantinho mais redondo. De fato, muito antes de nosso cenário ter início, uma longa sequência de pequenas mutações precisa ter se acumulado para dar um olho ao organismo. Mas, observando organismos de olhos mais simples, Darwin reconstituiu como isso poderia ter acontecido. Algumas mutações tornaram um trecho de células epiteliais sensíveis à luz, algumas outras mutações tornaram opaco o tecido subjacente, outras o aprofundaram em forma de taça e depois em uma cavidade esférica. Mutações subsequentes acrescentaram uma fina cobertura translúcida que posteriormente espessou-se até tornar-se um cristalino e assim por diante. Cada etapa forneceu uma pequena melhora à visão. Cada mutação foi improvável, mas não astronomicamente. A sequência inteira não foi astronomicamente impossível porque as mutações não foram dadas de uma vez como as cartas em uma grande mão de um jogo de baralho; cada mutação benéfica foi adicionada a um conjunto de mutações benéficas precedentes que haviam sido selecionadas ao longo das eras.

Uma quarta alternativa é a flutuação genética aleatória. Características benéficas são benéficas apenas na média. Criaturas de verdade sofrem os reveses da vida. Quando o número de indivíduos em uma geração é suficientemente reduzido, uma característica vantajosa pode desaparecer se seus portadores forem desventurados, e uma característica desvantajosa ou neutra pode impor-se se os seus portadores tiverem sorte. A flutuação genética pode, em princípio, explicar por que uma população apresenta uma característica simples, como ser clara ou escura, ou uma característica irrelevante, como a sequência de bases de DNA em uma parte do cromossomo que não faz coisa alguma. Porém, devido ao seu próprio caráter aleatório, a flutuação aleatória não pode explicar o surgimento de uma característica útil improvável como a capacidade de enxergar ou voar. Os órgãos necessários para tal precisam de centenas ou milhares de partes para funcionar, e as chances são astronomicamente contrárias à acumulação por mero acaso dos genes requeridos.

O argumento de Dawkins sobre a vida extraterrestre é uma afirmação intemporal da lógica das teorias evolucionistas, do poder de um *explanans* para causar o *explanandum*. E, de fato, seu argumento funciona contra dois desafios subsequentes. Um deles é uma variante do lamarckismo denominada mutação *dirigida* ou *adaptativa*. Não seria bom se um organismo pudesse reagir a um desafio ambiental com numerosas novas mutações, e não mutações desperdiçadoras, aleatórias, mas mutações para características que permitissem ao organismo lidar com o desafio? É claro que seria bom, e aí está o problema — a química não tem senso de bondade. O DNA no interior dos testículos e ovário não pode espiar lá fora e fabricar uma mutação substancial para produzir pelo quando fizer frio, nadadeiras quando estiver molhado, garras quando houver árvores por perto, ou colocar um cristalino na frente da retina em vez de no meio dos dedos dos pés ou dentro do pâncreas. É por isso que um alicerce da teoria evolucionista — de fato, um alicerce da visão de mundo científica — é que as mutações são globalmente indiferentes aos benefícios que proporcionam ao organismo. Elas não podem ser globalmente adaptativas, embora evidentemente uma parcela minúscula delas possa ser adaptativa por acaso. Os anúncios periódicos de descobertas de "mutações adaptativas" inevitavelmente revelam-se curiosidades ou artefatos de laboratório. Nenhum mecanismo além de um anjo da guarda é capaz de guiar as mutações para responder às necessidades dos organismos em geral, havendo bilhões de tipos de organismos, cada qual com milhares de necessidades.

O outro desafio provém dos fãs de uma nova área denominada teoria da complexidade. A teoria procura princípios matemáticos de ordem na base de muitos sistemas complexos: galáxias, cristais, sistemas climáticos, células, organismos, cérebros, ecossistemas, sociedades etc. Dezenas de novos livros aplicaram tais ideias a assuntos como AIDS, decadência urbana, guerra da Bósnia e, obviamente, o mercado de ações. Stuart Kauffman, um dos líderes do movimento, aventou que proezas como a auto-organização, ordem, estabilidade e coerência podem ser uma "propriedade inata de alguns sistemas complexos". A evolução, ele sugere, pode ser um "casamento da seleção com a auto-organização".

A teoria da complexidade suscita questões interessantes. A seleção natural pressupõe que um replicador originou-se de algum modo, e a teoria da complexidade poderia ajudar a explicar esse "de algum modo". A teoria da complexidade também poderia dar uma mãozinha para explicar outras suposições. Cada corpo tem de permanecer coeso tempo suficiente para funcionar em vez de voar em pedaços ou derreter e virar uma poça. E, para a evolução chegar a ocorrer, as mutações têm de mudar um corpo o bastante para fazer diferença em seu funcionamento, mas não tanto que o leve a um desastre caótico. Se existem princípios abstratos que governam a possibilidade de uma rede de partes interagentes (moléculas, genes, células) apresentar essas propriedades, a seleção natural teria de atuar dentro desses princípios, exatamente como atua respeitando outras restrições da física e da matemática, como o teorema de Pitágoras e a lei da gravidade.

Mas numerosos leitores foram muito além, concluindo que a seleção natural agora é trivial ou obsoleta, ou, na melhor das hipóteses, de importância desconhecida. (A propósito, os próprios pioneiros da teoria da complexidade, como Kauffman e Murray Gell-Mann, ficaram consternados com essa extrapolação.) Esta carta à *New York Times Book Review* é um exemplo típico:

> Graças a avanços recentes na dinâmica não linear, na termodinâmica de não equilíbrio e em outras disciplinas na fronteira entre biologia e física, temos todas as razões para crer que a origem e evolução da vida acabará por ser identificada com firmes bases científicas. Quando nos aproximamos do século XXI, os outros dois grandes profetas do século XIX — Marx e Freud — foram finalmente depostos de seus pedestais. Já é hora de libertarmos o debate evolucionista também do jugo anacrônico e anticientífico do culto a Darwin.

O autor da carta deve ter raciocinado assim: a complexidade sempre foi tratada como uma impressão digital da seleção natural, mas agora ela pode ser explicada por uma teoria da complexidade; portanto, a seleção natural está obsoleta. Mas o raciocínio baseia-se em um jogo de palavras. A "complexidade" que tanto impressiona os biólogos não é apenas alguma velha ordem ou estabilidade. Os organismos não são apenas bolhas coesas, belas espirais ou grades ordenadas. São máquinas, e sua "complexidade" é *design funcional, adaptativo*: complexidade a serviço de atingir algum resultado interessante. O trato digestivo não tem simplesmente um feitio; ele tem um feitio que é como uma linha de produção fabril para extrair nutrientes de tecidos ingeridos. Nenhum conjunto de equações aplicáveis a tudo, das galáxias à Bósnia, pode explicar por que os dentes são encontrados na boca e não na orelha. E uma vez que os organismos são conjuntos de tratos digestivos, olhos e outros sistemas organizados para atingir objetivos, as leis gerais dos sistemas complexos não bastam. A matéria absolutamente não tem uma tendência inata a organizar-se para transformar-se em brócolis, coalas e joaninhas. A seleção natural continua sendo a única teoria que explica como a complexidade *adaptativa*, e não apenas uma complexidade qualquer, pode emergir, porque é a única teoria não milagrosa, orientada para a frente, na qual *o grau em que uma coisa funciona bem* tem um papel causal no modo *como essa coisa veio a existir.*

Como não existem alternativas, seríamos quase *obrigados* a aceitar a seleção natural como a explicação da vida neste planeta mesmo se não houvesse provas dela. Felizmente, elas são esmagadoras. Não me refiro apenas às provas de que a vida evoluiu (o que está além de qualquer grande dúvida, não obstante os criacionistas), mas de que ela evoluiu pela seleção natural. O próprio Darwin salientou o poder da reprodução seletiva, um análogo direto da seleção natural, na configuração dos organismos. Por exemplo, as diferenças entre os cães — chihuahuas, galgos, terriers, são-bernardos, shar-peis — provêm da reprodução seletiva dos lobos ao longo de apenas alguns milhares de anos. Em estações de reprodução, laboratórios e estufas de sementes de empresas agropecuárias, a seleção artificial tem produzido séries de admiráveis organismos novos dignos dos personagens estrambóticos das histórias do dr. Seuss.

A seleção natural também é facilmente observável na vida selvagem. Em um exemplo clássico, em Manchester, no século XIX, a mariposa pintalgada de branco deu lugar a uma forma mutante escura depois que a fuligem das indústrias recobriu o líquen onde a mariposa pousava, ressaltando a forma branca e tornando-a mais visível para os pássaros. Quando as leis sobre poluição atmosférica clarearam o líquen na década de 50, a então rara forma branca retomou seu lugar. Há muitos outros exemplos, e talvez o mais conveniente seja o encontrado no trabalho de Peter e Rosemary Grant. Para sua teoria da seleção natural, Darwin inspirou-se em parte nas treze espécies de tentilhões das ilhas Galápagos. Eles claramente eram aparentados com uma espécie do continente sul-americano, mas diferiam dela e também entre si. Em especial, seus bicos lembravam tipos diferentes de alicate: o pesado alicate do instalador de linhas ferroviárias, o alicate diagonal de alavancas longas, alicates retos de pontas finas, alicates de pontas curvas etc. Darwin acabou concluindo que um tipo de pássaro fora parar naquelas ilhas, diferenciando-se então nas treze espécies devido às demandas dos diferentes modos de vida nas diferentes partes das ilhas, como por exemplo arrancar a casca das árvores para apanhar insetos, sondar flores de cacto ou quebrar sementes duras. Mas ele desistiu de pensar que veria a seleção natural acontecer em tempo real: "Nada vemos dessas lentas mudanças do progresso até que a mão do tempo tenha marcado a passagem de eras". Os Grant meticulosamente mediram o tamanho e a dureza das sementes em diferentes partes das Galápagos em diversas épocas do ano, o comprimento dos bicos dos tentilhões, o tempo que eles levavam para quebrar as sementes, os números e idades dos tentilhões em diferentes partes das ilhas etc. — cada variável relevante para a seleção natural. Suas medições mostraram os bicos evoluindo para acompanhar mudanças na disponibilidade de diferentes tipos de sementes, uma análise quadro a quadro do filme que Darwin só pôde imaginar. A seleção em ação é ainda mais notável entre organismos de reprodução mais rápida, como o mundo está descobrindo com os riscos que corre nos casos de insetos resistentes a pesticidas, bactérias resistentes a medicamentos e o vírus da AIDS em um único paciente.

E dois dos pré-requisitos da seleção natural — variação suficiente e tempo suficiente — estão à disposição. Populações de organismos vivendo naturalmente mantêm um enorme reservatório de variação genética que pode servir de matéria-prima para a seleção natural. E a vida teve mais de 3 bilhões de anos para evoluir na Terra, com 1 bilhão de anos para a vida complexa, segundo estimativa recente. Em *The ascent of man*, Jacob Bronowski escreveu:

> Quando minha primeira filha estava com quatro ou cinco dias de vida, lembro-me de que, jovem pai, fui na ponta dos pés até seu berço e pensei: "Que dedos maravilhosos, cada junta absolutamente perfeita, até a pontinha das unhas. Eu não teria sido capaz de projetar esse detalhe nem em 1 milhão de anos". Mas, obviamente, foi exatamente de 1 milhão de anos que precisei, que precisou a humanidade [...] para atingir seu atual estágio de evolução.

Finalmente, dois tipos de criação formal de modelos mostraram que a seleção natural pode funcionar. Comprovações matemáticas da genética populacional mostram que genes combinando-se segundo as leis de Gregor Mendel podem mudar de frequência sob a pressão da seleção. Essas mudanças podem ocorrer com uma rapidez impressionante. Se um mutante produzir apenas 1% a mais de prole do que seus rivais, pode aumentar sua representação na população de 0,1% para 99,9% em pouco mais de 4 mil gerações. Um camundongo hipotético sujeito a uma pressão da seleção para aumentar de tamanho, pressão esta tão fraca que seria impossível medi-la, poderia ainda assim ter evoluído até atingir o tamanho de um elefante em apenas 12 mil gerações.

Mais recentemente, simulações por computador na nova área de vida artificial mostraram o poder da seleção natural para desenvolver organismos com adaptações complexas. E que demonstração melhor do que o exemplo favorito de todos para a adaptação complexa, o olho? Os cientistas da computação Dan Nilsson e Susanne Pelger simularam uma lâmina de três camadas de pele virtual semelhante a um ponto sensível à luz de um organismo primitivo. Era um sanduíche simples composto de uma camada de células pigmentadas embaixo, uma camada de células sensíveis à luz no meio e uma camada de células translúcidas formando uma cobertura protetora. As células translúcidas podiam sofrer mutações aleatórias em seu índice refrativo: sua capacidade de desviar a luz, que na vida real frequentemente correspon-de à densidade. Todas as células podiam sofrer pequenas mutações afetando seu tamanho e espessura. Na simulação, permitiu-se que as células da lâmina mutassem aleatoriamente e, após cada rodada de mutações, o programa cal-culou a resolução espacial de uma imagem projetada na lâmina por um obje-to próximo. Se um turno de mutações melhorasse a resolução, as mutações eram conservadas como o ponto de partida para a próxima rodada, como se a lâmina pertencesse a uma linhagem de organismos cuja sobrevivência dependesse de reagir a predadores que assomavam à vista. Como na evolu-ção real, não havia um plano principal ou um cronograma de projeto. O organismo não poderia suportar um detector menos eficaz no curto prazo mesmo que sua paciência viesse a ser recompensada pelo melhor detector concebível no longo prazo. Cada mudança que ele conservava tinha de ser uma melhora.

Satisfatoriamente, o modelo evoluiu para um olho complexo na tela do computador. A lâmina formou uma reentrância e depois aprofundou-se em formato de taça; a camada transparente espessou-se para encher a taça e avolumou-se para formar uma córnea. Dentro do recheio transparente, um cristalino esférico com um índice refrativo maior emergiu exatamente no lugar certo, lembrando em muitos detalhes sutis o excelente design óptico do olho de um peixe. Para calcular quanto demoraria em tempo real e não em tempo de computador para um olho se desenvolver, Nilsson e Pelger embutiram hipóteses pessimistas sobre hereditariedade, variação na popu-lação e tamanho da vantagem seletiva, chegando até a forçar que as muta-ções ocorressem em apenas uma parte do "olho" a cada geração. Ainda as-sim, toda a sequência na qual a pele plana transformou-se em um olho complexo demorou apenas 400 mil gerações, um instante geológico.

Passei em revista a argumentação moderna em favor da teoria da sele-ção natural porque muitas pessoas são hostis a ela. Não me refiro aos funda-mentalistas do Cinturão da Bíblia, mas a acadêmicos das mais eminentes universidades americanas de todas as partes do país. Vezes sem conta ouvi as objeções: a teoria é circular, de que serve meio olho, como uma estrutura pode emergir de mutações aleatórias, não houve tempo suficiente, Gould a refutou, a complexidade simplesmente emerge, a física a tornará obsoleta algum dia.

As pessoas desejam desesperadamente que o darwinismo esteja errado. O diagnóstico de Dennett em *Darwin's dangerous idea* diz que a seleção natural implica a inexistência de um plano para o universo, inclusive para a natureza humana. Sem dúvida essa é uma razão, embora outra seja a de que as pessoas que estudam a mente preferem não ter de pensar em como esta evoluiu porque isso faria picadinho de teorias muito prezadas. Diversos estudiosos asseveraram que a mente nasce equipada com 50 mil conceitos (inclusive "carburador" e "trombone"), que limitações de capacidade impedem o cérebro humano de resolver problemas que são rotineiramente resolvidos por abelhas, que a linguagem é projetada para a beleza e não para o uso, que povos tribais matam seus bebês para proteger o ecossistema da superpopulação humana, que as crianças acalentam um desejo inconsciente de copular com os pais e que as pessoas poderiam ser condicionadas a gostar da ideia de seu cônjuge ser infiel com a mesma facilidade com que se exasperam com tal pensamento. Quando alertados de que essas afirmações são improváveis do ponto de vista evolucionista, eles atacam a teoria da evolução em vez de reconsiderar as afirmações. Os esforços que os acadêmicos têm feito para impugnar o darwinismo são verdadeiramente notáveis.

Uma alegação é a de que a engenharia reversa, a tentativa de descobrir as funções dos órgãos (o que estou procurando demonstrar que deveria ser feito para a mente humana), é sintoma de uma doença chamada "adaptacionismo". Ao que parece, se você acredita que algum aspecto de um organismo tem uma função, indiscutivelmente tem de acreditar que *todo* aspecto tem uma função, que os macacos são marrons para esconder-se no meio dos cocos. O geneticista Richard Lewontin, por exemplo, definiu o adaptacionismo como "a abordagem dos estudos evolucionistas que supõe, sem mais provas, que todos os aspectos da morfologia, fisiologia e comportamento dos organismos constituem soluções adaptativas ótimas para problemas". É desnecessário dizer que um louco assim não existe. Um indivíduo mentalmente são pode supor que um órgão complexo é uma adaptação, ou seja, um produto da seleção natural, e ao mesmo tempo acreditar que características de um organismo que *não sejam* órgãos complexos são produto de flutuações ou subproduto de alguma outra adaptação. Todo mundo reconhece que o vermelho do sangue não foi selecionado por si mesmo, sendo um subproduto da seleção para uma molécula que transporta oxigênio, a qual é vermelha. Isso não implica que a capacidade de enxergar do olho poderia facilmente ser um subproduto da seleção para alguma outra coisa.

Tampouco alguém seria tão obtuso a ponto de ignorar que os animais trazem uma bagagem herdada de seus ancestrais evolutivos. Os leitores jovens o bastante para ter tido educação sexual ou velhos o bastante para estarem lendo artigos sobre a próstata talvez tenham notado que os canais seminais no homem não conduzem diretamente dos testículos ao pênis, serpenteando em direção ao interior do corpo, passando por cima da uretra antes de descer novamente. Isso ocorre porque os testículos de nossos ancestrais répteis situavam-se no interior do corpo. O corpo dos mamíferos é demasiado quente para a produção de esperma, por isso os testículos gradualmente desceram até um escroto. Como um jardineiro que enrosca uma mangueira em uma árvore e depois não consegue avançar com ela, a seleção natural não teve a presciência de planejar a rota mais curta. Novamente, isso não significa que o olho inteiro poderia muito bem ser uma bagagem filogenética inútil.

Analogamente, como os adaptacionistas acreditam que as leis da física não são *suficientes* para explicar o design dos animais, também se imagina que eles estão proibidos de apelar *alguma vez* para as leis da física a fim de explicar *qualquer coisa*. Um crítico de Darwin perguntou-me certa vez, desafiador: "Por que nenhum animal desenvolveu a capacidade de desaparecer e instantaneamente reaparecer em outro lugar, ou de se transformar em King Kong se desejar (grande o bastante para assustar predadores)?". A meu ver, é justo dizer que "não ser capaz de se transformar em King Kong se desejar" e "ser capaz de enxergar" demandam tipos diferentes de explicação.

Outra acusação é a de que a seleção natural é um exercício estéril de relatar a história após o fato. Mas, se isso fosse verdade, a história da biologia seria um atoleiro de especulações estéreis, tendo o progresso de esperar pelos esclarecidos antiadaptacionistas da atualidade. Exatamente o oposto aconteceu. Mayr, autor de uma conclusiva história da biologia, escreveu:

> A questão adaptacionista "Qual a função de uma dada estrutura ou órgão?" tem sido há séculos a base de todos os avanços na fisiologia. Não fosse o programa adaptacionista, provavelmente ainda não conheceríamos a função do timo, do baço, da pituitária e da glândula pineal. A pergunta de Harvey, "Por que existem válvulas nas veias?", foi um alicerce importante em sua descoberta da circulação sanguínea.

Da forma do corpo de um organismo à forma de suas moléculas de proteína, tudo o que aprendemos em biologia proveio de uma compreensão, implícita ou explícita, de que a complexidade organizada de um organismo está a serviço de sua sobrevivência e reprodução. Isso inclui o que aprendemos acerca dos subprodutos não adaptativos, pois eles somente podem ser encontrados no decorrer de uma busca pelas adaptações. Impossível de testar e *post hoc* é a afirmação descarada de que uma característica é um produto fortuito de flutuação ou de alguma dinâmica mal compreendida.

Com frequência ouço dizer que, afinal de contas, os animais não são bem projetados. A seleção natural é estorvada pela miopia, pelo peso morto do passado e por incapacitantes restrições quanto aos tipos de estruturas que são biológica e fisicamente possíveis. Ao contrário de um engenheiro humano, a seleção é incapaz de um bom design. Os animais são calhambeques sacolejantes sobrecarregados de lixo ancestral e ocasionalmente topam com soluções apenas aproveitáveis.

As pessoas anseiam tanto por acreditar nessa afirmação que raramente refletem com cuidado sobre ela ou verificam os fatos. Onde é que encontramos esse milagroso engenheiro humano que *não* sofre restrições de disponibilidade de peças, viabilidade de fabricação e leis da física? Obviamente a seleção natural não tem a capacidade de previsão dos engenheiros, mas isso também tem suas vantagens: ela não tem bloqueios mentais, pobreza de imaginação ou conformidade às sensibilidades burguesas e interesses da classe dominante. Guiada apenas pelo que funciona, a seleção pode mirar com precisão em soluções brilhantes e criativas. Ao longo de milênios os biólogos vêm descobrindo, com assombro e prazer, os engenhosos expedientes do mundo vivo: a perfeição biomecânica dos guepardos, os minúsculos orifícios que são câmeras infravermelhas das serpentes, o sonar dos morcegos, a supercola das cracas, a seda forte como aço das aranhas, as dezenas de modos de apertar da mão humana, o mecanismo de reparo de DNA em todos os organismos complexos. Afinal, a entropia e as forças mais maléficas como os predadores e os parasitas estão constantemente investindo contra o direito de viver de um organismo e não perdoam uma engenharia malfeita.

E muitos dos exemplos de design ruim no reino animal revelam-se crendices tolas. Consideremos a observação de um ilustre psicólogo cognitivo de que a seleção natural tem sido impotente para eliminar as asas de qualquer ave, sendo por essa razão que os pinguins têm de aturar as asas mesmo não podendo voar. Duas vezes errado. A moa* não tem sinal algum de asas, e os pinguins usam as asas para voar — debaixo d'água. Michael French defende o argumento em seu clássico livro de engenharia, servindo-se de um exemplo célebre:

> Uma velha piada diz que o camelo é um cavalo projetado por um comitê; essa piada é uma grande injustiça que se faz a uma esplêndida criatura e um elogio exagerado à capacidade criativa dos comitês. Pois o camelo não é uma quimera, nem uma coleção bizarra de pedaços, e sim um elegante design da mais compacta unidade. Pelo que podemos avaliar, cada parte é arquitetada para adequar-se ao difícil papel do todo, um grande animal herbívoro vivendo em

(*) Ave extinta da Nova Zelândia. (N. T.)

climas inóspitos com muito terreno mole a percorrer, vegetação esparsa e água muito esparsa. As especificações de um camelo, se alguma vez fossem escritas, seriam rigorosíssimas no que respeita a autonomia, economia de combustível e adaptação a terrenos difíceis e temperaturas extremas, e não nos deve surpreender que o design que atende a essas especificações pareça extremo. Não obstante, cada característica do camelo é coerente: os pés grandes que distribuem a carga, os joelhos nodosos que derivam de alguns dos princípios de design apresentados no capítulo 7 [mancais e pivôs], a corcunda para armazenar alimento e o perfil característico dos lábios têm uma congruência que deriva da função e investe toda a criação de um senso de estilo e uma certa elegância bizarra, sustentada pelos belos ritmos de sua ação ao galopar.

Obviamente, a evolução é restrita pelos legados dos ancestrais e pelos tipos de mecanismos que podem originar-se de proteína. As aves não poderiam ter desenvolvido hélices, mesmo que isso houvesse sido vantajoso. Mas muitas alegações de restrições biológicas são disparates. Um cientista cognitivo opinou que "muitas propriedades dos organismos, como por exemplo a simetria, realmente nada têm a ver com a seleção específica, mas apenas com os modos como as coisas podem existir no mundo físico". Na verdade, a maioria das coisas que existem no mundo físico *não são* simétricas, por óbvias razões de probabilidade: entre todos os possíveis arranjos de um volume de matéria, apenas uma fração minúscula é simétrica. Mesmo no mundo vivo, as moléculas de vida são assimétricas, assim como fígados, corações, estômagos, linguados, lesmas, lagostas, carvalhos etc. A simetria tem *tudo* a ver com a seleção. Organismos que se movem em linha reta possuem formas externas bilateralmente simétricas porque, de outro modo, eles se moveriam em círculo. A simetria é tão improvável e difícil de obter que qualquer doença ou defeito pode prejudicá-la, e muitos animais avaliam a saúde de potenciais parceiros verificando pequenas assimetrias.

Gould salientou que a seleção natural tem apenas uma liberdade limitada para alterar os planos básicos do corpo. Boa parte do encanamento, instalação elétrica e arquitetura dos vertebrados, por exemplo, tem permanecido inalterada há centenas de milhões de anos. Presumivelmente, essas características provêm de receitas embriológicas que não podem ser facilmente remexidas. Mas o plano corporal dos vertebrados amolda-se a enguias, vacas, beija-flores, porcos-da-terra, avestruzes, sapos, gerbos, cavalos-marinhos, girafas e baleias azuis. As semelhanças são importantes, mas as diferenças também são! As restrições ao desenvolvimento somente excluem classes amplas de opção. Por si mesmas, não podem forçar um órgão funcional a surgir. Uma restrição embriológica como "Desenvolverás asas" é um absurdo. A grande maioria de pedaços de carne animal não atende aos rigorosos requisitos de engenharia para o voo impulsionado, portanto é infinitesimal a probabilidade de que as células que rastejam e colidem nas microscópicas camadas do embrião em desenvolvimento sejam obrigadas a alinhar-se formando ossos, pele, músculos e penas exatamente com a arquitetura certa para a ave alçar voo — a menos, é claro, que o programa de desenvolvimento houvesse sido moldado para produzir esse resultado pela história de êxitos e fracassos do corpo inteiro.

A seleção natural não deveria ser contraposta às restrições de desenvolvimento, genéticas ou filogenéticas, como se quanto mais importante fosse uma menos importantes seriam as outras. Seleção *versus* restrições é uma falsa dicotomia, tão prejudicial ao raciocínio claro quanto a dicotomia entre inato e aprendido. A seleção somente pode selecionar a partir de alternativas passíveis de desenvolver-se como matéria viva de base carbônica, mas na ausência da seleção essa matéria poderia desenvolver-se para formar tecido de cicatriz, escuma, tumores, verrugas, culturas de tecidos e protoplasma amorfo tremulante da mesma maneira que se desenvolveu para formar órgãos funcionais. Portanto, seleção e restrições são ambas importantes, porém constituem respostas a questões diferentes. A questão "Por que esta criatura possui tal órgão?" é, em si mesma, sem sentido. Ela só pode ser feita em uma frase comparativa. Por que as aves têm asas (e não hélices)? Porque é impossível desenvolver um vertebrado com hélices. Por que as aves têm asas (e não pernas dianteiras, mãos ou cotos)? Porque a seleção favoreceu os ancestrais das aves capazes de voar.

Outra concepção errônea muito comum é a de que, se um órgão mudou sua função no decorrer da evolução, ele não evoluiu pela seleção natural. Uma descoberta tem sido citada vezes sem conta em defesa dessa ideia equivocada: as asas dos insetos originalmente não eram usadas para locomoção. Como as lendas que correm de boca em boca, essa descoberta foi mudando cada vez que era mencionada: as asas evoluíram para alguma outra finalidade, mas por acaso adaptaram-se perfeitamente ao voo, e um belo dia os insetos decidiram voar com elas; a evolução das asas dos insetos refuta Darwin, pois elas teriam de ter evoluído gradualmente, e metade de uma asa não serve para nada; as asas das *aves* não foram usadas originalmente para locomoção (provavelmente uma lembrança equivocada de um outro fato, o de que as primeiras penas desenvolveram-se não para voar, mas como isolantes). Basta dizer "evolução das asas" e os ouvintes assentirão com a cabeça, com ar de entendedores, completando sozinhos a argumentação antiadaptacionista. Como alguém pode dizer que qualquer órgão foi selecionado para sua atual função? Talvez ele tenha evoluído para alguma outra finalidade e o animal apenas o está *usando* para essa função agora, como o nariz que segura os óculos e toda aquela baboseira sobre as asas dos insetos que todo mundo conhece (ou será sobre as asas das aves?).

Eis o que você descobre quando verifica os fatos. Muitos órgãos que vemos hoje mantiveram sua função original. O olho sempre foi um olho, de local sensível à luz a globo ocular focalizador de imagens. Outros mudaram sua função. Essa descoberta não é nova. Darwin deu muitos exemplos, como as barbatanas peitorais dos peixes que se tornaram os membros dianteiros dos cavalos, as nadadeiras das baleias, as asas das aves, as garras escavadoras das toupeiras e os braços dos humanos. Na época de Darwin, as semelhanças eram evidências eloquentes dos fatos da evolução e ainda hoje o são. Darwin também citou mudanças de função para explicar o problema dos "estágios incipientes de estruturas úteis", eternamente popular entre os criacionistas. Como um órgão complexo poderia evoluir gradualmente se apenas a forma final é útil? Com grande frequência, a premissa da inutilidade é absolutamente errada. Por exemplo, olhos parciais têm visão parcial, o que é melhor do que nenhuma visão. Mas às vezes a resposta é que, antes de um órgão ser selecionado para assumir sua forma atual, ele foi adaptado para alguma outra coisa, passando então por um estágio intermediário no qual realizava as duas funções. A delicada série de ossos do ouvido médio nos mamíferos (martelo, bigorna, estribo) começou como partes da articulação da mandíbula dos répteis. Os répteis muitas vezes sentem vibrações encostando a mandíbula no chão. Certos ossos servem tanto como articulação de mandíbula quanto como transmissores de vibrações. Isso preparou o terreno para que os ossos se especializassem cada vez mais como transmissores de som, fazendo com que diminuíssem de tamanho e assumissem sua atual forma e papel. Darwin denominou "pré-adaptações" as formas iniciais, embora salientasse que a evolução não antecipa de algum modo o modelo do ano seguinte.

Nada há de misterioso na evolução das asas das aves. Meia asa não permitirá a alguém alçar-se a grandes alturas como uma águia, mas permitirá planar ou lançar-se de paraquedas de uma árvore (como fazem muitos animais vivos) e permitirá pulos ou decolagens breves em meio a uma corrida, como a galinha que foge do granjeiro. Os paleontólogos discordam quanto a qual estágio intermediário é mais bem corroborado pelas evidências fósseis e aerodinâmicas, mas isso não serve de consolo a um criacionista ou a um cientista social.

A teoria da evolução das asas dos insetos proposta por Joel Kingsolver e Mimi Koehl, longe de ser uma refutação do adaptacionismo, é um dos seus melhores momentos. Animais pequenos de sangue frio como os insetos lutam para regular sua temperatura. A elevada razão entre área da superfície e volume faz com que eles se aqueçam e esfriem com muita rapidez. (É por isso que não se veem insetos ao ar livre nos meses frios; o inverno é o melhor inseticida.) Talvez as asas incipientes dos insetos tenham se desenvolvido inicialmente como painéis solares ajustáveis, absorvendo a energia do sol quando está mais frio exteriormente e dissipando o calor quando está mais quente. Por meio de análise termodinâmica e aerodinâmica, Kingsolver e Koehl demonstraram que protoasas pequenas demais para permitir o voo são eficazes permutadores de calor. Quanto maiores elas vão ficando, maior sua eficácia na regulagem do calor, embora atinjam um ponto de retornos decrescentes. Esse ponto encontra-se na faixa de tamanhos nos quais os painéis poderiam servir eficazmente como asas. Além desse ponto, elas se tornam cada vez mais úteis para o voo à medida que vão aumentando de tamanho, até chegar ao porte atual. É possível que a seleção natural tenha conduzido a asas maiores ao longo de todo o caminho, da ausência de asas até as asas atuais, com uma mudança gradual de função nos tamanhos intermediários.

Então como foi que esse trabalho acabou sendo deturpado e se transformando na disparatada história de que um belo dia um inseto antigo decolou batendo os painéis solares não modificados, e o resto dos insetos tem feito o mesmo desde então? Isso em parte se deve a uma compreensão equivocada de um termo introduzido por Gould, *exaptação*, referente à adaptação de um órgão antigo a uma função nova (a "pré-adaptação" de Darwin) ou à adaptação de um não órgão (pedaços de osso ou tecido) a um órgão com uma função. Muitos leitores interpretaram isso como uma nova teoria da evolução que substituiu a adaptação e a seleção natural. Errado. Mais uma vez, o design complexo é a razão. Ocasionalmente, uma máquina projetada para uma tarefa complicada, improvável, pode ser pressionada a prestar-se a algo mais simples. Um livro de cartuns intitulado *101 uses for a dead computer* [101 usos para um computador morto] mostra pcs sendo usados como peso de papel, aquário, âncora de barco etc. O humor está em relegar uma tecnologia sofisticada a uma função humilde que dispositivos mais simples podem desempenhar. Mas nunca haverá um livro de cartuns intitulado *101 usos para um peso de papel morto* mostrando um deles sendo usado como computador. E isso vale para a exaptação no mundo vivo. Em termos da engenharia, é improvável que um órgão projetado para determinada finalidade venha, de improviso, a ser útil para algum outro fim, a menos que este seja muito simples. (E, mesmo nesse caso, o sistema nervoso do animal frequentemente precisa adaptar-se para que ele descubra e mantenha esse novo uso.) Se a nova função for difícil de desempenhar, a seleção deve ter remodelado e reajustado consideravelmente a parte, como fez para dar as asas aos insetos atuais. Uma mosca que foge de um humano enfurecido consegue desacelerar o voo, pairar, fazer um giro de 180 graus, voar de cabeça para baixo, descrever um arco, rolar e pousar no teto, tudo isso em menos de um segundo. Como observado em um artigo intitulado "O design mecânico das asas dos insetos": "Detalhes sutis de engenharia e design, a que nenhum aerofólio produzido pelo homem pode equiparar-se, revelam que as asas dos insetos são notavelmente adaptadas às acrobacias do voo". A evolução das asas dos insetos é um argumento *em favor* da seleção natural e não contra ela. *Mudança* na pressão da seleção não é sinônimo de *nenhuma* pressão da seleção.

O design complexo está no cerne de todos esses argumentos, e isso enseja uma desculpa final para descartar Darwin. A ideia toda não é um tanto inconsistente? Uma vez que ninguém sabe o número de tipos de organismos possíveis, como alguém pode afirmar que uma fração infinitesimal deles possui olhos? Talvez a ideia seja circular: as coisas que denominamos "adaptativamente complexas" são apenas as coisas que a nosso ver não poderiam ter evoluído de nenhum outro modo além de pela seleção natural. Como escreveu Noam Chomsky:

> Assim, a tese é que a seleção natural constitui a única explicação física do design que desempenha uma função. Interpretado ao pé da letra, isso não pode ser verdade. Consideremos meu design físico, incluindo a propriedade de eu possuir massa positiva. Isso cumpre uma função — impedir-me de sair à deriva pelo espaço. Evidentemente, ele tem uma explicação física que nada tem a ver com a seleção natural. O mesmo se aplica a propriedades menos triviais, que você pode interpretar como bem entender. Portanto, você não pode estar querendo afirmar isso literalmente. Acho difícil impingir uma interpretação que não incida na tautologia de que, onde sistemas foram selecionados para satisfazer alguma função, então esse processo é seleção.

As afirmações sobre o design funcional, não podendo ser enunciadas em números exatos, realmente deixam uma abertura para os céticos, mas um pouco de raciocínio acerca das magnitudes envolvidas fecha essa abertura. A seleção não é invocada para explicar a mera utilidade; ela é invocada para explicar a utilidade *improvável*. A massa que impede Chomsky de sair flutuando pelo espaço não é uma condição improvável, independentemente de como sejam medidas as probabilidades. "Propriedades menos triviais" — para usar um exemplo ao acaso, o olho dos vertebrados — *são* condições improváveis, independentemente de como iremos medir as probabilidades. Pegue uma peneira e apanhe objetos do sistema solar; volte no tempo 1 bilhão de anos e pegue uma amostra dos organismos do planeta; tome uma coleção de moléculas e calcule todas as suas configurações fisicamente possíveis; divida o corpo humano em uma grade de cubos de uma polegada.

Calcule a proporção de amostras que têm massa positiva. Agora calcule a proporção de amostras capazes de formar uma imagem óptica. Haverá uma diferença estatisticamente significativa nas proporções, e ela precisa ser explicada.

Nesse ponto, o crítico pode dizer que o critério — ver em oposição a não ver — é determinado *a posteriori*, depois de sabermos o que os animais podem fazer, e portanto as estimativas de probabilidade não têm sentido. São como a probabilidade infinitesimal de que eu tivesse recebido no jogo de pôquer uma mão de cartas como a que de fato recebi. A maioria dos pedaços de matéria não é capaz de enxergar, mas também a maioria dos pedaços de matéria não é capaz de "*flern*", sendo que defino *flern* aqui como a capacidade de ter exatamente o tamanho, a forma e a composição da pedra que acabei de pegar na mão.

Há pouco tempo, fui ver uma exposição de aranhas no Smithsonian. Maravilhando-me com a precisão de relógio suíço das articulações, os movimentos de máquina de costura com que a aranha tirava a seda de suas fiandeiras, a beleza e o engenho da teia, pensei: "Como é que alguém pode ver isto e não acreditar na seleção natural?". Nesse momento, uma mulher ao meu lado exclamou: "Como é que alguém pode ver isto e não acreditar em Deus!". Nós concordávamos *a priori* quanto aos fatos que precisavam ser explicados, embora discordássemos quanto ao modo de explicá-los. Muito antes de Darwin, teólogos como William Paley apontaram as maravilhas de engenharia da natureza como prova da existência de Deus. Darwin não inventou os fatos a serem explicados, apenas a explicação.

Mas o que, exatamente, tanto impressiona a todos nós? Todo mundo poderia concordar em que a constelação de Órion lembra um sujeito grandalhão com um cinto, mas isso não significa que precisamos de uma explicação especial para o motivo de as estrelas alinharem-se de modo a parecer sujeitos com cintos. Mas a intuição de que olhos e aranhas indicam "design" e pedras e Órion não indicam pode ser expressa por critérios explícitos. Tem de haver uma estrutura heterogênea: as partes ou aspectos de um objeto são imprevisivelmente diferentes umas das outras. E tem de haver uma unidade de função: as diferentes partes são organizadas para fazer com que o sistema obtenha algum efeito especial — especial porque ele é improvável para os objetos que não possuem essa estrutura, e especial porque beneficia alguém ou alguma coisa. Se você não é capaz de declarar a função mais economicamente do que consegue descrever a estrutura, então não há design. Um cristalino é diferente de um diafragma, que por sua vez difere de um fotopigmento, e nenhum processo físico sem governo depositaria os três num mesmo objeto, muito menos os alinharia com perfeição. Mas eles de fato têm algo em comum

— todos são necessários para a formação de imagens de alta fidelidade — e isso pode explicar por que são encontrados juntos em um olho. Para a pedra do *flem*, em contraste, descrever a estrutura e declarar a função são a mesma coisa. A noção de *função* nada acrescenta.

E, o que é mais importante, atribuir complexidade adaptativa à seleção natural não é apenas um reconhecimento da excelência do design, como nos caros aparelhos do Museu de Arte Moderna. A seleção natural é uma hipótese refutável sobre a origem do design e impõe onerosos requisitos empíricos. Lembre-se de como ela funciona: mediante a competição entre os replicadores. Qualquer coisa que apresentasse sinais de design mas não proviesse de uma longa linhagem de replicadores não poderia ser explicada pela teoria da seleção natural — de fato, seria uma refutação dessa teoria: espécies naturais destituídas de órgãos reprodutivos, insetos nascendo de rochas como cristais, televisores na Lua, olhos brotando de fendas no fundo do mar, cavernas com feitio de quartos de hotel, com cabides, baldes de gelo e tudo. Além disso, todas as funções vantajosas têm de estar essencialmente a serviço da reprodução. Um órgão pode ser projetado para enxergar, comer, acasalar ou amamentar, mas que não se atreva a ser projetado para a beleza da natureza, a harmonia do ecossistema ou a autodestruição instantânea. Finalmente, o beneficiário da função vantajosa tem de ser o replicador. Darwin observou que, caso as selas houvessem evoluído nos cavalos, sua teoria teria sido imediatamente refutada.

Não obstante os boatos e o folclore, a seleção natural continua sendo o cerne das explicações na biologia. Os organismos somente podem ser entendidos como interações entre adaptações, subprodutos de adaptações e "ruído". Os subprodutos e o ruído não excluem as adaptações nem nos deixam perplexos, incapazes de distinguir uns dos outros. É exatamente o que torna um organismo tão fascinante — seu improvável design adaptativo — que exige que façamos a engenharia reversa à luz da seleção natural. Os subprodutos e o ruído, por serem definidos negativamente como não adaptações, também só podem ser descobertos por meio da engenharia reversa.

Isso se aplica igualmente à inteligência humana. As principais faculdades da mente, com suas proezas que nenhum robô consegue reproduzir, evidenciam a obra da seleção. Isso não significa que todo aspecto da mente é adaptativo. Das características de nível inferior, como a lentidão e o ruído nos neurônios, às atividades grandiosas como arte, música, religião e sonhos, devemos esperar encontrar atividades da mente que não são adaptacionistas no sentido biológico. Mas isso *de fato* significa que nosso entendimento de como a mente funciona estará lamentavelmente incompleto ou absolutamente errado se não for combinado ao nosso conhecimento sobre como a mente evoluiu. Esse é o tema do restante do capítulo.

O PROGRAMADOR CEGO

Para começar, por que os cérebros se desenvolveram? A resposta está no valor das informações, as quais os cérebros foram projetados para processar.

Toda vez que você compra um jornal está pagando por informações. Os economistas teóricos explicaram por que isso é aconselhável: as informações conferem um benefício pelo qual vale a pena pagar. A vida é uma escolha entre apostas. Virar à esquerda ou à direita na bifurcação da estrada, ficar com Rick ou ir embora com Victor, sabendo que nenhuma das escolhas garante fortuna ou felicidade; o melhor que se pode fazer é avaliar as chances. Despida de tudo o que não é essencial, cada decisão na vida equivale a escolher qual bilhete de loteria comprar. Digamos que um bilhete custa um dólar e oferece uma chance em quatro de ganhar dez dólares. Em média, você tem um ganho líquido de US$ 1,50 por aposta (dez dólares dividido por quatro é igual a US$ 2,50; menos um dólar pelo bilhete). O outro bilhete custa um dólar e oferece uma chance em cinco de ganhar doze dólares. Em média, seu ganho líquido é de US$ 1,40 por aposta. Os dois tipos de bilhete vêm em números iguais, e nenhum tem as chances de ganhar ou o aviso "premiado" marcados nele. Quanto você deveria pagar a alguém que pudesse revelar a você qual é qual? Você deveria pagar até quatro centavos. Sem informação, você teria de escolher ao acaso e poderia esperar ganhar US$ 1,45 em média (US$ 1,50 metade do tempo, US$ 1,40 a outra metade do tempo). Se você soubesse qual tem a maior compensação média, ganharia em média US$ 1,50 em cada aposta, portanto mesmo que pagasse quatro centavos teria uma vantagem de um centavo em cada aposta.

A maioria dos organismos não compra bilhetes de loteria, mas todos escolhem entre apostas cada vez que seu corpo pode mover-se de mais de um modo. Eles deveriam estar dispostos a "pagar" por informações — em tecido, energia e tempo —, se o custo for menor do que a compensação esperada em alimento, segurança, oportunidades de acasalamento e outros recursos, todos eles valorizados, em última análise, segundo o número esperado de membros sobreviventes da prole. Nos animais multicelulares, as informações são reunidas e traduzidas em decisões proveitosas pelo sistema nervoso.

Com frequência, mais informações levam a uma recompensa maior e compensam seu custo adicional. Se uma arca do tesouro tiver sido enterrada em algum lugar do seu bairro, a informação isolada que a localiza na metade norte ou sul é útil, pois economiza para você metade do tempo da escavação. Uma segunda informação que lhe dissesse em que quadrante está o tesouro seria ainda mais útil e assim por diante. Quanto mais números houver nas coordenadas, menos tempo você perderá cavando em vão, e por isso você deveria estar disposto a pagar por mais informações, até o ponto em que estiver tão perto que mais subdivisões não compensariam o custo. Analogamente, se você estivesse tentando descobrir o segredo de uma fechadura de combinação, cada número que comprasse reduziria o número de possibilidades a serem tentadas e poderia valer seu custo em termos do tempo poupado. Portanto, com grande frequência, mais informação é melhor, até um ponto de retornos decrescentes, sendo esse o motivo por que algumas linhagens de animais desenvolveram um sistema nervoso cada vez mais complexo.

A seleção natural não pode dotar diretamente um organismo com informações sobre seu ambiente ou com as redes computacionais, *demons*, módulos, faculdades, representações ou órgãos mentais que processem essas informações. Ela só pode selecionar genes. Mas os genes constroem cérebros, e genes diferentes constroem cérebros que processam informações de maneiras diferentes. A evolução do processamento de informações tem de ser obtida no nível mais elementar pela seleção dos genes que afetam o processo de montagem do cérebro.

Muitos tipos de genes poderiam ser alvos da seleção com o objetivo de melhor processar informações. Genes alterados poderiam conduzir a diferentes números de unidades proliferativas nas paredes dos ventrículos (as cavidades no centro do cérebro), que geram os neurônios corticais componentes da matéria cinzenta. Outros genes poderiam permitir que as unidades proliferativas se dividissem por diferentes números de ciclos, criando diferentes números e tipos de áreas corticais. Axônios ligando os neurônios podem ter suas rotas refeitas mudando as trilhas químicas e os marcos moleculares que induzem os axônios a seguir direções específicas. Os genes podem mudar os fechos e chaves moleculares que encorajam os neurônios a ligar-se uns aos outros. Como na velha piada sobre como esculpir a estátua de um elefante (remova todos os pedaços que não se parecem com um elefante), os circuitos neurais podem ser esculpidos programando-se determinadas células e sinapses para suicidarem-se no momento exato. Os neurônios podem tornar-se ativos em diferentes pontos da embriogênese, e seus padrões de disparos, tanto espontâneos como programados, podem ser interpretados pelo caminho como informações a respeito de como efetuar as conexões. Muitos desses processos interagem em cascata. Por exemplo, aumentar o tamanho de uma área permite-lhe competir melhor por espaço no decorrer do processo. A seleção natural não se importa com o quanto é rebuscado o processo de montagem do cérebro ou com o grau de feiura do cérebro resultante. As modificações são avaliadas estritamente segundo a eficiência com que os algoritmos do cérebro funcionam para guiar a percepção, o raciocínio, o pensamento e a ação do animal como um todo. Por esses processos, a seleção natural pode construir um cérebro melhor que funciona melhor.

Mas a seleção de variantes aleatórias poderia realmente melhorar o design de um sistema nervoso? Ou as variantes provocariam uma pane, como um byte estragado num programa de computador, e a seleção meramente preservaria os sistemas que não entrassem em pane? Um novo campo da ciência da computação chamado algoritmos genéticos demonstrou que a seleção darwiniana pode criar software crescentemente inteligente. Algoritmos genéticos são programas que são duplicados para produzir numerosas cópias, embora com mutações aleatórias que tornam cada uma apenas ligeiramente diferente. Todas as cópias fazem uma tentativa para resolver um problema, permitindo-se que se reproduzam as que se saírem melhor, a fim de fornecer as cópias para a rodada seguinte. Mas, primeiro, partes de cada programa passam por nova mutação e pares de programas têm relação sexual: cada qual divide-se em duas, e as metades são trocadas. Após muitos ciclos de computação, seleção, mutação e reprodução, os programas sobreviventes frequentemente são melhores do que qualquer coisa que um programador humano pudesse ter criado.

Com mais relação com o modo como a mente pode evoluir, os algoritmos genéticos foram aplicados a redes neurais. Uma rede poderia receber inputs de órgãos dos sentidos simulados, outputs para pernas simuladas e ser colocada em um ambiente virtual com "alimento" escasso e muitas outras redes competindo por ele. As que conseguem mais alimento deixam o maior número de cópias antes da próxima rodada de mutação e seleção. As mutações são mudanças aleatórias nos pesos de conexão, seguidas às vezes por recombinação sexual entre redes (permutando alguns de seus pesos de conexão). Durante as repetições iniciais, os "animais" — ou, como às vezes são chamados, "animats" — perambulam ao acaso pelo terreno, ocasionalmente topando com uma fonte de alimento. Mas, à medida que evoluem, passam a deslocar-se rapidamente de uma fonte de alimento para outra. De fato, uma população de redes a que se permite desenvolver pesos de conexão inatos muitas vezes se sai melhor do que uma rede neural isolada a que se permite aprendê-los. Isso vale em especial para as redes com múltiplas camadas ocultas, que os animais complexos, principalmente os humanos, seguramente possuem. Se uma rede só pode aprender, e não evoluir, o sinal ambiental que ensina dilui-se à medida que se propaga para trás na direção das camadas ocultas e só pode alterar os pesos de conexão para mais e para menos em quantidades diminutas. Mas, se uma população de redes pode evoluir, mesmo não conseguindo aprender, mutações e recombinações podem reprogramar diretamente as camadas ocultas e impulsionar a rede para uma combinação de conexões inatas que está muito mais próxima do ótimo. A estrutura inata é selecionada.

Evolução e aprendizado também podem prosseguir simultaneamente, com a estrutura inata evoluindo em um animal que também aprende. Uma população de redes pode ser equipada com um algoritmo de aprendizado genérico *além de* lhe ser permitido evoluir as partes inatas, as quais o programador da rede normalmente terá inserido baseando-se em suposições, tradição ou tentativa e erro. As especificações inatas incluem o número de unidades existentes, como elas são ligadas, quais são os pesos de conexão iniciais e em quanto se deve aumentar ou diminuir os pesos a cada episódio de aprendizado. A evolução simulada dá às redes uma grande vantagem inicial na carreira de aprendizado.

Portanto, a evolução pode guiar o aprendizado em redes neurais. Surpreendentemente, o aprendizado também pode guiar a evolução. Lembre-se da discussão de Darwin sobre "os estágios incipientes de estruturas úteis" — o problema de "para que serve meio olho". Os teóricos de redes neurais Geoffrey Hinton e Steven Nowlan inventaram um exemplo brilhante. Imagine um animal controlado por uma rede neural com vinte conexões, cada qual sendo ou excitatória (ligada) ou neutra (desligada). Mas a rede é totalmente inútil a menos que todas as vinte conexões sejam corretamente ajustadas. Não só de nada serve ter apenas meia rede; de nada serve ter 95% de uma rede. Em uma população de animais cujas conexões são determinadas por mutação aleatória, um mutante mais apto, com todas as conexões corretas, surge apenas em aproximadamente um em cada milhão (2^{20}) de organismos geneticamente distintos. E o pior: a vantagem perde-se imediatamente se o animal se reproduzir sexualmente, porque, após ter por fim encontrado a combinação mágica de pesos, metade dela é trocada. Nas simulações desse cenário, nenhuma rede adaptada chegou a evoluir.

Mas considere agora uma população de animais cujas conexões podem apresentar-se de três formas: congenitamente ligadas, congenitamente desligadas ou ajustáveis para "ligada" ou "desligada" pelo aprendizado. As mutações determinam qual das três possibilidades (ligada, desligada, ou capaz de aprender) uma dada conexão apresenta quando um animal nasce. Em um animal médio nessas simulações, cerca de metade das conexões são capazes de aprender, e a outra metade é ligada ou desligada. O aprendizado funciona assim: cada animal, no decorrer da vida, experimenta ao acaso ajustes para as conexões capazes de aprender, até deparar com a combinação mágica. Na vida real, isso pode ser descobrir como pegar uma presa ou quebrar uma noz; seja o que for, o animal percebe sua sorte e conserva esses ajustes, cessando a tentativa e erro. A partir de então, ele apresenta uma taxa de reprodução mais elevada. Quanto mais cedo na vida o animal adquirir os ajustes necessários, mais tempo terá para reproduzir-se à taxa mais alta.

Pois bem: para esses aprendizes que evoluem, ou evolucionários que aprendem, *há* uma vantagem em ter menos de 100% da rede correta. Consideremos todos os animais com dez conexões inatas. Cerca de um em mil (2^{10}) terá todas as dez corretas. (Lembre-se de que apenas um em 1 milhão de animais que *não* aprendem apresentava todas as vinte conexões inatas corretas.) Esse animal bem-dotado terá alguma probabilidade de obter a rede totalmente correta aprendendo as outras dez conexões; se ele tem mil chances de aprender, o sucesso é razoavelmente provável. O animal bem-sucedido se reproduzirá mais cedo e, portanto, com mais frequência. E entre seus descendentes há vantagens nas mutações que tornem um número crescente de conexões congenitamente corretas, pois com mais conexões apropriadas para começar é preciso menos tempo para aprender as restantes, e as chances de passar pela vida sem as ter aprendido diminuem. Nas simulações de Hinton e Nowlan, as redes desenvolveram, desse modo, cada vez mais conexões inatas. Contudo, as conexões nunca se tornaram completamente inatas. À medida que mais conexões iam sendo ajustadas, a pressão da seleção para ajustar as restantes diminuía, pois, com apenas algumas conexões para aprender, cada organismo seguramente as aprendia com rapidez. O aprendizado leva à evolução do que é inato, mas não à exclusividade do inato.

Hinton e Nowlan submeteram os resultados de suas simulações a uma revista especializada e foram informados de que isso já havia sido descoberto cem anos antes. O psicólogo James Mark Baldwin aventara que o aprendizado podia guiar a evolução precisamente desse modo, criando uma ilusão de evolução lamarckiana sem verdadeiramente haver evolução lamarckiana. Mas ninguém havia demonstrado que a ideia, conhecida como efeito Baldwin, realmente funcionaria. Hinton e Nowlan mostraram por que ela pode funcionar. A capacidade de aprender altera o problema evolutivo de procurar uma agulha num palheiro para procurar a agulha com alguém que avisa quando você está chegando perto.

O efeito Baldwin provavelmente desempenhou um papel importante na evolução dos cérebros. Contrariamente às suposições da ciência social clássica, o aprendizado não constitui um auge da evolução atingido apenas recentemente pelos humanos. Todos os animais, exceto os mais simples, aprendem. Por isso é que criaturas mentalmente não complexas como a mosca-das-frutas e a lesma-do-mar têm sido adequadas para os estudos neurocientíficos que procuram pela encarnação neural do aprendizado. Se a capacidade de aprender esteve presente em um ancestral primitivo dos animais multicelulares, ela poderia ter guiado a evolução dos sistemas nervosos em direção a seus circuitos especializados mesmo quando os circuitos são tão intricados que a seleção natural não poderia tê-los encontrado sozinha.

INSTINTO E INTELIGÊNCIA

Os circuitos neurais complexos evoluíram em muitos animais, mas a imagem usual de animais subindo alguma escada da inteligência é errada. A opinião comum é que os animais inferiores têm alguns reflexos fixos e nos animais superiores os reflexos podem ser associados a novos estímulos (como nos experimentos de Pavlov) e as respostas podem ser associadas a recompensas (como nos experimentos de Skinner). Segundo essa visão, a capacidade de associação melhora em organismos ainda mais superiores, e é finalmente liberada de impulsos corporais e de estímulos e respostas físicas, podendo associar as ideias diretamente umas às outras, sendo o auge atingido com o homem. Mas a distribuição da inteligência nos animais reais em nada se assemelha a isso.

A formiga do deserto tunisiano sai do formigueiro, percorre uma certa distância e em seguida perambula pelas areias escaldantes à procura da carcaça de algum inseto que tenha sucumbido ao calor. Quando encontra um, ela tira um pedaço, vira-se e segue em linha reta para o formigueiro, um orifício de um milímetro de diâmetro que pode estar a até cinquenta metros de distância. Como é que ela encontra o caminho de volta? A navegação depende de informações reunidas durante a jornada exterior, e não de a formiga sentir o formigueiro como um navegante vê um farol. Se alguém erguer a formiga quando ela emerge do formigueiro e deixá-la cair no chão a uma certa distância, a formiga fica andando em círculos. Se ela for movida *depois* de encontrar alimento, segue em linha reta, com um ou dois graus de variação, na direção que deveria tomar para voltar ao formigueiro se estivesse no local do sequestro, ultrapassa ligeiramente o ponto onde o formigueiro deveria estar, faz uma rápida volta em U e procura pelo formigueiro inexistente. Isso mostra que a formiga de algum modo mediu e armazenou a direção e distância da volta ao formigueiro, uma forma de navegação denominada integração de trajeto ou navegação estimada.

Esse exemplo de processamento de informações em animais, descoberto pelo biólogo Rudiger Wehner, é um dos muitos que o psicólogo Randy

Gallistel usou para tentar fazer com que as pessoas parassem de pensar sobre o aprendizado como a formação de associações. Ele explica o princípio:

> Integração de trajeto é a integração do vetor velocidade com relação ao tempo para obter o vetor posição ou algum equivalente discreto dessa computação. O equivalente discreto na navegação marítima tradicional é o registro da direção e velocidade da viagem em intervalos, multiplicando cada velocidade registrada pelo intervalo desde o registro anterior para obter os deslocamentos de intervalo a intervalo (por exemplo, percorrer cinco nós no rumo nordeste durante meia hora coloca o navio a 2,5 milhas náuticas a nordeste de onde ele se encontrava) e somando os deslocamentos sucessivos (mudanças de posição) para obter a mudança líquida de posição. Essas somas contínuas dos deslocamentos longitudinais e latitudinais são a estimativa deduzida da posição do navio.

Os ouvintes mostram-se incrédulos. Toda essa computação dentro da minúscula cabecinha de alfinete de uma formiga? Na verdade, no que respeita à computação, isso é uma coisa muito simples; é possível construir, por poucos dólares, um dispositivo para executá-la com pecinhas disponíveis nas prateleiras de qualquer loja de componentes eletrônicos. Mas as intuições sobre o sistema nervoso têm sido tão empobrecidas pelo associacionismo que um psicólogo seria acusado de especulação desvairada e desavergonhada se atribuísse esse mecanismo a um cérebro *humano*, quanto mais a um cérebro de formiga. Uma formiga realmente poderia saber cálculo ou mesmo aritmética? Não de modo claro, é óbvio, mas por outro lado nem nós recorremos ao cálculo ou à aritmética quando exercemos nossa faculdade de navegação estimada, nosso "senso de direção". Os cálculos de integração de trajeto são efetuados inconscientemente, e seus resultados brotam em nossa consciência — e na da formiga, se é que ela tem alguma — como a sensação abstrata de que o lar fica em tal direção, a tal distância.

Outros animais executam sequências ainda mais complexas de aritmética, lógica e armazenamento e recuperação de dados. Muitas aves migratórias voam milhares de quilômetros à noite, mantendo sua direção de bússola olhando para as constelações. Quando eu era escoteiro, ensinaram-me a encontrar a estrela Polar: localize a ponta do cabo da concha na Ursa Menor ou extrapole a partir da borda frontal da concha na Ursa Maior uma distância igual a sete vezes sua profundidade. Os pássaros não nascem com esse conhecimento, não por ser impensável que ele pudesse ser inato, mas porque se fosse inato logo ficaria obsoleto. O eixo de rotação da Terra, e portanto o polo celeste (o ponto no céu correspondente ao norte), oscila em um ciclo de 27 mil anos denominado precessão dos equinócios. O ciclo é rápido para os padrões de tempo evolutivos, e os pássaros reagiram desenvolvendo um algoritmo especial para *aprender* em que lugar do céu se encontra o polo celeste. Tudo isso acontece enquanto eles ainda estão no ninho e não sabem voar. Os filhotes fitam o céu noturno horas a fio, observando a lenta rotação das constelações. Encontram o ponto em torno do qual as estrelas parecem mover-se e registram a posição desse ponto com relação a diversas constelações próximas, adquirindo a informação que me foi dada pelo Manual do Escoteiro. Meses depois, eles podem usar qualquer uma dessas constelações para manter um rumo constante — digamos, manter o norte atrás de si enquanto voam para o sul, ou voar na direção do polo celeste na primavera seguinte para retornar ao norte.

As abelhas comuns executam uma dança que informa suas colegas de colmeia a direção e distância de uma fonte de alimento com relação ao Sol. Como se isso já não fosse impressionante, elas desenvolveram uma variedade de sistemas de aferição e dados de apoio para lidar com as complexidades da engenharia da navegação solar. A dançarina usa um relógio interno para compensar o movimento do Sol entre o momento em que ela descobriu a fonte de alimento e o momento em que ela transmite a informação. Se estiver nublado, as outras abelhas estimam a direção com base na polarização da luz no céu. Essas proezas são apenas a ponta do iceberg do engenho das abelhas, documentado por Karl von Frish, James Gould e outros. Um colega psicólogo imaginou que as abelhas proporcionariam uma boa oportunidade pedagógica para ensinar o refinamento da computação neural a nossos alunos da graduação. Dedicou a primeira semana de seu curso introdutório de ciências cognitivas a alguns dos engenhosos experimentos. No ano seguinte, as aulas tomaram também a segunda semana, depois a terceira e assim por diante, até os estudantes reclamarem que o curso se transformara em uma Introdução à Cognição das Abelhas.

Há dezenas de exemplos comparáveis. Muitas espécies computam quanto tempo devem gastar procurando alimento em cada área de modo a otimizar sua taxa de retorno de calorias por energia gasta na busca do alimento. Algumas aves aprendem a função efemérides, a trajetória do Sol no horizonte no decorrer do dia e do ano, necessária para navegar pelo Sol. A coruja-de-igreja usa discrepâncias inferiores a milésimos de segundo entre o tempo de chegada do som a seus dois ouvidos para mergulhar sobre um camundongo que se move na vegetação farfalhante no breu da noite. Espécies cacheiras guardam nozes e sementes em esconderijos imprevisíveis para enganar larápios, mas meses depois conseguem recordar todos os lugares. Mencionei no capítulo anterior que o pica-pau cinzento de Clark pode lembrar-se de 10 mil esconderijos. Mesmo o condicionamento pavloviano e operante, os casos clássicos de aprendizagem por associação, revelam-se não uma fixação geral de estímulos e respostas coincidentes no cérebro, mas complexos algoritmos para análises de séries temporais multivariadas não estacionárias (prever quando os eventos ocorrerão com base em seu histórico de ocorrências).

A moral desse show animal é que os cérebros dos animais são tão especializados e bem arquitetados quanto seus corpos. Um cérebro é um instrumento de precisão que permite a uma criatura usar informações para resolver os problemas apresentados por seu estilo de vida. Como os estilos de vida dos organismos diferem, e uma vez que eles se relacionam uns com os outros em um grande arbusto, e não em uma grande cadeia, as espécies não podem ser classificadas por QI ou pela porcentagem da inteligência humana que atingiram. Seja o que for que existe de especial na mente humana, não pode ser apenas inteligência animal em maior grau, melhor ou mais flexível, porque não existe uma inteligência animal genérica. Cada animal desenvolveu um mecanismo de processamento de informações para resolver seus problemas, e nós desenvolvemos um mecanismo para resolver os nossos. Os complexos algoritmos encontrados até mesmo nas mais minúsculas porções de tecido nervoso servem como mais um alerta — juntamente com a dificuldade de construir um robô, os efeitos circunscritos do dano cerebral e as semelhanças entre gêmeos criados separadamente — da complexidade oculta que devemos esperar encontrar na mente humana.

Os cérebros dos mamíferos, assim como seus corpos, seguem um plano geral comum. Muitos dos mesmos tipos de células, substâncias químicas, tecidos, subórgãos, estações de baldeação e trajetos são encontrados em toda a classe, e as principais diferenças visíveis resultam de aumento ou diminuição de partes. Mas no microscópio as diferenças aparecem. O número de áreas corticais difere amplamente, de vinte ou menos nos ratos a cinquenta ou mais nos humanos. Os primatas diferem de outros mamíferos no número de áreas visuais, em suas interconexões e em suas ligações com as regiões motora e decisória dos lobos frontais. Quando uma espécie apresenta um talento notável, isso se reflete na anatomia bruta de seu cérebro, às vezes de um modo visível a olho nu. A ocupação predominante do cérebro dos macacos por áreas visuais (cerca de metade do território) reflete — ou, mais precisamente, permite — a aptidão desses animais para a percepção de profundidade, cor, movimento e para segurar as coisas guiados pela visão. Os morcegos que recorrem ao sonar possuem áreas cerebrais adicionais dedicadas à audição ultrassônica, e os camundongos do deserto que escondem sementes nascem com um hipocampo — a sede do mapa cognitivo — maior do que o das espécies afins que não escondem alimento.

Também o cérebro humano conta uma história evolutiva. Mesmo uma rápida comparação lado a lado mostra que o cérebro dos primatas deve ter passado por uma substancial reengenharia para terminar no cérebro humano. Nosso cérebro é cerca de três vezes grande demais para um macaco genérico que tivesse o corpo do tamanho do nosso. A inflação é obtida mediante o prolongamento do crescimento fetal do cérebro durante um ano após o nascimento. Se nosso corpo crescesse proporcionalmente no decorrer desse período, teríamos três metros de altura e pesaríamos meia tonelada.

Os principais lobos e trechos do cérebro também foram remodelados. Os bulbos olfatórios, que fundamentam o sentido do olfato, encolheram para um terço do tamanho esperado nos primatas (já pequeno para os padrões dos mamíferos), e as principais áreas corticais para a visão e o movimento também encolheram proporcionalmente. No sistema visual, a primeira parada para informações, o córtex visual primário, ocupa uma proporção menor do cérebro inteiro, enquanto as áreas que vêm depois no processamento de formas complexas expandem-se, assim como as áreas temporoparietais que desviam as informações visuais para as regiões da linguagem e conceitual. As áreas para a audição, em especial para a compreensão da fala, cresceram, e os lobos pré-frontais, sede do pensamento e planejamento deliberados, inflaram e atingiram o dobro do tamanho que deveriam ter em um primata do nosso tamanho. Enquanto os cérebros de macacos grandes e pequenos são sutilmente assimétricos, o cérebro humano, especialmente nas áreas destinadas à linguagem, é tão assimétrico que, se colocado em um pote de vidro, podemos distinguir os dois hemisférios. E houve ocupação de áreas cerebrais dos primatas para novas funções. A área de Broca, que participa da fala, tem um homólogo (correspondente evolutivo) nos macacos, mas estes obviamente não a usam para a fala e aparentemente nem sequer para produzir gritos, latidos e outros chamados.

É interessante constatar essas disparidades, mas o cérebro humano poderia diferir radicalmente do de um macaco mesmo que um parecesse um modelo perfeito, em escala, do outro. O que conta mesmo são os padrões de conexões entre neurônios, exatamente como as diferenças de conteúdo entre diferentes programas de computador, microchips, livros ou videocassetes não estão na forma bruta que apresentam, mas nos arranjos combinatórios de seus minúsculos componentes. Praticamente nada se sabe sobre os microcircuitos em funcionamento no cérebro humano, pois há escassez de voluntários dispostos a entregar seu cérebro à ciência antes de estarem mortos. Se pudéssemos de algum modo ler o código no circuito neural de humanos e macacos em crescimento, seguramente encontraríamos diferenças substanciais.

Os maravilhosos algoritmos dos animais seriam meros "instintos" que nós perdemos ou superamos? Com frequência se afirma que os humanos não têm instintos além das funções vegetativas; dizem que raciocinamos e nos comportamos com flexibilidade, libertos de mecanismos especializados. O bípede implume sem dúvida entende astronomia em um sentido que o bípede emplumado não entende! É verdade, mas isso não se deve a termos menos instintos do que outros animais; deve-se a termos *mais*. Nossa alardeada flexibilidade provém de numerosos instintos reunidos em programas e postos para competir entre si. Darwin designou a linguagem humana, o epítome do comportamento flexível, como "um instinto para adquirir uma arte" (o que me deu o título para O *instinto da linguagem*), e seu seguidor William James reforçou o argumento:

> *Ora, por que os vários animais fazem o que para nós parecem ser coisas estranhas*, na presença de estímulos tão bizarros? Por que a galinha, por exemplo, submete-se ao tédio de incubar um conjunto de objetos tão assombrosamente desinteressante quanto ovos no ninho, a menos que ela tènha algum tipo de suspeita profética do resultado? A única resposta é *ad hominem*. Só podemos interpretar os instintos dos bichos com base no que conhecemos sobre nossos instintos. Por que os homens sempre se deitam, quando podem, em camas macias e não no chão duro? Por que sentam ao redor da lareira em um dia frio? Por que, em um aposento, colocam-se, 99% das vezes, com o rosto em direção ao centro e não à parede? Por que preferem lombo de carneiro e champanhe a bolacha dura e água de poço? Por que a donzela interessa o moço a tal ponto que tudo o que diz respeito a ela parece mais importante e significativo do que qualquer outra coisa no mundo? Nada mais se pode dizer além de que esse é o jeito de ser dos humanos e que cada criatura *aprecia* seu próprio jeito de ser e o põe em prática como algo natural. A ciência pode estudar esses jeitos de ser e descobrir que a maioria deles é útil. Mas não é em razão da utilidade que eles são postos em prática, e sim porque no momento de pô-los em prática sentimos que é a única coisa apropriada e natural a fazer. Nenhum homem em 1 milhão, ao comer seu almoço, pensa na utilidade. Ele come porque a comida tem um sabor agradável e faz com que ele queira mais. Se você lhe perguntar *por que* ele deveria querer comer mais daquilo que tem aquele sabor, em vez de venerá-lo como um filósofo ele provavelmente rirá de você, achando-o tolo. [...]
>
> E o mesmo, possivelmente, sente cada animal com respeito às coisas específicas que ele tende a fazer na presença de determinados objetos. Para a galinha choca, provavelmente pareceria monstruosa a ideia de que pode haver no

mundo uma criatura para quem um ninho com ovos não é o objeto absolutamente fascinante, precioso e delicioso para sentar em cima que é para ela.

As reações humanas descritas nessa passagem ainda podem parecer a você versões de instintos animais. E quanto ao nosso pensamento racional, flexível? Ele pode ser explicado como um conjunto de instintos? No capítulo anterior, mostrei como nossa inteligência de precisão pode ser dividida em agentes cada vez menores ou redes de processamento de informações. Nos níveis inferiores, os passos têm de ser tão automáticos e isentos de análise quanto as reações do animal mais estúpido. Lembre-se do que a tartaruga disse a Aquiles. Nenhuma criatura racional pode consultar regras indefinidamente; dessa maneira, há uma regressão infinita. Em algum ponto, quem pensa tem de *executar* uma regra, porque não pode evitar: é o jeito de ser dos humanos, uma coisa habitual, a única coisa apropriada e natural a fazer — em suma, um instinto. Quando tudo corre bem, nossos instintos de raciocínio ligam-se formando complexos programas de análise racional, mas isso não acontece porque de algum modo comungamos com um reino da verdade e da razão. Os mesmos instintos podem ser seduzidos por sofismas, tropeçar em paradoxos como as enganosas demonstrações de Zenão de que o movimento é impossível ou nos aturdir quando refletem sobre mistérios como a sensibilidade e o livre-arbítrio. Assim como um etologista desmascara os instintos de um animal com sagazes manipulações do mundo dessa criatura, como por exemplo introduzindo sorrateiramente uma abelha mecânica em uma colmeia ou criando um filhote de pássaro em um planetário, os psicólogos podem desmascarar os instintos de raciocínio humano propondo problemas de modos capciosos, como veremos no capítulo 5.

O NICHO COGNITIVO

O *Devil's dictionary* [Dicionário do diabo], de Ambroise Bierce, assim define nossa espécie:

Homem, S.m. Animal tão absorto na contemplação extasiada do que ele julga ser que se descuida do que indubitavelmente deveria ser. Sua principal ocupação é o extermínio de outros animais e de sua própria espécie, a qual, entretanto, multiplica-se com rapidez tão insistente que infesta todas as áreas habitáveis do planeta e o Canadá.

O *Homo sapiens sapiens* é realmente um animal inédito, com muitas características zoologicamente únicas ou extremas. Os humanos atingem seus objetivos por meio de complexas cadeias de comportamento, montadas na hora e de encomenda para a situação. Planejam o comportamento usando modelos cognitivos da estrutura causal do mundo. Aprendem esses modelos no decorrer da vida e os comunicam por meio da linguagem, a qual permite a acumulação do conhecimento em um grupo e ao longo das gerações. Eles fabricam muitos tipos de utensílios e deles dependem. Trocam mercadorias e favores no decorrer de longos períodos de tempo. Os alimentos são transportados por grandes distâncias, altamente beneficiados, armazenados e compartilhados. O trabalho é dividido entre os sexos. Os humanos formam grandes coalizões estruturadas, especialmente entre os do sexo masculino, e as coalizões fazem guerra umas às outras. Os humanos usam o fogo. Os sistemas de parentesco são complexos e variam juntamente com outros aspectos de seus estilos de vida. As relações de acasalamento são negociadas pela família, frequentemente com os grupos permutando as filhas. A ovulação é mantida em segredo, e as mulheres podem escolher ter relações sexuais em qualquer época em vez de em determinadas fases do ciclo reprodutivo.

Algumas dessas características são encontradas entre alguns dos grandes macacos, porém em um grau muito menor, e a maioria delas não é encontrada. E os humanos redescobriram características que são raras entre os primatas mas estão presentes em outros animais. Eles são bípedes. Vivem mais tempo do que os outros macacos e geram uma prole dependente que se mantém criança (ou seja, sexualmente imatura) durante uma parte significativa da vida. A caça é importante, e a carne compõe grande parte da dieta. Os do sexo masculino investem na prole: carregam os filhos no colo, protegem-nos de animais e de outros humanos e os alimentam. E, como observa o *Devil's dictionary*, os humanos ocupam todas as ecozonas da Terra.

Além da readaptação do esqueleto que nos permite a postura ereta e a manipulação precisa, o que nos torna singulares não é nosso corpo, mas nosso comportamento e os programas mentais que o organizam. Na história em quadrinhos *Calvin e Hobbes*, Calvin pergunta a seu amigo tigre por que as pessoas nunca estão satisfeitas com o que têm. Hobbes replica: "Você está brincando? Suas unhas são uma piada, vocês não têm presas, não enxergam à noite, seu couro rosado é ridículo, seus reflexos são uma nulidade e vocês nem ao menos têm rabo! É claro que as pessoas não estão satisfeitas!". Mas, apesar dessas desvantagens, os humanos controlam o destino dos tigres, e não vice-versa. A evolução humana é a vingança original dos nerds.

Talvez repelidos por essa imagem dos desajustados pálidos, desajeitados e mal-ajambrados, os teóricos da evolução humana têm procurado teorias alternativas por toda parte. A engenhosidade humana foi profusamente explicada como um subproduto de vasos sanguíneos cranianos que irradiam calor, como um estratagema decisivo para atrair parceiro sexual à semelhança da cauda do pavão, como um prolongamento da infância do chimpanzé e como uma escotilha de fuga que salvou a espécie do beco sem saída evolutivo que é gerar cada vez menos filhos. Mesmo nas teorias que admitem que a própria inteligência foi objeto da seleção, as causas recebem pouquíssima atenção em comparação com os efeitos. Em várias histórias, a mente humana completa surgiu de repente para resolver problemas restritos como talhar utensílios na pedra, quebrar nozes e ossos, atirar pedras em animais, não perder os filhos pequenos de vista, seguir manadas para alimentar-se da carniça dos animais mortos e manter laços sociais em um grupo numeroso.

Há um quê de verdade nessas interpretações, mas falta-lhes o empurrãozinho da boa engenharia reversa. A seleção natural pelo êxito na resolução de um problema específico tende a moldar um "sábio idiota" como a formiga da navegação estimada e a ave contempladora do céu. Precisamos saber para que servem os tipos mais gerais de inteligência encontrados em nossa espécie. Isso requer uma descrição adequada das proezas improváveis que a mente humana realiza e não apenas elogios de uma só palavra como "flexibilidade" ou "inteligência". Essa descrição tem de provir do estudo da mente moderna, a ciência cognitiva. E como a seleção é governada pelo destino do indivíduo como um todo, não basta explicar a evolução de um cérebro dentro de um barril. Uma teoria adequada tem de ligar todas as partes do estilo de vida humano — todas as idades, ambos os sexos, anatomia, dieta, hábitat e vida social. Ou seja, ela tem de caracterizar o nicho ecológico em que os humanos entraram.

A única teoria à altura desse desafio foi proposta por John Tooby e pelo antropólogo Irven DeVore. Tooby e DeVore começam observando que as espécies evoluem às custas umas das outras. Fantasiamos a terra do leite e do mel, a grande montanha de açúcar-cande, tangerineiras e céus de geleia, mas os ecossistemas reais são diferentes. Com exceção das frutas (que astuciosamente induzem animais famintos a dispersar suas sementes), praticamente todo alimento é parte do corpo de algum outro organismo, que prefeririria conservar essa parte para si mesmo. Os organismos desenvolvem defesas contra serem comidos, e os aspirantes a comedores desenvolvem armas para vencer essas defesas, compelindo os candidatos a refeição a criar defesas melhores e assim por diante, numa corrida armamentista evolutiva. Essas armas e defesas têm base genética e são relativamente fixas no decorrer da vida de um indivíduo; portanto, elas mudam lentamente. O equilíbrio entre comedores e comidos desenvolve-se apenas ao longo do tempo evolutivo.

Os humanos, afirmam Tooby e DeVore, entraram no "nicho cognitivo". Lembre-se da definição de inteligência do capítulo 2: usar conhecimentos sobre como as coisas funcionam para atingir objetivos em face de obstáculos. Aprendendo quais manipulações permitem atingir cada objetivo, os humanos dominaram a arte do ataque de surpresa. Empregam linhas de ação inusitadas, orientadas para objetivos, para vencer as defesas da Linha Maginot dos outros organismos, os quais só podem reagir ao longo do tempo evolutivo. As manipulações podem ser inusitadas porque o conhecimento humano não se expressa apenas em instruções concretas do tipo "como apanhar um coelho". Os humanos analisam o mundo servindo-se de teorias intuitivas sobre objetos, forças, trajetórias, lugares, hábitos, estados, substâncias, essências bioquímicas ocultas e, para outros animais e pessoas, crenças e desejos. (Essas teorias intuitivas também são tema do capítulo 5.) As pessoas compõem novos conhecimentos e planos representando mentalmente interações combinatórias entre essas leis.

Muitos teóricos perguntam-se o que os analfabetos dos povos coletores de alimentos fazem com sua capacidade para a inteligência abstrata. Os coletores de alimentos teriam mais razões para fazer a mesma pergunta com relação aos sedentários modernos. A vida para os humanos coletores de alimentos (inclusive nossos ancestrais) é uma excursão de acampamento que nunca termina, porém sem os sacos de dormir, canivetes suíços e macarrão *al pesto* desidratado. Vivendo da própria astúcia, grupos humanos desenvolveram complexas tecnologias e uma ciência popular. Todas as culturas humanas já documentadas possuem palavras para designar os elementos de espaço, tempo, movimento, velocidade, estados mentais, instrumentos, flora, fauna e clima, além de conectivos lógicos (não, e, igual a, oposto, parte-todo e geral-específico). Eles combinam as palavras formando sentenças gramaticais, usando as proposições fundamentais para raciocinar sobre entidades invisíveis como doenças, forças meteorológicas e animais ausentes. Mapas mentais representam as localizações de milhares de locais dignos de nota, e calendários mentais representam ciclos relacionados de clima, migrações animais e história de vida das plantas. O antropólogo Louis Lienberg relata uma experiência típica com os ! xõ do deserto do Kalahari central:

> Enquanto seguiam o rastro deixado na noite anterior por um gnu solitário, rastreadores ! xõ mostraram pistas, no solo pisado, que indicavam ter o animal dormido naquele local. Explicaram que, consequentemente, os rastros que saíam do local onde o animal dormira tinham sido feitos no início daquela manhã, sendo portanto relativamente recentes. O rastro seguia então um curso reto, indicando que o animal estava a caminho de algum destino específico. Depois de algum tempo, um rastreador começou a investigar várias séries de pegadas em uma área específica. Ele mencionou que aquelas pegadas pertenciam todas ao mesmo animal, mas tinham sido feitas nos dias anteriores. Explicou que aquela área específica era o território onde aquele gnu específico se

alimentava. Como era por volta do meio-dia, podia-se esperar que o gnu estivesse descansando à sombra ali por perto.

Todos os povos coletores de alimentos fabricam utensílios para cortar e triturar, recipientes, cordame, redes, cestos, alavancas, lanças e outras armas. Usam o fogo, abrigos e drogas medicinais. Sua engenharia frequentemente é inventiva, explorando venenos, fumaça para desentocar animais, armadilhas viscosas, redes de pesca, linhas com iscas, armadilhas de laço, cercos, caniçadas para pesca, buracos e bordas de penhascos camuflados, zarabatanas, arcos e flechas e pipas que arrastam linhas viscosas feitas de teia de aranha.

A recompensa é a capacidade de vencer as defesas de muitos outros seres vivos: animais que vivem em tocas, órgãos subterrâneos de armazenagem das plantas, nozes, sementes, medula óssea, animais de couro e plantas de casca resistentes, aves, peixes, crustáceos, tartarugas, plantas venenosas (que os humanos destoxificam descascando, cozinhando, macerando, escaldando, fermentando, lixiviando e aplicando outros truques do mágico da cozinha), animais velozes (que podem ser emboscados) e animais de grande porte (que grupos cooperativos podem guiar até a exaustão, cercar e abater com armas). Ogden Nash escreveu:

> The hunter crouches in his blind
> 'Neath camouflage of every kind,
> And conjures up a quacking noise
> To lend allure to his decoys
> This grown-up man, with pluck and luck
> Is hoping to outwit a duck.*

E logra. Os humanos contam com a injusta vantagem de atacar nesta geração organismos que só podem aumentar suas defesas em gerações posteriores. Muitas espécies não são capazes de desenvolver defesas com rapidez suficiente, nem mesmo ao longo do tempo evolutivo, para escapar aos humanos. É por isso que espécies caem como moscas sempre que humanos entram pela primeira vez em um ecossistema. E não estou falando apenas da perca e da coruja-branca real, ameaçadas recentemente por represas e madeireiras. A razão de você nunca ter visto ao vivo um mastodonte, um tigre-dentes-de--sabre, rinocerontes peludos gigantes ou outros animais fantásticos da época glacial é porque os humanos aparentemente os extinguiram milhares de anos atrás.

(*) "O caçador agacha-se na tocaia/ Sob todo tipo de camuflagem/ E conjura um grasnido/ Que lhe torne atrativas as iscas./ Esse homem feito, com garra e sorte/ Espera lograr um pato."

O nicho cognitivo abrange muitas das características zoologicamente singulares de nossa espécie. A produção e o uso de utensílios é a aplicação de conhecimentos sobre causas e efeitos entre objetos, visando atingir objetivos. A linguagem é um meio de permutar conhecimentos. Ela multiplica os benefícios do conhecimento, que não só pode ser usado, mas também trocado por outros recursos, e reduz seu custo, pois ele pode ser adquirido da sabedoria arduamente conquistada, das inspirações geniais e das tentativas e erros de outros humanos e não apenas pela exploração e experimentação arriscadas. As informações podem ser compartilhadas a um custo ínfimo: se eu lhe der um peixe, fico sem ele, mas se eu lhe der informações sobre como pescar, continuo com a posse da informação. Assim, um estilo de vida explorador de informações ajusta-se bem à vida em grupo e à reunião de especialidades — ou seja, à cultura. As culturas diferem umas das outras porque reúnem conjuntos de especializações formadas em diferentes épocas e lugares. Uma infância prolongada é um aprendizado de conhecimentos e habilidades. Isso altera o equilíbrio das compensações para os humanos do sexo masculino, favorecendo o investimento de tempo e recursos na prole em detrimento da competição pelo acesso sexual às fêmeas (ver capítulo 7). E isso, por sua vez, faz do parentesco uma preocupação de ambos os sexos e todas as idades. A vida humana é longa para compensar o investimento em um aprendizado demorado. Novos hábitats podem ser colonizados porque, mesmo diferindo nas condições locais, eles obedecem às leis da física e da biologia que já fazem parte do conhecimento humano, e podem ser explorados e vencidos pela astúcia quando chegar sua vez.

POR QUE NÓS?

Por que algum macaco do Mioceno entrou pela primeira vez no nicho cognitivo? Por que não uma marmota, um bagre ou uma tênia? Isso aconteceu uma única vez, portanto ninguém sabe a razão. Mas suponho que nossos ancestrais tinham quatro características que facilitaram especialmente, e tornaram compensadora, a evolução de melhores capacidades de raciocínio causal.

Em primeiro lugar, os primatas são animais visuais. Nos macacos como o rhesus, metade do cérebro é destinada à visão. A visão estereoscópica, o uso de diferenças nos pontos de observação dos dois olhos para dar uma sensação de profundidade, desenvolveu-se cedo na linhagem dos primatas, permitindo aos primeiros primatas noturnos mover-se entre traiçoeiros galhos finos e apanhar insetos com as mãos. A visão em cores acompanhou a mudança

205

para o turno diurno dos ancestrais dos macacos grandes e pequenos e seu novo gosto pelas frutas, que se anunciam maduras com cores vistosas.

Por que o aspecto da visão faz tanta diferença? A percepção da profundidade define um espaço tridimensional ocupado por objetos sólidos móveis. A cor faz os objetos destacarem-se do pano de fundo e nos dá a sensação correspondente ao material de que é feito o objeto, distinta da percepção da forma que ele apresenta. Juntas, elas impeliram o cérebro dos primatas a dividir o fluxo de informações visuais em duas correntes: um sistema para "o quê", destinado aos objetos, suas formas e composições, e um sistema para "onde", para suas localizações e movimentos. Não pode ser coincidência a mente humana apreender o mundo — até mesmo os conceitos mais abstratos, etéreos — como um espaço ocupado por coisas móveis e matéria (ver capítulos 4 e 5). Dizemos que John *passou* da doença *à* saúde, mesmo que ele não se tenha movido um centímetro; ele poderia ter permanecido na cama o tempo todo. Mary pode *dar* a ele *uma porção* de conselhos, mesmo que os dois meramente conversem por telefone e nada mude de mãos. Até os cientistas, quando procuram compreender relações matemáticas abstratas, representam-nas em gráficos que as mostram como formas bidimensionais e tridimensionais. Nossa capacidade de pensamento abstrato adotou o sistema de coordenadas e o inventário de objetos que o sistema visual bem desenvolvido tornou disponíveis.

É mais difícil imaginar como um mamífero comum poderia ter se movido nessa direção. A maioria dos mamíferos aferra-se ao chão, farejando as ricas pistas e rastros químicos deixados por outros seres vivos. Qualquer um que já tenha passeado com um lépido cocker spaniel enquanto ele explora a invisível fantasmagoria de uma calçada sabe que ele vive em um mundo olfativo além da nossa compreensão. Eis um modo exagerado de expressar a diferença. Em vez de viver em um espaço com coordenadas tridimensionais povoado de objetos móveis nele pendurados, os mamíferos comuns vivem em uma planície bidimensional que eles exploram através de um olho mágico zero-dimensional. A novela *Flatland*, de Edwin Abbott, uma história matemática sobre os habitantes de um plano, mostra que um mundo bidimensional difere do nosso de outros modos, além de não possuir um terço das dimensões usuais. Muitos arranjos geométricos são absolutamente impossíveis. Uma figura humana de frente não tem como pôr comida na boca, e uma de perfil seria dividida em duas partes pelo trato digestivo. Dispositivos simples como tubos, nós e rodas com eixos são impossíveis de produzir. Se a maioria dos mamíferos pensa em um plano cognitivo, faltam-lhes os modelos mentais de objetos sólidos móveis em relações espaciais e mecânicas tridimensionais que se tornaram absolutamente essenciais à nossa vida mental.

Um segundo pré-requisito possível, este encontrado nos ancestrais comuns dos humanos, os chimpanzés e os gorilas, é a vida em grupo. A maioria dos macacos grandes e pequenos são gregários, embora a maioria dos mamíferos não o seja. Viver junto tem suas vantagens. Um ajuntamento de animais não é mais detectável para um predador do que um animal isolado e, caso seja detectado, a probabilidade de que um indivíduo específico seja escolhido dilui-se. (Um motorista sente-se menos vulnerável quando abusa da velocidade se estiver em um grupo de motoristas cometendo a mesma infração, pois é grande a chance de a polícia rodoviária parar outro que não ele.) Há mais olhos, ouvidos e narizes para detectar um predador, e o atacante às vezes pode ser combatido pelo grupo inteiro. Uma segunda vantagem é a eficiência na coleta de alimentos. Essa vantagem evidencia-se ao máximo na caça cooperativa de animais de grande porte, como ocorre com os lobos e leões, mas também ajuda na hora de compartilhar e defender outros recursos alimentícios efêmeros grandes demais para ser consumidos pelo indivíduo que os encontrou, como por exemplo uma árvore repleta de frutas maduras. Os primatas que dependem das frutas e os primatas que passam algum tempo no chão (onde são mais vulneráveis aos predadores) tendem a andar em grupo.

Viver em grupo poderia ter preparado o cenário para a evolução da inteligência semelhante à humana de duas maneiras. Com um grupo já estabelecido, o valor de possuir informações melhores multiplica-se, pois a informação é o único bem que pode ser dado e conservado ao mesmo tempo. Portanto, um animal mais esperto vivendo em grupo conta com uma vantagem dupla: o benefício do conhecimento e o benefício de qualquer coisa que ele possa obter em troca do conhecimento.

A outra maneira pela qual um grupo pode ser um cadinho de inteligência é a própria vida em grupo oferecer novos desafios cognitivos. Também há desvantagens na massa. Vizinhos competem por alimento, água, parceiros sexuais e lugar para morar. E existe o risco da exploração. O inferno são os outros, disse Jean-Paul Sartre, e se os babuínos fossem filósofos, sem dúvida diriam que o inferno são os outros babuínos. Animais sociais correm riscos de roubo, canibalismo, infidelidade conjugal, infanticídio, extorsão e outras traições.

Toda criatura social vive o dilema de auferir os benefícios e arcar com os custos da vida em grupo. Isso cria uma pressão para permanecer com o saldo positivo tornando-se mais inteligente. Em muitos tipos de animais, os de cérebro maior e comportamento mais inteligente são sociais: abelhas, papagaios, golfinhos, elefantes, lobos, leões-marinhos e, naturalmente, os pequenos macacos, gorilas e chimpanzés. (O orangotango, esperto mas quase solitário, é uma exceção intrigante.) Os animais sociais enviam e recebem sinais para coordenar pilhagens, defesa, coleta de alimentos e acesso sexual coletivo. Trocam favores, saldam e executam dívidas, punem os trapaceiros e fazem alianças.

O substantivo coletivo inglês para designar os hominídeos, "*a shrewdness of apes*",* é revelador. Os primatas são dissimulados e mentirosos descarados. Escondem-se dos rivais para flertar, dão alarme falso para atrair ou desviar a atenção e chegam a manipular os lábios para forjar uma expressão impenetrável. Os chimpanzés monitoram os objetivos uns dos outros, ao menos toscamente, e às vezes parecem usá-los para a pedagogia e para o logro. Um chimpanzé, a quem foram mostradas uma caixa com comida e outra com uma cobra, conduziu seus companheiros até a cobra e, depois de eles terem fugido aos berros, banqueteou-se sossegado. O *Cercopithecus lalandi*, pequeno macaco sul-africano, é uma vizinha fofoqueira que repara nas idas e vindas de todo mundo, amigo ou inimigo. Mas esses animais são tão desligados do mundo não social que não fazem caso do rastro de um píton e da visão ominosa de uma carcaça numa árvore, obra inconfundível de um leopardo.

Vários teóricos aventaram ser o cérebro humano o resultado de uma corrida armamentista cognitiva desencadeada pela inteligência maquiavélica de nossos ancestrais primatas. Você tem apenas a capacidade cerebral de que precisa para subjugar uma planta ou uma pedra, diz o argumento, mas o sujeito ao seu lado tem aproximadamente o mesmo grau de esperteza e pode usar essa inteligência contra você. É melhor você pensar no que ele está pensando que você está pensando que ele está pensando. No que concerne à capacidade cerebral, é um esforço sem fim para não deixar que o vizinho lhe passe a perna.

A meu ver, uma corrida armamentista cognitiva não bastou, isoladamente, para desencadear a inteligência humana. Qualquer espécie social pode dar início a um aumento interminável da capacidade cerebral, mas nenhuma exceto a nossa o fez, provavelmente porque sem alguma outra mudança no estilo de vida os custos da inteligência (tamanho do cérebro, prolongamento da infância etc.) prejudicariam o circuito de retroalimentação [*feedback loop*] positiva. Os humanos são excepcionais na inteligência mecânica e biológica e não apenas na social. Em uma espécie movida a informação, cada faculdade multiplica o valor das demais. (A propósito, a expansão do cérebro humano não é uma anomalia evolutiva clamando por um circuito de retroalimentação positivo decisivo. O cérebro triplicou de tamanho em

(*) *Shrewdness* também significa astúcia. (N. T.)

5 milhões de anos, mas isso é lento para os padrões de tempo evolutivos. Houve tempo suficiente na evolução dos hominídeos para o cérebro crescer até o tamanho do humano, encolher novamente e tornar a crescer várias vezes seguidas.)

Um terceiro piloto da inteligência, juntamente com a boa visão e os grupos numerosos, é a mão. Os primatas evoluíram em árvores, possuindo mãos que agarram os galhos. Os macacos pequenos usam os quatro membros para correr pelos galhos mais altos, mas os grandes macacos penduram-se nos ramos, principalmente pelos braços. Puseram suas mãos bem desenvolvidas a serviço do manuseio de objetos. Os gorilas dissecam meticulosamente plantas rijas ou espinhosas para chegar à parte comestível, e os chimpanzés usam ferramentas simples, como caules para pescar cupins, pedras para golpear e abrir nozes e folhas esmagadas para absorver água. Como observou Samuel Johnson a respeito de cães andando nas pernas traseiras, embora não seja bem-feito, é surpreendente ver que pelo menos é feito. As mãos são alavancas de influência sobre o mundo que fazem valer a pena a inteligência. Mãos precisas e inteligência precisa evoluíram lado a lado na linhagem humana, e os registros fósseis indicam que as mãos mostraram o caminho.

Mãos com feitio primoroso são inúteis se for preciso usá-las para andar o tempo todo, e elas não poderiam ter evoluído sozinhas. Cada osso de nosso corpo foi remodelado para nos permitir a postura ereta, que libera as mãos para carregar e manusear. Mais uma vez temos de agradecer a nossos ancestrais macacos. Pendurar-se em árvores requer um plano corporal diferente do design de tração nas quatro rodas encontrado na maioria dos mamíferos. O corpo dos macacos já é inclinado para cima, com braços que diferem das pernas, e os chimpanzés (e mesmo os pequenos macacos) andam eretos por curtas distâncias para carregar alimentos e objetos.

A postura totalmente ereta pode ter evoluído sob várias pressões da seleção. O andar bípede é um modo biomecanicamente eficiente de reajustar um corpo que vive pendurado em árvores para cobrir distâncias no solo plano da savana recém-adentrada. A postura ereta também permite espiar por cima do capim, como uma marmota. Os hominídeos deslocam-se ao sol do meio-dia; essa mudança de turno zoologicamente incomum acarretou diversas adaptações humanas para afastar o calor, como a ausência de pelos e o suor em profusão. A postura ereta poderia ser outra dessas adaptações; é o oposto de deitar-se para ficar bronzeado. Mas o transporte e o manuseio devem ter sido incentivos cruciais. Com as mãos livres, podia-se montar utensílios com materiais provenientes de locais diferentes e levá-los aonde fossem mais úteis, e os alimentos e as crianças podiam ser carregados para áreas seguras ou produtivas.

O último impulsionador da inteligência foi a caça. Para Darwin, a caça, o emprego de ferramentas e o andar bípede constituíram a trindade especial que impeliu a evolução humana. "O Homem Caçador" foi o principal arquétipo tanto na interpretação acadêmica como na popular na década de 60. Mas o tipo machão que fez sucesso na década de John Glenn e James Bond perdeu o atrativo no planetinha de influência feminista dos anos 70. Um grande problema do Homem Caçador estava em atribuir o crescimento da inteligência ao trabalho em equipe e à presciência necessários para que os homens, em grupo, caçassem animais de grande porte. Mas a seleção natural engloba a vida de ambos os sexos. As mulheres não ficavam na cozinha esperando para cozinhar o mastodonte que Papai traria para casa; também não abriram mão da inteligência desfrutada pelos homens em evolução. A ecologia dos povos coletores de alimentos da atualidade indica que A Mulher Colhedora fornecia uma parcela substancial das calorias, na forma de alimentos vegetais altamente processados, e isso requer sagacidade mecânica e biológica. E, evidentemente, em uma espécie que vive em grupos, a inteligência social é uma arma tão importante quanto lanças e clavas.

Mas Tooby e DeVore argumentaram que, não obstante, a caça foi uma força fundamental na evolução humana. O segredo está em indagar não o que a mente pode fazer pela caça, mas o que a caça pode fazer pela mente. A caça fornece pacotes esporádicos de nutrientes concentrados. Nem sempre tivemos *tofu*, e a melhor substância natural para sustentar a carne animal é a carne animal. Embora os alimentos vegetais forneçam calorias e outros nutrientes, a carne é uma proteína completa que contém todos os vinte aminoácidos, fornece gordura rica em energia e ácidos graxos indispensáveis. Entre os mamíferos, os carnívoros possuem cérebros maiores em relação a seu tamanho corporal do que os herbívoros, em parte porque a habilidade necessária para subjugar um coelho é maior do que a necessária para subjugar o capim, e em parte porque a carne pode alimentar melhor o faminto tecido cerebral. Mesmo nas estimativas mais modestas, a carne compõe uma proporção muito maior da dieta dos humanos coletores de alimentos do que da dieta de qualquer outro primata. Essa pode ter sido uma das razões de podermos nos dar ao luxo de ter nossos cérebros dispendiosos.

Os chimpanzés caçam coletivamente animaizinhos como micos e porcos selvagens, portanto nosso ancestral comum provavelmente também caçava. A mudança para a savana deve ter tornado a caça mais atrativa. A despeito da profusão de vida selvagem nos cartazes Salve a Floresta Tropical, as florestas verdadeiras têm pouquíssimos animais de grande porte. Apenas uma quantidade limitada de energia solar incide em um trecho de terreno, e se a biomassa que ele sustenta está cercada de grandes árvores, a área não está disponível para produzir animais. Mas o capim é como a lendária taça que se enche sozinha sempre que a esvaziam; ele torna a crescer assim que é comido. Pastagens podem alimentar grandes manadas de herbívoros, que, por sua vez, alimentam os carnívoros. Evidências de matanças são encontradas em registros fósseis de quase 2 milhões de anos atrás, a época do *Homo habilis*. A caça deve ter sido ainda mais antiga, pois sabemos que os chimpanzés a praticam, e suas atividades não deixaram evidências em registros fósseis. Quando nossos ancestrais intensificaram a caça, o mundo ficou mais acessível. Alimentos vegetais são escassos durante o inverno em altitudes e latitudes maiores, mas os caçadores conseguem sobreviver por lá. Não existem esquimós vegetarianos.

Nossos ancestrais algumas vezes foram caracterizados como mansos comedores de carniça em vez de bravos caçadores, na linha do presente etos demolidor do machismo. Mas ainda que os hominídeos possam ocasionalmente ter comido carniça, provavelmente não viviam disso e, mesmo que o fizessem, não eram fracotes covardes. Os abutres conseguem viver de carniça porque têm a capacidade de sondar vastas áreas à procura de carcaças e de voar bem rápido quando concorrentes mais formidáveis entram em cena. De qualquer modo, comer carniça não é coisa para medrosos. Uma carcaça é zelosamente guardada por quem a caçou ou por um animal feroz o bastante para tê-la roubado. Ela é atraente para micro-organismos, os quais tratam de envenenar depressa a carne para repelir outros candidatos à refeição. Assim, quando os primatas ou caçadores-coletores de hoje deparam com uma carcaça, em geral passam ao largo. Em um pôster muito vendido nas lojas de artigos hippies dos anos 70, um abutre diz a outro: "Paciência uma ova! Vou é *matar* alguma coisa". O pôster captou bem a ideia, exceto pela parte do abutre: os mamíferos que realmente comem carniça, como as hienas, também caçam.

A carne também é uma importante moeda corrente de nossa vida social. Imagine uma vaca tentando cair nas graças de uma vizinha depositando aos pés dela um monte de capim. Podemos perdoar a segunda vaca por pensar: "Obrigada, mas sou capaz de conseguir meu próprio capim". Já o bilhete premiado nutricional representado por um animal abatido é outra coisa. Miss Piggy certa vez aconselhou: "Jamais coma uma coisa tão grande que você não consegue erguê-la". O caçador em posse de um animal morto, muito grande para ser comido sozinho e prestes a tornar-se uma massa em putrefação, está diante de uma oportunidade inigualável. Caçar, em grande medida, é uma questão de sorte. Na ausência de um refrigerador, um bom lugar para guardar carne para épocas de vacas magras é no corpo de outros caçadores, que retribuirão o favor quando a sorte se inverter. Isso abre caminho para as alianças entre os machos e a ampla reciprocidade que são ubíquas nas sociedades coletoras de alimentos.

E há outros mercados para o excedente do caçador. Ter alimento concentrado para oferecer à prole altera para os machos as compensações relativas entre investir nos filhos e competir com outros machos pelo acesso às fêmeas. O passarinho que leva uma minhoca para os filhotes no ninho lembra-nos de que a maioria dos animais que alimentam os filhotes fazem-no com a caça, o único alimento que compensa o esforço de obtenção e transporte.

A carne figura também na política sexual. Em todas as sociedades coletoras de alimentos, inclusive, podemos presumir, as de nossos ancestrais, a caça é uma atividade predominantemente masculina. As mulheres encarregam-se dos filhos, o que atrapalha a caça, e os homens são maiores e mais hábeis para matar graças à sua história evolutiva de matar uns aos outros. Em consequência, os homens podem investir a carne excedente nos filhos, fornecendo-a às mães desses filhos que estão grávidas ou amamentando. Eles também podem trocar a carne com as mulheres por alimentos vegetais ou sexo. A troca descarada do carnal pelo carnal foi observada em babuínos e chimpanzés e é comum nos povos coletores de alimentos. Embora nas sociedades modernas as pessoas sejam imensamente mais discretas, uma permuta de recursos por acesso sexual continua sendo uma parte importante das interações entre homens e mulheres do mundo todo. (O capítulo 7 estuda essas dinâmicas e o modo como elas originaram diferenças na anatomia reprodutiva, embora evidentemente anatomia não signifique destino nos estilos de vida modernos.) De qualquer forma, não perdemos por completo a associação. Eis um conselho do *Miss Manner's guide to excruciatingly correct behavior* [Guia da srta. Boas Maneiras para o comportamento excruciantemente correto]:

> Há três partes possíveis em um encontro com uma pessoa do sexo oposto, das quais pelo menos duas têm de ser oferecidas: entretenimento, comida e afeto. Costuma-se começar uma série de encontros com uma boa dose de entretenimento, uma quantidade moderada de comida e a mais tênue sugestão de afeto. À medida que aumenta a quantidade de afeto, o entretenimento pode ser reduzido proporcionalmente. Quando o afeto é o entretenimento, não usamos mais o termo encontro. Em nenhuma circunstância pode-se omitir a comida.

É óbvio que ninguém sabe realmente se esses quatro hábitos constituíram a base de operações para a escalada da inteligência humana. E ninguém sabe se há outros gradientes de inteligência não experimentados no espaço de design biológico. Mas, se essas características de fato explicam por que nossos ancestrais foram a única espécie em 50 milhões a seguir esse caminho, isso teria implicações arrefecedoras para a busca de inteligência extraterrestre. Um planeta com vida pode não ser suficiente como plataforma de lançamento. Sua história talvez tivesse de incluir um predador noturno (para desenvolver visão estereoscópica), com descendentes que mudassem para um estilo de vida diurno (para a visão em cores), no qual dependessem de frutos e fossem vulneráveis a predadores (para a vida em grupo), que depois mudassem seu meio de locomoção, de balançar-se pendurados nos galhos (para as mãos e para precursores da postura ereta), antes que uma mudança climática os impelisse da floresta para as pradarias (para a postura ereta e a caça). Qual é a probabilidade de que um dado planeta, mesmo um planeta com vida, apresente uma história assim?

A MODERNA FAMÍLIA DA IDADE DA PEDRA

Os ossos secos dos registros fósseis revelam uma entrada gradual no nicho cognitivo. A tabela das páginas 214 e 215 apresenta um resumo das evidências atuais sobre as espécies consideradas nossas ancestrais diretas.

Milhões de anos antes de nossos cérebros inflarem, alguns descendentes do ancestral comum de chimpanzés e humanos andavam eretos. Na década de 20, essa descoberta chocou os humanos chauvinistas que imaginavam que nosso glorioso cérebro conduziu-nos escada acima, talvez à medida que nossos ancestrais decidiam a cada degrau que uso dar às suas recém-descobertas espertezas. Mas a seleção natural não poderia ter funcionado desse modo. Por que encorpar seu cérebro se não pode fazer uso dele? A história da paleoantropologia é a descoberta de surgimentos da postura ereta cada vez mais distantes no tempo. As descobertas mais recentes identificam sua origem em 4 milhões ou até mesmo 4,5 milhões de anos atrás. Com as mãos livres, espécies subsequentes avançaram gradualmente, passo a passo, nas características que nos distinguem: destreza das mãos, complexidade dos utensílios, dependência da caça, tamanho do cérebro, alcance dos hábitats. Os dentes e mandíbulas diminuíram de tamanho. O rosto ao redor deles tornou-se menos parecido com um focinho. A região protuberante dos sobrolhos, suporte dos músculos que fecham a mandíbula, encolheu e desapareceu. Nosso rosto delicado difere do das feras porque ferramentas e tecnologia tomaram o lugar dos dentes. Abatemos e esfolamos os animais com lâminas e amaciamos plantas e carnes com o fogo. Isso diminui as demandas mecânicas sobre a mandíbula e o crânio, permitindo-nos descartar massa óssea de nossa já pesada cabeça. Os sexos passam a diferir menos em tama-

Espécie	Data	Altura	Físico	Cérebro
Ancestral dos hominídeos (se semelhante aos chimpanzés modernos)	8–6 milhões de anos atrás	1–1,7 m	braços compridos, polegares curtos, dedos das mãos e dos pés curvos; adaptado para andar com apoio nos nós dos dedos e subir em árvores	450 cm³
Ardipithecus ramidus	4,4 milhões de anos atrás	?	provavelmente bípede	?
Australopithecus anamensis	4,2–3,9 milhões de anos atrás	?	bípede	?
Australopithecus afarensis (Lucy)	4–2,5 milhões de anos atrás	1–1,2 m	totalmente bípede, com mãos modificadas mas características semelhantes às de macacos: tórax, braços longos, dedos das mãos e pés curvos	400–500 cm³
Homo habilis (Homem hábil)	2,3–1,6 milhão de anos atrás	1–1,5 m	alguns espécimes: pequeno com braços longos; outros: robusto mas humano	500–800 cm³
Homo erectus	1,9 milhão– 300 000 (talvez 27 000) anos atrás	1,3–1,5 m	robusto mas humano	750–1250 cm³
Homo sapiens arcaico	400 000–100 000 anos atrás	?	robusto mas moderno	1100–1400 cm³
Homo sapiens antigo	130 000–60 000 anos atrás	1,6–1,85 m	robusto mas moderno	1200–1700 cm³
Homo sapiens (Cro-Magnon)	45 000–12 000 anos atrás	1,6–1,8 m	robusto	1300–1600 (cf. atual: 1000–2000, média 1350)

Crânio	Dentes	Utensílios	Distribuição
testa muito baixa; rosto saliente; sobrolhos enormes	caninos grandes	martelos de pedra, esponjas de folhas, caules para sondagem, alavancas de galhos	África ocidental
?	molares semelhantes aos dos chimpanzés, mas não os caninos	?	África oriental
fragmentos semelhantes aos dos macacos	tamanho e localização semelhantes aos do chimpanzé; esmalte semelhante ao humano	?	África oriental
testa baixa e plana; rosto saliente; sobrolhos	caninos e molares grandes	nenhum? lascas?	África oriental (talvez também ocidental)
rosto menor; crânio mais arredondado	molares menores	lascas, talhadores, raspadores	Leste e Sul da África
espesso; sobrolhos grandes (Ásia); rosto menor protuberante	dentes menores	machadinhas simétricas	África (podem ser espécies separadas), Ásia, Europa
crânio mais alto; rosto protuberante menor; sobrolhos grandes	dentes menores	machadinhas melhores lascas trabalhadas	África, Ásia, Europa
crânio alto; sobrolhos médios; rosto ligeiramente protuberante; queixo	dentes menores	lascas trabalhadas; lâminas de lascas; pontas	África, Ásia ocidental
moderno	modernos	lâminas; perfuradores; atiradores de lanças; agulhas; gravadores; ossos	mundial

nho, indício de que os machos dispendiam menos recursos espancando uns aos outros e talvez mais com os filhos e as mães dos filhos.

O sábio crescimento paulatino do cérebro, impulsionado por mãos e pés e evidenciado em utensílios, em ossos cuja carne foi retirada com instrumentos e no maior raio de ação, é um bom indicador, caso isso fosse necessário, de que a inteligência é um produto da seleção natural pela exploração do nicho cognitivo. O pacote não foi um desenvolvimento inexorável de potencial hominídeo. Outras espécies, não mencionadas na tabela, separaram-se em cada época para ocupar nichos ligeiramente diferentes: *Australopithecus* quebradores de nozes e roedores de raízes, talvez um dos dois subtipos habilis, muito possivelmente os ramos asiáticos do *eretus* e do *sapiens* arcaico e provavelmente os *neandertals* adaptados na época glacial. Cada espécie pode ter sido suplantada na competição quando uma população vizinha mais semelhante ao *sapiens* adentrou suficientemente o nicho cognitivo para reproduzir as proezas mais especializadas da espécie e fazer muito mais além disso. O pacote também não foi presente de uma macromutação ou desvio aleatório — pois como uma sorte dessas poderia ter se mantido em uma linhagem por milhões de anos, ao longo de centenas de milhares de gerações, em espécies sucessivas de cérebros maiores? Ademais, os cérebros maiores não eram meros ornamentos; permitiam a seus possuidores produzir utensílios melhores e infestar uma área maior do planeta.

Segundo a cronologia clássica da paleoantropologia, o cérebro humano evoluiu até sua forma presente em uma janela que começou com o aparecimento do *Homo habilis*, há 2 milhões de anos, e terminou com o surgimento dos "humanos anatomicamente modernos", *Homo sapiens sapiens*, entre 200 mil e 100 mil anos atrás. Desconfio que nossos ancestrais já vinham penetrando o nicho cognitivo muito antes disso. Os dois extremos do processo de P&D [Pesquisa e Desenvolvimento] talvez precisem ser prolongados além das datas apontadas nos livros didáticos, dando ainda mais tempo para que nossas fantásticas adaptações mentais tenham evoluído.

Em um extremo da escala cronológica estão os *Australopithecus afarensis* (a espécie do carismático fóssil que ganhou o nome Lucy). Eles são frequentemente descritos como chimpanzés com postura ereta, pois o tamanho provável de seu cérebro está na faixa do tamanho do cérebro desses animais, e eles não deixaram indícios claros de emprego de utensílios. Isso implica que a evolução cognitiva só teve início 2 milhões de anos mais tarde, quando o *Homo habilis*, de cérebro maior, mereceu dos especialistas a designação "hábil".

Mas isso não pode estar correto. Primeiro, é ecologicamente improvável que um ser arborícola pudesse ter se mudado para o terreno aberto e readaptado sua anatomia para andar ereto sem haver repercussões em todos os outros aspectos de seu estilo de vida e comportamento. Os chimpanzés modernos empregam utensílios e transportam objetos e teriam tido muito mais incentivo e êxito se pudessem carregá-los livremente. Segundo, embora as mãos dos *Australopithecus* conservem uma certa curvatura dos dedos semelhante à dos macacos (e possam ter sido usadas ocasionalmente para subir em árvores por motivos de segurança), elas visivelmente evoluíram para permitir a manipulação. Comparadas às mãos dos chimpanzés, elas têm polegares mais longos e mais opostos aos outros dedos, e o indicador e o dedo médio estão em um ângulo que permite configurar a mão em concha para segurar um martelo de pedra ou uma esfera. Terceiro, não está totalmente determinado que eles possuíam um cérebro do tamanho do encontrado nos chimpanzés ou que não empregavam utensílios. O paleoantropólogo Yves Coppens afirma que o cérebro dos *Australopithecus* é de 30% a 40% maior do que o esperado para um chimpanzé com um corpo de mesmo tamanho e que eles deixaram lascas de quartzo modificadas e outros utensílios. Quarto, recentemente foram encontrados esqueletos de *Homo habilis* usuários de utensílios, e eles não parecem demasiado diferentes do esqueleto dos *Australopithecus*.

É importantíssimo o fato de os hominídeos não terem organizado sua vida segundo conviria aos antropólogos. Sorte nossa que uma pedra pode ser esculpida para servir como instrumento cortante e que dure milhões de anos; assim, inadvertidamente, alguns dos nossos ancestrais deixaram-nos cápsulas de tempo. Mas é muito mais difícil esculpir uma pedra para servir de cesto, de suporte para carregar o bebê nas costas, de bumerangue ou de arco e flecha. Os caçadores-coletores contemporâneos usam muitos implementos biodegradáveis para cada implemento duradouro, e isso deve ter ocorrido também com os hominídeos de todos os períodos. Os registros arqueológicos fatalmente subestimam o emprego de utensílios.

Portanto, a cronologia clássica da evolução do cérebro humano principia a história demasiado tarde; a meu ver, também a encerra demasiado cedo. Afirma-se que os humanos modernos (nós) surgiram entre 200 mil e 100 mil anos atrás na África. Um tipo de evidência está no fato de que o DNA mitocôndrico (mDNA) de todas as pessoas do planeta (que cada pessoa herda apenas da mãe) pode ter suas origens identificadas em uma mulher africana que viveu em algum momento daquele período. (A afirmação é controversa, mas os indícios avolumam-se.) Outra evidência é que fósseis anatomicamente modernos aparecem pela primeira vez na África há mais de 100 mil anos e no Oriente Médio pouco tempo depois, há aproximadamente 90 mil anos.

A hipótese é que a evolução biológica humana praticamente parou desde então. Isso implica uma anomalia na linha do tempo. Os primeiros humanos anatomicamente modernos tinham o mesmo conjunto de utensílios e o mesmo estilo de vida que seus condenados vizinhos de Neandertal. A mudança mais marcante nos registros arqueológicos, a transição do Alto Paleolítico — também denominada Grande Salto à Frente e Revolução Humana —, teve de esperar mais 50 mil anos. Assim, afirma-se, a evolução humana deve ter sido uma mudança cultural.

Usar o termo "revolução" não é exagero. Todos os outros hominídeos saíram da história em quadrinhos A.C., mas as pessoas do Alto Paleolítico eram os Flintstones. Mais de 45 mil anos atrás, elas de algum modo cruzaram noventa quilômetros de mar aberto para chegar à Austrália, onde deixaram para a posteridade fornalhas, pinturas em cavernas, os primeiros utensílios polidos do mundo e os aborígines da atualidade. A Europa (lar dos Cro--Magnons) e o Oriente Médio também foram berço de artes e tecnologias sem precedentes, com uso de materiais novos como chifres, marfim e ossos além da pedra, transportada às vezes por centenas de quilômetros. O conjunto de utensílios incluía lâminas finas, agulhas, furadores, muitos tipos de machados e raladores, pontas de lanças, atiradores de lança, arcos e flechas, anzóis de pesca, gravadores, flautas e talvez até mesmo calendários. Eles construíam abrigos e abatiam animais enormes aos milhares. Decoravam tudo à sua volta — utensílios, paredes das cavernas, seus corpos — e esculpiam badulaques em forma de animais e mulheres nuas, que os arqueólogos eufemisticamente denominam "símbolos de fertilidade". Eles eram nós.

Certamente é possível modos de vida derivarem de um outro sem haver mudança biológica, como nas revoluções agrícola, industrial e da informação mais recentes. Isso se aplica especialmente quando as populações crescem a ponto de possibilitar reunir as ideias de milhares de inventores. Mas a primeira revolução humana não foi uma avalanche de mudanças desencadeada por algumas invenções fundamentais. A própria engenhosidade foi a invenção, manifestando-se em centenas de inovações separadas por dezenas de milhares de quilômetros e anos. Custa-me crer que as pessoas de 100 mil anos atrás possuíam mentes iguais às dos revolucionários indivíduos do Alto Paleolítico que surgiriam mais tarde — de fato, mentes iguais às nossas — e que ficaram de braços cruzados durante 50 mil anos sem ocorrer a uma única delas que era possível esculpir um utensílio em osso, ou sem que alguma delas tivesse o impulso de embelezar alguma coisa.

E não é preciso acreditar — o hiato de 50 mil anos é uma ilusão. Primeiro, os chamados humanos anatomicamente modernos de 100 mil anos atrás podem ter sido mais modernos do que seus contemporâneos de Neandertal, mas ninguém os confundiria com humanos contemporâneos. Eles tinham sobrolhos muito salientes, faces protuberantes, esqueletos pesadões, fora dos padrões contemporâneos. Seus corpos tiveram de evoluir para tornarem-se os nossos corpos, e o cérebro seguramente fez o mesmo. O mito de que eles são totalmente modernos nasceu do hábito de tratar as denominações das espécies como se elas fossem entidades reais. Quando aplicadas a organismos em evolução, elas não passam de uma conveniência. Ninguém deseja inventar uma nova espécie cada vez que um dente é encontrado, por isso as formas intermediárias tendem a ser inseridas à força na categoria mais próxima disponível. A realidade é que os hominídeos devem ter sempre existido em dezenas ou centenas de variantes, dispersas por uma grande rede de subpopulações que interagiam ocasionalmente. A minúscula fração de indivíduos imortalizados como fósseis em um dado momento não constitui necessariamente nossos ancestrais diretos. Os fósseis "anatomicamente modernos" são mais aparentados conosco do que quaisquer outros, porém ou ainda tinham mais evolução pela frente ou estavam distantes do viveiro de mudanças.

Segundo, a revolução provavelmente começou muito antes de 40 mil anos atrás, o divisor de águas comumente citado. Isso foi quando os utensílios ornamentados começaram a aparecer em cavernas europeias, mas a Europa sempre atraiu mais atenção do que merece porque possui cavernas aos montes e arqueólogos aos montes. Só na França existem trezentos sítios arqueológicos meticulosamente escavados, inclusive um cujas pinturas na caverna foram raspadas por uma tropa de escoteiros exageradamente zelosa que as confundiu com grafite. No continente africano inteiro existem apenas duas dúzias. Mas um deles, no Zaire, contém utensílios de ossos primorosamente trabalhados, inclusive adagas, dardos e pontas farpadas, juntamente com pedras de amolar transportadas por quilômetros e os restos mortais de milhares de bagres, provavelmente as vítimas desses instrumentos. A coleção parece pós-revolucionária, mas está datada de 75 mil anos atrás. Um comentarista disse que era como encontrar um Pontiac no sótão de Leonardo da Vinci. Mas, à medida que os arqueólogos passam a explorar esse sótão continental e a datar seus conteúdos, vão encontrando cada vez mais Pontiac: belas lâminas de pedra, utensílios decorados, minerais inúteis mas de cores vivas trazidos de centenas de quilômetros dali.

Terceiro, a Eva mitocôndrica de 200 mil a 100 mil anos atrás não foi nenhuma participante de algum evento evolutivo. Contrariamente a alguns fantásticos mal-entendidos, ela não sofreu uma mutação que deixou seus descendentes mais espertos, mais faladores ou menos brutos. Tampouco ela assinala o fim da evolução humana. Ela é meramente uma necessidade matemática: a mais recente ancestral comum de todas as pessoas vivas na linha feminina de tatara-tatara...-tataravós. Por essa definição, Eva poderia ter sido um peixe.

Obviamente, descobriu-se que Eva não foi peixe, mas hominídea africana. Por que alguém suporia que ela foi uma hominídea específica, ou mesmo que viveu em um momento específico? Uma razão é que ela tornou não específicos muitos outros momentos e lugares. Se o mDNA dos europeus e asiáticos do século XX é uma variante do mDNA africano de 200 mil anos atrás, eles devem ser descendentes de uma população africana daquela época. Os europeus e asiáticos contemporâneos de Eva não deixaram mDNA nos europeus e asiáticos atuais, portanto presumivelmente não foram seus ancestrais (pelo menos — e essa é uma ressalva importantíssima — não seus ancestrais na linha totalmente materna).

Mas isso não prova absolutamente que a evolução parou em Eva. Podemos supor que o grosso da evolução já ocorrera na época em que os ancestrais das raças modernas separaram-se e pararam de permutar genes, já que atualmente somos todos farinha do mesmo saco. Mas isso não aconteceu assim que Eva deu seu último suspiro. A diáspora das raças, e o fim da evolução humana significativa, deve ter ocorrido muito mais tarde. Eva não é nossa ancestral comum mais recente, é apenas nossa ancestral comum mais recente na linha totalmente materna. O ancestral comum mais recente em uma linha de descendência mista, masculina e feminina, viveu muito depois. Você e seu primo-irmão têm um ancestral comum de apenas duas gerações atrás, uma avó ou um avô. Mas ao procurar um ancestral comum na linha totalmente feminina (a mãe da mãe da sua mãe etc.), com exceção de um tipo de primo (filho da irmã de sua mãe), quase não há limite para o quanto você poderá ter de recuar no tempo. Assim, se alguém tivesse de adivinhar o grau de parentesco entre você e seu primo com base em seu ancestral mais recente, ele diria que vocês dois são parentes próximos. Mas se ele só pudesse verificar a mais recente ancestral na linha exclusivamente feminina, poderia supor que vocês não são parentes! Analogamente, o nascimento da ancestral comum mais recente da humanidade na linha totalmente feminina, a Eva mitocôndrica, superestima o tempo decorrido desde que toda a humanidade ainda estava em hibridação.

Muito depois da época de Eva, na opinião de alguns geneticistas, nossos ancestrais passaram por um gargalo populacional. Segundo o cenário que eles imaginam, alicerçado na notável semelhança dos genes entre as populações humanas modernas, por volta de 65 mil anos atrás nossos ancestrais foram diminuindo em número até perfazerem meras 10 mil pessoas, talvez em razão de um resfriamento global desencadeado por um vulcão em Sumatra. A raça humana viu-se tão ameaçada quanto hoje estão os gorilas das montanhas. Depois disso, a população explodiu na África, com pequenos bandos separando-se e mudando-se para outras partes do planeta, possivelmente havendo acasalamentos uma vez ou outra com outros humanos primitivos encontrados pelo caminho. Muitos geneticistas acreditam que a evolução é especialmente rápida quando populações esparsas permutam migrantes ocasionais. A seleção natural pode adaptar rapidamente cada grupo às condições locais, e assim um ou mais pode superar qualquer novo desafio que surja, e seus genes habilidosos serão então importados pelos vizinhos. Talvez esse período tenha assistido ao derradeiro florescimento na evolução da mente humana.

Todas as reconstruções de nossa história evolutiva são controversas, e a sabedoria convencional muda mês a mês. Mas minha previsão é que a data de encerramento de nossa evolução biológica seja gradualmente empurrada mais para a frente, e a data do início da revolução arqueológica, mais para trás, até as duas coincidirem. Nossa mente e nosso modo de vida evoluíram juntos.

E AGORA?

Ainda estamos evoluindo? Biologicamente, é provável que não muito. Não há *momentum* na evolução, portanto não nos tornaremos os horripilantes cabeças inchadas da ficção científica. As condições humanas modernas também não são conducentes à verdadeira evolução. Infestamos todas as partes habitáveis e inabitáveis do planeta, migramos como nos apraz e ziguezagueamos de um estilo de vida a outro. Isso nos torna um alvo nebuloso e móvel para a seleção natural. Se a espécie estiver passando por alguma evolução, isso está ocorrendo de um modo demasiado lento e imprevisível para que saibamos a direção.

Mas a esperança vitoriana é a última que morre. Se a seleção natural genuína não é capaz de nos melhorar, quem sabe um substituto feito pelo homem consiga. As ciências sociais estão repletas de afirmações de que novos tipos de adaptação e seleção vêm tomando o lugar das do tipo biológico. Mas, a meu ver, essas afirmações são enganosas.

A primeira alegação é de que o mundo contém um processo maravilhoso chamado "adaptação", que leva os organismos a resolver problemas. Ora, na acepção darwiniana rigorosa, a adaptação no presente é causada pela seleção no passado. Lembre-se de como a seleção natural dá a ilusão de teleologia: *pode parecer* que a seleção está adaptando cada organismo às suas necessidades no presente, mas na verdade ela está apenas favorecendo os descendentes dos organismos que estavam adaptados às suas próprias necessidades no passado. Os genes que construíram os corpos e mentes mais adaptativos entre nossos ancestrais foram transmitidos às gerações seguintes para construir os corpos e mentes inatos de hoje (inclusive as habilidades inatas de ajustar-se a determinados tipos de variação ambiental, como quando ficamos bronzeados, criamos calos ou aprendemos).

Mas, para alguns, isso não vai longe o bastante; a adaptação acontece diariamente. "Cientistas sociais darwinianos" como Paul Turke e Laura Betzig acreditam que "a teoria darwiniana moderna prediz que o comportamento humano será adaptativo, ou seja, destinado a promover o máximo êxito reprodutivo [...] por meio de parentes descendentes e não descendentes disponíveis". "Funcionalistas" como os psicólogos Elizabeth Bates e Brian MacWhinney afirmam ver "os processos seletivos que operam durante a evolução e os processos seletivos que operam durante [o aprendizado] como parte de uma estrutura natural inconsútil". Isso implica não haver necessidade de um mecanismo mental especializado: se a adaptação seguramente *obriga* os organismos a fazer o que é certo, quem poderia querer mais? A solução ótima para um problema — comer usando as mãos, encontrar o parceiro certo, inventar utensílios, usar linguagem gramatical — é absolutamente inevitável.

O problema do funcionalismo é ser lamarckiano. Não no sentido do segundo princípio de Lamarck, a herança de características adquiridas — as girafas que esticaram o pescoço e geraram girafinhas de pescoço pré-esticado. Todo mundo sabe manter-se longe disso. (Bem, quase todo mundo: Freud e Piaget aferraram-se a essa concepção muito depois de ela ter sido abandonada pelos biólogos.) O funcionalismo é lamarckiano no sentido do primeiro princípio, a "necessidade sentida" — girafas cujo pescoço crescia quando elas olhavam famintas as folhas lá no alto, quase ao alcance. Nas palavras de Lamarck: "Novas demandas que estabelecem a necessidade de alguma parte realmente ocasionam a existência daquela parte em consequência de esforços". Bem que poderia ser assim! Como diz o ditado, se os desejos fossem cavalos, os mendigos cavalgariam. Não existem anjos da guarda providenciando para que toda necessidade seja satisfeita. Elas são satisfeitas apenas quando surgem mutações capazes de construir um órgão que satisfaça a necessidade, quando o organismo se encontra em um meio no qual satisfazer a necessidade traduz-se em mais bebês sobreviventes e no qual a pressão da seleção persiste ao longo de milhares de gerações. De outro modo, a necessidade não é satisfeita. Os nadadores não desenvolvem membranas nos dedos, os esquimós não desenvolvem pelagem. Estudo imagens tridimensionais há vinte anos e, embora saiba matematicamente que se pode converter um sapato esquerdo em um sapato direito virando-o ao contrário na quarta dimensão, não consegui desenvolver um espaço mental tetra-dimensional no qual possa visualizar a virada.

Necessidade sentida é uma ideia atraente. As necessidades de fato dão a impressão de originar suas próprias soluções. Você sente fome, tem mãos, a comida está à sua frente, você come com as mãos: de que outro modo poderia ser? Ah, mas você é o último a quem deveríamos perguntar. Seu cérebro foi moldado pela seleção natural de modo a *fatalmente* achar óbvios tais problemas. Mude a mente (para a de um robô, de um outro animal ou de um paciente com problemas neurológicos) ou mude o problema e já não fica tão óbvio o que é óbvio. Ratos não conseguem aprender a largar um pedaço de alimento em troca de uma recompensa maior. Quando chimpanzés tentam imitar uma pessoa que puxa com um rastelo um lanche impossível de alcançar com as mãos, eles não notam que o rastelo tem de ser empunhado com os dentes para baixo, mesmo se a pessoa que serve de modelo fizer uma demonstração gritante do modo correto de empunhá-lo. Para que você não fique todo convencido, os capítulos seguintes mostrarão como o design de nossa mente gera paradoxos, quebra-cabeças, miopias, ilusões, irracionalidades e estratégias autoabortivas que impedem, em vez de garantir, a satisfação de nossas necessidades diárias.

Mas e quanto ao imperativo darwiniano de sobreviver e reproduzir-se? No que concerne ao comportamento cotidiano, não existe esse imperativo. Há quem fica assistindo a um filme pornográfico quando poderia estar procurando um parceiro, quem abre mão de comida para comprar heroína, quem vende o próprio sangue para comprar entrada de cinema (na Índia), quem posterga a gestação dos filhos para fazer carreira na empresa, quem come tanto que acaba indo mais cedo para o túmulo. O vício humano é prova de que a adaptação biológica, na acepção rigorosa do termo, é coisa do passado. Nossa mente é adaptada para os pequenos bandos coletores de alimentos nos quais nossa família passou 99% de sua existência, e não para as desordenadas contingências por nós criadas desde as revoluções agrícola e industrial. Antes da fotografia, era adaptativo receber imagens visuais de membros atraentes do sexo oposto, pois essas imagens originavam-se apenas da luz refletindo-se de corpos férteis. Antes dos narcóticos em seringas, eles eram sintetizados no cérebro como analgésicos naturais. Antes de haver filmes de cinema, era adaptativo observar as lutas emocionais das pessoas, pois as únicas lutas que você podia testemunhar eram entre pessoas que você precisava psicanalisar todo dia. Antes de haver a contracepção, os filhos eram inadiáveis, e status e riqueza podiam ser convertidos em filhos mais numerosos e mais saudáveis. Antes de haver açucareiro, saleiro e manteigueira em cada mesa, e quando as épocas de vacas magras jamais estavam longe, nunca era demais ingerir todo o açúcar, sal e alimentos gordurosos que se pudesse obter. As pessoas não adivinham o que é adaptativo para elas ou para seus genes; estes dão a elas pensamentos e sentimentos que foram adaptativos no meio em que os genes foram selecionados.

A outra extensão da adaptação é o aparentemente inócuo clichê "a evolução cultural tomou o lugar da evolução biológica". Durante milhões de anos, genes foram transmitidos de corpo para corpo e selecionados para conferir adaptações a organismos. Mas depois do surgimento dos humanos, unidades de cultura foram transmitidas de mente para mente e selecionadas para conferir adaptações a culturas. A tocha do progresso foi passada a um corredor mais veloz. Em *2001: Uma odisseia no espaço*, um braço peludo atira um osso para cima e o osso vai desaparecendo e dando lugar a uma nave espacial.

A premissa da evolução cultural é que existe um fenômeno único — a marcha do progresso, a ascensão do homem, de macacos ao Armagedon — que Darwin explicou apenas até determinado ponto. Em minha opinião, os cérebros humanos evoluíram segundo um conjunto de leis, as da seleção natural e as da genética, e agora interagem uns com os outros segundo outro conjunto de leis, as da psicologia cognitiva e social, da ecologia humana e da história. A remodelagem do crânio e a ascensão e queda de impérios podem ter pouco em comum.

Richard Dawkins traçou a mais clara analogia entre a seleção de genes e a seleção de porções de cultura, que ele denominou *memes*. Memes como melodias, ideias e histórias disseminam-se de cérebro para cérebro e às vezes sofrem mutação na transmissão. Novas características de um meme que torne seus receptores mais inclinados a retê-lo e disseminá-lo, como por exemplo ser fácil de lembrar, sedutor, engraçado ou irrefutável, fará com que o meme se torne mais comum no estoque de memes. Em rodadas subsequentes de retransmissão, os memes mais dignos de disseminação serão os mais disseminados e acabarão por predominar em toda a população. Portanto, as ideias evoluirão para tornar-se mais bem adaptadas à difusão. Observe que estamos falando de *ideias* evoluírem para tornar-se mais difusíveis, não de *pessoas* evoluindo para tornar-se mais instruídas.

O próprio Dawkins usou a analogia para ilustrar como a seleção natural diz respeito a qualquer coisa capaz de replicação, e não apenas ao DNA. Outros a consideram uma genuína teoria da evolução cultural. Interpretada ao pé da letra, ela prevê que a evolução cultural funciona assim: um meme impele seu portador a divulgá-lo e sofre mutação em algum receptor: um som, uma palavra ou uma frase é alterado aleatoriamente. Talvez, como no filme *A vida de*

Brian, do grupo Monty Python, os ouvintes do Sermão da Montanha ouçam mal a frase *"Blessed are the peacemakers"* [Bem-aventurados os pacificadores] e a entendam como *"Blessed are the cheesemakers"* [Bem-aventurados os queijeiros]. A nova versão é mais memorável e passa a predominar na maioria das mentes. Também ela é mutilada por erros tipográficos, verbais e auditivos, e os mais difusíveis acumulam-se, transformando gradualmente a sequência de sons. A pregação final acaba sendo "Este é um pequeno passo para um homem, mas um passo gigantesco para a humanidade".

Você deve concordar, creio, que não é assim que funciona a mudança cultural. Um meme complexo não surge da retenção de erros de cópia. Ele surge porque alguma pessoa trabalha com afinco, dá tratos à bola, concentra sua engenhosidade e compõe, escreve, pinta ou inventa algo. É bem verdade que o criador da obra é influenciado por ideias que estão no ar e pode burilar um esboço atrás do outro, mas nenhuma dessas progressões é como a seleção natural. Basta compararmos o input e o output — esboço cinco e esboço seis, ou a inspiração de um artista e sua obra. Eles não diferem por algumas substituições aleatórias. O valor adicionado a cada iteração provém da concentração de capacidade cerebral na melhora do produto, e não de contá-lo ou copiá-lo novamente centenas de milhares de vezes na esperança de que alguns dos equívocos ou erros tipográficos venham a ser úteis.

"Pare de querer interpretar tudo ao pé da letra!", replicam os fãs da evolução cultural. Claro que a evolução cultural não é uma réplica exata da versão darwiniana. Na evolução cultural, as mutações são dirigidas, e as características adquiridas são herdadas. Lamarck, embora estivesse errado sobre a evolução biológica, acabou por ter razão com respeito à evolução cultural.

Mas isso não é aceitável. Lamarck, lembre-se, não foi só infeliz em suas suposições sobre a vida neste planeta. No que concerne a explicar o design complexo, sua teoria foi, e é ainda, um fiasco total. Ela nada diz sobre a força benéfica no universo ou a voz onisciente no organismo que concede as mutações úteis. E é essa força ou voz que está fazendo todo o trabalho criativo. Afirmar que a evolução cultural é lamarckiana é confessar que não se tem ideia de como ela funciona. As características notáveis dos produtos culturais, isto é, seu engenho, beleza e verdade (análogas ao design adaptativo complexo dos organismos), provêm das computações mentais que "dirigem" — ou seja, inventam — as "mutações" e que "adquirem" — ou seja, entendem — as "características".

Os modelos de transmissão cultural de fato permitem um insight de outras características da mudança cultural, particularmente sua demografia — como os memes podem tornar-se populares ou impopulares. Mas a analogia é mais com a epidemiologia do que com a evolução: ideias como doenças contagiosas que causam epidemias e não como genes vantajosos que causam adaptações. Eles explicam como as ideias tornam-se populares, mas não de onde elas vêm.

Muitas pessoas sem familiaridade com a ciência cognitiva consideram a evolução cultural a única esperança de alicerçar concepções ariscas como ideias e cultura na rigorosa biologia evolucionista. Para inserir a cultura na biologia, raciocinam, mostra-se como a cultura evoluiu segundo sua própria versão da seleção natural. Mas esse raciocínio é incorreto; os produtos da evolução não têm de parecer com a evolução. O estômago está firmemente alicerçado na biologia, mas não segrega aleatoriamente variantes de ácidos e enzimas, retém as que decompõem um pouco os alimentos, deixa que elas se recombinem e se reproduzam sexualmente e assim por diante, por centenas de milhares de refeições. A seleção natural já passou por esse processo de tentativa e erro quando projetou o estômago, e este agora é um eficiente processador químico, liberando os ácidos e enzimas certos no momento exato. Analogamente, um grupo de mentes não precisa recapitular o processo da seleção natural para ter uma boa ideia. A seleção natural projetou a mente para ser um processador de informações, e agora a mente percebe, imagina, simula e planeja. Quando se transmitem ideias, elas não são meramente copiadas com erros tipográficos ocasionais; são avaliadas, discutidas, aperfeiçoadas ou rejeitadas. De fato, a mente que aceitasse passivamente os memes do ambiente seria presa fácil para a exploração por outras e seria rapidamente eliminada por seleção.

Nada na biologia tem sentido se não for à luz da evolução, foi a célebre frase do geneticista Theodosius Dobzhansky. Podemos acrescentar que nada na cultura tem sentido exceto à luz da psicologia. A evolução criou a psicologia, e é assim que ela explica a cultura. A mais importante relíquia dos primeiros humanos é a mente moderna.

4

O OLHO DA MENTE

Contemplar é pensar.
Salvador Dali

As décadas passadas tiveram o bambolê, o pôster fluorescente, o radioamadorismo e o Cubo Mágico. A mania dos anos 90 é o autoestereograma, também chamado Olho Mágico, Visão em Profundidade e Superestereograma. São os rabiscos gerados por computador que, quando envesgamos os olhos para observá-los ou olhamos fixamente à distância, eles nos saltam à vista em uma vívida ilusão de objetos tridimensionais bem definidos majestosamente suspensos no espaço. A moda já completou cinco anos, e os autoestereogramas estão por toda parte, dos cartões-postais às páginas da Web. Aparecem em cartuns de editoriais, nos quadrinhos da *Blondie* e em comédias de costumes como *Seinfeld* e *Ellen*. Em um episódio, a comediante Ellen DeGeneres faz parte de um clube de leitura cuja seleção da semana é um livro de estereogramas. Envergonhada por não conseguir ver as ilusões, ela reserva uma noite para treinar, em vão. Desesperada, filia-se a um grupo de apoio para pessoas que não conseguem "entender" estereogramas.

As ilusões visuais fascinavam as pessoas muito antes de o psicólogo Christopher Tyler inadvertidamente criar essa sensação em suas pesquisas sobre visão binocular (com os dois olhos). Ilusões mais simples, compostas por linhas paralelas que parecem convergir e linhas congruentes que parecem desiguais, há tempos figuram no material de leitura das caixas de cereal, nos prêmios de programas infantis, em museus para crianças e nos cursos de psicologia. A fascinação que elas exercem é óbvia. "Em quem você vai acreditar, em mim ou em seus olhos?", pergunta Groucho Marx a Margareth

Dumont, jogando com nossa fé em que a visão é o caminho certo para o conhecimento. É o que dizem as expressões: bem se vê que; ver para crer; temos uma testemunha ocular; vi com meus próprios olhos. Mas se uma imagem diabólica pode nos fazer ver coisas que não estão ali, como poderemos confiar em nossos próprios olhos em outras ocasiões?

As ilusões não são meras curiosidades; elas definiram a pauta intelectual do pensamento ocidental por séculos. A filosofia cética, tão antiga quanto a própria filosofia, impugna nossa capacidade de conhecer *qualquer coisa* jogando-nos ilusões na cara: o remo que na água parece curvo, a torre redonda que à distância parece plana, o dedo frio que sente a água tépida como quente enquanto o dedo quente sente-a como fria. Muitas das grandes ideias do Iluminismo foram saídas de emergência para as deprimentes conclusões que os filósofos céticos extraíram com base nas ilusões. Podemos saber pela fé, podemos saber pela ciência, podemos saber pela razão, podemos saber que pensamos, logo existimos.

Os cientistas da percepção têm uma concepção menos rígida. A visão pode não funcionar todo o tempo, mas deveríamos ficar maravilhados só pelo fato de ela funcionar. Na maior parte do tempo, não trombamos nas paredes, mordemos frutas de plástico ou deixamos de reconhecer nossa mãe. O desafio do robô prova que isso não é pouca coisa. Os filósofos medievais estavam enganados ao pensar que os objetos convenientemente borrifam minúsculas cópias de si mesmos em todas as direções e que o olho capta algumas delas e compreende diretamente sua forma. Podemos imaginar uma criatura de ficção científica que envolva um objeto com calibradores, estude-o com sondas e hastes de medição, faça moldes de borracha, perfure-o com broca para extrair amostras do centro e corte fragmentos para biópsias. Mas os organismos reais não têm desses luxos. Quando apreendem o mundo pela visão, precisam usar os borrifos da luz refletida do objeto, projetados como um caleidoscópio bidimensional de faixas que vibram e oscilam em cada retina. O cérebro de algum modo analisa as colagens móveis e chega a uma noção impressionantemente precisa dos objetos lá fora que as originaram.

A exatidão é impressionante porque os problemas que o cérebro está resolvendo são absolutamente insolúveis. Lembre-se, do capítulo 1, que a óptica reversa, a dedução da forma e substância de um objeto a partir de sua projeção, é um "problema mal proposto", um problema que, como declarado, não tem uma solução única. Uma forma elíptica na retina poderia ter provindo de uma oval vista de frente ou de um círculo visto obliquamente. Um retalho cinzento poderia provir de uma bola de neve na sombra ou de um pedaço de carvão ao sol. A visão evoluiu de modo a converter esses problemas mal propostos em problemas solúveis adicionando premissas: suposições sobre como, em média, o mundo em que evoluímos é montado. Por exemplo, explicarei como o sistema visual humano "supõe" que a matéria é coesa, as superfícies são uniformemente coloridas e os objetos não saem de seu caminho para alinharem-se em arranjos confusos. Quando o mundo atual assemelha-se ao meio ancestral médio, vemos o mundo como ele é. Quando aterrissamos em um mundo exótico no qual as suposições são violadas — devido a uma série de coincidências infelizes ou porque um psicólogo sorrateiramente arranjou o mundo de modo a violar as suposições —, somos presas de ilusões. É por isso que os psicólogos são obcecados pelas ilusões. Elas desmascaram as suposições de que a seleção natural estabeleceu-se para nos permitir resolver problemas insolúveis e saber, na maior parte do tempo, o que está lá fora.

A percepção é o único ramo da psicologia que tem sido consistentemente orientado para a adaptação, considerando sua tarefa uma engenharia reversa. O sistema visual não está ali para nos entreter com belos padrões e cores; ele foi arquitetado para proporcionar uma noção das verdadeiras formas e materiais encontrados no mundo. A vantagem seletiva é óbvia: os animais que sabem onde estão a comida, os predadores e os abismos podem pôr a comida no estômago, manter-se longe do estômago de terceiros e permanecer do lado certo do penhasco.

A mais grandiosa visão da visão provém de David Marr, o saudoso pesquisador de inteligência artificial. Ele foi o primeiro a observar que a visão soluciona problemas mal propostos adicionando suposições sobre o mundo e foi um defensor ferrenho da teoria computacional da mente. Também fez a mais clara exposição de para que *serve* a visão. Segundo ele, a visão "é um processo que produz, a partir de imagens do mundo externo, uma descrição que é útil para quem vê, e não juncada de informações irrelevantes".

Pode parecer estranho ler que o objetivo da visão é uma "descrição". Afinal de contas, não andamos por aí sussurrando uma narrativa quadro a quadro de tudo o que vemos. Mas Marr referia-se não a uma descrição falada publicamente no idioma pátrio, mas a uma descrição interna, abstrata, em mentalês. O que significa ver o mundo? *Podemos* descrevê-lo em palavras, evidentemente, mas também podemos lidar com ele, manipulá-lo física e mentalmente ou arquivá-lo na memória para referência futura. *Todas* essas proezas dependem de construir o mundo como coisas e matéria reais, e não como a exibição psicodélica da imagem retiniana. Dizemos que um livro é "retangular" e não "trapezoide", embora ele projete uma imagem trapezoide na retina. Moldamos nossos dedos em uma configuração retangular (e não trapezoide) quando estendemos a mão para pegar o livro. Construímos prateleiras retangulares (e não trapezoides) para guardá-lo e deduzimos que ele pode apoiar um sofá quebrado se colocado no espaço retangular debaixo do móvel. Em algum lugar da mente tem de haver um símbolo mental para "retângulo", fornecido pela visão mas disponível de imediato ao resto da mente verbal e não verbal. O símbolo mental, assim como as proposições mentais que apreendem as relações espaciais entre objetos ("livro de cabeça para baixo na prateleira perto da porta"), é um exemplo da "descrição" que, segundo Marr, a visão computa.

Se a visão não fornecesse uma descrição, cada faculdade mental — linguagem, andar, segurar, planejar, imaginar — necessitaria de um procedimento *próprio* para deduzir que a imagem trapezoide na retina é um retângulo no mundo. Essa alternativa prediz que uma pessoa capaz de designar um retângulo visto obliquamente como "retângulo" ainda assim pode ter de aprender a segurá-lo como um retângulo, a prever que ele se encaixará em espaços retangulares etc. Isso parece improvável. Quando a visão deduz a forma de um objeto que originou um padrão na retina, todas as partes da mente podem explorar a descoberta. Embora algumas partes do sistema visual extraiam informações para os circuitos de controle motor que precisam reagir rapidamente a alvos móveis, o sistema como um todo não é dedicado a nenhum tipo específico de comportamento. Ele cria uma descrição ou representação do mundo, expressa em objetos e coordenadas tridimensionais em vez de em imagens retinianas, e a inscreve em um quadro-negro que pode ser lido por todos os módulos mentais.

Este capítulo examina como a visão transforma representações retinianas em descrições mentais. Iniciaremos nossa exploração com borrifos de luz, passando por conceitos de objetos e avançando para um tipo de interação entre ver e pensar conhecida como imagens mentais. As repercussões chegam ao restante da psique. Somos primatas — criaturas acentuadamente visuais — com mentes que evoluíram em torno desse admirável sentido.

VISÃO EM PROFUNDIDADE

Comecemos pelos estereogramas. Como eles funcionam e por que, para algumas pessoas, não funcionam? Apesar de todos os cartazes, livros e quebra-cabeças, não vi uma única tentativa de explicá-los aos milhões de consumidores curiosos. Entender os estereogramas não é apenas um bom modo de compreender o funcionamento da percepção, mas também um deleite para o intelecto. Os estereogramas são mais um exemplo dos maravilhosos dispositivos da seleção natural, neste caso dentro de nossa cabeça.

Os autoestereogramas exploram não uma, mas quatro descobertas sobre como enganar o olho. A primeira, por estranho que pareça, é a imagem. Estamos tão embotados com fotografias, desenhos, televisão e filmes de cinema que esquecemos que tudo isso não passa de uma ilusão benigna. Manchas de tinta ou pontos bruxuleantes de fósforo podem nos fazer rir, chorar e até mesmo sentir excitação sexual. Os humanos vêm produzindo imagens há pelo menos 30 mil anos e, contrariamente a um folclore da ciência social, a capacidade de vê-las como representações é universal. O psicólogo Paul Ekman causou furor na antropologia ao demonstrar que isolados montanheses da Nova Guiné conseguiam reconhecer as expressões faciais em fotografias de estudantes de Berkeley. (Julgava-se que as emoções, como tudo o mais, eram culturalmente relativas.) Na balbúrdia, passou despercebida uma descoberta mais fundamental: os nativos da Nova Guiné estavam vendo coisas nas fotografias e não tratando-as como papel cinzento manchado.

A imagem explora a projeção, a lei da óptica que faz da percepção um problema tão difícil. A visão começa quando um fóton (unidade de energia luminosa) reflete-se de uma superfície e atravessa rapidamente a pupila por uma linha, para estimular um dos fotorreceptores (bastonetes e cones) que revestem a superfície interna curva do globo ocular. O receptor transmite um sinal neural ao cérebro, e a primeira tarefa do cérebro é descobrir de que parte do mundo veio esse fóton. Infelizmente, o raio que define a trajetória do fóton estende-se ao infinito, e tudo o que o cérebro sabe é que o retalho que o originou encontra-se em algum lugar ao longo do raio. O cérebro não sabe se ele está a uma distância de um metro, um quilômetro ou muitos anos-luz; a informação sobre a terceira dimensão, a distância do retalho ao olho, perdeu-se no processo de projeção. A ambiguidade é multiplicada de modo combinatório pelos milhões de outros receptores na retina, cada qual fundamentalmente confuso quanto a em que distância se encontra o retalho que originou o estímulo. Qualquer imagem retiniana, portanto, poderia ter sido produzida por um número infinito de arranjos de superfícies tridimensionais no mundo (ver o diagrama da página 19).

Obviamente, não *percebemos* infinitas possibilidades; miramos em uma, geralmente próxima à correta. E aqui está uma chance para um criador de ilusões. Disponha alguma matéria de modo que ela projete uma imagem retiniana igual à de um objeto que o cérebro tem tendência a reconhecer, e o cérebro não terá como perceber a diferença. Um exemplo simples é a novidade vitoriana na qual um olho mágico em uma porta revelava um aposento suntuosamente mobiliado, mas quando a porta era aberta o aposento estava vazio. O aposento suntuoso encontrava-se em uma casa de bonecas pregada na porta cobrindo o olho mágico.

O pintor que virou psicólogo Adelbert Ames Jr. fez carreira criando em carpintaria aposentos ilusórios ainda mais estranhos. Em um deles, hastes e lâminas suspensas por arames eram dispostas desordenadamente pelo cômodo. Mas, quando este era visto de fora através de um buraco na parede, as hastes e lâminas alinhavam-se em uma projeção de uma cadeira de cozinha. Em outro aposento, uma parede dos fundos afastava-se com uma inclinação da esquerda para a direita, mas tinha ângulos estranhos que faziam o lado esquerdo baixo o suficiente para cancelar sua expansão em perspectiva e o lado direito alto o bastante para cancelar sua contração. Através de um buraco na parede oposta, a parede projetava um retângulo. O sistema visual odeia coincidências: ele supõe que uma imagem regular provém de algo que realmente é regular e que não parece ser assim só devido ao alinhamento fortuito de uma forma irregular. Ames de fato alinhava uma forma irregular de modo a produzir uma imagem regular e reforçava seu truque engenhoso com janelas distorcidas e pisos ladrilhados. Quando uma criança fica em pé no canto mais próximo e a mãe no canto mais distante, a criança projeta uma imagem retiniana maior. O cérebro leva em consideração a profundidade quando avalia o tamanho; é por isso que na vida cotidiana uma criancinha que vai se aproximando nunca parece maior do que o genitor que está distante. Mas, no caso acima, o senso de profundidade do observador é vítima de sua aversão à coincidência. Cada centímetro da parede parece estar a uma distância igual, de modo que as imagens retinianas dos corpos são interpretadas pela aparência, e o Júnior parece bem mais alto do que a Mamãe. Quando eles trocam de lugar andando ao longo da parede dos fundos, Júnior encolhe até o tamanho de um cachorrinho de colo e Mamãe transforma-se em pivô de time de basquete. O aposento de Ames foi construído em vários museus de ciências, como o Exploratorium de San Francisco, e você pode ver pessoalmente essa espantosa ilusão (ou ser visto nela) (ver abaixo).

Ora, uma imagem nada mais é do que um modo mais conveniente de arranjar a matéria de maneira que ela projete um padrão idêntico a objetos

reais. A matéria imitadora encontra-se sobre uma superfície plana, em vez de em uma casa de bonecas ou suspensa por arames, e é formada besuntando-se pigmentos em vez de se cortar formas em madeira. As formas das manchas podem ser determinadas sem a tortuosa engenhosidade de Ames. O truque foi expresso sucintamente por Leonardo da Vinci: "A perspectiva nada mais é do que ver um lugar por trás de uma lâmina de vidro, muito transparente, na superfície da qual os objetos por trás do vidro são desenhados". Se o pintor vê a cena de uma posição fixa de observação e copia fielmente os contornos, até o último pelo do cachorro, uma pessoa que vier a olhar a pintura da posição do pintor terá seu olho empalado pelo mesmo feixe de luz projetado pela cena original. Nessa parte do campo visual, a pintura e o mundo seriam indistinguíveis. Sejam quais forem as suposições que impelem o cérebro a ver o mundo como o mundo e não como pigmentos besuntados, elas impelirão o cérebro a ver a *pintura* como o mundo e não como pigmentos besuntados.

Quais são essas suposições? Nós as exploraremos mais tarde, mas eis uma pré-estreia. As superfícies têm cor e textura uniformes (ou seja, são cobertas por granulação, tecedura ou pintas regulares), de modo que uma mudança gradual nas marcas de uma superfície é causada pela luminosidade e pela perspectiva. O mundo frequentemente contém figuras paralelas, simétricas, regulares e de ângulos retos dispostas sobre o chão plano, que só *parecem* afilar quando estão uma atrás da outra; o afilamento é atribuído a um efeito da perspectiva e desconsiderado. Os objetos possuem silhuetas regulares, compactas, de modo que, se o Objeto A tem um pedaço removido e esse pedaço está preenchido pelo Objeto B, A está atrás de B; não ocorrem acidentes nos quais um inchaço em B encaixa-se direitinho no pedaço removido de A. Você pode perceber o poder dessas suposições nos desenhos lineares abaixo, que dão a impressão de profundidade.

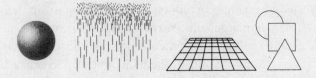

Na prática, os pintores realistas não lambuzam vidraças com tinta, mas usam imagens visuais da memória e uma coleção de truques para obter o mesmo efeito na tela. Eles usam grades feitas de arame ou desenhadas em vidro, cordões tesos que partem da cena, atravessam buraquinhos na tela e chegam a um retículo óptico, a câmara escura, a câmara clara e agora a câmera Nikon.

E, evidentemente, nenhum pintor reproduz cada pelo do cachorro. Pinceladas, a textura da tela e a forma da moldura afastam a pintura da idealização da vidraça de Leonardo. Além disso, quase sempre vemos uma pintura de um ponto de observação diferente do assumido pelo pintor defronte à sua vidraça, e isso faz com que o feixe de luz que empala o olho seja diferente daquele que a cena verdadeira enviaria. Essa é a razão por que as pinturas são ilusórias apenas em parte: vemos o que o quadro retrata, mas ao mesmo tempo o vemos *como* uma pintura, e não como realidade. A tela e a moldura dão a dica e, notavelmente, usamos essas mesmas pistas sobre a condição de pintura para determinar nosso ponto de observação em relação ao quadro e compensar as diferenças que ele apresenta relativamente ao ponto de observação do pintor. Desfazemos a distorção da pintura como se a víssemos da perspectiva do pintor e interpretamos corretamente as formas ajustadas. A compensação funciona apenas até certo ponto. Quando chegamos atrasados ao cinema e nos sentamos na primeira fila, a diferença entre nosso ponto de observação e o da câmera (análoga ao do pintor na vidraça de Leonardo) é demasiada e vemos atores deformados deslizando por um trapezoide.

Existe outra diferença entre a arte e a vida. O pintor teve de ver a cena de um único ponto de observação. As pessoas espiam o mundo de *dois* pontos de observação: o do olho esquerdo e o do olho direito. Levante um dedo e permaneça imóvel enquanto fecha um olho, depois o outro. O dedo obscurece partes diferentes do mundo por trás dele. Os dois olhos têm visões ligeiramente diferentes, um fato da geometria denominado paralaxe binocular.

Muitos tipos de animais têm dois olhos e sempre que miram à frente, de modo que seus campos se sobreponham (em vez de mirar para fora a fim de ter uma visão panorâmica), a seleção natural deve ter enfrentado o problema de combinar as impressões em uma imagem unificada que o resto do cérebro possa usar. Essa imagem hipotética tem seu nome inspirado em uma criatura mítica com um único olho no meio da testa: o ciclope, membro de uma raça de gigantes monoculares encontrada por Ulisses em suas viagens. O problema na formação de uma imagem ciclópica é não existir um modo direto de sobrepor as visões dos dois olhos. A maioria dos objetos incide em lugares diferentes nas duas imagens, e a diferença depende da distância em que estão: quanto mais próximo o objeto, mais separados estão seus fac-símiles nas projeções dos dois olhos. Imagine que está olhando para uma maçã sobre uma mesa, com um limão atrás e cerejas na frente.

234

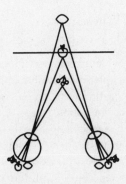

Seus olhos estão mirando a maçã, portanto a imagem dela pousa na fóvea de cada olho (o centro morto da retina, onde a visão é mais aguçada). Nas duas retinas, a maçã está na posição "seis horas". Olhe agora as projeções das cerejas, que estão mais próximas. No olho esquerdo, elas estão em "sete horas", mas no direito estão em "cinco horas", e não "sete". O limão, que se encontra mais distante, projeta uma imagem em "cinco e meia" no olho esquerdo e "seis e meia" no direito. Os objetos mais próximos do que o ponto de fixação deslocam-se para fora, na direção das têmporas; os mais distantes espremem-se para dentro, na direção do nariz.

Mas a impossibilidade de uma sobreposição simples deu à evolução uma oportunidade. Com um pouco da trigonometria do curso secundário, podemos *usar* a diferença na projeção de um objeto nos dois olhos, juntamente com o ângulo formado pela mira dos dois olhos e a separação destes no crânio, para calcular a distância em que se encontra o objeto. Se a seleção natural pudesse instalar um computador neural para realizar a trigonometria, a criatura binocular poderia quebrar a vidraça de Leonardo e sentir a profundidade de um objeto. Esse mecanismo recebeu o nome de visão estereoscópica, abreviada como "estéreo".

Incrivelmente, ninguém notou isso por milhares de anos. Os cientistas julgavam que os animais têm dois olhos pelo mesmo motivo que possuem um par de rins: como subproduto de um plano corporal bilateralmente simétrico e talvez para que um pudesse servir de substituto caso o outro fosse danificado. A possibilidade da visão estéreo escapou a Euclides, Arquimedes e Newton, e nem mesmo Leonardo avaliou-a plenamente. Ele notou, de fato, que os dois olhos têm visões diferentes de uma esfera, com o olho esquerdo enxergando ligeiramente mais longe ao redor dela pela esquerda, e o olho direito enxergando mais longe ao redor dela pela direita. Se ele tivesse usado um cubo em vez de uma esfera em seu exemplo, teria notado que as formas nas retinas são diferentes. A visão estéreo só veio a ser descoberta em 1838, por Charles Wheatstone, o físico e inventor que deu o nome ao circuito elétrico "ponte de Wheatstone". Ele escreveu:

A esta altura, deve estar evidente por que é impossível para o artista obter uma representação fiel de qualquer objeto sólido próximo, ou seja, produzir uma pintura que não se distinga, na mente, do próprio objeto. Quando a pintura e o objeto são vistos com os dois olhos, no caso da pintura duas imagens semelhantes projetam-se sobre a retina, no caso do objeto sólido as duas imagens são dessemelhantes; existe, portanto, uma diferença essencial entre as impressões nos órgãos dos sentidos nos dois casos e, em consequência, entre as percepções formadas na mente; por isso, a pintura não pode ser confundida com o objeto sólido.

A descoberta tardia da visão estéreo é surpreendente, pois não é difícil notá-la na experiência cotidiana. Mantenha um olho fechado durante alguns minutos enquanto anda um pouco. O mundo é um lugar mais plano, e você talvez se pegue roçando nas portas e derrubando açúcar no colo. É claro que o mundo não se torna totalmente plano. O cérebro ainda possui os tipos de informações que estão presentes nos quadros e na televisão, como adelgaçamento, oclusão, colocação no solo e gradientes de textura. E, o mais importante, ele tem movimento. Enquanto você se desloca, seu ponto de observação muda continuamente, fazendo com que os objetos próximos movam-se com rapidez e os mais distantes, mais lentamente. O cérebro interpreta o padrão dessa movimentação como um mundo tridimensional em movimento. A percepção de estrutura a partir do fluxo óptico é óbvia em *Jornada nas estrelas*, e nos populares protetores de tela para computador onde pontos brancos saindo do centro do monitor dão a vívida impressão de voar pelo espaço (embora as estrelas verdadeiras estejam demasiado distantes para dar essa impressão a uma tripulação de uma Frota Estelar real). Todas essas indicações monoculares de profundidade permitem às pessoas cegas de um olho deslocarem-se muito bem, inclusive o aviador Wiley Post e um atacante do time de futebol americano New York Giants na década de 70. O cérebro é um consumidor de informações oportunista e matematicamente habilidoso, sendo por isso, talvez, que seu uso de uma indicação, a disparidade binocular, escapou aos cientistas por tanto tempo.

Wheatstone provou que a mente transforma trigonometria em consciência quando elaborou a primeira imagem totalmente tridimensional, o estereograma. A ideia é simples. Capte uma cena usando *duas* das vidraças de Leonardo ou, para ser mais prático, duas câmeras, cada qual posicionada onde um olho deveria estar. Coloque a imagem direita diante do olho direito de uma pessoa e a imagem esquerda defronte ao olho esquerdo. Se o cérebro supõe que os dois olhos miram um mundo tridimensional, com diferenças nas visões ocasionadas pela paralaxe binocular, ele deverá ser enganado pelas imagens, combinando-as em uma imagem ciclópica na qual os objetos aparecem em profundidades diferentes (ver abaixo).

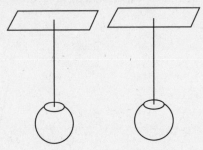

Mas aqui Wheatstone deparou com um problema, que ainda hoje desafia todas as engenhocas estereoscópicas. O cérebro ajusta fisicamente os olhos à profundidade de uma superfície de dois modos. Primeiro, embora eu venha descrevendo a pupila como se ela fosse uma abertura minúscula como um buraquinho de alfinete, ela na verdade possui um cristalino para acumular muitos raios de luz emanando de um ponto do mundo e focalizá-los todos em um ponto da retina. Quanto mais próximo o objeto, mais os raios precisam ser curvados para convergirem para um ponto em vez de para um disco indistinto, e mais espesso o cristalino do olho tem de estar. Músculos no interior do globo ocular precisam espessar o cristalino para focalizar objetos próximos e achatá-lo para focalizar objetos distantes.

objetos próximos requerem cristalino espesso

objetos distantes requerem cristalino delgado

A compressão é controlada pelo reflexo de focalização, um circuito de retroalimentação [*feeddback loop*] que ajusta a forma do cristalino até que os detalhes sutis na retina estejam no máximo. (O circuito é semelhante ao usado em algumas câmeras de foco automático.) É desagradável assistir a filmes com o foco mal ajustado porque o cérebro fica tentando eliminar a falta de nitidez acomodando o cristalino, um gesto inútil.

O segundo ajuste físico é mirar os dois olhos, situados a cerca de sete centímetros de distância um do outro, no mesmo trecho do mundo. Quanto mais próximo o objeto, mais os olhos têm de ser cruzados.

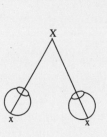

objeto próximo requer olhos muito cruzados

objeto distante requer olhos menos cruzados

Os olhos são cruzados e descruzados por músculos ligados às suas laterais; os músculos são controlados por um circuito cerebral que tenta eliminar imagens duplas. (Enxergar dobrado frequentemente é sinal de que o cérebro foi intoxicado, sufocado ou ferido.) O circuito assemelha-se aos telêmetros das câmeras antigas, nos quais um prisma sobrepõe as imagens de dois visores e o fotógrafo ajusta os ângulos do prisma (que é engrenado com a lente da câmera) até que a imagem se alinhe. O cérebro usa o princípio do telêmetro como outra fonte de informação, talvez indispensável, sobre a profundidade. A visão estéreo fornece informações apenas sobre a profundidade *relativa* — profundidade na frente ou atrás do ponto sobre o qual os olhos convergiram — e a retroalimentação da direção do globo ocular precisa ser usada para estabelecer um senso de profundidade absoluta.

Eis então o problema para o fabricante do estereoscópio. O reflexo de focalização e o reflexo de cruzamento dos olhos são conjugados. Se você focalizar em um ponto próximo para eliminar a falta de nitidez, os olhos convergem; se focalizar em um ponto distante, eles se tornam paralelos. Se você fizer os olhos convergirem sobre um ponto próximo para eliminar a visão dupla, os olhos comprimem o cristalino para o foco de perto; se você fizer os olhos divergirem sobre um ponto distante, eles relaxam para um foco distante. Essa conjugação frustra o design mais direto para um estereoscópio, no qual uma pequena imagem é colocada diante de cada olho e ambos os olhos apontam para a frente, cada qual para sua respectiva imagem. Mirar os olhos à frente é o que você faz para objetos distantes, e isso impele o foco de cada olho para a visão à distância, embaçando as imagens. Focalizar as imagens, por sua vez, aproxima os dois olhos, de modo que eles estejam apontando para a mesma imagem em vez de cada olho mirar uma imagem diferente, e isso também não adianta. Os olhos oscilam para dentro e para fora e os cristalinos tornam-se espessos e planos, porém não nos tempos certos. Para obter uma ilusão estereoscópica, alguma coisa tem de ceder.

Uma solução é desvincular as reações. Muitos psicólogos experimentais treinaram como faquires para arrancar o controle de seus reflexos e "fundir livremente" estereogramas por um ato da vontade. Alguns envesgam os olhos mirando um ponto imaginário na frente da imagem, para que o olho esquerdo fite a imagem direita e vice-versa, enquanto focalizam cada olho na imagem atrás do ponto imaginário. Outros fixam os olhos bem à frente, no infinito, enquanto mantêm o foco. Certa ocasião, tirei uma tarde de folga para treinar esse procedimento, depois de ficar sabendo que William James afirmou ser essa uma habilidade que todo bom psicólogo deveria dominar. Mas não devemos esperar toda essa dedicação das pessoas que têm outras ocupações.

A invenção de Wheatstone foi um tanto desajeitada porque ele encontrou um segundo problema: os desenhos e daguerreótipos de sua época eram grandes demais para caber diante dos olhos sem se sobreporem, e as pessoas não podiam apontar os olhos para fora para mirar um de cada lado, como os peixes. Assim, ele afastou uma imagem para cada lado, uma olhando para outra como suportes de livros na estante, e entre as duas ele colocou dois espelhos grudados um no outro como a capa de um livro aberto, cada espelho refletindo uma imagem. Em seguida, ele pôs um prisma diante de cada espelho e os ajustou de modo que os dois espelhos parecessem estar sobrepostos. Quando as pessoas olhavam através do prisma e viam os reflexos sobrepostos das duas imagens, a cena nas imagens aparecia em terceira dimensão. O advento de câmeras melhores e filmes menores propiciou um design mais simples, portátil, que perdura até hoje. Pequenas imagens — como sempre, fotografadas dos dois pontos de observação posicionados como os olhos — são colocadas lado a lado com um anteparo perpendicular entre elas e uma lente de vidro na frente de cada olho. A lente de vidro libera o olho de ter de focalizar a imagem próxima, e ele pode relaxar em sua posição de mirar o infinito. Isso separa os dois olhos de modo que eles mirem diretamente para a frente, um em cada imagem, e as imagens fundem-se facilmente.

O estereoscópio tornou-se a televisão do século XIX. Famílias e amigos da era vitoriana passavam horas aconchegantes revezando-se para ver fotografias estéreo de bulevares parisienses, de pirâmides egípcias ou das cataratas do Niágara. Belos estereoscópios de madeira e o respectivo software (cartões com fotografias lado a lado) ainda são vendidos em lojas de antiguidades para ávidos colecionadores. Uma versão moderna é o ViewMaster, disponível em lojas para turistas do mundo inteiro: um visor barato que exibe uma série de slides estereoscópicos das atrações locais.

Uma técnica diferente, o anáglifo, sobrepõe as duas imagens em uma superfície e usa engenhosas artimanhas para que cada olho veja apenas a imagem a ele destinada. Um exemplo conhecido são os célebres óculos em vermelho e verde associados à mania dos filmes em 3D do início da década de 50. A imagem do olho esquerdo é projetada em vermelho, a do olho direito é projetada em verde sobre uma única tela branca. O olho esquerdo olha para a tela através de um filtro verde, o que faz o fundo branco parecer verde e as linhas verdes destinadas ao outro olho ficarem invisíveis; as linhas vermelhas destinadas ao olho esquerdo salientam-se como pretas. Analogamente, o filtro vermelho sobre o olho direito torna o fundo vermelho, as linhas vermelhas invisíveis e as linhas verdes, pretas. Cada olho recebe sua imagem respectiva, e os Monstros de Lama de Alfa Centauro emergem da tela. Um lamentável efeito colateral é o fato de que, quando os dois olhos veem padrões muito diferentes como os fundos verde e vermelho, o cérebro não consegue fundi-los. Ele esculpe o campo visual em uma colcha de retalhos e oscila entre ver cada retalho como verde ou vermelho, um efeito desconcertante denominado rivalidade binocular. Você pode experimentar um exemplo mais brando mantendo um dedo alguns centímetros à sua frente com os dois olhos abertos, olhando à distância, de modo a obter uma dupla imagem. Se você prestar atenção a uma das imagens duplas, notará que certas porções lentamente se tornam opacas, dissolvem-se até a transparência, enchem-se novamente e assim por diante.

Um tipo melhor de anáglifo emprega filtros polarizadores, em vez de filtros coloridos, sobre duas lentes de projetor e nos óculos de papelão. A imagem destinada ao olho esquerdo é projetada do projetor esquerdo em ondas luminosas que oscilam em um plano diagonal, assim: /. A luz pode atravessar um filtro diante do olho esquerdo, havendo nesse filtro fendas microscópicas que também se encontram nesse sentido, mas não consegue atravessar um filtro defronte ao olho direito que possui fendas no sentido oposto, assim: \. Inversamente, o filtro na frente do olho direito só permite a passagem da luz proveniente do projetor direito. As imagens sobrepostas podem ser coloridas e não incitam a rivalidade entre os olhos. Essa técnica foi empregada com um efeito excelente por Alfred Hitchcock em *Disque* M *para matar*, na cena em que Grace Kelly estende a mão na direção da tesoura para apunhalar quem pretendia estrangulá-la. O mesmo não se pode dizer da adaptação para o cinema de *Kiss me Kate*, de Cole Porter, na qual uma dançarina, bramindo "Too darn hot" em cima de uma mesa de café, atira echarpes para a câmera.

Os óculos de anáglifo modernos possuem lentes feitas de mostrador de cristal líquido (como os números de um relógio digital), que funcionam como obturadores silenciosos, controlados eletricamente. Em um dado momento, um obturador é transparente e o outro, opaco, forçando os olhos a revezarem-se para olhar a tela de computador à sua frente. Os óculos são sincronizados com a tela, que mostra a imagem do olho esquerdo enquanto o obturador esquerdo está aberto e a imagem do olho direito enquanto o obturador direito está aberto. As visões alternam-se rápido demais para que os olhos notem a tremulação. Essa tecnologia é usada em alguns mostradores de realidade virtual. Mas o que existe de mais avançado na realidade virtual é uma versão hi-tech do estereoscópio vitoriano. Um computador exibe cada imagem em uma pequena tela de cristal líquido com uma lente na frente, fixada na frente de cada olho no interior de um capacete ou visor.

Todas essas tecnologias obrigam o observador a pôr na cabeça algum tipo de aparelho ou espiar através de um dispositivo. O sonho do ilusionista é um estereograma que possa ser visto a olho nu — um autoestereograma.

O princípio foi descoberto há um século e meio por David Brewster, físico escocês que também estudou a luz polarizada, inventou o caleidoscópio e o estereoscópio da era vitoriana. Brewster notou que os padrões repetidos do papel de parede podem sobressair do fundo. As cópias adjacentes do padrão, como uma flor, por exemplo, podem cada qual atrair um olho para que ele se fixe nela. Isso pode acontecer porque flores idênticas estão posicionadas nos mesmos lugares nas duas retinas, de modo que a imagem dupla parece uma única imagem. De fato, como uma camisa com os botões nas casas erradas, todo um desfile de imagens duplas pode mesclar-se falsamente em uma única imagem, com exceção dos membros sem par em cada extremidade. O cérebro, não vendo uma imagem dupla, satisfaz-se prematuramente de ter convergido os olhos de modo apropriado e os fixa no alinhamento falso. Isso faz com que os olhos mirem um ponto imaginário atrás da parede, e as flores parecem flutuar no espaço àquela distância. Elas também parecem infladas, pois o cérebro faz sua trigonometria e calcula que tamanho deveria ter a flor, àquela profundidade, para projetar sua presente imagem retiniana (ver página seguinte).

Um modo fácil de experimentar o efeito do papel de parede é fitar uma parede azulejada a alguns centímetros de distância, próxima demais para um enfoque e convergência confortáveis. (Muitos homens redescobrem esse efeito quando estão diante do mictório.) Os azulejos defronte a cada olho

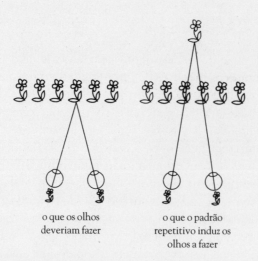

o que os olhos deveriam fazer

o que o padrão repetitivo induz os olhos a fazer

fundem-se facilmente, criando a extraordinária impressão de uma parede azulejada muito grande e muito distante. A parede curva-se para fora e, quando a cabeça se move de um lado para o outro, a parede oscila na direção oposta. As duas coisas teriam de acontecer no mundo se a parede estivesse realmente naquela distância enquanto projetasse a imagem retiniana presente. O cérebro cria essas ilusões em sua tentativa irrefletida de manter coerente a geometria de toda a alucinação.

Brewster também observou que qualquer irregularidade no espaçamento de um par de cópias faz com que elas se salientem ou afundem com relação às demais. Imagine que as flores atravessadas pelas linhas da visão no diagrama estão impressas um pouco mais próximas uma da outra. As linhas da visão aproximam-se e se cruzam mais perto dos olhos. As imagens na retina alargam-se em ângulo na direção das têmporas, e o cérebro vê a flor imaginária como se ela estivesse mais próxima. Analogamente, se as flores tivessem sido pintadas um pouco mais distantes uma da outra, as linhas da visão se cruzariam mais longe, e suas projeções retinianas se aproximariam na direção do nariz. O cérebro produz a alucinação do objeto fantasma a uma distância ligeiramente maior.

Chegamos agora a um tipo simples de ilusão de "olho mágico", o autoestereograma do papel de parede. Alguns dos estereogramas de livros e cartões mostram fileiras de figuras repetidas — árvores, nuvens, montanhas, pessoas. Quando você olha para o estereograma, cada fileira de objetos vagueia para dentro ou para fora e pousa em sua própria profundidade (embora nesses estereogramas, diferentemente dos compostos de rabiscos curvos, não emerjam novas formas; trataremos desses adiante). Eis um exemplo, elaborado por Ilavenil Subbiah.

É como o papel de parede de Brewster, porém com as separações desiguais inseridas deliberadamente, e não por serviço malfeito do colocador do papel. O quadro acomoda sete veleiros porque eles se encontram bem próximos, mas apenas cinco arcos porque estes estão mais espaçados. Quando você olha para trás da imagem, os veleiros parecem mais próximos do que os arcos porque suas linhas de visão mal abotoadas encontram-se em um plano mais próximo.

Se você ainda não sabe como fundir estereogramas, tente segurar o livro bem perto dos olhos. É perto demais para focalizar; deixe que seus olhos mirem bem à frente, enxergando dobrado. Lentamente, afaste o livro enquanto mantém os olhos relaxados e "olhe através" do livro para um ponto imaginário além dele. (Algumas pessoas colocam uma lâmina de vidro ou uma transparência por cima do estereograma para poderem focalizar os reflexos de objetos distantes.) Você ainda deverá estar vendo dobrado. O truque é deixar que uma das imagens duplas vagueie até sobrepor a outra e então mantê-las ali como se fossem ímãs. Tente manter as imagens alinhadas. As formas sobrepostas gradualmente ganham foco e ressaltam-se em profundidades diferentes. Como observou Tyler, a visão estéreo é como o amor: se você não está seguro, não a está experimentando.

Há quem se saia melhor segurando um dedo a alguns centímetros à frente do estereograma, focalizando o dedo e depois retirando-o enquanto mantém os olhos convergindo para aquela profundidade. Com essa técnica, a falsa fusão provém do cruzamento dos olhos, de modo que o olho esquerdo vê um veleiro à direita enquanto o direito vê um veleiro à esquerda. Não se preocupe com o que sua mãe dizia: seus olhos não ficarão paralisados nessa posição para sempre. Para começar, se você consegue fundir estereogramas com os olhos muito ou pouco envesgados depende, provavelmente, de você ter ou não um ligeiro estrabismo divergente ou convergente.

Com a prática, a maioria das pessoas consegue fundir autoestereogramas do tipo papel de parede. Não precisam da concentração de iogue dos psicólogos que fundem a olho nu os estereogramas de duas figuras, porque não precisam desacoplar seus reflexos de focalização de seus reflexos de convergência no mesmo grau. Fundir um estereograma de duas figuras a olho nu requer forçar os olhos para que se separem o suficiente de modo que cada olho permaneça mirando uma das figuras. Fundir um estereograma do tipo papel de parede requer meramente manter os olhos separados o suficiente para que cada olho permaneça mirando clones adjacentes *dentro de uma única imagem*. Os clones encontram-se suficientemente próximos para que o ângulo de convergência não fique demasiado desalinhado com relação ao que o reflexo de focalização quer que ele esteja. Não deve ser muito difícil para você explorar essa pequena oscilação na trama entre os dois reflexos e focalizar um pouquinho mais próximo do que seus olhos convergem. Se for, Ellen DeGeneres talvez consiga levar você para o grupo de apoio.

O truque por trás do estereograma de papel de parede — desenhos idênticos induzindo os olhos a combinar errado as visões — revela um problema fundamental que o cérebro precisa resolver para ver em estéreo. Antes de poder medir as posições de um ponto nas duas retinas, o cérebro precisa ter certeza de que o ponto na retina proveio da mesma marca no mundo que o ponto na outra retina. Se o mundo tivesse apenas uma marca, seria fácil. Mas adicione uma segunda marca e suas imagens retinianas podem ser combinadas de dois modos: ponto 1 no olho esquerdo com ponto 1 no olho direito, e ponto 2 no olho esquerdo com ponto 2 no olho direito — a combinação correta —, ou ponto 1 no olho esquerdo com ponto 2 no olho direito, e ponto 2 no olho esquerdo com ponto 1 no olho direito — uma combinação errada que provocaria a alucinação de duas marcas fantasmas.

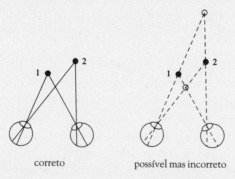

correto   possível mas incorreto

Acrescente mais marcas e se multiplicará o problema da combinação. Com três marcas, há seis combinações fantasmas; com dez marcas, noventa; com cem marcas, quase 10 mil. Esse "problema de correspondência" foi notado no século XVI pelo astrônomo Johannes Kepler, que refletiu sobre o modo como olhos que fitam estrelas combinam seus milhares de pontinhos brancos e sobre como a posição de um objeto no espaço poderia ser determinada a partir de suas múltiplas projeções. O estereograma de papel de parede funciona persuadindo o cérebro a aceitar uma solução plausível, mas falsa, para o problema da correspondência.

Até recentemente, todos pensavam que o cérebro resolvia o problema da correspondência em cenas cotidianas primeiro *reconhecendo* os objetos em cada olho e então combinando as imagens do mesmo objeto. Limão no olho esquerdo combinava com limão no olho direito, cerejas no olho esquerdo com cerejas no olho direito. A visão estéreo, guiada pela inteligência da pessoa como um todo, poderia afastar as combinações errôneas ligando apenas pontos provenientes do mesmo tipo de objeto. Uma cena típica pode conter milhões de pontos, mas conterá muito menos limões, talvez apenas um. Assim, se o cérebro combinasse objetos inteiros, haveria menos modos de errar.

Mas a natureza não optou por essa solução. A primeira indicação disso originou-se de mais um dos estrambóticos cômodos de Ames. Dessa vez, o infatigável Ames construiu um cômodo retangular comum, mas grudou folhas em cada centímetro do assoalho, das paredes e do teto. Quando o aposento era visto com um só olho por um orifício, parecia um amorfo oceano de verdura. Mas quando visto com os dois olhos, salientava-se na sua forma tridimensional correta. Ames construíra um mundo que só podia ser visto pelo mítico olho de ciclope, e não pelo olho esquerdo ou o direito isoladamente. Mas como o cérebro poderia ter combinado as visões dos dois olhos se precisasse depender do reconhecimento e ligação dos objetos em cada um? A visão do olho esquerdo era "folha folha folha folha folha folha folha folha". A do olho direito era "folha folha folha folha folha folha folha folha". O cérebro estava diante do mais difícil problema de correspondência imaginável. Ainda assim, sem esforço ele combinava as visões e conjurava uma visão ciclópica.

A demonstração não é irrefutável. E se as extremidades e os cantos do cômodo não estivessem perfeitamente mascarados pelas folhas? Talvez cada olho tivesse um tosco palpite da forma do aposento, e quando o cérebro fundia as duas imagens ele se tornasse mais confiante de que os palpites eram corretos. A prova irrefutável de que o cérebro pode resolver o problema da correspondência sem reconhecer objetos proveio de um engenhoso uso precoce da computação gráfica pelo psicólogo Bela Julesz. Antes de fugir da Hungria para os Estados Unidos em 1956, Julesz fora engenheiro de radares e se interessava pelo reconhecimento aéreo. A espionagem aérea emprega um truque engenhoso: visões estéreo penetram a camuflagem. Um objeto camuflado é coberto com marcas semelhantes ao fundo no qual ele se encontra, tornando invisível a fronteira entre o objeto e o fundo. Porém, contanto que o objeto não seja achatado como uma panqueca, quando ele é visto de *dois* pontos de observação suas marcas aparecerão em posições ligeiramente diferentes nas duas visões, enquanto as marcas que compõem o fundo não terão saído tanto do lugar porque estão mais distantes. O truque no reconhecimento aéreo é fotografar o solo, deixar que o avião voe um pouco e fotografar novamente. As imagens são postas lado a lado e então apresentadas a um hipersensível detector de disparidades em duas imagens: um ser humano. Uma pessoa olha as fotografias com um visor estéreo, como se fosse um gigante espiando do céu lá para baixo com um olho em cada uma das posições de onde o avião tirou a fotografia, e os objetos camuflados salientam-se em profundidade. Como um objeto camuflado, por definição, é quase invisível em uma única visão, temos mais um exemplo do olho ciclópico vendo o que nenhum dos olhos reais pode ver.

A prova tinha de provir de uma camuflagem *perfeita*, e para isso Julesz recorreu ao computador. Para a visão do olho esquerdo, ele fez o computador produzir um quadrado coberto por pontos aleatórios, como o chuvisco na televisão. Julesz fez então o computador produzir uma cópia para o olho direito, porém com uma distorção: ele deslocou um trecho de pontos um pouquinho para a esquerda e inseriu uma nova faixa de pontos aleatórios no hiato à direita, de modo que o trecho deslocado ficasse perfeitamente camuflado. Cada imagem isoladamente tinha a aparência de pimenta. Mas, quando postas no estereoscópio, o trecho levitava no ar.

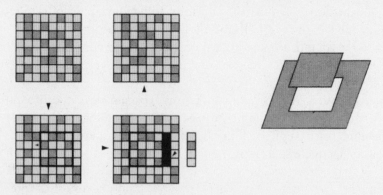

Muitas autoridades em visão estéreo na época recusaram-se a acreditar nisso, pois o problema de correspondência que o cérebro precisava resolver era dificílimo. Desconfiavam que Julesz de algum modo deixara pequenas marcas de corte em uma das imagens. Mas obviamente o computador não fez tal coisa. Qualquer pessoa que vê um estereograma de pontos aleatórios convence-se de imediato.

Tudo o que o colaborador ocasional de Julesz, Christopher Tyler, precisou para inventar o estereograma do olho mágico foi combinar o autoestereograma do papel de parede com o estereograma de pontos aleatórios. O computador gera uma faixa vertical de pontos e dispõe cópias dela lado a lado, criando um papel de parede de pontos aleatórios. Digamos que cada faixa tenha uma largura de dez pontos e que numeramos os pontos de 1 a 10 (usando "0" para representar 10):

```
12345678901234567890123456789012345678901234567890
12345678901234567890123456789012345678901234567890
12345678901234567890123456789012345678901234567890
```

—e assim por diante. Qualquer grupo de pontos—digamos, "5678"—repete-se a cada dez espaços. Quando os olhos se fixam em faixas vizinhas, elas falsamente se fundem, como fazem no caso do estereograma de papel de parede, exceto pelo fato de o cérebro estar sobrepondo trechos de pontos aleatórios em vez de flores. Lembre-se de que, em um estereograma de papel de parede, cópias de um padrão que foram comprimidas e ficaram muito juntas flutuarão acima do resto porque suas linhas de visão cruzam-se mais perto para o observador. Para fazer um trecho flutuar em um autoestereograma do tipo olho mágico, quem o cria identifica o trecho e faz cada grupo de pontos dentro do trecho mais próximo da cópia de si mesmo que estiver mais perto. Na figura da página seguinte, quero fazer um retângulo flutuante. Assim, "corto" fora duas cópias do ponto 4 no trecho entre as setas. Você pode localizar as fileiras cortadas porque elas agora têm dois espaços a menos. Dentro do retângulo, cada grupo de pontos, digamos, "5678", repete-se a cada *nove* espaços em vez de a cada dez. O cérebro interpreta cópias que estão mais próximas entre si como provenientes de objetos mais próximos, e por isso o retângulo levita. A propósito, o diagrama não só mostra como são feitos os autoestereogramas mas funciona ele próprio como um autoestereograma passável. Se você fundi-lo como papel de parede, um retângulo deve emergir. (Os asteriscos no topo estão ali para ajudá-lo na fusão; deixe seus olhos vaguearem até obter uma imagem dupla com quatro asteriscos; lentamente, procure aproximar as duas imagens até que os dois asteriscos do meio fundam-se e você esteja vendo três asteriscos em fila, em vez de quatro.

Com cuidado, olhe para o diagrama sem reajustar os olhos e poderá ver o retângulo flutuante.)

          *   *

          ↓   ↓

```
123456789012345678901234567890123456789012345678901234567890
123456789012345678901234567890123456789012345678901234567890
123456789012345678901234567890123456789012345678901234567890
123456789012345678901235678901235678901234567890123456789012345678901234567890
123456789012345678901234567890123567890123567890123456789012345678901234567890
123456789012345678901234567890123567890123567890123456789012345678901234567890
123456789012345678901234567890123567890123567890123456789012345678901234567890
123456789012345678901234567890123567890123567890123456789012345678901234567890
123456789012345678901234567890123567890123567890123456789012345678901234567890
123456789012345678901234567890123456789012345678901234567890
123456789012345678901234567890123456789012345678901234567890
123456789012345678901234567890123456789012345678901234567890
123456789012345678901234567890123X4567890123X45678901234567890123456789012345678901234567890
123456789012345678901234567890123X4567890123X45678901234567890123456789012345678901234567890
123456789012345678901234567890123X4567890123X45678901234567890123456789012345678901234567890
123456789012345678901234567890123X4567890123X45678901234567890123456789012345678901234567890
123456789012345678901234567890123X4567890123X45678901234567890123456789012345678901234567890
123456789012345678901234567890123X4567890123X45678901234567890123456789012345678901234567890
123456789012345678901234567890123456789012345678901234567890
123456789012345678901234567890123456789012345678901234567890
123456789012345678901234567890123456789012345678901234567890
```

Você também deve ver uma janela saliente mais abaixo na figura. Eu a fiz escolhendo um trecho retangular e fazendo o oposto do que tinha feito acima: coloquei um ponto *adicional* (rotulado como "X") ao lado de cada cópia do ponto 4 no interior do trecho. Isso separa um pouco mais os grupos de pontos, de modo que eles se repetem a cada *onze* espaços. (As fileiras com pontos inseridos, como você pode notar, são mais longas do que as demais.) Cópias mais espaçadas equivalem a uma superfície mais distante. Obviamente, um verdadeiro autoestereograma de pontos aleatórios é feito de pontos e não de números; por esse motivo você não nota o material cortado ou inserido, e as linhas irregulares são preenchidas por pontos adicionais. Eis um exemplo. A diversão do verdadeiro autoestereograma de pontos aleatórios está no fato de o momento do "aparecimento" surpreender o observador com formas anteriormente invisíveis (ver página seguinte).

Quando a mania do autoestereograma chegou ao Japão, logo se desenvolveu, transformando-se em uma forma de arte. Não é preciso pontos; qualquer tapeçaria de pequenos contornos rica o suficiente para induzir o cérebro a fixar os olhos em faixas próximas serve. Os primeiros autoestereo-

gramas comerciais usavam rabiscos curvos coloridos; os japoneses usam flores, ondas do mar e, seguindo o exemplo do livro de Ames, folhas. Graças ao computador, as formas não precisam ser recortes planos como em um diorama. Lendo nas coordenadas tridimensionais dos pontos de uma superfície, o computador pode deslocar cada ponto para uma distância ligeiramente diferente a fim de esculpir a forma sólida no espaço ciclópico, em vez de deslocar rigidamente todo o trecho. Materializam-se formas uniformes, bulbosas, dando a impressão de terem sido empacotadas a vácuo em folhas ou flores.

Por que a seleção natural nos equipa com uma verdadeira visão ciclópica — a capacidade de ver formas em estéreo que nenhum olho consegue ver em mono — em vez de com um sistema estéreo mais simples que casaria os limões e cerejas que são visíveis para cada olho? Tyler argumenta que nossos ancestrais realmente viviam no quarto de folhas de Ames. Os primatas evoluíram nas árvores e precisavam deslocar-se em meio a uma rede de galhos camuflados por um véu de folhagem. O preço do fracasso era uma longa queda até o chão da floresta. Construir um computador estéreo nessas criaturas de dois olhos deve ter sido irresistível para a seleção natural, mas só poderia funcionar se as disparidades fossem calculadas sobre milhares de bits de textura visual. Objetos isolados que permitem combinações inequívocas eram raríssimos.

Julesz salienta outra vantagem da visão ciclópica. A camuflagem foi descoberta pelos animais muito antes de ter sido descoberta pelos exércitos. Os primeiros primatas assemelhavam-se aos atuais prossímios, os lêmures e tarsioides de Madagascar, que arrancam insetos de árvores. Muitos insetos escondem-se dos predadores ficando paralisados, o que anula os detectores de movimento dos caçadores, e camuflando-se, o que anula seus detectores de contornos. A visão ciclópica é uma contramedida eficaz, revelando a presa exatamente como um reconhecimento aéreo revela tanques e aviões. Os avanços nas armas produzem corridas armamentistas na natureza tanto quanto na guerra. Alguns insetos sagazmente suplantaram a visão estéreo de seus predadores achatando seu corpo e se deitando colados ao pano de fundo ou se transformando em esculturas vivas de folhas e ramos, uma espécie de camuflagem tridimensional.

Como funciona o olho ciclópico? O problema da correspondência — identificar as marcas em um olho com suas correspondentes no outro — é um tremendo enigma do tipo "Quem nasceu primeiro: o ovo ou a galinha?". Não podemos medir a disparidade estéreo de um par de marcas antes de ter escolhido um par de marcas para medir. Mas em um quarto de folhas ou este-reograma de pontos aleatórios há milhares de candidatos para a escolha. Se você soubesse a que distância se encontra a superfície, saberia para onde olhar na retina esquerda para encontrar a correspondente da marca no lado direito. Mas se você soubesse isso, não seria necessário executar a computa-ção estéreo; você já saberia a resposta. Como a mente faz?

David Marr observou que as suposições incorporadas sobre o mundo em que evoluímos podem vir em nosso auxílio. Entre as n^2 combinações pos-síveis de n pontos, nem todas têm probabilidade de provir dessa grandiosa moldura, a Terra. Um combinador bem projetado deveria considerar apenas as combinações que são fisicamente prováveis.

Primeiro, cada marca no mundo está ancorada em uma posição em uma superfície específica em determinado momento. Portanto, uma combina-ção correta deve casar pontos idênticos nos dois olhos que provenham de uma única mancha no mundo. Um ponto preto em um olho deve combinar com um ponto preto no outro, e não com um ponto branco, pois a combina-ção tem de representar uma única posição em determinada superfície, e essa posição não pode ser ao mesmo tempo uma mancha branca e uma mancha preta. Inversamente, se um ponto preto realmente combina com um ponto preto, eles devem provir de uma única posição em alguma superfície do mundo. (Essa é a suposição violada pelos autoestereogramas: cada uma de suas manchas aparece em *várias* posições.)

Segundo, um ponto em um olho deve ser combinado com não mais do que um ponto no outro olho. Isso implica a suposição de que uma linha de visão saindo de um olho termina numa mancha em uma, e somente em uma, superfície no mundo. À primeira vista, parece que a suposição exclui uma linha de visão que atravessa uma superfície transparente e chega a uma superfície opaca, como o fundo de um lago raso. Mas a suposição é mais sutil; ela apenas exclui a coincidência na qual duas manchas idênticas, uma na superfície do lago e a outra no fundo, alinham-se uma atrás da outra a partir do ponto de observação do olho esquerdo enquanto são ambas visíveis do ponto de observação do olho direito.

Terceiro, a matéria é coesa e uniforme. Na maioria das vezes, uma linha de visão terminará em uma superfície do mundo que não é drasticamente mais próxima ou mais distante do que a superfície atingida pela linha de visão adjacente. Ou seja, retalhos vizinhos do mundo tendem a encontrar-se na mesma superfície uniforme. Evidentemente, na fronteira de um objeto a suposição é violada: a borda da capa deste livro está a alguns centímetros de distância de você, mas se você olhar logo à direita dessa capa poderá estar fitando a lua crescente a cerca de 400 000 km de distância. Mas as fronteiras compõem uma pequena porção do campo visual (você precisa de muito menos tinta para esboçar um desenho linear do que para colori-lo inteiro), e essas exceções podem ser toleradas. O que a suposição exclui é um mundo composto de tempestades de areia, enxames de mosquitos, fios finos, fendas profundas entre picos escarpados, leitos de pregos vistos de cima etc.

As suposições parecem razoáveis no abstrato, mas ainda assim alguma coisa tem de *encontrar* as combinações de pontos que as satisfaçam. Problemas do tipo ovo ou galinha às vezes podem ser resolvidos com a técnica denominada satisfação de restrições que vimos no capítulo 2 ao tratar dos cubos de Necker e da fala com sotaque. Quando as partes de um quebra-cabeça não podem ser resolvidas uma por vez, quem o está resolvendo pode ter em mente várias hipóteses para cada uma, comparar as hipóteses para as diferentes partes do quebra-cabeça e ver quais são mutuamente coerentes. Uma boa analogia é fazer palavras cruzadas com um lápis e borracha. Com frequência uma pista para uma palavra na horizontal é tão vaga que várias palavras podem ser escritas ali, e uma pista para uma palavra na vertical é tão vaga que várias palavras podem ser escritas ali. Mas, se apenas uma das hipóteses para a vertical tiver uma letra em comum com qualquer uma das hipóteses da horizontal, esse par de palavras é conservado e os demais são excluídos. Imagine fazer isso para todas as pistas e quadrados ao mesmo tempo, e terá uma ideia da satisfação de restrições. No caso de resolução do problema da correspondência na visão estéreo, os pontos são as pistas, as combinações e suas profundidades são as hipóteses e as três suposições sobre o mundo são como as regras que determinam que cada letra de cada palavra tem de ficar em um quadrado, cada quadrado tem de conter uma letra e todas as sequências de letras têm de formar palavras.

A satisfação de restrições às vezes pode ser implementada em uma rede de restrições como a que apresentei na página 130. Marr e o neurocientista teórico Tomaso Poggio elaboraram uma para a visão estéreo. As unidades de input representam pontos, como os quadrados pretos e brancos de um estereograma de pontos aleatórios. Elas alimentam um conjunto de unidades que representam todas as $n \times n$ combinações possíveis de um ponto no olho esquerdo com algum outro ponto no olho direito. Quando uma dessas unidades é ligada, a rede está supondo que há uma mancha em uma profundidade específica do mundo (relativa ao lugar para onde os olhos convergiram). Eis uma visão geral de um plano da rede, mostrando uma fração das unidades.

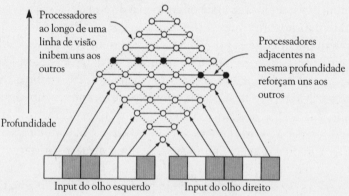

Vejamos como o modelo funciona. Uma unidade é ligada apenas se receber os mesmos inputs dos dois olhos (preto ou branco), incorporando a primeira suposição (cada marca ancorada a uma superfície). Como as unidades são interconectadas, a ativação de uma induz à ativação de suas vizinhas, para cima ou para baixo. As unidades para combinações diferentes que se encontrem na mesma linha de visão inibem umas às outras, incorporando a segunda suposição (inexistência de marcas coincidentes alinhadas ao longo de uma linha de visão). Unidades para pontos adjacentes em profundidades próximas excitam umas às outras, incorporando a terceira suposição (a matéria é coesa). As ativações reverberam através da rede, e esta por fim se estabiliza, com as unidades ativadas traçando um contorno em profundidade. No diagrama, as unidades preenchidas estão mostrando uma borda pairando sobre seu fundo (segundo plano).

A técnica da satisfação de restrições, na qual milhares de processadores fazem hipóteses experimentais e debatem entre si até emergir uma solução global, condiz com a ideia geral de que o cérebro trabalha com numerosos processadores interconectados computando paralelamente. Essa técnica também apreende uma parte da psicologia. Quando você observa um estereograma de pontos aleatórios complicado, com frequência não vê a figura oculta emergir de imediato. Um pedaço de borda pode salientar-se no meio da granulação, fazendo então ressaltar-se uma lâmina, que dá nitidez e contorno definido a uma borda imprecisa do outro lado, e assim por diante, até que a forma toda se funde. Vivenciamos o aparecimento da solução, mas não a luta dos processadores para obtê-la. A experiência é um bom lembrete de que, enquanto vemos e pensamos, ocorrem dezenas de iterações de processamento de informações abaixo do nível da consciência.

O modelo de Marr-Poggio capta o teor da computação da visão estéreo pelo cérebro, mas nossos circuitos reais certamente são mais complexos. Experimentos demonstraram que, quando as pessoas são colocadas em mundos artificiais que violam suposições quanto à singularidade e uniformidade, elas não veem tão mal quanto o modelo prevê. O cérebro deve estar usando tipos adicionais de informações para ajudar a resolver o problema da correspondência. Para começar, o mundo não é feito de pontos aleatórios. O cérebro é capaz de combinar todas as pequeninas diagonais, traçados em "T", zigue-zagues, borrões de tinta e outros rabiscos e tracinhos nas visões dos dois olhos (que mesmo um estereograma de pontos aleatórios possui em abundância). Existem muito menos combinações falsas entre rabiscos e tracinhos do que entre pontos, portanto o número de combinações que têm de ser excluídas reduz-se radicalmente.

Outra artimanha para efetuar a combinação é explorar uma consequência geométrica diferente de possuir dois olhos, aquela observada por Leonardo: há partes de um objeto que um olho pode ver, mas o outro não. Segure verticalmente uma caneta à sua frente, com a presilha para trás, na posição "onze horas". Quando você fechar um olho de cada vez, perceberá que apenas o olho esquerdo consegue enxergar a presilha; ela fica oculta do olho direito pelo restante da caneta. A seleção natural teria sido tão astuta quanto Leonardo quando projetou o cérebro, permitindo a este usar essa valiosa pista sobre a fronteira de um objeto? Ou será que o cérebro ignora a pista, relutantemente debitando cada combinação errada como uma exceção à suposição sobre a coesão da matéria? Os psicólogos Ken Nakayama e

Shinsuke Shimojo demonstraram que a seleção natural não ignorou a pista. Eles criaram um estereograma de pontos aleatórios cujas informações sobre profundidade encontravam-se não em pontos deslocados, mas em pontos que eram visíveis na visão de um olho e ausentes na do outro. Esses pontos situavam-se nas arestas de um quadrado imaginário, com pontos nas arestas superior e inferior direitas apenas na imagem do olho direito, e pontos nas arestas superior e inferior esquerda apenas na imagem do olho esquerdo. Quando as pessoas olham o estereograma, veem um quadrado flutuante definido pelos quatro pontos, demonstrando que o cérebro de fato interpreta características visíveis apenas para um olho como provenientes de uma borda no espaço. Nakayama e o psicólogo Barton Anderson supõem que existem neurônios que detectam essas oclusões; estes responderiam a um par de marcas em um olho, uma das quais pode ser correspondida com uma marca no outro olho, e a outra não podendo ser correspondida. Esses detectores tridimensionais de bordas ajudariam uma rede estéreo a mirar com precisão os contornos dos trechos flutuantes.

A visão estéreo não vem como brinde junto com os dois olhos; os circuitos têm de ser conectados no cérebro. Sabemos disso porque cerca de 2% da população é capaz de enxergar perfeitamente com cada globo ocular, mas não com o olho ciclópico; os estereogramas de pontos aleatórios permanecem planos. Outros 4% veem em estéreo, porém mal. Uma minoria ainda mais substancial apresenta déficits mais seletivos. Alguns não conseguem enxergar em estéreo a profundidade além do ponto de fixação; outros não podem ver à frente. Whitman Richards, que descobriu essas formas de cegueiras em estéreo, aventou a hipótese de que o cérebro possui três agregados [pools] de neurônios que detectam diferenças na posição de um ponto nos dois olhos. Um agregado destina-se a pares de pontos que coincidem exatamente ou quase exatamente, para a percepção de profundidade de texturas finas no ponto de focalização. Outro serve para pares de pontos nos lados do nariz, para objetos mais distantes. Um terceiro é para pares de pontos próximos das têmporas, para objetos mais próximos. Desde então, foram encontrados neurônios com todas essas propriedades nos cérebros de macacos e gatos. Os diferentes tipos de cegueira em estéreo parecem ser determinados geneticamente, indicando que cada agregado de neurônios é instalado por uma combinação diferente de genes.

A visão estéreo não está presente na época do nascimento e pode ser permanentemente danificada em crianças ou animais jovens se um dos olhos for temporariamente privado de input por uma catarata ou uma venda.

Até aqui, isso soa como a maçante lição de que a visão estéreo, como tudo o mais, é uma mistura de natureza e criação. Mas um modo melhor de conceber a questão é pensar que o cérebro tem de ser montado, e a montagem requer uma programação do projeto ao longo de um cronograma extenso. O cronograma não se importa com o momento em que o organismo é expulso do útero; a sequência de instalação pode prosseguir após o nascimento. O processo também requer, em momentos críticos, a entrada de informações que os genes não podem prever.

A visão estéreo surge abruptamente nos bebês. Quando recém-nascidos são levados ao laboratório em intervalos regulares, semana após semana eles não se impressionam com estereogramas, e um belo dia ficam encantados. Próximo dessa memorável semana, em geral por volta dos três ou quatro meses de vida, os bebês convergem os olhos adequadamente pela primeira vez (por exemplo, acompanham uniformemente a trajetória de um brinquedo até seus narizes) e se incomodam com exposições concorrentes — um padrão diferente em cada olho —, quando antes as achavam interessantes.

Não é que os bebês "aprendem a ver em estéreo", seja lá o que for que isso signifique. O psicólogo Richard Held tem uma explicação mais simples. Quando os bebês nascem, cada neurônio na camada receptora do córtex visual *adiciona* os inputs de localizações correspondentes nos dois olhos em vez de mantê-los separados. O cérebro não sabe distinguir de que olho veio determinada informação de padrão e simplesmente funde a visão de um olho por cima da do outro, em uma sobreposição bidimensional. Sem informação sobre de que olho proveio um rabisco, são logicamente impossíveis a visão estéreo, a convergência e a rivalidade. Aproximadamente aos três meses de vida, determina-se qual será o olho a que cada neurônio irá reagir. Os neurônios que se encontram uma conexão cadeia abaixo podem agora saber quando uma marca incide em um ponto do olho e no mesmo ponto, ou em um ponto ligeiramente deslocado, no outro olho — a matéria-prima para a visão estéreo.

Nos gatos e macacos, cujos cérebros foram estudados diretamente, isso é o que de fato ocorre. Assim que o córtex do animal consegue distinguir um olho do outro, o animal vê estereogramas em profundidade. Isso indica que, quando os inputs são pela primeira vez rotulados como "olho esquerdo" ou "olho direito", os circuitos da computação estéreo uma camada cadeia abaixo já estão instalados e funcionando. Nos macacos, tudo fica pronto em dois meses: por essa época, cada neurônio tem um olho favorito, e os bebês macacos enxergam em profundidade. Comparados a outros primatas, os humanos são "altrícios": os bebês nascem muito cedo e indefesos, comple-

255

tando seu desenvolvimento fora do útero. Como os bebês humanos nascem mais cedo do que os macacos em proporção à duração de sua infância, a instalação de seus circuitos binoculares evidencia-se em uma idade mais tardia, medida a partir da data do nascimento. De um modo mais geral, quando os biólogos comparam os marcos da maturação dos sistemas visuais de diferentes animais, alguns que nascem prematuramente e incapazes e outros que nascem tardiamente e enxergando, descobrem que a sequência é muito parecida, quer as últimas etapas ocorram no útero, quer no mundo.

A emergência dos neurônios cruciais para o olho esquerdo e o olho direito pode ser bloqueada pela experiência. Quando os neurobiólogos David Hubel e Torsten Wiesel criaram filhotes de gatos e macacos com um olho coberto, os neurônios de input do córtex sintonizaram-se todos com o outro olho, tornando o animal funcionalmente cego do olho que ficou coberto. O dano foi permanente, mesmo com uma privação breve, nos casos em que o olho ficou coberto em um período crítico do desenvolvimento do animal. Nos macacos, o sistema visual é especialmente vulnerável durante as duas primeiras semanas de vida, e a vulnerabilidade diminui gradualmente ao longo do primeiro ano. Cobrir o olho de um macaco adulto, mesmo durante quatro anos, não causa danos.

De início, tudo isso parecia um caso de "usar ou perder", mas uma surpresa estava reservada. Quando Hubel e Wiesel cobriram *ambos* os olhos, o cérebro não apresentou o dobro do dano; metade das células não apresentou dano algum. No experimento com a venda em um só olho, o dano ocorreu não porque um neurônio destinado ao olho coberto foi privado de inputs, mas porque os sinais de inputs do olho *descoberto* tiraram do caminho os inputs do olho coberto. Os olhos competem por território na camada de inputs do córtex. Cada neurônio começa com um ligeiro viés para um olho ou para o outro, e o input desse olho exagera o viés até que o neurônio responda somente a ele. Os inputs nem mesmo precisam originar-se no mundo; ondas de ativação de estações de permuta [*way-stations*] intermediárias, uma espécie de padrão de testes gerado internamente, podem fazer o truque. A saga do desenvolvimento, embora ele seja sensível a mudanças na experiência do animal, não é exatamente "aprender", no sentido de registrar informações provenientes do mundo. Como um arquiteto que passa um esboço a um desenhista subalterno para endireitar as linhas, os genes constroem toscamente neurônios específicos para os olhos e depois desencadeiam um processo que seguramente os aprimorará, a menos que um neurobiólogo interfira.

Depois de o cérebro segregar a imagem do olho esquerdo da imagem do olho direito, camadas subsequentes de neurônios podem comparar essas imagens em busca das minúsculas disparidades que indicam profundidade. Também esses circuitos podem ser modificados pela experiência do animal, embora mais uma vez de maneiras surpreendentes. Se um experimentador faz um animal adquirir estrabismo convergente ou divergente cortando um dos músculos do olho, os olhos apontam para direções diferentes e nunca veem a mesma coisa nas duas retinas ao mesmo tempo. Naturalmente, não é de 180 graus o ângulo formado pelas miras de cada olho, portanto, em teoria, o cérebro poderia aprender a combinar os segmentos disparatados que de fato se sobrepõem. Mas aparentemente ele não está equipado para combinações que ultrapassem mais de alguns graus de um olho ao outro; o animal cresce sem visão estéreo e, com frequência, também funcionalmente cego de um dos dois olhos, um mal denominado ambliopia. (A ambliopia às vezes é designada como "olho preguiçoso", mas essa denominação é enganosa. É o cérebro, e não o olho, que é insensível, e a insensibilidade ocorre porque o cérebro ativamente suprime o input de um olho em uma espécie de rivalidade permanente, e não porque ele preguiçosamente ignora esse input.)

A mesma coisa pode ocorrer com crianças. Se um dos olhos for mais hipermetrope do que o outro, a criança habitualmente se esforça para focalizar objetos próximos, e o reflexo que conjuga a focalização e a convergência puxa esse olho para dentro. Os dois olhos apontam para direções diferentes (um mal denominado estrabismo), e suas visões não se alinham com proximidade suficiente para que o cérebro use as informações sobre disparidade nelas contidas. A criança cresce com ambliopia e sem visão estéreo, a menos que se faça sem demora uma cirurgia nos músculos do olho para alinhar os globos oculares. Antes de Hubel e Wiesel descobrirem esses efeitos em macacos e de Held encontrar efeitos semelhantes em crianças, a cirurgia para estrabismo era considerada estética e feita apenas em crianças em idade escolar. Mas existe um período crítico para o alinhamento apropriado dos neurônios dos dois olhos, um pouco mais longo do que o dos neurônios de um olho, mas provavelmente desaparecendo por volta de um ou dois anos de idade. Depois desse período, com frequência é tarde demais para a cirurgia.

Por que existe um período crítico e não um estabelecimento rígido dos circuitos ou uma eterna abertura à experiência? Em filhotes de gatos e de macacos e nos bebês humanos, a face continua crescendo após o nascimento, e os olhos afastam-se um do outro. Mudam os pontos de observação relativos dos olhos, e os neurônios precisam acompanhar isso sintonizando novamente os limites das disparidades entre os olhos que eles detectam. Os genes não podem prever o grau de afastamento dos pontos de observação, pois isso depende de outros genes, da nutrição e de vários acidentes. Assim, os neurônios acompanham os olhos que se separam durante a janela de crescimento. Quando os olhos atingem a separação definitiva no crânio, a necessidade desaparece, ocorrendo então o fim do período crítico. Alguns animais, como os coelhos, têm filhotes precoces cujos olhos estão fixos nas posições adultas em faces que crescem pouquíssimo. (Em geral isso ocorre com animais que são vítimas de predadores, pois não podem dar-se ao luxo de uma infância prolongada e indefesa.) Os neurônios que recebem inputs dos dois olhos não precisam sintonizar-se novamente e, de fato, esses animais têm os circuitos prontos ao nascer e dispensam um período crítico de sensibilidade ao input.

As descobertas sobre a capacidade de sintonização da visão binocular em diferentes espécies ensejam um novo modo de pensar a respeito do aprendizado em geral. Com frequência se descreve o aprendizado como um modelador indispensável do tecido cerebral amorfo. Em vez disso, ele pode ser uma adaptação inata aos requisitos do cronograma de projeto de um animal que monta a si próprio. O genoma constrói tudo o que pode no animal e, para as partes do animal que não podem ser especificadas de antemão (como as conexões apropriadas para dois olhos que estão se afastando a uma taxa imprevisível), o genoma recorre a um mecanismo de reunião de informações no período do desenvolvimento em que ele é mais necessário. Em *O instinto da linguagem* desenvolvo uma explicação semelhante para o período crítico do aprendizado da linguagem na infância.

Conduzi você pelos estereogramas de "olho mágico" não simplesmente porque é divertido entender como a mágica funciona. Na minha opinião, a visão estéreo é uma das glórias da natureza e um paradigma de como as outras partes da mente poderiam funcionar. A visão estéreo é processamento de informações que experimentamos como uma qualidade especial da consciência, uma conexão entre computação mental e percepção que é tão estritamente regida por leis que os programadores de computador podem manipulá-la para encantar multidões. Ela é um módulo em vários sentidos: funciona sem o resto da mente (sem necessidade de objetos reconhecíveis), o resto da mente funciona sem ela (arranjando-se, caso for preciso, com outros analisadores de profundidade), impõe demandas específicas ao estabelecimento dos circuitos do cérebro e depende de princípios que são específicos de seus problemas (a geometria da paralaxe binocular). Embora a visão estéreo desenvolva-se na infância e seja sensível à experiência, ela perspicazmente não é considerada "aprendida" nem "uma mistura de natureza e criação"; o desenvolvimento é parte de um cronograma de montagem, e a sensibilidade à experiência é uma absorção circunscrita de informações por um sistema estruturado. A visão estéreo ressalta a sagacidade da engenharia da seleção natural, explorando teoremas complexos de óptica, redescobertos milhões de anos mais tarde por gente como Leonardo da Vinci, Kepler, Wheatstone e os engenheiros de reconhecimento aéreo. Ela evoluiu em resposta a pressões de seleção identificáveis na ecologia de nossos ancestrais. E resolve problemas insolúveis fazendo suposições tácitas sobre o mundo que eram verdadeiras quando evoluímos mas nem sempre o são agora.

LUZ, SOMBRA, FORMA

A visão estéreo é parte de um crucial estágio inicial da visão que calcula as profundidades e materiais das superfícies, mas não é a única parte. Ver em três dimensões não requer dois olhos. Você pode obter um significativo senso de forma e substância com os mais tênues indícios em uma pintura. Observe os desenhos abaixo, concebidos pelo psicólogo Edward Adelson.

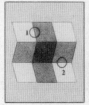 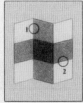

O da esquerda parece ser um cartão branco com uma faixa vertical cinza, dobrado horizontalmente e iluminado de cima. O da direita parece ser um cartão branco com uma faixa horizontal cinza, dobrado na vertical e iluminado lateralmente. (Se você fitar o desenho por tempo suficiente, cada cartão pode mudar em profundidade, como um cubo de Necker; deixemos isso de lado por ora.) Mas a tinta na página (e a projeção em sua retina) é praticamente a mesma nas duas figuras. Cada uma tem um quadro de jogo da velha em zigue-zague, com alguns dos quadrados sombreados. Nas duas figuras, os quadrados dos cantos são brancos, os quadrados superiores e laterais são cinza, e o do meio é cinza mais escuro. De algum modo, a combinação de sombreados e zigue-zagues faz com que eles apareçam na terceira dimensão e dá cor a cada quadrado, mas de maneiras diferentes. As bordas marcadas com "1" são fisicamente iguais nos dois desenhos. Mas no desenho esquerdo a borda parece uma fronteira pintada — uma faixa branca ao lado de uma cinza — e no direito, parece uma fronteira de forma e sombra — uma faixa branca incidindo em uma sombra do outro lado de uma dobra. As bordas marcadas com "2" também são idênticas, mas você as vê do modo oposto: sombra no desenho da esquerda, faixa pintada no da direita. Todas essas diferenças ocorrem devido à diferença entre os zigue-zagues de cada quadro!

Para ver tanto em tão pouca imagem, você precisa anular três leis que produzem imagens do mundo. Cada qual requer um "perito" mental para tratar da anulação. Assim como a visão estéreo, esses peritos atuam para nos dar uma compreensão precisa das superfícies do mundo, porém trabalham com tipos diferentes de informação, resolvem tipos diferentes de problemas e fazem tipos diferentes de suposições sobre o mundo.

O primeiro problema é a perspectiva: um objeto tridimensional projeta-se na retina em forma bidimensional. Infelizmente, qualquer projeção poderia ter provindo de um número infinito de objetos, portanto não há como recuperar uma forma com base apenas em sua projeção (como Ames lembra seus observadores). "Ora, ninguém é perfeito", a evolução parece ter dito. Nosso analisador de formas avalia as chances e nos faz ver o estado *mais provável* do mundo, dada a imagem retiniana.

Como um sistema visual pode calcular o estado mais provável do mundo a partir das evidências na retina? A teoria da probabilidade oferece uma resposta simples: o teorema de Bayes, a maneira mais direta de atribuir uma probabilidade a uma hipótese com base em alguma evidência. O teorema de Bayes diz que as probabilidades favoráveis a uma hipótese em relação a outra podem ser calculadas a partir de apenas dois números para cada hipótese. Um é a probabilidade anterior: o quanto você está confiante na hipótese antes mesmo de olhar as evidências? A outra é a plausibilidade: se a hipótese *fosse* verdadeira, qual a probabilidade de que as evidências conforme você as está vendo agora tivessem aparecido? Multiplique a probabilidade anterior da Hipótese 1 pela plausibilidade das evidências sob a Hipótese 1. Multiplique a probabilidade anterior da Hipótese 2 pela plausibilidade das evidências sob a Hipótese 2. Calcule a razão entre os dois números. Você terá a probabilidade em favor da primeira hipótese.

Como nosso analisador linear tridimensional usa o teorema de Bayes? Ele aposta no objeto que tem a maior probabilidade de produzir essas linhas se realmente estivesse em cena e que tem boas chances de estar nas cenas em geral. Ele supõe, como Einstein disse certa vez a respeito de Deus, que o mundo é sutil, mas não malicioso.

Assim, o analisador de formas precisa estar equipado com algumas probabilidades sobre projeção (como os objetos aparecem em perspectiva) e algumas probabilidades sobre o mundo (que tipos de objetos ele contém). Algumas das probabilidades sobre projeção são excelentes. Uma moeda, teoricamente, pode projetar-se como uma linha fina, mas só quando é vista com a borda de frente. Se houver uma moeda na cena, qual a probabilidade de você a estar vendo com a borda de frente para você? Não muito grande, a menos que alguém tenha coreografado você e a moeda. A vasta maioria dos pontos de observação farão a moeda projetar-se como uma elipse. O analisador de formas supõe que o ponto de observação corrente é *genérico* — e não posicionado com precisão milimétrica de modo a alinhar as coisas, no estilo de Ames — e aposta com base nessa suposição. Um palito de fósforo, por sua vez, será projetado como uma linha reta quase todo o tempo; portanto, se houver uma linha em uma imagem, um palito é um palpite melhor do que um disco, sendo tudo o mais igual.

Uma *coleção* de linhas em uma imagem pode estreitar ainda mais as probabilidades. Por exemplo, um conjunto de linhas paralelas ou quase paralelas raramente é um acidente. Linhas não paralelas no mundo quase nunca projetam linhas quase paralelas em uma imagem: a maioria dos pares de palitos espalhados pelo chão cruzam-se em ângulos que vão de médios a agudos. Mas as linhas que são paralelas no mundo, como as arestas de um poste telefônico, quase sempre projetam linhas quase paralelas. Assim, se houver linhas quase paralelas em uma imagem, a probabilidade é maior para bordas paralelas no mundo. Há muitas outras regras práticas que indicam que tipos de formas no mundo seguramente emitem marcações variadas em uma imagem. Pequenos "T", "Y", ângulos, setas, pés de galinha e ondas paralelas são as impressões digitais de várias bordas retas, arestas, ângulos retos e formas simétricas. Os cartunistas há muito tempo exploram essas regras, e um analisador de formas astuto pode operá-las no sentido inverso quando faz suas apostas sobre o que há no mundo.

Porém, obviamente, é infundado inverter o sentido da probabilidade — dizer que coisas paralelas geralmente projetam imagens quase paralelas, portanto imagens quase paralelas implicam coisas paralelas. É como ouvir um barulho de cascos do lado de fora de sua casa e concluir que ele foi feito por uma zebra, porque zebras frequentemente produzem ruído de cascos. A probabilidade *anterior* de que o mundo contenha uma determinada entidade — quantas zebras existem lá fora, quantas bordas paralelas existem lá fora — tem de entrar na multiplicação. Para que um analisador de formas calculador de probabilidades seja eficaz, seria melhor que o mundo contivesse muitos dos tipos de objetos retos, regulares, simétricos, compactos que ele gosta de adivinhar. Isso ocorre? Um romântico poderia pensar que o mundo natural é orgânico e suave, que suas formas rígidas foram inseridas na marra pelo Exército de Engenheiros. Como um professor de literatura declarou recentemente a seus alunos: "As linhas retas da paisagem foram introduzidas pelo homem". Um aluno cético, Gail Jensen Sanford, publicou uma lista de linhas retas da natureza, reproduzida há pouco tempo na revista *Harper's*:

> linha no topo de uma onda na arrebentação; borda distante de uma pradaria; trajetória da chuva pesada e do granizo; campos cobertos de neve; padrões de cristais; linhas de quartzo branco em uma superfície de granito; pingentes de gelo; estalactites, estalagmites; superfície calma de um lago; listras de zebras e tigres; bico do pato; pernas do maçarico [ave]; ângulo das aves em migração; mergulho de uma ave de rapina; fronde nova de samambaia; espinhos do cacto; troncos de árvores novas de crescimento rápido; agulhas de pinheiros; fios de seda tecidos pelas aranhas; rachaduras na superfície do gelo; estratos de rochas metamórficas; encostas de vulcão; nuvem alto-cúmulo soprada pelo vento; borda interna de uma meia-lua.

Algumas dessas indicações são questionáveis, e outras farão mais mal do que bem a um adivinhador de formas. (O horizonte de um lago ou uma pradaria e a borda da meia-lua *não* provêm de linhas no mundo.) Mas a ideia está correta. Muitas leis do mundo fornecem-lhe formas precisas, analisáveis. Movimento, tensão e gravidade produzem linhas retas. A gravidade produz ângulos retos. A coesão produz contornos uniformes. Os organismos que se movem evoluem em direção à simetria. A seleção natural molda as partes de seus corpos em instrumentos, reproduzindo a demanda do engenheiro humano por peças bem projetadas. Superfícies extensas reúnem padrões com tamanhos, formas e espaçamento aproximadamente iguais: rachaduras, folhas, pedregulhos, areia, ondas, agulhas. As partes do mundo aparentemente carpintejadas ou estampadas como papel de parede não apenas são as mais recuperáveis por um analisador de formas, mas também são as partes que mais vale a pena recuperar. Elas são os sinais reveladores de forças potentes que preenchem e moldam o ambiente próximo e merecem mais atenção do que montes de detritos aleatórios.

Até mesmo o melhor analisador de linhas está equipado apenas para um mundo de histórias em quadrinhos. As superfícies não são só demarcadas por linhas; compõem-se de matéria. Nosso senso de luminosidade e cor é um modo de avaliar materiais. Não mordemos uma maçã de plástico porque a cor nos indica que aquilo não é polpa de fruta.

Analisar a matéria com base na luz que ela reflete é trabalho para um especialista em refletância. Tipos diferentes de matéria refletem diferentes comprimentos de onda luminosa em quantidades diferentes. (Para simplificar, vamos nos ater ao preto e ao branco; a cor é, aproximadamente, o mesmo problema multiplicado por três.) Infelizmente, uma dada quantidade de luz refletida poderia ter provindo de um número infinito de combinações de matéria e iluminação. Cem unidades de luz poderiam provir do carvão refletindo 10% da luz de mil velas ou da neve refletindo 90% da luz de 111 velas. Portanto, não existe um modo infalível de deduzir o material de um objeto a partir da luz que ele reflete. O analisador de luminosidade precisa, de algum modo, fatorar o nível de iluminação. Esse é mais um problema mal proposto, que equivale exatamente ao seguinte: eu lhe dou um número, você me diz os dois números que foram multiplicados para obtê-lo. O problema só pode ser resolvido incluindo-se hipóteses.

Uma câmera tem de cumprir a mesma tarefa — como representar uma bola de neve como branca, esteja ela ao ar livre ou entre quatro paredes. Um fotômetro, que controla a quantidade de luz que chega ao filme, incorpora duas suposições. A primeira é que a iluminação é uniforme: toda a cena está ao sol, ou está à sombra, ou iluminada por uma lâmpada. Quando a suposição é violada, o fotógrafo fica desapontado. Tia Mimi é uma silhueta fosca contra o céu azul porque a câmera foi enganada quando o rosto dela estava à sombra enquanto o céu era iluminado diretamente pelo Sol. A segunda suposição diz que a cena é, em média, de um cinza mediano. Se você reunir uma coleção aleatória de objetos, suas muitas cores e luminosidades geralmente comporão, em média, um tom mediano de cinza que reflete 18% da luz. A câmera "supõe" que está olhando para uma cena média e deixa entrar apenas a luz suficiente para fazer com que o meio da variação de luminosidade da cena apareça como cinza médio no filme. Os trechos que são mais claros do que o médio são reproduzidos como cinza-claro e branco; os trechos mais escuros, como cinza-escuro e preto. Mas quando a suposição está errada e a cena na verdade não se aproxima em média do cinza, a câmera é enganada. Uma fotografia de um gato preto sobre veludo preto aparece como cinza médio, uma fotografia de um urso polar na neve aparece como cinza médio etc. Um fotógrafo habilidoso analisa como uma cena difere da cena média e usa vários truques para compensar. Um expediente tosco mas eficaz é levar consigo um cartão cinza médio padrão (que reflete exatamente 18% da luz), depositá-lo sobre o objeto e apontar o medidor para o cartão. A suposição da câmera sobre o mundo agora está satisfeita, e sua estimativa do nível de iluminação ambiente (obtida dividindo a luz refletida do cartão por 18%) seguramente está correta.

Edwin Land, o inventor do filtro polarizante e da câmera instantânea Polaroid Land, deparou com esse problema, que na fotografia em cores é ainda mais espinhoso. A luz das lâmpadas elétricas é laranja; das fluorescentes, verde-oliva; a luz do Sol é amarela, a do céu é azul. Nosso cérebro de algum modo fatora a cor da iluminação, assim como fatora a intensidade da iluminação, e vê um objeto em sua cor certa sob todas essas luzes. As câmeras, não. A menos que emitam sua *própria* luz branca em um flash, elas reproduzem uma cena de ambiente fechado com um turvo matiz cor de ferrugem, uma cena à sombra como um azul desbotado e assim por diante. Um fotógrafo experiente pode comprar filme especial ou ajustar um filtro à lente para compensar, e no laboratório um bom técnico pode corrigir a cor ao revelar a fotografia, mas uma câmera instantânea obviamente não é capaz disso. Portanto, Land tinha um interesse especial no modo de remover a intensidade e a cor da iluminação, um problema denominado constância de cor.

Mas ele também era um cientista da percepção autodidata e engenhoso, curioso quanto ao modo como o cérebro resolvia esse problema. Land montou um laboratório de percepção de cores e desenvolveu uma brilhante teoria da constância de cor. Sua ideia, denominada teoria Retinex, atribuiu ao observador várias suposições. Uma delas é que a iluminação terrestre é uma rica mistura de comprimentos de onda. (A exceção que comprova a regra é a lâmpada de vapor de sódio, o artefato poupador de energia encontrado em estacionamentos. Ela emite uma variação estreita de comprimentos de onda que nosso sistema de percepção não consegue fatorar; os carros e os rostos são tingidos de um amarelo cadavérico.) A segunda suposição é que mudanças graduais no brilho e na cor através do campo visual provavelmente provêm do modo como a cena é iluminada, enquanto transições abruptas provavelmente provêm da fronteira onde termina um objeto e começa outro. Para simplificar, ele realizou testes com pessoas e seu modelo de mundos artificiais compostos de retalhos retangulares bidimensionais, que ele batizou de *mondrian*, em homenagem ao pintor holandês. Em um mondrian iluminado lateralmente, um retalho amarelo num extremo pode refletir luz bem diferente do mesmo retalho amarelo no outro extremo. Mas as pessoas veem ambos como amarelos, e o modelo Retinex, que remove o gradiente de luminosidade de extremo a extremo, também vê.

A teoria Retinex foi um bom começo, mas revelou-se simples demais. Um problema é a suposição de que o mundo é um mondrian, um grande plano sem acidentes. Volte aos desenhos de Adelson na página 259, que são mondrians em zigue-zague. O modelo Retinex trata igualmente todas as fronteiras nítidas, interpretando a Borda 1 no desenho da esquerda como a Borda 1 no desenho da direita. Mas, para você, o da esquerda parece uma fronteira entre faixas de cores diferentes, e o da direita, uma única faixa que está dobrada e parcialmente à sombra. A diferença provém de sua interpretação de formas tridimensionais. Seu analisador de formas vergou os mondrians em divisores de espaços listrados, mas o modelo Retinex os vê como o mesmo velho tabuleiro de xadrez. Obviamente, falta-lhe algo.

Esse algo é o efeito da inclinação sobre o sombreado, a terceira lei que transforma uma cena em uma imagem. Uma superfície diretamente em frente a uma fonte luminosa reflete muita luz, pois esta incide na superfície e ricocheteia diretamente. Uma superfície em ângulo, quase paralela à fonte luminosa, reflete muito menos, pois a maior parte da luz passa raspando e continua sua trajetória. Se você se encontrar próximo da fonte luminosa, seu olho recebe mais luz quando a superfície estiver de frente para você do que quando ela estiver quase de lado. Você poderá ver a diferença fazendo a rotação de uma lanterna que aponta para um pedaço de cartão cinza.

De que modo nosso analisador de sombra pode operar a lei no sentido inverso e calcular como uma superfície está inclinada com base na quantidade de luz que ela reflete? O benefício vai além de estimar a inclinação de um painel. Muitos objetos, como cubos e pedras lapidadas, compõem-se de faces oblíquas, portanto recuperar as inclinações é um modo de determinar a forma desses objetos. De fato, qualquer forma pode ser imaginada como uma escultura composta de milhões de minúsculas facetas. Mesmo quando a superfície é uniformemente curva, de modo que as "facetas" diminuem até o tamanho de pontos, a lei da sombra aplica-se à luz que emana de cada ponto. Se a lei pudesse ser operada de trás para a frente, nosso analisador de sombra poderia apreender a forma de uma superfície registrando a inclinação do plano tangente que assenta em cada ponto.

Infelizmente, uma dada quantidade de luz refletida de um retalho poderia ter provindo de uma superfície escura inclinada no sentido da luz ou de uma superfície clara inclinada no sentido oposto. Assim, não existe um modo infalível para recuperar o ângulo de uma superfície com base na luz que ele reflete sem fazer suposições adicionais.

Uma primeira suposição é que a luminosidade da superfície é uniforme: o mundo é feito de argamassa. Quando as superfícies são pigmentadas desigualmente, a suposição é violada, e nosso analisador de sombras deveria ser logrado. E é. As pinturas e fotografias são o exemplo mais óbvio. Outro menos óbvio é o contrassombreado na camuflagem animal. A pele de muitos animais clareia em direção à barriga num gradiente que cancela os efeitos da luz nas formas tridimensionais desses animais. Isso faz com que pareçam achatados, dificultando a detecção pelo analisador de formas a partir do sombreado/formulador de hipóteses que existe no cérebro de um predador. A maquiagem é outro exemplo. Quando aplicada em quantidades sub-

-Tammy Fae Baker,* os pigmentos sobre a pele podem induzir o observador a enxergar carne e osso com formas mais ideais. O blush escuro nas laterais do nariz faz com que elas pareçam estar em um ângulo mais fechado com a luz, o que dá a impressão de um nariz mais fino. Pó branco no lábio superior tem o efeito contrário: os lábios parecem interceptar de frente a fonte de luz, como se fossem mais cheios, conferindo aquela desejável aparência de beicinho.

O analisador de formas com base no sombreado também precisa fazer outras suposições. As superfícies no mundo são feitas de milhares de materiais, e a luz ricocheteia de suas superfícies inclinadas de maneiras muito diferentes. Uma superfície fosca como o gesso ou papel opaco obedece a uma lei simples, e o analisador de sombreado do cérebro frequentemente parece supor que o mundo é fosco. Superfícies com brilhos, pátinas, felpas, depressões e espinhos fazem coisas estranhas e diferentes com a luz e podem enganar o olho.

Um célebre exemplo é a Lua cheia. Ela parece um disco achatado, mas obviamente é uma esfera. Não temos dificuldade para ver outras esferas com base em seu sombreado, como as bolas de pingue-pongue, e qualquer bom artista é capaz de esboçar uma esfera com carvão. O problema no caso da Lua é que ela é sarapintada com crateras de todos os tamanhos, a maioria delas pequenas demais para serem discernidas da Terra, e elas se combinam em uma superfície que se comporta de um modo diferente do fosco ideal que nosso analisador de sombreado toma por base. O centro da Lua cheia está bem de frente para o observador, portanto deveria ser mais brilhante, mas ele apresenta pequenas reentrâncias e fissuras cujas paredes são vistas com as bordas de frente para o ponto de observação terrestre, fazendo o centro da Lua parecer mais escuro. As superfícies próximas do perímetro da Lua roçam a linha de visão e deveriam parecer mais escuras, porém apresentam as paredes de seus desfiladeiros de frente e refletem muita luz, fazendo o perímetro parecer mais claro. Para a Lua como um todo, o ângulo de sua superfície e os ângulos das facetas de suas crateras neutralizam-se mutuamente. Todas as porções refletem a mesma quantidade de luz, e o olho a vê como um disco.

Se precisássemos depender de qualquer um desses analisadores, estaríamos comendo cortiça e caindo em penhascos. Cada analisador faz hipóteses, mas estas com frequência são contraditas por outros analisadores. Ângulo, forma, material, luminosidade — tudo é misturado, mas de algum modo nós os separamos e vemos uma forma, com uma cor, em um ângulo e em um tipo de luz. Qual é o truque?

(*) Apresentadora de televisão norte-americana conhecida pelo uso exagerado de maquiagem. (N. T.)

Adelson, juntamente com o psicólogo Alex Pentland, usou sua ilusão de zigue-zagues em uma pequena parábola. Você é um cenógrafo que precisa criar um cenário cuja aparência é exatamente a do diagrama da direita. Você vai a uma oficina onde especialistas constroem cenários para produções teatrais. Um deles é iluminador. Outro é pintor. Um terceiro é artífice de chapas metálicas. Você mostra a eles a figura e pede que construam um cenário com essa aparência. De fato, eles têm de fazer o que faz o sistema visual: dada uma imagem, descobrir os arranjos de matéria e luminosidade que poderiam tê-la produzido.

Há muitos modos como os especialistas podem atender a sua encomenda. Cada perito quase poderia fazê-la sozinho. O pintor poderia simplesmente pintar o arranjo de paralelogramas em uma folha plana de metal e pedir ao iluminador que a iluminasse com um único holofote:

O iluminador poderia usar uma lâmina branca plana e ajustar nove projetores de luz feitos sob medida, cada qual com máscara e filtro especial, apontados do modo exato para produzir nove paralelogramas sobre a lâmina (seis dos projetores de luz são mostrados aqui):

O artífice de chapas metálicas poderia vergar algum metal em formatos especiais que, quando iluminados e vistos do ângulo certo, originam a imagem:

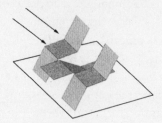

Por fim, a figura poderia ser produzida mediante a cooperação de todos os especialistas. O pintor pintaria uma faixa no meio de uma folha metálica quadrada, o artífice de chapas metálicas a vergaria em zigue-zague e o iluminador a iluminaria com um projetor de luz. É assim, obviamente, que um ser humano interpreta a imagem.

Nosso cérebro depara com o mesmo embaraço de abundância que o cenógrafo da parábola. Quando damos a palavra a um "especialista" mental que pode formular hipóteses sobre superfícies pigmentadas lá fora, ele poderia explicar tudo na imagem como sendo tinta: o mundo seria visto como um magistral *trompe l'oeil*. Analogamente, um especialista em iluminação na nossa cabeça poderia nos dizer que o mundo é um filme. Como essas interpretações são indesejáveis, os especialistas mentais deveriam, de algum modo, ser desencorajados a fazê-las. Um modo seria forçá-los a ater-se às suas suposições, haja o que houver (cor e luz são uniformes, as formas são regulares e paralelas), mas isso é muito extremo. O mundo nem sempre é uma pilha de blocos em um dia ensolarado; às vezes ele *realmente* apresenta pigmentos e luminosidades complexos, e nós os enxergamos. Não queremos que os peritos neguem que o mundo pode ser complexo. Queremos que eles suponham exatamente quanta complexidade há no mundo e não mais. O problema agora é como conseguir que todos façam isso.

Voltemos agora à parábola. Suponha que o departamento cenográfico esteja sujeito a um orçamento. Os especialistas cobram por seus serviços, usando uma tabela de preços que reflete o grau de dificuldade e singularidade de uma encomenda. Operações simples e comuns são baratas; operações complexas e incomuns são caras.

Preços do pintor:	
Pintar um retalho regular:	us$ 5 cada
Pintar um polígono regular:	us$ 5 por lado

Preços do artífice de chapas metálicas:

Cortes em ângulo reto:	US$ 2 cada
Cortes em ângulo oblíquo:	US$ 5 cada
Dobras em ângulo reto:	US$ 2 cada
Dobras em ângulo oblíquo:	US$ 5 cada

Preços do técnico em iluminação:

Projetor de luz:	US$ 5 cada
Projetor de luz sob medida:	US$ 30 cada

Precisamos de mais um especialista: um supervisor, que decide como fazer as contratações:

Preços do supervisor:

Consultoria:	US$ 30 por serviço

Os custos serão diferentes nas quatro soluções. Eis as estimativas:

Solução do pintor:

Pintar 9 polígonos:	US$ 180
Instalar 1 projetor de luz:	US$ 5
Cortar 1 retângulo:	US$ 8
Total:	US$ 193

Solução do técnico em iluminação:

Cortar 1 retângulo:	US$ 8
Instalar 9 refletores sob medida:	US$ 270
Total:	US$ 278

Solução do artífice de chapas metálicas:

Cortar 24 ângulos oblíquos:	US$ 120
Dobrar 6 ângulos oblíquos:	US$ 30
Instalar 1 projetor de luz:	US$ 5
Total:	US$ 155

Solução do supervisor:

Cortar 1 retângulo:	US$ 8
Dobrar 2 ângulos retos:	US$ 4
Pintar 3 retângulos:	US$ 15
Instalar 1 projetor de luz:	US$ 5
Remuneração do supervisor:	US$ 30
Total:	US$ 62

A solução do supervisor é a mais barata porque ele otimiza o uso de cada especialista, e a economia mais do que compensa a sua remuneração. A moral da história é que os especialistas têm de ser coordenados, não necessariamente por um homúnculo ou *demon*, mas por algum arranjo que minimize os custos, sendo barato = simples = provável. Na parábola, as operações simples são mais fáceis de executar; no sistema visual, as descrições mais simples correspondem a arranjos mais prováveis no mundo.

Adelson e Pentland deram vida à sua parábola programando uma simulação da visão por computador, elaborada para interpretar cenas com polígonos pintados de um modo muito parecido como nós interpretamos. Primeiro, um analisador de formas (uma versão em software do artífice de chapas metálicas) empenha-se em encontrar a forma mais regular que reproduza a imagem. Observe a forma simples à esquerda deste diagrama, que as pessoas veem como uma lâmina dobrada, como um livro em posição oblíqua.

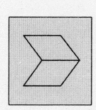 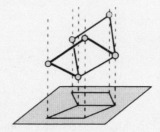

O especialista em formas tenta montar um modelo tridimensional da forma do input, mostrado à direita. De início, tudo o que ele sabe é que as arestas e as bordas do modelo têm de alinhar-se com os pontos e linhas da imagem; ele desconhece a profundidade em que elas estão. Os vértices do modelo são contas que deslizam em hastes (como raios de projeção) e as linhas entre eles são cordões infinitamente elásticos. O especialista desliza as contas até obter uma forma com as demandas a seguir. Cada polígono componente da forma deve ser o mais regular possível; ou seja, os ângulos do polígono não devem ser demasiado diferentes. Por exemplo, se o polígono tem quatro lados, o especialista esforça-se para obter um retângulo. O polígono deve ser o mais plano possível, como se fosse preenchido com um painel de plástico difícil de dobrar. E os polígonos devem ser o mais compacto possível e não alongados no sentido da linha de visão, como se o painel plástico também fosse difícil de esticar.

Quando o especialista em formas termina sua tarefa, entrega uma rígida montagem de painéis brancos ao especialista em iluminação. Este conhece as leis que governam o modo como a luz refletida depende da iluminação, da luminosidade da superfície e do ângulo da superfície. Permite-se ao especialista mover uma única fonte de luz distante, a fim de iluminar o modelo de várias direções. A direção ótima é a que faz cada par de painéis adjacentes em uma borda parecer o mais possível com seu correspondente na imagem, requerendo a menor quantidade de tinta cinza possível para concluir o serviço.

Por fim, o especialista em refletância — o pintor — recebe o modelo. Ele é o especialista de último recurso e seu trabalho é encarregar-se de qualquer discrepância restante entre a imagem e o modelo. Ele termina o serviço propondo diferentes matizes de pigmentação para as várias superfícies.

O programa funciona? Adelson e Pentland entregaram-lhe um objeto com dobras em leque e o puseram para trabalhar. O programa exibe sua suposição corrente sobre a forma do objeto (primeira coluna), a suposição corrente sobre a direção da fonte de luz (segunda coluna), a suposição corrente sobre onde as sombras incidem (terceira coluna) e a suposição corrente sobre como o objeto é pintado (quarta coluna). As suposições iniciais do programa são mostradas na fileira superior.

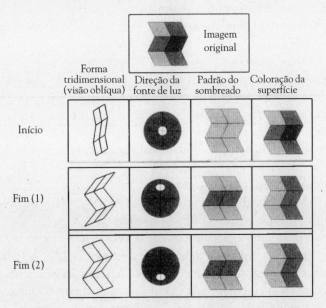

O programa supôs inicialmente que o objeto era achatado, como uma pintura bidimensional sobre uma mesa, conforme mostrado no topo da primeira coluna. (É difícil retratar isso para você, pois seu cérebro insiste em ver uma forma em zigue-zague como se ela estivesse dobrada em profundida-

271

de. O desenho está procurando mostrar algumas linhas achatadas em cima da página.) O programa supôs que a fonte de luz estava de frente, partindo da direção do olho (topo da segunda coluna). Com essa iluminação direta, não há sombras (topo da terceira coluna). O especialista em refletância fica com toda a responsabilidade de reproduzir a imagem e simplesmente pinta seu interior. O programa pensa que está olhando para uma pintura.

Assim que o programa tem uma chance de ajustar suas suposições, decide-se pela interpretação mostrada na fileira do meio. O especialista em formas encontra a forma tridimensional mais regular (mostrada na visão lateral na coluna da esquerda): painéis quadrados unidos em ângulos retos. O especialista em iluminação descobre que, iluminando de cima, pode fazer a incidência das sombras assemelhar-se um pouco à imagem. Por fim, o especialista em refletância aperfeiçoa o modelo com tinta. As quatro colunas — forma tridimensional em zigue-zague, iluminação por cima, sombra no meio, faixa clara contígua à faixa escura — correspondem ao modo como as pessoas interpretam a imagem original.

O programa faz mais alguma coisa que lembra os humanos? Lembre-se de como a dobra em leque parece mudar em profundidade, como um cubo de Necker. A dobra exterior torna-se uma dobra interior e vice-versa. O programa, de certo modo, também consegue ver essa mudança; a interpretação com a mudança em profundidade é mostrada na fileira inferior. O programa atribuiu os mesmos custos às duas interpretações, e chegou aleatoriamente a uma ou outra. Quando as pessoas veem uma mudança em forma tridimensional, geralmente também veem mudar a direção da fonte de luz: dobra superior para fora, luz vinda de cima; dobra inferior para fora, luz vinda de baixo. O programa faz o mesmo. Diferentemente do que ocorre com as pessoas, o programa não se alterna realmente entre as duas interpretações, mas isso poderia ter ocorrido se Adelson e Pentland tivessem feito os especialistas passarem uns aos outros suas suposições em uma rede de restrições (como a rede do cubo de Necker mencionada na página 130 ou o modelo de visão estéreo) e não em uma linha de montagem.

A parábola da oficina elucida a ideia de que a mente é uma coleção de módulos, um sistema de órgãos ou uma sociedade de especialistas. Os especialistas são necessários porque a especialização é necessária: os problemas da mente são demasiado técnicos e especializados para serem resolvidos por um faz-tudo. E a maioria das informações requeridas por um especialista é irrelevante para outro e apenas interferiria em seu trabalho. Porém, trabalhando isoladamente, um especialista pode levar em consideração soluções de mais ou perseguir obstinadamente uma solução improvável; em algum ponto, os especialistas precisam conferenciar. Os numerosos especialistas estão tentando entender um único mundo, e esse mundo é indiferente aos esforços deles, não oferecendo soluções fáceis nem se empenhando em desnortear. Portanto, um esquema supervisor deveria procurar manter os especialistas subordinados a um orçamento no qual as suposições improváveis são mais caras. Isso os obriga a cooperar na montagem da suposição geral mais provável sobre o estado do mundo.

ENXERGANDO EM DUAS DIMENSÕES E MEIA

Depois de os peritos completarem seu trabalho, o que eles anunciam no quadro-negro que o resto do cérebro acessa? Se pudéssemos, de algum modo, mostrar o campo visual a partir de uma visão do resto do olho do cérebro, como a câmera hipotética atrás do olho do Exterminador do Futuro, como ele seria? A própria questão pode soar como uma falácia do homenzinho burro dentro da cabeça, mas não é. Ela diz respeito às informações em uma das representações de dados no cérebro e a forma que as informações assumem. De fato, levar a sério a questão provoca um choque estimulante em nossas ingênuas intuições sobre o olho da mente.

Os especialistas em estéreo, movimento, contorno e sombreado trabalharam duro para recuperar a terceira dimensão. Seria natural usar os frutos de seu esforço para construir uma representação tridimensional do mundo. O mosaico retiniano no qual a cena é retratada dá lugar a uma caixa de areia mental na qual ela é esculpida; a imagem torna-se um modelo em escala. Um modelo tridimensional corresponderia à nossa compreensão definitiva do mundo. Quando uma criança se aproxima de nós e depois se afasta, nós a vemos crescer e diminuir sabendo que não estamos no País das Maravilhas, onde uma pílula faz você ficar grande e outra, pequeno. E, ao contrário do proverbial (e apócrifo) avestruz, não pensamos que os objetos desaparecem quando desviamos o olhar ou os cobrimos. Conseguimos lidar com a realidade porque nosso pensamento e ação são guiados pelo conhecimento de um mundo grande, estável e sólido. Talvez a visão nos dê esse conhecimento na forma de um modelo em escala.

Nada há de inerentemente improvável na teoria do modelo em escala. Muitos programas de design assistido por computador (CAD) usam modelos de objetos sólidos em software, e as máquinas de tomografia computadorizada e ressonância magnética empregam algoritmos complexos para montá-los. Um modelo tridimensional poderia ter uma lista dos milhões de coordenadas dos minúsculos cubos que compõem um objeto sólido, denominados elementos de volume, ou "voxels", por analogia com os elementos da imagem, ou "pixels", componentes de uma imagem. Cada trio de coordenadas é associado a uma informação, como por exemplo a densidade do tecido naquele local do corpo. Obviamente, se o cérebro armazenasse voxels, estes não precisariam ser dispostos em um cubo tridimensional dentro da cabeça, da mesma forma que não são organizados em um cubo tridimensional dentro de um computador. Tudo o que interessa é que cada voxel possua um conjunto consistente de neurônios dedicados a ele, para que os padrões de disparo possam registrar os conteúdos do voxel.

Mas agora é hora de ser vigilante com o homúnculo. Não há problema na ideia de que algum *demon* de software, um algoritmo de busca ou uma rede neural acesse as informações a partir de um modelo em escala, contanto que esteja claro para nós que ele acessa a informação *diretamente*: entram coordenadas de um voxel, saem conteúdos de um voxel. Nem pense que o algoritmo de busca *vê* o modelo em escala. Lá dentro é escuro como breu, e o encarregado da busca não possui cristalino, retina ou mesmo um ponto de observação; ele está em qualquer lugar e em toda parte. Não há projeção, perspectiva, campo de visão nem oclusão. De fato, a própria finalidade do modelo em escala é eliminar esses trambolhos. Se você fizer questão de pensar em um homúnculo, imagine explorar um modelo em escala da cidade no escuro, sendo esse modelo do tamanho de uma sala. Você pode perambular por ele, chegar a um prédio vindo de qualquer direção, apalpar seu exterior ou espichar os dedos pelas janelas e portas para sondar o que há lá dentro. Quando você tateia um prédio, os lados da construção são sempre paralelos, esteja você à distância de um braço ou muito próximo. Ou pense na sensação fornecida por um brinquedo em sua mão ou um doce na sua boca.

Mas a visão — mesmo a visão tridimensional, livre de ilusões que o cérebro tanto se empenha por conseguir — não se parece nada com isso! Na melhor das hipóteses, temos uma apreciação abstrata da estrutura estável do mundo à nossa volta; o imediato, resplandecente senso de cor e forma que domina nossa percepção quando nossos olhos estão abertos é completamente diferente.

Primeiro, a visão não é um anfiteatro circular. Experimentamos vividamente apenas o que está diante de nossos olhos; o mundo além do perímetro do campo visual e atrás da cabeça é conhecido apenas de um modo vago, quase intelectual. (Eu *sei* que há uma estante atrás de mim e uma janela à minha frente, mas *vejo* somente a janela, não a estante.) E pior: os olhos desviam-se de um lugar para outro várias vezes por segundo, e fora da retícula da fóvea a visão é surpreendentemente tosca. (Ponha sua mão alguns centímetros fora de sua linha de visão; é impossível contar os dedos.) Não estou apenas relembrando a anatomia do globo ocular. Poderíamos imaginar o cérebro fazendo uma colagem com os instantâneos tirados a cada olhadela, como as câmeras panorâmicas que expõem um quadro de um filme, girando a câmera no grau preciso, expondo o trecho adjacente do filme e assim por diante, produzindo uma imagem contínua de grande abertura. Mas o cérebro não é uma câmera panorâmica. Estudos de laboratório demonstraram que, quando as pessoas movem os olhos ou a cabeça, imediatamente perdem os detalhes vívidos do que estavam vendo.

Segundo, não temos visão de raio X. Vemos superfícies, não volumes. Se você me vir colocar um objeto dentro de uma caixa ou atrás de uma árvore, sabe que ele está ali, mas não o *vê* e não pode descrever seus detalhes. Mais uma vez, isso não é simplesmente para lembrá-lo de que você não é o Super--Homem. Nós, mortais, poderíamos ter sido equipados com uma memória fotográfica que atualiza um modelo tridimensional acrescentando informações de visões anteriores onde quer que elas se encaixem. Mas não somos equipados assim. Em se tratando de detalhes visuais complexos, longe dos olhos, longe da mente.

Terceiro, vemos em perspectiva. Quando você está entre os trilhos do trem, eles parecem convergir em direção ao horizonte. É claro que você sabe que eles não convergem *realmente*; se convergissem, o trem descarrilaria. Mas é impossível *não* os ver convergentes, muito embora seu senso de profundidade forneça informações abundantes que seu cérebro poderia usar para cancelar o efeito. Também sabemos que os objetos móveis avultam, encolhem e escorçam. Num modelo em escala verdadeiro, nada disso pode acontecer. É bem verdade que o sistema visual elimina a perspectiva em certa medida. Quem não é artista tem dificuldade para perceber que o canto mais próximo de uma mesa projeta um ângulo agudo e o canto mais distante, um ângulo obtuso; ambos se parecem com os ângulos retos que são na realidade. Mas os trilhos do trem provam que a perspectiva não é eliminada por completo.

Quarto, em um sentido estritamente geométrico, vemos em duas dimensões, não em três. O matemático Henri Poincaré concebeu um modo fácil de determinar o número de dimensões de uma entidade. Encontre um objeto que possa dividir a entidade em dois pedaços, então conte as dimensões do objeto divisor e acrescente um. Um ponto não pode absolutamente ser dividido; portanto, tem zero dimensões. Uma linha tem uma dimensão, pois pode ser dividida por um ponto. Um plano tem duas dimensões, pois pode ser cortado por uma linha, embora não por um ponto. Uma esfera tem três, pois nada menos do que uma lâmina bidimensional pode dividi-la; uma bolinha ou uma agulha deixam-na inteira. E quanto ao campo visual? Ele pode ser dividido por uma linha. O horizonte, por exemplo, divide o campo visual em dois. Quando estamos diante de um cabo esticado, tudo o que vemos encontra-se de um lado ou do outro. O perímetro de uma mesa redonda também parte o campo visual: cada ponto está dentro ou está fora do perímetro. Somando um à dimensão única de uma linha, obtemos dois. Por esse critério, o campo visual é bidimensional. A propósito, isso não significa que o campo visual é *achatado*. Superfícies bidimensionais podem ser curvadas na terceira dimensão, como um molde de borracha ou uma embalagem do tipo *blister*.

Quinto, não vemos imediatamente "objetos", os pedaços de matéria móveis que contamos, classificamos e rotulamos com nomes. No que concerne à visão, nem ao menos está claro o que é um objeto. Quando David Marr pensou em como projetar um sistema de visão computadorizado para encontrar objetos, viu-se forçado a indagar:

> O nariz é um objeto? A cabeça é um objeto? Ela continua sendo um objeto se estiver ligada a um corpo? E quanto a um homem montado em um cavalo? Essas questões demonstram que as dificuldades ao se tentar formular o que deve ser recuperado de uma imagem como uma região são tão grandes que quase equivalem a problemas filosóficos. Não existe verdadeiramente uma resposta para elas — todas essas coisas podem ser um objeto, se você quiser concebê-las como tal, ou podem ser parte de um objeto maior.

Uma gota de Cola Tudo pode transformar dois objetos em um, mas o sistema visual não tem como saber disso.

Entretanto, possuímos um senso quase palpável de *superfícies* e de *fronteiras* entre elas. As mais célebres ilusões da psicologia devem-se à infatigável luta do cérebro para esculpir o campo visual em superfícies e decidir qual está na frente da outra. Um exemplo é o vaso-rosto de Rubin, que se alterna entre uma taça e dois perfis *tête-à-tête*. Os rostos e o vaso não podem ser vistos ao mesmo tempo (mesmo se alguém imaginar dois homens segurando uma taça entre seus narizes), e a forma que predomina "possui" a borda como sua linha demarcatória, relegando o outro retalho a um fundo amorfo.

Outro exemplo é o triângulo de Kanisza, um trecho de nada que delineia uma forma tão real como se ela tivesse sido desenhada a tinta.

Os rostos, o vaso e o triângulo são objetos familiares, mas as ilusões não dependem de eles serem conhecidos; bolhas sem sentido são igualmente imperiosas.

Percebemos as superfícies involuntariamente, impelidos por informações que irrompem vindas de nossas retinas; contrariamente à crença popular, não vemos o que esperamos ver.

Então, qual é o produto da visão? Marr denominou-o um esboço em duas dimensões e meia (2 1/2D); outros o designam como uma representação de superfície visível. A profundidade é singularmente rebaixada a meia dimensão porque não define o meio no qual a informação visual é mantida (diferentemente das dimensões esquerda-direita e alto-embaixo); ela é apenas uma informação mantida nesse meio. Pense no brinquedo composto de centenas de pinos deslizantes que você pressiona contra uma superfície tridimensional (como um rosto, por exemplo), formando do lado oposto um molde da superfície no contorno dos pinos. O contorno tem três dimensões, mas elas não são criadas de modo igual. A posição de um lado ao outro e a posição da parte superior para a inferior são definidas por pinos específicos; a posição em profundidade é definida por quanto o pino se salienta. Para qualquer profundidade, pode haver muitos pinos; para qualquer pino, há somente uma profundidade.

O esboço em 2 1/2D se parece mais ou menos com a figura da página seguinte.

É um mosaico de células, ou pixels, cada qual dedicada a uma linha de visão do ponto de observação do olho ciclópico. Ele é mais largo do que alto, pois nossos dois olhos encontram-se lado a lado no crânio e não um acima

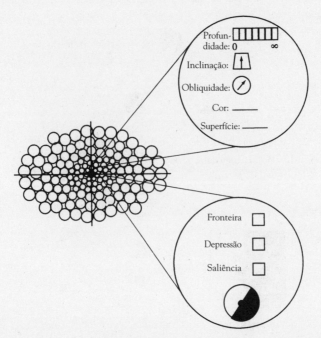

do outro. As células são menores no centro do campo visual do que na periferia, pois nossa resolução é maior no centro. Cada célula pode representar informações sobre uma superfície ou sobre uma borda, como se possuísse dois tipos de formulários com claros a serem preenchidos. O formulário para um pedaço de superfície tem claros para profundidade, para inclinação (o quanto a superfície se inclina para trás ou para a frente), para a obliquidade (o quanto pende para a direita ou para a esquerda) e para a cor, mais um rótulo para identificar de que superfície ele é considerado parte. O formulário para um pedaço de borda tem caixas de seleção que podem ser marcadas, indicando se o pedaço se encontra na fronteira de um objeto, em uma depressão ou em uma saliência, além de um mostrador para indicar sua orientação, que mostra também (no caso da fronteira de um objeto) que lado pertence à superfície "possuidora" da fronteira e que lado é meramente o fundo de cena. Obviamente, não encontramos formulários burocráticos de verdade no interior da cabeça. O diagrama é uma composição que representa os *tipos* de informação existentes no esboço em 2 1/2D. O cérebro presumivelmente usa grupos de neurônios e suas atividades para manter as informações, e eles podem ser distribuídos por diferentes trechos do córtex como uma coleção de mapas que são acessados no cadastro.

Por que enxergamos em duas dimensões e meia? Por que não um modelo na cabeça? Os custos e benefícios do armazenamento fornecem parte da resposta. Qualquer usuário de computador sabe que arquivos gráficos são vorazes consumidores de espaço de armazenamento. Em vez de aglomerar os gigabytes entrantes em um modelo composto, que ficaria obsoleto assim que algo fosse movido, o cérebro deixa que o próprio mundo armazene as informações que incidem fora de um relance de olhos. Levantamos a cabeça, movemos os olhos e um novo esboço, atualizado, é carregado. Quanto ao status de segunda classe da terceira dimensão, ele é quase inevitável. Ao contrário das outras duas dimensões, que se anunciam nos bastonetes e cones que no momento se encontram ativos, a profundidade tem de ser meticulosamente arrancada dos dados. Os peritos em estéreo, contorno, sombreado e movimento que trabalham na computação da profundidade são equipados para despachar informações sobre distância, inclinação, obliquidade e oclusão em relação à pessoa que está vendo e não coordenadas tridimensionais no mundo. O melhor que eles podem fazer é reunir seus esforços para nos dar um conhecimento em 2 1/2D das superfícies diante de nossos olhos. Cabe ao restante do cérebro descobrir como usá-lo.

SISTEMAS DE COORDENADAS

O esboço em 2 1/2D é a obra-prima do engenhosamente projetado e harmoniosamente operado mecanismo do sistema visual. Ele só tem um problema. Do modo como é entregue, não serve para nada.

As informações no arranjo em 2 1/2D são especificadas segundo um referencial retiniano, um sistema de coordenadas centralizado no observador. Se uma célula específica diz "existe uma borda aqui", esse "aqui" significa a posição daquela célula na retina — digamos, exatamente à frente de onde você está olhando. Isso seria perfeito se você fosse uma árvore olhando para outra árvore, mas assim que algo se move — seus olhos, sua cabeça, seu corpo, um objeto avistado — a informação muda subitamente para um novo ponto de parada no arranjo. Qualquer parte do cérebro que esteja sendo guiada pela informação no arranjo julgaria que sua informação agora está extinta. Se sua mão foi guiada na direção do centro do campo visual porque aquele local continha uma maçã, a mão agora estaria se dirigindo para o espaço vazio. Se ontem você memorizou a imagem de seu carro no momento em que estava olhando para o fecho da porta, hoje a imagem não corresponderia à visão que você tem do para-lama; as duas visões não se sobreporiam. Você nem mesmo consegue fazer julgamentos simples como decidir se duas linhas são paralelas; lembre-se dos trilhos de trem convergentes.

Esses problemas nos fazem suspirar por um modelo em escala na cabeça, mas não é isso o que a visão fornece. A chave para usar informações visuais não é remodelá-las, mas *acessá-las* adequadamente, e isso requer um referencial, ou sistema de coordenadas, que seja útil. Os referenciais são indissociáveis da própria ideia de localização. Como você responde à pergunta "Onde está X?". Indicando um objeto que a pessoa que perguntou já conhece — o referencial — e descrevendo a que distância e em que direção está X em relação ao referencial. Uma descrição em palavras como "perto da geladeira", o endereço de alguém, as direções da bússola, latitude e longitude, as coordenadas de satélite do Sistema de Localização Global — tudo isso indica distância e direção em relação a um referencial. Einstein elaborou sua teoria da relatividade questionando o referencial fictício de Newton, que de algum modo se ancorava no espaço vazio, independentemente de qualquer coisa nele existente.

O referencial anexo ao esboço em 2 1/2D é a posição na retina. Como as retinas giram constantemente, ele é tão inútil quanto indicações do tipo "encontre-me perto do Pontiac bege que parou aqui no farol". Precisamos de um referencial que permaneça no lugar enquanto os olhos ocupam-se do vaivém. Suponhamos que exista um circuito que pode deslizar um referencial invisível pelo campo visual, como o retículo de um fuzil que desliza por uma paisagem. E suponhamos que qualquer mecanismo que colha informações do campo visual esteja preso a posições definidas pela visão obtida do fuzil (por exemplo, no cruzamento do retículo, dois pontos acima dele ou um ponto à esquerda). Os monitores de computador possuem um dispositivo vagamente semelhante, o cursor. Os comandos que leem e escrevem informações fazem isso com relação a um ponto especial que pode ser posicionado à vontade na tela, e quando o material na tela é rolado, o cursor move-se junto, grudado ao seu pedaço de texto ou gráfico. Para o cérebro usar o conteúdo do esboço em 2 1/2D, precisa empregar um mecanismo semelhante; de fato, vários deles.

O referencial mais simples que se move pelo esboço em 2 1/2D é o que permanece atrelado à cabeça. Graças às leis da óptica, quando os olhos movem-se para a direita, a imagem da maçã desloca-se rápido para a esquerda. Mas suponha que o comando neural para os músculos oculares seja sintonizado com o campo visual e que ele seja usado para deslocar o retículo nas mesmas medidas, na direção oposta. O retículo permanecerá na maçã, e o mesmo ocorrerá com qualquer processo mental que passe informações pelo retículo. O processo pode continuar despreocupadamente como se nada tivesse acontecido, muito embora o conteúdo do campo visual tenha deslizado para outros lugares.

Eis uma demonstração da sintonização. Mova seus olhos; o mundo permanece parado. Agora feche um olho e desloque o outro com o dedo; o mundo pula. Em ambos os casos, os olhos movem-se, e em ambos os casos move-se a imagem retiniana, mas só quando o olho é movido por um dedo você vê o movimento. Quando você move seus olhos decidindo olhar para algum lugar, o comando para os músculos oculares é copiado para um mecanismo que move o referencial junto com as imagens que deslizaram, para cancelar o senso de movimento subjetivo que você possui. Mas quando você move um olho com o dedo, desvia-se do deslocador do referencial, este não é deslocado e você interpreta a imagem em movimento como proveniente de um mundo em movimento.

Também pode haver referenciais que compensam movimentos da cabeça e do corpo. Eles dão a cada pedaço de superfície no campo visual um endereço fixo relativamente à sala ou ao chão; o endereço permanece o mesmo enquanto o corpo se move. Essas mudanças de referencial podem ser governadas por cópias de comandos para os músculos do pescoço e do corpo, embora também possam ser governadas por circuitos que acompanhem o deslizamento do conteúdo do campo visual.

Outra sobreposição conveniente seria uma grade mental trapezoidal que demarcasse extensões de mesmo tamanho no mundo. Uma marca de grade próxima de nossos pés abrangeria um trecho maior do campo visual; uma marca de grade próxima do horizonte abrangeria um trecho menor do campo visual mas o mesmo número de polegadas que as medidas no chão. Como o esboço em 2 1/2D contém valores de profundidade em cada ponto, seria fácil para o cérebro calcular as marcas de grade. Esse referencial alinhado com o mundo permitiria que avaliássemos os verdadeiros ângulos e extensões da matéria externa à nossa pele. O psicólogo especialista em percepção J. J. Gibson afirmou que realmente possuímos esse senso de escala do mundo real sobreposto à projeção retiniana e podemos mentalmente ativá-lo e desativá-lo. Estando entre os trilhos do trem, podemos adotar um estado mental no qual vemos os trilhos convergirem ou outro no qual os vemos paralelos. Essas duas atitudes, que Gibson denominou "o campo visual" e "o mundo visual", provêm de acessar a mesma informação segundo o referencial retiniano ou conforme o referencial alinhado com o mundo.

Mais um referencial invisível é a direção da gravidade. O peso de prumo mental é fornecido pelo sistema vestibular do ouvido interno, um labirinto de câmaras que inclui três canais semicirculares orientados em ângulos retos um para o outro. Se alguém duvida que a seleção natural usa princípios de engenharia redescobertos pelos humanos, que veja os eixos de coordenadas cartesianas xyz lavrados nos ossos do crânio! Conforme a cabeça inclina-se para a frente e para trás, de um lado para o outro e se vira para a esquerda e para a direita, o fluido nos canais movimenta-se e desencadeia sinais neurais que registram o movimento. Uma pesada massa granulosa que pressiona outras membranas registra o movimento linear e a direção da gravidade. Esses sinais podem ser usados para fazer a rotação dos retículos mentais para que eles sempre estejam corretamente apontando "para cima". É por isso que o mundo não parece adernar apesar de as cabeças das pessoas raramente estarem perpendicularmente aprumadas. (Os próprios olhos inclinam-se em sentido horário e anti-horário na cabeça, mas só o suficiente para anular ligeiras inclinações da cabeça.) Curiosamente, nosso cérebro não compensa tanto assim a gravidade. Se a compensação fosse perfeita, o mundo pareceria normal quando estamos deitados de lado ou mesmo de cabeça para baixo. Obviamente, isso não ocorre. É difícil ver televisão deitado de lado, a menos que apoiemos a cabeça na mão, e é impossível ler nessa posição sem segurar o livro de lado. Talvez por sermos criaturas terrestres, usamos o sinal da gravidade mais para manter nosso corpo em posição vertical do que para compensar inputs visuais fora de ordem quando o corpo não está aprumado.

A coordenação do referencial da retina com o referencial do ouvido interno afeta nossa vida de um modo surpreendente: provoca cinesia. Normalmente, quando você se movimenta, dois sinais atuam em sincronia: as precipitações de texturas e cores no campo visual e as mensagens sobre gravidade e inércia enviadas pelo ouvido interno. Mas, se você estiver em movimento no interior de um veículo, como um carro, um barco ou uma liteira — modos de se movimentar sem precedentes evolutivos —, o ouvido interno diz "você está se movendo", mas as paredes e o chão dizem "você está parado". A cinesia é provocada por essa discrepância, e os tratamentos clássicos exigem que você elimine a incompatibilidade: não leia, olhe pela janela, fite o horizonte.

Muitos astronautas sentem enjoo crônico no espaço, pois *não há* sinal gravitacional, uma discrepância extrema entre gravidade e visão. (A cinesia espacial é medida em *garns*, uma unidade batizada em honra ao senador republicano de Utah, Jake Garn, que explorou seu cargo no subcomitê de dotação orçamentária da NASA para obter a suprema mordomia: uma viagem ao espaço. O cadete espacial Garn entrou para a história como o maior vomitador de todos os tempos.) A situação agrava-se porque os interiores das naves espaciais não dão aos astronautas um referencial alinhado com o mundo, pois os projetistas calculam que sem a gravidade conceitos como "chão", "teto" e "paredes" não têm sentido, e sendo assim eles podem instalar instrumentos em todas as seis superfícies. Os astronautas, infelizmente, carregam consigo seus cérebros terrestres e ficam absolutamente perdidos a menos que parem e digam a si mesmos: "Vou fingir que ali é 'em cima', ali é 'para a frente'" etc. Funciona por algum tempo, mas, se eles olharem pela janela e virem terra firme acima deles ou se avistarem um colega de tripulação flutuando de cabeça para baixo, uma onda de náusea os invade. O enjoo espacial é uma preocupação da NASA, e não só devido ao declínio de produtividade durante dispendiosas horas de voo; você pode imaginar as complicações de vomitar com gravidade zero. Ele também afeta a florescente tecnologia da realidade virtual, na qual uma pessoa usa um capacete de campo amplo mostrando um mundo sintético que passa zunindo. Avaliação da *Newsweek*: "A mais vomitiva invenção desde o Tilt-a-Whirl.* Preferimos Budweiser".

Por que diabos uma incompatibilidade entre visão e gravidade ou inércia provocaria, entre todas as coisas, justamente a náusea? O que o sobe e desce tem a ver com o estômago? O psicólogo Michel Treisman apresentou uma explicação plausível, embora ainda não comprovada. Os animais vomitam para expelir toxinas que ingeriram antes que elas causem mais danos. Muitas toxinas encontradas na natureza atuam sobre o sistema nervoso. Isso leva ao problema enfrentado por Ingrid Bergman em *Interlúdio*: como você sabe quando foi envenenado? Seu discernimento ficaria prejudicado, mas isso afetaria sua capacidade de discernir se o seu discernimento está prejudicado! De um modo mais geral, como um detector de defeitos distingue entre uma falha de funcionamento do cérebro e o registro preciso, pelo cérebro, de uma situação incomum? (Velho adesivo de para-choque: "O mundo está apresentando falhas técnicas. Não ajuste sua mente".) A gravidade, obviamente, é a mais estável e previsível característica do mundo. Se duas partes do cérebro têm opiniões diferentes a respeito dela, é provável que uma ou ambas estejam funcionando mal ou que os sinais que elas estão recebendo estejam atrasados ou deturpados. A regra seria: se você acha que a gravidade está atuando para cima, você foi envenenado; expulse o resto do veneno, já.

O eixo mental que indica "em cima" e "embaixo" também é um poderoso organizador de nosso senso de forma e contorno. O que temos aqui?

(*) Brinquedo de parque de diversões que gira e se desloca verticalmente a uma grande velocidade. (N. T.)

Poucas pessoas reconhecem que isto é um contorno da África com uma rotação de noventa graus, mesmo se inclinarem a cabeça no sentido anti-horário. A representação mental de um contorno — como nossa mente o "descreve" — não reflete simplesmente sua geometria euclidiana, que permanece inalterada quando se faz a rotação do contorno. Ela reflete a geometria relativamente ao nosso referencial de "em cima e embaixo". Nossa mente pensa na África como uma coisa com um pedaço gordo "em cima" e um pedaço magro "embaixo". Mude-se o que está em cima e o que está embaixo e não é mais a África, ainda que nem um trechinho de litoral tenha sido alterado.

O psicólogo Irving Rock descobriu muitos outros exemplos, inclusive este simples, mostrado abaixo:

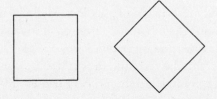

As pessoas veem os desenhos como duas formas diferentes, um quadrado e um losango. Mas, segundo a geometria, trata-se da mesma forma nos dois casos. São pinos que se encaixam nas mesmas cavidades; cada ângulo e cada linha são iguais. A única diferença está no modo como eles se alinham em relação ao referencial de em cima e embaixo do observador, e essa diferença basta para granjear-lhes designações diferentes no idioma. Um quadrado é achatado em cima, um losango é pontudo em cima; não há como evitar o "em cima". É até mesmo difícil perceber que o losango é feito de ângulos retos.

Por fim, os próprios objetos podem configurar referenciais:

A forma à direita na parte superior alterna-se entre parecer um quadrado e parecer um losango, dependendo de você agrupá-la mentalmente com as três formas à esquerda dela ou com as oito formas abaixo. As linhas imaginárias alinhadas com as fileiras de formas tornaram-se referenciais cartesianos — um referencial alinhado com o "em cima/embaixo" retiniano, o outro inclinado diagonalmente — e uma forma parece diferente quando descrita mentalmente conforme um ou outro referencial.

E, caso você ainda esteja cético com respeito a esses incolores, inodoros e insípidos referenciais que se alega estarem sobrepostos ao campo visual, apresento-lhe uma demonstração maravilhosamente simples do psicólogo Fred Attneave. O que está acontecendo nos triângulos da esquerda?

Olhe para eles por tempo suficiente, e eles passam rapidamente de uma aparência a outra. Eles não se movem, não se invertem em profundidade, mas alguma coisa muda. As pessoas designam a mudança como "para onde eles apontam". O que está pulando pela página não são os próprios triângulos, mas um referencial mental que se sobrepõe aos triângulos. O referencial não provém da retina, da cabeça, do corpo, do aposento, da página ou da gravidade, mas de um eixo de simetria dos triângulos. Eles possuem três desses eixos, os quais se revezam na predominância. Cada eixo tem o equivalente a um polo norte e a um polo sul, o que propicia a sensação de que os triângulos estão apontando. Os triângulos viram-se em massa, como bailarinos; o cérebro prefere que seus referenciais abranjam vizinhanças inteiras de formas. Os triângulos no diagrama à direita "mudam" ainda mais rápido, alternando-se entre seis impressões. Podem ser interpretados quer como triângulos obtusângulos deitados na página, quer como triângulos retângulos postados em pé em profundidade, cada qual com um referencial que pode assentar-se de três modos.

BOLACHAS DE BICHINHOS

A capacidade dos objetos para atrair referenciais ajuda a resolver um dos maiores problemas ligados à visão, o próximo problema que encontramos quando prosseguimos em nossa ascensão da retina ao pensamento abstrato. Como as pessoas reconhecem as formas? Um adulto médio sabe os nomes de aproximadamente 10 mil objetos, a maioria deles distinguidos pela forma. Até uma criança de seis anos sabe os nomes de alguns milhares, tendo-os aprendido a uma taxa de um a cada poucas horas durante anos. Evidentemente, os objetos podem ser reconhecidos a partir de muitas pistas. Alguns podem ser reconhecidos pelos sons e odores, outros, como camisas em um baú, apenas podem ser identificados pela cor e material. Mas a maioria dos objetos pode ser identificada pela forma. Quando reconhecemos a forma de um objeto, estamos agindo como autênticos geômetras, examinando a distribuição de matéria no espaço e descobrindo o correspondente mais próximo na memória. O geômetra mental tem de ser verdadeiramente preciso, pois uma criança de três anos é capaz de passar os olhos por uma caixa de bolachas de bichinhos ou uma pilha de cartões plásticos berrantes e recitar com facilidade os nomes da exótica fauna com base nas silhuetas.

O diagrama da página 20 mostrou a você por que o problema é tão difícil. Quando um objeto ou o observador se move, os contornos no esboço em 2 1/2D mudam. Se a lembrança que você tem da forma — digamos, de uma mala — era uma cópia do esboço em 2 1/2D quando você a viu pela primeira vez, a versão após você se mover não corresponderá mais à anterior. Sua lembrança da mala será "uma lâmina retangular e uma alça horizontal na posição 'meio-dia'", mas a alça que agora você vê não está na horizontal e nem na posição "meio-dia". Você ficaria perplexo, sem saber o que é aquilo.

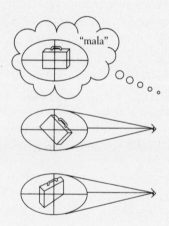

Mas suponhamos que, em vez de usar o referencial retiniano, seu arquivo de memória use um referencial alinhado com o próprio objeto. Sua lembrança seria "uma lâmina retangular com uma alça *paralela à borda da lâmina, na parte superior da lâmina*". O termo "da lâmina" significa que você recorda as posições das partes relativamente ao próprio objeto, e não ao campo visual. Assim, quando você vê um objeto não identificado, seu sistema visual automaticamente alinharia um referencial tridimensional sobre ele, como fez com o bailado de quadrados e triângulos de Attneave. Agora, quando você faz a correspondência entre o que está vendo e o que recorda, ambos coincidem, independentemente de como a mala está orientada. Você reconhece sua bagagem.

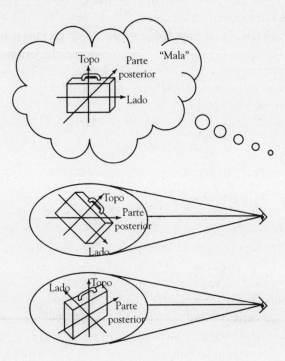

Foi assim, resumidamente, que Marr explicou o reconhecimento das formas. A ideia fundamental é que a lembrança de uma forma não é uma cópia do esboço em 2 1/2D; ela é armazenada em um formato que difere desse esboço de dois modos. Primeiro, o sistema de coordenadas está centralizado no objeto — e não, como no esboço em 2 1/2D, no observador. Para reconhecer um objeto, o cérebro alinha um referencial sobre seus eixos de extensão e simetria e mede as posições e ângulos das partes nesse referencial. Só então se faz a correspondência entre visão e lembrança. A segunda diferença é que quem faz a correspondência não compara visão e lembrança pixel por pixel, como se encaixasse uma pecinha de quebra-cabeça em um espaço vazio. Se fizesse isso, as formas que teriam de encontrar correspondente ainda assim poderiam não encontrar. Os objetos reais apresentam afundamentos, oscilações e aparecem em diferentes estilos e modelos. Não há duas malas com dimensões idênticas, e algumas têm cantos arredondados ou reforçados, alças grossas ou finas. Portanto, a representação da forma a ser identificada não deveria ser um molde exato de cada saliência e depressão. Ela deveria ser expressa em categorias pouco severas, como "lâmina" e "coisa em forma de U". Tampouco os acessórios podem ser especificados milimetricamente; é preciso dar margem a uma certa imprecisão: as asas de diferentes xícaras são todas "do lado", mas podem situar-se um pouquinho mais alto ou mais baixo conforme a xícara.

O psicólogo Irv Biederman deu substância às duas ideias de Marr com um inventário de elementos geométricos simples que ele denomina "géons" (por analogia com os prótons e elétrons componentes dos átomos). Eis cinco géons, juntamente com algumas combinações:

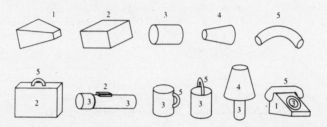

Biederman propôs no total 24 géons, entre eles um cone, um megafone, uma bola de futebol americano, um tubo, um cubo e um pedaço de macarrão *rigatoni*. (Tecnicamente, todos eles são apenas diferentes tipos de cones. Se o cone de um sorvete é a superfície abrangida por um círculo que se expande à medida que seu centro é deslocado ao longo de uma linha, géons são as superfícies abrangidas por *outras* formas bidimensionais à medida que elas se expandem ou se contraem quando movidas ao longo de linhas retas ou curvas.) Os géons podem ser montados para formar objetos com algumas relações de junção, como "acima", "do lado", "extremidade com extremidade", "extremidade com vizinhança do centro" e "paralelo". Essas relações são definidas em um referencial centralizado no objeto, evidentemente, e não no campo visual; "acima" significa "acima do géon principal" e não "acima da fóvea". Assim, as relações permanecem as mesmas quando o objeto ou o observador se move.

Os géons são combinatórios, como a gramática. Obviamente, não descrevemos as formas para nós mesmos com palavras, mas as montagens com géons são um tipo de linguagem interna, um dialeto do mentalês. Elementos de um vocabulário fixo são encaixados em estruturas maiores, como palavras em uma frase ou sentença. Uma sentença não é a soma de suas palavras; ela depende da disposição sintática das palavras: *Um homem morde um cão* não é o mesmo que *Um cão morde um homem*. Analogamente, um objeto não é a soma de seus géons; ele depende da disposição espacial dos elementos: um cilindro com uma alça do lado é uma xícara, enquanto um cilindro com uma alça no topo é um balde. E assim como um número reduzido de palavras e regras combina-se formando um número astronômico de sentenças, um número reduzido de géons e junções combina-se formando um número astronômico de objetos. Segundo Biederman, cada um dos 24 géons existe em quinze tamanhos e constituições (um pouco mais grosso, um pouco mais fino), e há 81 modos de ligá-los. Isso permite que 10 497 600 objetos sejam formados com dois géons, e que 306 bilhões de objetos sejam feitos com três géons. Em teoria, isso deveria ser mais do que suficiente para encaixar-se nas dezenas de milhares de formas que conhecemos. Na prática, é fácil construir modelos instantaneamente reconhecíveis de objetos do cotidiano com três, e muitas vezes com apenas dois, géons.

A linguagem e as formas complexas parecem até mesmo ser vizinhas no cérebro. O hemisfério esquerdo é a sede não apenas da linguagem mas também da capacidade de reconhecer e imaginar formas definidas por arranjos de partes. Um paciente neurológico que sofreu um derrame no hemisfério esquerdo mencionou: "Quando tento imaginar uma planta, um animal, um objeto, só consigo recordar uma parte. Minha visão interior é fugidia, fragmentada; se me pedem para imaginar a cabeça de uma vaca, sei que ela tem orelhas e chifres, mas não consigo visualizar novamente o lugar deles". O hemisfério direito, em contraste, tem aptidão para medir formas inteiras; pode avaliar com facilidade se um retângulo é mais alto do que largo ou se um ponto situa-se a mais ou a menos de uma polegada do objeto.

Uma vantagem da teoria do géon é que suas demandas sobre o esboço em 2 1/2D não são absurdas. Esculpir objetos em partes, rotular as partes como géons e determinar sua disposição não constituem problemas insolúveis, e os estudiosos da visão desenvolveram modelos do modo como o cérebro poderia resolver esses problemas. Outra vantagem é que uma descrição da anatomia de um objeto ajuda a mente a pensar nos objetos e não apenas a proferir seus nomes. As pessoas entendem como os objetos funcionam e para que servem analisando as formas e a disposição de suas partes.

A teoria dos géons afirma que nos níveis superiores da percepção a mente "vê" os objetos e as partes como sólidos geométricos idealizados. Isso explicaria um fato curioso e de longa data observado a respeito da estética visual humana. Qualquer um que tenha estado em um curso de desenho da figura humana ou numa praia de nudismo logo aprende que os corpos humanos reais não estão à altura de nossa sublime imaginação. A maioria de nós fica melhor de roupa. Na história da moda, o historiador de arte Quentin

Bell dá uma explicação que poderia ter provindo diretamente da teoria dos géons:

> Se envolvemos um objeto em algum tipo de invólucro, de modo que os olhos deduzam em vez de verem o objeto que está envolto, a forma inferida ou imaginada tende a ser mais perfeita do que pareceria se estivesse descoberta. Assim, uma caixa quadrada recoberta por papel pardo será imaginada como um quadrado perfeito. A menos que se dê à mente alguma indicação muito eloquente, é improvável que ela visualize buracos, afundamentos, rachaduras ou outras qualidades acidentais. Do mesmo modo, se dispomos um drapeado sobre a coxa, a perna, o braço ou o peito, a imaginação supõe um membro perfeitamente formado; ela não concebe, e geralmente não é capaz de conceber, as irregularidades e imperfeições que a experiência deveria nos induzir a esperar.
>
> [...] Sabemos como provavelmente é [um corpo] com base na experiência, e no entanto estamos dispostos a suspender nossa descrença em favor das ficções dos trajes [da pessoa]. De fato, penso que nos prontificamos a ir além no caminho do autoengano. Quando entramos em nosso melhor paletó e vemos nossos ombros deploravelmente insignificantes engenhosamente magnificados e idealizados, por um momento nós realmente ascendemos em nossa autoestima.

Os géons não servem para tudo. Muitos objetos da natureza, como montanhas e árvores, têm formas fractais complexas, mas os géons as transformam em pirâmides e pirulitos. E embora os géons possam ser dispostos de modo a representar um rosto humano genérico aceitável, como um boneco de neve ou o Cabeça de Batata, é quase impossível fazer um modelo de um rosto *específico* — o rosto de John, o rosto de sua avó — que difira de outros rostos o bastante para não ser confundido com eles, mas que seja suficientemente estável nos sorrisos, franzir de sobrancelhas, ganhos de peso e envelhecimento para identificar aquela pessoa em todas as épocas. Muitos psicólogos acreditam que o reconhecimento de rostos é especial. Em uma espécie social como a nossa, os rostos são tão importantes que a seleção natural nos deu um processador para registrar os tipos de contornos geométricos e de proporções necessários para distinguir as faces. Os bebês acompanham com o olhar padrões semelhantes a rostos, mas não outras disposições complexas e simétricas, quando têm apenas trinta minutos de vida, e rapidamente aprendem a reconhecer sua mãe, talvez já dois dias após o nascimento.

O reconhecimento de rostos pode até mesmo usar partes distintas do cérebro. A incapacidade de reconhecer rostos denomina-se prosopagnosia. Não é a mesma coisa que acontecia com o célebre homem que confundiu sua mulher com um chapéu, descrito por Oliver Sacks: quem sofre de prosopagnosia é capaz de distinguir um rosto de um chapéu; só não sabe dizer de quem é o rosto. Mas muitas dessas pessoas podem reconhecer chapéus e quase todo o resto. Por exemplo, o paciente "LH" foi testado em meu laboratório pelos psicólogos Nancy Etcoff e Kyle Cave e pelo neurologista Roy Freeman. LH é um homem inteligente e instruído que sofreu lesões na cabeça em um acidente de carro vinte anos antes dos testes. Desde o acidente, ele é absolutamente incapaz de reconhecer rostos. Não consegue reconhecer a esposa e os filhos (exceto pela voz, cheiro ou modo de andar), seu próprio rosto no espelho ou celebridades em fotografias (a menos que tenham uma marca registrada visual, como Einstein, Hitler e os Beatles nos tempos da cabeleira de escovão). Não que ele tivesse dificuldade para distinguir os detalhes de um rosto; ele conseguia fazer a correspondência de rostos inteiros com seus respectivos perfis, mesmo com uma rebuscada iluminação lateral, e avaliar a idade, sexo e beleza do dono do rosto. E ele era praticamente normal em se tratando do reconhecimento de objetos complexos que não fossem rostos, inclusive palavras, roupas, estilos de penteado, veículos, ferramentas, hortaliças, instrumentos musicais, cadeiras de escritório, óculos, padrões de pontos e formas semelhantes a antenas de televisão. Havia apenas dois tipos de formas que lhe causavam dificuldade. Ele ficava embaraçado por não conseguir dizer os nomes dos bichinhos nas bolachas de seus filhos; analogamente, no laboratório ele tinha resultados abaixo da média na menção dos nomes de animais desenhados. E tinha certa dificuldade para reconhecer expressões faciais como cenho franzido, sorrisos de escárnio e olhares intimidantes. Mas nem os animais nem as expressões faciais eram tão difíceis para ele quanto os rostos, que o derrotavam por completo.

Não que os rostos sejam a coisa mais difícil de reconhecer para nosso cérebro, de modo que se ele não estiver funcionando com todos os oito cilindros, o reconhecimento de rostos será o primeiro a sofrer. Os psicólogos Marlene Behrmann, Morris Moscovitch e Gordon Winocur estudaram um jovem que fora atingido na cabeça pelo espelho retrovisor de um caminhão em movimento. O moço tinha dificuldade para reconhecer os objetos comuns, mas nenhuma dificuldade para reconhecer rostos, mesmo quando estes eram disfarçados com óculos, perucas ou bigodes. Sua síndrome é o oposto da prosopagnosia e prova que o reconhecimento de rostos é diferente do de objetos, e não simplesmente mais difícil.

Então quem sofre de prosopagnosia tem um módulo de reconhecimento de rostos quebrado? Alguns psicólogos, notando que LH e algumas outras pessoas com prosopagnosia têm *uma certa* dificuldade com *algumas* outras formas, diriam que esses pacientes têm dificuldade para processar os tipos de características geométricas que são mais úteis no reconhecimento de rostos, embora também sejam úteis para reconhecer outros determinados tipos de formas. A meu ver, a distinção entre reconhecer rostos e reconhecer objetos com a geometria dos rostos não tem sentido. Do ponto de vista do cérebro, nada é um rosto até ser reconhecido como tal. A única coisa que *pode* ser especial em um módulo de percepção é o tipo de geometria a que ele presta atenção, como por exemplo a distância entre dois glóbulos simétricos ou o padrão de curvatura de superfícies elásticas bidimensionais que são esticadas por sobre um esqueleto tridimensional e recheadas com enchimentos macios e conectores. Se outros objetos que não sejam rostos (animais, expressões faciais ou até mesmo carros) possuem algumas dessas características geométricas, o módulo não terá escolha além de analisá-las, ainda que elas sejam mais úteis para rostos. Dizer que um módulo é um reconhecedor de rostos não é afirmar que ele só lida com rostos; é dizer que ele é otimizado para as características geométricas que distinguem os rostos porque o organismo foi selecionado em sua história evolutiva pela habilidade para reconhecê-los.

A história do géon é bonitinha, mas será verdadeira? Certamente não em sua forma mais pura, na qual cada objeto receberia uma descrição de sua geometria tridimensional, não contaminada pelos caprichos do ponto de observação. A maioria dos objetos é opaca, com algumas superfícies obscurecendo outras. Isso torna praticamente impossível chegar à mesma descrição do objeto a partir de todos os pontos de observação. Por exemplo, não podemos saber como é a parte dos fundos de uma casa se estivermos na frente dela. Marr contornou o problema deixando totalmente de lado as superfícies e analisando as formas de animais como se elas fossem feitas com o arame moldável dos limpadores de cachimbo. A versão de Biederman reconhece o problema e dá a cada objeto *vários* modelos de géons no catálogo mental de formas, um para cada visão necessária para revelar todas as suas superfícies.

Mas essa concessão abre a porta a um modo completamente diferente de fazer o reconhecimento das formas. Por que não ir até as últimas consequências, dando a cada forma um grande número de arquivos de memória, um para cada ponto de observação? Assim os arquivos não precisariam de um referencial elaborado centralizado no objeto; poderiam usar as coordenadas retinianas disponíveis livremente no esboço em 2 1/2D, desde que houvesse arquivos suficientes para comportar todos os ângulos de visão. Por muitos anos, essa ideia foi sumariamente descartada. Se o *continuum* de ângulos de visão fosse retalhado em diferenças de um grau, seria preciso 40 mil arquivos para cada objeto para abranger todas elas (e essas são apenas para abranger os ângulos de visão; não abarcam as posições de visão nas quais o objeto não é o centro absoluto, nem as diferentes distâncias de visão). Não se pode fazer serviço malfeito especificando poucas visões, como a planta e elevação de um arquiteto, pois em princípio qualquer uma das visões poderia ser crucial. (Prova simples: imagine uma forma composta de uma esfera oca com um brinquedo colado em seu interior e um buraquinho feito do lado oposto. Somente avistando o brinquedo exatamente através do buraco a forma toda pode ser vista.) Porém, recentemente a ideia voltou à baila. Escolhendo criteriosamente as visões, e usando uma rede neural associativa de padrões para fazer as interpolações entre elas quando um objeto não corresponder exatamente a uma visão, é possível ter êxito armazenando um número viável de visões por objeto, quarenta no máximo.

Ainda parece improvável que as pessoas tenham de ver um objeto de quarenta ângulos diferentes para reconhecê-lo posteriormente, mas há um outro truque disponível. Lembre-se de que as pessoas recorrem à direção em cima/embaixo para inferir formas: quadrados não são losangos, a África deitada não é reconhecida. Isso introduz outra contaminação na teoria pura dos géons: relações como "acima" e "topo" têm de provir da retina (com um certo ajuste da gravidade), e não do objeto. Essa concessão pode ser inevitável, pois com frequência não há como apontar com precisão o "topo" de um objeto antes de o termos reconhecido. Mas o verdadeiro problema origina-se do que as pessoas *fazem* com objetos deitados que elas não reconhecem de pronto. Se você *disser* a uma pessoa que a forma foi virada de lado, elas a reconhecem com rapidez, como certamente ocorreu com você quando eu informei que o desenho da África estava deitado. As pessoas podem girar mentalmente uma forma para a posição vertical e então reconhecer a imagem girada. Com um rotador mental de imagens, o referencial centralizado no objeto da teoria dos géons torna-se ainda menos necessário. As pessoas poderiam armazenar algumas visões em 2 1/2D de alguns pontos de observação clássicos, como as fotos dos arquivos policiais, e se um objeto diante delas não correspondesse a uma dessas fotos, elas o girariam mentalmente até obter a correspondência. Algumas combinações de visões múltiplas e um rotador mental tornariam desnecessários os modelos de géons em referenciais centralizados no objeto.

Com todas essas opções para o reconhecimento de formas, como podemos saber o que a mente realmente faz? A única saída é estudar seres humanos reais reconhecendo formas no laboratório. Um célebre conjunto de experimentos indicou a rotação mental como fundamental. Os psicólogos Lynn Cooper e Roger Shepard mostraram às pessoas letras do alfabeto em orientações diferentes — na vertical, inclinadas em 45 graus, de lado, inclinadas 135 graus e de cabeça para baixo. Cooper e Shepard não queriam que as pessoas proferissem rapidamente o nome da letra porque estavam preocupados com os atalhos: um tracinho distintivo, como uma volta ou um rabicho, poderia ser detectável em qualquer orientação e revelar a resposta. Por isso, eles forçaram os sujeitos a analisar toda a geometria de cada letra, mostrando ou a letra ou sua imagem refletida no espelho e pedindo aos sujeitos que apertassem um botão se a letra fosse normal e outro botão se a letra fosse uma imagem invertida.

Quando Cooper e Shepard mediram o tempo que as pessoas demoravam para apertar o botão, observaram uma evidente assinatura da rotação mental. Quanto mais a letra estivesse distante da posição vertical, mais as pessoas demoravam. Isso é exatamente o que se esperaria se as pessoas gradualmente girassem uma imagem da letra até a posição vertical; quanto mais for preciso girar a letra, mais tempo leva a rotação. Talvez, então, as pessoas reconheçam as formas girando-as mentalmente.

Mas talvez não. As pessoas não estavam apenas reconhecendo formas; estavam discriminando aquelas formas das imagens como elas seriam refletidas em um espelho. As imagens no espelho são especiais. É bem apropriado o título *Através do espelho* para a sequência de *Alice no País das Maravilhas*. A relação de uma forma com sua imagem no espelho suscita surpresas, e até mesmo paradoxos, em muitos ramos da ciência. (Elas são examinadas em livros fascinantes de Martin Gardner e de Michael Corballis e Ivan Beale.) Consideremos as mãos direita e esquerda de um manequim, separadas do corpo. Em certo sentido, elas são idênticas: cada uma tem quatro dedos e um polegar ligados a uma palma e um pulso. Em outro sentido, são completamente diferentes; uma forma não pode ser sobreposta à outra. A diferença reside apenas no modo como as partes alinham-se com respeito a um referencial no qual todos os três eixos são rotulados com direções: em cima-embaixo, frente-costas, direita-esquerda. Quando a mão direita está apontando os dedos para cima e tem a palma voltada para a frente (como no gesto de "pare"), o polegar aponta para a esquerda; quando a mão esquerda está apontando os dedos para cima e tem a palma voltada para a frente, o polegar aponta para a direita. Essa é a única diferença, mas ela é real. As moléculas da vida apresentam uma analogia com as mãos; suas imagens refletidas no espelho com frequência não existem na natureza e não funcionariam em corpos.

Uma descoberta fundamental da física do século xx é que o universo também apresenta essa analogia com as mãos. A princípio, isso parece absurdo. Para qualquer objeto e evento do cosmo, você não tem como saber se está vendo o evento real ou seu reflexo em um espelho. Você pode objetar que moléculas orgânicas e objetos feitos pelo homem, como as letras do alfabeto, são uma exceção. As versões clássicas encontram-se por toda parte e são familiares; as imagens no espelho são raras e podem ser reconhecidas com facilidade. Porém, para um físico, elas não têm importância, pois sua analogia com as mãos é um acidente histórico, e não algo excluído pelas leis da física. Em outro planeta, ou neste, se pudéssemos voltar a fita da evolução e deixá-la ocorrer de novo, as imagens no espelho poderiam, com a mesma facilidade, ter seguido o caminho oposto. Os físicos julgavam que isso se aplicava a tudo no universo. Wolfgang Pauli escreveu: "*Não acredito* que o Senhor é um débil canhoto", e Richard Feynman apostou cinquenta dólares contra um (não se dispôs a apostar cem) que nenhum experimento revelaria uma lei da natureza que parecesse diferente no espelho. Ele perdeu. Afirma-se que o núcleo do cobalto 60 gira no sentido anti-horário se você olhar do seu polo norte, mas essa descrição é, ela própria, circular, pois "polo norte" é simplesmente o nome que damos ao final de um eixo do qual uma rotação parece dar-se no sentido anti-horário. O círculo lógico seria rompido se *alguma outra coisa* diferenciasse o chamado polo norte do chamado polo sul. Eis aqui essa outra coisa: quando o átomo se desagrega, há maior tendência de os elétrons serem precipitados para fora da extremidade que denominamos sul. "Norte" *versus* "sul" e "horário" *versus* "anti-horário" já não são rótulos arbitrários, podendo ser distinguidos em relação ao arranco dos elétrons. A desintegração, e portanto o universo, pareceria diferente no espelho. Deus não é ambidestro, afinal.

Assim, as versões de mão direita e mão esquerda das coisas, das partículas subatômicas à matéria-prima da vida e à rotação da Terra, são fundamentalmente diferentes. No entanto, em geral a mente as trata como se fossem iguais:

> Puf olhou para suas duas patas. Ele sabia que uma delas era a direita, e sabia que, quando se decidia qual delas era a direita, então a outra era a esquerda, mas nunca era capaz de lembrar como começar.

Nenhum de nós tem facilidade para lembrar como começar. Os pés esquerdo e direito dos sapatos parecem-se tanto que é preciso ensinar truques às crianças para distingui-los, como por exemplo colocar os sapatos lado a lado e avaliar o tamanho da abertura. Para que lado está virado o rosto da efígie na moeda de dez centavos? Há somente 50% de chances de você responder corretamente, o mesmo que você teria se jogasse a moeda para cima para ver de que lado ela cairia. E quanto ao famoso quadro de Whistler, *Arranjo em preto e cinza: a mãe do artista*? Até mesmo a língua vacila quando se trata de esquerda e direita: *ao lado de* e *contíguo* denotam "lado a lado", sem especificar quem está à esquerda, mas não existe palavra como *cimaembaixo* ou *baixoemcima* para denotar "em cima-embaixo" sem especificar quem está no topo. Nossa desatenção para "esquerda-direita" contrasta gritantemente com nossa hipersensibilidade para "em cima-embaixo" e "frente-verso". Ao que parece, a mente humana não possui um rótulo preexistente para a terceira dimensão de seu referencial centralizado no objeto. Quando ela vê uma mão, pode alinhar o eixo pulso-ponta dos dedos com "em cima-embaixo" e o eixo "costas-palma" com "na frente-atrás", mas a direção do eixo dedo mínimo-polegar é indeterminada. A mente rotula como "direção do polegar", digamos, e as mãos direita e esquerda tornam-se sinônimos mentais. Nossa indecisão quanto a esquerda e direita requer uma explicação, pois um geômetra diria que elas não são diferentes de em cima-embaixo e na frente-atrás.

A explicação é que as confusões com as imagens no espelho são naturais para um animal bilateralmente simétrico. Uma criatura com simetria perfeita é logicamente incapaz de distinguir entre esquerda e direita (a menos que pudesse reagir à desintegração do cobalto 60!). A seleção natural teve pouco incentivo para produzir os animais com assimetria a fim de que eles pudessem representar mentalmente as formas de um modo diferente de seus reflexos. De fato, isso inverte o argumento: a seleção natural teve todos os incentivos para produzir os animais simetricamente, a fim de que eles *não* representassem as formas de um modo diferente dos reflexos. No mundo de tamanho intermediário em que os animais passam seus dias (maior do que as partículas subatômicas e moléculas orgânicas, menor do que uma frente meteorológica), esquerda e direita não fazem diferença. Os objetos, dos dentes-de-leão às montanhas, têm topos que diferem notavelmente das bases, e a maioria das coisas que se movem tem uma parte dianteira que difere notavelmente da posterior. Mas nenhum objeto natural apresenta um lado esquerdo que difere de maneira não aleatória de seu lado direito, fazendo com que sua versão de imagem no espelho comporte-se de modo diferente. Se um predador vier da direita, da próxima vez poderá vir da esquerda. Qualquer coisa aprendida no primeiro encontro deve ser generalizada para a versão da imagem no espelho. Eis uma outra maneira de explicar a questão: se você observasse um slide fotográfico de qualquer cena natural, estaria óbvio se alguém o tivesse virado de cabeça para baixo, mas você não notaria se alguém o tivesse virado da esquerda para a direita, a menos que a cena contivesse um objeto feito pelo homem, como um carro ou algo escrito.

E isso nos leva de volta às letras e à rotação mental. Em algumas atividades humanas, como dirigir um veículo e escrever, esquerda e direita fazem realmente diferença, e aprendemos a distingui-las. Como? O cérebro e o corpo humano são *ligeiramente* assimétricos. Uma mão é dominante, devido à assimetria do cérebro, e podemos sentir a diferença. (Os dicionários mais antigos definiam "direita" como o lado do corpo que tem a mão mais forte, baseados na suposição de que as pessoas são destras. Os dicionários mais recentes, talvez em respeito por uma minoria oprimida, usam um objeto assimétrico diferente, a Terra, definindo "direita" como leste quando se está voltado para o norte.) O modo usual como as pessoas distinguem um objeto de sua imagem no espelho é virando-o de modo que ele fique na vertical e de frente e verificando para que lado do corpo — o lado com a mão dominante ou o lado com a mão não dominante — a parte distintiva está apontando. O corpo da pessoa é usado como o referencial assimétrico que torna logicamente possível a distinção entre uma forma e sua imagem no espelho. Assim, os sujeitos do experimento de Cooper e Shepard podem ter feito a mesma coisa, com a diferença de girarem a forma *em suas mentes* em vez de no mundo. Para decidir se estavam vendo um R normal ou ao contrário, eles giravam mentalmente uma imagem da forma até que ela ficasse na vertical e depois decidiam se a curva imaginária estava de seu lado esquerdo ou direito.

Portanto, Cooper e Shepard demonstraram que a mente *pode* fazer a rotação dos objetos e demonstraram que *um* aspecto da forma intrínseca de um objeto — sua analogia com a mão — não está armazenado em um modelo tridimensional de géons. Porém, apesar de todo o seu fascínio, a analogia com a mão é uma característica tão singular do universo que não podemos concluir muita coisa a respeito do reconhecimento de formas em geral com base nos experimentos sobre rotação mental. Pelo que sabemos, a mente *poderia* sobrepor aos objetos um referencial tridimensional (para fazer a correspondência com os géons), com especificações para a maneira de colocar a seta no eixo lado-lado, mas não incluindo a colocação de antemão. Como dizem, é preciso mais pesquisas.

O psicólogo Michael Tarr e eu pesquisamos mais. Criamos nosso próprio mundinho de formas e despoticamente controlamos a exposição de pessoas a essas formas, em busca de testes irrepreensíveis das três hipóteses em questão.

As formas eram semelhantes o suficiente para que as pessoas não pudessem usar atalhos como um tracinho revelador, por exemplo. Nenhuma era a imagem da outra refletida no espelho, para que não fôssemos desencaminhados pelas peculiaridades do mundo do espelho. Cada forma tinha um pezinho revelador, para que as pessoas nunca tivessem dificuldade para encontrar o topo e a base. Demos a cada pessoa três formas para aprenderem, depois pedimos que elas as identificassem apertando um dentre três botões sempre que uma delas aparecesse de relance na tela do computador. Cada forma apareceu com algumas orientações várias vezes. Por exemplo, a Forma 3 podia aparecer com o topo na posição "quatro horas" centenas de vezes e com o topo na posição "sete horas" centenas de vezes. (Todas as formas e inclinações estavam misturadas em uma ordem aleatória.) Assim, as pessoas tinham a oportunidade de aprender como era a aparência de cada forma vendo-a algumas vezes. Por fim, demandamos delas uma enxurrada de novas tentativas, nas quais cada forma aparecia em 24 orientações uniformemente espaçadas (novamente ordenadas de modo aleatório). Queríamos verificar como as pessoas lidavam com as velhas formas nas novas orientações. Cada aperto de botão foi cronometrado até milésimos de segundo.

Segundo a teoria da visão múltipla, as pessoas deveriam criar um arquivo de memória separado para cada orientação na qual um objeto comumente aparecesse. Por exemplo, criariam um arquivo mostrando como se parece a Forma 3 com o lado direito para cima (que é como elas a aprenderam), depois um segundo arquivo para seu aspecto na posição "quatro horas" e um terceiro para a posição "sete horas". As pessoas deveriam reconhecer com grande rapidez a Forma 3 nessas orientações. Mas, quando nós as surpreendêssemos com as mesmas formas em novas orientações, elas deveriam demorar bem mais, pois teriam de interpolar uma nova visão entre as visões familiares para acomodá-la. As novas orientações deveriam todas requerer um incremento adicional de tempo.

Segundo a teoria da rotação mental, as pessoas deveriam reconhecer com rapidez a forma quando ela estivesse na vertical e precisar de cada vez mais tempo para reconhecê-la quanto mais ela estivesse distante da orientação conhecida. Uma forma de cabeça para baixo deveria demorar mais do que todas, pois requer um giro de 180 graus. A forma na posição "quatro horas" deveria ser reconhecida mais rapidamente, pois precisa ser girada apenas 120 graus e assim por diante.

Segundo a teoria dos géons, a orientação não deveria ter importância alguma. As pessoas aprenderiam a forma dos objetos descrevendo mentalmente os vários braços e cruzes em um sistema de coordenadas centralizado no objeto. Depois, quando uma forma testada aparecesse rapidamente na tela, não deveria fazer diferença se ela estava de lado, inclinada ou de cabeça para baixo. Sobrepor um referencial deveria ser rápido e infalível, e a descrição da forma com relação ao referencial deveria corresponder todas as vezes ao modelo na memória.

O envelope, por favor. E o Oscar vai para...

Todas as acima. As pessoas inquestionavelmente armazenaram diversas visões: quando uma forma apareceu em uma de suas orientações habituais, as pessoas a identificaram com grande rapidez.

E as pessoas inquestionavelmente giraram as formas na mente. Quando uma forma apareceu em orientações novas, não familiares, quanto mais precisou ser girada para alinhar-se com a visão familiar mais próxima, mais tempo as pessoas demoraram.

Além disso, pelo menos no caso de algumas formas, as pessoas usaram um referencial centralizado no objeto, como na teoria dos géons. Tarr e eu realizamos uma variante do experimento na qual as formas tinham geometrias mais simples:

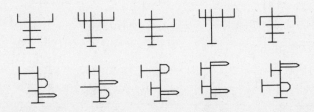

As formas eram simétricas ou quase simétricas, ou sempre apresentavam os mesmos tipos de floreios de cada lado, para que as pessoas nunca precisassem descrever os arranjos das partes na vertical e nas laterais segundo um mesmo referencial. Com essas formas, as pessoas mostraram-se uniformemente rápidas na identificação, em *todas* as orientações; de cabeça para baixo demorou o mesmo tempo que com o lado direito para cima.

Portanto, as pessoas usam todos os truques. Se os lados de uma forma não forem demasiado diferentes, elas a armazenam como um modelo de géons tridimensional centralizado nos próprios eixos do objeto. Se a forma for mais complexa, elas armazenam uma cópia do aspecto que a forma apresenta em cada orientação vista. Quando a forma surge em uma orientação não familiar, as pessoas a giram mentalmente até que ela se encaixe na forma familiar mais próxima. Isso talvez não nos devesse surpreender. O reconhecimento de formas é um problema tão difícil que um algoritmo simples, multiuso, pode não funcionar para todas as formas sob todas as condições de visão.

Concluirei a história com meu momento mais feliz como experimentador. Você pode estar cético quanto ao rotador mental. Tudo o que sabemos é que as formas inclinadas são reconhecidas com maior lentidão. Escrevi desenvoltamente que as pessoas giram uma imagem, mas talvez as formas inclinadas sejam simplesmente mais difíceis de analisar por outras razões. Existe alguma prova de que as pessoas realmente simulam uma rotação física em tempo real, grau por grau? O comportamento das pessoas apresenta algum indício da geometria da rotação que poderia nos convencer de que rodam um filme na mente?

Tarr e eu ficáramos perplexos com uma de nossas constatações. Em um outro experimento, havíamos testado pessoas tanto com respeito às formas que elas haviam estudado como com relação às imagens no espelho dessas formas, em diversas orientações:

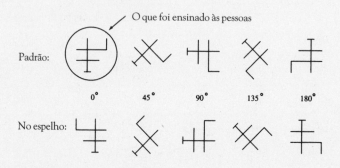

Não era um teste de imagem no espelho, como os experimentos de Cooper e Shepard; pedia-se às pessoas que tratassem do mesmo modo as duas versões, assim como usavam a mesma palavra para designar a luva da mão direita e a da mão esquerda. Obviamente, essa é a tendência natural das pessoas. Porém, de algum modo, nossos sujeitos as estavam tratando diferentemente. Para as versões padrão (fileira superior), as pessoas demoravam mais quando a forma estava mais inclinada: cada figura na fileira superior tomou mais tempo do que a anterior. Mas, para as versões refletidas (fileira inferior), a inclinação não fez diferença: todas as orientações tomaram o mesmo tempo. Parecia que as pessoas giravam mentalmente as formas padrão, mas não suas imagens no espelho. Macambúzios, Tarr e eu escrevemos um artigo implorando aos leitores para acreditarem que as pessoas usam uma estratégia diferente para reconhecer as imagens no espelho. (Na psicologia, invocar "estratégias" para explicar dados estapafúrdios é o último refúgio dos desnorteados.) Mas, quando estávamos dando o último retoque no esboço final para a publicação, uma ideia nos ocorreu.

Lembramo-nos de um teorema da geometria do movimento: uma forma bidimensional sempre pode ser alinhada com sua imagem no espelho mediante uma rotação não superior a 180 graus, contanto que a rotação possa ser *na terceira dimensão* em torno de um eixo ótimo. Em princípio, qualquer uma de nossas imagens invertidas no espelho poderia ser movimentada em profundidade para ajustar-se à forma vertical padrão, e esse movimento demoraria o mesmo tempo. A imagem no espelho em zero grau simplesmente giraria em torno de um eixo vertical, como uma porta giratória. A forma de cabeça para baixo em 180 graus poderia girar como um frango na rotisserie. A forma de lado poderia rodar sobre um eixo diagonal, da seguinte maneira: olhe para as costas de sua mão direita, com as pontas dos dedos apontando para cima; agora, olhe para a palma, com as pontas dos dedos apontando para a esquerda. Eixos com inclinações diferentes poderiam servir de pivô para as demais formas com orientações diferentes; em cada caso, a rotação seria exatamente de 180 graus. Isso se ajustaria aos dados com perfeição: as pessoas poderiam ter estado girando mentalmente *todas* as formas, porém otimizando as rotações, girando as formas padrão no plano da figura e deslocando as formas invertidas em profundidade ao redor do melhor eixo.

Mal podíamos acreditar nisso. As pessoas poderiam ter encontrado o eixo ótimo antes mesmo de saber qual era a forma? Sabíamos que isso era matematicamente possível: identificando-se apenas três pontos de referência não colineares em cada uma das duas visões de uma forma, pode-se calcular o eixo de rotação que alinharia uma à outra. Mas as pessoas são realmente capazes de fazer esse cálculo? Convencemo-nos com um pouco de animação por computador. Roger Shepard demonstrou certa vez que, se as pessoas veem uma forma alternando-se com uma cópia inclinada, elas a veem balançando para a frente e para trás. Assim, mostramos a nós mesmos a forma vertical padrão alternando-se com uma de suas imagens no espelho, indo e voltando uma vez por segundo. A percepção da mudança de posição era tão óbvia que nem nos demos o trabalho de recrutar voluntários para confirmá-la. Quando a forma alternava-se com seu reflexo vertical, parecia girar como um agitador de lavadora de roupa. Quando se alternava com seu reflexo de cabeça para baixo, fazia giros para trás. Quando se alternava com seu reflexo de lado, precipitava-se para a frente e para trás em torno de um eixo diagonal e assim por diante. O cérebro encontra o eixo invariavelmente. Os sujeitos de nosso experimento eram mais espertos do que nós.

A demonstração decisiva proveio da tese de Tarr. Ele replicara nossos experimentos usando formas tridimensionais e suas imagens no espelho, giradas no plano da figura e em profundidade:

Padrão:

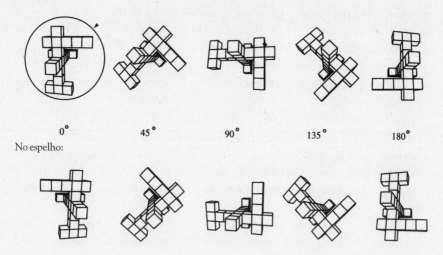

No espelho:

Tudo sucedeu como no caso das formas bidimensionais, exceto o que as pessoas fizeram com as imagens no espelho. Assim como uma forma bidimensional de orientação diferente pode ser associada à orientação padrão mediante uma rotação no plano bidimensional da figura e sua imagem no espelho pode ser girada até a orientação padrão por um deslocamento de 180 graus na terceira dimensão, uma forma tridimensional de orientação diferente da padrão (fileira superior) pode ser girada até a orientação padrão no espaço tridimensional, e sua imagem no espelho (fileira inferior) pode ser girada até a orientação padrão por uma volta de 180 graus na *quarta* dimensão. (Em "The Plattner story", de H. G. Wells, uma explosão lança o herói no espaço tetradimensional. Quando retorna, seu coração está do lado direito, e ele escreve de trás para a frente com a mão esquerda.) A única diferença é que os simples mortais não seriam capazes de girar mentalmente uma forma na quarta dimensão, pois nosso espaço mental é estritamente tridimensional. Todas as versões deveriam apresentar um efeito de inclinação, diferentemente do que constatamos para as formas bidimensionais, nas quais as imagens no espelho não mostraram esse efeito. Foi isso o que aconteceu. A diferença sutil entre objetos bidimensionais e tridimensionais decidiu a questão: o cérebro gira formas em torno de um eixo ótimo em três dimensões, porém não mais do que em três dimensões. A rotação mental claramente é um dos truques por trás de nossa capacidade de reconhecer objetos.

A rotação mental é mais um talento de nosso bem-dotado sistema visual, com uma peculiaridade. Ela não analisa simplesmente os contornos provenientes do mundo, mas cria ela própria alguns contornos, na forma de uma imagem fantasmagórica em movimento. Isso nos conduz ao tópico final na psicologia da visão.

IMAGINE!

Que forma tem a orelha de um cachorro beagle? Quantas janelas há em sua sala? O que é mais escuro, uma árvore de Natal ou uma ervilha congelada? O que é maior, um porquinho-da-índia ou um esquilo? Lagosta tem boca? Quando uma pessoa está em pé, seu umbigo fica acima do pulso? Se a letra *D* for virada do outro lado e sobreposta a um *J*, o que a combinação lembra?

A maioria das pessoas afirma responder a essas perguntas usando uma "imagem mental". Elas visualizam a forma, o que dá a sensação de conjurar uma figura disponível para inspeção no olho da mente. A sensação é bem diversa da experiência de responder a perguntas abstratas, como "Qual o nome de solteira de sua mãe?" ou "O que é mais importante, as liberdades civis ou um índice de criminalidade mais baixo?".

O uso de imagens mentais é o motor que impele nosso pensamento sobre os objetos no espaço. Para colocar as malas num carro ou rearranjar os móveis, imaginamos as diferentes disposições espaciais antes de tentá-las. O antropólogo Napoleão Chagnon descreveu um engenhoso emprego das imagens mentais pelos índios ianomâmi da floresta Amazônica. Eles haviam lançado fumaça na toca de um tatu para asfixiá-lo e precisavam descobrir onde cavar para tirar o animal de dentro do túnel, o qual poderia estender-se por centenas de metros no subsolo. Um dos ianomâmi teve a ideia de enfiar um cipó comprido com um nó na ponta até o fim do buraco. Os outros puseram o ouvido no chão para ouvir o nó batendo nos lados do túnel e assim ter uma noção da direção em que a toca seguia. O primeiro ianomâmi quebrou o cipó, puxou-o e estendeu-o no chão, depois começou a cavar onde terminava o cipó. Poucos metros abaixo, encontraram o tatu. Sem a capacidade de visualizar o túnel, o cipó e o tatu lá dentro, os homens não teriam ligado uma sequência de ações de introduzir, ouvir, puxar, quebrar, medir e cavar na expectativa de encontrar o corpo do animal. Quando crianças, contávamos uma piada na qual dois carpinteiros estão martelando pregos em um dos lados de uma casa; um pergunta ao outro por que ele está examinando cada prego à medida que o tira da caixa e jogando fora metade deles. "Estão com defeito", responde o segundo carpinteiro, mostrando um prego. "A ponta está virada para o lado errado." "Seu bobo!", grita o primeiro carpinteiro. "Esses aí são para o outro lado da casa!"

Mas as pessoas não usam imagens mentais só para mudar os móveis de lugar ou desentocar tatus. O eminente psicólogo D. O. Hebb escreveu: "Na psicologia, quase não podemos nos mexer sem trombar com a imagem". Dê às pessoas uma lista de nomes para memorizar, e elas os imaginarão interagindo em imagens bizarras. Dê-lhes questões concretas como "Mosca tem boca?", e elas visualizarão a mosca e "procurarão" a boca. E, naturalmente, dê-lhes uma forma complexa em uma orientação não familiar, e elas girarão a imagem até uma orientação conhecida.

Muitas pessoas criativas afirmam "ver" a solução de um problema em uma imagem. Faraday e Maxwell visualizaram campos eletromagnéticos como minúsculos tubos cheios de fluido. Kekulé viu o anel benzênico em uma fantasia de serpentes mordendo as caudas. Watson e Crick giraram mentalmente modelos do que viria a ser a hélice dupla. Einstein imaginou como seria viajar em um raio de luz ou deixar cair uma moeda em um elevador que despencava. Ele escreveu: "Minha habilidade específica não reside no cálculo matemático, e sim em visualizar efeitos, possibilidades e consequências". Pintores e escultores experimentam ideias mentalmente, e até mesmo os romancistas visualizam cenas e enredos no olho da mente antes de pô-los no papel.

As imagens impulsionam as emoções tanto quanto o intelecto. Hemingway escreveu: "A covardia, no que se distingue do pânico, quase sempre é simplesmente uma incapacidade para suspender o funcionamento da imaginação". Ambição, ansiedade, excitação sexual e ira ciumenta podem todas ser desencadeadas por imagens do que não está presente. Em um experimento, voluntários foram ligados a elétrodos, e pediu-se que imaginassem seus parceiros sendo infiéis. Os autores relatam: "Sua condutância da pele aumentou 1,5 microSiemens, o músculo corrugador da testa apresentou unidades de contração de 7,75 microvolts, e a frequência cardíaca acelerou-se em cinco batidas por minuto, o equivalente a beber três xícaras de café de uma vez". Obviamente, a imaginação revive muitas experiências simultaneamente, não apenas a da visão, mas a imagem visual torna especialmente vívida a simulação mental.

Existe uma indústria de imagens mentais. Cursos de "Melhore sua Memória" ensinam velhos truques como imaginar objetos nos cômodos de sua casa e então mentalmente atravessá-la ou encontrar alguma alusão visual no nome de uma pessoa e ligá-la ao rosto do sujeito (quando fosse apresentado a mim, você me imaginaria usando um abrigo esportivo cor de cereja). As fobias com frequência são tratadas com um tipo de condicionamento mental pavloviano no qual uma imagem substitui a campainha. O paciente relaxa profundamente e imagina a cobra ou a aranha, até que a imagem — e, por extensão, a coisa real — é associada ao relaxamento. "Psicólogos do esporte" muitíssimo bem remunerados fazem os atletas relaxarem em uma poltrona confortável e visualizarem o movimento perfeito. Muitas dessas técnicas funcionam, embora algumas sejam descaradamente irresponsáveis. Sou cético quanto às terapias contra o câncer nas quais os pacientes visualizam seus anticorpos comendo o tumor, ainda mais quando é o grupo de apoio do paciente que se encarrega da visualização. (Uma mulher telefonou-me certa vez perguntando se eu achava que aquilo funcionaria pela Internet.)

Mas o que *é* uma imagem mental? Muitos filósofos com inclinações behavioristas julgam que a ideia toda é um tremendo disparate. Supõe-se que uma imagem seja uma figura na cabeça, mas nesse caso você precisaria de um homenzinho etc. etc. etc. Na verdade, a teoria computacional da mente torna a ideia perfeitamente compreensível. Já sabemos que o sistema visual usa um esboço bidimensional que em vários aspectos assemelha-se a uma figura. Ele é um mosaico de elementos que representam pontos no campo visual. Os elementos são dispostos em duas dimensões, de modo que elementos vizinhos no arranjo representam pontos vizinhos no campo visual. As formas são representadas inserindo-se alguns dos elementos em um padrão que corresponde aos contornos projetados da forma. Mecanismos de análise de formas — e não homenzinhos — processam informações no esboço sobrepondo referenciais, encontrando géons e assim por diante. Uma imagem mental é simplesmente um padrão no esboço em 2 1/2D que é trazido da memória de longo prazo e não dos olhos. Diversos programas de inteligência artificial para raciocinar sobre o espaço são elaborados exatamente dessa maneira.

Uma descrição como o esboço em 2 1/2D contrasta marcantemente com uma descrição em uma representação afim da linguagem, como por exemplo um modelo de géons, uma rede semântica, uma sentença em português ou uma proposição em mentalês. Na proposição *Um triângulo simétrico está acima do círculo*, as palavras não representam pontos no campo visual e não são dispostas de modo que palavras próximas representem pontos próximos. Palavras como *simétrico* e *acima* não podem ser presas a pedaço algum do campo visual; elas denotam relações complexas entre os pedaços inseridos.

Pode-se até mesmo fazer uma suposição bem fundamentada sobre a anatomia das imagens mentais. A encarnação de um esboço em 2 1/2D em neurônios denomina-se mapa cortical topograficamente organizado: um trecho de córtex no qual cada neurônio responde a contornos em uma parte do campo visual e no qual neurônios vizinhos respondem a partes vizinhas. O cérebro dos primatas possui no mínimo quinze desses mapas e, em um sentido muito real, eles são figuras na cabeça. Os neurocientistas podem injetar um isótopo radioativo de glucose em um macaco enquanto ele olha fixamente o centro de um alvo. A glucose é absorvida pelos neurônios ativos e pode-se verdadeiramente *revelar o cérebro do macaco* como se fosse um filme. Ele sai da câmara escura com um centro de alvo distorcido disposto sobre o córtex visual. Evidentemente, nada "olha" de cima o córtex; a conectividade é tudo o que importa, e o padrão de atividade é interpretado pelas redes de neurônios ligadas a cada mapa cortical. Presumivelmente, espaço no mundo é representado por espaço no córtex, pois os neurônios são conectados a seus vizinhos, e convém que pedaços próximos do mundo sejam analisados juntos. Por exemplo, as bordas não ficam espalhadas pelo campo visual como arroz; elas serpenteiam ao longo de uma linha, e a maioria das superfícies não consiste em arquipélagos mas em massas coesas. Em um mapa cortical, linhas e superfícies podem ficar a cargo de neurônios que são acentuadamente interconectados.

O cérebro também está pronto para a segunda demanda computacional de um sistema de imagens mentais, as informações que fluem da memória em vez de fluir dos olhos. As vias fibrosas para as áreas visuais do cérebro têm mão dupla. Elas tanto conduzem informações dos níveis conceituais superiores para os níveis inferiores, como conduzem as informações dos níveis sensoriais inferiores para os níveis superiores. Ninguém sabe para que servem essas conexões entre níveis superiores e inferiores, mas elas poderiam estar ali para transferir imagens da memória para mapas visuais.

Então as imagens mentais *poderiam ser* figuras na cabeça. E são? Há dois modos de descobrir. Um é verificar se quando pensamos em imagens utilizamos partes visuais do cérebro. O outro é descobrir se pensar em imagens funciona mais como computar com gráficos ou mais como computar com uma base de dados de proposições.

No primeiro ato de *Ricardo II*, o exilado Bolingbroke suspira por sua Inglaterra natal. Não se consola com a sugestão de um amigo para fantasiar que ele se encontra em um ambiente mais idílico:

> O, who can hold a fire in his hand
> By thinking on the frosty Caucasus?
> Or cloy the hungry edge of appetite
> By bare imagination of a feast?
> Or wallow naked in December snow
> By thinking on fantastic summer's heat?*

(*) "Ah, quem pode ter nas mãos uma chama/ Pensando no gélido Cáucaso?/ Ou saciar a ávida pungência do apetite/ Com a imaginação árida de um banquete?/ Ou nadar nu na neve de dezembro/ Pensando em fantástico calor de verão?"

Claramente, uma imagem é diferente de uma experiência da coisa real. William James observou que as imagens são "desprovidas de pungência e acridez". Mas em uma tese de PhD defendida em 1910, a psicóloga Cheves W. Perky tentou demonstrar que as imagens eram como experiências *muito tênues*. Ela pediu aos sujeitos de seus experimentos que formassem uma imagem mental, digamos, de uma banana, em uma parede branca. A parede, na verdade, era uma tela de projeção traseira, e Perky furtivamente projetou um slide *real*, porém pálido. Qualquer pessoa que entrasse na sala naquele momento teria visto o slide, mas nenhum dos sujeitos do experimento o notou. Perky argumentou que eles haviam incorporado o slide em sua imagem mental e, de fato, os sujeitos informaram detalhes da imagem formada que só poderiam ter provindo do slide, como por exemplo a banana em pé, apoiada em uma das pontas. Não foi um grande experimento pelos padrões atuais, mas os métodos mais avançados confirmaram o ponto crucial da descoberta, hoje denominado efeito Perky: ter uma imagem mental interfere na visão de detalhes visuais tênues e sutis.

As imagens mentais também podem afetar a percepção de maneiras flagrantes. Quando as pessoas respondem a perguntas sobre formas de memória, como contar os ângulos retos de uma letra de fôrma, sua coordenação visual-motora é afetada. (Desde que eu soube desses experimentos, procuro não me deixar entusiasmar demais por uma partida de hóquei transmitida pelo rádio enquanto estou dirigindo.) Imagens mentais de linhas podem afetar a percepção exatamente como fazem linhas reais: elas facilitam julgar o alinhamento e até mesmo induzem a ilusões visuais. Quando as pessoas veem algumas formas e imaginam outras, às vezes têm dificuldade para lembrar depois quais foram vistas e quais foram imaginadas.

Então, imagens mentais e visão compartilham espaço no cérebro? Os neuropsicólogos Edoardo Bisiach e Claudio Luzzatti estudaram dois pacientes milaneses com um dano no lobo parietal direito que os deixou com síndrome de negligência visual. Seus olhos registravam todo o campo visual, mas os dois pacientes só prestavam atenção na metade direita: não faziam caso dos talheres do lado esquerdo do prato, desenhavam um rosto sem olho e narina esquerda e, ao descrever um aposento, ignoravam detalhes volumosos — como um piano — à sua esquerda. Bisiach e Luzzatti pediram aos pacientes que se imaginassem na Piazza del Duomo, em Milão, de frente para a catedral, e que dissessem os nomes dos edifícios da praça. Os pacientes mencionaram apenas os prédios que seriam visíveis à direita — negligenciando a metade esquerda do espaço *imaginário*! Em seguida, pediu-se a eles que mentalmente atravessassem a praça, se colocassem na escadaria da catedral, de frente para a praça, e descrevessem o que havia nela. Eles mencionaram os prédios que haviam omitido da primeira vez e deixaram de fora os que haviam mencionado antes. Cada imagem mental descrevia a cena a partir de um ponto de observação, e a janela de observação assimétrica dos pacientes examinava a imagem exatamente como examinava os inputs visuais reais.

Essas descobertas fazem supor que o cérebro visual é a sede das imagens mentais, e recentemente houve uma identificação positiva. O psicólogo Stephen Kosslyn e seus colegas usaram a Tomografia por Emissão de Pósitrons [*pet scanning*] para verificar que partes do cérebro são mais ativas quando as pessoas têm imagens mentais. Cada sujeito deitou-se com a cabeça em um anel de detectores, fechou os olhos e respondeu a perguntas sobre letras maiúsculas do alfabeto, como por exemplo se *B* tinha curvas. O lobo occipital ou córtex visual, a primeira matéria cinzenta que processa o input visual, iluminou-se. O córtex visual é mapeado topograficamente — forma uma figura, também poderíamos dizer. Em algumas rodadas, os sujeitos visualizaram letras graúdas, em outras, letras miúdas. Avaliar letras graúdas ativou as partes do córtex que representam a periferia do campo visual; avaliar letras miúdas ativou as partes que representam a fóvea. As imagens realmente parecem ser dispostas ao longo da superfície cortical.

A ativação poderia ser apenas um transbordamento de atividade de outras partes do cérebro enquanto a computação real está sendo efetuada? A psicóloga Martha Farah demonstrou que não. Ela testou a capacidade de uma mulher para formar imagens mentais antes e depois de uma cirurgia que removeu seu córtex visual em um hemisfério. Depois da cirurgia, as imagens mentais da paciente reduziram-se à metade de sua amplitude normal. As imagens mentais vivem no córtex visual; de fato, partes de imagens ocupam partes do córtex, assim como partes de cenas ocupam partes de filmes.

Ainda assim, uma imagem não é uma reprise instantânea. Falta-lhe pungência e acridez, mas não porque ela foi descorada ou diluída: imaginar vermelho não é como enxergar cor-de-rosa. E, curiosamente, nos estudos de Tomografia por Emissão de Pósitrons a imagem mental às vezes causou *mais*, e não menos, ativação do córtex visual do que uma exibição real. As imagens visuais, embora compartilhem áreas cerebrais com a percepção, de algum modo são diferentes, e talvez isso não surpreenda. Donald Symons observou que reativar uma experiência visual pode muito bem ter benefícios, mas também tem seus custos: o risco de confundir imaginação com realidade. Poucos momentos depois de acordar de um sonho, nossa memória do conteúdo do sonho esvai-se, presumivelmente para evitar contaminar as lembranças autobiográficas com fabulações bizarras. Analogamente, nossas imagens mentais voluntárias do período em que estamos acordados poderiam ser danificadas para impedir que se tornassem alucinações ou falsas lembranças.

Saber *onde* se encontram as imagens mentais pouco revela sobre o que elas são ou como funcionam. As imagens mentais são realmente padrões de pixels em um arranjo em 2 1/2D (ou padrões de neurônios ativos em um mapa cortical)? Se forem, como *pensamos* com elas e o que faria as imagens mentais serem diferentes de qualquer outra forma de pensamento?

Comparemos um arranjo ou esboço com seu rival como modelo de imagens mentais, as proposições simbólicas em mentalês (semelhantes a modelos de géons e a redes semânticas). O arranjo encontra-se à esquerda, o modelo proposicional, à direita. O diagrama encerra muitas proposições, como "Um urso tem cabeça" e "O urso tem o tamanho GG" em uma única rede.

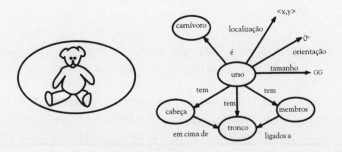

O arranjo é direto. Cada pixel representa um pedacinho de superfície ou fronteira, e ponto-final; qualquer coisa mais global ou abstrata está apenas implícita no padrão de pixels preenchidos. A representação proposicional é muito diferente. Primeiro, ela é esquemática, repleta de relações qualitativas como "ligado a"; nem todos os detalhes da geometria estão representados. Segundo, as propriedades espaciais são fatoradas separadamente e relacionadas *explicitamente*. A forma (disposição das partes ou géons de um objeto), o tamanho, a localização e a orientação recebem seus próprios símbolos, e cada qual pode ser procurado independentemente dos demais. Terceiro, as proposições misturam informações espaciais, como partes e suas posições, com informações conceituais, como a "condição de urso" e a inserção na classe dos carnívoros.

Das duas estruturas de dados, é o arranjo pictórico que melhor capta o teor das imagens mentais. Primeiro, as imagens são gritantemente concretas. Considere o seguinte pedido: visualize um limão e uma banana lado a lado, mas não imagine o limão à direita nem à esquerda, apenas do lado da banana. Você protestará dizendo que o pedido é impossível de atender; se o limão e a banana estão lado a lado em uma imagem, um ou o outro *tem* de estar à esquerda. O contraste entre uma proposição e um arranjo é marcante. As proposições podem representar gatos sem sorrisos, sorrisos sem gatos ou qualquer outra abstração desincorporada: quadrados sem tamanho específico, simetria sem forma específica, junção sem lugar específico etc. Nisso reside a beleza de uma proposição: ela é uma afirmação austera de algum fato abstrato, livre de detalhes irrelevantes. Os arranjos espaciais, por consistirem apenas em trechos preenchidos e não preenchidos, prendem a pessoa a um arranjo concreto de matéria no espaço. E o mesmo se dá com as imagens mentais: formar uma imagem de "simetria" sem imaginar alguma coisa que seja simétrica é impossível.

O caráter concreto das imagens mentais permite que elas sejam cooptadas como um conveniente computador analógico. Amy é mais rica do que Abigail; Alicia não é tão rica quanto Abigail; quem é a mais rica? Muitas pessoas resolvem esses silogismos alinhando as personagens em uma imagem mental, da pessoa mais rica para a menos rica. Por que isso funcionaria? O meio que compõe a base das imagens mentais vem com células destinadas a cada localização, fixadas em um arranjo bidimensional. Isso fornece gratuitamente muitas verdades da geometria. Por exemplo, o arranjo da esquerda para a direita no espaço é transitivo: se A está à esquerda de B e B está à esquerda de C, então A está à esquerda de C. Qualquer mecanismo de busca que encontre as localizações de formas no arranjo automaticamente respeitará a transitividade; a arquitetura do meio não permite escolha.

Suponha que os centros de raciocínio do cérebro possam apossar-se dos mecanismos que assentam formas no arranjo e que leiam nesse arranjo as localizações das formas. Esses *demons* raciocinadores podem explorar a geometria do arranjo em substituição a manter na mente determinadas restrições lógicas. A riqueza, assim como a localização em uma linha, é transitiva: se A é mais rico do que B e B é mais rico do que C, então A é mais rico do que C. Usando a localização em uma imagem para simbolizar riqueza, a pessoa que está pensando tem a vantagem da transitividade da localização embutida no arranjo, e não precisa entrar em uma cadeia de passos dedutivos. O problema passa a ser uma questão de assentar e procurar. É um bom exemplo de como a forma de uma representação mental determina o que é fácil ou difícil de pensar.

As imagens mentais também se assemelham a arranjos no aspecto de reunir tamanho, forma, localização e orientação em um padrão de contornos, em vez de fatorá-los ordenadamente em asserções separadas. A rotação mental é um bom exemplo. Ao avaliar a forma de um objeto, a pessoa não pode desconsiderar a orientação em que ele se apresenta — o que seria uma questão simples se a orientação fosse isolada em seu próprio enunciado. Em vez disso, a pessoa tem de mover a orientação gradualmente e observar enquanto a forma muda. A orientação não é recomputada em um passo, como uma multiplicação de matrizes em um computador digital; quanto mais uma forma é girada, mais tempo demora o giro. Tem de existir uma rede rotadora sobreposta ao arranjo que desloque o conteúdo das células em alguns graus em torno de seu eixo. Rotações maiores requerem a iteração do rotador, no estilo do balde que passa de mão em mão na brigada de incêndio. Experimentos sobre como as pessoas resolvem problemas espaciais revelaram uma bem provida caixa de ferramentas para operações gráficas, como obter efeito de zoom, encolher, acompanhar movimento, escanear, traçar e colorir. O pensamento visual, como por exemplo julgar se dois objetos encontram-se na mesma linha ou se duas bolhas de tamanhos diferentes têm a mesma forma, encadeia essas operações em sequências de animação mental.

Finalmente, as imagens captam a geometria de um objeto e não apenas seu significado. A maneira infalível de fazer as pessoas experimentarem imagens mentais é perguntar-lhes sobre detalhes obscuros da forma ou coloração de um objeto — as orelhas do beagle, as curvas do *B*, o matiz de ervilhas congeladas. Quando uma característica é notável — gatos têm garras, abelhas têm ferrão —, nós a arquivamos como um enunciado explícito em nossa base de dados conceitual, disponível posteriormente para consulta instantânea. Mas, quando ela não é digna de nota, convocamos uma lembrança do aparecimento do objeto e passamos nossos analisadores de formas sobre a imagem. Procurar propriedades geométricas não notadas previamente em objetos ausentes é uma das principais funções das imagens mentais, e Kosslyn demonstrou que esse processo mental difere de vascular fatos explícitos. Quando perguntamos às pessoas sobre fatos bem repisados, como se os gatos têm garras ou a lagosta tem cauda, a rapidez da resposta dependeu da força com que o objeto e sua parte estavam associados na memória. As pessoas devem ter recuperado a resposta de uma base de dados mental. Mas quando as perguntas eram mais incomuns, como se um gato tem cabeça ou uma lagosta tem boca, e as pessoas consultavam uma imagem mental, a rapidez da resposta dependia do *tamanho* da parte; a verificação para partes menores demorava mais tempo. Como tamanho e forma são misturados em uma imagem, os detalhes de formas menores são mais difíceis de descobrir.

Durante décadas, os filósofos afirmaram que o teste perfeito para descobrir se imagens mentais são representações ou descrições era ver se as pessoas conseguiam reinterpretar formas ambíguas, como o pato-coelho:

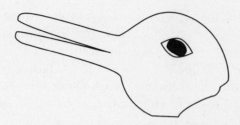

Se a mente armazena apenas descrições, então a pessoa que vê o pato-
-coelho como um coelho deveria guardar apenas o rótulo "coelho". Nada no
rótulo capta coisa alguma relativa a patos, de modo que, posteriormente, os
que veem coelhos deveriam ficar perdidos quando lhes perguntassem se algum outro animal ocultava-se na forma; a informação geométrica ambígua
foi descartada. Mas, se a mente armazena imagens, a geometria ainda está
disponível, e as pessoas deveriam ser capazes de reconvocar a imagem e ins-
pecioná-la em busca de novas interpretações. O próprio pato-coelho reve-
la-se um caso difícil, pois as pessoas armazenam formas com um referencial
de frente-traseira anexo, e reinterpretar o pato-coelho requer inverter o
referencial. Mas com algumas pequenas dicas (como incentivar as pessoas a
concentrar-se na curva atrás da cabeça), muitas pessoas realmente veem o
pato na imagem do coelho ou vice-versa. Quase todo mundo consegue ver
alternadamente imagens ambíguas mais simples. O psicólogo Ronald Finke,
Martha Farah e eu conseguimos fazer pessoas reinterpretarem imagens com
base apenas em descrições verbais que lemos em voz alta enquanto as pessoas
mantinham os olhos fechados. Que objeto você consegue "ver" em cada
uma das descrições abaixo?

> Imagine a letra D. Gire-a noventa graus para a direita. Ponha o número 4 sobre
> ela. Agora remova o segmento horizontal do 4 para a direita da linha vertical.

> Imagine a letra B. Gire-a noventa graus para a esquerda. Ponha um triângulo
> diretamente abaixo dela que tenha a mesma largura e esteja apontando para
> baixo. Remova a linha horizontal.

> Imagine a letra K. Ponha um quadrado do lado esquerdo do K. Ponha um cír-
> culo dentro do quadrado. Agora gire a figura noventa graus para a esquerda.

A maioria das pessoas não teve dificuldade com as respostas do barqui-
nho, do coração e do televisor implícitos no palavrório.

As imagens mentais são uma faculdade maravilhosa, mas não podemos
nos empolgar demais com a ideia das figuras na cabeça.

Para começar, as pessoas não podem reconstituir a imagem de toda uma cena visual. As imagens são fragmentárias. Recordamos vislumbres de partes, as quais arranjamos em um quadro mental, fazendo depois malabarismos para reavivar cada parte quando ela desbota. E o pior: cada vislumbre registra apenas as superfícies visíveis de um ponto de observação, distorcidas pela perspectiva. (Uma demonstração simples é o paradoxo dos trilhos do trem — a maioria das pessoas vê os trilhos convergirem em suas imagens mentais, e não só na vida real.) Para lembrar um objeto, nós o viramos de um lado e do outro ou andamos em volta dele, e isso significa que nossa lembrança dele é um álbum de visões separadas. Uma imagem do objeto inteiro é uma exibição de slides ou pastiche.

Isso explica por que demorou tanto a invenção da perspectiva na arte, apesar de todo mundo enxergar em perspectiva. As pinturas sem o engenho renascentista não parecem realistas, mas não por faltar-lhes totalmente a perspectiva. (Até mesmo pinturas em cavernas dos Cro-Magnons têm um certo grau de perspectiva acurada.) Geralmente, objetos distantes são menores, objetos opacos ocultam o fundo e tiram pedaços de objetos que estão atrás deles, e muitas superfícies inclinadas são representadas com escorço. O problema é que partes diferentes da pintura são mostradas como se afigurariam de pontos de observação *diferentes* e não do retículo fixo atrás da vidraça de Leonardo. Nenhuma criatura perceptiva encarnada, presa a um local e a um momento, pode vivenciar uma cena de vários pontos de observação simultaneamente, por isso a pintura não corresponde a coisa alguma que a pessoa vê. A imaginação, evidentemente, não está presa a um local e a um momento, e as pinturas sem verdadeira perspectiva podem, curiosamente, ser representações evocativas de nossas imagens mentais. Os pintores cubistas e surrealistas, ávidos consumidores de psicologia, empregavam deliberadamente múltiplas perspectivas em um quadro, talvez para despertar o público embotado pela fotografia para a evanescência do olho da mente.

Uma segunda limitação é as imagens serem escravas da organização da memória. Não seria possível nosso conhecimento do mundo caber em uma grande figura ou mapa. Existem demasiadas escalas, de montanhas a pulgas, para caber em um meio com um tamanho fixo de granulação. E nossa memória visual também não poderia ser, proveitosamente, uma caixa de sapatos repleta de fotografias. Não haveria modo de encontrar a que você precisa sem examinar cada uma para reconhecer o que há nela. (Os arquivos de fotografias e vídeos apresentam o mesmo problema.) As imagens da memória têm de ser rotuladas e organizadas em uma superestrutura proposicional, talvez um tanto semelhante à hipermídia, onde arquivos gráficos são associados a pontos de anexação em um grande texto ou base de dados.

O pensamento visual com frequência é governado mais intensamente pelo conhecimento conceitual que empregamos para organizar nossas imagens do que pelos próprios conteúdos das imagens. Os campeões de xadrez são célebres por sua notável memória para as peças no tabuleiro. Mas isso não acontece porque pessoas com memórias fotográficas tornam-se campeãs de xadrez. Os campeões não são melhores do que principiantes quando se trata de recordar um tabuleiro com peças dispostas ao acaso. Sua memória capta relações significativas entre as peças, como as ameaças e defesas, e não apenas a distribuição das peças no espaço.

Outro exemplo provém de um experimento admiravelmente simples dos psicólogos Raymond Nickerson e Marilyn Adams. Eles pediram às pessoas que desenhassem, de memória, os dois lados de uma moeda de um centavo dos EUA, que todo mundo já viu milhares de vezes. Os resultados são um banho de água fria. A moeda americana de um centavo tem oito características: de um lado, o perfil de Abraham Lincoln, IN GOD WE TRUST, o ano e LIBERTY; do outro, o Memorial Lincoln, UNITED STATES OF AMERICA, E PLURIBUS UNUM e ONE CENT. Apenas 5% dos sujeitos do experimento desenharam todas as oito. O número médio de características lembradas foi três, e metade foi desenhada no lugar errado. Entre as características estranhas introduzidas nos desenhos havia ONE PENNY, coroas de louro, feixes de trigo, o monumento a Washington e Lincoln sentado numa cadeira. As pessoas saíram-se melhor quando lhes foi pedido que marcassem em uma lista as características da moeda de um centavo. (Ainda bem que nenhuma delas escolheu MADE IN TAIWAN.) Mas, quando lhes foram mostrados quinze desenhos possíveis da moeda de um centavo, menos da metade das pessoas apontou o desenho correto. Obviamente, as memórias visuais não são figuras precisas de objetos inteiros.

E se você acertou com a moeda de um centavo, tente agora responder ao questionário a seguir. Quais dessas afirmações são verdadeiras?

Madrid situa-se mais ao norte do que Washington, D.C.
Seattle está mais ao norte do que Montreal.
Portland, Oregon, fica mais ao norte do que Toronto.
Reno está mais a oeste do que San Diego.
A entrada no Atlântico para o Canal do Panamá fica mais a oeste do que a entrada no Pacífico.

Todas são verdadeiras. Quase todo mundo responde errado, seguindo estas linhas de raciocínio: Nevada fica a leste da Califórnia; San Diego fica na Califórnia; Reno está em Nevada; portanto, Reno fica a leste de San Diego. Obviamente, esse tipo de silogismo não tem validade quando as regiões não são como um tabuleiro de xadrez. Nosso conhecimento geográfico não é um grande mapa mental, mas um conjunto de mapas menores, organizados por afirmações sobre como eles estão relacionados.

Finalmente, as imagens não podem servir como nossos conceitos, tampouco como os significados de palavras no dicionário mental. Uma antiga tradição na filosofia e psicologia empíricas tentou demonstrar que podiam, pois isso seria condizente com o dogma de que nada existe no intelecto que não tenha estado previamente nos sentidos. Supunha-se que as imagens eram cópias degradadas ou sobrepostas de sensações visuais, com as arestas aparadas e as cores misturadas de modo a poderem representar categorias inteiras em vez de objetos individuais. Contanto que você não pense muito a fundo sobre como seria a aparência dessas imagens compostas, a ideia tem um quê de plausibilidade. Mas, nesse caso, como se representariam as ideias abstratas, mesmo algo tão simples quanto o conceito de triângulo? Um triângulo é qualquer polígono de três lados. Mas qualquer *imagem* de um triângulo tem de ser de um triângulo isósceles, escaleno ou equilátero. John Locke afirmou enigmaticamente que nossa imagem de um triângulo é "ao mesmo tempo todas essas e nenhuma". Berkeley afrontou Locke, desafiando seus leitores a formar uma imagem mental de um triângulo que fosse isósceles, escaleno, equilátero e nenhuma das anteriores, tudo ao mesmo tempo. Porém, em vez de abandonar a teoria de que as ideias abstratas são imagens, Berkeley concluiu que não temos ideias abstratas!

No início do século xx, Edward Titchener, um dos primeiros psicólogos experimentais americanos, aceitou o desafio. Com uma introspecção cuidadosa em suas próprias imagens, ele afirmou poder representar qualquer ideia, por mais abstrata que fosse:

> Posso conceber perfeitamente a figura de Locke, o triângulo que não é triângulo e todos os triângulos ao mesmo tempo. É algo que lampeja, vem e vai de momento em momento; sugere dois ou três ângulos vermelhos, com as linhas vermelhas escurecendo até o preto, vistas sobre um fundo verde-escuro. Não permanece tempo suficiente para que eu distinga se os ângulos se juntam para formar a figura completa, ou mesmo se todos os três ângulos necessários são dados.
>
> Cavalo, para mim, é uma curva dupla e uma postura com duas patas erguidas e um vestígio de crina; vaca é um retângulo alongado com uma certa expressão facial, uma espécie de beiço exagerado.
>
> Toda a vida tenho imaginado significados. E não apenas significados, mas também o significado. O significado em geral é representado em minha consciência por outra dessas figuras impressionistas. Vejo o significado como a ponta azul-cinzenta de uma espécie de pá côncava, com um pedacinho amarelo acima (provavelmente uma parte do cabo), e que está cavando em uma massa escura do que parece ser material plástico. Fui educado nos moldes clás-

sicos; e é concebível que essa figura seja um eco do muito reiterado conselho para "desenterrar o significado" de alguma passagem em grego ou latim.

Um beiço exageradíssimo! A Vaca Beiçuda de Titchener, seu triângulo de ângulos vermelhos que nem ao menos se juntam e sua pá de significado não poderiam ser os conceitos que fundamentam seus pensamentos. Decerto ele não *acredita* que as vacas são retangulares ou que os triângulos podem muito bem dispensar um de seus ângulos. Alguma outra coisa em sua cabeça, e não uma imagem, deve ter encarnado esse conhecimento.

E esse é o problema com outras afirmações de que todos os pensamentos são imagens. Suponhamos que eu tente representar o conceito "homem" com uma imagem de um homem prototípico — digamos, Fred MacMurray. O problema é: o que faz a imagem servir como o conceito "homem" e não como, digamos, o conceito "Fred MacMurray"? Ou como o conceito "homem alto", "adulto", "humano", "americano" ou "ator que faz o papel do corretor de seguros seduzido por Barbara Stanwyck para cometer assassinato"? Você não tem dificuldade para distinguir entre um homem específico, homens em geral, americanos em geral, vítimas de vamps em geral etc., portanto deve ter mais do que uma imagem de um homem prototípico na cabeça.

E como uma imagem concreta poderia representar um conceito abstrato, como "liberdade"? A Estátua da Liberdade já está ocupada; presumivelmente, ela está representando o conceito de "a Estátua da Liberdade". O que você usaria para um conceito negativo como "não uma girafa"? A imagem de uma girafa atravessada por uma linha diagonal vermelha? Nesse caso, o que representaria o conceito "girafa atravessada por uma linha diagonal vermelha"? E quanto a conceitos disjuntivos como "ou um gato ou um pássaro", ou proposições como "Todos os homens são mortais"?

As imagens são ambíguas, mas os pensamentos, praticamente por definição, não podem ser ambíguos. Nosso bom-senso faz distinções que as imagens em si mesmas não fazem; portanto, nosso bom-senso não é apenas uma coleção de imagens. Se uma imagem mental é usada para representar um pensamento, precisa ser acompanhada por uma legenda, um conjunto de instruções sobre como interpretá-la — em que prestar atenção, o que desconsiderar. As próprias legendas não podem ser imagens, ou voltaríamos ao ponto de partida. Quando sai de cena a visão e entra o pensamento, não há como contornar a necessidade de símbolos abstratos e proposições que selecionem *aspectos* de um objeto para a mente manipular.

A propósito, a ambiguidade das imagens passou despercebida aos criadores de interfaces na computação gráfica e de outros produtos de consumo incrustados de ícones. A tela de meu computador é toda ornada com pequeninos desenhos que fazem várias coisas quando selecionados por um clique do mouse. Juro que não consigo lembrar o que supostamente fazem os minúsculos binóculos, conta-gotas e discos de prata. Uma imagem vale mais do que mil palavras, mas isso nem sempre é bom. Em algum ponto entre contemplar e pensar, as imagens precisam dar lugar às ideias.

5

BOAS IDEIAS

"Espero que você não tenha assassinado completamente sua criança e a minha." Assim escreveu Darwin a Alfred Russel Wallace, o biólogo que havia descoberto independentemente a seleção natural. O que levou a essa prosa sanguinolenta? Darwin e Wallace eram admiradores mútuos, com tamanha afinidade mental que se haviam inspirado no mesmo autor (Malthus) para forjar a mesma teoria em palavras quase idênticas. O que dividia esses camaradas era a mente humana. Darwin reservadamente previra que a "psicologia será assentada em um novo alicerce" e, em seus cadernos de anotações, discorreu com grandiloquência sobre como a teoria evolucionista revolucionaria o estudo da mente:

> Origem do homem agora provada. — A metafísica deve florescer. — Quem entende o babuíno fará mais pela metafísica do que Locke.

> Platão afirma [...] que nossas "ideias imaginárias" emergem da preexistência da alma, não são deriváveis da experiência — leia-se macacos no lugar de preexistência.

Ele então escreveu dois livros sobre a evolução dos pensamentos e sentimentos humanos: *The descent of man* [A descendência do homem] e *The expression of the emotions in man and animals* [A expressão das emoções no homem e nos animais].

Mas Wallace chegou à conclusão oposta. A mente, disse ele, apresenta um design demasiadamente complexo para as necessidades dos humanos em evolução e não pode ser explicada pela seleção natural. Em vez disso, "uma inteligência superior guiou o desenvolvimento do homem em uma direção definida, e com um propósito especial". *Et tu!*

Wallace tornou-se criacionista quando observou que os povos coletores de alimentos — "selvagens", no jargão oitocentista — eram biologicamente iguais aos europeus modernos. Tinham o cérebro do mesmo tamanho e podiam adaptar-se facilmente às exigências intelectuais da vida moderna. Mas no modo de vida dos coletores de alimentos, que foi também o modo de vida de nossos ancestrais evolutivos, aquele nível de inteligência era desnecessário, não havendo ocasião para exibi-lo. Assim, como ele poderia ter evoluído em resposta às necessidades de um estilo de vida voltado para a coleta de alimentos? Wallace escreveu:

> Nossa lei, nosso governo e nossa ciência continuamente exigem que raciocinemos por entre uma variedade de fenômenos complexos até o resultado esperado. Até mesmo nossos jogos, como o xadrez, obrigam-nos a exercitar em um grau notável todas essas faculdades. Compare isso às línguas selvagens, que não contêm palavras para conceitos abstratos, à absoluta falta de antevisão do homem selvagem além de suas necessidades mais simples, à sua incapacidade para combinar, comparar ou raciocinar sobre qualquer assunto geral que não apele imediatamente aos seus sentidos. [...]
>
> Um cérebro com uma vez e meia o tamanho do cérebro do gorila [...] já bastaria para o desenvolvimento mental limitado do selvagem; e portanto temos de admitir que o vasto cérebro que ele realmente possui jamais poderia ter se desenvolvido exclusivamente por qualquer uma dessas leis da evolução, cuja essência é que elas conduzem a um grau de organização exatamente proporcional às necessidades de cada espécie, e nunca além dessas necessidades. [...] A seleção natural só poderia ter dotado o homem selvagem com um cérebro alguns graus superior ao de um macaco, porém ele, na realidade, possui um cérebro pouquíssimo inferior ao de um filósofo.

O paradoxo de Wallace, a aparente inutilidade evolutiva da inteligência humana, é um problema central da psicologia, da biologia e da visão de mundo científica. Mesmo hoje em dia, cientistas como o astrônomo Paul Davies julgam que o "excesso" de inteligência humana refuta o darwinismo e demanda algum outro agente de uma "tendência evolutiva progressista", talvez um processo auto-organizador que será algum dia explicado pela teoria da complexidade. Infelizmente, isso é quase tão insatisfatório quanto a ideia de Wallace sobre uma inteligência superior guiando o desenvolvimento do homem em uma direção definida. Boa parte deste livro, e este capítulo em especial, visa rebaixar o paradoxo de Wallace de um mistério abalador de alicerces a um problema desafiador, mas comum, nas ciências humanas.

Stephen Jay Gould, em um esclarecedor artigo sobre Darwin e Wallace, vê este último como um adaptacionista extremado que desconsidera a possibilidade de exaptações: estruturas adaptativas que são "fortuitamente adequadas a outros papéis caso elaboradas" (como por exemplo ossos da mandíbula que se tornaram ossos do ouvido médio) e "características que emergem sem funções [...] mas permanecem disponíveis para cooptação posterior" (como o polegar do panda, que na verdade é um osso do punho em posição inusitada).

Objetos projetados para finalidades específicas podem, em consequência de sua complexidade estrutural, desempenhar também muitas outras tarefas. Uma fábrica pode instalar um computador unicamente para emitir a folha de pagamento mensal, mas essa máquina também é capaz de analisar os resultados da eleição ou dar uma surra em alguém (ou pelo menos impedir sempre essa pessoa de ganhar) no jogo da velha.

Concordo com Gould em que o cérebro foi exaptado para novidades como o cálculo ou o xadrez, mas isso é apenas uma confissão de fé de pessoas como nós que acreditam na seleção natural; praticamente não pode deixar de ser verdade. Isso levanta a questão de quem ou o que está realizando a elaboração e cooptação e por que as estruturas originais eram adequadas para ser cooptadas. A analogia com a fábrica não ajuda. Um computador que emite envelopes de pagamento *não pode* também analisar os resultados eleitorais ou jogar o jogo da velha, a menos que alguém o reprogramasse primeiro.

Wallace desencaminhou-se não porque fosse um adaptacionista extremado, mas por ser péssimo linguista, psicólogo e antropólogo (julgando-o, injustamente, pelos padrões modernos). Ele viu um abismo entre o pensamento simples, concreto e imediatista dos povos coletores de alimento e a racionalidade abstrata exercida em atividades modernas como ciência, matemática e xadrez. Mas não existe esse abismo. Wallace, reconheçamos seu mérito, esteve adiante de seu tempo ao perceber que os coletores de alimento não se encontravam nos degraus mais baixos de alguma escada biológica. Mas equivocou-se com respeito à linguagem, pensamento e estilo de vida desses povos. Prosperar como coletor de alimentos é um problema mais difícil do que fazer cálculos ou jogar xadrez. Como vimos no capítulo 3, em todas as sociedades as pessoas têm palavras para conceitos abstratos, têm previsões além das necessidades simples e combinam, comparam e raciocinam sobre assuntos gerais que não apelam de imediato aos sentidos. E por toda parte as pessoas põem em uso essas habilidades quando sobrepujam em astúcia as defesas da flora e fauna locais. Veremos em breve que todas as pessoas, desde o berço, empenham-se em um tipo de pensamento científico. Somos todos físicos, biólogos, engenheiros, psicólogos e matemáticos intuitivos. Graças a esses talentos inatos, passamos a perna em robôs e devastamos o planeta.

Por outro lado, nossa ciência intuitiva difere do que faz o pessoal de avental branco. Embora a maioria de nós não concorde com Lucy de *Charlie Brown* quando ela supõe que os pinheiros fornecem pele,* que os pardais quando crescem viram as águias que comemos no Natal e que podemos saber a idade de uma árvore contando suas folhas, nossas crenças às vezes são tão disparatadas quanto as dela. As crianças garantem que um pedaço de isopor não tem peso e que as pessoas sabem o resultado de eventos que elas não testemunharam ou dos quais não ouviram falar. Quando crescem, transformam-se em adultos que pensam que, se uma bola for lançada de um tubo em espiral, prosseguirá sua trajetória em espiral e que uma série seguida de caras aumenta a probabilidade de que no próximo lance dê coroa.

Este capítulo trata do raciocínio humano: como as pessoas entendem o mundo. Para fazer a engenharia reversa do raciocínio, temos de começar com o paradoxo de Wallace. Para esclarecê-lo, precisamos distinguir a ciência e a matemática intuitivas que fazem parte dos direitos inatos do ser humano da versão moderna, institucionalizada, que a maioria das pessoas julga tão difícil. A seguir, poderemos explorar como funcionam nossas instituições, de onde elas vêm e como são elaboradas e buriladas para apresentar o desempenho de virtuose da civilização moderna.

INTELIGÊNCIA ECOLÓGICA

Depois que o psicólogo suíço Jean Piaget comparou as crianças a pequenos cientistas, os psicólogos têm equiparado as pessoas na rua, jovens e velhas, a pessoas no laboratório. Essa analogia é razoável até certo ponto. Tanto os cientistas como as crianças precisam entender o mundo, e as crianças são investigadoras curiosas que se empenham em transformar suas observações em generalizações válidas. Certa vez, parentes e amigos meus ficaram hospedados em minha casa, e um garotinho de três anos acompanhou minha irmã enquanto ela dava banho em minha sobrinha recém-nascida. Após contemplar quieto durante vários minutos, ele declarou: "Os bebês não têm pênis". O garoto merece nossa admiração, se não pela exatidão de sua conclusão, então pela agudeza de seu espírito científico.

A seleção natural, porém, não nos moldou para tirar boas notas no curso de ciências ou publicar em periódicos conceituados. Ela nos moldou

(*) Em inglês, *fir* (pinheiro) e *fur* (pele), cuja pronúncia é idêntica. (N. T.)

para dominar o meio local, e isso acarreta discrepâncias entre o modo como pensamos naturalmente e o que é exigido na vida acadêmica.

Durante muitos anos, o psicólogo Michael Cole e seus colegas estudaram um povo liberiano chamado kpelle. São um grupo muito bem falante, apreciador do argumento e do debate. A maioria é analfabeta e sem instrução formal e tem resultados ruins em testes que nos parecem fáceis. O diálogo a seguir explica por quê:

EXPERIMENTADOR: Flumo e Yakpalo sempre bebem aguardente juntos. Flumo está bebendo aguardente. Yakpalo está bebendo aguardente?
SUJEITO: Flumo e Yakpalo bebem aguardente juntos, mas na vez em que Flumo estava bebendo a primeira, Yakpalo não estava lá naquele dia.
EXPERIMENTADOR: Mas eu lhe disse que Flumo e Yakpalo sempre bebem aguardente juntos. Um dia Flumo estava bebendo aguardente. Yakpalo estava bebendo aguardente?
SUJEITO: No dia em que Flumo estava bebendo a aguardente, Yakpalo não estava lá naquele dia.
EXPERIMENTADOR: Qual é a razão?
SUJEITO: A razão é que Yakpalo foi para sua plantação naquele dia e Flumo permaneceu na cidade naquele dia.

O exemplo não é atípico; os sujeitos de Cole frequentemente fazem afirmações do tipo "Yakpalo não está aqui no momento; por que você não vai perguntar isso a ele?". O psicólogo Ulric Neisser, que fez o excerto desse diálogo, observa que essas respostas absolutamente não são tolas. Simplesmente não são respostas para a pergunta do experimentador.

Uma regra básica quando você resolve um problema na escola é fundamentar seu raciocínio nas premissas mencionadas em uma questão, desconsiderando tudo o mais que você sabe. Essa atitude é importante na educação moderna. Nos poucos milhares de anos decorridos desde a emergência da civilização, uma divisão do trabalho permitiu que uma classe de profissionais do conhecimento desenvolvesse métodos de inferência que são amplamente aplicáveis e podem ser difundidos pela escrita e pela instrução formal. Esses métodos não têm uma área de aplicação específica. A divisão permite calcular quilômetros por litro ou calcular a renda *per capita*. A lógica pode dizer que Sócrates é mortal ou, nos exemplos do manual de lógica de Lewis Carroll, que nenhuma ovelha tem o hábito de fumar charuto, que todas as pessoas pálidas são fleumáticas e que um cachorrinho manco não dirá "não, obrigado" se você lhe oferecer uma corda de pular. Os instrumentos estatísticos da psicologia experimental foram emprestados da agronomia, tendo sido inventados para avaliar os efeitos de diferentes fertilizantes sobre as colheitas. Esses instrumentos funcionam com a mesma eficácia na psicologia, muito embora, como escreveu um estatístico da psicologia, "não lidemos com esterco, pelo menos não que o saibamos". O poder desses instrumentos está em poderem ser aplicados a qualquer problema — como funciona a visão em cores, como pôr um homem na Lua, se a Eva mitocôndrica foi ou não africana — independentemente do quão ignorante se é no princípio. Para dominar as técnicas, os estudantes precisam fingir a ignorância com que mais tarde se verão sobrecarregados ao resolver problemas em sua vida profissional. Um aluno do curso secundário estudando geometria euclidiana não ganha nota por sacar uma régua e medir o triângulo, apesar de isso garantir uma resposta correta. A finalidade da lição é inculcar um método que mais tarde poderá ser usado para calcular o imensurável, como a distância até a Lua.

Mas fora da escola, obviamente, não tem sentido você desconsiderar o que sabe. Um kpelle poderia ser perdoado por perguntar: "Escute aqui, você quer ou não quer saber se Yakpalo está bebendo aguardente?". Isso vale tanto para o conhecimento adquirido pelo indivíduo como para o conhecimento adquirido pela espécie. Nenhum organismo necessita de algoritmos desvinculados de áreas específicas e aplicáveis a qualquer problema, por mais esotérico que seja. Nossos ancestrais depararam com determinados problemas por centenas de milhares de anos — reconhecer objetos, fazer ferramentas, aprender a língua local, encontrar um parceiro sexual, prever os movimentos de um animal, encontrar o caminho — e jamais depararam com determinados outros problemas — pôr um homem na Lua, cultivar um milho de pipoca melhor, provar o último teorema de Fermat. O conhecimento que resolve um tipo de problema bem conhecido muitas vezes é irrelevante para qualquer outro problema. O efeito da inclinação sobre a luminosidade é útil para calcular formas, mas não para avaliar a fidelidade de um potencial parceiro sexual. Os efeitos de mentir sobre o tom da voz são úteis no caso da fidelidade, mas não no caso da forma. A seleção natural não liga para os ideais da educação liberal e não deveria ter escrúpulos em criar módulos de inferência provincianos que exploram regularidades antiquíssimas em suas próprias áreas. Tooby e Cosmides denominam "racionalidade ecológica" a inteligência específica por assunto encontrada em nossa espécie.

Uma segunda razão por que não evoluímos para ser verdadeiros cientistas é o custo do conhecimento. A ciência é cara, e não estamos falando apenas de aceleradores de partículas supercondutores, mas da análise elementar de causas e efeitos nos princípios de indução de John Stuart Mill. Recentemente, senti-me insatisfeito com o pão que eu estava fazendo porque ele ficava muito seco e fofo demais. Assim, aumentei a quantidade de água, diminuí a de fermento e reduzi a temperatura. Até hoje não sei quais dessas manipulações fizeram diferença. O cientista dentro de mim sabe que o procedimento correto teria sido tentar todas as oito combinações lógicas em um padrão fatorial: mais água, mesmo fermento, mesma temperatura; mais água, mais fermento, mesma temperatura; mais água, mesmo fermento, temperatura menor etc. Mas o experimento demoraria oito dias (27, se eu quisesse testar dois incrementos de cada fator, 64 se desejasse testar três) e requeria caderno e calculadora. Eu queria um pão saboroso, não uma contribuição para os arquivos do conhecimento humano, por isso minha tentativa única multiplamente confusa bastou. Em uma sociedade grande com escrita e ciência institucionalizada, o custo de um número exponencial de testes é compensado pelo benefício das leis resultantes para um grande número de pessoas. É por isso que os contribuintes dispõem-se a custear a pesquisa científica. Mas para os interesses provincianos de um único indivíduo ou mesmo de um pequeno bando, a boa ciência não vale a pena.

Uma terceira razão de sermos cientistas sofríveis é que nossos cérebros foram moldados para a aptidão e não para a verdade. Às vezes a verdade é adaptativa, mas às vezes não é. Os conflitos de interesses são inerentes à condição humana (ver capítulos 6 e 7), e tendemos a desejar que prevaleça a *nossa* versão da verdade e não a própria verdade.

Por exemplo, em todas as sociedades, o conhecimento especializado é distribuído de modo desigual. Nosso aparelho mental para compreender o mundo, até mesmo para entender o significado de palavras simples, é moldado para funcionar em uma sociedade na qual possamos consultar um perito quando necessário. O filósofo Hilary Putnam confessa que, como a maioria das pessoas, não tem a mínima ideia da diferença entre um olmo e uma faia. Mas essas palavras não são sinônimos para ele ou para nós; todos sabemos que elas se referem a tipos diferentes de árvores e que existem no mundo peritos capazes de nos dizer qual é qual se algum dia tivermos de saber. Os peritos são inestimáveis, e geralmente eles são recompensados com apreço e riqueza. Mas nossa dependência em relação a eles coloca a tentação em seu caminho. Os peritos podem aludir a um mundo de maravilhas — forças ocultas, deuses irados, poções mágicas —, um mundo que é inescrutável para os meros mortais mas acessível graças aos serviços dos peritos. Os xamãs tribais são artistas embusteiros que suplementam seus consideráveis conhecimentos práticos com mágica aparatosa, transes induzidos por drogas e outros truques baratos. Assim como o Mágico de Oz, eles precisam impedir que os suplicantes vejam o homem atrás da cortina, e isso entra em conflito com a busca desinteressada da verdade.

Em uma sociedade complexa, depender dos peritos deixa-nos ainda mais vulneráveis aos charlatães, dos vendedores de óleo de cobra em parques de diversões aos mandarins que aconselham governos a adotar programas implementados por mandarins. Em princípio, práticas científicas modernas, como resenhas feitas por colegas da área, competição por subsídios e crítica mútua declarada, destinam-se a minimizar conflitos de interesses entre cientistas, e por vezes o fazem na prática. A estultificação da boa ciência por autoridades nervosas em sociedades fechadas é um tema familiar na história, da Europa meridional católica após Galileu à União Soviética do século xx.

Não é apenas a ciência que sofre nas garras dos que detêm o poder. O antropólogo Donald Brown ficou intrigado quando soube que, por milênios, os hindus da Índia praticamente não produziram histórias, enquanto seus vizinhos chineses produziram bibliotecas inteiras delas. Os potentados de uma casta hereditária, desconfiou Brown, perceberam que não seria nada bom um estudioso fuçar em registros do passado, onde poderia deparar com provas que solapavam as alegações de os membros da casta descenderem de heróis e deuses. Brown examinou 25 civilizações e comparou as organizadas por castas hereditárias com as demais. Nenhuma das sociedades de casta havia desenvolvido uma tradição de escrever descrições acuradas do passado; em vez de histórias, elas tinham mitos e lendas. As sociedades de casta também se distinguiam pela ausência de ciência política, ciência social, ciência natural, biografias, descrições realistas de personalidades e educação uniforme.

A boa ciência é pedante, cara e subversiva. É improvável que tenha sido uma pressão da seleção nos bandos analfabetos de coletores de alimentos como os de nossos ancestrais, e devemos esperar que as habilidades "científicas" inatas das pessoas difiram do artigo genuíno.

COMPARTIMENTOS

O humorista Robert Benchley disse que existem no mundo duas classes de pessoas: as que dividem as pessoas do mundo em duas classes e as que não o fazem. No capítulo 2, quando indaguei por que a mente distingue os indivíduos, pressupus que a mente forma categorias. Mas o hábito de categorizar também merece um exame atento. As pessoas põem as coisas e as outras pessoas em compartimentos mentais, dão nome a cada compartimento e a partir de então tratam da mesma forma os conteúdos de um compartimento. Mas, se nossos companheiros humanos são tão únicos quanto suas impressões digitais e não existem dois flocos de neve iguais, por que o impulso de classificar?

Os manuais de psicologia tipicamente fornecem duas explicações, nenhuma das quais tem sentido. Uma é que a memória não consegue reter todos os eventos que bombardeiam nossos sentidos; armazenando apenas as categorias desses eventos, reduzimos a carga. Mas o cérebro, com seus trilhões de sinapses, não parece ter escassez de espaço para armazenagem. É razoável afirmar que as entidades não podem ajustar-se na memória quando são combinatórias — sentenças em português, partidas de xadrez, todas as formas em todas as cores e tamanhos e em todas as localizações — porque os números decorrentes das explosões combinatórias podem exceder o número de partículas no universo e superar até as mais generosas estimativas da capacidade cerebral. Mas as pessoas vivem por míseros 2 bilhões de segundos e não há uma razão conhecida por que o cérebro não possa registrar cada objeto e evento que vivenciamos se fosse preciso fazê-lo. Além disso, frequentemente lembramos *tanto* uma categoria *como* seus membros, como por exemplo os meses, os membros de uma família, os continentes e os times de beisebol; portanto a categoria é *acrescida* à carga da memória.

A outra suposta razão é que o cérebro é compelido a organizar; sem categorias, a vida mental seria um caos. Mas a organização pela organização é inútil. Tenho um amigo compulsivo cuja esposa diz a quem telefona que ele não pode atender porque está arrumando suas camisas em ordem alfabética. De vez em quando recebo calhamaços de teóricos que descobriram que tudo no universo insere-se em classes de três: o Pai, o Filho e o Espírito Santo; prótons, nêutrons e elétrons; masculino, feminino e neutro; Huguinho, Zezinho e Luisinho etc., e assim página após página. Jorge Luis Borges escreveu sobre uma enciclopédia chinesa que dividiu os animais em (a) os pertencentes ao imperador, (b) os embalsamados, (c) os que são treinados, (d) os leitões, (e) as sereias, (f) os lendários, (g) os cães perdidos, (h) os que se incluem nesta classificação, (i) os que tremem como se estivessem loucos, (j) animais inumeráveis, (k) os desenhados com um pincel muito fino de pelo de camelo, (l) outros, (m) os que acabaram de quebrar um vaso de flores, (n) os que à distância assemelham-se a moscas.

Não, a mente precisa ter alguma vantagem na formação de categorias, e essa vantagem é a *inferência*. Obviamente, não podemos saber tudo sobre cada objeto. Mas podemos observar algumas de suas propriedades, atribuí-las a uma categoria e, a partir da categoria, prever propriedades que *não* observamos. Se Mopsy tem orelhas compridas, ele é um coelho; se ele é coelho, deve comer cenouras, pular como um coelho e procriar como... bem, como um coelho. Quanto menor a categoria, melhor a previsão. Sabendo que Peter é um coelho americano do gênero *Sylvilagus*, podemos prever que ele cresce, respira, move-se, foi amamentado, habita campos abertos ou clareiras na floresta, transmite tularemia e pode contrair mixomatose. Se soubéssemos apenas que ele é mamífero, a lista incluiria apenas crescer, respirar, mover-se e ser amamentado. Se soubéssemos apenas que ele é um animal, ela se reduziria para crescer, respirar e mover-se.

Por outro lado, é muito mais difícil rotular Peter como um *Sylvilagus* do que como um mamífero ou um animal. Para rotulá-lo como mamífero, só precisamos notar que ele é peludo e se move, mas para rotulá-lo como *Sylvilagus* temos de observar que ele possui orelhas compridas, rabo curto, pernas traseiras longas e parte inferior da cauda na cor branca. Para identificar categorias *muito* específicas, precisamos examinar tantas propriedades que sobrariam poucas para prever. A maioria de nossas categorias do dia a dia são mais ou menos intermediárias: "coelho", e não mamífero ou *Sylvilagus*, "carro", e não veículo ou Ford Tempo; "poltrona", e não móvel ou Barcalounger. Elas representam um meio-termo entre o quanto é difícil identificar a categoria e o quanto a categoria beneficia você. A psicóloga Eleanor Rosch denominou-as categorias de nível básico. Elas são as primeiras palavras que as crianças aprendem para designar objetos e geralmente o primeiro rótulo mental que atribuímos quando as vemos.

O que torna uma categoria como "mamífero" ou "coelho" melhor do que uma categoria como "camisa fabricada por empresas começadas por *H*" ou "animais desenhados com um pincel muito fino de pelo de camelo"? Muitos antropólogos e filósofos acreditam que as categorias são convenções arbitrárias que aprendemos juntamente com outros acidentes culturais padronizados em nossa língua. O desconstrutivismo, o pós-culturalismo e o pós-modernismo nas ciências humanas levam essa concepção ao extremo. Mas as categorias somente seriam úteis caso se associassem ao modo como o mundo funciona. Para sorte nossa, os objetos do mundo não se espalham uniformemente pelas fileiras e colunas da lista de inventário definida pelas propriedades que notamos. O inventário do mundo é aglomerado. Criaturas com rabos de algodão tendem a ter orelhas compridas e viver em clareiras na floresta; criaturas com nadadeiras tendem a ter escamas e viver na água. A não ser nos livros infantis com páginas recortadas para permitir ao leitor a montagem de suas próprias quimeras, não existem coelhos com nadadeiras ou peixes orelhudos. Os compartimentos mentais funcionam porque as coisas inserem-se em agrupamentos que se encaixam nos compartimentos.

O que faz as farinhas serem do mesmo saco? O mundo é esculpido e arranjado segundo leis que a ciência e a matemática visam descobrir. As leis da física determinam que objetos mais densos do que a água sejam encontrados no fundo do lago, e não na superfície. As leis da seleção natural e da física determinam que os objetos que se movem rapidamente através de fluidos tenham linhas hidrodinâmicas. As leis da genética fazem com que a prole se assemelhe aos genitores. As leis da anatomia, física e intenções humanas obrigam as cadeiras a ter formas e materiais que as tornem apoios estáveis.

As pessoas formam dois tipos de categorias, como vimos no capítulo 2. Tratamos os jogos e as hortaliças como categorias que têm estereótipos, fronteiras nebulosas [*fuzzy*] e semelhanças de família. Esse tipo de categoria escapa naturalmente às redes neurais associativas de padrões. Tratamos os números ímpares e as pessoas do sexo feminino como categorias que têm definições, fronteiras para indicar dentro ou fora e traços comuns a todos os membros. Esse tipo de categoria é computado naturalmente por sistemas de regras. Inserimos algumas coisas em ambos os tipos de categorias mentais — pensamos em "uma avó" como uma senhora grisalha que faz bolo de chocolate; também pensamos em "uma avó" como a mãe do pai ou da mãe de alguém.

Agora podemos explicar para que servem esses dois modos de pensar. As categorias nebulosas provêm de examinarmos objetos e, sem maior discernimento, de registrarmos as correlações entre suas características. Seu poder de previsão reside na semelhança: se A compartilha algumas características com B, provavelmente compartilha outras. Na realidade, elas funcionam registrando os agrupamentos. As categorias bem definidas, em contraste, funcionam trazendo à luz as leis que determinaram os agrupamentos. Elas escapam às teorias intuitivas que captam as melhores suposições das pessoas quanto ao que faz o mundo funcionar. Seu poder de previsão provém da dedução: se A implica B e A é verdadeiro, então B é verdadeiro.

A verdadeira ciência é célebre por transcender sentimentos nebulosos de similaridade e chegar às leis fundamentais. Baleias não são peixes, pessoas são macacos, matéria sólida é em sua maior parte espaço vazio. Embora as pessoas comuns não pensem exatamente como cientistas, elas também permitem que suas teorias não façam caso da semelhança quando raciocinam sobre como o mundo funciona. Dentre os três, quais são os dois que podem ser classificados juntos: cabelo branco, cabelo grisalho, cabelo preto? E quanto a nuvem branca, nuvem cinza e nuvem negra? A maioria das pessoas diz que preto é o cabelo que não deve ser classificado com um dos outros dois, pois o envelhecimento torna os cabelos grisalhos e depois brancos, mas que a nuvem branca é a que não deve ser classificada junto com uma das outras duas, pois nuvens cinzentas e negras trazem chuva. Digamos que eu lhe diga que possuo um disco de 7,5 cm. Com o que ele se parece mais, uma moeda ou uma pizza? O que é mais provável que ele seja, uma moeda ou uma pizza?

A maioria das pessoas afirma que ele é mais *semelhante* a uma moeda, porém é mais *provável* que seja uma pizza. Raciocinam que as moedas têm de ser padronizadas, enquanto as pizzas podem variar. Em uma viagem a uma floresta inexplorada, você descobre uma centopeia, uma lagarta que se parece com a centopeia e uma borboleta na qual a lagarta se transforma. Quantos tipos de animais você encontrou e quais podem ser classificados juntos? A maioria das pessoas, acompanhando os biólogos, julga que a lagarta e a borboleta são o mesmo animal, mas que a lagarta e a centopeia não são, apesar das aparências em contrário. Durante o primeiro jogo de basquete a que você assiste, você vê jogadores louros de camisa verde correrem com a bola na direção do cesto à direita e jogadores negros de camisa amarela correrem com a bola na direção do cesto à esquerda. Soa o apito, e um jogador negro de camisa verde entra na quadra. Para qual cesto ele correrá? Todo mundo sabe que é para o cesto da direita.

Essas suposições que contradizem as semelhanças provêm de teorias intuitivas sobre envelhecimento, clima, trocas econômicas, biologia e coalisões sociais. Elas pertencem a sistemas mais amplos de suposições tácitas sobre os tipos de coisas e as leis que os governam. As leis podem ser encenadas na mente de modo combinatório para obtermos previsões e inferências sobre eventos não vistos. Em todas as partes, as pessoas têm ideias simples sobre física, para prever como os objetos rolam e ricocheteiam, sobre psicologia, para prever o que as outras pessoas pensam e fazem, sobre lógica, para derivar algumas verdades de outras, sobre aritmética, para prever os efeitos da agregação, sobre biologia, para raciocinar a respeito dos seres vivos e suas capacidades, sobre parentesco, para raciocinar a respeito de família e herança e sobre uma variedade de sistemas de regras sociais e jurídicas. A parte principal deste capítulo examina essas teorias intuitivas. Porém, primeiramente devemos indagar: quando é que o mundo *permite* que as teorias (científicas ou intuitivas) funcionem e quando ele força todos nós a retornar às categorias nebulosas definidas pela similaridade e pelos estereótipos?

De onde vêm nossos nebulosos agrupamentos por semelhança? Serão eles apenas as partes do mundo que entendemos tão mal que as leis fundamentais nos escapam? Ou será que o mundo realmente *possui* categorias *fuzzy*, mesmo em nossa melhor compreensão científica? A resposta depende de para que parte do mundo olhamos. Matemática, física e química lidam com categorias muito bem definidas que obedecem a teoremas e leis, como os triângulos e os elétrons. Mas em qualquer esfera onde a história tenha seu papel, como a biologia, os membros entram e saem das categorias legítimas ao longo do tempo, deixando imprecisas as fronteiras. Algumas das categorias são definíveis, mas outras são realmente nebulosas.

A maioria dos biólogos julga que as espécies são categorias legítimas: elas se compõem de populações que se tornaram reprodutivamente isoladas e adaptadas a seu meio local. A adaptação a um nicho e a procriação por endogamia homogenizam a população, portanto uma espécie em um determinado momento é uma categoria real no mundo, que os taxonomistas podem identificar usando critérios bem definidos. Mas uma categoria taxonômica superior, representando os descendentes de uma espécie ancestral, não é tão bem-comportada. Quando os organismos ancestrais se dispersaram e seus descendentes perderam o contato e adotaram novas paragens como terra natal, o belo quadro original tornou-se um palimpsesto. Tordos, pinguins e avestruzes compartilham algumas características, como as penas, porque são tatatatatataranetos de uma única população adaptada para o voo. Eles diferem porque os avestruzes são da África e adaptados para correr, os pinguins são da Antártida e adaptados para nadar. Voar, outrora um distintivo de todas as aves, agora é meramente parte de seu estereótipo.

Para as aves, pelo menos, *existe* um tipo de categoria biológica definida na qual elas podem ser inseridas: um *clado*, exatamente um ramo da árvore genealógica dos organismos. O ramo representa os descendentes de uma única população ancestral. Mas nem todas as categorias animais que nos são familiares podem ser inseridas em um ramo. Às vezes, os descendentes de uma espécie divergem a tal ponto que alguns de seus descendentes são quase irreconhecíveis. Esses raminhos têm de ser arrancados para manter a categoria como a conhecemos, e o ramo principal fica desfigurado por tocos pontudos. Ele se transforma em uma categoria *fuzzy* cujas fronteiras são definidas por semelhança, sem uma definição científica nítida.

Os peixes, por exemplo, não ocupam um ramo na árvore da vida. Um exemplar de seu tipo, um dipnoico, originou os anfíbios, cujos descendentes abrangem os répteis, cujos descendentes, por sua vez, abrangem as aves e os mamíferos. Não existe uma definição que englobe todos os peixes e apenas eles, nenhum ramo da árvore da vida que inclua salmão e dipnoico mas exclua lagartixas e vacas. Os taxonomistas debatem acirradamente o que fazer com categorias como "peixes", que são óbvias para qualquer criança mas carecem de definição científica por não serem espécies nem clados. Alguns asseguram que não existe o que se possa chamar de peixe; esse é meramente um estereótipo de leigos. Outros procuram reabilitar categorias corriqueiras como peixe usando algoritmos de computador que separam as criaturas em agrupamentos com propriedades comuns. Outros ainda perguntam-se por que tanto barulho; consideram as categorias como famílias e as ordens como uma questão de conveniência e preferência — que semelhanças são importantes para a discussão em curso.

A classificação é particularmente nebulosa no toco de onde um ramo foi arrancado, ou seja, a espécie extinta que se tornou o infausto ancestral de um novo grupo. O fóssil Arqueoptérix, considerado o ancestral das aves, foi descrito por um paleontólogo como "um réptil muitíssimo mixuruca e dificilmente parecido com uma ave". A anacrônica inserção forçada de animais extintos nas categorias modernas que eles originaram foi um mau hábito dos primeiros paleontólogos, dramaticamente relatado em *Vida maravilhosa*, de Gould.

Portanto, o mundo às vezes nos apresenta categorias nebulosas, e registrar suas semelhanças é o melhor que podemos fazer. Agora podemos nos ocupar da questão oposta. O mundo alguma vez nos apresenta categorias *bem definidas*?

Em seu livro *Women, fire, and dangerous things*, título inspirado em uma categoria gramatical nebulosa de uma língua australiana, o linguista George Lakoff afirma que categorias puras são ficções. Elas são produto do mau hábito de procurar definições, hábito esse que herdamos de Aristóteles e do qual agora precisamos nos livrar. Lakoff desafia seus leitores a encontrar uma categoria bem definida no mundo. Arme o microscópio, e as fronteiras tornam-se nebulosas. Tomemos um exemplo de livro didático, "mãe", uma categoria com a definição aparentemente direta: "a que deu à luz um filho". Ah, é? E quanto às "mães de aluguel"? Mães adotivas? Mães de criação? Doadoras de óvulos? Ou vejamos as espécies. Uma espécie, ao contrário das categorias controvertidas mais amplas como "peixes", supostamente tem uma definição clara: em geral, uma população de organismos cujos membros podem acasalar-se para gerar uma prole fértil. Mas até mesmo isso vaporiza-se sob um exame atento. Existem espécies muito dispersas, que variam gradualmente, nas quais um animal da fronteira ocidental do hábitat pode acasalar-se com um animal do centro, um animal do centro pode acasalar-se com um animal da fronteira oriental, mas um animal do Ocidente não pode acasalar-se com um animal do Oriente.

Essas observações são interessantes mas, a meu ver, não levam em conta um aspecto importante. Os sistemas de regras são *idealizações* que, com abstração, afastam-se dos aspectos complicadores da realidade. Nunca eles são visíveis em forma pura, porém não são menos reais por isso. Ninguém jamais viu um triângulo sem espessura, um plano sem atrito, um ponto de uma massa puntual, um gás ideal ou uma população infinita cujos membros acasalam-se entre si de maneira aleatória. Isso não ocorre porque eles são ficções inúteis e sim por estarem mascarados pela complexidade e caráter finito do mundo e por muitas camadas de interferência. O conceito de "mãe" é absolutamente bem definido em várias teorias idealizadas. Na genética dos mamíferos, mãe é a fonte da célula sexual que sempre contém um cromossomo X. Na biologia evolucionista, mãe é a produtora do gameta maior. Na fisiologia dos mamíferos, mãe é o local do crescimento pré-natal e do nascimento; na genealogia, é o ancestral imediato do sexo feminino; em alguns contextos legais, é a guardiã da criança e a esposa do pai da criança. O conceito multiuso "mãe" depende de uma idealização das idealizações na qual todos os sistemas distinguem as mesmas entidades: quem contribuiu com o óvulo nutre o embrião, dá à luz a prole, cria os filhos e casa-se com o doador do espermatozoide. Assim como o atrito não refuta Newton, rupturas exóticas do alinhamento idealizado da genética, fisiologia e lei não tornam "mãe" uma categoria mais nebulosa *no âmbito* de cada um desses sistemas. Nossas teorias, tanto as populares como as científicas, podem idealizar afastando-se da confusão do mundo e pôr a nu suas forças causais fundamentais.

É difícil ler a respeito da tendência da mente humana para colocar as coisas em compartimentos organizados com base em um estereótipo sem refletir sobre a tragédia do racismo. Se as pessoas formam estereótipos até mesmo para coelhos e peixes, seria o racismo algo natural em nós? E se o racismo é natural e irracional, isso faz do amor pelos estereótipos um *erro* em nosso software cognitivo? Muitos psicólogos sociais e cognitivos responderiam afirmativamente. Eles associam estereótipos étnicos a uma avidez excessiva por formar categorias e a uma insensibilidade para as leis da estatística que demonstrariam a falsidade dos estereótipos. Um grupo de discussão pela Internet interessado em modeladores de redes neurais certa vez debateu sobre que tipos de algoritmos aprendidos seriam o melhor modelo para Archie Bunker.* Os debatedores partiram da suposição de que as pessoas são racistas quando suas redes neurais funcionam mal ou são privadas de bons exemplos que as treinem. Se nossas redes pudessem usar uma regra de aprendizado apropriada e receber dados suficientes, transcenderiam falsos estereótipos e registrariam corretamente os fatos da igualdade humana.

Alguns estereótipos étnicos realmente se fundamentam em estatísticas inadequadas ou em nenhuma estatística; são produto de uma psicologia da

---

(*) Archie Bunker é um personagem extremamente preconceituoso do programa *All in the family*, da televisão norte-americana. (N. T.)

coalizão que automaticamente denigre os forasteiros (ver capítulo 7). Outros podem ter por base estatísticas adequadas sobre pessoas inexistentes, os personagens virtuais que encontramos diariamente nas telas do cinema e da televisão: mafiosos italianos, terroristas árabes, traficantes negros, mestres de kung fu asiáticos, espiões britânicos etc.

Porém, lamentavelmente, alguns estereótipos podem basear-se em estatísticas adequadas sobre pessoas reais. Nos Estados Unidos de hoje, existem diferenças reais e acentuadas entre grupos étnicos e raciais em seu desempenho escolar médio e nos índices de crimes violentos cometidos. (As estatísticas, obviamente, nada revelam sobre hereditariedade ou qualquer outra suposta causa.) As estimativas dessas diferenças pelas pessoas comuns são razoavelmente acuradas e, em alguns casos, pessoas que têm mais contato com um grupo minoritário, como os assistentes sociais, têm estimativas mais pessimistas, e infelizmente mais precisas, da frequência de características negativas como ilegitimidade e dependência do seguro social. Um bom estatístico formador de categorias poderia desenvolver estereótipos raciais e usá-los para tomar decisões atuarialmente seguras, mas moralmente repugnantes, sobre casos individuais. Esse comportamento é racista não por ser irracional (no sentido de estatisticamente incorreto), mas por insultar o princípio moral de que é errado julgar um *indivíduo* com base em estatísticas sobre um *grupo* racial ou étnico. O argumento contra a intolerância, portanto, não provém das especificações de design para um categorizador estatístico racional. Provém de um sistema de regras, neste caso uma regra ética, que nos diz quando desligar nossos categorizadores estatísticos.

CURRÍCULO BÁSICO

Você estava mudando de canal e topou com uma reprise de *L. A. law*; quer saber por que a pérfida advogada Rosalind Shays está aos prantos no banco das testemunhas. Se alguém começar a explicar que o líquido em seus canais lacrimais aumentou de volume até que a pressão excedeu a tensão superficial em determinada magnitude, você zombaria da preleção. O que você quer descobrir é se ela espera ganhar uma ação judicial contra seus ex-patrões e está vertendo lágrimas de crocodilo para convencer o júri de que ficou arrasada quando a demitiram da firma. Mas, se você assistisse ao episódio seguinte e quisesse saber por que ela despencou no poço do elevador depois de ter acidentalmente passado pela porta aberta, os motivos de Rosalind seriam irrelevantes para qualquer um que não fosse um freudiano

333

enlouquecido. A explicação é que a matéria em queda livre, inclusive Rosalind Shays, acelera-se à razão de 9,8 metros por segundo ao quadrado.

Existem muitos modos de explicar um evento, e uns são melhores do que outros. Mesmo que algum dia os neurocientistas decodifiquem todo o diagrama das conexões cerebrais, o comportamento humano é mais bem compreendido quando explicado em termos de crenças e desejos, não em termos de volts e gramas. A física não permite discernir coisa alguma das maquinações de uma advogada astuta, e nem mesmo consegue nos esclarecer sobre muitos atos mais simples de seres vivos. Como observou Richard Dawkins: "Se você jogar um pássaro morto para cima, ele descreverá uma graciosa parábola, exatamente como os livros de física afirmam que deve acontecer, depois irá parar no chão e ali ficará. Ele se comporta como deve comportar-se um corpo sólido de massa específica e resistência ao ar. Mas, se você jogar para o alto um pássaro vivo, ele não descreverá uma parábola, cairá no chão e ficará imóvel. Irá embora voando e talvez não pouse deste lado da fronteira do estado". Compreendemos as aves e as plantas em termos de suas entranhas. Para saber por que elas se movem e crescem, nós as abrimos e colocamos pedaços no microscópio. Precisamos de outro tipo de explicação para artefatos como uma cadeira e uma alavanca: uma declaração sobre a função que o objeto destina-se a desempenhar. Seria bobagem tentar entender por que as cadeiras têm uma superfície horizontal estável cortando um pedaço dela e colocando no microscópio. A explicação é que alguém projetou a cadeira para sustentar um ser humano.

Muitos cientistas cognitivos acreditam que a mente é equipada com teorias intuitivas inatas ou módulos para os principais modos de entender o mundo. Há módulos para objetos e forças, para seres animados, para artefatos, para mentes e para tipos da natureza, como animais, plantas e minerais. Não interprete ao pé da letra a expressão "teoria"; como vimos, as pessoas não atuam realmente como cientistas. Também não leve muito a sério a metáfora do "módulo"; as pessoas podem misturar e combinar seus modos de pensar. Um conceito como "atirar", por exemplo, funde uma intenção (psicologia intuitiva) com um movimento (física intuitiva). E com frequência aplicamos modos de pensar a assuntos para os quais eles não foram projetados, como o humor das comédias de pancadaria (a pessoa como um objeto), a religião animista (árvore ou montanha como possuidora de uma mente) e histórias de animais antropomórficos (animais com mentes humanas). Como já mencionei, prefiro pensar nos modos de conhecer em termos anatômicos, como sistemas, órgãos e tecidos mentais, como o sistema imune, o sangue ou a pele. Eles desempenham funções especializadas, graças às suas estruturas especializadas, mas não necessariamente vêm em pacotes encapsulados. Eu acrescentaria também que a lista de teorias intuitivas, módulos ou modos de conhecer seguramente é breve demais. Os cientistas cognitivos concebem as pessoas como o sr. Spock sem as orelhas esquisitas. Um inventário mais realista incluiria modos de pensar e sentir para o perigo, contaminação, status, dominância, justiça, amor, amizade, sexualidade, filhos, familiares e o eu. Eles serão examinados em capítulos posteriores.

Dizer que os diferentes modos de conhecer são inatos não equivale a dizer que o conhecimento é inato. Obviamente, temos de aprender sobre bumerangues, borboletas e advogados. Falar em módulos inatos não tem a intenção de minimizar o aprendizado, mas de explicá-lo. Aprender envolve mais do que registrar experiências; requer expressar os registros da experiência de modo que eles façam generalizações de maneiras úteis. Um videocassete é excelente para gravar, mas ninguém consideraria essa versão moderna da tábula rasa como um paradigma da inteligência. Quando vemos advogados em ação, tiramos conclusões sobre seus objetivos e valores e não sobre as trajetórias de sua língua e membros. Objetivos e valores compõem um dos vocabulários nos quais expressamos mentalmente nossas experiências. Não podem ser derivados de conceitos mais simples de nosso conhecimento físico do mesmo modo que "momento" pode ser derivado de massa e velocidade ou "força" pode derivar-se de energia e tempo. Eles são primitivos ou irredutíveis, e conceitos de nível superior são definidos tomando-os como base. Para compreender o aprendizado em outras esferas, precisamos encontrar seus vocabulários também.

Uma vez que um sistema combinatório como um vocabulário pode gerar um grande número de combinações, poderíamos nos perguntar se os pensamentos humanos podem ser gerados por um único sistema, um esperanto multiuso da mente. Mas até mesmo um poderoso sistema combinatório tem seus limites. Uma calculadora pode somar e multiplicar um grande número de números grandes, mas nunca soletrará uma sentença. Um dedicado processador de texto pode digitar a infinita biblioteca de Borges com todas as combinações de caracteres, mas nunca poderá somar os números que ela soletra. Os computadores digitais modernos podem fazer muito com pouco, mas esse "pouco" ainda inclui vocabulários distintos, fixos, para texto, imagens, lógica e diversos tipos de números. Quando os computadores são programados em sistemas de raciocínio de inteligência artificial, têm de ser congenitamente dotados com uma compreensão das categorias básicas do mundo: objetos, que não podem estar em dois lugares ao mesmo tempo, animais, que vivem por um único intervalo de tempo, pessoas, que não gostam de sentir dor etc. Isso vale igualmente para a mente humana. Até mesmo uma dúzia de vocabulários mentais inatos — uma ideia absurda e louca, segundo críticos — seria um número pequeno para expressar todo o pensamento e sentimentos humanos, dos significados das 500 mil palavras do *Oxford English dictionary* aos enredos das 1001 histórias de Sherazade.

Vivemos no mundo material, e uma das primeiras coisas que precisamos descobrir na vida é como os objetos colidem uns com os outros e despencam em poços de elevadores. Até bem pouco tempo, todos pensavam que o mundo do bebê era um caleidoscópio de sensações, uma "confusão florescente e barulhenta", nas memoráveis palavras de William James. Piaget afirmou que os bebês eram criaturas sensório-motoras, ignorantes de que os objetos são coesos e persistem e que o mundo funciona segundo leis externas e não segundo as ações dos bebês. Estes seriam como o homem no famoso poema humorístico sobre a filosofia idealista de Berkeley:

> *There once was a man who said, "God*
> *Must think it exceedingly odd*
> *If he finds that this tree*
> *Continues to be*
> *When there's no one about in the Quad."**

Os filósofos gostam de salientar que a crença de que o mundo é uma alucinação ou de que os objetos não existem quando você não está olhando para eles não é refutável por nenhuma observação. Um bebê poderia experimentar o florescimento e o barulho a vida toda se não fosse equipado com um mecanismo mental que os interpretasse como os sinais exteriores de objetos que são permanentes e obedecem a leis mecânicas. Devemos esperar que os bebês apresentem alguma noção de *física* desde o princípio.

Apenas estudos laboratoriais meticulosos podem nos dizer como é — ou melhor, como *foi* — ser um bebê. Infelizmente, os bebês são sujeitos de experimentação difíceis, piores do que ratos e segundanistas de curso universitário. Eles não podem ser facilmente condicionados e não falam. Mas uma técnica engenhosa, aprimorada pelas psicólogas Elizabeth Spelke e Renée Baillargeon, usa em proveito próprio uma proeza na qual os bebês são peritos: entediar-se. Quando os bebês veem a mesma coisa muitas e muitas vezes, indicam seu tédio desviando o olhar. Se uma coisa nova aparece, eles se animam e a fitam. Ora "coisa velha" e "coisa nova" estão na mente de quem olha. Observando o que reaviva o interesse dos bebês e o que prolonga

---

(*) "Houve uma vez um homem que disse: 'Deus/ Há de achar estranhíssimo/ Se descobrir que esta árvore/ Continua a existir/ Quando não há ninguém por perto no Pátio'."

seu enfado, podemos fazer suposições sobre que coisas eles veem como sendo as mesmas e que coisas eles veem como diferentes — ou seja, como eles categorizam a experiência. É especialmente informativo quando uma tela primeiro bloqueia parte da visão do bebê e depois é retirada, pois podemos tentar descobrir o que os bebês estavam pensando sobre a parte invisível de seu mundo. Se os olhos do bebê são atraídos apenas momentaneamente e depois se desviam, podemos inferir que a cena estava no olho da mente do bebê todo o tempo. Se o bebê fita por mais tempo, podemos inferir que a cena foi uma surpresa.

Bebês de três a quatro meses de idade são em geral os mais novos a participar dos testes, por serem mais bem-comportados do que bebês com menos idade e porque sua visão estéreo, percepção motora, atenção e acuidade visual acabaram de amadurecer. Os testes em si não podem estabelecer o que é e o que não é inato. As crianças de três meses não nasceram ontem, portanto qualquer coisa que saibam pode, em teoria, ter sido aprendida. E as crianças de três meses ainda têm muito que amadurecer, portanto qualquer coisa que venham a saber mais tarde poderia emergir sem um aprendizado, como os dentes e os pelos púbicos. Mas ao nos dizer o que os bebês conhecem em que idade, as descobertas diminuem as opções.

Spelke e Philip Kelman queriam saber o que os bebês consideravam um objeto. Lembremos, do capítulo 4, que até para um adulto não é fácil dizer o que é um "objeto". Um objeto pode ser definido como um trecho do campo visual com uma silhueta regular, um trecho com cor e textura homogêneas ou uma coleção de retalhos com movimento comum. Frequentemente, essas definições distinguem a mesma peça, mas quando isso não acontece, é o movimento comum que ganha a parada. Quando as peças movem-se juntas, nós as vemos como um único objeto; quando as peças seguem caminhos separados, nós as vemos como objetos separados. O conceito de objeto é útil porque pedaços de matéria que são ligados uns aos outros geralmente se movem juntos. Bicicletas, trepadeiras e caracóis podem ser aglomerações recortadas de diferentes materiais, mas se você puxar uma ponta, a outra pega carona.

Kelman e Spelke entediaram os bebês com duas varas aparecendo por trás das bordas superior e inferior de uma tela larga. A questão era se os bebês veriam as varas como parte de um único objeto. Quando a tela era removida, os bebês viam ou uma longa vara ou duas varas curtas com um espaço vazio entre elas. Se os bebês houvessem *visualizado* um objeto único, então *ver* um objeto único seria entediante e dois objetos os surpreenderiam. Se eles tivessem julgado cada peça como um objeto próprio, então ver um objeto único surpreenderia e ver dois entediaria. Experimentos de controle mediram por quanto tempo os bebês olhavam para um em comparação com o tempo em que olhavam para dois objetos sem terem visto coisa alguma de antemão; esses tempos básicos foram subtraídos.

Poderíamos esperar que os bebês vissem os dois pedaços como duas peças ou, se houvessem chegado a unir os pedaços mentalmente, que tivessem usado todas as correlações entre as características de um objeto como critérios: silhuetas regulares, cores comuns, texturas comuns e movimentos comuns. Mas, ao que parece, os bebês têm uma ideia da "condição de objeto" bem cedo na vida, e essa ideia é o cerne do conceito adulto: partes que se movem juntas. Quando duas varas aparecendo por trás da tela moviam-se para trás e para a frente em conjunto, os bebês as consideravam um único objeto e se surpreendiam se a tela erguida revelasse dois. Quando elas não se moviam, os bebês não esperavam que fossem um único objeto, muito embora os pedaços visíveis tivessem a mesma cor e textura. Quando uma vara aparecia por trás da borda superior e um polígono irregular vermelho surgia por trás da borda inferior, e ambos se moviam conjuntamente para a frente e para trás, os bebês esperavam que *essas duas partes* fossem ligadas, apesar de elas não terem nada em comum além do movimento.

A criança é o pai do adulto em outros princípios da física intuitiva. Um deles é que um objeto não pode passar através de outro como um fantasma. Renée Baillargeon demonstrou que bebês de quatro meses surpreendem-se quando um painel na frente de um cubo consegue de algum modo cair no chão atravessando o espaço que o cubo deveria estar ocupando. Spelke e companhia mostraram que os bebês não esperam que um objeto atravesse uma barreira nem um espaço vazio que seja mais estreito do que o objeto.

Um segundo princípio é que os objetos movem-se ao longo de trajetórias contínuas: não podem desaparecer de um lugar e materializar-se em outro, como no teletransporte da *Enterprise*. Quando um bebê vê um objeto passar por trás da borda esquerda de uma tela à esquerda e depois aparentemente reaparecer por detrás da borda direita de uma tela à direita sem se mover através do espaço vazio entre as duas telas, ele supõe estar vendo dois objetos. Quando vê um objeto passar por trás da tela à esquerda, reaparecer do outro lado da tela, atravessar o espaço vazio entre as duas telas e então reaparecer por trás da tela à direita, o bebê supõe estar vendo um só objeto.

Um terceiro princípio é que os objetos são coesos. Os bebês surpreendem-se quando uma mão pega o que parece ser um objeto mas parte do objeto fica para trás.

Um quarto princípio é que os objetos movem uns aos outros apenas por contato — não existe ação à distância. Após ver repetidamente um objeto passar por trás de uma tela e outro objeto aparecer saindo dela, os bebês esperam ver um lançando o outro como bolas de bilhar. Surpreendem-se quando a tela revela uma bola que para de repente e a segunda que parte logo adiante no mesmo momento.

Portanto, bebês de três a quatro meses veem objetos, lembram-se deles e esperam que eles obedeçam às leis da continuidade, coesão e contato quando se movem. Os bebês não são tão alucinados como pensavam James, Piaget, Freud e outros. Como disse o psicólogo David Geary, a "confusão florescente e barulhenta" é uma boa descrição da vida *dos pais* e não da dos bebês. Essa descoberta também refuta a sugestão de que os bebês fazem seu mundo parar de girar manipulando os objetos, andando em volta deles, falando sobre eles ou ouvindo alguém falar a respeito deles. Crianças de três meses mal conseguem orientar-se, ver, tocar e estender a mão para pegar, quanto mais manipular, andar, falar e compreender. Elas não poderiam ter aprendido coisa alguma mediante as técnicas clássicas de interação, retroalimentação e linguagem. Não obstante, estão sabiamente compreendendo um mundo estável e regido por leis.

Os pais orgulhosos não devem telefonar para a seção de matrículas do MIT ainda. Bebês muito novos têm uma noção na melhor das hipóteses incerta sobre a gravidade. Eles se surpreendem quando uma mão empurra uma caixa para fora de uma mesa e a caixa permanece flutuando no ar, mas o menor contato com a borda da mesa ou a ponta de um dedo basta para que eles ajam como se nada estivesse errado. E não se perturbam quando uma tela ergue-se revelando um objeto em queda que desafiou a gravidade parando em pleno ar. Tampouco ficam perplexos quando uma bola rola por cima de um grande buraco em uma mesa sem cair nele. Os bebês também não têm uma boa noção sobre a inércia. Por exemplo, não se incomodam quando uma bola rola na direção de um canto de uma caixa coberta e depois é mostrada parada em outro canto.

Por outro lado, a noção adulta sobre gravidade e inércia também não é muito sólida. Os psicólogos Michael McCloskey, Alfonso Caramazza e Bert Green perguntaram a estudantes universitários o que acontece quando uma bola é disparada de um tubo curvo ou quando uma bola presa a uma corrente é girada e então se solta da corrente. Uma minoria desanimadoramente expressiva, inclusive muitos que haviam estudado física, supôs que a bola prosseguiria em uma trajetória curva. (A primeira lei de Newton afirma que um objeto em movimento continua a mover-se em linha reta a menos que uma força atue sobre ele.) Os estudantes explicaram que o objeto adquiriu uma "força" ou "momento" (alguns estudantes, recordando o jargão mas não o conceito, usaram o termo "momento angular") que impele a bola ao longo da curva até que o momento se esgota e a trajetória endireita-se. Suas crenças derivam diretamente da teoria medieval segundo a qual um objeto recebe um "ímpeto" que mantém o movimento do objeto e gradualmente se dissipa.

Essas asneiras provêm de teorização consciente; não são o que as pessoas estão preparadas para ver. Quando as pessoas veem as respostas que deram em lápis e papel transformadas em animação por computador, caem na gargalhada, como se estivessem vendo o Coiote perseguindo o Papa-Léguas sobre um abismo e parando no ar antes de despencar em linha reta. Mas os equívocos cognitivos são muito arraigados. Atiro uma bola para o alto. Depois que ela sai da minha mão, que força atua sobre ela durante a subida, no ponto mais alto e durante a descida? É quase impossível não pensar que o momento impele a bola para cima contra a gravidade, que as forças se igualam e então a gravidade passa a ser mais forte e puxa a bola para baixo. A resposta correta é que a gravidade é a única força e que ela se aplica todo o tempo. O linguista Leonard Talmy salienta que a teoria do ímpeto permeia nossa linguagem. Quando dizemos *a bola continuou rolando porque o vento a empurrou*, estamos interpretando que a bola possui uma tendência inerente ao repouso. Quando dizemos *a saliência segurou o lápis em cima da mesa*, estamos atribuindo ao lápis a tendência ao movimento, sem mencionar a zombaria à terceira lei de Newton (ação igual a reação) quando atribuímos uma força maior à saliência. Talmy, assim como a maioria dos cientistas cognitivos, acredita que as concepções governam a linguagem, e não vice-versa.

Quando se trata de movimentos mais complicados, até a percepção nos falha. Os psicólogos Dennis Proffitt e David Gilden fizeram às pessoas perguntas simples sobre piões girando, rodas descendo rampas, bolas colidindo e deslocamentos na banheira de Arquimedes. Até professores de física supõem o resultado errado se não lhes for permitido rabiscar equações no papel. (Se lhes permitirem, eles passam um quarto de hora trabalhando na questão e então declaram que o problema é "trivial".) Quando se trata desses movimentos, animações em vídeo de eventos impossíveis parecem absolutamente naturais. De fato, eventos possíveis parecem antinaturais: um pião que gira e se inclina sem cair é objeto de admiração para todos nós, até para os físicos.

Não surpreende descobrir que a mente é não newtoniana. Os movimentos idealizados da mecânica clássica somente são visíveis em pontos de massa perfeitamente elásticos movendo-se em planos sem atrito ou no vácuo. No mundo real, as leis de Newton são mascaradas pelo atrito do ar, do solo e das próprias moléculas dos objetos. Com o atrito desacelerando tudo o que se move e mantendo os objetos imóveis no lugar, é natural pensar que os objetos possuem uma tendência inerente ao repouso. Como observaram os historiadores da ciência, seria difícil convencer um europeu medieval lutando para desatolar um carro de boi de que um objeto em movimento continua em velocidade constante ao longo de uma linha reta a menos que uma força externa atue sobre ele. Movimentos complexos como piões girando e rodas rolando têm dupla desvantagem. Eles dependem de máquinas sem precedentes evolutivos com atrito insignificante e seus movimentos são governados por equações complexas que relacionam muitas variáveis simultaneamente; nosso sistema perceptivo só pode lidar com uma de cada vez, mesmo nas melhores circunstâncias.

Até o mais inteligente dos bebês tem muito que aprender. As crianças crescem num mundo de areia, velcro, cola, bolas com ventosas, balões de hélio, sementes de dente-de-leão, bumerangues, controles remotos de televisor, objetos suspensos por linha de pescar quase invisível e inúmeros outros objetos cujas propriedades idiossincráticas eclipsam as previsões genéricas das leis de Newton. A precocidade que os bebês demonstram no laboratório não os isenta de aprender sobre os objetos; ela possibilita o aprendizado. Se as crianças não esculpissem o mundo em objetos, ou se estivessem preparadas para acreditar que os objetos podem magicamente desaparecer e reaparecer em qualquer lugar, não teriam cabides onde pendurar suas descobertas sobre o que adere, o que é fofo, o que cede à pressão quando é espremido etc. Tampouco poderiam desenvolver as intuições captadas na teoria de Aristóteles, na teoria do ímpeto, na teoria de Newton ou na teoria do Coiote. Uma física intuitiva relevante para nosso mundo de tamanho médio precisa referir-se à matéria permanente e seus movimentos regidos por leis, e os bebês veem o mundo nesses termos desde o princípio.

Eis o enredo de um filme. Um protagonista esforça-se para atingir um objetivo. Um antagonista interfere. Graças a um ajudante, o protagonista finalmente tem êxito. Esse filme não é sobre um herói valentão ajudado por um interesse romântico a derrotar um vilão infame. Seus astros são três pontos. Um ponto move-se subindo por alguma distância uma linha inclinada, depois desce novamente, torna a subir, até quase chegar ao topo. Outro ponto colide abruptamente com o primeiro, e este volta para baixo. Um terceiro encosta nele de leve e move-se junto com ele até o topo da inclinação. É impossível não imaginar que o primeiro ponto está *tentando* chegar ao topo da ladeira, que o segundo o está *impedindo* e o terceiro o está *ajudando* a atingir seu objetivo.

Os psicólogos sociais Fritz Heider e M. Simmel foram os cineastas. Juntamente com muitos psicólogos do desenvolvimento, eles concluíram que as pessoas interpretam certos movimentos não como casos especiais em sua física intuitiva (talvez como objetos elásticos singulares), mas como um tipo totalmente diferente de entidade. As pessoas interpretam determinados objetos como agentes animados. Os agentes são reconhecidos por sua capacidade de violar a física intuitiva partindo, parando, desviando ou acelerando sem um empurrão externo, em especial quando persistentemente se aproximam de algum outro objeto ou o evitam. Julga-se que os agentes possuem uma fonte interna e renovável de energia, força, ímpeto ou vigor, que usam para impelir a si mesmos, em geral a serviço de um objetivo.

Esses agentes são animais, obviamente, inclusive humanos. A ciência nos diz que eles obedecem a leis físicas, como tudo o mais no universo; acontece que a matéria em movimento compõe-se de minúsculas moléculas em músculos e cérebros. Mas fora do laboratório de neurofisiologia, os pensadores comuns precisam atribuir a esses agentes uma categoria diferente de causadores não causados.

Bem no início da vida, os bebês dividem o mundo em animado e inerte. Crianças de três meses perturbam-se com um rosto que subitamente fica imóvel, mas não com um objeto que para de se mover de repente. Elas tentam aproximar de si os objetos empurrando coisas, mas tentam aproximar de si as pessoas fazendo barulho. Aos seis ou sete meses, os bebês distinguem o modo como as mãos atuam sobre os objetos do modo como outros objetos atuam sobre objetos. Têm expectativas opostas quanto ao que faz as pessoas se moverem e ao que faz os objetos se moverem: os objetos impelem uns aos outros por colisão; as pessoas começam a mover-se e param por conta própria. Aos doze meses, os bebês interpretam desenhos animados de pontos em movimento como se os pontos estivessem procurando atingir objetivos. Por exemplo, os bebês não se surpreendem quando um ponto que salta uma barreira em seu caminho até outro ponto segue em linha reta depois de a barreira ser removida. Crianças de três anos descrevem desenhos animados de pontos de um modo muito parecido como nós fazemos e não têm dificuldade para distinguir coisas que se movem por conta própria, como animais, de coisas que não se movem por conta própria, como bonecas, estátuas e estatuetas muito semelhantes a animais de verdade.

As intuições sobre agentes autopropulsores sobrepõem-se a três outros modos de conhecer fundamentais. Os agentes em sua maioria são animais, e estes, como as plantas e os minerais, são categorias que sentimos serem dadas pela natureza. Algumas coisas autopropulsoras, como os carros e os bonecos de corda, são artefatos. E muitos agentes não meramente se aproximam de objetivos ou os evitam, mas agem com base em crenças e desejos; ou seja, eles têm mente. Examinemos cada um deles.

* * *

As pessoas de todas as partes são boas biólogas amadoras. Gostam de olhar as plantas e os animais, classificá-los em grupos que os biólogos reconhecem, prever seus movimentos e ciclos de vida e usar seus sucos e seivas como remédios, venenos, aditivos alimentares e drogas recreativas. Esses talentos, que nos adaptaram ao nicho cognitivo, provêm de um modo de entender o mundo denominado biologia popular, embora "história natural popular" possa ser um termo mais apropriado. As pessoas têm certas intuições sobre os tipos naturais — aproximadamente, os tipos de coisas encontrados em um museu de história natural, como animais, plantas e minerais —, intuições essas que elas não aplicam aos artefatos, como bules de café, ou a tipos diretamente estipulados por regras, como triângulos e primeiros-ministros.

Qual é a definição de *leão*? Você poderia responder "um felino grande e feroz que vive na África". Mas suponhamos que você ficasse sabendo que uma década atrás os leões foram caçados até a extinção na África e sobrevivem apenas em zoológicos americanos. Suponhamos que os cientistas descobrissem que os leões não são congenitamente ferozes, que eles só ficam assim quando vivem em uma família problemática mas, do contrário, crescem como Bert Lahr em *O mágico de Oz*. Suponhamos que fosse descoberto que eles nem ao menos são felinos. Tive uma professora que garantia que os leões na verdade pertenciam à família dos cachorros e, embora ela estivesse errada, *poderia* ter estado certa, assim como se descobriu que as baleias são mamíferos e não peixes. Porém, mesmo se esse experimento mental se revelasse verdadeiro, você provavelmente sentiria que aqueles mansos cachorros americanos ainda assim eram realmente leões, mesmo se nenhuma das palavras da definição sobrevivesse. Leões não *têm* definição. Eles nem sequer vêm exemplificados com a ilustração de um leão no dicionário, ao lado da definição da palavra. Um leão mecânico semelhante a um leão verdadeiro não seria considerado de verdade, e podemos imaginar um cruzamento que produzisse um leão listrado que se parecesse mais com um tigre mas ainda assim seria considerado leão.

Os filósofos afirmam que o significado de um termo designativo de um tipo natural provém de uma intuição de uma característica ou de uma essência oculta que os membros compartilham entre si e com os primeiros exemplos batizados com o termo. As pessoas não precisam saber qual é a essência, apenas que existe uma. Algumas pessoas provavelmente pensam que a condição de leão está no sangue; outras talvez murmurem alguma coisa sobre DNA; outras ainda não teriam nenhuma ideia, mas sentiriam que todos os

343

leões a possuem, seja lá o que for, e a transmitem à prole. Mesmo quando uma essência é conhecida, ela não é uma definição. Os físicos nos dizem que o ouro é o elemento de número atômico 79, uma essência absolutamente satisfatória. Mas se eles houvessem errado os cálculos e o ouro acabasse sendo 78 e a platina 79, não pensaríamos que a palavra *ouro* agora se refere à platina ou não sentiríamos grandes mudanças no modo como pensamos sobre o ouro. Compare essas intuições com nossos sentimentos sobre artefatos como bules de café. Os bules de café são bules para fazer café. A possibilidade de que todos os bules de café possuam uma essência, de que os cientistas talvez algum dia venham a descobri-la ou de que podemos ter estado enganados com respeito aos bules de café todo o tempo e que eles na verdade são bules para fazer chá é digna do *Circo voador* do Monty Python.

Se a intuição soberana que fundamenta a física popular é o objeto sólido contínuo e a intuição soberana que fundamenta a "condição de animal" é uma fonte interna e renovável de força, então a intuição soberana que fundamenta os tipos naturais é uma essência oculta. A biologia popular é considerada essencialista. A essência tem algo em comum com a força que impele os movimentos dos animais, mas também se julga que ela dá ao animal sua forma, governa seu crescimento e orquestra seus processos vegetativos como a respiração e a digestão. Obviamente, hoje em dia sabemos que esse *elã vital* é, na realidade, apenas uma minúscula fita de dados e uma fábrica química no interior de cada célula.

Intuições sobre essências podem ser encontradas no passado distante e em lugares remotos. Mesmo antes de Darwin, o sistema de classificação lineano usado pelos biólogos profissionais era guiado por um senso de categorias apropriadas baseado não na semelhança, mas na constituição básica. Pavões e pavoas eram considerados o mesmo animal, assim como as lagartas e as borboletas em que elas se transformam. Alguns animais semelhantes — as borboletas americanas do gênero *Danaus plexippus* [*monarch*] e as *Limenitis archippus* [*viceroy*], os camundongos e os musaranhos — eram classificados em grupos diferentes em razão de diferenças sutis em sua estrutura interna ou formas embriônicas. A classificação era hierárquica: cada ser vivo pertencia a uma espécie, cada espécie pertencia a um gênero e assim por diante até as famílias, classes, ordens e filos e até os reinos vegetal e animal, tudo em uma árvore da vida. Novamente, compare esse sistema com a classificação dos artefatos — digamos, as fitas em uma loja de vídeo. Elas podem ser organizadas por gênero, como dramas e musicais, por período, como novos lançamentos e clássicos, por ordem alfabética, por país de origem, ou por várias classificações cruzadas como novos lançamentos estrangeiros ou musicais clássicos. Não existe uma única árvore de fitas de vídeo correta.

Os antropólogos Brent Berlin e Scott Atran descobriram que as taxonomias populares no mundo todo funcionam do mesmo modo que a árvore lineana. As pessoas agrupam todas as plantas e animais de sua região em tipos que correspondem aos "gêneros" dos biólogos. Como em geral existe apenas uma espécie por gênero em uma localidade, suas categorias em geral também correspondem à "espécie" do biólogo. Cada gênero popular pertence a uma única "forma de vida", como mamíferos, aves, cogumelos, ervas, insetos ou répteis. As formas de vida, por sua vez, ou são animais ou são plantas. As pessoas desconsideram as aparências ao classificar seres vivos; colocam as rãs junto com os girinos, por exemplo. Usam suas classes para raciocinar sobre como os animais funcionam, tal como quem pode acasalar-se com quem.

Um dos melhores argumentos de Darwin em favor da evolução foi que ela explicava por que os seres vivos são agrupados hierarquicamente. A árvore da vida é uma árvore de *famílias*. Os membros de uma espécie parecem compartilhar uma essência porque descendem de um ancestral comum que a transmitiu. As espécies inserem-se em grupos dentro de grupos porque divergiram de ancestrais comuns ainda mais antigos. Características embriônicas e internas constituem critérios mais sensatos do que a aparência superficial, pois refletem melhor o grau de relacionamento.

Darwin precisou lutar contra o essencialismo intuitivo de seus contemporâneos porque, levado ao extremo, ele implicava que as espécies não podiam mudar. Um réptil possui uma essência réptil e não pode evoluir para uma ave mais do que o número sete pode evoluir para um número par. Ainda na década de 40, o filósofo Mortimer Adler afirmava que, assim como não pode existir um triângulo com três lados e meio, não pode haver coisa alguma que seja intermediária entre um animal e um humano, e portanto os humanos não poderiam ter evoluído. Darwin ressaltou que as espécies não são tipos ideais e sim populações com membros que variam; no passado, poderiam ter se transformado gradativamente, passando por formas intermediárias.

Hoje em dia, fomos para o outro extremo e, na vida acadêmica moderna, não há coisa pior do que ser tachado de "essencialista". Nas ciências, essencialismo equivale a criacionismo. Nas humanidades, o rótulo implica que a pessoa adere a estranhas crenças, como por exemplo a de que os sexos não são socialmente moldados, que existem emoções humanas universais, que existe um mundo real etc. E nas ciências sociais, "essencialismo" juntou-se a "reducionismo", "determinismo" e "reificação" como um termo insultuoso lançado sobre qualquer um que tente explicar o pensamento e o comportamento humano em lugar de mais uma vez descrevê-lo. A meu ver, é lamentável que "essencialismo" tenha se tornado um epíteto, pois no fundo ele é apenas a usual curiosidade humana em descobrir o que faz as coisas da natureza funcionarem. O essencialismo está por trás do sucesso da química, da fisiologia e da genética e, mesmo hoje em dia, os biólogos rotineiramente seguem a heresia essencialista quando trabalham no Projeto Genoma Humano (mas cada um tem um genoma diferente!) ou abrem a *Gray's anatomy* (mas os corpos variam!).

O quanto está arraigado o pensamento essencialista? Os psicólogos Frank Keil, Susan Gelman e Henry Wellman fizeram com crianças os experimentos mentais dos filósofos sobre os tipos da natureza. Doutores pegam um tigre, descoram-lhe a pele e costuram nele uma juba. É um leão ou um tigre? As crianças de sete anos afirmam que ainda é um tigre, mas as de cinco anos dizem que agora é um leão. Essa descoberta, interpretada ao pé da letra, sugere que crianças mais velhas são essencialistas no que respeita aos animais, mas as mais novas, não. (Em nenhuma idade as crianças são essencialistas no que concerne aos artefatos — se você fizer um bule de café parecer um comedouro de pássaros, as crianças, como os adultos, dizem que ele é um comedouro de pássaros.)

Porém, examinando mais a fundo, podemos encontrar evidências de intuições essencialistas sobre os seres vivos mesmo em pré-escolares. Crianças de cinco anos negam que se pode fazer com que um animal cruze a fronteira mais profunda que o separa de plantas ou artefatos. Por exemplo, afirmam que um porco-espinho que parece ter se transformado em um cacto ou em uma escova de cabelo na verdade não é nenhuma dessas coisas. E os pré-escolares acreditam que uma espécie somente pode transformar-se em outra quando a transformação afeta uma parte permanente da constituição do animal, e não quando meramente altera sua aparência. Por exemplo, negam que uma fantasia de leão transforma o tigre em leão. Afirmam que, se removermos o que existe dentro de um cachorro, o envoltório que permanecer, embora pareça um cachorro, não é cachorro, não pode latir ou comer ração canina. Mas se removermos o exterior de um cachorro, deixando algo que não se parece nem um pouco com um cão, ele ainda é cachorro e faz as coisas que os cachorros fazem. Os pré-escolares têm inclusive um senso tosco de herança. Quando lhes dizem que um leitão está sendo criado por vacas, as crianças sabem que ele, quando crescer, irá grunhir, e não mugir.

As crianças não separam os animais meramente como figurinhas de time de futebol; usam suas categorias para raciocinar sobre como os animais funcionam. Em um experimento, foram mostradas a crianças de três anos figuras de um flamingo, um melro e um morcego muito parecido com o melro. Disseram-lhes que os flamingos alimentavam os filhotes com comida macerada, mas que os morcegos alimentavam as crias com leite; pergunta-ram-lhes o que elas achavam que os melros davam aos filhotes para alimentá-los. Sem informações adicionais, as crianças baseavam-se nas aparências e diziam que os melros, como os morcegos, davam leite. Mas se lhes dissessem que o flamingo é uma ave, as crianças pensavam neles como funcionando igual aos melros, apesar da aparência diferente, e supunham que os melros também davam comida macerada aos filhotes.

As crianças também têm noção de que as propriedades de um ser vivo existem para mantê-lo vivo e ajudá-lo a funcionar. Crianças de três anos dizem que a rosa tem espinhos porque isso ajuda a rosa, mas não que o arame farpado tem farpas para ajudar o arame. Dizem que as pinças são boas para a lagosta, mas não que os mordentes são bons para os alicates. Esse senso de adequação ou adaptação não é simplesmente uma confusão entre necessidades psicológicas e funções biológicas. Os psicólogos Giyoo Hatano e Kayoko Inagaki demonstraram que as crianças têm uma noção clara de que os processos corporais são involuntários. Sabem que um corpo não é capaz de digerir o jantar mais rápido para dar lugar à sobremesa e que o corpo não pode engordar sozinho somente desejando fazê-lo.

O essencialismo é aprendido? Os processos biológicos são demasiado lentos e ocultos para ser mostrados a um bebê entediado, mas aplicar testes em bebês é apenas um modo de evidenciar o conhecimento na ausência de experiência. Outro modo é medir a origem da própria experiência. Crianças de três anos não estudaram biologia e têm poucas oportunidades para fazer experimentos com as entranhas ou a hereditariedade dos animais. Seja o que for que tenham aprendido sobre essências, presumivelmente veio de seus pais. Gelman e seus alunos analisaram mais de 4 mil sentenças de mães conversando com os filhos a respeito de animais e artefatos. Os pais praticamente nunca falaram sobre entranhas, origens ou essências e nas poucas vezes em que o fizeram foi sobre o interior de artefatos. As crianças são essencialistas sem a ajuda dos pais.

Os artefatos acompanham a condição humana. Fabricamos utensílios e, no decorrer de nossa evolução, nossos utensílios nos moldaram. Bebês de um ano são fascinados pelo que os objetos podem fazer por eles. Remexem obsessivamente em hastes para empurrar, tecidos e cordões para puxar e suportes para suspender as coisas. Assim que podem ser testadas com respeito ao emprego de utensílios, por volta dos dezoito meses, as crianças demonstram compreender que os utensílios precisam entrar em contato com o material em que serão empregados e que a rigidez e forma do utensílio são mais importantes do que sua cor e ornamentação. Alguns pacientes com dano cerebral não conseguem dizer o nome de objetos naturais mas podem nomear artefatos, ou vice-versa, um indício de que artefatos e tipos da natureza podem até mesmo ser armazenados de modos diferentes no cérebro.

O que é um artefato? É um objeto apropriado para atingir alguma finalidade que a pessoa tenciona que seja usado para atingir essa finalidade. A mistura de mecânica e psicologia faz dos artefatos uma categoria estranha. Os artefatos não podem ser definidos segundo sua forma ou constituição, apenas pelo que podem fazer e pelo que alguém, em algum lugar, deseja que eles façam. Uma loja de meu bairro vende exclusivamente assentos, mas seu estoque é tão variado quanto o de uma loja de departamentos. Lá encontramos banquinhos, cadeiras de espaldar alto para mesa de jantar, poltronas reclináveis, sacos de sentar, elásticos e arames esticados sobre armações, redes, cubos de madeira, assentos plásticos em S e cilindros de espuma. Chamamos todos eles de assento porque se destinam a sustentar as pessoas sentadas. Um toco de árvore ou um pé de elefante pode tornar-se um assento se alguém decidir usá-lo como tal. Provavelmente em alguma parte das florestas do planeta existe um emaranhado de ramos que lembra espantosamente um assento. Porém, como a proverbial árvore que cai e não produz som algum, aquilo não é um assento até que alguém decida tratá-lo como tal. Os jovens sujeitos do experimento de Keil que despreocupadamente permitiram aos bules de café transformarem-se em comedouros de pássaros têm essa ideia.

Um físico ou geômetra extraterrestre, a menos que tivesse nossa psicologia, ficaria perplexo com algumas das coisas que julgamos existir no mundo quando essas coisas são artefatos. Podemos dizer, salienta Chomsky, que o livro que John está escrevendo pesará 2,5 quilos quando for publicado: "o livro" é tanto um fluxo de ideias na cabeça de John como um objeto com massa. Conversamos sobre uma casa que se incendiou até os alicerces e está sendo reconstruída; de algum modo, é a mesma casa. Considere que tipo de objeto "uma cidade" deve ser, uma vez que dizemos *Londres é tão triste, feia e poluída que deveria ser destruída e reconstruída a cem quilômetros de distância.*

Quando Atran afirmou que a biologia popular espelha a biologia profissional, foi criticado porque categorias populares como "hortaliça" e "animal de estimação" não correspondem a nenhum grupo taxonômico lineano. Atran replicou que elas são artefatos. Não só elas são definidas segundo as necessidades que atendem (alimento saboroso, suculento; companheiros dóceis), mas são, na interpretação mais exata, produtos humanos. Milênios de cruzamentos seletivos criaram o milho a partir de uma erva e a cenoura a partir de uma raiz. Basta imaginar alcateias de poodles franceses vagando pelas florestas primitivas para perceber que a maioria dos animais de estimação também é criação humana.

Daniel Dennett aventou que a mente adota uma "postura de design" quando lida com artefatos, complementando sua "postura física" para objetos como pedras e sua "postura intencional" para mentes. Na postura de design, imputa-se uma intenção a um designer hipotético ou real. Alguns objetos são tão apropriados para atingir um resultado improvável que a atribuição é fácil. Como escreveu Dennett: "Não pode restar muita dúvida quanto ao que é um machado ou para que serve um telefone; não precisamos consultar a biografia de Alexander Graham Bell em busca de pistas sobre o que ele tinha em mente". Outros notoriamente prestam-se a interpretações rivais, como pinturas e esculturas, que às vezes são *elaboradas* para ter um design inescrutável. Outros ainda, como Stonehenge ou um conjunto de engrenagens encontrado em um navio naufragado, provavelmente têm uma função, embora não saibamos qual é. Os artefatos, por dependerem de intenções humanas, estão sujeitos a interpretação e crítica como se fossem obras de arte, uma atividade que Dennett denomina "hermenêutica dos artefatos".

E agora chegamos ao modo como a mente conhece outras mentes. Somos todos psicólogos. Analisamos mentes não só para acompanhar as tramas das novelas na televisão mas para entender as mais simples ações humanas.

O psicólogo Simon Baron-Cohen defende esse argumento com uma história. Mary entrou no quarto, andou lá dentro e saiu. Como você explica isso? Talvez você diga que Mary estava procurando algo que desejava encontrar e pensou que aquilo se encontrava no quarto. Talvez você diga que Mary ouviu alguma coisa no quarto e quis saber o que fez aquele barulho. Ou talvez diga que Mary esqueceu aonde estava indo; talvez, na verdade, ela pretendesse ir para o andar de baixo. Mas você com certeza não diria que Mary faz exatamente isso todos os dias nessa hora: ela entra no quarto, anda lá dentro e depois sai. Não seria natural explicar o comportamento humano na linguagem de tempo, distância e massa dos físicos e, além disso, seria errado; se você voltasse no dia seguinte para testar a hipótese, ela seguramente seria refutada. Nossa mente explica o comportamento das outras pessoas segundo as crenças e desejos que elas têm, pois o comportamento das outras pessoas, de fato, é causado por suas crenças e desejos. Os behavioristas estavam enganados, e todo mundo intuitivamente sabe disso.

Os estados mentais são invisíveis e não têm peso. Os filósofos os definem como "uma relação entre uma pessoa e uma proposição". Essa relação é uma atitude como "acredita", "deseja", "espera", "tenciona". A proposição é o

349

conteúdo da crença, algo vagamente semelhante ao significado de uma sentença — por exemplo, *Mary encontra as chaves* ou *As chaves estão no quarto*. O conteúdo de uma crença vive em uma esfera diferente daquela em que vivem os fatos do mundo. *Há unicórnios pastando nos gramados de Cambridge* é falso, mas *John pensa que há unicórnios pastando nos gramados de Cambridge* pode muito bem ser verdade. Para atribuir uma crença a alguém, não podemos apenas ter um pensamento do modo comum, ou não seríamos capazes de aprender que John acredita em unicórnios sem que nós mesmos acreditássemos neles. Temos de pegar um pensamento, pô-lo em evidência com aspas mentais e pensar: "Isto é o que John pensa" (ou quer, espera, supõe). Além disso, qualquer coisa que podemos pensar também é algo que podemos pensar que outra pessoa está pensando (Mary sabe que John pensa que existem unicórnios...). Esses pensamentos dentro de pensamentos, como uma cebola cheia de camadas, requerem uma arquitetura computacional especial (ver capítulo 2) e, quando os comunicamos a outras pessoas, requerem a gramática recursiva proposta por Chomsky e explicada em *O instinto da linguagem*.

Nós, mortais, não podemos ler diretamente as mentes de outras pessoas. Mas fazemos boas suposições com base no que elas dizem, no que lemos nas entrelinhas, no que mostram o rosto e os olhos e no que melhor explica seu comportamento. É o talento mais admirável de nossa espécie. Depois de ter lido o capítulo sobre a visão, você poderia espantar-se com o fato de as pessoas serem capazes de reconhecer um cachorro. Pense então no que é preciso para reconhecer o cachorro em uma pantomima de levar o cachorro para passear.

Mas, de algum modo, as crianças o fazem. As habilidades que fundamentam a leitura da mente são exercitadas já no berço. Bebês de dois meses fitam os olhos; os de seis meses sabem quando os olhos de uma pessoa os estão fitando; os de um ano olham para o que a mãe está fitando e perscrutam os olhos da mãe quando não têm certeza do motivo por que ela está fazendo alguma coisa. Entre dezoito e 24 meses, as crianças começam a separar o conteúdo da mente das outras pessoas de suas próprias crenças. Exibem essa habilidade em um fato enganosamente simples: fingir. Quando uma criança dessa idade entra na brincadeira da mãe que lhe diz que o telefone está tocando e lhe entrega uma banana, está separando os conteúdos do fingimento dela própria e da mãe (a banana é um telefone) dos conteúdos de sua própria crença (a banana é uma banana). Crianças de dois anos usam verbos mentais como *ver* e *querer* e as de três anos usam verbos como *pensar*, *saber* e *lembrar*. Elas sabem que alguém que está olhando geralmente quer aquilo para o que está olhando. E entendem a ideia de "ideia". Por exemplo, sabem que não se pode comer a lembrança de uma banana e que uma pessoa só pode dizer o que há dentro de uma caixa olhando dentro dela.

Aos quatro anos, as crianças passam em um teste rigorosíssimo sobre outras mentes: são capazes de atribuir a outras pessoas crenças que elas próprias sabem ser falsas. Em um experimento típico, crianças abrem uma caixa de Smarties e surpreendem-se ao encontrar lápis lá dentro. (Smarties, explicam os psicólogos britânicos ao público americano, são como os M&Ms, só que melhores.) Em seguida, pergunta-se às crianças o que uma pessoa que entrar na sala esperará encontrar. Embora elas saibam que a caixa contém lápis, isolam esse conhecimento, colocam-se no lugar do recém-chegado e respondem "Smarties". As de três anos têm mais dificuldade para manter seu conhecimento fora do quadro; garantem que o recém-chegado esperará encontrar lápis na caixa de doces. Mas não é provável que inexista nelas a própria ideia de outras mentes; quando a resposta errada é tornada menos atraente ou as crianças são induzidas a pensar melhor, também atribuem falsas crenças aos outros. Os resultados foram os mesmos em todos os países nos quais se fizeram os testes com crianças.

Pensar em outras mentes é algo tão natural que quase parece ser uma parte integrante da própria inteligência. Será que conseguimos ao menos imaginar como seria não pensar que outras pessoas têm mente? A psicóloga Alison Gopnik imagina que seria assim:

> No topo de meu campo de visão há uma ponta de nariz embaçada, na frente há mãos acenando [...] Ao meu redor, sacos de pele caem em dobras sobre cadeiras e recheiam peças de roupa; mudam de lugar e se salientam de modos inesperados. [...] Neles, dois pontos escuros perto do topo dardejam incansavelmente de um lado para o outro. Um buraco abaixo dos pontos enche-se de comida, e dali sai uma torrente de ruídos. [...] Os ruidosos sacos de pele subitamente [movem-se] na sua direção, e seu ruído [aumentam] de volume, e você não imagina por quê. [...]

Baron-Cohen, Alan Leslie e Uta Frith alegaram que realmente existem pessoas que pensam assim. São as que chamamos de autistas.

O autismo afeta cerca de uma em cada mil crianças. Afirma-se que elas "se recolhem em uma concha e vivem dentro de si mesmas". Quando levadas para um aposento, não fazem caso das pessoas e procuram os objetos. Quando alguém lhes oferece uma mão, brincam com ela como se fosse um brinquedo mecânico. Bonecas bonitinhas e bichos de pelúcia despertam pouco interesse. Elas prestam pouca atenção em seus pais e não respondem quando as chamam. Em público, tocam, cheiram e andam por cima das pessoas como se estas fossem mobília. Não brincam com outras crianças. Mas as capacidades intelectuais e perceptivas de algumas crianças autistas são lendárias (especialmente depois da atuação de Dustin Hoffman em *Rain man*). Algumas aprendem tabelas de multiplicação, armam quebra-cabeças (mesmo de cabeça para baixo), montam e desmontam aparelhos, leem placas de automóveis distantes ou calculam instantaneamente que dia da semana foi ou será determinada data passada ou futura.

Como muitos estudantes de psicologia, aprendi sobre autismo em uma célebre reedição da *Scientific American*, "Joey: um menino mecânico", do psicanalista Bruno Bettelheim. Ele explicou que o autismo de Joey tinha como causa pais emocionalmente distantes ("mãe geladeira" tornou-se um termo em voga) e um treinamento precoce e rígido para o uso do vaso sanitário. Bettelheim escreveu: "É improvável que a calamidade de Joey pudesse abater-se sobre uma criança em qualquer época e cultura que não a nossa". Segundo o psicanalista, os pais do pós-guerra tinham tanta facilidade para proporcionar aos filhos os confortos da vida que não sentiam prazer nisso, e as crianças não desenvolviam o sentimento de importância por terem satisfeitas suas necessidades básicas. Bettelheim alegava ter curado Joey, de início permitindo-lhe usar um cesto de lixo em vez do vaso sanitário. (Ele admitiu que a terapia "implicava alguns incômodos para seus defensores".)

Hoje em dia, sabemos que o autismo ocorre em todos os países e classes sociais, que permanece por toda a vida (embora às vezes com uma certa melhora) e que as mães não são a causa desse mal. É quase certo que ele tem causas neurológicas e genéticas, embora elas ainda não tenham sido identificadas com precisão. Baron-Cohen, Frith e Leslie supõem que a criança autista é cega para a mente: seu módulo para atribuir mente aos outros foi danificado. As crianças autistas quase nunca fingem, não sabem explicar a diferença entre uma maçã e a lembrança de uma maçã, não distinguem entre alguém olhar para uma caixa e alguém tocar na caixa, sabem para onde está olhando um rosto de desenho animado mas não adivinham que ele quer aquilo que está vendo e falham na tarefa dos Smarties (crença falsa). Notavelmente, elas passam em um teste que logicamente equivale à tarefa da crença falsa, mas que não diz respeito a mentes. O experimentador tira um patinho de borracha da banheira, coloca-o na cama, tira uma foto instantânea na Polaroid e então devolve o patinho à banheira. As crianças normais de três anos de idade acreditam que a foto de algum modo mostrará o patinho na banheira. As crianças autistas sabem que isso não acontecerá.

A cegueira para a mente não é causada por uma cegueira real, nem por um retardo mental como o da síndrome de Down. Ela é um vívido lembrete de que os conteúdos do mundo não são absorvidos automaticamente; eles têm de ser entendidos por meio de um maquinário mental apropriado. Em certo sentido, as crianças autistas têm razão: o universo não passa de matéria em movimento. Meu equipamento mental "normal" me mantém cronicamente perplexo com o fato de um pontinho microscópico e uma colherada de sêmen poderem originar um local de pensamentos e sentimentos e um coágulo sanguíneo ou um pedaço de metal poderem destruí-lo. Ele me dá a ilusão de que Londres, assentos e hortaliças constam no inventário dos objetos do mundo. Mesmo os próprios objetos são um tipo de ilusão. Buckminster Fuller escreveu: "Tudo o que você aprendeu [...] como sendo 'óbvio' torna-se cada vez menos óbvio quando você começa a estudar o universo. Por exemplo, não existem sólidos no universo. Não existe sequer um vestígio de um sólido. Não existem *continuums* absolutos. Não existem superfícies. Não existem linhas retas".

Em outro sentido, evidentemente, o mundo *tem* superfícies, assentos, coelhos e mentes. Eles são agrupamentos, padrões e vórtices de matéria e energia que obedecem a leis próprias e ondulam pelo setor do espaço-tempo no qual passamos nossos dias. Não são criações sociais, nem os pedaços de carne indigesta a quem Scrooge atribuiu a culpa por sua visão do fantasma de Marley. Mas para uma mente não equipada para descobri-los, eles poderiam muito bem nem existir. Como observou o psicólogo George Miller: "A suprema realização intelectual do cérebro é o mundo real. [...] [Todos os] aspectos fundamentais do mundo real de nossa experiência são interpretações adaptativas do mundo realmente real da física".

UM TRÍVIO

O currículo medieval abrangia sete artes liberais, com uma divisão inferior, o trívio (gramática, lógica e retórica), e uma superior, o quadrívio (geometria, astronomia, aritmética e música). Originalmente, *trivium* significava três ruas; passou depois a significar cruzamento de ruas, depois lugar-comum (pois as pessoas comuns ficam pelos cruzamentos) e, por fim, trivial ou insignificante. A etimologia, em certo sentido, é apropriada: com exceção da astronomia, nenhuma das artes liberais *versa sobre* coisa alguma. Elas não explicam plantas, animais, rochas ou pessoas; em vez disso, são instrumentos intelectuais que podem ser aplicados em qualquer esfera real. Como os alunos reclamam que a álgebra nunca os ajudará no mundo real, podemos nos perguntar se esses instrumentos abstratos são úteis o bastante na natureza para que a seleção natural os tenha inculcado no cérebro. Examinemos um trívio modificado: lógica, aritmética e probabilidade.

"Inversamente", prosseguiu Tweedledee, "se fosse assim, poderia ser, e se assim fosse, seria; mas como não é, deixa de ser. Isso é lógica!"

Lógica, no sentido técnico, não se refere à racionalidade em geral, mas à inferência da verdade de uma afirmação a partir da verdade de outras afirmações com base apenas na forma destas e não no conteúdo. Estou usando lógica quando raciocino assim: P é verdadeiro, P implica Q, portanto Q é verdadeiro. P e Q são verdadeiros, portanto P é verdadeiro. P ou Q é verdadeiro, P é falso, portanto Q é verdadeiro. P implica Q, Q é falso, portanto P é falso. Posso derivar todas essas verdades sem saber se P significa "Há um unicórnio no jardim", "Iowa cultiva soja" ou "Meu carro foi comido por ratos".

O cérebro usa lógica? O desempenho de estudantes universitários em problemas de lógica é uma lástima. Há alguns arqueólogos, biólogos e enxadristas em uma sala. Nenhum dos arqueólogos é biólogo. Todos os biólogos são enxadristas. O que se deduz disso, se é que se pode deduzir alguma coisa? A maioria dos estudantes conclui que nenhum dos arqueólogos é enxadrista, o que não é válido. Nenhum conclui que alguns dos enxadristas não são arqueólogos, o que é válido. De fato, um quinto afirma que as premissas não admitem *nenhuma* inferência válida.

Spock bem que dizia que os humanos são ilógicos. Porém, como argumentou o psicólogo John Macnamara, a própria ideia dificilmente é lógica. As regras da lógica originalmente foram consideradas uma formalização das leis do pensamento. Havia nisso um pouco de exagero; as verdades lógicas são verdadeiras independentemente do que as pessoas pensam. Mas é difícil imaginar uma espécie descobrindo a lógica se seu cérebro não produzisse um sentimento de certeza quando descobrisse uma verdade lógica. Existe alguma coisa singularmente atrativa, e mesmo irresistível, em P, P implica Q, portanto Q. Com tempo e paciência suficientes, descobrimos por que nossos erros lógicos são errôneos. Acabamos por concordar uns com os outros sobre que verdades são necessárias. E ensinamos outras pessoas não pela força da autoridade, mas socraticamente, levando os pupilos a reconhecer verdades por seus próprios critérios.

As pessoas inquestionavelmente usam algum tipo de lógica. Todas as linguagens possuem termos lógicos como *não*, *e*, *igual*, *equivalente* e *oposto*. As crianças usam corretamente *e*, *não*, *ou* e *se* antes de completarem três anos, não só em inglês mas em meia dúzia de outras línguas que foram estudadas. As inferências lógicas são ubíquas no pensamento humano, particularmente quando entendemos a língua. Eis um exemplo simples do psicólogo Martin Braine:

John chegou para almoçar. O cardápio oferecia um prato especial com sopa e salada e, grátis, uma cerveja ou café. Além disso, com o bife ganhava-se um copo de vinho tinto grátis. John escolheu o especial com sopa e salada com café, juntamente com algo mais para beber.

(a) John ganhou uma cerveja grátis? (Sim, Não, Impossível responder)

(b) John ganhou um copo de vinho grátis? (Sim, Não, Impossível responder)

Praticamente todo mundo deduz que a resposta de (a) é não. Nosso conhecimento sobre cardápios de restaurante nos diz que o *ou* em *grátis uma cerveja* ou *café* implica "não ambos" — você só ganha grátis um deles; se quiser o outro, tem de pagar. Mais adiante, ficamos sabendo que John escolheu o café. Das premissas "cerveja grátis e café grátis, não" e "café grátis", derivamos "cerveja grátis, não" por inferência lógica. A resposta à questão (b) também é não. Nosso conhecimento sobre restaurantes nos lembra de que alimentos e bebidas não são gratuitos, a menos que explicitamente oferecidos como tal no cardápio. Assim, acrescentamos o condicional "sem bife, nada de vinho tinto grátis". John escolheu sopa e salada, o que indica que ele não escolheu o bife; concluímos, por inferência lógica, que ele não ganhou grátis o copo de vinho.

A lógica é indispensável para inferir verdades sobre o mundo a partir de fatos fragmentados adquiridos de outras pessoas via linguagem ou de generalizações próprias. Por que, então, as pessoas parecem zombar da lógica em histórias sobre arqueólogos, biólogos e enxadristas?

Uma razão é que palavras lógicas nas linguagens usuais como o português são ambíguas, frequentemente denotando diversos conceitos lógicos formais. A palavra *ou* às vezes pode significar o conectivo lógico OU (A ou B ou ambos) e às vezes pode significar o conectivo lógico XOR (ou exclusivo: A ou B mas não ambos). O contexto muitas vezes esclarece qual dos dois a pessoa tinha em mente, mas, em problemas isolados propostos inesperadamente, os leitores podem errar nas suposições.

Outra razão é que inferências lógicas não podem ser extraídas indistintamente. Qualquer afirmação verdadeira pode gerar um número infinito de novas afirmações verdadeiras porém inúteis. De "Iowa cultiva soja" podemos derivar "Iowa cultiva soja ou a vaca pulou por cima da Lua", "Iowa cultiva soja e ou a vaca pulou por cima da Lua ou não pulou", *ad infinitum*. (Este é um exemplo do "problema do modelo" introduzido no capítulo 1.) A menos que tenha todo o tempo do mundo, até a pessoa mais perita em inferências lógicas precisa descobrir quais implicações deve explorar e quais tendem a ser becos sem saída. Algumas regras têm de ser inibidas, portanto inferências válidas inevitavelmente se perderão. A suposição não pode provir, ela própria, da lógica; em geral, ela resulta de pressupor que o interlocutor é um parceiro de conversa cooperativo, transmitindo informações relevantes, e não, digamos, um advogado hostil ou um professor de lógica severo tentando pegar alguém em erro.

Talvez o impedimento mais importante seja que a lógica mental não é uma calculadora portátil pronta para aceitar quaisquer A, B ou C como dados de entrada. Ela está enredada em nosso sistema de conhecimentos sobre o mundo. Um determinado passo de lógica mental, uma vez posto em movimento, não depende de conhecimentos sobre o mundo, mas seus inputs e outputs são canalizados diretamente para esses conhecimentos. Na história do restaurante, por exemplo, os elos de inferência alternam-se entre conhecimentos sobre cardápios e aplicações de lógica.

Algumas áreas de conhecimento possuem suas próprias regras de inferência que podem reforçar ou atuar com objetivos contrários aos das regras da lógica. Um exemplo célebre foi dado pelo psicólogo Peter Wason. Ele foi inspirado pelo ideal de raciocínio científico do filósofo Karl Popper: uma hipótese é aceita se as tentativas para refutá-la fracassam. Wason queria saber como as pessoas comuns se saem para refutar hipóteses. Disse a elas que um conjunto de cartões possuía letras de um lado e números do outro e pediu-lhes que testassem a regra "Se um cartão tem um D em um lado, tem um 3 do outro", uma afirmação simples do tipo P implica Q. Quatro cartas foram mostradas aos sujeitos, perguntando-se que cartas eles teriam de virar para verificar se a regra era verdadeira. Tente:

$$\boxed{D}\ \boxed{F}\ \boxed{3}\ \boxed{7}$$

A maioria das pessoas escolheu o cartão D ou o cartão D e o cartão 3. A resposta correta é D e 7. "P implica Q" é falso apenas se P é verdadeiro e Q é falso. O cartão 3 não é importante; a regra dizia que os cartões D têm 3, não que os cartões 3 têm D. O cartão 7 é crucial: se ele tiver um D do outro lado, a regra estaria inválida. Apenas cerca de 5% a 10% das pessoas a quem se aplica o teste escolhem os cartões corretos. Até pessoas que fizeram cursos de lógica erram. (A propósito, não é que as pessoas interpretam "Se D, então 3" como se "Se D então 3 e vice-versa". Se interpretassem desse modo, mas em outros aspectos se comportassem como lógicos, os indivíduos virariam *todos os quatro* cartões.) Deduziram-se implicações calamitosas. Zé-povinho era irracional, anticientífico, propenso a confirmar seus preconceitos em vez de procurar evidências que pudessem refutá-los.

Mas quando os áridos números e letras foram substituídos por eventos reais, às vezes — embora só às vezes — as pessoas transformam-se em lógicos. Você é leão de chácara em um bar e está fazendo cumprir-se a regra "Se uma pessoa está bebendo cerveja, ela deve ter dezoito anos ou mais". Você pode verificar o que as pessoas estão bebendo ou que idade elas têm. O que você precisa verificar: um bebedor de cerveja, um bebedor de Coca-cola, uma pessoa de 25 anos, uma pessoa de dezesseis anos? A maioria das pessoas seleciona corretamente o bebedor de cerveja e a pessoa de dezesseis anos. Mas a mera concretude não basta. A regra "Se uma pessoa come *chilli* quente, ela bebe cerveja gelada" não é mais fácil de refutar do que os cartões com D e 3.

Leda Cosmides descobriu que as pessoas dão a resposta certa quando a regra é um contrato, uma troca de benefícios. Nessas circunstâncias, mostrar que a regra é falsa equivale a descobrir trapaceiros. Um contrato é uma implicação na forma "Se você recebe um benefício, precisa cumprir uma exigência"; os trapaceiros recebem o benefício sem cumprir a exigência. Cerveja em um bar é um benefício que se recebe comprovando a maturidade, e os trapaceiros são os que a bebem sendo menores de idade. Cerveja depois de *chilli* é mera causa e efeito, portanto beber Coca-cola (que pela lógica tem de ser verificado) não parece relevante. Cosmides demonstrou que as pessoas seguem o caminho lógico sempre que interpretam os Ps e Qs como benefícios e custos, mesmo quando os eventos são exóticos, como comer carne de antílope e encontrar cascas de ovos de avestruz. Não é que um módulo de lógica esteja sendo acionado, e sim que as pessoas estão usando um conjunto de regras diferente. Essas regras, apropriadas para detectar trapaceiros, às vezes coincidem com regras lógicas e às vezes não. Quando os termos de custo e benefício são invertidos, como em "Se uma pessoa paga vinte dólares, recebe um relógio", as pessoas ainda escolhem o cartão do trapaceiro (ele recebe o relógio, ele não paga vinte dólares) — uma escolha que não é logicamente correta nem o erro típico cometido com cartões sem sentido. De fato, a mesmíssima história pode levar a escolhas lógicas ou não lógicas dependendo da interpretação do leitor sobre quem é o trapaceiro, se é que há algum. "Se um empregado recebe uma pensão, ele trabalhou por dez anos. Quem está violando a regra?" Se as pessoas adotam o ponto de vista do empregado, procuram os trabalhadores com doze anos de casa sem pensão; se adotam o ponto de vista do empregador, procuram os empregados com oito anos de casa que estejam recebendo pensão. As mesmas descobertas básicas foram encontradas entre os shiwiar, um povo equatoriano que vive da coleta de alimentos.

A mente parece possuir um detector de trapaceiros com uma lógica própria. Quando a lógica clássica e a lógica de detectar trapaceiros coincidem, as pessoas agem como lógicos; quando não coincidem, as pessoas ainda procuram os trapaceiros. O que deu a Cosmides a ideia de procurar esse mecanismo mental? Foi a análise evolucionista do altruísmo (ver capítulos 6 e 7). A seleção natural não seleciona a preocupação com o bem-estar de terceiros; um mutante egoísta rapidamente se reproduziria mais do que seus competidores altruístas. Qualquer comportamento altruísta no mundo natural requer uma explicação especial. Uma explicação é a reciprocidade: uma criatura pode oferecer ajuda em troca de uma ajuda esperada no futuro. Mas a troca de favores sempre é vulnerável aos trapaceiros. Para que ela tenha evoluído, deve ser acompanhada de um aparato cognitivo que lembre quem recebeu e assegure que essa pessoa retribua. O biólogo evolucionista Robert Trivers previu que os humanos, os mais notáveis altruístas do reino animal, devem ter evoluído um algoritmo detector de trapaceiros hipertrofiado. Cosmides parece tê-lo descoberto.

Então, a mente é lógica no sentido lógico? Às vezes sim, às vezes não. Uma questão mais apropriada é: A mente é bem projetada do ponto de vista do biólogo? Aqui o "sim" pode ser um pouco mais incisivo. A lógica em si pode gerar verdades triviais e passar ao largo de verdades importantes. A mente de fato parece usar regras lógicas, mas elas são recrutadas pelos processos de entendimento da linguagem, misturadas aos conhecimentos sobre o mundo e suplementadas ou suplantadas por regras de inferência especiais apropriadas ao contexto.

A matemática é parte de nosso direito inato. Bebês com uma semana de vida ficam atentos quando uma cena muda de dois para três itens e vice-versa. Bebês nos primeiros dez meses de existência notam quantos itens (até quatro) existem em um mostruário, não importando se os itens são homogêneos ou heterogêneos, se estão amontoados ou espalhados, se são pontos ou objetos domésticos e até mesmo se são objetos ou sons. Segundo experimentos recentes da psicóloga Karen Wynn, bebês de cinco meses têm inclusive uma noção aritmética simples. Mostram-lhes Mickey Mouse, escondem-no com uma tela e um segundo Mickey é colocado atrás do primeiro. Os bebês esperam ver dois Mickeys quando a tela cai e surpreendem-se se ela revelar apenas um. Para outros bebês, mostram-se dois Mickeys e então um é removido de trás da tela. Os bebês esperam ver um Mickey e surpreendem-se se virem dois. Aos dezoito meses, as crianças sabem que os números não só diferem mas também têm uma ordem; por exemplo, pode-se ensinar as crianças a escolher a figura com menos pontos. Algumas dessas habilidades são encontradas em alguns tipos de animais ou podem ser ensinadas a eles.

Bebês e animais são realmente capazes de contar? A pergunta pode parecer absurda, pois essas criaturas não têm palavras. Mas registrar quantidades independe da linguagem. Imagine abrir uma torneira durante um segundo cada vez que você ouve um toque de tambor. A quantidade de água no copo representaria o número de toques. O cérebro poderia possuir um mecanismo semelhante, que acumularia não água, mas pulsos neurais ou o número de neurônios ativos. Os bebês e muitos animais parecem ser equipados com esse tipo simples de contador. Ele teria muitas vantagens seletivas potenciais, que dependem do nicho do animal. Elas vão de estimar a taxa de retorno de coletar alimentos em diferentes trechos a resolver problemas como: "Três ursos entraram na caverna; dois saíram. Devo entrar lá?".

Os humanos adultos usam diversas representações mentais de quantidade. Uma é analógica — um senso de "quanto" —, que pode ser traduzida em imagens mentais como a imagem de uma linha numérica. Mas também atribuímos termos numéricos a quantidades e usamos as palavras e os conceitos para medir, para contar com mais precisão e para contar, somar e subtrair números maiores. Todas as culturas têm palavras para designar números, embora às vezes elas sejam apenas "um", "dois" e "muitos". Antes de dar risadinhas, lembre-se de que o *conceito* de número nada tem a ver com o tamanho de um vocabulário numérico. Conhecendo ou não termos para designar números grandes (como "quatro" ou "quintilhão"), as pessoas são capazes de saber que, se dois conjuntos são iguais e você acrescenta um a um deles, este conjunto passa a ser maior. Isso vale quer o conjunto possua quatro itens, quer um quintilhão de itens. As pessoas sabem que podem comparar o tamanho de dois conjuntos emparelhando seus componentes e verificando o resto; até os matemáticos se veem forçados a usar essa técnica quando fazem afirmações estranhas sobre os tamanhos relativos de conjuntos infinitos. As culturas sem palavras para designar números grandes frequentemente usam expedientes como mostrar dedos, apontar para partes do corpo em sequência, pegar ou alinhar objetos em grupos de dois e três.

Já aos dois anos as crianças gostam de contar, alinham conjuntos de objetos e se dedicam a outras atividades governadas por um senso numérico. Pré-escolares contam conjuntos pequenos, mesmo quando precisam misturar objetos de tipos diferentes ou quando têm de misturar objetos, ações e sons. Antes de realmente entenderem o que é contar e medir, já apreciam muito a lógica dessas atividades. Por exemplo, tentarão distribuir um cachorro-quente equitativamente cortando-o em vários pedaços e dando a cada pessoa dois pedaços (ainda que possam ser de tamanhos diferentes), e elas gritam com um fantoche que estiver contando e que deixar passar um item ou o contar duas vezes, embora a contagem delas próprias seja permeada dos mesmos tipos de erros.

A matemática formal é uma extensão de nossas intuições matemáticas. A aritmética obviamente originou-se de nosso senso numérico, e a geometria, de nosso senso de forma e espaço. O eminente matemático Sauders Mac

Lane conjeturou que atividades humanas básicas foram a inspiração de todos os ramos da matemática:

Contar	→ aritmética e teoria dos números
Medir	→ números reais, cálculo, análise
Modelar	→ geometria, topologia
Edificar (como na arquitetura)	→ simetria, teoria dos grupos
Estimar	→ probabilidade, teoria da mensuração, estatística
Mover	→ mecânica, cálculo, dinâmica
Calcular	→ álgebra, análise numérica
Provar	→ lógica
Montar quebra-cabeças	→ análise combinatória, teoria dos números
Agrupar	→ teoria dos conjuntos, análise combinatória

Mac Lane supõe que a "matemática origina-se de uma variedade de atividades humanas, desenreda delas diversas noções que são genéricas e não arbitrárias, formalizando então essas noções e suas múltiplas inter-relações". O poder da matemática está no fato de que os sistemas de regras formais podem então "codificar propriedades mais profundas e não óbvias das várias atividades humanas que lhes deram origem". Toda pessoa — até mesmo uma criança cega que acabou de aprender a andar — instintivamente sabe que o caminho de A em linha reta até B e depois em linha reta até C é mais longo do que o atalho de A até C. Todo mundo também visualiza como uma linha pode definir a borda de um quadrado e como formas podem ser agrupadas para criar formas maiores. Mas é preciso um matemático para demonstrar que o quadrado da hipotenusa é igual à soma dos quadrados dos outros dois lados, para que possamos calcular a economia nos atalhos sem ter de percorrer o triângulo.

Dizer que a matemática da escola deriva da matemática intuitiva não equivale a afirmar que ela deriva *facilmente*. David Geary sugeriu que a seleção natural deu às crianças algumas habilidades matemáticas básicas: determinar a quantidade de conjuntos pequenos, entender relações como "mais que" e "menos que", ordenar números pequenos, somar e subtrair pequenos conjuntos e usar termos numéricos para efetuar contagens, mensurações e aritmética simples. Mas a seleção natural para por aí. As crianças, afirma Geary, *não* são biologicamente projetadas para dominar termos para grandes números, conjuntos numerosos, sistema de base 10, frações, adições e subtrações com várias colunas, transportar de uma coluna para outra na soma, emprestar do algarismo seguinte na subtração, efetuar multiplicação, divisão, radicais e expoentes. Essas habilidades desenvolvem-se com lentidão, sem uniformidade ou nem chegam a se desenvolver.

Em termos evolutivos, seria surpreendente se as crianças fossem mentalmente equipadas para a matemática da escola. Esses instrumentos foram inventados recentemente na história e apenas em algumas culturas, porém tarde demais e em regiões muito restritas para marcarem o genoma humano. As mães dessas invenções foram as tarefas de registrar e trocar os excedentes da lavoura nas primeiras civilizações agrícolas. Graças à instrução formal e à linguagem escrita (ela própria uma invenção recente e não instintiva), as invenções puderam acumular-se ao longo dos milênios, e as operações matemáticas simples puderam ser associadas para compor operações cada vez mais complicadas. Símbolos escritos puderam servir como um meio de computação que superou as limitações da memória de curto prazo, exatamente como fazem os chips de silício hoje em dia.

Como as pessoas podem usar suas mentes da Idade da Pedra para produzir instrumentos matemáticos hi-tech? O primeiro modo é ajustar módulos mentais para trabalharem com objetos que não são aqueles para os quais esses módulos foram projetados. Normalmente, as linhas e formas são analisadas por imagens mentais e outros componentes de nosso senso espacial, e os agrupamentos de coisas são analisados por nossa faculdade numérica. Mas para realizar o ideal de desenredar o genérico do específico aventado por Mac Lane (por exemplo, desenredar o conceito genérico de quantidade do conceito específico do número de pedras em uma pilha), as pessoas poderiam ter de aplicar seu senso numérico a uma entidade que, a princípio, parece ser o tipo errado de assunto. Por exemplo, as pessoas podem ter de analisar uma linha na areia não com as habituais operações de imagens mentais compostas de escanear e deslocar continuamente, mas contando segmentos imaginários de um extremo ao outro da linha.

O segundo modo de obter a competência matemática é semelhante ao modo de chegar ao Carnegie Hall: prática. Os conceitos matemáticos provêm do encaixe de conceitos antigos formando um novo arranjo útil. Mas esses conceitos antigos são montagens de conceitos ainda mais antigos. Cada submontagem mantém-se coesa graças aos rebites mentais denominados junção e automatismo: com muita prática, os conceitos aderem uns aos outros e formam conceitos mais amplos, e sequências de passos são compiladas em um passo único. Assim como as bicicletas são montadas com quadros e rodas, não com tubos e aros, e as receitas ensinam como fazer molhos, não como segurar colheres e abrir vidros, a matemática é aprendida ajustando umas às outras rotinas já mais do que aprendidas. Os professores de cálculo queixam-se de que os alunos acham essa matéria difícil não porque derivadas e integrais sejam conceitos obscuros — eles não passam de taxa e acumulação —, mas porque o cálculo é impossível se as operações algébricas não forem uma segunda natureza, e a maioria dos estudantes começa o curso sem ter aprendido a álgebra apropriadamente, precisando concentrar nela cada gota de sua energia mental. A matemática é impiedosamente cumulativa, a começar da contagem de um a dez.

A psicologia evolucionista tem implicações para a pedagogia que se evidenciam particularmente no ensino da matemática. As crianças americanas encontram-se entre as de pior desempenho no mundo industrializado nos testes de conhecimentos matemáticos. Essas crianças não são estúpidas; o problema é que o sistema educacional ignora a evolução. A filosofia dominante na educação matemática nos Estados Unidos é o construtivismo, uma mistura da psicologia de Piaget com a contracultura e a ideologia pós-modernista. As crianças têm de construir ativamente o conhecimento matemático por si mesmas, em um empreendimento social impelido por discordâncias quanto aos significados dos conceitos. O professor fornece os materiais e o meio social, mas não ensina ou guia a discussão. Exercício e prática, os caminhos para a automação, são chamados de "mecanicistas" e vistos como prejudiciais à compreensão. Como explicou claramente um pedagogo: "Uma zona de construção potencial de um conceito matemático específico é determinada pelas modificações do conceito que as crianças poderiam gerar em uma comunicação interativa, ou como resultado de uma comunicação interativa, no ambiente de aprendizagem matemática". O resultado, declarou outro, é que "é possível alunos construírem por si mesmos as práticas matemáticas que, historicamente, demoraram vários milhares de anos para evoluir".

Como ressalta Geary, o construtivismo tem mérito quando se trata das intuições de números pequenos e da aritmética simples que surgem naturalmente em todas as crianças. Mas essa metodologia não faz caso da diferença entre nosso equipamento original de fábrica e os acessórios que a civilização instala posteriormente. Ajustar nossos módulos mentais para trabalharem com material para o qual não foram destinados é *difícil*. As crianças não veem espontaneamente uma série de contas coloridas como elementos de um conjunto ou os pontos em uma linha como números. Se lhes dermos diversos blocos e lhes dissermos para fazerem alguma coisa juntas, elas exercitarão em toda a plenitude sua física e psicologia intuitivas, mas não necessariamente seu senso numérico intuitivo. (Os melhores currículos salientam explicitamente conexões entre os diversos modos de conhecimento. Pode-se pedir às crianças que efetuem cada problema aritmético de três modos diferentes: contando, desenhando diagramas e movendo segmentos ao longo de uma linha numérica.) E, sem a prática que compila uma hesitante sequência de passos em um reflexo mental, um aprendiz sempre estará construindo estruturas matemáticas a partir dos mais minúsculos parafusos e porcas, como o relojoeiro que nunca fazia submontagens e precisava recomeçar tudo desde o início cada vez que largava o relógio semimontado para atender ao telefone.

O domínio da matemática é imensamente satisfatório, porém é uma recompensa por um trabalho árduo que nem sempre é agradável em si mesmo. Sem o apreço para as duramente conquistadas habilidades matemáticas que é comum em outras culturas, a maestria não tende a florescer nessa disciplina. Lamentavelmente, a mesma história está se repetindo no ensino da leitura nos Estados Unidos. Na técnica dominante, denominada "linguagem integral", a percepção de que a linguagem é um instinto humano que se desenvolve naturalmente foi deturpada, transformando-se na afirmação evolutivamente improvável de que a *leitura* é um instinto humano que se desenvolve naturalmente. A antiquada prática de ligar letras a sons é substituída por um ambiente social rico em textos, e as crianças não aprendem a ler. Sem a compreensão do que a mente foi destinada a fazer no meio em que evoluímos, é improvável o êxito da atividade artificial denominada educação formal.

"Jamais acreditarei que Deus jogou dados com o mundo", foi uma célebre frase de Einstein. Se ele estava ou não certo a respeito da mecânica quântica e do cosmo, sua afirmação seguramente não se aplica aos jogos que as pessoas praticam na vida cotidiana. A vida não é um jogo de xadrez, mas de gamão, com os dados sendo jogados a cada rodada. Consequentemente, é difícil fazer previsões, ainda mais sobre o futuro (como alegou o famoso treinador de beisebol Yogy Berra). Mas em um universo com algumas regularidades, sejam elas quais forem, decisões fundamentadas em informações sobre o passado são melhores do que decisões tomadas aleatoriamente. Isso sempre foi verdade, e seria de esperar que os organismos, em especial os "informatívoros" [*informavore*] como os humanos, tivessem desenvolvido intuições aguçadas sobre probabilidade. Os fundadores da teoria das probabilidades, assim como os fundadores da lógica, supunham estar apenas formalizando o bom-senso.

Mas se é assim, por que as pessoas muitas vezes parecem ter "cegueira para as probabilidades", nas palavras de Massimo Piatelli-Palmarini? Muitos matemáticos e cientistas deploraram o "anumeratismo" [*innumeracy*] das pessoas comuns quando raciocinam sobre riscos. Os psicólogos Amos Tversky e Daniel Kahneman reuniram engenhosas demonstrações de como a compreensão intuitiva das probabilidades pelas pessoas parece zombar dos princípios elementares da teoria das probabilidades. Eis alguns exemplos famosos:

• As pessoas jogam e compram bilhetes da loteria oficial, às vezes chamada de "imposto da estupidez". Mas, como a casa tem de lucrar, os jogadores, em média, têm de perder.

• As pessoas têm mais medo de avião do que de automóvel, especialmente depois de notícias sobre um sangrento acidente aéreo, muito embora as viagens aéreas sejam estatisticamente bem mais seguras. Elas temem a energia nuclear, apesar de mais pessoas serem mutiladas e mortas pelo carvão. Todo ano, mil americanos são eletrocutados acidentalmente, mas os astros de rock não fazem campanhas para reduzir a tensão da rede elétrica doméstica. As pessoas clamam pela proibição de resíduos de pesticidas e aditivos alimentares, embora eles representem riscos mínimos de câncer em comparação com os milhares de carcinógenos naturais que as plantas desenvolveram para deter os insetos que as devoram.

• As pessoas julgam que, se a roda de uma roleta parou no preto seis vezes seguidas, deverá agora parar no vermelho, embora obviamente a roleta não tenha memória e cada giro seja independente. Uma vasta indústria de autoproclamados videntes enxerga, em alucinações, tendências na trajetória aleatória do mercado acionário. Fãs do basquete acreditam que os jogadores têm "mão boa" quando fazem cestas seguidas, embora a série de chuás e enterradas seja indistinguível de uma série de jogadas de cara ou coroa.

• O seguinte problema foi proposto a sessenta estudantes e funcionários da Faculdade de Medicina de Harvard: "Se um teste para detectar uma doença cuja prevalência é de 1/1000 tem uma taxa de falsos positivos de 5%, qual a chance de que uma pessoa para quem se detectou um resultado positivo tenha realmente a doença, supondo que você nada sabe sobre os sintomas e sinais apresentados por essa pessoa?". A resposta mais dada foi 0,95. A resposta média foi 0,56. A resposta correta é 0,2, e apenas 18% dos especialistas a descobriram. A resposta, segundo o teorema de Bayes, pode ser calculada como a taxa de prevalência ou base (1/1000) vezes a sensibilidade do teste ou taxa de acertos (proporção de pessoas doentes cujo teste resulta positivo, presumivelmente 1), dividida pela incidência global de resultados positivos de testes (a porcentagem das vezes em que o teste resulta positivo tanto para pessoas doentes como para sadias — ou seja, a soma das pessoas doentes cujo teste resulta positivo, 1/1000 · 1, e das pessoas sadias cujo teste resulta positivo, 999/1000 · 0,05). Um bicho de sete cabeças do problema está no fato de que muitas pessoas interpretam erroneamente o "índice de falsos positivos" como a proporção dos resultados positivos que provêm de pessoas sadias, em vez de interpretá-lo como a proporção de pessoas sadias para quem o teste resulta positivo. Mas o maior problema é que as pessoas ignoram a taxa-base (1/1000), que deveria tê-las lembrado de que a doença é rara, e portanto improvável para determinado paciente, mesmo se o teste resultar positivo. (Elas aparentemente endossam a falácia de que, como as zebras produzem tropel, todo tropel implica zebras.) Levantamentos demonstraram que muitos médicos apavoram desnecessariamente seus pacientes com testes positivos para uma doença rara.

• Tente este: "Linda tem 31 anos, é solteira, franca e muito inteligente. Seus estudos concentraram-se na área de filosofia. Quando estudante, interessou-se profundamente por questões de discriminação e justiça social e também participou de manifestações antinucleares. Qual a probabilidade de que Linda seja caixa de banco? Qual a probabilidade de que Linda seja caixa de banco e feminista militante?". As pessoas às vezes atribuem uma estimativa maior à probabilidade de que ela seja uma caixa de banco feminista do que à probabilidade de que ela seja caixa de banco. Mas é impossível que "A e B" seja mais provável do que apenas "A".

Quando apresentei essas descobertas em aula, um aluno bradou: "Tenho vergonha da minha espécie!". Muitos outros se envergonham, se não por si mesmos, ao menos pelas pessoas comuns. Tversky, Kahneman, Gould, Piatelli-Palmarini e muitos psicólogos sociais concluíram que a mente não é projetada para entender as leis da probabilidade, muito embora essas leis governem o universo. O cérebro é capaz de processar quantidades limitadas de informações, por isso, em vez de computar teoremas, ele emprega toscas regras práticas. Uma regra é: quanto mais memorável for um evento, maior a probabilidade de ele ocorrer. (Posso lembrar um sangrento acidente aéreo recente, portanto os aviões são inseguros.) Outra é: quanto mais um indivíduo se assemelha a um estereótipo, mais provável é que ele pertença a essa categoria. (Linda enquadra-se mais na imagem que tenho de uma caixa de banco feminista do que na imagem que tenho de uma caixa de banco, portanto é mais provável que ela seja uma caixa de banco feminista.) Livros populares com títulos sinistros espalharam a má notícia: *Irracionalidade: o inimigo interior*; *Ilusões inevitáveis: como erros de raciocínio governam nossa mente*; *Como sabemos o que não é assim: a falibilidade da razão humana na vida cotidiana*. A triste história da tolice e do preconceito humano é atribuída à nossa inépcia como estatísticos intuitivos.

As demonstrações de Tversky e Kahneman estão entre as mais instigantes da psicologia, e os estudos chamaram a atenção para a qualidade intelectual deprimentemente baixa de nosso discurso público sobre o risco social e pessoal. Mas em um mundo probabilístico a mente humana poderia realmente ignorar a probabilidade? As soluções dos problemas que as pessoas erram podem ser calculadas com alguns toques de teclas numa calculadora barata. Muitos animais, até mesmo as abelhas, calculam probabilidades com precisão quando procuram alimento. Essas computações poderiam realmente exceder a capacidade de processamento de informações do cérebro humano com seus trilhões de sinapses? É difícil de acreditar e não é preciso acreditar. O raciocínio das pessoas não é tão estúpido quanto pode parecer à primeira vista.

Para começar, muitas escolhas que envolvem risco são apenas isso, escolhas, e não podem ser contestadas. Considere os jogadores, os que têm fobia de avião e os que evitam as substâncias químicas. Eles são realmente *irracionais*? Algumas pessoas têm prazer aguardando os resultados de eventos que poderiam melhorar radicalmente suas vidas. Há quem deteste ser amarrado dentro de um tubo e ser inundado com pensamentos sobre um modo aterrador de morrer. E há os que não gostam de ingerir alimentos deliberadamente temperados com veneno (assim como algumas pessoas poderiam preferir não comer um hambúrguer fortificado com inofensiva carne de minhoca). Nada há de irracional em qualquer uma dessas escolhas, não mais do que em preferir um sorvete de baunilha a um de chocolate.

O psicólogo Gerd Gigerenzer, juntamente com Cosmides e Tooby, observou que, mesmo quando as avaliações de probabilidade das pessoas afastam-se da verdade, seu raciocínio pode não ser ilógico. Nenhuma faculdade mental é onisciente. A visão em cores é enganada pelas luzes de vapor de sódio na rua, mas isso não significa que a visão tem um design ruim. Ela comprovadamente tem um bom design, muito mais do que o de qualquer câmera, quando se trata de registrar cores constantes com iluminação variável (ver capítulo 4). Mas ela deve seu sucesso nesse problema insolúvel a suposições tácitas sobre o mundo. Quando as suposições são violadas em um mundo artificial, a visão em cores falha. O mesmo talvez se aplique a nossos estimadores de probabilidade.

Considere a célebre "falácia do jogador": esperar que uma série de caras sucessivas aumente a probabilidade de sair coroa, como se a moeda tivesse memória e o desejo de ser justa. Recordo-me, com vergonha, de um incidente durante uma temporada de férias com a família quando eu era adolescente. Meu pai mencionou que havíamos penado com vários dias chuvosos e por isso agora o tempo deveria melhorar, e eu o corrigi, acusando-o da falácia do jogador. Mas o paciente Papai estava certo e seu filho sabichão, errado. As frentes frias não são raspadas da Terra no fim do dia e substituídas por novas frentes frias na manhã seguinte. Uma cobertura de nuvens tem de possuir tamanho, velocidade e direção médios, e não me surpreenderia (hoje) se uma semana de tempo encoberto de fato permitisse prever que o final da frente está próxima e o Sol está prestes a ser desmascarado, exatamente como o centésimo vagão de um trem que passa pressagia o vagão da cozinha com probabilidade maior do que o terceiro vagão.

Muitos eventos funcionam dessa forma. Têm uma história de vida característica, uma probabilidade mutável de ocorrer ao longo do tempo que os estatísticos denominam função de risco. Um observador astuto *deve* cometer a falácia do jogador e tentar prever a próxima ocorrência de um evento com base no histórico do evento até então, um tipo de estatística chamada análise de série temporal. Há uma exceção: dispositivos que são *projetados* para fornecer eventos independentemente da história destes. Que tipo de dispositivo faria isso? Nós os chamamos de máquinas de jogar. Sua razão de existir é lograr um observador que gosta de transformar padrões em previsões. Se nosso amor pelos padrões fosse despropositado porque a aleatoriedade existe por toda parte, seria fácil construir máquinas de jogar e fácil ludibriar os jogadores. De fato, roletas, máquinas caça-níqueis, até mesmo dados, cartas de baralho e moedas são instrumentos de precisão; requerem muitos cuidados na fabricação e é fácil derrotá-los. Os contadores de cartas que "cometem a falácia do jogador" no vinte e um lembrando as cartas que já foram dadas e apostando que elas não tornarão a aparecer tão cedo são o flagelo de Las Vegas.

Assim, em qualquer mundo, exceto o cassino, a falácia do jogador raramente é uma falácia. De fato, chamar de falazes nossas previsões intuitivas porque elas falham com as máquinas de jogar é inverter as coisas. Uma máquina de jogar é, por definição, um instrumento projetado para derrotar nossas previsões intuitivas. É como dizer que nossas mãos foram mal projetadas porque elas dificultam livrar-se das algemas. O mesmo vale para a ilusão da mão boa no basquete e outras falácias entre os fãs do esporte. Se os arremessos do basquete fossem facilmente previsíveis, não mais o consideraríamos um esporte. Um mercado acionário eficiente é outra invenção destinada a sobrepujar a detecção de padrões dos humanos. Ele é concebido para permitir que os negociadores rapidamente capitalizem com os desvios de um *random walk** e, portanto, os anulem.

Outras supostas falácias também podem ser desencadeadas por novidades evolutivas que ludibriam nossos calculadores de probabilidades em vez de resultar de incapacitantes defeitos de design. "Probabilidade" tem muitos significados. Um deles é a frequência relativa no longo prazo. "A probabilidade de que a moeda cairá em cara é 0,5" significaria que, em uma centena de jogadas, haverá cinquenta caras. Outra acepção é a confiança subjetiva

---

(*) *Random walk*: teoria segundo a qual os preços das ações não têm relação com os preços passados e sim com as informações que chegam ao mercado aleatoriamente, sendo por isso tão previsíveis quanto o andar de um bêbado. (N. T.)

quanto ao resultado de um único evento. Neste sentido, "a probabilidade de que a moeda cairá em cara é 0,5" significaria que, em uma escala de 0 a 1, nossa confiança de que na próxima jogada sairá cara está a meio caminho entre a certeza de que isso acontecerá e a certeza de que não acontecerá.

Números referentes à probabilidade de um único evento, que só têm sentido como estimativas de confiança subjetiva, são muito comuns hoje em dia: a probabilidade de que amanhã chova é de 30%; os Canadiens são favoritos para derrotar os Mighty Ducks hoje à noite, com chances de cinco para três. Mas a mente pode ter evoluído para julgar que as probabilidades são frequências relativas no longo prazo, e *não* números que expressam a confiança em um evento único. A matemática das probabilidades só foi concebida no século XVII, e o uso de proporções ou porcentagens para expressá-las surgiu ainda mais tarde. (As porcentagens vieram depois da Revolução Francesa, com o restante do sistema métrico, sendo usadas a princípio para taxas de juros e alíquotas fiscais.) Ainda mais moderno é o input para as fórmulas de probabilidade: dados coletados por equipes, registrados por escrito, conferidos para detectar erros, acumulados em arquivos, computados e ponderados para produzir números. O equivalente mais próximo para nossos ancestrais teria sido o boato de validade desconhecida, transmitido com rótulos grosseiros como *provavelmente*. As probabilidades utilizáveis de nossos ancestrais devem ter provindo de sua própria experiência, o que significa que elas eram frequências: ao longo dos anos, cinco das oito pessoas que foram acometidas com uma erupção purpúrea morreram no dia seguinte.

Gigerenzer, Cosmides, Tooby e o psicólogo Klaus Fiedler observaram que o problema da decisão médica e o problema de Linda demandam probabilidades de evento único: qual a probabilidade de que *este paciente* esteja doente, qual a probabilidade de que *Linda* seja caixa de banco. Um instinto de probabilidade que funcionasse em frequências relativas poderia julgar que a questão está além de sua alçada. Existe apenas uma Linda, e ela ou é caixa de banco ou não é. "A probabilidade de que ela seja caixa de banco" é impossível de calcular. Assim, eles propuseram os problemas desconcertantes às pessoas, mas os apresentaram em termos de frequências e não de probabilidades de evento único. Um em cada mil americanos tem a doença; cinquenta em cada mil pessoas sadias têm resultado positivo no teste; reunimos mil americanos; quantos dos que têm resultado positivo no teste têm a doença? Cem pessoas enquadram-se na descrição de Linda; quantas são caixas de banco; quantas são caixas de banco feministas? Desta vez, a maioria das pessoas — até 92% — comportaram-se como bons estatísticos.

Essa terapia cognitiva tem implicações imensas. Muitos homens com resultado positivo em testes de HIV (o vírus da AIDS) têm por certo que estão condenados. Alguns tomam decisões extremas, inclusive o suicídio, apesar de seguramente saberem que a maioria dos homens não têm AIDS (especialmente os que não se encontram em um grupo de risco conhecido) e que nenhum teste é perfeito. Mas é difícil para médicos e pacientes usarem esse conhecimento para aferir a chance de estar infectado, mesmo quando as probabilidades são conhecidas. Por exemplo, em anos recentes, a prevalência do HIV em homens alemães não pertencentes a grupos de risco é de 0,01%, a sensibilidade (taxa de acertos) de um teste típico de HIV é de 99,99% e a taxa de falsos positivos talvez seja de 0,01%. As perspectivas de um paciente com resultado positivo no teste não parecem muito boas. Mas agora imagine que um médico aconselhasse assim um paciente: "Pense em 10 mil homens heterossexuais como você. Esperamos que um esteja infectado pelo vírus, e ele quase certamente terá resultado positivo no teste. Dos 9999 homens que não estão infectados, mais um homem terá resultado positivo no teste. Portanto, teremos dois com resultado positivo, mas apenas um deles tem o vírus. Tudo o que sabemos até agora é que seu teste deu positivo. Portanto, a chance de que você realmente tenha o vírus é de aproximadamente 50-50". Gigerenzer descobriu que, quando as probabilidades são apresentadas dessa maneira (como frequências), as pessoas, inclusive os especialistas, são imensamente mais precisas na estimativa da probabilidade de uma doença depois de um teste médico. O mesmo vale para outras avaliações em condições de incerteza, como a culpa em um julgamento criminal.

Gigerenzer afirma que a igualação intuitiva de probabilidade com frequência não só leva as pessoas a calcular como estatísticos, mas também a pensar como estatísticos a respeito do próprio conceito de probabilidade — uma ideia surpreendentemente ardilosa e paradoxal. O que *significa* a probabilidade de um único evento? Corretores de apostas tendem a inventar números inescrutáveis como, por exemplo, "as chances de que Michael Jackson e LaToya Jackson sejam a mesma pessoa são de quinhentos para um", ou "as chances de que os círculos nos trigais emanem de Fobos (uma das luas de Marte) são de mil para um". Certa vez, li uma manchete de jornal sensacionalista anunciando que as chances de que Mikhail Gorbachov seja o anticristo são de uma em 8 trilhões. Essas afirmações são verdadeiras? Falsas? Aproximadamente verdadeiras? Como poderíamos saber? Um colega me disse que é de 95% a probabilidade de que ele compareça à minha palestra. Ele não aparece. Estava mentindo?

Você talvez esteja pensando: muito bem, então a probabilidade de um evento único é apenas confiança subjetiva, mas não será racional aferir a confiança segundo a frequência relativa? Se as pessoas comuns não fazem desse modo, elas não seriam irracionais? Ah, mas a frequência relativa do quê? Para contar frequências, você precisa decidir sobre uma classe de eventos a serem contados, e um evento único pertence a um número infinito de classes. Richard von Mises, um pioneiro da teoria da probabilidade, dá um exemplo.

Em uma amostra de mulheres americanas entre 35 e cinquenta anos, quatro em cada cem desenvolvem câncer de mama no decorrer de um ano. A sra. Smith, americana de 49 anos, tem, portanto, 4% de probabilidade de ter câncer de mama no próximo ano? Não há resposta. Suponhamos que em uma amostra de mulheres entre 45 e noventa anos — uma classe à qual a sra. Smith também pertence — onze em cada cem desenvolvam câncer de mama em um ano. As chances da sra. Smith são de 4% ou de 11%? Suponhamos que sua mãe tivesse câncer de mama e que 22 em cada cem mulheres entre 45 e noventa anos cujas mães tiveram a doença a desenvolverão. As chances da sra. Smith são de 4%, 11% ou 22%? Ela também fuma, mora na Califórnia, teve dois filhos antes dos 25 anos e um depois dos quarenta, é descendente de gregos... Com que grupo devemos compará-la a fim de calcular suas "verdadeiras" probabilidades? Você poderia pensar que, quanto mais específica for a classe, melhor — mas, quanto mais específica a classe, menor seu tamanho e menos confiável a frequência. Se houvesse apenas duas pessoas no mundo parecidíssimas com a sra. Smith e uma contraísse câncer de mama, alguém diria que as chances da sra. Smith são de 50%? No limite, a única classe realmente comparável à sra. Smith em todos os detalhes é a classe composta da própria sra. Smith. Porém, em uma classe de um indivíduo, "frequência relativa" não tem sentido.

Essas questões filosóficas sobre o significado de probabilidade não são acadêmicas; elas afetam cada decisão que tomamos. Quando um fumante racionaliza que seus pais, de noventa anos, vêm fumando um maço por dia há décadas, portanto as probabilidades de âmbito nacional não se aplicam a ele, o fumante pode muito bem ter razão. Na eleição presidencial de 1996, a idade avançada do candidato republicano entrou em debate. O *New Republic* publicou a seguinte carta:

> Aos Editores:
> Em seu editorial "Dole é velho demais?" (1º de abril) suas informações atuariais são enganosas. O homem branco médio de 72 anos pode ter uma probabilidade de 27% de morrer no decorrer de cinco anos, porém mais do que saúde e sexo têm de ser levados em consideração. Os que ainda estão na ativa, como o senador Bob Dole, têm longevidade muito maior. Além disso, as estatísticas mostram que mais riqueza correlaciona-se a uma vida mais longa. Levando em conta essas características, o homem médio de 73 anos (a idade que

Dole teria se tomasse posse como presidente) tem 12,7% de probabilidade de morrer no decorrer de quatro anos.

Sim, e quanto ao homem médio saudável de 73 anos, branco, na ativa, natural do Kansas, não fumante, que foi forte o suficiente para sobreviver a um projétil de artilharia? Uma diferença ainda mais dramática veio à luz durante o julgamento de O. J. Simpson por assassinato, em 1995. O advogado Alan Dershowitz, consultor da defesa, disse na televisão que, entre os homens que espancavam a esposa, apenas um décimo de 1% acabam por assassiná-la. Em uma carta à *Nature*, um estatístico salientou então que, dos homens que espancavam a esposa *e cujas esposas acabam assassinadas por alguém*, mais da *metade* são os assassinos.

Muitos teóricos da probabilidade concluem que a probabilidade de um único evento não pode ser computada; toda a questão é sem sentido. Probabilidades de evento único são "um disparate", disse um matemático. Deveriam ser objeto "da psicanálise, e não da teoria das probabilidades", desdenhou outro. Não é que as pessoas podem acreditar em qualquer coisa que desejarem no que diz respeito a um evento único. As afirmações de que é mais provável eu perder do que ganhar uma luta contra Mike Tyson ou de que provavelmente não serei sequestrado por extraterrestres esta noite não são sem sentido. Mas não são *afirmações matemáticas* que sejam precisamente verdadeiras ou falsas, e as pessoas que as questionarem não terão cometido uma falácia elementar. As afirmações sobre eventos únicos não podem ser decididas por uma calculadora; têm de ser debatidas pesando as evidências, avaliando o poder de persuasão dos argumentos, remodelando as afirmações para facilitar sua avaliação e todos os outros processos falíveis pelos quais os seres mortais fazem suposições indutivas sobre um futuro impenetrável.

Portanto, até mesmo o mais boçal desempenho na galeria das vergonhas do *Homo sapiens* — dizer que é mais provável Linda ser uma caixa de banco feminista do que uma caixa de banco — não é uma falácia, segundo muitos matemáticos. Como uma probabilidade de evento único é matematicamente sem sentido, as pessoas são forçadas a entender a questão da melhor maneira que puderem. Gigerenzer aventa que, como as frequências são discutíveis e as pessoas não atribuem intuitivamente números a eventos únicos, elas podem mudar para uma terceira definição, não matemática, de probabilidade: "grau de crença justificado pela informação que acaba de ser apresentada". Essa definição encontra-se em muitos dicionários e é usada em muitos tribunais, onde corresponde a conceitos como justificativa putativa, valoração da prova e grande dúvida. Se questões sobre probabilidades de evento único empurram as pessoas para essa definição — uma interpretação que seria natural as pessoas fazerem se supusessem, muito sensatamente, que o experimentador incluíra o esboço de Linda com algum objetivo —, elas teriam interpretado a questão como: "Em que medida as informações fornecidas sobre Linda justificam a conclusão de que ela é caixa de banco?". E uma resposta sensata é: "Não muito".

Um último ingrediente de enorme influência no conceito de probabilidade é a crença em um mundo estável. Uma inferência probabilística é uma previsão feita hoje baseada em frequências coligidas ontem. Mas aquilo foi antes; isto é agora. Como você sabe que o mundo não mudou nesse ínterim? Os filósofos da probabilidade debatem se *alguma* crença em probabilidades é verdadeiramente racional em um mundo mutável. Os atuários e companhias de seguro preocupam-se mais ainda — seguradoras vão à falência quando um evento atual ou uma mudança no estilo de vida torna obsoletas suas tabelas. Psicólogos sociais apontam o tolo que evita comprar um carro com excelentes estatísticas de manutenção depois de ficar sabendo que o carro de seu vizinho, daquele modelo, quebrou ontem. Gigerenzer faz a comparação com uma pessoa que evita deixar seu filho brincar em um rio sem registro de acidentes anteriores depois de ficar sabendo que o filho de um vizinho foi atacado ali por um crocodilo naquela manhã. A diferença entre os cenários (sem mencionar as consequências drásticas) está em que julgamos que o mundo dos automóveis é estável, portanto as estatísticas são aplicáveis, mas o mundo do rio mudou, portanto as velhas estatísticas são discutíveis. A pessoa comum que atribui a uma história recente um peso maior do que a uma resma de estatísticas não está necessariamente sendo irracional.

É claro que às vezes as pessoas raciocinam falazmente, ainda mais considerando a avalanche de dados atual. E é claro que todo mundo deveria aprender probabilidade e estatística. Mas uma espécie que não possuísse um instinto para a probabilidade não poderia aprender a matéria, e muito menos inventá-la. E quando se dá às pessoas uma informação em um formato que combina com o modo como elas naturalmente pensam sobre probabilidade, elas podem ser notavelmente precisas. A afirmação de que nossa espécie é cega para a probabilidade, como dizem, provavelmente não é verdadeira.

A MENTE METAFÓRICA

Estamos quase prontos para desfazer o paradoxo de Wallace de que a mente de um coletor de alimentos é apta para o cálculo. A mente humana, como vimos, não é equipada com uma faculdade evolutivamente frívola para dedicar-se à ciência, à matemática, ao xadrez ou a outras diversões do Ocidente. Ela *é* equipada com faculdades para dominar o meio local e sobrepujar em astúcia as plantas e animais desse meio. As pessoas formam conceitos que identificam os agrupamentos na textura correlativa do mundo. Possuem vários modos de conhecer, ou teorias intuitivas, adaptados aos principais tipos de entidades encontradas na experiência humana: objetos, coisas animadas, tipos naturais, artefatos, mentes e os laços e forças sociais que exploraremos nos dois próximos capítulos. Elas manejam instrumentos de inferência como os elementos da lógica, aritmética e probabilidade. O que desejamos saber agora é de onde vieram essas faculdades e como elas podem ser aplicadas aos desafios intelectuais modernos.

Eis uma ideia, inspirada em uma descoberta da linguística. Ray Jackendoff chama a atenção para sentenças como as seguintes:

O mensageiro *foi de* Paris *a* Istambul.
A herança finalmente *foi para* Fred.
A luz *foi de* verde *a* vermelha.
A reunião *foi das* 3h *às* 4h.

A primeira sentença é direta: alguém se desloca de um lugar para outro. Nas outras, porém, as coisas não se movem. Fred poderia ter se tornado milionário quando o testamento foi lido mesmo se nenhuma nota mudasse de mãos mas fosse feita uma transferência para sua conta bancária. Semáforos são fixos na calçada e não viajam, e reuniões nem ao menos são coisas que *podem* viajar. Estamos usando espaço e movimento como uma metáfora para ideias mais abstratas. Na sentença de Fred, posses são objetos, proprietários são lugares e dar é mover. No caso do semáforo, uma coisa mutável é o objeto, seus estados (vermelho e verde) são lugares e mudar é mover. Quanto à reunião, o tempo é uma linha, o presente é um ponto móvel, os eventos são jornadas, começos e fins são origens e destinos.

A metáfora espacial é encontrada não só nas conversas sobre mudanças mas também quando falamos de estados inalteráveis. Pertencer, estar e fixar horários são concebidos como se fossem marcos situados em um local:

O mensageiro *está em* Istambul.
O dinheiro *está* em nome de Fred.
O sinal *está* vermelho.
A reunião *está* uma hora atrasada.

A metáfora também funciona em sentenças sobre fazer com que alguma coisa permaneça em determinado estado:

A gangue *manteve* o mensageiro em Istambul.
Fred *manteve* o dinheiro na conta.
O guarda de trânsito *manteve* o sinal vermelho.
Emílio *manteve* a data da reunião na segunda-feira.

Por que fazemos essas analogias? Não é só para cooptar palavras, mas para cooptar seu instrumental de inferência. Algumas deduções aplicáveis a movimento e espaço também se aplicam muito bem a posse, circunstâncias e tempo. Isso permite que o instrumental dedutivo para o espaço seja tomado de empréstimo para raciocinar sobre outros assuntos. Por exemplo, se sabemos que X foi para Y, podemos inferir que X não estava em Y antes, mas está agora. Por analogia, se sabemos que um bem foi para uma pessoa, podemos inferir que a pessoa não possuía aquele bem antes, mas o possui agora. A analogia é estreita, embora nunca seja exata: à medida que um mensageiro prossegue na viagem, vai ocupando uma série de locais entre Paris e Istambul, mas quando Fred herda o dinheiro este não passa gradualmente para suas mãos em graus variados à medida que o testamento é lido; a transferência é instantânea. Portanto, não se pode permitir que o conceito de localização funda-se com os conceitos de posse, circunstância e tempo, mas ele pode emprestar-lhes algumas de suas regras de inferência. Esse compartilhamento é o que torna as analogias entre localização e outros conceitos *úteis* para alguma coisa, e não apenas semelhanças que nos chamam a atenção.

A mente expressa conceitos abstratos em termos concretos. Tomam-se de empréstimo para as metáforas não apenas palavras, mas construções gramaticais inteiras. A construção com dois objetos — *Minnie mandou a bola para Mary* — destina-se a sentenças relacionadas a dar. Mas a construção pode ser cooptada para falar sobre comunicação:

Minnie contou uma história para Mary.
Alex fez uma pergunta para Annie.
Carol escreveu uma carta para Connie.

Ideias são dadas, comunicar é dar, quem fala é o remetente, quem ouve é o beneficiário, conhecer é ter.

A localização no espaço é uma das duas metáforas fundamentais na linguagem, empregada para milhares de significados. A outra é força, atividade e causação. Leonard Talmy salienta que, em cada um dos pares a seguir, as duas sentenças referem-se ao mesmo evento, mas os eventos nos parecem diferentes:

A bola estava rolando pela grama.
A bola continuou rolando pela grama.

John não sai de casa.
John não pode sair de casa.

Larry não fechou a porta.
Larry absteve-se de fechar a porta.

Shirley trata-o com cortesia.
Shirley trata-o com civilidade.

Margie teve de ir ao parque.
Margie acabou indo ao parque.

A diferença é que a segunda sentença nos faz pensar em um agente exercendo força para vencer resistência ou superar alguma outra força. No caso da segunda sentença que menciona bola na grama, a força é realmente uma força física. Mas com John a força é um *desejo*: um desejo de sair que foi refreado. Analogamente, o segundo Larry parece abrigar uma força psíquica que o impele a fechar a porta e outra força psíquica que supera a primeira. No caso de Shirley, essas psicodinâmicas são transmitidas pela mera escolha da palavra *civilidade*. Na primeira sentença sobre Maggie, ela é impelida ao parque por uma força externa apesar de uma resistência interna. Na segunda, ela é impelida por uma força interna que supera uma resistência externa.

A metáfora da força e resistência é ainda mais explícita na família de sentenças a seguir:

Fran forçou a porta até que ela abrisse.
Fran forçou Sally a ir.
Fran forçou-se a ir.

A mesma palavra, *força*, está sendo usada em acepções literal e metafórica, com um fio comum de significado que avaliamos facilmente. Sentenças sobre movimento e sentenças sobre desejo aludem, ambas, a uma dinâmica do tipo bola de bilhar na qual um antagonista tem uma tendência intrínseca ao movimento ou repouso e é oposto por um antagonista mais fraco ou mais forte, fazendo com que um ou ambos parem ou prossigam. É a teoria do ímpeto que examinei no início do capítulo, o cerne da teoria intuitiva da física.

Espaço e força permeiam a linguagem. Muitos cientistas cognitivos (inclusive eu mesmo) concluíram, com base em seus estudos sobre a linguagem, que um punhado de conceitos sobre lugares, trajetórias, movimentos, atividade e causação fundamentam os significados literais ou figurativos de dezenas de milhares de palavras e construções, não apenas em inglês mas em todas as demais línguas que foram pesquisadas. A ideia que fundamenta a sentença *Minnie deu a casa para Mary* seria algo como "Minnie causa [casa passar-da-posse de Minnie para a de Mary]". Esses conceitos e relações parecem ser o vocabulário e a sintaxe do mentalês, a linguagem do pensamento. Como a linguagem do pensamento é combinatória, esses conceitos elementares podem ser combinados em ideias cada vez mais complexas. A descoberta de porções do vocabulário e sintaxe do mentalês é uma confirmação do "pensamento notável" de Leibniz: "que um tipo de alfabeto de pensamentos humanos possa ser encontrado e que tudo possa ser descoberto e julgado em comparação com as letras desse alfabeto e uma análise das palavras feitas com elas". E a descoberta de que os elementos do mentalês têm por base lugares e projéteis tem implicações tanto para a origem da linguagem do pensamento como para o modo como a empregamos na atualidade.

Outros primatas podem não pensar em histórias, heranças, reuniões e sinais de trânsito, mas pensam em rochas, paus e tocas. A mudança evolutiva frequentemente ocorre mediante a cópia de partes do corpo e modificação dessa cópia. Por exemplo, partes da boca dos insetos são pernas modificadas. Um processo semelhante pode ter nos dado nossa linguagem do pensamento. Suponhamos que circuitos ancestrais para raciocinar sobre espaço e força fossem copiados, que as conexões da cópia com os olhos e músculos fossem cortadas e as referências ao mundo físico se esvaecessem. Os circuitos poderiam servir de andaimes cujas fendas são preenchidas com símbolos para preocupações mais abstratas como estados, bens, ideias e desejos. Os circuitos conservariam suas capacidades computacionais, continuando a fazer suposições sobre entidades se encontrarem em um estado em um dado momento, passarem de um estado a outro e superarem entidades com valência oposta. Quando um novo domínio abstrato possui uma estrutura lógica que reflete objetos em movimento — um semáforo apresenta uma cor por vez, mas se alterna entre as cores mostradas; interações sociais contestadas são determinadas pela mais forte dentre duas vontades —, os velhos circuitos podem fazer um proveitoso trabalho de inferência. Revelam sua linhagem de simuladores de espaço e força com as metáforas que eles induzem, uma espécie de órgão cognitivo vestigial.

Existem razões para crer que foi assim que se desenvolveu nossa linguagem do pensamento? Algumas. Os chimpanzés, e presumivelmente o ancestral comum do chimpanzé e do homem, são curiosos manipuladores de objetos. Quando são treinados para usar símbolos ou gestos, podem fazer com que estes representem o evento de ir a algum lugar ou pôr um objeto em algum lugar. O psicólogo David Premack demonstrou que os chimpanzés conseguem isolar causas. Quando lhes é dado um par de figuras do tipo "antes e depois", como uma maçã e duas metades de maçã ou uma folha de papel rabiscada ao lado de uma em branco, eles apontam o objeto que causou a mudança, uma faca no primeiro caso e uma borracha no segundo. Portanto, não só os chimpanzés realmente manobram no mundo físico, mas também têm pensamentos independentes sobre ele. Talvez os circuitos que fundamentam esses pensamentos tenham sido cooptados em nossa linhagem para tipos de causação mais abstratos.

Como sabemos que as mentes de seres humanos vivos realmente avaliam os paralelos entre, digamos, pressão social e física, ou entre espaço e tempo? Como sabemos que as pessoas não estão apenas empregando metáforas mortas sem compreensão, como quando falamos sobre desjejum sem pensar no termo como "anular o jejum"? Para começar, metáforas de espaço e força têm sido reinventadas vezes sem conta, em dezenas de famílias de línguas do mundo inteiro. Evidências ainda mais sugestivas encontram-se em meu próprio campo de pesquisa, a aquisição da língua pela criança. A psicóloga Melissa Bowerman descobriu que os pré-escolares espontaneamente cunham *suas próprias* metáforas nas quais espaço e movimento simbolizam posse, circunstância, tempo e causação:

You put me just bread and butter. [Ponha só pão com manteiga para mim.]
Mother takes ball away from boy and puts it to girl. [Mãe tira a bola do menino e põe para a menina.]

I'm taking these cracks bigger. [Estou tirando maiores estas fendas (ao descascar amendoim).]
I putted part of the sleeve blue so I crossed it out with red. [Pus parte da manga azul e por isso cruzei com vermelho (ao pintar).]

Can I have any reading behind the dinner? [Pode ler para mim atrás do jantar?]
Today we'll be packing because tomorrow there won't be enough space to pack. [Arrumaremos as malas hoje porque amanhã não haverá espaço suficiente para arrumar.]
Friday is covering Saturday and Sunday so I can't have Saturday and Sunday if I don't go through Friday. [Sexta-feira está cobrindo sábado e domingo, por isso não posso ter sábado e domingo se não passar por sexta-feira.]

My dolly is scrunched from someone... but not from me. [Minha bonequinha está esmagada de alguém... mas não de mim.]
They had to stop from a red light. [Eles tiveram de parar de um sinal vermelho.]

As crianças não poderiam ter herdado essas metáforas de falantes ancestrais; a igualação de espaço com ideias abstratas ocorreu-lhes naturalmente.

Espaço e força são tão básicos para a linguagem que quase nem são metáforas, pelo menos não no sentido dos recursos literários empregados na poesia e na prosa. *Não* há como falar em posse, circunstância e tempo na conversa comum sem empregar palavras como *ir*, *manter* e *estar em*. E as palavras não provocam a sensação de incongruência que governa uma metáfora literária genuína. Todos sabemos quando estamos diante de uma figura de linguagem. Como salienta Jackendoff, é natural dizer: "É claro que o mundo não é *realmente* um palco, mas, se fosse, poderíamos dizer que a infância é o primeiro ato". Mas seria bizarro dizer: "É claro que as reuniões não são *realmente* pontos em movimento, mas, se fossem, poderíamos dizer que este foi das 3h às 4h". Os modelos de espaço e força não atuam como figuras de linguagem destinadas a transmitir novos insights; eles parecem mais próximos ao próprio veículo do pensamento. Desconfio que partes de nosso equipamento mental para o tempo, os seres animados, as mentes e as relações sociais foram, no decorrer da nossa evolução, copiadas e modificadas do módulo para a física intuitiva que compartilhamos parcialmente com os chimpanzés.

Metáforas podem ser criadas a partir de metáforas, e continuamos a tomar emprestado de pensamentos concretos quando estendemos nossas ideias e palavras para abranger novas esferas. Em algum ponto entre as construções básicas para espaço e tempo na língua inglesa e as glórias de Shakespeare existe um vasto inventário de metáforas corriqueiras que expressam o grosso de nossa experiência. George Lakoff e o linguista Mark Johnson reuniram uma lista de "metáforas pelas quais nos orientamos" — igualações mentais que abrangem dezenas de expressões:

ARGUMENTAÇÃO É GUERRA:
Suas alegações são *indefensáveis*.
Ele *atacou* cada ponto *fraco* de minha argumentação.
Suas críticas foram *direto ao alvo*.
Eu nunca *ganhei* uma discussão com ele.

A VIRTUDE É ELEVADA:
Ele tem *altos* princípios.
Ela é uma cidadã *eminente*.
Esse foi um golpe *baixo*.
Não aja *por baixo* do pano.
Não vou me *rebaixar* a isso.

O AMOR É PACIENTE:
Esse relacionamento é *doentio*.
Eles têm um casamento *saudável*.
Esse casamento *está* morto. Não pode ser *revivido*.
É uma relação *esgotada*.

IDEIAS SÃO ALIMENTO:
O que ele disse *deixou-me um gosto amargo na boca*.

Todo o artigo consiste em ideias muito *cruas* e *requentadas*.
Não consigo *engolir* essa afirmação.
Isso *alimenta* o espírito.

Quando você começa a notar essa poesia vulgar, encontra-a por toda parte. Ideias não são apenas alimentos mas também edifícios, pessoas, plantas, produtos, mercadorias, dinheiro, instrumentos e modas. O amor é uma força, loucura, mágica e guerra. O campo visual é um recipiente, o amor-próprio é um objeto quebradiço, tempo é dinheiro, a vida é um jogo de azar.

A ubiquidade das metáforas nos deixa mais próximos da resolução do paradoxo de Wallace. A resposta à pergunta "Por que a mente humana é adaptada para pensar sobre entidades abstratas arbitrárias?" é que, na verdade, ela não é. Ao contrário dos computadores e das regras da lógica matemática, não pensamos em termos de F, x e y. Herdamos um bloco de formulários que captam as características principais dos encontros entre objetos e forças, bem como as características de outros temas importantes da condição humana, tais como luta, alimento e saúde. Apagando o que está gravado e preenchendo os claros com novos símbolos, podemos adaptar nossos formulários herdados a esferas mais abstrusas. Algumas dessas revisões podem ter ocorrido em nossa evolução, fornecendo-nos categorias mentais básicas como propriedade, tempo e vontade a partir de formulários originalmente destinados à física intuitiva. Outras revisões acontecem ao longo de nossa vida, quando nos vemos às voltas com novas áreas de conhecimento.

Até o mais intricado raciocínio científico é uma reunião de metáforas mentais corriqueiras. Arrancamos nossas faculdades dos domínios nos quais elas se destinam a trabalhar e usamos seu instrumental para compreender novos domínios que abstratamente se assemelham aos antigos. As metáforas que guiam nosso pensamento são retiradas não só de cenários básicos como mover e colidir, mas de modos de conhecer inteiros. Na biologia acadêmica, servimo-nos de nosso modo de conhecer os artefatos para aplicá-lo aos organismos. Na química, tratamos a essência de um tipo natural como uma coleção de objetos minúsculos que ricocheteiam e aderem. Na psicologia, tratamos a mente como um tipo da natureza.

O raciocínio matemático ao mesmo tempo é recebedor e fornecedor de outras partes da mente. Graças aos grafos, nós, primatas, entendemos matemática com nossos olhos e com o olho da mente. Funções são formas (lineares, planas, inclinadas, cruzadas, uniformes) e operar é rabiscar em imagens mentais (girar, extrapolar, intercalar, traçar). Em troca, o pensamento matemático oferece novos modos de entender o mundo. Galileu escreveu que "o livro da natureza está escrito na linguagem da matemática; sem a ajuda desta, é impossível compreender uma só palavra dele".

A máxima de Galileu aplica-se não só a quadros-negros repletos de equações no departamento de física mas a verdades elementares que aceitamos sem questionar. As psicólogas Carol Smith e Susan Carey descobriram que as crianças têm crenças singulares sobre a matéria. As crianças sabem que um monte de arroz tem algum peso, mas afirmam que um grão de arroz não tem peso algum. Quando lhes pedem para imaginar que estão cortando um pedaço de aço na metade repetidamente, elas dizem que por fim chegarão a um pedaço tão pequeno que não mais ocupará espaço nem terá aço algum dentro. As crianças não são ruins da cabeça. Cada evento físico possui um limiar abaixo do qual nenhuma pessoa ou dispositivo pode detectá-lo. A divisão repetida de um objeto resulta em objetos pequenos demais para ser detectados; uma coleção de objetos onde cada item encontra-se abaixo do limiar pode ser detectável em massa. Smith e Carey observam que julgamos tolas as crenças das crianças porque somos capazes de imaginar a matéria usando nosso conceito de número. Só no reino da matemática a divisão repetida de uma quantidade positiva sempre produz uma quantidade positiva e a adição repetida de zero sempre produz zero. Nossa compreensão do mundo físico é mais refinada do que a das crianças porque mesclamos nossas intuições sobre os objetos com nossas intuições numéricas.

Portanto, a visão foi cooptada para o pensamento matemático, o qual nos ajuda a ver o mundo. A compreensão educada é um enorme dispositivo de partes dentro de partes. Cada parte é construída com modelos mentais ou modos de conhecer básicos que são copiados, têm seus conteúdos originais apagados, são conectados a outros modelos e embalados em partes maiores, as quais podem ser embaladas em partes ainda maiores, sem limites. Como os pensamentos humanos são combinatórios (partes simples combinam-se) e recursivos (partes simples podem ser embutidas em partes), amplitudes empolgantes de conhecimento podem ser exploradas com um estoque finito de instrumentos mentais.

HEURECA!

E quanto ao gênio? Como a seleção natural pode explicar um Shakespeare, um Mozart, um Einstein, um Abdul-Jabbar? Como Jane Austen, Vincent van Gogh ou Thelonius Monk teriam ganho a vida na savana do Plistoceno?

Todos somos criativos. Cada vez que enfiamos um objeto conveniente sob a perna de uma mesa que balança ou que pensamos num jeito novo de subornar uma criança para que ela vista o pijama, usamos nossas faculdades para criar um resultado singular. Mas os gênios criativos distinguem-se não só por suas obras extraordinárias mas também por seu modo extraordinário de trabalhar; não se supõe que eles pensem como você e eu. Eles irrompem em cena como prodígios, *enfants terribles*, jovens rebeldes. Ouvem sua musa e desafiam a sabedoria convencional. Trabalham quando bate a inspiração e fervilham com insight enquanto o resto de nós caminha arduamente com passos de bebê pelas trilhas muitíssimo batidas. Põem de lado um problema e o deixam incubando no subconsciente; então, sem aviso, uma luz se acende e uma solução totalmente formada se apresenta. Ahá! O gênio deixa-nos obras-primas, um legado da criatividade irreprimida do inconsciente. Woody Allen capta a imagem em suas cartas hipotéticas de Vincent van Gogh na história "Se os impressionistas tivessem sido dentistas". Vincent escreve ao irmão com angústia e desespero: "A sra. Sol Schwimmer está me processando porque fiz sua ponte do modo como a senti, e não para ajustar-se à sua boca ridícula! Está certo! Não posso trabalhar por encomenda, como um comerciante comum! Decidi que a ponte deveria ser enorme e espiralada, com dentes irregulares, explosivos, flamejando em todas as direções como uma fogueira! Agora ela está brava porque a ponte não lhe serve na boca! [...] Tentei forçar a dentadura, mas ela se projeta como um lustre estrelado. Ainda assim, acho que é bonita".

A imagem evidenciou-se no movimento romântico há duzentos anos e hoje se encontra firmemente arraigada. Consultores de criatividade cobram milhões de dólares das empresas por workshops dilbertianos sobre brainstorming, raciocínio lateral e fluxo do lado certo do cérebro, com resultados garantidos na transformação de cada administrador em um Edison. Conceberam-se teorias elaboradas para explicar o incrível poder do inconsciente sonhador para resolver problemas. Como Alfred Russel Wallace, alguns concluíram que não pode haver uma explicação natural. Diz-se que os manuscritos de Mozart não têm correções. As melodias devem ter saído da mente de Deus, que escolheu expressar sua voz por intermédio de Mozart.

É pena que as pessoas criativas estejam no auge da criatividade quando escrevem sua autobiografia. Historiadores vasculharam os diários, cadernos, manuscritos e correspondência dessas pessoas em busca de sinais do vidente temperamental acometido periodicamente por raios do inconsciente. Infelizmente, descobriram que o gênio criativo está mais para Salieri do que para Amadeus.

Os gênios são laboriosíssimos. O gênio típico labuta arduamente por no mínimo dez anos antes de dar alguma contribuição de valor permanente. (Mozart compôs sinfonias aos oito anos, mas elas não eram realmente boas; sua primeira obra-prima surgiu no décimo segundo ano de sua carreira.) Durante o aprendizado, os gênios mergulham em sua área de atuação. Absorvem dezenas de milhares de problemas e soluções, e assim nenhum desafio é completamente novo e eles podem recorrer a um vasto repertório de padrões e estratégias. Eles mantêm um olho na concorrência e um dedo ao vento e são perspicazes ou afortunados em sua escolha de problemas. (Os desafortunados, por mais talento que possuam, não são lembrados como gênios.) Atentam para a estima dos outros e para seu lugar na história. (O físico Richard Feynman escreveu dois livros descrevendo o quanto ele era brilhante, irreverente e admirado, intitulando um deles *What do you care what other people think?* [Que importa o que os outros pensam?].) Eles trabalham noite e dia e nos deixam muitas obras de subgênios. (Wallace passou o final de sua carreira tentando comunicar-se com os mortos.) Os intervalos que passam afastados de um problema são úteis não porque fermentam o inconsciente mas porque eles estão exaustos e precisam de descanso (e possivelmente para que possam esquecer os becos sem saída). Eles não reprimem um problema, mas dedicam-se a uma "preocupação criativa", e a epifania não é um golpe de mestre, mas um leve ajuste em algo já tentado anteriormente. Eles fazem incessantes revisões, aproximando-se gradualmente de seu ideal.

Os gênios, obviamente, também podem ter recebido quatro ases na cartada genética. Mas eles não são anomalias com mentes totalmente diferentes das nossas ou diferentes de qualquer coisa que possamos imaginar evoluindo em uma espécie que sempre viveu de sua inteligência. O gênio cria boas ideias porque todos nós criamos boas ideias; é para isso que serve nossa mente adaptada, combinatória.

6

DESVAIRADOS

No dia 13 de março de 1996, Thomas Hamilton entrou em uma escola primária de Dunblane, na Escócia, com dois revólveres e duas pistolas semiautomáticas. Após ferir funcionários que tentaram detê-lo, ele correu para o ginásio, onde uma classe do jardim de infância brincava. Atirou em 28 crianças, matando dezesseis e também a professora, antes de apontar a arma contra si mesmo. "O mal abateu-se sobre nós ontem e não sabemos por quê", disse o diretor da escola no dia seguinte. "Não entendemos e acho que jamais chegaremos a entender."

Provavelmente nunca entenderemos o que levou Hamilton a cometer seus desprezíveis últimos atos. Mas a descrição de uma vingança desproporsitada por um solitário amargurado é perturbadoramente familiar. Hamilton, suspeito de pedofilia, fora forçado a renunciar ao cargo de líder de escoteiros, formando então seus próprios grupos de garotos para poder continuar trabalhando com meninos. Um desses grupos realizava suas reuniões no ginásio da escola de Dunblane até que a direção da escola, em resposta a queixas de pais sobre o comportamento estranho de Hamilton, obrigou-o a deixar o local. Hamilton foi alvo de ridículo e de boatos, sendo conhecido na região, sem dúvida por boas razões, como "sr. Asqueroso". Dias antes de seu acesso de fúria, ele enviara cartas à mídia e à rainha Elizabeth defendendo sua reputação e pleiteando sua readmissão no movimento escoteiro.

A tragédia de Dunblane foi particularmente chocante porque ninguém pensava que aquilo poderia acontecer ali. Dunblane é um povoado idílico, com habitantes muito unidos, sem registros de crimes graves. Fica longe dos Estados Unidos, a terra dos doidos, onde há tantas armas quanto pessoas e onde ataques de fúria assassinos por desgostosos funcionários dos Correios são tão comuns (uma dúzia de incidentes em doze anos) que uma gíria para perder a cabeça é "virar postal". Mas entrar em "estado de amoque" não é exclusividade dos americanos, dos países ocidentais ou mesmo das sociedades modernas. *Amok* é uma palavra malaia que designa as orgias homicidas ocasionalmente empreendidas por homens solitários da Indochina que sofreram uma perda de amor, de dinheiro ou da honra. A síndrome foi relatada em uma cultura ainda mais distante do Ocidente: os coletores de alimento da Idade da Pedra em Papua-Nova Guiné.

O homem em estado de amoque está claramente fora de si, é um autômato cego para o que está à sua volta e inacessível a apelos ou ameaças. Mas seu ataque é precedido por prolongadas ruminações sobre fracasso, sendo cuidadosamente planejado como um meio de libertar-se de uma situação insustentável. O estado de amoque é arrepiantemente cognitivo. Ele é desencadeado não por um estímulo, não por um tumor, não por um jorro aleatório de substâncias químicas no cérebro, mas por uma ideia. A ideia é tão típica que o resumo a seguir da disposição de espírito do homem em estado de amoque, composto em 1968 por um psiquiatra que entrevistou sete pacientes hospitalizados nesse estado em Papua-Nova Guiné, é uma descrição apropriada dos pensamentos de assassinos de multidões que estão décadas e continentes distantes de nós:

> Não sou um homem importante ou "grande". Possuo apenas meu senso pessoal de dignidade. Minha vida foi reduzida a nada por um insulto intolerável. Portanto, nada tenho a perder exceto minha vida, que é nada, por isso troco minha vida pela sua, já que a sua vida é prezada. A troca é vantajosa para mim, e assim não matarei apenas você, mas muitos como você, e ao mesmo tempo me reabilitarei aos olhos do grupo do qual sou membro, muito embora eu possa ser morto no processo.

A síndrome de amoque é um exemplo extremo do enigma das emoções humanas. Exóticas à primeira vista, se bem examinadas elas se revelam universais; sendo a quinta-essência da irracionalidade, elas se entrelaçam rigidamente com o pensamento abstrato e possuem uma fria lógica própria.

PAIXÃO UNIVERSAL

Uma tática familiar para alardear conhecimento do mundo é informar aos ouvintes que determinada cultura não tem uma emoção que temos ou tem uma emoção que não temos. Argumenta-se que os esquimós utku-inuit não possuem um termo para designar raiva e não sentem essa emoção. Os taitianos supostamente desconhecem culpa, tristeza, anseio ou solidão; descrevem o que chamamos de tristeza como fadiga, doença ou sofrimento físico. Afirmou-se que as mães espartanas sorriam ao ficar sabendo que seus filhos haviam morrido em combate. Nas culturas latinas, reina o machismo, enquanto os japoneses são governados pelo temor de envergonhar a família. Em entrevistas sobre linguagem, perguntaram-me: Quem, além dos judeus, possuiria uma palavra, *naches*, para designar um orgulho radiante pelos talentos de uma criança? E não é uma revelação profunda sobre a psique teutônica o fato de a língua alemã possuir o termo *Schadenfreude*, prazer com a desgraça alheia?

As culturas seguramente diferem na frequência com que seus membros expressam, falam sobre várias emoções e agem com base nelas. Mas isso nada revela sobre o que as pessoas dessas culturas sentem. As evidências indicam que as emoções de todos os membros normais de nossa espécie são tocadas no mesmo teclado.

Os sinais de emoções mais acessíveis são as expressões faciais francas. Ao preparar sua obra *A expressão das emoções no homem e nos animais*, Darwin passou um questionário a pessoas que interagiam com populações aborígines de cinco continentes, inclusive populações que haviam tido pouco contato com europeus. Instando-os a responder pormenorizadamente e com base na observação em vez de na memória, Darwin perguntou como os nativos expressavam espanto, vergonha, indignação, concentração, tristeza, bom humor, desprezo, obstinação, repulsa, medo, resignação, dissimulação, culpa, esperteza, ciúme e "sim" e "não". Por exemplo:

(5.) Quando desalentados, os cantos da boca rebaixam-se e o canto interno da sobrancelha é erguido por aquele músculo que os franceses denominam "músculo da tristeza"? A sobrancelha nesse estado torna-se ligeiramente oblíqua, com uma pequena protuberância na extremidade interior; e a testa enruga-se transversalmente no centro, mas não ao longo de toda a testa, como quando as sobrancelhas se erguem em um momento de surpresa.

Darwin resumiu as respostas: "O mesmo estado de espírito expressa-se no mundo inteiro com notável uniformidade; e esse fato em si mesmo é interessante como prova da estreita semelhança da estrutura física e disposição mental de todas as raças da humanidade".

Embora Darwin possa ter influenciado seus informantes com questões condutoras, pesquisas contemporâneas confirmaram sua conclusão. Quando o psicólogo Paul Ekman começou a estudar as emoções, na década de 60, julgava-se que as expressões faciais eram sinais arbitrários que os bebês aprendem nos momentos em que suas caretas feitas ao acaso eram recompensadas e punidas. Se as expressões pareciam ser universais, pensava-se, era porque os modelos ocidentais haviam se tornado universais; nenhuma cultura estava imune a John Wayne e Charlie Chaplin. Ekman reuniu fotografias de pessoas expressando seis emoções. Mostrou-as a pessoas de muitas culturas, inclusive aos isolados fores, um povo coletor de alimentos de Papua-Nova Guiné, e lhes pediu que dissessem o nome daquela emoção ou inventassem uma história sobre o que acontecera com a pessoa da foto. Todos reconheceram felicidade, tristeza, raiva, medo, repugnância e surpresa. Por exemplo, um sujeito do povo fore afirmou que o americano com expressão de medo na fotografia devia ter visto um urso. Invertendo o procedimento, Ekman fotografou seus informantes fores quando eles representavam situações como "Seu amigo chegou e você está feliz", "Seu filho morreu", "Você está com raiva e prestes a brigar" e "Você vê um porco morto que já está ali faz muito tempo". As expressões nas fotografias são inconfundíveis.

Quando Ekman começou a apresentar suas descobertas em um congresso de antropologia no final dos anos 60, provocou indignação. Um antropólogo ilustre levantou-se na plateia gritando que não deveriam permitir a Ekman prosseguir na exposição porque suas afirmações eram fascistas. Em outra ocasião, um ativista afro-americano tachou-o de racista por dizer que as expressões faciais dos negros não diferiam das dos brancos. Ekman ficou perplexo, pois julgara que, se a obra tinha alguma moral política, era a da união e fraternidade. De qualquer modo, suas conclusões repetiram-se em outros estudos e hoje são amplamente aceitas de alguma forma (embora haja controvérsias sobre quais expressões inserem-se na lista universal, quanto de contexto é necessário para interpretá-las e como elas estão ligadas reflexivamente a cada emoção). E outra observação de Darwin foi corroborada: as crianças que são cegas e surdas desde o nascimento exibem praticamente a mesma gama de emoções no rosto.

Por que, então, tanta gente acha que as emoções diferem de uma cultura para outra? As evidências em que elas se baseiam são bem mais indiretas do que as dos informantes de Darwin e dos experimentos de Ekman. Elas provêm de duas origens nas quais não podemos confiar como expressões visuais da mente das pessoas: sua língua e suas opiniões.

A observação comum de que uma língua tem ou não uma palavra para designar uma emoção pouco significa. Em O *instinto da linguagem*, procurei demonstrar que a influência da linguagem sobre o pensamento tem sido magnificada, e isso vale ainda mais para a influência da linguagem sobre o sentimento. Se uma língua parece possuir ou não uma palavra para designar uma emoção, depende da habilidade do tradutor e das peculiaridades da gramática e da história dessa língua. Uma língua acumula um vasto vocabulário, inclusive palavras que denotam emoções, quando possui influentes profissionais do idioma, contato com outras línguas, regras para formar novas palavras a partir das já existentes e ampla alfabetização, o que permite a propagação em massa das novas cunhagens de termos. Quando uma língua não contou com esses estímulos, as pessoas descrevem como se sentem com circunlóquios, metáforas, metonímias e sinédoques. Quando uma mulher taitiana diz: "Meu marido morreu e eu me sinto doente", seu estado emocional não é nenhum mistério; podemos apostar que ela não está se queixando de azia. Mesmo uma língua com um copioso vocabulário tem palavras para apenas uma fração da experiência emocional. O autor G. K. Chesterton escreveu:

> O homem sabe que existem na alma matizes mais desconcertantes, mais inumeráveis e mais inomináveis do que as cores de uma floresta no outono [...] Ainda assim, acredita piamente que essas coisas podem, cada uma delas, em todos os seus tons e semitons, em todas as suas mesclas e uniões, ser representadas acuradamente por um sistema arbitrário de grunhidos e guinchos. Acredita que um mero corretor civilizado da Bolsa pode verdadeiramente produzir, de seu íntimo, ruídos que denotam todos os mistérios da memória e todas as agonias do desejo.

Quando os falantes do inglês ouvem pela primeira vez a palavra *Schadenfreude*, sua reação não é: "Deixe-me ver... Prazer com a desgraça alheia... O que poderia ser isso? Não consigo entender o conceito; minha língua e minha cultura não me forneceram tal categoria". A reação é: "Quer dizer que existe uma *palavra* para isso? Que legal!". Sem dúvida foi isso que passou pela cabeça dos escritores que introduziram *Schadenfreude* no inglês escrito um século atrás. Novas palavras referentes a emoções são rapidamente adotadas, sem definições tortuosas; elas provêm de outras línguas (*ennui, angst, naches, amok*), de subculturas como a dos músicos e a dos consumidores de drogas (*blues, funk, juiced, wasted, rush, high, freaked out*) e das gírias em geral (*pissed, bummed, grossed out, blown away*).* Nunca encontrei uma palavra designativa de emoção em uma língua estrangeira cujo significado não fosse instantaneamente reconhecível.

(*) *Ennui, angst, naches, amok, juiced, wasted, rush, high, freaked out, pissed, bummed, grossed out, blown away* significam, respectivamente: tédio, angústia pela situação do homem ou do mundo, orgulho radiante pelos talentos de uma criança, amoque, bêbado, intoxicado por narcóticos, êxtase induzido por droga, "alto" (sob efeito de álcool ou droga), sofrendo intensas alucinações por droga psicodélica, zangado, deprimido, enojado, pasmado. (N. T.)

As emoções das pessoas são tão parecidas que é preciso um filósofo para engendrar uma emoção genuinamente nova. Em um ensaio intitulado "Dor louca e dor marciana", David Lewis assim define "dor louca":

> Pode existir um homem estranho que às vezes sente dor, exatamente como nós, mas cuja dor difere muito da nossa em suas causas e efeitos. Nossa dor é tipicamente provocada por cortes, queimaduras, pressão e coisas do gênero; a dele é causada por exercícios leves feitos com estômago vazio. Nossa dor em geral é perturbadora; a dele o faz voltar a mente para a matemática, facilitando a concentração nessa atividade mas distraindo-o de tudo o mais. A dor intensa não tende absolutamente a fazê-lo gemer ou contorcer-se, mas o obriga a cruzar as pernas e estalar os dedos. Ele não tem a mínima motivação para prevenir a dor ou livrar-se dela.

Os antropólogos descobriram algum povo que sente dor louca ou algo igualmente esquisito? Pode parecer que sim, se você observar apenas os estímulos e respostas. O antropólogo Richard Shweder ressalta: "É um exercício trivial para qualquer antropólogo produzir longas listas de eventos antecedentes (ingerir urina de vaca, comer frango cinco dias depois de seu pai morrer, beijar os órgãos genitais de um bebê do sexo masculino, ser cumprimentada pela gravidez, surrar uma criança, tocar no pé ou no ombro de alguém, ser chamado pelo prenome pela esposa, *ad infinitum*) para os quais as avaliações emocionais de um observador ocidental não corresponderiam à resposta avaliatória de um nativo". É verdade, mas se você examinar um pouco mais profundamente e perguntar como as pessoas *categorizam* esses estímulos, as emoções suscitadas pelas categorias não causarão estranheza. Para nós, urina de vaca é contaminante e secreções mamárias de vaca são nutrientes; em outra cultura, as categorias podem ser inversas, mas todos nós sentimos repugnância pelo que é contaminante. Para nós, ser chamado pelo primeiro nome pelo cônjuge não é desrespeitoso, mas por um estranho poderia ser, e ser chamado pelo cônjuge pelo nome de sua religião também poderia ser. Em todos os casos, o desrespeito desencadeia a raiva.

Mas e quanto às alegações de informantes nativos de que eles absolutamente não sentem uma de nossas emoções? Para eles, nossas emoções parecem-se com a dor louca? Provavelmente não. A afirmação dos utku-inuit de que eles não sentem raiva é desmentida por seu comportamento: eles reconhecem a raiva em estrangeiros, batem nos cachorros para ensiná-los, beliscam os filhos dolorosamente e, de vez em quando, "fervem". Margaret Mead difundiu a inacreditável afirmação de que os samoanos não têm paixões — não há raiva entre pais e filhos ou entre um cônjuge traído e o sedutor, não há vingança, amor duradouro ou dor pela perda de um ente querido, não há preocupação maternal, tensão ligada ao sexo nem perturbação na adolescência. Derek Freeman e outros antropólogos constataram que, na verdade, a sociedade samoana apresenta ressentimento e delinquência generalizados entre os adolescentes, culto da virgindade, estupros frequentes, represálias da família da vítima do estupro, frigidez, punições severas às crianças, ciúme sexual e acirrado sentimento religioso.

Tais discrepâncias não nos devem surpreender. O antropólogo Renato Rosaldo observou: "Uma descrição antropológica tradicional é como um livro sobre etiqueta. O que se obtém não é tanto uma profunda sabedoria cultural, e sim os clichês culturais, a sabedoria de Polonius, as convenções no sentido trivial e não no informativo. Ela pode indicar quais são as regras oficiais, mas não como se leva a vida". As emoções, em especial, são frequentemente reguladas pelas regras oficiais, pois são asserções sobre os interesses da pessoa. Para mim é uma confissão de meus sentimentos mais íntimos, mas para você são lamentações e resmungos, e você pode muito bem me dizer para reprimi-las. E, para os que detêm o poder, as emoções das outras pessoas são ainda mais incômodas — acarretam amolações, como mulheres querendo os homens como maridos e filhos em vez de como carne de canhão, homens lutando uns contra os outros quando deveriam estar lutando contra o inimigo, filhos apaixonando-se por uma alma gêmea em vez de aceitar um cônjuge prometido que consolida uma transação importante. Muitas sociedades lidam com esses inconvenientes tentando regular as emoções e difundindo a desinformação de que elas não existem.

Ekman demonstrou que as culturas diferem mais no modo como as emoções são expressas em público. Secretamente, ele filmou as expressões de estudantes americanos e japoneses enquanto assistiam a um filme pavoroso sobre um rito de puberdade primitivo. (Os estudiosos da emoção possuem vastas coleções de material repugnante.) Se um entrevistador de avental branco estivesse na sala entrevistando-os, os estudantes japoneses sorriam polidamente durante cenas que faziam os americanos contorcer-se de horror. Mas quando os sujeitos estavam sozinhos, os rostos de japoneses e americanos mostravam-se igualmente horrorizados.

MÁQUINAS DE SENTIR

O movimento romântico na filosofia, literatura e arte começou há cerca de duzentos anos, e desde então têm-se atribuído esferas diferentes às emoções e ao intelecto. As emoções vêm da natureza e vivem no corpo. São impulsos e intuições arrebatados, irracionais, que obedecem aos imperativos da biologia. O intelecto vem da civilização e vive na mente. É um deliberante frio, que obedece aos interesses do eu e da sociedade mantendo as emoções sob controle. Os românticos acreditam que as emoções são a fonte da sabedoria, inocência, autenticidade e criatividade e que elas não devem ser reprimidas pelos indivíduos ou pela sociedade. Muitas vezes os românticos reconhecem um lado negativo, o preço que temos de pagar pela grandeza artística. Quando o anti-herói de Anthony Burgess em A *laranja mecânica* tem seus impulsos violentos arrancados por condicionamento, perde seu gosto por Beethoven. O romantismo domina a cultura popular americana contemporânea, como no etos dionisíaco do rock, no imperativo da psicologia popular para entrarmos em contato com nossos sentimentos e nas fórmulas hollywoodianas sobre idiotas sábios e yuppies estressados que dão uma escapada para a vida desregrada.

A maioria dos cientistas tacitamente aceita as premissas do romantismo mesmo quando discorda de seus princípios morais. As emoções irracionais e o intelecto reprimido reaparecem vezes sem conta sob disfarces científicos: o id e o superego, impulsos biológicos e normas culturais, o hemisfério direito e o hemisfério esquerdo, o sistema límbico e o córtex cerebral, a bagagem evolutiva de nossos ancestrais animais e a inteligência geral que nos impeliu para a civilização.

Neste capítulo, apresento uma teoria distintamente não romântica das emoções. Ela combina a teoria computacional da mente, segundo a qual a força vital da psique é a informação e não a energia, com a moderna teoria da evolução, que requer a engenharia reversa do design complexo de sistemas biológicos. Demonstrarei que as emoções são adaptações, módulos de software bem projetados que atuam em harmonia com o intelecto e são indispensáveis ao funcionamento de toda a mente. O problema das emoções não é elas serem forças indomadas ou vestígios de nosso passado animal, e sim terem sido projetadas para propagar cópias dos genes que as construíram em vez de promover felicidade, sabedoria ou valores morais. Muitas vezes tachamos de "emocional" um ato que é danoso ao grupo social, prejudicial à felicidade do agente no longo prazo, incontrolável e inacessível à persuasão ou um produto de autoengano. Infelizmente, essas consequências não são defeitos de funcionamento, mas precisamente o que esperaríamos de emoções bem engendradas.

As emoções são uma outra parte da mente que foi prematuramente menosprezada como bagagem não adaptativa. O neurocientista Paul MacLean traduziu a doutrina romântica das emoções em uma célebre porém incorreta teoria denominada Cérebro Trino. Ele descreveu o cérebro humano como um palimpsesto evolutivo de três camadas. Na camada inferior estão os gânglios da base ou Cérebro Réptil, a sede das emoções primitivas e egoístas que governam quatro impulsos: alimentação, luta, fuga e comportamento sexual. Enxertado nela está o sistema límbico ou Cérebro Mamífero Primitivo, dedicado a emoções sociais mais benévolas e brandas, como as ligadas à prole. Ele é envolvido pelo Cérebro Mamífero Moderno, o neocórtex que cresceu desmesuradamente na evolução humana e que abriga o intelecto. A crença de que as emoções são legados animais também é familiar devido aos documentários populares sobre etologia que mostram uma sequência de imagens de babuínos rosnentos e *hooligans* turbulentos enquanto o narrador pergunta, preocupado, se conseguiremos nos elevar acima dos nossos instintos e afastar a ameaça da destruição nuclear.

Um problema da teoria trina é que as forças da evolução não amontoam simplesmente camadas sobre um alicerce inalterado. A seleção natural tem de trabalhar com o que já existe, mas pode *modificar* o que encontra. A maioria das partes do corpo humano proveio de mamíferos primitivos e, antes deles, de répteis primitivos, mas essas partes foram substancialmente modificadas para ajustar-se a características do modo de viver humano, como a postura ereta. Embora nossos corpos carreguem vestígios do passado, eles possuem poucas partes que eram inalteráveis e foram adaptadas apenas a necessidades de espécies mais antigas. Até o apêndice atualmente encontra um uso no sistema imunológico. Os circuitos para as emoções também não foram deixados intactos.

Reconhecidamente, algumas características são uma parte do plano arquitetônico de um organismo em um grau tão expressivo que a seleção é impotente para modificá-las. O software das emoções poderia estar tão profundamente gravado no cérebro que os organismos estariam condenados a sentir de maneira igual a seus ancestrais? As evidências indicam que não; as emoções são fáceis de reprogramar. Os repertórios emocionais variam amplamente entre os animais, dependendo da espécie, sexo e idade. Entre os mamíferos, encontramos o leão e o cordeiro. Até mesmo entre os cães (uma única espécie), alguns milênios de cruzamentos seletivos nos deram os pit bulls e os são-bernardos. O gênero mais próximo do nosso abrange os chimpanzés comuns, entre os quais bandos de machos massacram bandos rivais e as fêmeas podem matar os bebês umas das outras, e os chimpanzés pigmeus (bonobos), cuja filosofia é "Faça amor, não faça a guerra". Obviamente, algumas reações são comuns entre espécies — por exemplo, o pânico por confinamento —, mas elas podem ter sido mantidas por serem adaptativas para todos. A seleção natural talvez não tenha tido liberdade total para reprogramar as emoções, mas a liberdade que teve foi muita.

E o córtex cerebral humano não está montado em um sistema límbico primitivo nem serve como terminal de um fluxo de processamento que começou ali. Os sistemas funcionam em série, integrados por muitas conexões de mão dupla. A amígdala, um órgão em forma de amêndoa engastado em cada lobo temporal, abriga os principais circuitos que colorem nossa experiência com emoções. Ela recebe não apenas sinais simples (como os de ruídos altos) das estações inferiores do cérebro, mas também informações abstratas, complexas, dos centros cerebrais superiores. Por sua vez, a amígdala envia sinais a praticamente todas as demais partes do cérebro, inclusive aos circuitos de tomada de decisão nos lobos frontais.

A anatomia espelha a psicologia. Emoção não é só fugir correndo de um urso. Ela pode ser desencadeada pelo processamento de informações mais complexo de que a mente é capaz, como por exemplo quando lemos uma carta da pessoa amada terminando o relacionamento ou chegamos a casa e deparamos com uma ambulância na porta. E as emoções ajudam a engendrar intricadas tramas de fuga, vingança, ambição e namoro. Como escreveu Samuel Johnson: "Pode confiar, senhor, quando um homem sabe que será enforcado dentro de uma quinzena, isso concentra sua mente de um modo prodigioso".

O primeiro passo para efetuar a engenharia reversa das emoções é tentar imaginar como seria a mente sem elas. Supostamente, o sr. Spock, o inteligentíssimo vulcano, não tinha emoções (exceto por intrusões ocasionais de seu lado humano e uma comichão que o impeliu de volta a Vulcano para procriar). Mas a ausência de emoções em Spock na verdade representava apenas o fato de ele se controlar, não perder a cabeça, expressar friamente verdades desagradáveis etc. Ele deve ter sido movido por *alguns* motivos ou objetivos. Alguma coisa deve ter impedido Spock de passar seus dias calculando o pi até a quatrilhonésima casa ou decorando a lista telefônica de Manhattan. Algo deve tê-lo impelido a explorar novos mundos, procurar novas vidas, novas civilizações e, audaciosamente indo aonde nenhum homem jamais esteve. Presumivelmente, foi a curiosidade intelectual, o impulso de propor e resolver problemas e a solidariedade com os aliados — emoções, todas as três. E o que teria feito Spock se desse de cara com um predador ou um klingon invasor? Plantar bananeira? Demonstrar o teorema do mapa quadricolor? Presumivelmente, uma parte de seu cérebro mobilizava com rapidez suas faculdades para descobrir e examinar um modo de fugir e tomar providências para evitar tornar-se vulnerável em um apuro como esse no futuro. Ou seja, ele sentia medo. Spock pode não ter sido impulsivo ou demonstrativo, mas deve ter tido impulsos que o impeliam a empregar seu intelecto na busca de determinados objetivos e não de outros.

Um programa de computador convencional é uma lista de instruções que a máquina executa até chegar ao STOP. Mas a inteligência de alienígenas, robôs e animais necessita de um método de controle mais flexível. Lembre-se de que inteligência é o empenho para atingir objetivos em face de obstáculos. Sem objetivos, o próprio conceito de inteligência não tem sentido. Para entrar em meu apartamento trancado, posso arrombar uma janela, chamar o senhorio ou tentar alcançar o trinco pela fenda do correio. Cada um desses objetivos é atingido por uma cadeia de subobjetivos. Meus dedos não alcançam o trinco, portanto o subobjetivo é encontrar um alicate. Mas meu alicate está lá dentro, por isso estabeleço o subobjetivo de encontrar uma loja e comprar outro alicate. E assim por diante. A maioria dos sistemas de inteligência artificial é construído em torno de meios e fins, como o sistema de produção no capítulo 2, com sua pilha de símbolos de objetivos exibida em um quadro de avisos e os *demons* de software que respondem a eles.

Mas de onde vem o objetivo supremo, aquele que o resto do programa procura atingir? Nos sistemas de inteligência artificial, ele vem do programador. O programador elabora o programa para diagnosticar doenças da soja ou prever a Média Industrial Dow Jones do dia seguinte. Nos organismos, ele vem da seleção natural. O cérebro esforça-se para colocar seu dono em circunstâncias como as que levaram seus ancestrais a reproduzir-se. (O objetivo do cérebro não é a reprodução propriamente dita; os animais não conhecem os fatos da vida, e as pessoas que realmente os conhecem ficam felizes por subvertê-los, como quando praticam a contracepção.) Os objetivos instalados no *Homo sapiens*, essa espécie social resolvedora de problemas, não são apenas alimentação, luta, fuga e comportamento sexual. No topo da lista constam entender o meio e assegurar a cooperação de outros.

E aqui está a chave para saber por que temos emoções. Um animal não pode procurar atingir todos os seus objetivos de uma vez. Se um animal tem fome e sede ao mesmo tempo, não deve ficar parado a meio caminho entre um arbusto de frutas silvestres e um lago, como na fábula do asno indeciso que morreu de fome entre dois montes de feno. Também não deve mordiscar uma frutinha, andar até o lago para tomar um gole, voltar para comer outra frutinha etc. O animal precisa empenhar seu corpo em um objetivo por vez, e os objetivos têm de ser combinados aos melhores momentos para atingi--los. O Eclesiastes diz que tudo tem seu tempo determinado e há tempo para todo propósito debaixo do céu: tempo de chorar e tempo de rir; tempo de amar e tempo de aborrecer. Objetivos diferentes são convenientes quando um leão tem você na mira, quando seu filho aparece chorando ou quando um rival o chama de idiota em público.

As emoções são mecanismos que ajustam os objetivos de mais alto nível do cérebro. Uma vez desencadeada por um momento propício, uma emoção desencadeia a cascata de subobjetivos e subsubobjetivos que denominamos pensar e agir. Como os objetivos e meios encontram-se entrelaçados em uma estrutura de controle multiplamente aninhada de subobjetivos dentro de subobjetivos dentro de subobjetivos, nenhuma linha nítida divide o pensar do sentir, e tampouco pensar inevitavelmente precede sentir ou vice-versa (não obstante o século de debate na psicologia sobre qual dos dois vem primeiro). Por exemplo, o medo é desencadeado por um sinal de dano iminente, como um predador, um abismo ou uma ameaça falada. Ele aciona o objetivo de curto prazo de fugir, subjugar ou desviar-se do perigo e atribui ao objetivo uma alta prioridade, que vivenciamos como uma sensação de urgência. Ele também aciona os objetivos de mais longo prazo de evitar o risco no futuro e lembrar como escapamos desta vez, desencadeados pelo estado que experimentamos como alívio. A maioria dos pesquisadores da inteligência artificial acredita que os robôs de comportamento livre (ao contrário dos que ficam parafusados na lateral de uma linha de montagem) terão de ser programados com alguma coisa semelhante às emoções meramente para que saibam em cada momento o que fazer a seguir. (Se os robôs seriam ou não *sensíveis* a essas emoções é outra questão, como vimos no capítulo 2.)

O medo também aperta um botão que prepara o corpo para a ação, a chamada reação lutar ou fugir. (O apelido é enganoso, pois a reação prepara-nos para *qualquer* ação sensível ao tempo, como por exemplo agarrar um bebê que está engatinhando na direção do topo de uma escada.) O coração bate forte para enviar sangue aos músculos. O sangue é redirecionado do tubo digestivo e da pele, provocando dor de estômago e suor frio. A respiração rápida absorve oxigênio. A adrenalina libera combustível do fígado e ajuda o sangue a coagular. E dá ao nosso rosto aquela aparência universal de corça sob a luz dos faróis dianteiros.

Cada emoção humana mobiliza a mente e o corpo para enfrentar um dos desafios de viver e reproduzir-se no nicho cognitivo. Alguns desafios são impostos por coisas físicas, e as emoções que lidam com eles, como repulsa, medo e apreciação da beleza natural, atuam de maneiras diretas. Outros são impostos por pessoas. O problema ao lidar com as pessoas é que elas podem revidar. As emoções que evoluíram em resposta a emoções de outras pessoas, como raiva, gratidão, vergonha e amor romântico, são jogadas em um complicado tabuleiro de xadrez e geram a paixão e intriga que desnorteiam os românticos. Examinemos primeiro as emoções ligadas às coisas, depois as ligadas às pessoas.

A SAVANA SUBURBANA

A expressão "peixe fora d'água" lembra-nos de que cada animal é adaptado a um hábitat. Os humanos não são exceção. Tendemos a pensar que os animais simplesmente vão para o lugar que lhes compete, como mísseis sensíveis ao calor, mas os animais devem experimentar esses impulsos como emoções não diferentes das nossas. Alguns lugares são convidativos, tranquilizadores ou belos; outros são deprimentes ou assustadores. O tópico da biologia denominado "seleção de hábitat" é, no caso do *Homo sapiens*, igual ao tópico da geografia e arquitetura intitulado "estética ambiental": que tipo de lugares nos são aprazíveis.

Até bem recentemente, nossos ancestrais eram nômades, abandonando um lugar depois de consumir todas as plantas e animais comestíveis. A decisão de para onde ir em seguida era importantíssima. Cosmides e Tooby escreveram:

> Imagine-se em uma viagem para acampar que dure a vida inteira. Precisando trazer água de um riacho e lenha das árvores, aprende-se rápido a avaliar as vantagens de determinados locais de acampamento em comparação com outros. Estar ao ar livre diariamente faz com que se aprenda depressa a avaliar locais abrigados do vento, neve ou chuva. Para os caçadores-coletores de alimentos, não há como escapar a esse estilo de vida: não há oportunidades de pegar comida na mercearia, telefones, serviços de emergência, abastecimento artificial de água, entrega de combustível, jaulas, armas de fogo ou funcionários do serviço de controle de animais para nos proteger dos bichos predadores. Nessas circunstâncias, a vida da pessoa depende do funcionamento de mecanismos que a levem a preferir hábitats que proporcionam alimento, água, abrigo, informação e segurança suficientes para sustentar a vida humana e que a induzam a evitar os hábitats que não proporcionam isso.

O *Homo sapiens* é adaptado a dois hábitats. Um é a savana africana, na qual se deu a maior parte de nossa evolução. Para um onívoro como nossos ancestrais, a savana é um lugar acolhedor se comparada a outros ecossistemas. Os desertos contêm pouca biomassa porque neles há pouca água. As florestas temperadas empatam boa parte de sua biomassa em madeira. As florestas pluviais — ou, como eram chamadas, selvas — colocam-na no alto da vegetação, relegando os onívoros do chão a comer os restos que caem de cima. Mas a savana — pastagens pontilhadas de arvoredos — é rica em biomassa, boa parte em forma de carne de animais de grande porte, pois o capim torna a crescer rápido depois de comido. E a maior parte da biomassa situa-se convenientemente a um ou dois metros do solo. As savanas também oferecem vistas amplas, permitindo que predadores, água e caminhos sejam localizados de longe. Suas árvores fornecem sombra e servem de refúgio contra os carnívoros.

Nossa segunda escolha de hábitat é o resto do mundo. Nossos ancestrais, após evoluírem nas savanas da África, vaguearam por quase todos os cantos do planeta. Alguns foram pioneiros que deixaram a savana e depois outras áreas circundantes, à medida que a população se expandiu e o clima mudou. Outros foram refugiados em busca de segurança. Tribos coletoras de alimentos não podem tolerar umas às outras. Frequentemente, invadem territórios vizinhos e matam qualquer estranho que por acaso entre no seu.

Pudemos nos dar ao luxo dessa sede de viagens graças ao nosso intelecto. As pessoas exploram uma nova paisagem e traçam um mapa mental de recursos, rico em detalhes sobre água, plantas, animais, rotas e abrigos. E, podendo, transformam sua nova terra natal em uma savana. Os nativos americanos e aborígines australianos queimavam faixas enormes de floresta, abrindo clareiras para a colonização pelo capim. A savana artificial atraía animais de pasto, que eram fáceis de caçar, e expunha os visitantes antes que eles chegassem perto demais.

O biólogo George Orians, perito na ecologia do comportamento das aves, recentemente voltou sua atenção para a ecologia do comportamento humano. Com Judith Heerwagen, Stephen Kaplan, Rachel Kaplan e outros, ele procura demonstrar que nosso senso de beleza natural é o mecanismo que impeliu nossos ancestrais para hábitats apropriados. Para nós é inato achar as savanas bonitas, mas também gostamos de uma paisagem que seja fácil de explorar e lembrar e na qual tenhamos vivido tempo suficiente para conhecer suas entradas e saídas.

Em experimentos sobre hábitats preferidos pelos humanos, mostram-se a crianças e adultos americanos slides de paisagens e pergunta-se o quanto elas gostariam de visitar ou viver nelas. As crianças preferem as savanas, muito embora nunca tenham estado em uma. Os adultos também gostam das savanas, mas apreciam igualmente as florestas de vegetação decídua e coníferas — semelhantes a boa parte da região habitável dos Estados Unidos. Ninguém aprecia os desertos e as florestas pluviais. Uma interpretação é que as crianças estão revelando a preferência de hábitat que é o *default* para nossa espécie, e os adultos a suplementam com a terra com a qual se habituaram.

Obviamente, as pessoas não sentem um anseio místico pela terra natal primitiva. Simplesmente sentem prazer com as características paisagísticas que as savanas tendem a apresentar. Orians e Heerwagen fizeram um levantamento da sabedoria profissional de jardineiros, fotógrafos e pintores para descobrir que tipos de paisagens as pessoas acham belas. Trataram-no como um segundo tipo de dados sobre as preferências humanas de hábitat, suplementando os experimentos com as reações de pessoas a slides. As paisagens consideradas mais lindas, constataram, são sósias de uma savana ótima: espaço semiaberto (não totalmente exposto, o que nos torna vulneráveis, nem com vegetação alta e cerrada demais, o que impede a visão e o movimento), cobertura regular do solo, visões do horizonte, árvores grandes, água, variação nas elevações e vários caminhos possibilitando a saída. O geógrafo Jay Appleton captou sucintamente o que torna atraente uma paisagem: perspectiva e refúgio, ou ver sem ser visto. Essa combinação permite-nos conhecer com segurança a configuração do terreno.

O próprio terreno também deve ser legível. Qualquer um que já tenha perdido uma trilha na floresta densa ou assistido a filmes de dunas de areia ou montes de neve em todas as direções conhece o terror de um ambiente sem referencial. Uma paisagem é apenas um objeto muito grande, e reconhecemos objetos complexos localizando suas partes em um referencial pertencente ao objeto (ver capítulo 4). Os referenciais em um mapa mental são grandes marcos, como árvores, rochas e lagos, e longas trilhas ou fronteiras, como rios e cadeias de montanhas. Uma paisagem sem esses indicadores é inquietante. Kaplan e Kaplan encontraram outra chave para a beleza natural, que denominam mistério. Trilhas contornando uma colina, riachos sinuosos, falhas na folhagem, terreno ondulado e visões parcialmente bloqueadas atraem nosso interesse insinuando que o local pode possuir características importantes que poderiam ser descobertas com mais explorações.

As pessoas também adoram olhar animais e plantas, especialmente flores. Se você estiver lendo este livro em casa ou em outros ambientes agradáveis porém artificiais, é bem provável que levante os olhos e encontre decorações com motivos de animais, plantas ou flores. Nosso fascínio por animais é óbvio. Nós os comemos, eles nos comem. Mas nosso amor pelas flores, que não comemos exceto em saladas de restaurantes caríssimos, requer explicação. Deparamos com ela nos capítulos 3 e 5. As pessoas são botânicos intuitivos, e uma flor é uma rica fonte de dados. As plantas fundem-se em um mar de verdura e muitas vezes só podem ser identificadas pelas flores. As flores são os arautos do crescimento, marcando o local de futuras frutas, nozes ou tubérculos para as criaturas espertas o bastante para lembrar-se delas.

Alguns acontecimentos naturais são profundamente evocativos, como o pôr do sol, o trovão, nuvens que se acumulam e fogo. Orians e Heerwagen observam que eles anunciam uma mudança iminente e importante: a escuridão, uma tempestade, um incêndio. As emoções evocadas são arrebatadoras, obrigando a pessoa a parar, notar e preparar-se para o que está por vir.

A estética ambiental é um fator fundamental em nossa vida. O humor depende do ambiente: pense em estar no saguão de espera de um terminal rodoviário ou numa cabana à beira de um lago. A maior aquisição das pessoas é sua casa, e as três regras da compra da casa — localização, localização e localização — relacionam-se, com exceção da proximidade de comodidades, a gramados, árvores, massas de água e perspectiva (vistas). O valor da casa propriamente dita depende de seu refúgio (espaços aconchegantes) e mistério (cantos, curvas, janelas, vários níveis). E as pessoas no menos auspicioso dos ecossistemas lutam por um trecho de savana que possam chamar de seu. Na Nova Inglaterra, qualquer terra deixada sem cuidados transforma-se rapidamente em uma desgrenhada floresta decídua. Durante meu interlúdio no subúrbio, todo fim de semana meus colegas burgueses e eu arrastávamos para fora nossos cortadores de grama, sopradores de folhas, erradicadores de ervas daninhas, podadores de galhos, cortadores de troncos, aparadores de sebe e cortadores de madeira em um esforço de Sísifo para manter longe a floresta. Aqui em Santa Bárbara, a terra quer ser um árido chaparral, mas décadas atrás os fundadores da cidade represaram riachos de regiões incultas e fizeram túneis nas montanhas para trazer água para os gramados sedentos. Durante uma seca recente, os moradores estavam tão desesperados por vistas verdes que pintaram seus jardins poeirentos com tinta verde.

SÓ EM PENSAR

> *Great green gobs of greasy grimy gopher guts,*
> *Mutilated monkey meat,*
> *Concentrated chicken feet.*
> *Jars and jars of petrified porpoise pus,*
> *And me without my spoon!**

A repugnância é uma emoção humana universal, indicada por expressão facial própria e codificada em toda parte por tabus alimentares. Assim

---

(*) "Grandes gosmas verdes de tripas gordurosas e imundas de ratazana,/ Carne de macaco estropiado,/ Pés de galinha concentrados./ Potes e potes de pus petrificado de toninha,/ E eu sem minha colher!" (Canção de acampamento ternamente lembrada, cantada com a melodia de "The old gray mare"; autor da letra desconhecido.)

como todas as emoções, a repugnância tem efeitos profundos sobre as atividades humanas. Durante a Segunda Guerra Mundial, pilotos americanos no Pacífico preferiram passar fome a comer os sapos e insetos que, ensinaram-lhes, eram perfeitamente seguros. Aversões a alimentos são tenazes marcadores étnicos, persistindo muito tempo depois de outras tradições terem sido abandonadas.

A julgar pelos padrões da ciência moderna, a repugnância é claramente irracional. As pessoas que sentem náuseas ao pensar em ingerir um objeto repulsivo dirão que ele é insalubre ou danoso. Mas consideram uma barata esterilizada tão nojenta quanto uma saída fresquinha do armário, e se a barata esterilizada for brevemente mergulhada em uma bebida, elas se recusarão a beber. As pessoas não querem tomar suco que tenha sido guardado em um frasco coletor de urina novinho; as cozinhas de hospital descobriram que esse é um modo excelente de impedir pequenos furtos. As pessoas não querem tomar uma sopa que tenha sido servida em um urinol novinho ou se ela tiver sido mexida com um pente ou um matador de mosca novo. A maioria das pessoas nem que lhes paguem comerão doce de chocolate assado em forma de fezes de cachorro ou segurarão nos lábios um vômito de borracha comprado em uma loja de quinquilharias. A saliva da própria pessoa não é repulsiva contanto que esteja dentro da boca, mas a maioria das pessoas não quer tomar uma sopa na qual cuspiram.

A maioria dos ocidentais não suporta a ideia de comer insetos, minhocas, sapos, vermes, lagartas ou larvas, mas todos eles são altamente nutritivos e têm sido comidos pela maioria dos povos ao longo de toda a história. Nenhuma de nossas racionalizações tem sentido. Você diz que os insetos são contaminados porque têm contato com fezes ou lixo? Mas muitos insetos são bem higiênicos. Os cupins, por exemplo, só comem madeira, mas os ocidentais sentem a mesma repugnância em comê-los. Compare-os às galinhas, o epítome da palatabilidade ("Experimente — tem gosto de frango!"), que normalmente comem lixo e fezes. E todos nós saboreamos tomates que se tornam carnosos e suculentos graças à adubagem com esterco. Os insetos transmitem doenças? O mesmo vale para toda carne animal. Simplesmente faça o que todo o resto do mundo faz — cozinhe-os. Os insetos têm asas e pernas indigestas? Arranque-as, como você faz com a casca do camarão, ou prefira as larvas e vermes. Os insetos têm gosto ruim? Eis uma informação de um entomologista britânico que estava estudando hábitos alimentares laosianos e adquiriu um conhecimento de primeira mão sobre seu tema:

Nenhum desagradável, alguns muito saborosos, notavelmente a barata-d'água gigante. Na maioria dos casos eram insípidos, com um tênue gosto vegetal, mas alguém que provasse pão pela primeira vez, por exemplo, não se perguntaria por que comemos um alimento tão sem gosto? Um escaravelho torrado ou aranha de corpo mole tem um saboroso exterior crocante e um interior macio com uma consistência de suflê que não é absolutamente desagradável. Geralmente se acrescenta sal, às vezes pimenta ou folhas de ervas aromáticas, e às vezes eles são comidos com arroz ou adicionados a molhos ou curry. O sabor é excepcionalmente difícil de definir, mas a meu ver alface descreveria melhor o gosto dos cupins, cigarras e grilos, alface e batata crua o da aranha gigante *Nephila* e queijo gorgonzola concentrado o da barata-d'água gigante (*Lethocerus indicus*). Não sofri efeitos danosos por comer esses insetos.

O psicólogo Paul Rozin captou magistralmente a psicologia da repugnância. Repugnância é o medo de incorporar uma substância danosa ao organismo. Comer é o modo mais direto de incorporar uma substância e, como demonstram muitas canções de acampamento, é o pensamento mais horripilante que uma substância repugnante pode suscitar. Cheirar ou tocar também é repulsivo. O nojo impede as pessoas de ingerir determinadas coisas ou, se for tarde demais, faz com que as cuspam ou vomitem. A expressão facial diz tudo: o nariz se enruga, comprimindo as narinas, a boca abre-se e a língua é posta para fora, como se quisesse arrastar com um rodo a substância nauseante.

As coisas que causam repulsa provêm de animais. Incluem animais inteiros, partes de animais (especialmente de carnívoros e animais que se alimentam de carniça) e produtos do corpo, em particular substâncias viscosas como muco, pus e sobretudo fezes, universalmente consideradas repugnantes. Animais em decomposição e suas partes são notavelmente nauseantes. Em contraste, plantas às vezes causam aversão, mas aversão é diferente de nojo. Quando as pessoas evitam produtos vegetais — por exemplo, sementes de lima ou brócolis —, é porque têm gosto amargo ou acre. Ao contrário dos produtos animais repulsivos, esses vegetais não são considerados execravelmente vis e poluidores. Provavelmente o pensamento mais complexo que alguém já teve sobre um vegetal não apreciado foi o de Clarence Darrow: "Não gosto de espinafre, e é bom que eu não goste, pois se gostasse eu comeria, e eu positivamente detesto". Materiais inorgânicos e não nutritivos como areia, tecido e cortiça são simplesmente evitados, sem sentimentos drásticos.

Não só as coisas repugnantes sempre provêm de animais, mas as coisas provenientes de animais quase sempre são repulsivas. Partes não repulsivas de animais são uma exceção. De todas as partes de todos os animais da criação, as pessoas comem uma fração infinitesimal, e tudo o mais é intocável. Muitos americanos comem apenas o músculo esquelético de bovinos, galináceos, suínos e alguns peixes. Outras partes, como vísceras, cérebro, rins, olhos e pés, estão além dos limites, juntamente com qualquer parte de qualquer animal não constante da lista: cães, pombos, águas-vivas, lesmas, sapos, insetos e os outros milhões de espécies animais. Alguns americanos são ainda mais seletivos, sentindo repugnância pela carne escura do frango ou por frango com osso. Mesmo os comedores aventureiros dispõem-se a provar apenas uma pequena fração do reino animal. E os americanos mimados não são os únicos enjoados com respeito a partes não familiares de animais. Napoleon Chagnon defendeu seu suprimento de manteiga de amendoim e salsichas de seus pedinchões informantes ianomâmi dizendo a eles que se tratava de fezes e pênis de gado. Os ianomâmi, vorazes comedores de lagartas e larvas, não tinham ideia do que seria gado, mas perderam o apetite e o deixaram comer em paz.

Um objeto repugnante contamina tudo aquilo em que toca, por mais breve que seja o contato ou mais invisíveis os efeitos. A intuição que fundamenta a recusa em tomar uma bebida que tenha sido mexida com um mata-moscas ou uma barata esterilizada é que pedacinhos contaminantes invisíveis — as crianças americanas chamam-nos de *cooties* [piolhos] — ficaram no líquido. Alguns objetos, como um pente novo ou um urinol, estão contaminados meramente porque foram criados para ter contato com algo repulsivo, e outros, como um cocô de cachorro feito de chocolate, estão contaminados por mera semelhança. Rozin observa que a psicologia da repugnância obedece às duas leis da magia simpática — o vodu — encontrada em muitas culturas tradicionais: a lei do contágio (uma vez em contato, sempre em contato) e a lei da similaridade (produtos semelhantes são iguais).

Embora a repugnância seja universal, a lista de animais não repugnantes difere de uma cultura para outra, e isso implica um processo de aprendizado. Como sabem todos os pais, as crianças com menos de dois anos põem tudo na boca, e os psicanalistas esbaldaram-se interpretando essa ausência de repugnância por fezes. Rozin e seus colegas estudaram o desenvolvimento da repugnância oferecendo às crianças vários alimentos que os adultos americanos consideram repulsivos. Para o horror dos pais que observavam, 62% dos pequeninos comeram imitação de fezes de cachorro ("fabricadas realisticamente com manteiga de amendoim e queijo aromático") e 31% comeram um gafanhoto.

Rozin aventa que a repugnância é aprendida nos anos escolares intermediários, talvez quando as crianças são repreendidas pelos pais ou veem a expressão no rosto paterno quando elas se aproximam de um objeto repulsivo. Mas, na minha opinião, isso é improvável. Em primeiro lugar, todos os sujeitos de experimentos mais velhos do que dois anos comportaram-se praticamente como os adultos. Por exemplo, crianças de quatro anos não quiseram comer a imitação de fezes nem beber suco com um gafanhoto dentro; a única diferença entre elas e os adultos foi que as crianças mostraram-se menos sensíveis à contaminação por contato breve. (Só as crianças com mais de oito anos de idade rejeitaram um suco onde se mergulhara brevemente um gafanhoto ou uma imitação de fezes de cachorro.) Em segundo lugar, crianças com mais de dois anos são famigeradamente melindrosas, e seus pais lutam para fazê-las comer substâncias novas, e não para que elas evitem as antigas. (A antropóloga Elizabeth Cashdan comprovou que a disposição infantil para experimentar novos alimentos despenca após o terceiro ano de vida.) Terceiro, se as crianças tivessem de aprender o que evitar, então todos os animais seriam palatáveis exceto os poucos que são proibidos. Porém, como salienta o próprio Rozin, todos os animais são repulsivos exceto os poucos que são permitidos. Nenhuma criança precisa ser ensinada a vilipendiar tripas gordurosas e imundas de ratazana ou carne de macaco estropiado.

Cashdan teve uma ideia melhor. Os dois primeiros anos, aventou, são um período sensível para aprender sobre os alimentos. Durante esses anos, as mães controlam a ingestão de comida dos filhos, e estes comem tudo o que lhes for permitido. Em seguida, seus gostos reduzem-se espontaneamente, e eles só se dispõem a comer os alimentos que lhes foram oferecidos durante aquele período sensível. Essas aversões podem durar até a idade adulta, embora ocasionalmente os adultos as superem por diversos motivos: para jantar com outras pessoas, para parecer machão ou refinado, buscando emoções ou para não morrer de fome quando os suprimentos da família escasseiam.

Para que serve a repugnância? Rozin salienta que a espécie humana defronta o "dilema do onívoro". Ao contrário, digamos, dos coalas, que comem principalmente folhas de eucalipto e só ficam vulneráveis quando elas escasseiam, os onívoros escolhem de um vasto cardápio de alimentos possíveis. A desvantagem é que muitos são venenosos. Numerosos peixes, anfíbios e invertebrados contêm neurotoxinas potentes. Carnes que normalmente são inofensivas podem abrigar parasitas como a tênia e, quando se deterioram, as carnes podem ser diretamente letais, pois os micro-organismos que causam a putrefação liberam toxinas para deter os animais comedores de carniça, conservando assim a carne para si próprios. Mesmo nos países industrializados a contaminação de alimentos é um grande perigo. Até recentemente, carbúnculo e triquinose eram riscos graves, e atualmente os especialistas em saúde pública recomendam medidas sanitárias draconianas para que as pessoas não sejam intoxicadas pela salmonela com o próximo sanduíche de frango com salada. Em 1996, eclodiu uma crise mundial com a descoberta de que a Doença da Vaca Louca, uma patologia encontrada em parte do gado britânico que torna o cérebro esponjoso, poderia fazer o mesmo com as pessoas que comessem os animais contaminados.

Rozin sugeriu que a repugnância é uma adaptação que impedia nossos ancestrais de comer substâncias animais perigosas. Fezes, carniça e partes moles e viscosas de animais abrigam micro-organismos prejudiciais e têm de ser mantidas fora do organismo. A dinâmica do aprendizado sobre alimentos na infância ajusta-se a essa ideia. Que partes dos animais são seguras depende das espécies locais e suas doenças endêmicas, portanto as preferências específicas não podem ser inatas. As crianças usam seus familiares mais velhos do mesmo modo que os reis usavam os provadores de comida: se eles comeram alguma coisa e viveram, não é veneno. Assim, as crianças muito pequenas são receptivas a tudo o que os pais permitirem que comam e, quando têm idade suficiente para procurar o próprio alimento, evitam todo o resto.

Mas como explicar os efeitos irracionais da similaridade — a repugnância por vômito de borracha, fezes de cachorro de chocolate e baratas esterilizadas? A resposta é que esses artigos foram *fabricados* para evocar nas pessoas a mesma reação suscitada pelos objetos propriamente ditos. É por isso que as lojas de quinquilharias *vendem* vômito de borracha. O efeito da similaridade simplesmente mostra que a garantia dada por uma autoridade ou pela própria crença do indivíduo não desliga uma reação emocional. Isso não é mais irracional do que outras reações a simulações modernas, como deixar-se absorver por um filme, excitar-se com pornografia ou aterrorizar-se na montanha-russa.

E quanto ao nosso sentimento de que as coisas repugnantes contaminam tudo em que tocam? Ele é uma adaptação direta de um fato elementar do mundo vivo: os germes multiplicam-se. Os micro-organismos são fundamentalmente diferentes de venenos químicos como os fabricados pelas plantas. O perigo de uma substância química depende de sua dose. Plantas venenosas têm gosto amargo porque tanto a planta como quem quer comê-la têm interesse em que o comedor pare depois da primeira mordida. Mas no caso dos micro-organismos não existe dose segura, pois eles se reproduzem exponencialmente. Um único germe, invisível e sem gosto algum, pode multiplicar-se e rapidamente saturar uma substância de qualquer tamanho. Como obviamente os germes são transmitidos por contato, não surpreende que qualquer coisa que entrar em contato com uma substância nojenta passe a ser eternamente nojenta, mesmo que seu gosto e aparência permaneçam iguais. A repugnância é uma microbiologia intuitiva.

Por que é tão fácil sentir repugnância por insetos e outras criaturas pequenas como minhocas e sapos — que os hispano-americanos chamam de "animalitos"? O antropólogo Marvin Harris demonstrou que as culturas evitam os animalitos, quando existem animais maiores à disposição, e os comem quando não há maiores disponíveis. A explicação não tem relação alguma com salubridade, pois insetos são mais seguros do que carne. Ela provém da teoria da coleta ótima de alimentos, a análise de como os animais devem alocar — e geralmente alocam — seu tempo a fim de maximizar a taxa de nutrientes que consomem. Os animalitos são pequenos e esparsos, sendo preciso muito esforço para caçá-los e prepará-los para obter meio quilo de proteína. Um mamífero grande significa centenas de quilos de carne, disponíveis de imediato. (Em 1978, circulou o boato de que o McDonald's estava aumentando a carne dos Big Macs com minhocas. Mas se a empresa fosse tão gananciosa quanto o boato pretendia sugerir, ele não poderia ser verdadeiro: a carne de minhoca é muito mais cara do que a de boi.) Na maioria dos ambientes, não só é mais eficiente comer animais maiores, mas também os pequenos devem ser absolutamente evitados — o tempo gasto para apanhá-los seria mais bem empregado caçando uma presa maior. Assim, os animalitos não aparecem nas dietas de culturas que têm bichos maiores para comer, e como, na mente dos comedores, tudo o que não é permitido é proibido, essas culturas os consideram repugnantes.

E quanto aos alimentos que são tabus? Por que, por exemplo, os hindus são proibidos de comer carne de vaca? Por que os judeus são proibidos de comer carne de porco e crustáceos e de misturar carne com leite? Por milhares de anos, os rabinos apresentaram engenhosas justificativas para as leis dietéticas judaicas. Eis algumas, mencionadas na *Encyclopedia Judaica*:

De Aristeas, século I a. C.: "As leis dietéticas têm intuito ético, pois a abstenção do consumo de sangue subjuga o instinto do homem para a violência instilando-lhe horror ao derramamento de sangue [...] A injunção contra o consumo de aves de rapina visava demonstrar que o homem não deve pilhar os outros".

De Isaac ben Moses Arama: "A razão por trás de todas as proibições dietéticas não é que algum dano possa ser causado ao corpo, mas que esses alimentos corrompem e poluem a alma e embotam as capacidades intelectuais, conduzindo assim a opiniões confusas e à ânsia por apetites perversos e brutos que levam os homens à destruição, frustrando com isso o propósito da criação".

De Maimônides: "Todo alimento que a Tora proibiu-nos de comer produz no corpo algum efeito ruim e danoso [...] A principal razão de a Lei proibir a carne suína encontra-se nas circunstâncias de que os hábitos e a alimentação desses animais são imundos e repulsivos [...] A gordura dos intestinos é proibida porque engorda e destrói o abdômen e gera um sangue frio e viscoso [...] Carne cozida em leite é indubitavelmente um alimento muito gorduroso e faz a pessoa sentir-se empanturrada".

De Abraham ibn Ezra: "Creio ser um ato de crueldade cozinhar um filhote no leite da mãe".

De Nahmanides: "Ora, a razão para especificar nadadeiras e escamas é que os peixes que possuem nadadeiras e escamas aproximam-se mais da superfície da água e são encontrados mais comumente em áreas de água doce [...] Os sem nadadeiras e escamas geralmente vivem nos lodosos estratos inferiores, que são excessivamente úmidos e onde não há calor. Eles se reproduzem em pântanos bolorentos e comê-los pode ser prejudicial à saúde".

Com o devido respeito à sabedoria rabínica, esses argumentos podem ser demolidos por qualquer garoto inteligente de doze anos de idade, e como ex-mestre de escola dominical de sinagoga, posso atestar que isso acontece regularmente. Muitos judeus adultos ainda acreditam que a carne de porco foi proibida como medida de saúde pública, para prevenir a triquinose. Porém, como salienta Harris, se isso fosse verdade a lei teria sido um simples conselho contra carne de porco malpassada: "Não comerás a carne do porco senão depois de o rosado ter sido eliminado por cocção".

Harris observa que os tabus alimentares com frequência são compreensíveis em termos ecológicos e econômicos. Hebreus e muçulmanos eram tribos do deserto, e os porcos são animais de florestas. Esses animais competem com as pessoas por água e alimentos nutritivos como nozes, frutas e vegetais. Os animais *kosher*, em contraste, são ruminantes, como ovelhas, vacas e cabras, que podem viver alimentando-se de ásperas plantas do deserto. Na Índia, os bovinos são preciosos demais para serem abatidos, pois são usados para obter leite, esterco e puxar arados. A teoria de Harris é tão engenhosa quanto as dos rabinos e muito mais plausível, embora ele admita que ela não pode explicar tudo. Tribos antigas vagueando pelas crestadas areias da Judeia não correriam perigo algum de malbaratar seus recursos pastoreando camarões e ostras, e não está claro por que os habitantes de uma *shtetl* polonesa ou de uma zona do Brooklyn deveriam preocupar-se com os hábitos alimentares de ruminantes do deserto.

Os tabus alimentares são obviamente um marcador étnico, mas essa observação, em si mesma, nada explica. Para começar, por que as pessoas usam distintivos étnicos, ainda mais um tão custoso quanto proibir uma fonte de nutrientes? As ciências sociais pressupõem, sem questionar, que as pessoas submetem seus interesses aos do grupo, mas em termos evolutivos isso é improvável (como veremos ainda neste capítulo). Minha opinião é mais cética.

Em qualquer grupo, os membros mais jovens, mais pobres e menos privilegiados podem sentir-se tentados a desertar para ingressar em outros grupos. Os poderosos, especialmente os pais, têm interesse em mantê-los. Em todas as partes as pessoas formam alianças comendo juntas, das festas e banquetes dos índios americanos aos almoços de negócios e encontros amorosos. Se não posso comer com você, não posso tornar-me seu amigo. Os tabus alimentares muitas vezes proíbem um alimento favorito de uma tribo vizinha; isso se aplica, por exemplo, a muitas das leis dietéticas judaicas. É um indício de que elas são armas para manter no grupo potenciais desertores. Primeiro, elas transformam os meros prelúdios de cooperação com forasteiros — repartir o pão — num incontestável ato de desafio. Melhor ainda, elas exploram a psicologia da repugnância. Os alimentos tabus estão ausentes durante o sensível período do aprendizado das preferências alimentares, o que basta para fazer as crianças crescerem julgando-os repugnantes. Isso as impede de tornarem-se íntimas do inimigo. ("Ele me convidou para ir à casa dele, mas o que farei se servirem... EEEECA!!") De fato, a tática perpetua a si mesma, pois as crianças crescem e se tornam pais que não servem as coisas repugnantes aos *seus* filhos. Os efeitos práticos dos tabus alimentares foram notados com frequência. Um tema familiar nas novelas sobre a experiência de imigrantes é o tormento do protagonista na hora de provar alimentos tabus. Transpor os limites proporciona um tantinho de integração com o novo mundo, mas provoca um conflito aberto com os pais e a comunidade. (Em *Complexo de Portnoy*, Alex menciona que sua mãe pronunciava *hambúrguer* como se fosse *Hitler*.) Porém, como os dignitários não desejam que a comunidade veja os tabus sob essa luz, eles os revestem de sofismas talmúdicos e palavreado pomposo e obscuro.

O CHEIRO DO MEDO

Os amantes da linguagem sabem que existe uma palavra para cada medo. Você tem medo de vinho? Então você tem *enofobia*. Treme ao viajar de trem? Você sofre de *siderodromofobia*. Recear a sogra é *penterafobia* e ficar petrificado porque grudou manteiga de amendoim no céu da boca é *araqui-*

butirofobia. E há também o mal de Franklin Delano Roosevelt, o medo do próprio medo, ou *fobofobia*.

Porém, assim como não ter uma palavra para designar uma emoção não significa que ela não existe, ter uma palavra para designar uma emoção não significa que ela existe. Os lexicomaníacos, verbívoros e amantes dos vocábulos sesquipedais adoram um desafio. Diversão, para eles, é descobrir a palavra mais curta que contenha todas as vogais em ordem alfabética ou escrever um romance inteiro sem a letra *e*. Outro prazer léxico é encontrar nomes para medos hipotéticos. É daí que provêm essas fobias improváveis. Pessoas reais não estremecem diante do referente de cada raiz grega ou latina eufônica. Medos e fobias compõem uma lista breve e universal.

Cobras e aranhas sempre amedrontam. São os objetos que mais comumente provocam medo e asco em estudantes universitários cujas fobias foram estudadas; tem sido assim por muito tempo em nossa história evolutiva. D. O. Hebb constatou que chimpanzés nascidos em cativeiro gritam aterrorizados quando veem uma cobra pela primeira vez, e o primatologista Marc Hauser descobriu que seus saguis criados em laboratório davam berros de alarme ao ver um pedaço de mangueira plástica no chão. A reação dos povos coletores de alimentos foi expressa sucintamente por Irven DeVore: "Os caçadores-coletores não admitem que uma cobra viva". Nas culturas que veneram as serpentes, as pessoas ainda assim as tratam com muita cautela. Até Indiana Jones sentia medo delas!

Os outros medos comuns são de altura, tempestades, grandes carnívoros, escuridão, sangue, estranhos, confinamento, águas profundas, escrutínio social e deixar a casa sozinho. A linha comum é óbvia. Essas são as situações que punham em perigo nossos ancestrais. Aranhas e cobras frequentemente são venenosas, em especial na África, e a maioria dos outros medos representa perigos óbvios para a saúde de um coletor de alimento ou, em caso do escrutínio social, para o status. O medo é a emoção que motivava nossos ancestrais a lidar com os perigos que tendiam a encontrar.

O medo provavelmente consiste em várias emoções. Fobias de coisas físicas, de escrutínio social e de deixar a casa sozinho reagem a diferentes tipos de drogas, um indício de que são computadas por circuitos cerebrais diferentes. O psiquiatra Isaac Marks demonstrou que as pessoas reagem de modos diferentes a diferentes coisas atemorizantes, sendo cada reação apropriada ao perigo. Um animal desencadeia o ímpeto de fugir, mas um precipício faz a pessoa ficar petrificada. Ameaças sociais conduzem à timidez e a gestos de apaziguamento. Há pessoas que realmente desmaiam ao ver sangue, pois sua pressão sanguínea cai, presumivelmente uma reação que minimizaria uma perda adicional de seu sangue. A melhor evidência de que medos são adaptações e não apenas erros do sistema nervoso é que os animais que evoluíram em ilhas sem predadores perdem o medo e são presas fáceis para qualquer invasor — daí a expressão *dead as a dodo*.* Os medos dos atuais habitantes das cidades protegem-nos de perigos que não existem mais e deixam de nos proteger dos perigos do mundo que nos cerca. Deveríamos ter medo de armas de fogo, de dirigir em alta velocidade, de andar de carro sem cinto de segurança, de fluido de isqueiro e do secador de cabelo perto da banheira, não de cobras e aranhas. Os responsáveis pela segurança pública tentam incutir o medo no coração dos cidadãos usando de todos os recursos, das estatísticas às fotografias chocantes, geralmente em vão. Os pais gritam e castigam os filhos para impedi-los de brincar com fósforos ou de correr atrás da bola na rua, mas quando se perguntou a escolares de Chicago o que eles mais temiam, as crianças citaram leões, tigres e cobras, perigos improváveis naquela cidade.

Obviamente, os medos mudam com a experiência. Por décadas, os psicólogos pensaram que os animais aprendiam novos medos do mesmo modo que os cães de Pavlov aprendiam a salivar quando ouviam uma campainha. Em um célebre experimento, John B. Watson, o fundador do behaviorismo, chegou por trás de um menino de onze meses que brincava com um rato branco de estimação e abruptamente bateu duas barras de aço, produzindo um clangor. Depois de mais alguns desses estrondos, o menino passou a sentir medo do rato e de outras coisas brancas peludas, inclusive coelhos, cachorros, um casaco de pele de foca e Papai Noel. Também o rato pode aprender a associar ao perigo um estímulo previamente neutro. Um rato que leva um choque em uma sala branca fugirá para uma sala preta toda vez que for jogado na primeira, muito tempo depois de o produtor do choque ter sido desligado.

Mas, na verdade, as criaturas não podem ser condicionadas a temer simplesmente qualquer coisa. As crianças sentem-se nervosas na presença de ratos, e ratos ficam nervosos em aposentos muito claros, antes de qualquer condicionamento ter início, e facilmente os associam a perigo. Troque o rato branco por algum objeto arbitrário, como um binóculo de teatro, e a criança nunca aprenderá a temê-lo. Dê choques no rato em uma sala preta em vez de em uma branca, e essa criatura noturna aprenderá a associação mais lentamente e a desaprenderá mais rápido. O psicólogo Martin Seligman supõe que os medos só podem ser condicionados com facilidade quando o animal é evolutivamente preparado para fazer a associação.

(*) "Morto como um dodo"; expressão que designa uma pessoa idiota. (N. T.)

Poucas fobias humanas, ou talvez nenhuma, devem-se a objetos neutros que foram alguma vez associados a algum trauma. Há quem tenha medo de cobra sem jamais ter visto uma. Após um evento assustador ou doloroso, as pessoas tornam-se mais prudentes com relação à causa, mas não a temem; não existem fobias de tomadas elétricas, martelos, carros ou abrigos antiaéreos. Não obstante os clichês televisivos, a maioria dos sobreviventes de um evento traumático não têm um faniquito toda vez que deparam com algo que recorda o evento. Os veteranos do Vietnã ressentem-se do estereótipo do sujeito que se joga no chão cada vez que alguém derruba um copo.

Um modo melhor de entender o aprendizado dos medos é raciocinar segundo as demandas evolutivas. O mundo é um lugar perigoso, mas nossos ancestrais não podem ter passado a vida amedrontados dentro da caverna; era preciso arranjar comida e procurar parceiro sexual. Eles tiveram de aferir seus medos de perigos típicos com os verdadeiros perigos de seu ambiente (afinal, nem *todas* as aranhas são venenosas) e com sua própria capacidade de neutralizar o perigo: seu know-how, sua tecnologia defensiva e a segurança de pertencer a um grupo numeroso.

Marks e o psiquiatra Randolph Nesse afirmam que as fobias são medos inatos que nunca foram aprendidos. Os medos desenvolvem-se espontaneamente nas crianças. No primeiro ano de vida, os bebês temem os estranhos e a separação, e isso é natural, pois o infanticídio e o ataque de predadores são sérias ameaças para os pequeninos coletores de alimentos. (O filme *A cry in the dark* mostra como um predador pode facilmente apoderar-se de um bebê deixado sem atenção. É uma excelente resposta à pergunta que fazem todos os pais: "Por que o bebê deixado sozinho num quarto escuro berra desesperado?".) Entre os três e cinco anos, as crianças passam a sentir medo de todos os objetos fóbicos clássicos — aranhas, escuridão, águas profundas etc. — e depois os dominam, um a um. A maioria das fobias de adultos são medos infantis que nunca se dissiparam. É por isso que são os habitantes das cidades os que mais temem as cobras.

Como ocorre no aprendizado dos alimentos seguros, os melhores guias para os perigos locais são as pessoas que sobreviveram a eles. As crianças temem o que veem os pais temerem e, frequentemente, desaprendem seus medos quando veem outras crianças dominando os seus próprios medos. Os adultos são igualmente impressionáveis. Em tempo de guerra, coragem e pânico são ambos contagiosos; em algumas terapias, o paciente fóbico observa enquanto uma auxiliar brinca com uma jiboia ou deixa que uma aranha lhe suba pelo braço. Até os macacos observam-se mutuamente para calibrar o medo. Resos criados em laboratório não têm medo de cobras quando as veem pela primeira vez, mas se assistirem a um filme de outro macaco apavorado com uma serpente, passam a temê-la também. O macaco do filme não incute o medo, e sim o desperta, pois se o filme mostrar o macaco amedrontado ao ver uma flor ou um coelho em vez de uma cobra, o medo não se desenvolve no animal observador.

A capacidade de dominar o medo seletivamente é um componente importante do instinto. Pessoas em grave perigo, como pilotos em combate ou londrinos durante a *blitz*, podem mostrar-se notavelmente controladas. Ninguém sabe por que algumas pessoas conseguem manter a calma enquanto todos ao seu redor se descontrolam, mas os principais agentes tranquilizadores são a previsibilidade, aliados ao alcance de um grito e um senso de competência e controle que o escritor Tom Wolfe chamou *The right stuff* ["a coisa certa"]. Em seu livro com esse título [traduzido no Brasil como *Os eleitos*], sobre os pilotos de prova que se tornaram astronautas do Mercury, Wolfe definiu a coisa certa como "a capacidade [de um piloto] de subir em um pedaço de máquina em disparada, pôr em risco sua pele e depois ter a astúcia, os reflexos, a experiência, a frieza de retirar-se no último bocejante momento". Esse senso de controle é conquistado "testando os limites": experimentando, em pequenas etapas, o quanto se pode ir mais rápido, mais alto e mais longe sem acarretar o desastre. Testar os limites é um estímulo poderoso. Suportar eventos relativamente seguros que têm a aparência e dão a sensação de perigos ancestrais é um divertimento e suscita a emoção que chamamos de "excitação". Entre essas práticas inclui-se a maioria dos esportes não competitivos (mergulho, alpinismo, exploração subterrânea etc.) e os gêneros de livros e filmes denominados "thrillers". Winston Churchill observou: "Nada na vida é tão excitante quanto atirarem em nós sem resultado".

O MOINHO DA FELICIDADE

A busca da felicidade é um direito inalienável, diz a Declaração da Independência dos EUA em sua lista de verdades autoevidentes. A maior felicidade do maior número é o alicerce da moralidade, escreveu Jeremy Bentham. Afirmar que todo mundo quer ser feliz parece banal, quase circular, mas suscita uma questão profunda sobre nossa constituição. Que coisa é essa pela qual as pessoas se empenham?

A princípio, a felicidade poderia parecer uma sobremesa bem merecida pela aptidão biológica (mais precisamente, pelos estados que teriam conduzido à aptidão no meio em que evoluímos). Somos mais felizes quando estamos saudáveis, bem alimentados, confortáveis, seguros, prósperos e somos instruídos, respeitados, não celibatários e amados. Comparados a seus opostos, esses objetos de esforço são conducentes à reprodução. A função da felicidade seria mobilizar a mente para buscar a chave para a aptidão darwiniana. Quando estamos infelizes, trabalhamos pelas coisas que nos tornam felizes; quando estamos felizes, mantemos o *status quo*.

O problema é: por qual grau de bem-estar vale a pena empenhar-se? As pessoas da era glacial estariam perdendo tempo caso se preocupassem com sua falta de fogareiros para acampar, penicilina e rifles de caça, ou se houvessem trabalhado para obtê-los em vez de se esforçarem para conseguir melhores cavernas e lanças. Mesmo entre os coletores de alimentos modernos, padrões de vida muito diferentes são atingidos em diferentes épocas e lugares. Para que o perfeito não seja inimigo do bom, a busca da felicidade tem de ser aferida com aquilo que pode ser obtido por um esforço razoável no ambiente atual.

Como sabemos o que pode ser obtido por um esforço razoável? Uma boa fonte de informação é o que outras pessoas obtiveram. Se elas podem conseguir, talvez você também possa. Ao longo da história, observadores da condição humana vêm salientando a tragédia: as pessoas ficam felizes quando se sentem em melhores condições do que seus vizinhos e infelizes quando se sentem em condições piores.

> *But, O! how bitter a thing it is to look into happiness through another man's eyes!*
> [Mas, Ah! Que coisa amarga é ver a felicidade pelos olhos de outro homem!]
> William Shakespeare (*Como gostais*, v, ii)

Felicidade. S. f. Sensação agradável nascida da contemplação da desgraça alheia.

> Ambrose Bierce

Não basta ter êxito. Outros têm de fracassar.

> Gore Vidal

Ven frait zich a hoiker? Ven er zet a gresseren hoiker far zich. [Quando é que um corcunda exulta? Quando vê alguém com uma corcova maior.]

> Provérbio iídiche

Estudos sobre a psicologia da felicidade corroboram essa ideia sobre os rabugentos. Kahneman e Tversky dão um exemplo muito comum. Você abre seu envelope de pagamento e rejubila ao descobrir que recebeu um aumento de 5% — até ficar sabendo que seus colegas receberam 10%. Diz a lenda que a diva Maria Callas estipulava que qualquer teatro em que ela cantasse tinha de pagar-lhe um dólar a mais do que o segundo cantor mais bem pago da companhia.

As pessoas hoje em dia vivem mais seguras, são mais saudáveis, bem alimentadas e longevas do que em qualquer período da história. Porém, não passamos a vida dando pulos de alegria, e presumivelmente nossos ancestrais não viviam cronicamente deprimidos. Não é reacionário salientar que muitos pobres nos países ocidentais da atualidade vivem em condições com as quais os aristocratas de outrora nem teriam sonhado. As pessoas em diferentes classes e países muitas vezes contentam-se com sua sorte até que se comparam aos mais ricos. O grau de violência em uma sociedade tem mais relação com sua desigualdade do que com sua pobreza. Na segunda metade do século xx, a insatisfação do Terceiro Mundo, e mais tarde do Segundo, foi atribuída a vislumbres do Primeiro através dos meios de comunicação de massa.

O outro indicador importante do atingível é o quanto a sua situação está boa agora. O que você tem agora é atingível, por definição, e existe a possibilidade de você melhorar pelo menos um pouquinho. A teoria evolucionista prediz que o que um homem pode alcançar deve exceder o que ele consegue agarrar, porém não muito. Temos aqui a segunda tragédia da felicidade: as pessoas adaptam-se às suas circunstâncias, boas ou más, do mesmo modo que seus olhos adaptam-se ao sol ou à escuridão. Daquele ponto neutro, melhora é felicidade, perda é desgraça. Novamente, os sábios se anteciparam. O narrador do poema de E. A. Robinson (e mais tarde a canção de Simon and Garfunkel) inveja o dono da fábrica, Richard Cory, que "reluzia ao andar":

> So on we worked, and waited for the light,
> And went without the meat, and cursed the bread;
> And Richard Cory, one calm summer night,
> Went home and put a bullet through his head.*

A futilidade de esforçar-se levou muitos espíritos desconsolados a negar que a felicidade seja possível. Para Oscar Levant, uma personalidade do show business: "Felicidade não é algo que você vivencia, é algo de que se lembra". Freud afirmou que o objetivo da psicoterapia era "transformar o tormento histérico em infelicidade corriqueira". Um colega, consultando-me por e-mail a respeito de um perturbado estudante de pós-graduação, escreveu: "Às vezes eu gostaria de ser jovem, mas depois lembro que também não era assim tão maravilhoso".

Mas nesse aspecto os rabugentos estão apenas parcialmente certos. As pessoas de fato acabam se sentindo do mesmo modo ao longo de uma espantosa variação de condições boas e ruins. Mas o nível básico ao qual as pessoas se adaptam, em média, não é o da desgraça, e sim o da satisfação. (O nível

---

(*) "E assim fomos trabalhando, à espera da luz,/ E passamos sem a carne e execramos o pão;/ E Richard Cory, numa calma noite de verão,/ Foi para casa e meteu uma bala na cabeça."

básico exato difere de pessoa para pessoa, e em grande medida é herdado.) Os psicólogos David Myers e Ed Diener constataram que aproximadamente 80% das pessoas no mundo industrializado afirmam estar pelo menos "razoavelmente satisfeitas com a vida" e cerca de 30% dizem estar "muito felizes". (Pelo que sabemos, as informações são sinceras.) Essas porcentagens são as mesmas para todas as idades, para ambos os sexos, para negros e brancos e ao longo de quatro décadas de crescimento econômico. E Myers e Diener observam: "Em comparação com 1957, os americanos possuem duas vezes mais carros por pessoa — além de fornos de micro-ondas, televisores coloridos, videocassetes, aparelhos de ar condicionado, secretárias eletrônicas e 12 bilhões de dólares de tênis de marca novos por ano. Então, os americanos estão mais felizes do que em 1957? Não estão".

Em um país industrializado, o dinheiro compra apenas um pouco de felicidade: a correlação entre riqueza e satisfação é positiva, porém pequena. Ganhadores da loteria, depois de passar a comoção de felicidade, retornam a seu estado emocional anterior. Do ângulo mais positivo, isso também acontece com pessoas que sofreram perdas terríveis, como paraplégicos e sobreviventes do Holocausto.

Essas constatações não necessariamente contradizem a cantora Sophie Tucker quando ela garante: "Já fui pobre e já fui rica. Rica é melhor". Na Índia e em Bangladesh, riqueza prediz felicidade muito melhor do que no Ocidente. Entre 24 países da Europa Ocidental e das Américas, quanto maior o produto nacional bruto *per capita*, mais felizes são os cidadãos (embora haja muitas explicações). Myers e Diener ressaltam que riqueza é como saúde: não ter nos torna desgraçados, mas ter não garante a felicidade.

A tragédia da felicidade tem um terceiro ato. Existem duas vezes mais emoções negativas (medo, tristeza, ansiedade etc.) do que positivas, e as perdas são sentidas mais intensamente do que ganhos equivalentes. O astro do tênis Jimmy Connors sintetizou certa vez a condição humana: "Detesto perder mais do que gosto de ganhar". Essa assimetria foi confirmada em laboratório, demonstrando que as pessoas farão uma aposta maior para evitar uma perda certa do que para melhorar um ganho certo, e mostrando que a disposição de ânimo das pessoas despenca mais quando imaginam uma perda na vida (por exemplo, nas notas escolares ou no relacionamento com o sexo oposto) do que se eleva quando elas imaginam um ganho equivalente. O psicólogo Timothy Ketelaar observou que a felicidade acompanha os efeitos dos recursos sobre o bem-estar biológico. À medida que a situação melhora, os aumentos no bem-estar apresentam retornos decrescentes: mais comida é melhor, porém só até determinado ponto. Mas à medida que a situação piora, declínios no bem-estar podem tirar você do jogo: sem comida suficiente, você morre. Há muitos modos de a situação tornar-se infinitamente pior (uma infecção, fome, ser devorado, uma queda, *ad infinitum*), e não existem muitos modos de a situação tornar-se imensamente melhor. Isso faz as perdas possíveis merecerem mais atenção do que os ganhos; há mais coisas que nos fazem infelizes do que as que nos fazem felizes.

Donald Campbell, um pioneiro da psicologia evolucionista que estudou a psicologia do prazer, disse que os humanos estão em um "moinho de passos hedônico", no qual os ganhos em bem-estar não nos tornam mais felizes no longo prazo. De fato, o estudo da felicidade muitas vezes lembra um sermão pregando os valores tradicionais. Os números demonstram que os felizes não são os ricos, privilegiados, saudáveis ou bem-apessoados; são os que têm cônjuge, amigos, religião e um trabalho instigante e significativo. Essas constatações podem ser exageradas, pois aplicam-se a médias, não a indivíduos, e porque é difícil desenredar causas e efeitos: ser casado pode fazer você feliz, mas ser feliz pode ajudá-lo a casar-se e manter-se casado. Mas Campbell fez eco a milênios de homens e mulheres sábios quando resumiu o resultado de sua pesquisa: "A busca direta da felicidade é uma receita para uma vida infeliz".

O CANTO DA SEREIA

Quando afirmamos que alguém é governado pela emoção e não pela razão, muitas vezes queremos dizer que essa pessoa sacrifica os interesses de longo prazo pela gratificação no curto prazo. Perder a paciência, ceder a um sedutor, torrar o salário inteiro e dar meia-volta à porta do dentista são exemplos. O que nos faz tão míopes?

A capacidade de postergar uma recompensa é chamada autocontrole ou adiamento de gratificação. Os cientistas sociais com frequência a consideram um sinal de inteligência, de capacidade para antever o futuro e fazer planos com base nessa previsão. Mas descontar o futuro, como dizem os economistas, é parte da lógica da escolha para qualquer agente que vive mais do que um instante. Preferir a recompensa rápida à gratificação distante muitas vezes é a estratégia racional.

O que é melhor, um dólar agora ou um dólar daqui a um ano? (Suponha que não há inflação.) Um dólar agora, você poderia responder, pois você pode investi-lo e ter mais de um dólar daqui a um ano. Infelizmente, a explicação é circular: a razão de existirem os juros, antes de mais nada, é pagar às pessoas para abrirem mão do dólar que elas prefeririam ter agora a ter daqui a um ano. Mas os economistas salientam que, mesmo a explicação sendo inadequada, a resposta é correta: agora *realmente* é melhor. Primeiro, o dólar agora está disponível se em menos de um ano surgir uma necessidade premente ou uma oportunidade. Segundo, se você abrir mão do dólar agora, não há garantia de que o terá de volta daqui a um ano. Terceiro, você pode morrer dentro de um ano e nunca desfrutá-lo. Portanto, é racional descontar o futuro: consumir um recurso agora, a menos que investi-lo resulte em um retorno suficientemente elevado. A taxa de juros que você deve exigir depende do quanto o dinheiro é importante para você agora, do quanto é provável que você o tenha de volta e do quanto você espera viver.

A luta para reproduzir-se é uma espécie de economia, e todos os organismos, inclusive as plantas, precisam "decidir" entre usar recursos agora ou poupá-los para o futuro. Algumas dessas decisões são tomadas pelo corpo; tornamo-nos mais frágeis com a idade porque nossos genes descontam o futuro e constroem corpos fortes na juventude às custas de corpos fracos na velhice. A troca compensa ao longo das gerações, porque um acidente pode causar a morte de um corpo antes de ele envelhecer, e nesse caso qualquer sacrifício do vigor em favor da longevidade teria sido desperdiçado. Porém, a maioria das decisões sobre o futuro são tomadas pela mente. A todo momento escolhemos, consciente ou inconscientemente, entre coisas boas agora e coisas melhores mais tarde.

Às vezes a decisão racional é "agora", especialmente quando, como diz o ditado, a vida é curta e não existe amanhã. Essa lógica é posta a nu nas piadas de pelotão de fuzilamento. Oferecem ao condenado o último cigarro de praxe, e ele responde: "Não, obrigado, estou tentando parar de fumar". Rimos porque sabemos que não tem sentido ele adiar a gratificação. Outra velha piada deixa claro por que ser prevenido nem sempre é necessário. Murray e Esther, um casal judeu de meia-idade, estão passeando pela América do Sul. Um dia, Murray inadvertidamente fotografa uma instalação militar secreta, e o casal é levado para a prisão por soldados. Durante três semanas, os dois são torturados, na tentativa de forçá-los a dar os nomes de seus contatos no movimento de libertação. Finalmente, são arrastados para um tribunal militar, acusados de espionagem e condenados à morte por fuzilamento. Na manhã seguinte, são postos em frente ao paredão, e o sargento pergunta se têm um último desejo. Esther quer saber se pode telefonar para a filha em Chicago. O sargento diz que isso não é possível e vira-se para Murray. "Isso é loucura", grita Murray, "não somos espiões!", e cospe na cara do sargento. "Murray!", grita Esther. "Por favor, não se meta em encrenca!"

Na maior parte do tempo, temos plena certeza de que não morreremos dentro de poucos minutos. Mas todos morreremos algum dia, e todos corremos o risco de abrir mão de desfrutar alguma coisa se a postergarmos demais.

No estilo de vida nômade dos nossos ancestrais, como não existia a possibilidade de acumular bens ou de contar com instituições sociais duradouras como a caderneta de poupança, a recompensa pelo consumo sem dúvida era ainda maior. Porém, mesmo que não fosse, *algum* impulso para a gratificação imediata deve ter sido incorporado às nossas emoções. O mais provável é termos evoluído um mecanismo para estimar nossa longevidade e as oportunidades e riscos existentes em diferentes escolhas (comer agora ou depois, montar acampamento ou seguir viagem), sintonizando nossas emoções segundo essas estimativas.

O cientista político James Q. Wilson e o psicólogo Richard Herrnstein ressaltaram que muitos criminosos agem como se descontassem exorbitantemente o futuro. Um crime é um jogo cuja recompensa é imediata e cujo possível custo vem mais tarde. Wilson e Herrnstein atribuíram o desconto a uma inteligência reduzida. Os psicólogos Martin Daly e Margo Wilson têm uma explicação diferente. Em certas cidades interioranas dos Estados Unidos, a expectativa de vida para os jovens do sexo masculino é baixa, e eles sabem disso. (Em *Hoop dreams* [Basquete blues], o documentário sobre jogadores aspirantes de basquete de um gueto em Chicago, há uma cena tocante na qual a mãe de um dos garotos rejubila por ele estar vivo em seu décimo oitavo aniversário.) Além disso, a ordem social e os direitos de propriedade de longo prazo que garantiriam que os investimentos seriam reembolsados são precários. São essas, precisamente, as circunstâncias nas quais descontar exorbitantemente o futuro — correr riscos, consumir em vez de investir — é adaptativo.

Mais intrigante é o desconto *míope*: a tendência que todos temos de preferir uma recompensa posterior grande a uma pequena mais cedo, mas depois mudar nossa preferência com o passar do tempo e a aproximação de ambas as recompensas. Um exemplo bem conhecido é decidir-se, antes do jantar, a abrir mão da sobremesa (uma recompensa rápida e pequena) a fim de perder peso (uma recompensa grande mais tarde), mas sucumbir à tentação quando o garçom está anotando os pedidos das sobremesas. O desconto míope é fácil de ser produzido em laboratório: dá-se às pessoas (ou a pombos, também) dois botões, um que entrega uma pequena recompensa agora, outro que fornece uma recompensa maior mais tarde, e o sujeito muda sua escolha, da recompensa grande para a pequena, à medida que a chegada da pequena se torna iminente. A fraqueza da vontade é um problema não solucionado tanto na economia como na psicologia. O economista Thomas Schelling faz uma pergunta sobre o "consumidor racional" que também pode ser feita em relação à mente adaptada:

Como devemos conceituar esse consumidor racional que todos conhecemos e que alguns de nós são, o qual, revoltado consigo mesmo, atira no lixo seus cigarros, jurando que desta vez ele fala sério e nunca mais vai arriscar deixar seus filhos órfãos por câncer de pulmão e três horas depois está na rua procurando uma loja que ainda esteja aberta para comprar cigarros, que come um almoço rico em calorias sabendo que se arrependerá, arrepende-se mesmo, não consegue entender por que perdeu o controle, decide compensar com um jantar de baixas calorias, come um jantar rico em calorias sabendo que se arrependerá e se arrepende, que fica grudado na TV sabendo que mais uma vez amanhã ele acordará suando frio, despreparado para aquela reunião matinal da qual depende boa parte de sua carreira, que estraga a viagem à Disneylândia perdendo a paciência com os filhos quando estes fazem o que ele sabia que eles iriam fazer quando decidira não perder a paciência no momento em que fizessem aquilo?

Schelling aponta os estranhos modos como derrotamos nosso comportamento autoderrotador: deixar o despertador do outro lado do quarto para que não o desliguemos e voltemos a dormir, autorizar nossos empregadores a recolher todo mês uma parte do pagamento para a aposentadoria, deixar petiscos tentadores fora do alcance, manter o relógio cinco minutos adiantado. Ulisses mandou que seus companheiros de tripulação tampassem os ouvidos com cera e que o amarrassem ao mastro para que ele pudesse ouvir o canto sedutor das sereias sem desviar o navio na direção delas e dos rochedos.

Embora o desconto míope permaneça inexplicado, Schelling capta um ponto importante de sua psicologia quando fundamenta o paradoxo do autocontrole no caráter modular da mente. Ele observa que "as pessoas às vezes se comportam como se possuíssem dois eus, um que deseja pulmões limpos e vida longa e outro que adora tabaco, ou um que deseja um corpo esbelto e outro que quer sobremesa, ou um que anseia por aperfeiçoar-se lendo Adam Smith sobre o autodomínio [...] e outro que prefere assistir a um filme antigo na televisão. Os dois vivem em eterno combate pelo controle". Quando o espírito quer mas a carne é fraca, como ao refletirmos sobre uma sobremesa detonadora de dietas, podemos sentir dois tipos muito diferentes de estímulos em luta dentro de nós, um respondendo a visões e odores, o outro aos conselhos do médico. E quando as recompensas são do mesmo tipo, como um dólar hoje *versus* dois dólares amanhã? Talvez uma recompensa iminente acione um circuito para lidar com coisas garantidas e uma recompensa distante faça funcionar um circuito para apostar em um futuro incerto. Um sobrepuja o outro, como se a pessoa como um todo fosse projetada para acreditar que mais vale um pássaro na mão do que dois voando. No ambiente moderno, com seu confiável conhecimento sobre o futuro, isso frequentemente conduz a escolhas irracionais. Mas nossos ancestrais podem ter feito bem distinguindo entre o que é decididamente desfrutável agora e o que é supostamente ou pretensamente mais desfrutável amanhã. Mesmo hoje em dia, o adiamento da gratificação às vezes é punido devido à fragilidade do conhecimento humano. Fundos de pensão quebram, governos descumprem promessas e médicos anunciam que tudo o que eles haviam afirmado fazer mal a você faz bem e vice-versa.

EU E VOCÊ

Nossas emoções mais ardentes são evocadas não por paisagens, aranhas, baratas ou sobremesas, mas por outras pessoas. Algumas emoções, como a raiva, fazem-nos querer ferir as pessoas; outras, como amor, simpatia e gratidão, fazem-nos querer ajudá-las. Para entender essas emoções, precisamos primeiro compreender por que os organismos deveriam ser projetados para ajudar ou ferir uns aos outros.

Quem assiste a documentários sobre a natureza poderia acreditar que os lobos matam os veados mais velhos e fracos para manter o rebanho saudável, que os lemingues suicidam-se para impedir que a população morra de fome ou que os veados lutam entre si pelo direito de acasalar-se a fim de que os indivíduos mais aptos possam perpetuar a espécie. A suposição básica — que os animais agem tendo em vista o bem do ecossistema, da população, da espécie — parece decorrer da teoria de Darwin. Se no passado havia dez populações de lemingues, nove com lemingues egoístas que comiam até o grupo morrer de fome e uma na qual alguns morriam para que outros pudessem viver, o décimo grupo sobreviveria e os lemingues atuais deveriam ser propensos a fazer o supremo sacrifício. Essa crença é muito disseminada. Todo psicólogo que já escreveu sobre a função das emoções sociais discorreu sobre o benefício que elas trazem ao grupo.

Quando as pessoas dizem que os animais agem pelo bem do grupo, parecem não perceber que essa suposição é, na verdade, um afastamento radical do darwinismo e quase certamente incorreta. Darwin escreveu: "A seleção natural nunca produzirá em um ser alguma estrutura que seja mais prejudicial do que benéfica a esse ser, pois a seleção natural atua unicamente conforme e para o bem de cada um". A seleção natural só poderia selecionar grupos com membros altruístas se cada grupo pudesse fazer cumprir um pacto garantindo que todos os seus membros permanecessem altruístas. Mas sem essa imposição nada poderia impedir um lemingue mutante ou imigrante de, na prática, pensar: "Que se dane! Esperarei que todos *os outros* se atirem no precipício e então aproveitarei a comida que eles deixaram". O lemingue egoísta colheria as recompensas do altruísmo dos demais sem arcar com custo algum. Com essa vantagem, seus descendentes rapidamente dominariam a população, mesmo que esta como um todo ficasse em pior situação. E esse é o destino de qualquer tendência ao sacrifício. A seleção natural é o efeito cumulativo dos êxitos relativos de diferentes replicadores. Isso significa que ela seleciona os replicadores que replicam melhor, ou seja, os egoístas.

O inescapável fato de que as adaptações beneficiam o replicador foi enunciado pela primeira vez pelo biólogo George Williams e ampliado depois por Richard Dawkins em *O gene egoísta*. Quase todos os biólogos evolucionistas atualmente aceitam o argumento, embora haja debates sobre outras questões. A seleção entre grupos é possível em teoria, mas a maioria dos biólogos duvida que as circunstâncias especiais que possibilitariam sua ocorrência sejam encontradas no mundo real. A seleção entre ramos da árvore da vida é possível, mas isso nada tem a ver com os organismos serem ou não projetados para o altruísmo. Os animais absolutamente não se importam com o que acontece com seu grupo, espécie ou ecossistema. Os lobos caçam os veados mais velhos e mais fracos porque são esses os mais fáceis de caçar. Os lemingues famintos partem à procura de um lugar melhor para obter alimento e às vezes caem ou se afogam por acidente, e não suicídio. Os veados lutam entre si porque cada um quer se acasalar, e um cede quando a derrota é inevitável ou como parte de uma estratégia que funciona em média contra outros que usam estratégia igual. Machos que lutam são um desperdício para o grupo — na verdade, machos *em geral* são um desperdício para o grupo quando compõem a metade deste, pois alguns reprodutores poderiam procriar a geração seguinte sem consumir a metade dos alimentos.

Os biólogos frequentemente descrevem esses atos como comportamento em interesse próprio, mas o que causa o comportamento é a atividade do cérebro, em especial os circuitos das emoções e outros sentimentos. Os animais comportam-se de maneira egoísta em razão do modo como seus circuitos emocionais estão instalados. Meu estômago cheio, meu calor, meus orgasmos dão-me sensações muito melhores do que os seus, e eu desejo os meus e me empenharei pelos meus, mais do que pelos seus. É claro que um animal não pode sentir diretamente o que está no estômago de outro, mas poderia sentir indiretamente, observando o comportamento do segundo animal. Assim, é um fato psicológico interessante os animais normalmente não vivenciarem como seu próprio prazer o bem-estar observável de outro animal. Fato ainda mais interessante é às vezes o inverso acontecer.

Já mencionei anteriormente que a seleção natural seleciona os replicadores egoístas. Se os organismos fossem replicadores, todos os organismos seriam egoístas. Mas os organismos não se replicam. Seus pais não se replicaram quando você nasceu, pois você não é idêntico a nenhum dos dois. O projeto segundo o qual você foi feito — seu conjunto de genes — não é igual ao projeto que os fez. Os genes de seus pais foram embaralhados, sendo tirada uma amostra aleatória para compor espermatozoides e óvulos, e combinaram-se uns aos outros durante a fertilização para criar uma nova combinação de genes e um novo organismo diferente deles. As únicas coisas que realmente se replicaram foram os genes e fragmentos de genes cujas cópias conseguiram chegar até você, alguns dos quais você, por sua vez, transmitirá aos seus filhos e assim por diante. De fato, mesmo se sua mãe houvesse feito um clone de si mesma, ela não teria se replicado; apenas seus genes o teriam. Isso ocorre porque quaisquer mudanças por que sua mãe tenha passado ao longo da vida — perder um dedo, mandar fazer uma tatuagem, furar o nariz para pôr um enfeite — não lhe foram transmitidas. A única mudança que você poderia ter herdado foi uma mutação de um dos genes existentes no óvulo que se transformaria em você. Os genes, e não os corpos, replicam-se, e isso significa que os genes, e não os corpos, deveriam ser egoístas.

O DNA, evidentemente, não tem sentimentos; "egoísta" significa "agir de modos que tornam mais provável a própria replicação". A maneira de um gene fazer isso em um animal portador de cérebro é programar as conexões do cérebro para que os prazeres e sofrimentos do animal levem-no a agir de modos que conduzam a mais cópias do gene. Frequentemente, isso significa fazer com que um animal aprecie os estados que lhe permitem sobreviver e reproduzir-se. Um estômago cheio é satisfatório porque mantém o animal vivo, movendo-se e reproduzindo-se, conduzindo a mais cópias dos genes que constroem cérebros que fazem os estômagos cheios sentirem-se satisfeitos.

Construindo um cérebro que torna prazeroso comer, um gene ajuda a propagar cópias de si mesmo existentes nas gônadas do animal. O verdadeiro DNA que ajuda a construir um cérebro obviamente não é transmitido, ele próprio, pelo óvulo ou espermatozoide; apenas as cópias do gene existentes nas gônadas são transmitidas. Mas aqui temos uma importante peculiaridade. Os genes nas gônadas de um animal não são as *únicas* cópias remanescentes dos genes construtores de cérebro; eles são meramente as mais convenientes para o gene construtor de cérebro ajudar a replicar. *Qualquer* cópia capaz de replicação, em qualquer lugar do mundo, é um alvo apropriado, se puder ser identificada e se for possível tomar providências para ajudá-la a replicar-se. Um gene que trabalhasse para replicar cópias de si mesmo dentro das gônadas de algum *outro* animal poderia ter tanto êxito quanto um gene que trabalhasse para replicar cópias de si mesmo dentro das gônadas *do seu próprio* animal. No que diz respeito ao gene, uma cópia é uma cópia; que animal a contém é irrelevante. Para um gene construtor de cérebro, a única coisa especial no que concerne às gônadas de um animal é a *certeza* de que as cópias do gene serão encontradas nessas gônadas (a certeza provém do fato de que as células no corpo de um animal são clones genéticos). É por isso que os genes construtores de cérebro fazem os animais apreciarem tanto seu próprio bem-estar. Se um gene pudesse construir um cérebro capaz de identificar quando cópias de si mesmo estivessem nas gônadas de *outro* animal, ele faria o cérebro apreciar o bem-estar do *outro* animal e o levaria a agir de modos que aumentassem o bem-estar desse outro animal.

Quando é que uma cópia de um gene existente em um animal também existe dentro de outro animal? Quando esses animais são aparentados. Na maioria dos animais existe uma chance em duas de que qualquer gene em um dos pais tenha uma cópia na prole, pois esta recebe metade de seus genes de cada genitor. Também existe uma em duas chances de que exista uma cópia em um irmão germano, pois os irmãos germanos herdam seus genes do mesmo pai e da mesma mãe. Existe uma chance em oito de que uma cópia exista em um primo-irmão e assim por diante. Um gene que construísse um cérebro que fizesse seu possuidor ajudar seus parentes indiretamente ajudaria sua própria replicação. O biólogo William Hamilton observou que se o benefício para o parente, multiplicado pela probabilidade de que o gene seja compartilhado, exceder o custo para o animal, esse gene se propagará na população. Hamilton desenvolveu e formalizou uma ideia que fora acalentada também por vários outros biólogos e que se tornou mais célebre com o chiste do biólogo J. B. S. Haldane: quando lhe perguntaram se ele daria sua vida por um irmão, Haldane respondeu: "Não. Mas daria por dois irmãos ou oito primos".

Os biólogos denominam altruísmo o comportamento de um animal para beneficiar outro animal em detrimento de si mesmo. Quando o altruísmo evolui porque o altruísta é aparentado com o beneficiário, de modo que o gene causador do altruísmo beneficia a si mesmo, o termo empregado é seleção por parentesco. Mas, quando examinamos a psicologia do animal que assim se comporta, podemos dar outro nome ao fenômeno: amor.

A essência do amor é sentir prazer com o bem-estar do outro e sofrer quando o outro é prejudicado. Esses sentimentos motivam atos que beneficiam o ser amado, como acalentá-lo, alimentá-lo, protegê-lo. Hoje compreendemos por que muitos animais, inclusive os humanos, amam seus filhos, pais, avós, netos, irmãos, tias, tios, sobrinhos, sobrinhas e primos: pessoas ajudando parentes equivale a genes ajudando a si mesmos. Os sacrifícios feitos por amor são modulados segundo o grau de parentesco: as pessoas fazem mais sacrifícios pelos filhos do que pelos sobrinhos e sobrinhas. A modulação depende da expectativa de vida reprodutiva do beneficiário: os pais sacrificam-se mais pelos filhos, que têm uma vida mais longa pela frente, do que os filhos sacrificam-se pelos pais. E depende dos sentimentos de amor do beneficiário. As pessoas amam suas avós não porque esperam que elas se reproduzam, mas porque as avós as amam e também ao resto da família. Ou seja, você ajuda as pessoas que gostam de ajudar você e de ajudar seus parentes. Também é por isso que homens e mulheres se apaixonam. A genitora de meu filho geneticamente tem tanto em jogo quanto eu, por isso o que é bom para ela é bom para mim.

Muita gente pensa que a teoria do gene egoísta afirma que "os animais tentam propagar seus genes". Isso deturpa os fatos e deturpa a teoria. Os animais, inclusive a maioria das pessoas, não sabem coisa alguma de genética e muito menos se importam com ela. As pessoas amam seus filhos não porque desejam propagar seus genes (consciente ou inconscientemente), mas porque isso lhes é inevitável. Esse amor faz com que elas procurem manter os filhos aquecidos, alimentados e seguros. O que é egoísta não são os verdadeiros motivos da pessoa, mas os motivos metafóricos dos genes que construíram a pessoa. Os genes "tentam" propagar-se projetando o cérebro dos animais de modo que estes amem seus parentes e procurem mantê-los aquecidos, alimentados e seguros.

A confusão vem da ideia de que os genes de uma pessoa são seu verdadeiro eu e os motivos do gene são os motivos mais profundos, verdadeiros e inconscientes da pessoa. Com isso, é fácil extrair a cínica e incorreta moral de que todo amor é hipócrita. Isso confunde os verdadeiros motivos da pessoa com os motivos metafóricos dos genes. Os genes não são titereiros; atuaram como a receita para fazer o cérebro e o corpo e depois saíram de cena. Eles vivem em um universo paralelo, espalhados pelos corpos, com suas próprias agendas.

A maioria das discussões sobre a biologia do altruísmo na verdade não são sobre a biologia do altruísmo. É fácil perceber por que os documentários sobre a natureza, com sua louvável ética conservacionista, disseminam o moto de que os animais agem visando ao interesse do grupo. Uma mensagem subjacente é: não odeie o lobo que acabou de comer Bambi; ele está agindo pelo bem maior. Outra é: proteger o meio ambiente é a tendência da natureza; é melhor que nós, humanos, tratemos de nos corrigir. A teoria oposta do gene egoísta foi veementemente combatida devido ao temor de que ela justifique a filosofia de Gordon Gekko em *Wall Street*: ganância é bom, ganância funciona. E há também os que acreditam em genes egoístas mas insistem para que enfrentemos a triste realidade: no fundo, Madre Teresa é realmente egoísta.

A meu ver, a ciência moralista é prejudicial à moral e prejudicial à ciência. Sem dúvida, asfaltar Yosemite é insensatez, Gordon Gekko é mau e Madre Teresa é boa, independentemente do que se publicou nos mais recentes periódicos de biologia. Mas suponho que seja simplesmente humano sentir um *frisson* quando se fica sabendo o que nos fez ser o que somos. Por isso, ofereço um modo mais esperançoso de refletir sobre o gene egoísta.

O corpo é a suprema barreira para a empatia. Sua dor de dente simplesmente não dói em mim como dói em você. Mas os genes não estão aprisionados nos corpos; o mesmo gene vive nos corpos de muitos membros de uma família ao mesmo tempo. As cópias dispersas de um gene comunicam-se umas com as outras dotando os corpos com emoções. Amor, compaixão e empatia são fibras invisíveis que conectam genes em corpos diferentes. São o mais próximo que chegaremos de sentir a dor de dente de outra pessoa. Quando uma mãe deseja poder estar no lugar de um filho prestes a submeter-se a uma cirurgia, não é a espécie, o grupo ou seu corpo que deseja que ela tenha essa emoção extremamente altruísta; são seus genes egoístas.

Os animais não são bons apenas com seus familiares. O biólogo Robert Trivers desenvolveu uma sugestão de George Williams sobre como outro tipo de altruísmo poderia evoluir (definindo-se altruísmo, novamente, como um comportamento que beneficia outro organismo em detrimento de quem praticou a ação benéfica). Dawkins explica com um exemplo hipotético. Imagine uma espécie de ave que seja vítima de um carrapato transmissor de doença e precise passar boa parte do tempo removendo-o com o bico. A ave consegue alcançar todas as partes do corpo, menos o topo da cabeça. Cada ave seria beneficiada se outra ave lhe tirasse os carrapatos da cabeça. Se as aves de um grupo respondessem todas à visão de uma cabeça que lhes fosse apresentada limpando-a dos carrapatos, o grupo prosperaria. Mas o que aconteceria se um mutante apresentasse sua cabeça para ser limpa mas nunca limpasse a de ninguém? Esses aproveitadores seriam isentos de parasitas *e* além disso poderiam usar o tempo que poupavam não limpando os outros para procurar comida. Com essa vantagem, acabariam dominando a população, mesmo que isso tornasse o grupo mais vulnerável à extinção. O psicólogo Roger Brown explica: "Podemos imaginar um patético último ato no qual todas as aves no palco apresentam umas às outras as cabeças que ninguém quer limpar".

Mas digamos que surgisse um mutante diferente, rancoroso. Esse mutante limparia as cabeças de estranhos, de aves que no passado haviam limpado a cabeça dele, mas se recusaria a limpar a de aves que não o tivessem limpado. Assim que alguns desses mutantes rancorosos houvessem conquistado uma certa expressividade na população, eles prosperariam, pois limpariam as cabeças uns dos outros e não arcariam com o ônus de limpar os trapaceiros. E assim que se estabelecessem firmemente, nem os limpadores indiscriminados nem os trapaceiros poderiam eliminá-los, embora em algumas circunstâncias os trapaceiros pudessem espreitar como uma minoria.

O exemplo é hipotético, mostrando como o altruísmo entre não parentes — que Trivers denominou altruísmo recíproco — pode evoluir. É fácil confundir esse experimento mental com uma observação real; Brown observava: "Quando usei o exemplo em aula, ele às vezes voltou para mim nas provas como uma ave real, frequentemente como os 'pombos de Skinner', mais raramente como a gaivota de cabeça preta e uma vez como o tordo". Algumas espécies de fato praticam o altruísmo recíproco, mas não muitas, pois ele evolui apenas em condições especiais. Um animal tem de ser capaz de conceder um grande benefício a outro a um custo pequeno para si mesmo, e os papéis comumente têm de se reverter. Os animais precisam destinar parte de seu cérebro ao reconhecimento uns dos outros como indivíduos (ver capítulo 2) e, se a retribuição vier muito depois do favor, também à recordação de quem os ajudou e de quem se recusou a ajudá-los e, conforme essa lembrança, decidir como conceder ou negar favores.

Os humanos, obviamente, são uma espécie inteligente e zoologicamente incomuns na frequência com que ajudam indivíduos não aparentados (capítulo 3). Nossos estilos de vida e nossa mente são particularmente adaptados às demandas do altruísmo recíproco. As pessoas precisam trocar alimentos, utensílios, ajuda e informações. Com a linguagem, a informação é um bem de troca ideal, porque seu custo para quem a fornece — alguns segundos de fôlego — é ínfimo comparado ao benefício concedido. Os humanos são obcecados por indivíduos; lembre-se dos gêmeos Blick do capítulo 2, um dos quais mordeu um policial, mas nenhum dos dois foi punido porque cada um beneficiou-se de uma grande dúvida quanto a se fora ele ou o irmão quem perpetrara o ato. E a mente humana é equipada com *demons* estipuladores de objetivos que regulam a distribuição de favores; como no caso do altruísmo orientado para os familiares, o altruísmo recíproco é a expressão behaviorista de todo um conjunto de pensamentos e emoções. Trivers e o biólogo Richard Alexander demonstraram que as demandas do altruísmo recíproco são provavelmente a fonte de muitas emoções humanas. Coletivamente, elas compõem uma grande parte do senso moral.

O equipamento mínimo é um detector de trapaceiros e uma estratégia olho por olho que negue ajuda adicional a um trapaceiro bruto. Trapaceiro bruto é aquele que se recusa absolutamente a retribuir ou que retribui com tão pouco que o altruísta recebe de volta menos do que o custo de seu favor inicial. Lembre-se, do capítulo 5, que Cosmides demonstrou que as pessoas de fato raciocinam incomumente bem sobre trapaceiros. Mas a verdadeira trama começa com a observação de Trivers de que existe um modo mais sutil de trapacear. Um trapaceiro sutil retribui o suficiente para obter em troca os favores do altruísta, porém menos do que ele é capaz de dar ou menos do que o altruísta daria se a situação se invertesse. Isso deixa o altruísta em uma posição difícil. Em um sentido, ele está sendo explorado. Mas, se insistir na equidade, o trapaceiro sutil poderá romper o relacionamento de uma vez. Como metade de um pão é melhor do que pão nenhum, o altruísta está num beco sem saída. Mas ele conta com um tipo de poder. Se existirem *outros* parceiros de troca no grupo que não trapaceiem, ou que trapaceiem sutilmente porém sejam menos sovinas, o altruísta pode tratar com eles em vez de com o primeiro trapaceiro.

O jogo tornou-se mais complicado. A seleção favorece a trapaça no caso de o altruísta não a descobrir ou não interromper seu altruísmo caso a descubra. Isso conduz a melhores detectores de trapaceiros, o que leva a trapaças mais sutis, o que acarreta detectores para trapaças mais sutis, o que origina táticas para safar-se com trapaças sutis sem ser detectado pelos detectores de trapaceiros sutis e assim por diante. Cada detector deve acionar um *demon* de emoção que estipule o objetivo apropriado — continuar a retribuir, romper o relacionamento etc.

Eis como Trivers, pela engenharia reversa, identificou as emoções de cunho moral como estratégias no jogo da reciprocidade. (Suas suposições sobre as causas e consequências de cada emoção são apropriadamente corroboradas pela literatura de psicologia social experimental e por estudos de outras culturas, embora isso seja praticamente desnecessário, já que exemplos da vida real sem dúvida afluirão à mente.)

Afeição é a emoção que inicia e mantém uma parceria altruísta. Aproximadamente, consiste na disposição para oferecer um favor a alguém e se dirige àqueles que parecem dispostos a oferecer favores em retribuição. Gostamos de pessoas que são gentis conosco e somos gentis com as pessoas de quem gostamos.

Raiva protege a pessoa cuja gentileza deixou-a vulnerável à trapaça. Quando a exploração é descoberta, a pessoa classifica o ato ofensivo como injusto e sente indignação e desejo de reagir com uma agressão moralista: punir o trapaceiro rompendo o relacionamento e às vezes ferindo-o. Muitos psicólogos observaram que a raiva tem conotações morais; quase toda raiva é cheia de razões. Pessoas furiosas sentem-se prejudicadas em seus direitos e julgam ter de reparar uma injustiça.

Gratidão afere o desejo de retribuir com os custos e benefícios do ato original. Somos gratos às pessoas quando o favor que nos prestaram ajudou--nos muito e custou-lhes muito.

Simpatia, o desejo de ajudar os que estão necessitados, pode ser uma emoção para conquistar gratidão. Se as pessoas são mais gratas quando mais precisam de um favor, uma pessoa necessitada é uma oportunidade de fazer um ato altruísta render o máximo.

Culpa pode torturar um trapaceiro que está correndo perigo de ser descoberto. H. L. Mencken define *consciência* como "a voz interior que nos avisa de que alguém pode estar olhando". Se a vítima reage interrompendo toda ajuda futura, o trapaceiro terá pago caro. Ele tem interesse em impedir esse rompimento compensando a iniquidade e abstendo-se de cometê-la novamente. As pessoas sentem-se culpadas por transgressões privadas porque estas podem tornar-se públicas; confessar um pecado antes de ele ser descoberto é prova de sinceridade e dá à vítima melhores condições de manter o relacionamento. *Vergonha*, a reação a uma transgressão depois de ela ter sido descoberta, evoca uma exibição pública de contrição, sem dúvida pela mesma razão.

Lily Tomlin disse: "Tento ser cínica, mas é difícil me aguentar". Trivers observa que, depois de essas emoções evoluírem, as pessoas tiveram um incentivo para imitá-las a fim de se aproveitarem das reações das outras pessoas às emoções reais. Generosidade e amizade simuladas podem induzir a um altruísmo genuíno em retribuição. Ira moral fingida quando não ocorreu uma trapaça verdadeira pode ainda assim granjear reparações. Fingir sentir--se culpado pode convencer quem foi lesado de que o trapaceiro emendou-se, mesmo que a trapaça esteja prestes a recomeçar. Afetar tribulações medonhas pode evocar uma simpatia real. A simpatia simulada que tem uma aparência de ajuda pode produzir uma gratidão legítima. A falsa gratidão pode enganar um altruísta e levá-lo a esperar que um favor venha a ser retribuído. Trivers salienta que nenhuma dessas hipocrisias precisa ser consciente; de fato, quando não é, sua eficácia é maior, como veremos.

A próxima rodada nessa contenda evolutiva, obviamente, é desenvolver a capacidade de discriminar entre emoções reais e simuladas. Temos então a evolução de *confiança* e *desconfiança*. Quando vemos alguém afetando generosidade, culpa, simpatia ou gratidão em vez de mostrar sinais da emoção genuína, perdemos o desejo de cooperar. Por exemplo, se um trapaceiro corrige-se de um modo calculado em vez de por um sentimento de culpa digno de crédito, poderá trapacear novamente quando as circunstâncias lhe permitirem escapar sem castigo. A procura de sinais de fidedignidade transforma-nos em leitores de mentes, alertas para qualquer hesitação ou incongruência que traia uma emoção fingida. Como a hipocrisia é mais facilmente exposta quando as pessoas comparam observações, a busca da fidedignidade transforma-nos em ávidos consumidores de boatos. Em troca, nossa reputação torna-se nosso bem mais precioso, e somos motivados a protegê-la (e realçá-la) com exibições flagrantes de generosidade, simpatia e integridade e a ficar melindrados quando ela é contestada.

Você está acompanhando? A capacidade de resguardar-se contra emoções simuladas pode, por sua vez, ser usada como arma contra emoções reais. Uma pessoa pode proteger suas próprias trapaças atribuindo falsos motivos a outra pessoa — dizendo que esta não está de fato magoada, não é amiga, não se sente grata, culpada etc., quando na realidade a pessoa está sentindo sinceramente essas emoções. Não admira que Trivers tenha sido o primeiro a afirmar que a expansão do cérebro humano foi governada por uma corrida armamentista cognitiva, impelida pelas emoções necessárias para regular o altruísmo recíproco.

Assim como a seleção por parentesco, o altruísmo recíproco foi criticado por estar pintando um quadro sombrio dos motivos humanos, e até mesmo justificando esse quadro. A simpatia não passa de um modo barato de comprar gratidão? A bondade é apenas uma tática de negócios? De maneira nenhuma. Você está livre para pensar o pior sobre as emoções simuladas. Mas a razão por que as verdadeiras são sentidas não é a esperança de que elas ajudem quem as sente; é que elas de fato ajudaram os ancestrais dessa pessoa. E não é que não devemos castigar os filhos pelas iniquidades dos pais; eles podem nunca ter sido iníquos, para começar. Os primeiros mutantes que sentiram simpatia e gratidão podem ter prosperado não graças a seus cálculos, mas porque esses sentimentos fizeram com que valesse a pena para seus vizinhos cooperar com eles. As próprias emoções podem ter sido benévolas e sinceras em cada geração; de fato, depois de os detectores de emoções fingidas evoluírem, elas teriam sido mais eficazes quando *fossem* benévolas e sinceras. É claro que os genes são metaforicamente egoístas por dotarem as pessoas com emoções beneficentes, mas quem se importa com os méritos morais do ácido desoxirribonucleico?

Muitas pessoas ainda resistem à ideia de que as emoções morais são projetadas pela seleção natural para favorecer os interesses de longo prazo dos indivíduos e, em última análise, seus genes. Não seria melhor para todo mundo se fôssemos projetados para apreciar o que é melhor para o grupo? As empresas não poluiriam, os sindicatos de empregados em serviços públicos não decretariam greve, os cidadãos reciclariam garrafas e andariam de ônibus e aqueles adolescentes parariam de arruinar uma tranquila tarde de domingo com seus jet-skis.

Mais uma vez, acredito ser insensato confundir como funciona a mente com como seria bom que ela funcionasse. Mas talvez possa haver algum consolo em um modo diferente de ver as coisas. Talvez devêssemos *exultar* por que as emoções das pessoas não foram projetadas para o bem do grupo. Muitas vezes, a melhor maneira de beneficiar o próprio grupo é desalojar, subjugar ou aniquilar o grupo vizinho. As formigas de uma colônia são estreitamente aparentadas, e cada uma é um modelo de altruísmo. É por isso que as formigas encontram-se entre os raros tipos de animais que fazem guerra e escravizam. Quando líderes humanos manipularam ou coagiram o povo para que submetessem seus interesses aos do grupo, os resultados foram algumas das piores atrocidades da história. Em *A última noite de Boris Grushenko*, o personagem pacifista de Woody Allen é instado a defender o czar e a Mãe Rússia com um duvidoso chamado ao dever: disseram que, sob o domínio francês, ele teria de comer *croissants* e comidas substanciosas com molhos encorpados. O desejo das pessoas de proporcionar uma vida confortável para si mesmas, sua família e seus amigos pode ter freado as ambições de muitos imperadores.

A MÁQUINA DO FIM DO MUNDO

Estamos em 1962, e você é o presidente dos Estados Unidos. Acabou de ser informado de que a União Soviética lançou uma bomba atômica sobre Nova York. Você sabe que eles não voltarão a atacar. À sua frente está o telefone para o Pentágono, o proverbial botão, com o qual você pode retaliar bombardeando Moscou.

Você está prestes a apertar o botão. A política do país é retaliar na mesma moeda um ataque nuclear. Essa política foi concebida para intimidar os atacantes; se você não a seguir, a intimidação terá sido uma farsa.

Por outro lado, você reflete, o mal já está feito. Matar milhões de russos não trará milhões de americanos mortos de volta à vida. A bomba acrescentará precipitação radioativa na atmosfera, prejudicando seus próprios compatriotas. E você entrará para a história como um dos piores assassinos de multidões de todos os tempos. A retaliação agora seria por puro rancor.

Mas foi precisamente essa linha de raciocínio que encorajou os soviéticos a atacar. Eles *sabiam* que, uma vez lançada a bomba, você nada teria a ganhar e teria muito a perder se retaliasse. Julgaram que você estava blefando e pagaram para ver. Portanto, é melhor você retaliar para mostrar a eles que não estava blefando.

Mas, pensando bem, de que serve provar *agora* que você não estava blefando *antes*? O presente não pode afetar o passado. Permanece o fato de que, se você apertar o botão, extinguirá milhões de vida sem razão.

Mas espere — os soviéticos sabem que você pensaria que não tem sentido provar que você não estava blefando depois de eles terem tentado provar que você estava blefando. É por isso que eles pagaram para ver. O próprio fato de você estar pensando dessa maneira acarretou a catástrofe — por isso, você não deve pensar dessa maneira.

Mas não pensar dessa maneira *agora* é tarde demais...

Você amaldiçoa sua liberdade. Seu apuro está em ter a opção de retaliar e, como retaliar não é do seu interesse, você pode decidir não fazê-lo, exatamente como previram os soviéticos. Que bom seria se você *não tivesse* escolha! Se os seus mísseis houvessem sido conectados a um detector confiável de projétil nuclear e disparassem automaticamente! Os soviéticos não teriam ousado atacar, pois saberiam que a retaliação era certa.

Esse encadeamento de raciocínio foi levado à sua conclusão lógica na novela e filme *Dr. Strangelove* [*Dr. Fantástico*]. Um oficial americano enlouquecido ordenou que um bombardeiro nuclear atacasse a União Soviética, e o bombardeiro não pode ser chamado de volta. O presidente e seus assessores reúnem-se no gabinete de guerra com o embaixador soviético, para persuadi-lo, e para persuadir por telefone o dirigente soviético, de que o ataque iminente é um acidente e que os soviéticos não devem retaliar. Ficam sabendo que é tarde demais. Os soviéticos haviam instalado a Máquina do Fim do Mundo: uma rede de bombas nucleares subterrâneas que é acionada automaticamente se o país for atacado ou se alguém tentar desarmá-la. A precipitação radioativa destruirá toda a vida humana e animal do planeta. Eles instalaram a máquina porque era mais barato do que apontar com precisão mísseis e bombardeiros e porque temiam que os Estados Unidos estivessem construindo uma também e queriam prevenir-se contra uma defasagem no Fim do Mundo. O presidente Muffley (interpretado por Peter Sellers) conferencia com o principal estrategista nuclear do país, o brilhante dr. Strangelove (interpretado por Peter Sellers):

429

"Mas", disse Muffley, "é mesmo possível ela ser acionada automaticamente e ao mesmo tempo ser impossível desarmá-la?"

[...] Dr. Strangelove respondeu rápido: "Mas precisamente, senhor Presidente, não só é possível, é essencial. Essa é a ideia exata dessa máquina. Intimidação é a arte de produzir no inimigo o medo de atacar. E assim, graças ao processo decisório automatizado e irrevogável que exclui a interferência humana, a Máquina do Fim do Mundo é aterradora, simples de entender e completamente confiável e convincente" [...]

O presidente Muffley comentou: "Mas isso é fantástico, doutor Strangelove. Como ela pode ser acionada automaticamente?".

Strangelove respondeu: "Senhor, é notavelmente simples fazer isso. Quando alguém meramente deseja enterrar bombas, não há limite para o tamanho [...] depois de elas serem enterradas, são conectadas a um gigantesco complexo de computadores. Um conjunto de circunstâncias específicas e rigorosamente definidas sob as quais as bombas devem ser explodidas é programada nos bancos de memória de fita [...]". Strangelove virou-se para olhar diretamente [para o embaixador soviético]. "Só há uma coisa que não entendi, senhor Embaixador. Todo o sentido da Máquina do Fim do Mundo é perdido se ela for mantida em segredo. Por que vocês não contaram ao mundo?"

[O embaixador] virou-se de costas. Disse baixo, porém distintamente: "Ela seria anunciada no Congresso do Partido segunda-feira. Como vocês sabem, o Premiê adora surpresas".

Dr. Strangelove, com seu sotaque alemão, luvas de couro, cadeira de rodas e seu desconcertante tique de fazer a saudação nazista, é um dos personagens mais sinistros de toda a história do cinema. Foi concebido para simbolizar um tipo de intelectual que até bem pouco tempo era proeminente na imaginação pública: o estrategista nuclear, pago para pensar o impensável. Esses homens, que incluíam Henry Kissinger (em quem Sellers baseou sua interpretação), Herman Kahn, John von Newmann e Edward Teller, eram estereotipados como nerds amorais que despreocupadamente enchiam quadros-negros com equações sobre megamortes e destruição mutuamente assegurada. Talvez o que mais atemorizava neles fossem suas conclusões paradoxais — por exemplo, a de que a segurança na era nuclear está em expor nossas cidades e proteger nossos mísseis.

Mas o perturbador paradoxo da estratégia nuclear aplica-se a *qualquer* conflito entre partes cujos interesses sejam parcialmente concorrentes e parcialmente comuns. O bom-senso diz que a vitória vai para o lado com mais inteligência, egoísmo, frieza, opções, poder e claras linhas de comunicação. O bom-senso está enganado. Cada uma dessas vantagens pode ser uma desvantagem em disputas estratégicas (ao contrário do que ocorre em disputas dependentes de sorte, habilidade ou força), nas quais o comportamento é calculado prevendo o que o outro lado fará em resposta. Thomas Schelling demonstrou que os paradoxos são ubíquos na vida social. Veremos que eles permitem discernir muito sobre as emoções, em especial as paixões arrebatadoras que convenceram os românticos de que emoção e razão eram opostas. Mas, primeiro, deixemos de lado as emoções e examinemos apenas a lógica dos conflitos de estratégia.

Tome como exemplo a negociação. Quando duas pessoas discutem o preço de um carro ou de uma casa, o negócio é fechado quando um dos lados faz a concessão final. Por que ele faz a concessão? Porque ele tem certeza de que ela não fará. A razão de ela não fazer a concessão é pensar que ele fará. Ela pensa que ele fará porque ela pensa que ele pensa que ela pensa que ele fará. E assim por diante. Há sempre uma faixa de preços que tanto comprador como vendedor aceitariam. Mesmo se um preço específico nessa faixa não for o melhor para uma das partes, ele é preferível a cancelar totalmente o negócio. Cada lado é vulnerável a ser forçado a admitir o pior preço aceitável porque o outro lado percebe que o oponente não terá escolha se a alternativa for não se chegar a acordo algum. Mas quando ambas as partes podem adivinhar a faixa, *qualquer* preço dentro dela é um ponto a partir do qual pelo menos um lado estaria disposto a ceder, e a outra parte sabe disso.

Schelling salienta que o truque de revelar sua posição antecipadamente é um "sacrifício voluntário mas irreversível da liberdade de escolha". Como você persuade alguém de que não pagará mais de US$ 16 000 por um carro que na verdade vale US$ 20 000 para você? Você pode apostar US$ 5000 com uma terceira pessoa, numa aposta pública e formal, de que você não pagará mais de US$ 16 000. Contanto que os US$ 16 000 deem lucro ao vendedor do carro, ele não terá outra escolha senão aceitar. Persuasão seria inútil; ceder seria prejudicial para você. Atando suas próprias mãos, você melhora sua posição de barganha. O exemplo é extravagante, mas casos verdadeiros há em profusão. O concessionário indica um vendedor que não está autorizado a vender por menos do que um determinado preço mesmo que ele diga que deseja vender. O comprador de uma casa não pode obter uma hipoteca se o avaliador do banco disser que ele pagou demais. O comprador da casa explora essa incapacidade para conseguir um preço melhor do vendedor.

Não só o poder pode ser uma limitação em conflitos de estratégia — a comunicação também pode. Quando você está falando de um telefone público com uma amiga sobre onde se encontrarão para jantar, você pode simplesmente avisar que estará no Ming's às seis e meia e desligar. A amiga terá de concordar se quiser encontrar-se com você.

Táticas paradoxais também entram na lógica das promessas. Uma promessa pode assegurar um favor somente se o beneficiário da promessa tiver boas razões para acreditar que ela será cumprida. O promitente fica assim em uma posição *melhor* quando o beneficiário sabe que o promitente está *obrigado* por sua promessa. A lei dá às empresas o direito de processar judicialmente e o direito de serem processadas. O direito de serem processadas? Que tipo de "direito" é esse? É o direito que confere o poder de fazer uma promessa: de entrar em contratos, tomar dinheiro emprestado e fazer negócios com alguém que, como consequência, poderia ser prejudicado. Analogamente, a lei que permite aos bancos executar uma hipoteca faz com que valha a pena para o banco conceder a hipoteca e assim, paradoxalmente, beneficia o *tomador* do empréstimo. Em algumas sociedades, observa Schelling, os eunucos obtêm os melhores empregos graças ao que eles não podem fazer. Como um refém persuade seu sequestrador a não matá-lo para impedir que ele identifique o sequestrador no tribunal? Uma opção é deliberadamente cegar a si mesmo. Outra, melhor, é confessar um segredo vergonhoso que o sequestrador poderá usar como chantagem. Se não houver um segredo vergonhoso, ele poderá criar um fazendo o sequestrador fotografá-lo em algum ato indizivelmente degradante.

Ameaças, e defesas contra ameaças, são a arena onde o dr. Strangelove realmente mostra seu valor. Existem ameaças maçantes, nas quais o ameaçador tem interesse em cumprir a ameaça — por exemplo, quando a proprietária de uma casa ameaça um ladrão dizendo que irá chamar a polícia. A diversão começa quando cumprir a ameaça é oneroso para o ameaçador, por isso o valor que ela tem é só o da intimidação. Mais uma vez, a liberdade tem custo alto; a ameaça só é digna de crédito quando o ameaçador não tem escolha além de cumpri-la e o ameaçado sabe disso. De outro modo, o ameaçado pode por sua vez ameaçar o ameaçador recusando-se a ceder. A Máquina do Fim do Mundo é um exemplo óbvio, ainda que o segredo frustrasse seu propósito. Um sequestrador que ameace explodir um avião se alguém tentar desarmá-lo terá mais chance de ver Cuba se usar explosivos que detonem ao menor esbarrão. Um bom modo de vencer o jogo de adolescentes no qual dois carros aproximam-se um do outro em alta velocidade e o primeiro motorista que desviar é humilhado é mostrar a todos que você removeu o volante de seu carro e o jogou fora.

No caso das ameaças, como no das promessas, a comunicação pode ser uma desvantagem. O sequestrador mantém-se incomunicável depois de fazer o pedido de resgate para não poder ser persuadido a abrir mão do refém por um resgate menor ou em troca de uma fuga segura. A racionalidade também é uma desvantagem. Schelling nota que "se um homem bater à porta dos fundos e disser que se esfaqueará a menos que você lhe dê dez dólares, ele tem mais chances de ganhar os dez dólares se estiver com os olhos injetados".

Terroristas, raptores, sequestradores de avião e ditadores de países pequenos têm interesse em parecer mentalmente desequilibrados. Ausência de interesse pessoal também é uma vantagem. É quase impossível deter terroristas suicidas.

Para defender-se de ameaças, você deve impossibilitar o ameaçador de fazer uma oferta que você não pode recusar. Novamente, liberdade, informação e racionalidade são desvantagens. "O motorista desconhece a combinação do cofre", diz o adesivo no caminhão de entregas. Um homem preocupado com a possibilidade de que sua filha seja raptada pode doar toda a sua fortuna, sair da cidade e manter-se incomunicável, fazer lobby por uma lei que decrete ser crime o pagamento de resgate ou quebrar a mão com que assina cheques. Um exército invasor pode queimar as pontes atrás de si para impossibilitar a retirada. Um reitor de universidade diz aos manifestantes que não tem influência sobre a polícia municipal e verdadeiramente não deseja essa influência. Um extorsionário não pode vender proteção se o freguês der um jeito de não estar em casa quando o explorador vem procurá-lo.

Como uma ameaça onerosa anda em via de mão dupla, ela pode levar a um ciclo de autoincapacitação. Manifestantes tentam impedir a construção de uma usina de energia nuclear deitando-se sobre os trilhos da ferrovia que conduz ao local. O maquinista, sendo um homem sensato, não tem escolha além de parar o trem. A companhia ferroviária contra-ataca mandando o maquinista ajustar a válvula reguladora da velocidade do trem para que este se mova muito devagar e em seguida pular do trem e andar ao lado dele. Os manifestantes têm de bater em retirada. Na vez seguinte, os manifestantes prendem-se nos trilhos com algemas; o maquinista não ousa sair do trem. Mas os manifestantes precisam ter certeza de que o maquinista os vê a tempo de parar. A companhia designa para o próximo trem um maquinista míope.

Nesses exemplos, muitos deles fornecidos por Schelling, o poder paradoxal provém de uma restrição física como algemas ou de uma restrição institucional como a polícia. Mas paixões fortes podem ter o mesmo efeito. Digamos que um negociante anuncie publicamente que não pagará mais de us$ 16 000 pelo carro e que todos saibam que ele não toleraria a vergonha de faltar com a palavra. A vergonha inevitável é tão eficaz quanto a aposta formal, e ele comprará o carro pelo preço que estipulou. Se Madre Teresa quisesse vender a você o carro dela, você não faria questão de uma garantia, pois presume-se que ela seja por natureza incapaz de trapacear. O sujeito colérico que pode figurativamente explodir a qualquer momento desfruta a mesma vantagem tática do sequestrador, que pode verdadeiramente explodir a qualquer momento. Em *O falcão maltês*, Sam Spade (Humphrey Bogart) desafia os capangas de Kasper Gutman (Sidney Greenstreet) a matá-lo, sabendo que precisam dele para reaver o falcão. Gutman replica: "Essa é uma atitude, meu senhor, que requer o mais fino discernimento de ambas as partes, pois como sabe, meu senhor, no calor da ação os homens tendem a esquecer onde residem seus melhores interesses e a deixar-se arrebatar pelas emoções". Em *O poderoso chefão*, Vito Corleone diz aos chefes das outras famílias do crime: "Sou um homem supersticioso. E se algum desafortunado acidente vier a acontecer a meu filho, se meu filho for atingido por um raio, culparei algumas das pessoas aqui presentes".

Dr. Strangelove encontra O Poderoso Chefão. A paixão é uma máquina do juízo final? Pessoas consumidas pelo orgulho, amor ou raiva perderam o controle. Podem ser irracionais. Podem agir contra seus próprios interesses. Podem ser surdas a apelos. (O homem em estado de amoque lembra uma máquina do juízo final que foi acionada.) Porém, embora isso seja loucura, existe método nela. De modo preciso, esses sacrifícios de vontade e razão são táticas eficazes nas incontáveis barganhas, promessas e ameaças que compõem nossas relações sociais.

Essa teoria vira o modelo romântico de cabeça para baixo. As paixões não são vestígio de um passado animal, manancial de criatividade, inimigas do intelecto. O intelecto é projetado para renunciar ao controle em favor das paixões para que estas possam servir de fiadoras para suas ofertas, promessas e ameaças contra as suspeitas de que elas venham a ser reduzidas, descumpridas ou que sejam blefes. O aparente muro impenetrável a separar paixão e razão não constitui uma parte inelutável da arquitetura do cérebro; ele foi programado deliberadamente, pois só se as paixões estiverem no comando elas podem ser fiadoras dignas de crédito.

A teoria da máquina do fim do mundo foi proposta independentemente por Schelling, Trivers, Daly e Wilson, pelo economista Jack Hirshleifer e pelo economista Robert Frank. A cólera justificada, e a consequente sede de reparação e vingança, é uma intimidação confiável se essa emoção for incontrolável e se o intimidador for insensível aos custos. Tais compulsões, embora úteis no longo prazo, podem levar as pessoas a uma luta que é desproporcional ao que está em jogo. Em 1982, a Argentina anexou a colônia britânica das Falkland, ilhas desoladas praticamente destituídas de importância econômica ou estratégica. Em décadas passadas, poderia ter sentido a Grã-Bretanha defendê-las como uma intimidação imediata a qualquer um com intenções sobre o resto de seu império, mas naquela altura não havia mais império a defender. Frank mostrou que, com o que gastou para reaver as Falkland, a Grã-Bretanha poderia ter dado a cada habitante das ilhas um castelo escocês e uma pensão vitalícia. Mas a maioria dos britânicos orgulhou-se de ter enfrentado os argentinos. O mesmo senso de justiça leva-nos a entrar em dispendiosas ações judiciais por quantias pequenas ou a buscar uma restituição do que foi pago por um produto defeituoso a despeito da burocracia que nos custa mais em salário perdido do que o valor do produto.

A ânsia por vingança é uma emoção particularmente aterradora. No mundo todo, parentes de pessoas assassinadas sonham noite e dia com o doce momento amargo em que poderão vingar uma vida com uma vida e finalmente encontrar a paz. Essa emoção nos parece primitiva e medonha porque contratamos o governo para ajustar as contas para nós. Mas, em muitas sociedades, uma sede irresistível de vingança é a única proteção contra ataques mortíferos. Os indivíduos podem diferir na determinação com que sofrerão os custos de executar a vingança. Uma vez que essa determinação só será uma intimidação eficaz se for anunciada, ela é acompanhada pela emoção tradicionalmente designada como honra: o desejo de vingar publicamente até mesmo as menores infrações e insultos. O sensível gatilho da honra e vingança pode ser sintonizado com o grau de ameaça presente no meio. Honra e vingança elevam-se a virtudes divinas em sociedades fora do alcance da lei, como as dos remotos horticultores e pastores, pioneiros do Oeste Bravio, gangues de rua, famílias do crime organizado e de países inteiros quando tratam uns com os outros (caso em que a emoção é denominada "patriotismo"). Porém, mesmo em uma sociedade de estado moderna onde a emoção da vingança não serve a nenhum propósito, ela não pode ser facilmente desligada. A maioria das teorias legais, mesmo as dos filósofos de mais altos princípios, admite que a retribuição é um dos objetivos legítimos da punição criminal, muito acima dos objetivos de intimidar potenciais criminosos e de incapacitar, intimidar e reabilitar o infrator. Coléricas vítimas de crimes, há muito tornadas impotentes pelo sistema jurídico americano, recentemente pressionaram para terem influência sobre os acordos entre promotores e réus visando à redução da pena e sobre as decisões de sentenças.

Como explicou Strangelove, a finalidade de uma máquina do juízo final perde-se por completo se você a mantiver em segredo. Esse princípio pode explicar um dos mais antigos enigmas das emoções: por que as anunciamos no rosto.

O próprio Darwin nunca afirmou que as expressões faciais eram adaptações naturalmente selecionadas. Na verdade, sua teoria era positivamente lamarckiana. Os animais precisam mover o rosto por motivos práticos: mostram os dentes para morder, arregalam os olhos para ter uma visão panorâmica, puxam para trás as orelhas a fim de protegê-las numa luta. Essas atitudes transformaram-se em hábitos que o animal punha em prática se meramente antevisse um evento. Os hábitos foram então transmitidos à prole. Pode parecer estranho que Darwin não fosse darwiniano em um de seus livros mais célebres, mas lembre-se de que Darwin estava combatendo em duas frentes. Precisava explicar as adaptações para satisfazer seus colegas biólogos, mas ele também deu muita ênfase a características sem sentido e a vestígios animais em humanos com o intuito de combater os criacionistas, os quais afirmavam que o design funcional era sinal da obra de Deus. Se realmente Deus houvesse moldado os humanos a partir do zero, perguntou Darwin, por que teria instalado características que são inúteis para nós mas se assemelham a características que são úteis para os animais?

Muitos psicólogos ainda não conseguem entender por que anunciar nosso estado emocional pode ser benéfico. O proverbial cheiro do medo não encorajaria ainda mais os inimigos? Um psicólogo tentou reviver uma velha ideia de que os músculos faciais são torniquetes para enviar mais sangue às partes do cérebro que têm de lidar com o desafio em curso. Além de ser hidraulicamente improvável, essa teoria não é capaz de explicar por que somos mais expressivos quando há outras pessoas por perto.

Mas se as emoções passionais são fiadoras de ameaças e promessas, anunciá-las é sua razão de ser. Aqui, porém, surge um problema. Lembre-se de que as emoções reais criam um nicho para as emoções simuladas. Por que estimular-se para atingir um acesso de cólera quando você pode *simular* um acesso de cólera, intimidar seus inimigos e deixar de pagar o preço de buscar uma vingança perigosa se ela falhar? Deixe que *outros* sejam máquinas do fim do mundo, e você poderá colher os benefícios do terror que eles semeiam. Evidentemente, quando as expressões faciais forjadas começam a desalojar as verdadeiras, as pessoas acabam duvidando das ameaças, e as expressões faciais, verdadeiras e falsas, tornam-se inúteis.

As expressões faciais só têm serventia quando são difíceis de simular. Com efeito, elas *são* difíceis de simular. As pessoas não acreditam realmente que a sorridente comissária de bordo está feliz por vê-las. Isso ocorre porque um sorriso social forma-se com uma configuração de músculos diferente da do genuíno sorriso de prazer. Um sorriso social é executado por circuitos do córtex cerebral que estão sob o controle voluntário; um sorriso de prazer é executado por circuitos do sistema límbico e outros sistemas cerebrais e é involuntário. Raiva, medo e tristeza também mobilizam músculos que não podem ser controlados voluntariamente, e as expressões genuínas são difíceis de forjar, embora sejamos capazes de uma imitação aproximada. Os atores precisam simular expressões faciais para ganhar a vida, porém muitos não conseguem evitar uma aparência afetada. Alguns grandes atores, como Laurence Olivier, são atletas com extraordinária coordenação que, com muita obstinação, aprenderam a controlar cada músculo. Outros aprendem a representação do método, inspirada em Konstantin Stanislavsky, na qual os atores forçam-se a *sentir* uma emoção recordando ou imaginando uma experiência com grande carga emocional, e a expressão brota na face por reflexo.

Essa explicação é incompleta, pois suscita outra questão: *por que* nunca evoluiu em nós a capacidade de controlar nossas expressões? Você não pode dizer simplesmente que seria prejudicial a todos se as expressões simuladas se disseminassem. É verdade, mas em um mundo de gente com emoções honestas o simulador prosperaria, portanto os simuladores sempre desalojariam os sinceros. Desconheço a resposta, mas há lugares óbvios para procurar. Os zoólogos ocupam-se do mesmo problema: como os sinais sinceros dos animais, como gritos, gestos e exibições de saúde, podem evoluir em um mundo de aspirantes a simuladores? Uma resposta é que os sinais honestos podem evoluir se for custoso demais simulá-los. Por exemplo, só um pavão sadio é capaz de ostentar uma cauda esplêndida, portanto os pavões sadios arcam com o ônus de uma cauda que estorva os movimentos como uma exibição de consumo conspícuo de que só eles podem dar-se ao luxo. Quando os pavões mais sadios se exibem, os menos sadios não têm escolha além de imitar, pois se esconderem totalmente suas condições de saúde as pavoas suporão o pior, ou seja, que eles se encontram às portas da morte.

Existe algo nas expressões emocionais que tornasse inerentemente custoso colocá-las sob controle voluntário? Eis uma hipótese. Ao arquitetar o resto do ser humano, a seleção natural teve boas razões de engenharia para segregar os sistemas voluntários, cognitivos, dos sistemas que controlam as funções de cuidar da casa e administrar a fábrica, como por exemplo a regulagem dos batimentos cardíacos, taxa de respiração, circulação sanguínea, suor, lágrimas e saliva. Nenhuma de nossas crenças conscientes diz respeito à velocidade com que nosso coração deve bater, portanto não tem sentido deixar que controlemos isso. De fato, seria flagrantemente perigoso, pois poderíamos esquecer de fazê-lo bater quando nos distraíssemos, ou poderíamos testar nossas próprias ideias temerárias para descobrir qual deveria ser a melhor frequência de pulso.

Agora, digamos que a seleção algemasse cada emoção a um circuito de controle fisiológico e que a atividade desse circuito fosse visível para um observador porque ela se manifesta como afoguear-se, corar, empalidecer, suar, tremer, estremecer, ter a voz embargada, chorar e como os reflexos faciais examinados por Darwin. O observador teria boas razões para crer que a emoção é genuína, já que uma pessoa não poderia fingi-la a menos que tivesse o controle voluntário de seu coração e de outros órgãos. Assim como os soviéticos teriam desejado mostrar a todos as instalações da Máquina do Fim do Mundo para *provar* que ela era automática e irreversível e que a descrição dela não era um blefe, as pessoas poderiam ter interesse em mostrar a todos que uma emoção está mantendo seu corpo como refém e que suas palavras coléricas não são um blefe. Assim sendo, estaria explicado por que as emoções encontram-se tão intimamente ligadas ao corpo, um fato que intrigou William James e um século de psicólogos depois dele.

Prender as algemas poderia ter sido fácil para a seleção natural, pois as principais emoções humanas parecem ter se desenvolvido de precursores evolutivos (a raiva da luta, o medo da fuga etc.), cada qual requerendo um conjunto de reações fisiológicas involuntárias. (Essa pode ser a pontinha de verdade na teoria romântica e na teoria do cérebro trino: as emoções modernas podem *explorar* o caráter involuntário de reflexos mais antigos, mesmo que não o tenham herdado à revelia.) E, uma vez postas as algemas nos que tinham emoções sinceras, todos os demais não teriam escolha além de ostentá-las também, como os pavões sem saúde forçados a exibir a cauda. Uma cara de pau crônica sugeriria o pior: que as emoções que a pessoa declara em palavras e atos são fingidas.

Essa teoria não está comprovada, mas ninguém pode negar o fenômeno. As pessoas procuram detectar emoções simuladas e põem mais fé nos indícios fisiológicos involuntários. Isso fundamenta uma ironia da era das telecomunicações. Os serviços telefônicos de longa distância, o correio eletrônico, o fax e a videoconferência deveriam ter tornado obsoleta a reunião de negócios face a face. Mas as reuniões continuam a perfazer uma parte importante dos gastos das empresas e sustentam indústrias inteiras, como hotelaria, aviação e locação de carros. Por que insistimos em fazer negócios pessoalmente? Porque não confiamos em alguém até ver o que o faz suar.

BOBOS DE AMOR

Por que o amor romântico nos deixa enfeitiçados, aflitos e aturdidos? Poderia ser outra tática paradoxal como algemar-se aos trilhos do trem? É bem possível. Oferecer-se para passar a vida e criar filhos junto com alguém é a promessa mais importante que você pode fazer, e uma promessa é mais digna de crédito quando quem promete não pode voltar atrás. Eis como o economista Robert Frank fez a engenharia reversa do amor arrebatado.

Cientistas sociais insensíveis e celibatários veteranos concordam que namorar é um mercado. As pessoas diferem no valor como potenciais parceiros conjugais. Quase todo mundo concorda que o Príncipe Encantado ou a Princesa deve ser bem-apessoado, inteligente, gentil, estável, divertido e rico. As pessoas vão ao mercado em busca da pessoa mais desejável que as aceite, sendo esse o motivo por que a maioria dos casamentos inclui um noivo e uma noiva desejáveis em graus aproximadamente iguais. Ir ao mercado em busca de parceiro, porém, é apenas parte da psicologia do romance; explica a estatística da escolha de parceiros, mas não a escolha final.

Em algum lugar deste mundo com 5 bilhões de pessoas vive a criatura mais bem-apessoada, rica, inteligente, divertida e gentil que aceitaria casar com você. Mas o parceiro ideal é uma agulha num palheiro, e você poderá morrer solteiro se insistir em esperar que ele ou ela apareça. Permanecer solteiro tem seus custos, como a solidão, não ter filhos e ter de jogar o jogo do namoro com todos aqueles drinques e jantares (e às vezes cafés da manhã). Chega o momento em que compensa estabelecer-se com a melhor pessoa que você encontrou até então.

Mas esse cálculo deixa seu parceiro vulnerável. As leis da probabilidade dizem que algum dia você encontrará uma pessoa mais desejável e, se você estiver sempre em busca do melhor possível, algum dia abandonará seu cônjuge. Mas este investiu nesse relacionamento dinheiro, tempo, criação dos filhos e oportunidades de que ele abriu mão. Se o seu parceiro fosse a pessoa mais desejável do mundo, nada teria com que se preocupar, pois você jamais iria querer abandoná-lo. Mas isso não ocorrendo, seu parceiro teria sido tolo em entrar nesse relacionamento.

Frank compara o mercado do casamento com o mercado de aluguéis. Os proprietários desejam o melhor dos inquilinos, mas contentam-se com o melhor que conseguem encontrar, e os inquilinos desejam o melhor apartamento, mas contentam-se com o melhor que conseguem encontrar. Cada parte investe no apartamento (o proprietário pode pintá-lo da cor preferida pelo inquilino; este pode instalar decorações permanentes), e assim cada um seria prejudicado se o outro rompesse subitamente o acordo. Se o inquilino pudesse sair, trocando o apartamento por outro melhor, o proprietário teria de arcar com os custos de um imóvel vazio e da procura de outro inquilino; teria de cobrar um aluguel elevado para cobrir esse risco e se mostraria relutante em pintar o apartamento. Se o proprietário pudesse despejar o inquilino em troca de outro melhor, o inquilino teria de procurar uma nova residência; só estaria disposto a pagar um aluguel baixo e não se preocuparia em manter o imóvel em boas condições se tivesse de expor-se a esse risco. Se o melhor inquilino estivesse alugando o melhor apartamento, não haveria necessidade de preocupações; nenhuma das partes desejaria encerrar o acordo. Porém, como ambas precisam firmar um compromisso, protegem-se assinando um contrato de aluguel cujo rompimento é dispendioso para qualquer das partes. Concordando em restringir sua liberdade de despejar o inquilino, o proprietário pode cobrar um aluguel mais elevado. Concordando em restringir sua liberdade para sair do imóvel, o inquilino pode exigir do proprietário um aluguel mais baixo. A inexistência de escolha pode trazer vantagem para ambos.

As leis do casamento funcionam mais ou menos como as dos aluguéis, mas nossos ancestrais tiveram de encontrar algum modo de comprometer-se antes de existirem essas leis. Como você pode ter certeza de que um potencial parceiro não irá embora no minuto em que for racional fazê-lo — digamos, quando um Príncipe Encantado ou uma Princesa mudar-se para a casa vizinha? Uma resposta é: antes de mais nada, não aceite um parceiro que quis você apenas por motivos racionais; procure alguém que se comprometa a manter o relacionamento porque você é você. O que o compromete? Uma emoção. Uma emoção que a pessoa não decidiu sentir e, portanto, não pode decidir não sentir. Uma emoção que não foi desencadeada pelo valor objetivo que você tem como parceiro e que, portanto, não será transferida para alguém com maior valor como parceiro. Uma emoção que garantidamente não é simulada porque tem custos fisiológicos como taquicardia, insônia e anorexia. Uma emoção como o amor romântico.

"As pessoas que são sensatas com respeito ao amor são incapazes de senti-lo", escreveu Douglas Yates. Mesmo quando cortejadas pelo pretendente perfeito, as pessoas são incapazes de obrigar a si mesmas a se apaixonar, muitas vezes para a perplexidade do casamenteiro, do pretendente e da própria pessoa. Em vez disso, é um olhar, um sorriso, um jeito de ser que rouba o coração. Lembre-se, do capítulo 2, de que o cônjuge de alguém que tem um irmão gêmeo não sente atração por esse irmão; nós nos apaixonamos pelo indivíduo, e não pelas qualidades do indivíduo. A vantagem é que, quando Cupido realmente acerta a flecha, o alvo tem a maior credibilidade possível aos olhos do objeto do desejo. Murmurar que a aparência, o poder aquisitivo e o QI da pessoa amada atendem aos padrões mínimos que você estipulou provavelmente acabará com o clima romântico, muito embora a afirmação seja estatisticamente verdadeira. O caminho para o coração de alguém é declarar o oposto — que você está apaixonado porque não pode evitar. Não obstante os calafrios de papais e mamães conservadores, o sarcástico roqueiro de *piercing* no corpo estraçalhando guitarras tipicamente não canta sobre drogas, sexo ou Satã. Ele canta sobre o amor. Corteja uma mulher chamando a atenção para o caráter irracional e incontrolável de seu desejo e para seus custos fisiológicos. *I want you so bad, it's driving me mad, Can't eat, can't sleep, Heart beats like a big bass drum, You're the only one, Don't know why I love you like I do, You drive me crazy, Can't stop lovin' you, Ain't nobody can do it to me the way you can, I like the way you walk, I like the way you talk etc. etc.* *

Evidentemente, podemos muito bem imaginar uma mulher não sendo arrebatada por essas proclamações. (Ou um homem, se for uma mulher a se declarar assim.) Tais afirmações acendem uma luz de alerta no outro componente do namoro: ir ao mercado com inteligência. Groucho Marx disse que não entraria para nenhum clube que o aceitasse como membro. Em geral, as pessoas não querem um pretendente que as deseja demais depressa demais, pois isso mostra que o pretendente está desesperado (portanto, elas devem esperar até que surja alguém melhor) e mostra que o ardor do pretendente é desencadeado com demasiada facilidade (sendo, portanto, passível de ser desencadeado com muita facilidade por alguma outra pessoa). A contradição do fazer a corte — alardear seu desejo e ao mesmo tempo fazer-se de difícil — decorre das duas partes do amor romântico: estipular um padrão mínimo para os candidatos no mercado de parceiros e caprichosamente comprometer-se de corpo e alma com um deles.

A SOCIEDADE DE SENTIMENTOS

A vida mental muitas vezes lembra um parlamento interior. Pensamentos e sentimentos disputam o controle como se cada qual fosse um agente com estratégias para dominar a pessoa inteira, você. Nossos agentes mentais poderiam usar táticas paradoxais uns com os outros — algemas, máquinas do fim do mundo, contratos infrangíveis entre partes? A analogia é imperfeita, pois a seleção natural molda as pessoas para competir mas não molda os órgãos, inclusive os agentes mentais, para competir; os interesses da pessoa como um todo são supremos. Mas a pessoa como um todo tem muitos objetivos, como alimento, sexo e segurança, e isso requer uma divisão de trabalho entre agentes mentais com diferentes prioridades e tipos de especialização. Os agentes estão comprometidos com uma *entente* que beneficia a pessoa como um todo ao longo de toda a vida, mas no curto prazo os agentes podem passar a perna um no outro com táticas tortuosas.

(*) "Eu te quero tanto, isso está me enlouquecendo, Não consigo comer, não consigo dormir, Coração bate como um tambor enorme, Você é a única, Não sei por que te amo como te amo, Você me enlouquece, Não consigo parar de te amar, Ninguém consegue fazer comigo como você faz, Gosto do seu jeito de andar, gosto do seu jeito de falar etc. etc."

O autocontrole é inconfundivelmente uma batalha tática entre partes da mente. Schelling observa que as táticas que as pessoas usam para controlar-se são intercambiáveis com as táticas que elas usam para controlar outras pessoas. Como você impede seu filho com urticária de coçar-se durante o sono? Calça luvas nele. Como você impede a si mesmo de coçar-se durante o sono quando tem urticária? Calçando luvas. Se Ulisses não tivesse tampado os ouvidos de seus colegas de tripulação, eles próprios o teriam feito. O eu que deseja um corpo esguio passa a perna no eu que deseja sobremesa jogando fora o bolo de chocolate no momento em que está no controle.

Portanto, parece que realmente usamos táticas paradoxais contra nós mesmos. O agente que em determinado momento está no controle faz um sacrifício voluntário mas irreversível da liberdade de escolha para o corpo todo e consegue o que quer no longo prazo. Esse é o aspecto animador em toda essa discussão deprimente sobre genes egoístas e máquinas do fim do mundo. A vida social nem sempre é o equivalente de uma guerra termonuclear global porque a parte de nós com a visão do futuro mais ampla, quando está no controle do corpo, pode voluntariamente sacrificar a liberdade de escolha para o corpo em outros momentos. Assinamos contratos, nos submetemos a leis e empenhamos nossa reputação com declarações públicas de lealdade a amigos e cônjuges. Essas não são táticas para derrotar outra pessoa, mas táticas para derrotar as partes mais perversas de nós mesmos.

Mais uma cogitação sobre a batalha no interior da cabeça. Ninguém sabe para que serve o luto. Obviamente, a perda de um ser amado é desagradável, mas por que tem de ser devastadora? Por que o sofrimento debilitante que impede a pessoa de alimentar-se, dormir, resistir a doenças e levar a vida? Jane Goodall descreveu um jovem chimpanzé, Flint, que após a morte de sua adorada mãe tornou-se deprimido e se deixou morrer como se estivesse de coração partido.

Alguns sugeriram que o luto é um intervalo forçado para reavaliação. A vida nunca mais será a mesma, portanto a pessoa precisa de um tempo para planejar como lidar com um mundo que foi tumultuado. Talvez o luto também conceda às pessoas um tempo para refletir sobre como um descuido que talvez tenham cometido poderia ter permitido aquela morte e como elas poderiam ser mais cuidadosas no futuro. Pode haver um quê de verdade nessa suposição. As pessoas que perdem um ente querido constatam que a dor renova-se toda vez que descobrem mais um hábito a ser desaprendido, como pôr mais um prato na mesa ou comprar comida para dois. E culpar a si mesmo é um sintoma comum. Mas a dor do luto dificulta planejar, em vez de facilitar, e é demasiado extrema e prolongada para ser útil como uma sessão de estratégia.

William James escreveu: "É preciso uma mente viciada pelo estudo para levar tão longe o processo de fazer o natural parecer estranho a ponto de perguntar o 'porquê' de um ato humano instintivo". Embora legítima para um cientista, a questão "por que sofremos ao perder uma pessoa querida?" é absurda para o bom-senso. Se você não sofresse pela morte de alguém, poderia realmente ter amado essa pessoa quando ela estava viva? Isso é logicamente possível, mas parece psicologicamente impossível; o luto é a outra face do amor. E nisso pode residir a resposta. Talvez o luto seja uma máquina do fim do mundo interior, sem sentido depois de disparar, útil apenas como intimidação. Que pais já não perderam o sono refletindo sobre o horror de perder um filho? Ou não adoeceram de preocupação com imagens pavorosas quando um filho está atrasado ou desaparecido? Esses pensamentos são lembretes poderosos para proteger e acalentar um ser amado em face de inúmeras outras demandas sobre nosso tempo e nossos pensamentos. Como todas as intimidações, o luto somente será eficaz se for certo e terrível.

ENGANANDO A NÓS MESMOS

O dramaturgo Jerome K. Jerome comentou certa vez: "É sempre a melhor política dizer a verdade, a menos, é claro, que você seja excepcionalmente bom mentiroso". Ser um bom mentiroso é difícil, mesmo quando se trata das suas próprias intenções, que só você pode confirmar. As intenções provêm das emoções, e a evolução nos instalou mostruários das emoções no rosto e no corpo. A menos que você seja mestre no método de Stanislavsky, terá dificuldade para fingi-las; de fato, elas provavelmente evoluíram *porque* são difíceis de simular. Pior ainda, mentir gera tensão, e a ansiedade tem seus próprios sinais reveladores. Eles proporcionam a base lógica dos polígrafos, os chamados detectores de mentira, e os humanos também evoluíram para ser detectores de mentiras. Existe ainda o incômodo fato de que algumas proposições implicam logicamente outras. Como *algumas* das coisas que você diz serão verdade, você corre sempre o risco de expor suas próprias mentiras. Como diz um ditado iídiche, o mentiroso precisa ter boa memória.

Trivers, desenvolvendo sua teoria das emoções até a conclusão lógica, observa que em um mundo de detectores de mentira ambulantes, a melhor estratégia é acreditar em suas próprias mentiras. Você não pode revelar inadvertidamente suas intenções ocultas se não pensar que elas *são* suas intenções. Segundo a teoria do autoengano de Trivers, a mente consciente às vezes oculta a verdade de si mesma melhor do que a oculta de outras pessoas. Mas a verdade é útil, por isso deveria ser registrada em alguma parte da mente, isolada das partes que interagem com outras pessoas. Eis uma óbvia semelhança com a teoria freudiana do inconsciente e dos mecanismos de defesa do ego (como repressão, projeção, negação e racionalização), embora a explicação seja totalmente diferente. George Orwell afirmou em *1984*: "O segredo de governar é combinar a crença na própria infalibilidade com a capacidade de aprender com erros passados".

O neurocientista Michael Gazzaniga demonstrou que o cérebro imperturbavelmente tece explicações falsas sobre seus motivos. Pacientes com cérebro separado tiveram seus hemisférios cerebrais desligados cirurgicamente como tratamento contra epilepsia. Os circuitos da linguagem encontram-se no hemisfério esquerdo, e a metade esquerda do campo visual é registrada no hemisfério direito isolado, de modo que a parte capaz de falar na pessoa com cérebro dividido não tem noção da metade esquerda de seu mundo. O hemisfério direito, porém, continua ativo, e pode executar comandos simples apresentados no campo visual esquerdo, como "Ande" ou "Ria". Quando se pergunta ao paciente (na verdade, ao hemisfério esquerdo do paciente) por que ele saiu andando (o que, sabemos, foi uma resposta ao comando apresentado ao hemisfério direito), ele replica, engenhosamente: "Para pegar uma Coca-cola". Quando se pergunta por que ele está rindo, ele diz: "Vocês vêm aqui todo mês para nos testar. Que jeito de ganhar a vida!".

Nossas confabulações, não por coincidência, apresentam-nos sob a melhor luz. Centenas de experimentos em psicologia social afirmam isso. O humorista Garrison Keillor descreve a comunidade fictícia de Lake Wobegon, "onde as mulheres são fortes, os homens, bem-apessoados, e todas as crianças, acima da média". De fato, a maioria das pessoas alega ser acima da média em qualquer característica positiva que você mencionar: liderança, refinamento, habilidades atléticas, habilidade administrativa, até mesmo perícia ao volante. Racionalizam a gabolice procurando um *aspecto* da característica no qual possam realmente ser bons. Os motoristas lentos dizem que são acima da média no quesito segurança; os velozes, que são acima da média nos reflexos.

De um modo mais geral, iludimos a nós mesmos com respeito a quão benévolos e eficazes nós somos, uma combinação que os psicólogos sociais denominam "beneficácia". Quando sujeitos participam de jogos que são manipulados pelo experimentador, eles atribuem seus êxitos à própria habilidade e os fracassos à sorte da jogada. Quando em um experimento forjado são lografados para pensar que deram choques em outro sujeito, desmerecem a vítima, insinuando que ela mereceu o castigo. Todos já ouviram falar de "redução da dissonância cognitiva", na qual as pessoas inventam uma nova opinião para resolver uma contradição em sua mente. Por exemplo, uma pessoa se lembrará de ter apreciado uma tarefa maçante se tivesse concordado em recomendar essa tarefa a outros por um pagamento insignificante. (Se a pessoa tivesse sido instigada a recomendar a tarefa por um pagamento generoso, recordará acuradamente que a tarefa era maçante.) Como concebida originalmente pelo psicólogo Leon Festinger, a dissonância cognitiva é um sentimento desordenado que decorre da incoerência das próprias crenças da pessoa. Mas isso não está certo: não há contradição entre a proposição "A tarefa é maçante" e a proposição "Fui pressionado para mentir dizendo que a tarefa era divertida". Outro psicólogo social, Eliot Aronson, arrematou: as pessoas falsificam suas crenças apenas para eliminar uma contradição com a proposição "Sou correto e estou no comando". A dissonância cognitiva sempre é desencadeada pela evidência gritante de que você não é tão benévolo e eficaz quanto gostaria que as pessoas pensassem que é. O impulso para reduzi-la é o impulso para reaver a coerência de sua história conveniente.

Às vezes vislumbramos nosso próprio autoengano. Quando é que um comentário negativo melindra, fere, magoa? Quando alguma parte de nós sabe que ele é verdadeiro. Se todas as partes soubessem que o comentário é verdadeiro, ele não magoaria; seria notícia velha. Se nenhuma parte soubesse que ele é verdadeiro, ele não causaria dano; poderíamos descartá-lo como falso. Trivers relata uma experiência que é bastante familiar (ao menos para mim). Um de seus trabalhos foi alvo de uma resenha que, na época, lhe pareceu maldosa e infundada, repleta de insinuações e calúnia. Relendo o artigo anos depois, Trivers surpreendeu-se ao perceber que o palavreado era mais brando, as dúvidas mais razoáveis e a atitude menos tendenciosa do que ele se recordava. Muitos outros fizeram descobertas como essa; elas são quase a definição de "sabedoria".

> Se existisse um verbo significando "acreditar falsamente", ele não teria uma significativa primeira pessoa do presente do indicativo.
>
> Ludwig Wittgenstein

> Há um modo de descobrir se um homem é honesto: pergunte a ele; se ele responder sim, você sabe que ele é desonesto.
>
> Mark Twain

> A opinião que nosso inimigo tem de nós está mais próxima da verdade do que a nossa própria.
>
> François La Rochefoucauld

> *Oh wad some power the giftie gie us*
> *To see oursels as ithers see us!*
> [Ah, quisera que alguma divindade nos desse o dom
> De ver a nós mesmos como outros nos veem!]
>
> Robert Burns

* * *

Ninguém pode examinar as emoções sem ver nelas a fonte de muitas tragédias humanas. Não creio que devemos culpar os animais; está bem claro como a seleção natural arquitetou nossos instintos para adequarem-se às nossas necessidades. Tampouco devemos culpar os genes egoístas. Eles nos dotam com motivos egoístas, mas por certo também nos dotam com a capacidade para o amor e o senso de justiça. O que devemos avaliar e temer são os ardilosos designs das próprias emoções. Muitas de suas especificações não se destinam ao contentamento e à compreensão: pense no moinho da felicidade, no canto da sereia, nas emoções simuladas, nas máquinas do fim do mundo, nos caprichos do amor romântico, na inútil punição do luto. Mas o autoengano é talvez o mais cruel de todos os motivos, pois faz com que nos julguemos corretos quando estamos errados e nos encoraja a lutar quando deveríamos nos render. Trivers escreveu:

> Considere uma discussão entre duas pessoas estreitamente relacionadas, digamos, marido e mulher. Ambas as partes acreditam que uma é altruísta — constante, de intenções relativamente puras e muito maltratada — enquanto a outra caracteriza-se por um padrão de egoísmo disseminado por centenas de incidentes. Só discordam quanto a quem é altruísta e quem é egoísta. É notável como a discussão parece irromper espontaneamente, com pouca ou nenhuma antevisão, porém, à medida que ela prossegue, dois panoramas inteiros de processamento de informações parecem já estar organizados, esperando apenas pela faísca da cólera para se revelarem.

Nos desenhos animados e filmes, os vilões são degenerados que enrolam os bigodes e dão gargalhadas de júbilo pela própria maldade. Na vida real, os vilões estão convencidos de sua integridade. Muitos biógrafos de homens perversos iniciam seu trabalho pressupondo que os biografados são cínicos oportunistas e, relutantemente, descobrem que foram ideólogos e moralistas. Se Hitler foi um ator, concluiu um deles, foi um ator que acreditou no seu papel.

Ainda assim, graças à complexidade de nossa mente, não precisamos ser eternamente logrados por nossas próprias trapaças. A mente possui muitas partes, algumas moldadas para a virtude, outras, para a razão, algumas espertas o bastante para levar a melhor sobre as partes que não sejam nem uma coisa, nem a outra. Um eu pode enganar outro, mas de vez em quando um terceiro eu vê a verdade.

7

VALORES FAMILIARES

Come on, people now, smile on your brother! Everybody get together, try to love one another right now. This is the dawning of the Age of Aquarius: harmony and understanding, sympathy and trust abounding; no more falsehoods or derisions, golden living dreams of visions, mystic crystal revelation, and the mind's true liberation. Imagine no possessions; I wonder if you can. No need for greed or hunger, a brotherhood of man. Imagine all the people sharing all the world. You may say I'm a dreamer, but I'm not the only one. I hope some day you'll join us, and the world will be as one.*

Por incrível que pareça, muitos de nós acreditavam nessas pieguices. Uma ideia dominante nas décadas de 60 e 70 era a de que a desconfiança, a inveja, a rivalidade, a ganância e a exploração eram instituições sociais em vias de ser reformadas. Alguns julgavam que elas eram males desnecessários, como a escravidão ou a negação do voto às mulheres. Outros pensavam que eram tradições tacanhas cuja ineficácia passara despercebida, como no caso do gênio que se deu conta de que era melhor cobrar um dólar de pedágio no

---

(*) "Vamos, gente, sorria para seu irmão! Todos unidos, tentem amar uns aos outros agora mesmo. É o amanhecer da Era de Aquário: harmonia e compreensão, simpatia e confiança transbordantes; fim das falsidades ou zombarias, sonhos de visões de uma vida de venturas, revelação mística nos cristais e a verdadeira libertação da mente. Imagine que não existem posses; eu me pergunto se você é capaz. Sem necessidade de cobiça ou fome, uma fraternidade dos homens. Imagine todas as pessoas compartilhando o mundo inteiro. Você pode dizer que sou um sonhador, mas não sou o único. Espero que algum dia você se junte a nós, e o mundo entrará em harmonia."

tráfego que fluía em um sentido do que cobrar cinquenta centavos no tráfego fluindo nos dois sentidos.

Não só roqueiros, mas também ilustres críticos sociais americanos expressavam sentimentos desse gênero. Em *The greening of America* [O renascer da América], publicado em 1970, o professor de Yale Charles Reich anunciou que uma revolução pacífica vinha sendo conduzida pela geração então em idade de cursar a universidade. Uma nova consciência evoluíra na juventude americana, afirmou Reich. Aqueles jovens tinham menos sentimento de culpa e menos ansiedade, não eram moralistas, competitivos e materialistas, eram afetuosos e honestos, não exploravam nem agrediam o próximo, eram comunitários e não faziam caso de status e carreira. A nova consciência, nascendo como flores no asfalto, expressava-se em sua música, comunidades, caronas, drogas, meditações, na saudação de paz e amor e até mesmo no modo de vestir. As calças boca de sino, afirmou o professor, "dão aos tornozelos uma liberdade especial, como se convidassem a dançar no meio da rua". A nova consciência prometia "uma razão mais elevada, uma comunidade mais humana e um indivíduo novo e liberado. Sua criação suprema será uma nova e permanente integridade e beleza — uma relação renovada do homem consigo mesmo, com os outros homens, com a sociedade, a natureza e a terra".

O renascer vendeu um milhão de cópias em poucos meses. Foi publicado em série no *New Yorker*, discutido em uma dúzia de artigos no *New York Times* e em um livro de ensaios dos principais intelectuais da época. John Kenneth Galbraith escreveu uma crítica positiva (embora com uma ressalva expressa no título: "Quem está tomando conta da loja?"). O livro foi publicado recentemente em uma edição comemorativa de 25 anos.

Reich escreveu esse livro nos refeitórios de Yale, baseando-o em conversas que teve com os estudantes daquela universidade. Esses estudantes, obviamente, estavam entre os indivíduos mais privilegiados da história da humanidade. Com Mamãe e Papai pagando as contas, todo mundo ao redor pertencente à classe alta e credenciais da Ivy League* prestes a lançá-los na economia em expansão dos anos 60, era fácil acreditar que tudo o que você precisa é de amor. Depois da formatura, a geração Reich transformou-se na geração de profissionais urbanos das roupas Gucci, dos BMW, dos condomínios de luxo e dos bebês gourmets das décadas de 80 e 90. A harmonia universal foi um estilo tão efêmero quanto as bocas de sino, um símbolo de status que os distanciava dos *rednecks* [os brancos "caipiras", tradicionalistas,

(*) Termo usado para indicar um grupo de universidades do leste americano, conhecidas por sua tradição e competência (Harvard, Yale, Princeton, Columbia etc.). (N.T.)

do sul do país], dos *jocks* [os universitários-atletas, geralmente não muito brilhantes academicamente] e dos menos vanguardistas *preppies* [alunos de escolas preparatórias, ricos e aristocráticos]. Como indagou o roqueiro pós-anos 60 Elvis Costello: "Foi um milionário que disse 'Imagine que não existem posses'?".

A Nação Woodstock não foi o primeiro sonho utópico a esvair-se. As comunas de amor livre criadas nos Estados Unidos no século XIX ruíram em razão do ciúme sexual e do ressentimento de ambos os sexos pelo hábito dos líderes de acumular jovens amantes. As utopias socialistas do século XX transformaram-se em impérios repressivos conduzidos por homens que colecionavam Cadillac e concubinas. Na antropologia, um após outro os paraísos nas ilhas dos Mares do Sul revelaram-se perversos e brutais. Margareth Mead afirmou que o sexo sem compromisso deixava os samoanos satisfeitos e isentos de crimes; veio à luz que os rapazes instruíam uns aos outros nas técnicas de estupro. Mead descreveu os arapesh como "brandos"; eles eram caçadores de cabeças. Ela mencionou que os tshambuli invertiam os papéis dos sexos, com os homens usando cachos nos cabelos e maquiagem. Na verdade, os homens espancavam suas mulheres, exterminavam tribos vizinhas e consideravam o homicídio um marco na vida de um jovem, conferindo ao matador o direito de usar no rosto a pintura que Mead julgava tão efeminada.

Em *Human universals*, o antropólogo Donald Brown reuniu as características que, pelo que sabemos, são encontradas em todas as culturas humanas. Entre elas incluem-se prestígio e status, desigualdade de poder e riqueza, propriedade, herança, reciprocidade, punição, recato sexual, regulamentações sexuais, ciúme sexual, preferência masculina por mulheres jovens como parceiras sexuais, divisão do trabalho por sexo (incluindo mais cuidados com as crianças para as mulheres e maior domínio político público para os homens), hostilidade contra outros grupos e conflito no grupo, com violência, estupro e assassinato. Essa lista não deve surpreender qualquer pessoa familiarizada com a história, os fatos da atualidade ou a literatura. Existe um número reduzido de enredos na ficção e na produção dramática mundiais, e o estudioso Georges Polti afirma ter relacionado todos. Mais de 80% desses enredos são definidos por adversários (frequentemente assassinos), por tragédias de família ou de amor ou ambas as coisas. No mundo real, nossas histórias de vida são, em grande parte, histórias de conflitos: os ressentimentos, culpas e rivalidades infligidos pelos pais, irmãos, filhos, cônjuges, amantes, amigos e rivais.

Este capítulo é dedicado à psicologia das relações sociais. Não obstante a Era de Aquário, isso significa que trataremos sobretudo de motivos inatos que nos põem em conflito uns com os outros. Como nossos cérebros foram moldados pela seleção natural, não poderia ser de outro modo. A seleção natural é governada pela competição entre os genes para serem representados na geração seguinte. A reprodução conduz a um aumento geométrico nos descendentes, e em um planeta finito nem todo organismo vivo em uma geração pode ter descendentes várias gerações depois. Portanto, os organismos reproduzem-se, em certa medida, às custas uns dos outros. Se um organismo come um peixe, esse peixe não está mais disponível para ser comido por outro organismo. Se um organismo acasala-se com outro, nega a um terceiro a oportunidade de ter filhos. Todas as criaturas vivas hoje descendem de milhões de gerações de ancestrais que viveram sob essas restrições mas ainda assim se reproduziram. Isso quer dizer que todas as pessoas atualmente devem sua existência ao fato de terem vencedores como ancestrais, e todo mundo hoje foi moldado, pelo menos em certas circunstâncias, para competir.

Isso *não* significa que as pessoas (ou qualquer outro animal) abriguem em si um ímpeto agressivo que precisa ser descarregado, um desejo inconsciente de matar, uma voraz ânsia sexual, um imperativo territorial, uma sede de sangue ou os outros instintos implacáveis que muitas vezes são identificados, erroneamente, com o darwinismo. Em *O poderoso chefão*, Sollozzo diz a Tom Hagen: "Não gosto de violência, Tom. Sou um homem de negócios. Sangue é muito dispendioso". Mesmo na mais acirrada competição, um organismo inteligente precisa ser um estrategista, avaliando se os seus objetivos serão mais bem servidos com uma retirada, com uma conciliação ou com a tolerância. Como foi explicado no capítulo 5, são os genes, e não os organismos, que têm de competir ou morrer; às vezes, a melhor estratégia para os genes é moldar organismos que cooperem e, sim, até mesmo que sorriam para seus irmãos e amem uns aos outros. A seleção natural não proíbe a cooperação e a generosidade; só faz delas difíceis problemas de engenharia, como a visão estereoscópica. A dificuldade de construir um organismo para enxergar em estéreo não impediu a seleção natural de instalar a visão estéreo nos humanos, mas nunca chegaríamos a entender a visão estéreo se julgássemos que ela surge obrigatoriamente pelo fato de se possuir dois olhos e deixássemos de examinar os complexos programas neurais que a concretizam. Analogamente, a dificuldade de construir um organismo para cooperar e ser generoso não impediu a seleção natural de instalar a cooperação e a generosidade nos humanos, mas jamais entenderemos essas capacidades se pensarmos que elas surgem obrigatoriamente pelo fato de se viver em grupo. Os computadores de bordo dos organismos sociais, especialmente dos humanos, devem rodar programas complexos que avaliam as oportunidades e riscos correntes e, dessa maneira, competem ou cooperam.

O conflito de interesses entre os membros de uma espécie também não demanda um programa político conservador, como muitas vezes temem os jornalistas e cientistas sociais. Alguns receiam que, se nossos motivos nos põem em conflito uns com os outros, a exploração e a violência seriam moralmente corretas; como elas são deploráveis, é melhor que o conflito não faça parte de nossa natureza. Esse raciocínio, evidentemente, é falacioso: nada diz que a natureza tem de ser boazinha, e o que as pessoas querem fazer não necessariamente é o que elas devem fazer. Outros temem que, se os motivos de conflito são inevitáveis, seria inútil tentar reduzir a violência e a exploração; nossa presente organização social seria a melhor que poderíamos esperar. Mas isso também carece de fundamento. Entre as sociedades ocidentais modernas, os índices de homicídio variam de 0,5 por 1 milhão de pessoas ao ano na Islândia na primeira metade do século xx a dez na maioria dos países europeus da atualidade, 25 no Canadá e cem nos Estados Unidos e no Brasil. Existe muito espaço para manobra para se tomarem medidas práticas que possam reduzir o índice de assassinatos antes de nos defrontarmos com a questão acadêmica de se ele pode ou não ser reduzido a zero. Ademais, há modos de reduzir o conflito sem ser o de sonhar com um futuro dourado de amor indiscriminado. As pessoas em todas as sociedades não só cometem violência, elas também a deploram. E, por toda parte, tomam providências para reduzir conflitos violentos, como sanções, reparações, censura, mediação, ostracismo e leis.

Espero que você esteja achando esta discussão banal, para que eu possa prosseguir no conteúdo do capítulo. Meu objetivo não é convencer você de que as pessoas nem sempre desejam o melhor umas para as outras, mas procurar explicar quando e por que isso deveria ser verdade. Porém, às vezes o banal tem de ser declarado. A observação de que o conflito faz parte da condição humana, ainda que batida, contradiz crenças em voga. Uma delas expressa-se na melosa metáfora das relações sociais como ligação, laços e coesão. Outra é a suposição de que inadvertidamente desempenhamos os papéis que a sociedade nos atribui e que a reforma social é uma questão de reescrever os papéis. Desconfio que, se você pressionasse muitos acadêmicos e críticos sociais, descobriria visões não menos utópicas que as de Charles Reich.

Se a mente é um órgão de computação engendrado pela seleção natural, nossos motivos sociais deveriam ser estratégias talhadas sob medida para as contendas que disputamos. As pessoas deveriam ter tipos distintos de pensamentos e sentimentos com relação aos parentes e não parentes e aos pais, filhos, irmãos, namorados, cônjuges, conhecidos, amigos, rivais, aliados e inimigos. Examinemos cada um por vez.

AMIGOS E PARENTES

Sorria para seu irmão, cantavam os Youngbloods; uma fraternidade dos homens, cantava John Lennon. Quando falamos em beneficência, usamos a língua do parentesco. Pai nosso que estais no céu, Deus é pai, os pais da Igreja, Papai Noel, figura paterna, patriotismo. A pátria mãe, a mãe Igreja, madre superiora, ser uma mãe para alguém, maternal. Irmãos de sangue, irmãos de cor, irmãos de armas, amor fraterno, irmandade dos templários, confrarias, fraternidades, irmão, me dê uma esmola? Irmãs de luta, cidades irmãs, almas irmãs, irmãs de caridade, irmandades. A família do homem, famílias do crime, uma família grande e feliz.

As metáforas de parentesco encerram uma mensagem simples: trate determinadas pessoas com a mesma bondade com que você trata seus parentes consanguíneos. Todos entendemos a pressuposição. O amor pelos familiares brota naturalmente; o amor pelas demais pessoas, não. Esse é o fato fundamental do mundo social, influenciando tudo, do modo como crescemos à ascensão e queda de impérios e religiões. A explicação é direta. Os parentes compartilham genes em maior grau do que os não parentes, portanto se um gene fizer um organismo beneficiar um parente (digamos, alimentando-o ou protegendo-o), tem uma grande chance de beneficiar uma cópia de si mesmo. Com essa vantagem, os genes para ajudar os parentes aumentarão em uma população ao longo das gerações. A grande maioria das características altruístas no reino animal beneficiam os parentes do agente. Os exemplos mais extremos de altruísmo dirigido a familiares são encontrados entre insetos sociais como as formigas e abelhas, cujas operárias dão o máximo de si à colônia. Elas são permanentemente estéreis e defendem a colônia com táticas camicases, como explodir para borrifar substâncias químicas danosas no invasor ou picá-lo com um ferrão farpado que estraçalha o corpo do inseto quando é arrancado. Essa dedicação em grande medida provém de um sistema genético raro que as torna mais estreitamente relacionadas com suas irmãs do que seriam com a prole. Defendendo a colônia, ajudam sua mãe a produzir irmãs, em vez de elas próprias terem filhos.

Os genes não podem apelar uns aos outros ou controlar o comportamento diretamente. Nos humanos, "altruísmo de família" e "beneficiar os próprios genes" são modos resumidos e imprecisos de designar duas coleções de mecanismos psicológicos, um cognitivo, o outro emocional.

Os humanos são equipados com o desejo e a capacidade de conhecer sua árvore genealógica. A genealogia é um tipo especial de conhecimento. Primeiro, os relacionamentos são precisos. Ou você é mãe de alguém ou não é. Você pode ter 80% de certeza de que Bill é pai de John, mas isso não equivale a pensar que Bill é 80% pai de John. Falamos em meios-irmãos, mas todo mundo sabe que essa expressão designa os que têm a mesma mãe e pais diferentes ou vice-versa. Segundo, o parentesco é uma relação. Ninguém é um pai ou uma irmã e ponto-final; é preciso ser pai ou irmã de alguém. Terceiro, o parentesco é topológico. Cada indivíduo é um nó em uma rede cujos elos são definidos por parentesco, geração e sexo. Os termos de parentesco são expressões lógicas que se leem na geometria e rotulagem da rede: "primo paralelo", por exemplo, é o filho do irmão do pai de alguém, ou da irmã da mãe de alguém. Quarto, o parentesco é independente. Idade, local de nascimento, amizades, status, ocupação, signo do zodíaco e todas as demais categorias em que situamos as pessoas encontram-se em um plano diferente das categorias do parentesco e não precisam ser consultadas quando o calculamos.

O *Homo sapiens* é obcecado por parentesco. No mundo todo, quando se pede às pessoas para falarem sobre si mesmas, elas começam por seus ascendentes e laços familiares e, em muitas sociedades, especialmente em grupos coletores de alimentos, as pessoas recitam sem gaguejar intermináveis genealogias. Para os indivíduos que são adotados, refugiados na infância ou descendentes de escravos, a curiosidade a respeito da família biológica pode motivar uma busca vitalícia. (Empreendedores esperam explorar esse impulso quando enviam aqueles cartões-postais produzidos por computador oferecendo-se para descobrir os ancestrais de *Steven Pinker* e para encontrar o brasão da família *Pinker*.) Obviamente, as pessoas normalmente não testam o DNA umas das outras; avaliam o parentesco por meios indiretos. Muitos animais usam o olfato. Os humanos empregam diversos tipos de informação: quem cresce junto, quem se parece com quem, como as pessoas interagem, o que dizem fontes confiáveis e o que pode ser deduzido logicamente de outras relações de parentesco.

Assim que ficamos sabendo como estamos relacionados a outras pessoas, o outro componente da psicologia do parentesco dá sua contribuição. Sentimos por nossos parentes determinado grau de solidariedade, simpatia, tolerância e confiança, acrescido a quaisquer outros sentimentos que possamos ter em relação a eles. ("O lar é algo que você de certa forma não tem de merecer", diz o poema de Robert Frost.) A boa vontade adicional que uma pessoa sente em relação a seus parentes é aquinhoada segundo um sentimento que reflete a probabilidade de que o ato bondoso ajude um parente a propagar cópias do gene daquela pessoa. Isso, por sua vez, depende da proximidade entre o parente e a pessoa na árvore genealógica, da confiança que a pessoa tem nessa proximidade e do impacto do ato bondoso sobre as perspectivas de reprodução do parente (o que depende da idade e necessidade). Por isso, os pais amam sobretudo os filhos, os primos amam uns aos outros mas não tanto quanto os irmãos etc. Evidentemente, ninguém processa dados genéticos e atuariais e depois decide o quanto amar. Em vez disso, os programas mentais para o amor familiar foram calibrados no decorrer da evolução de modo que o amor tivesse *correlação* com a probabilidade, no meio ancestral, de que um ato de amor beneficiasse cópias dos genes responsáveis por atos de amor.

Você poderia pensar que estamos simplesmente fazendo a banal observação de que os laços de sangue são sempre os mais fortes. Porém, no clima intelectual de nossos dias, essa observação é uma tese radical e chocante. Um marciano que quisesse aprender sobre interação humana em um manual de psicologia social nem desconfiaria que o comportamento dos humanos difere conforme estejam lidando com parentes ou com estranhos. Alguns antropólogos procuraram demonstrar que nosso senso de parentesco nada tem a ver com a afinidade biológica. A sabedoria convencional de marxistas, feministas acadêmicas e intelectuais de café abrange algumas afirmações espantosas: a família nuclear composta de marido, esposa e filhos é uma aberração histórica desconhecida em séculos passados e no mundo não ocidental; nas tribos primitivas, o casamento é incomum, e as pessoas são indiscriminadamente promíscuas e livres do ciúme; ao longo de toda a história, noiva e noivo não tiveram o direito de escolher o cônjuge; o amor romântico foi inventado pelos trovadores da Provença medieval e consistia no amor adúltero de um cavaleiro por uma *lady* casada; as crianças eram consideradas adultos em miniatura; antigamente a morte de crianças era tão comum que as mães nada sentiam com sua perda; a preocupação com os próprios filhos é uma invenção recente. Essas crenças são falsas. Os laços de sangue *realmente* são fortíssimos, e nenhum aspecto da existência humana deixa de ser influenciado por esse aspecto de nossa psicologia.

As famílias são importantes em todas as sociedades, e seu núcleo é a mãe e seus filhos biológicos. Em todas as sociedades existe o casamento. Um homem e uma mulher firmam uma aliança publicamente reconhecida, cujo objetivo principal é ter filhos; o homem tem o "direito" de acesso sexual exclusivo à mulher, e ambos obrigam-se a investir nos filhos. Os detalhes variam, muitas vezes conforme os padrões de relações consanguíneas na sociedade. Em geral, quando os homens podem confiar em que são os pais dos filhos de sua esposa, formam-se famílias nucleares, normalmente próximo à família extensa do marido. Nas sociedades menos numerosas em que os homens não têm tanta confiança (por exemplo, quando se ausentam por longos períodos de serviço militar ou trabalhos agrícolas), as famílias vivem perto dos parentes da mãe, e os parentes consanguíneos mais próximos do sexo masculino, os tios maternos, são os principais benfeitores das crianças. Mesmo nesses casos, a paternidade biológica é reconhecida e valorizada. Ambos os lados da família extensa interessam-se pelo casamento e pelos filhos, e estes sentem solidariedade para com ambos os lados, mesmo quando as regras oficiais de descendência reconhecem apenas um lado (como em nossos sobrenomes, que são formados segundo a família do pai).

As mulheres encontram-se em posição melhor quando permanecem perto de seus parentes e os homens se deslocam, porque elas vivem cercadas pelo pai, irmãos e tios, que podem vir em seu auxílio nas disputas com o marido. Essa dinâmica foi vividamente encenada em *O poderoso chefão*, quando o filho do personagem interpretado por Marlon Brando, Sonny Corleone, quase matou o marido de sua irmã quando descobriu que este a espancava. A vida imitou a arte duas décadas mais tarde, quando o filho de Marlon Brando na vida real, Christian Brando, matou mesmo o namorado de sua irmã ao descobrir que este a espancara. Quando uma mulher precisa deixar o lar para viver perto da família do marido, ele pode brutalizá-la impunemente. Em muitas sociedades encoraja-se o casamento entre primos, e as uniões são relativamente harmoniosas porque as costumeiras altercações de marido e mulher são mitigadas pela simpatia que sentem um pelo outro como parentes consanguíneos.

Hoje em dia é indelicado associar de algum modo o amor paterno ao parentesco biológico porque soa como um desdouro para os numerosos pais com filhos adotivos e enteados. É claro que os casais amam seus filhos adotivos; para começar, se não estivessem extraordinariamente empenhados em simular uma experiência de família natural, não teriam feito a adoção. Mas as famílias com enteados são diferentes. O padrasto ou madrasta procurou um cônjuge, não um filho; o filho é um custo que veio como parte do trato. Padrastos e madrastas têm má reputação; mesmo o dicionário Webster integral define *madrasta*, em uma de suas duas definições, como "aquela que não dedica cuidados ou atenção apropriada". Os psicólogos Martin Daly e Margo Wilson comentam:

> A caracterização negativa de padrastos e madrastas não é, absolutamente, exclusiva de nossa cultura. O folclorista que consultar o denso *Motif-index of folk literature*, de Stith Thompson, encontrará sinopses expressivas como "Madrasta malvada ordena a morte de enteada" (mito irlandês) e "Madrasta malvada faz enteada trabalhar até morrer na ausência do marido mercador" (Índia). Por conveniência, Thompson dividiu as histórias de padrastos em duas categorias: "padrastos cruéis" e "padrastos lascivos". Dos esquimós aos indonésios, em dúzias de histórias, padrastos e madrastas são vilões em todos os casos.

Segundo Daly e Wilson, muitos cientistas sociais supõem que as dificuldades que assolam o relacionamento entre enteados e padrastos ou madrastas são *causadas* "pelo mito do padrasto e madrasta cruéis". Mas por que, eles perguntam, em tantas culturas os padrastos e madrastas seriam vítimas da mesma calúnia? A explicação que eles dão é mais direta.

A ubiquidade das histórias de Cinderela [...] é seguramente um reflexo de certas tensões básicas e recorrentes na sociedade humana. As mulheres devem ter sido frequentemente abandonadas com filhos dependentes ao longo de toda a história humana, e tanto pais como mães muitas vezes viram-se prematuramente viúvos. Se o sobrevivente desejasse forjar uma nova carreira conjugal, o destino dos filhos tornava-se problemático. [Entre os tikopia e os ianomâmi, o marido] exige a morte dos filhos da união anterior da esposa. Outras soluções incluíam deixar os filhos com parentas matrilineares na pós-menopausa e o *levirato*, costume muito difundido pelo qual uma viúva e seus filhos são herdados pelo irmão do falecido ou outro parente próximo. Na ausência dessas disposições, os filhos eram obrigados a seguir a mãe como enteados sob o cuidado de pessoas que não eram seus parentes e que não tinham um interesse benévolo no seu bem-estar. Sem dúvida, tinham motivos muito justificados para ficarem alarmados.

Em um estudo de famílias americanas de classe média emocionalmente sãs, apenas metade dos padrastos e um quarto das madrastas afirmaram ter "sentimentos paternos" em relação aos enteados, e uma porcentagem ainda menor alegou "amá-los". A profusa literatura de psicologia popular sobre famílias reconstituídas é dominada por um tema: lidar com os antagonismos. Muitos profissionais hoje em dia aconselham as famílias em guerra a desistir do ideal de reproduzir uma família biológica. Daly e Wilson descobriram que ter padrasto ou madrasta é o maior fator de risco para maus-tratos a crianças já identificado. No caso do pior abuso, o homicídio, um padrasto ou madrasta tem probabilidade de 40 a 100 vezes maior de matar uma criança pequena do que um pai ou uma mãe, mesmo quando fatores interferentes — pobreza, idade da mãe, características das pessoas que tendem a casar de novo — são levados em consideração.

Padrastos e madrastas seguramente não são mais cruéis do que qualquer outra pessoa. A paternidade é única entre as relações humanas na sua unilateralidade. Os pais dão, os filhos recebem. Por óbvias razões evolutivas, as pessoas são projetadas para querer fazer tais sacrifícios pelos filhos mas não por qualquer outra pessoa. E o pior, como veremos, é que as crianças são projetadas para requerer esses sacrifícios dos adultos incumbidos de cuidar delas, o que pode torná-las francamente incômodas para outras pessoas que não seus pais e parentes próximos. A escritora Nancy Mitford comentou: "Adoro crianças, especialmente quando elas choram, pois assim alguém vem e as leva embora". Mas se você está casado com o pai ou a mãe das crianças, ninguém jamais as leva embora. A indiferença, até mesmo antagonismo, de padrastos e madrastas pelos enteados é simplesmente a reação típica de um humano a outro humano. A infinita paciência e generosidade de um pai biológico é que é especial. Esse argumento não deve diminuir nosso apreço pelos numerosos padrastos e madrastas benévolos; na verdade, deve aumentá-lo, pois eles são pessoas especialmente bondosas e altruístas.

É comum dizerem que você tem maior probabilidade de ser morto por um parente em casa do que por um assaltante na rua. Isso parece suspeito para qualquer conhecedor da teoria evolucionista e efetivamente é falso.

As estatísticas sobre homicídios constituem um tipo importante de evidência para as teorias dos relacionamentos humanos. Como explicam Daly e Wilson: "Matar o antagonista é a derradeira técnica de resolução de conflitos, e nossos ancestrais descobriram isso muito antes de serem gente". Os homicídios não podem ser menosprezados como produto de uma mente doentia ou de uma sociedade doente. Na maioria dos casos, uma morte é impremeditada e indesejada; é o desastroso clímax de uma batalha progressivamente acirrada na qual os limites foram sendo testados até serem ultrapassados. Para cada homicídio deve haver inúmeras discussões que se abrandam e inúmeras ameaças não cumpridas. Isso faz do homicídio uma excelente prova do conflito e suas causas. Ao contrário de conflitos menores que só podem ser descobertos por meio de informes que os participantes podem deturpar, um homicídio tem como saldo uma pessoa perdida ou um cadáver, que dificilmente passam despercebidos, e os homicídios são meticulosamente investigados e documentados.

As pessoas às vezes realmente matam seus parentes. Ocorrem infanticídios, filicídios, matricídios, parricídios, fratricídios, uxoricídios, familicídios e vários tipos sem nome de assassinato de parentes. Em um típico conjunto de dados de uma cidade americana, um quarto dos homicídios é cometido por estranhos, metade por conhecidos e um quarto por "parentes". Mas a maioria desses parentes não são consanguíneos. São cônjuges, parentes por afinidade, enteados e padrastos. Apenas de 2% a 6% das vítimas de homicídio são mortas por parentes consanguíneos. De fato, seguramente essa é uma estimativa exagerada. As pessoas veem seus parentes consanguíneos com mais frequência do que veem outras pessoas, portanto esses parentes encontram-se mais frequentemente ao alcance de agressão. Quando enfocamos as pessoas que vivem juntas, havendo, portanto, constantes oportunidades de interação, descobrimos que o risco de ser morto por um não parente é pelo menos onze vezes maior do que o de ser morto por um parente consanguíneo, e provavelmente muito maior do que isso.

O abrandamento de conflitos entre parentes consanguíneos faz parte de um padrão mais amplo de solidariedade familiar denominado nepotismo. No uso cotidiano, a palavra refere-se à concessão de favores a parentes (do latim *nepote*, "sobrinho") como uma prerrogativa de um cargo ou posição social. O nepotismo institucional é oficialmente ilícito em nossa sociedade, embora seja amplamente praticado, e na maioria das sociedades as pessoas surpreendem-se ao saber que nós o consideramos uma falta grave. Em muitos países, um alto funcionário recém-nomeado abertamente demite todos os funcionários públicos subordinados a ele e os substitui por parentes. Os parentes são aliados naturais e, antes da invenção da agricultura e das cidades, as sociedades organizavam-se com base nos clãs. Uma das questões fundamentais da antropologia é como os povos coletores de alimentos dividem-se em bandos ou aldeias, tipicamente com cerca de cinquenta membros, embora variando o lugar e a época. Napoleon Chagnon reuniu genealogias meticulosas que estabelecem as ligações de parentesco de milhares de membros dos ianomâmi, o povo coletor de alimentos e horticultor da floresta Amazônica que Chagnon estudou durante trinta anos. Chagnon mostrou que o parentesco é o aglutinante que mantém coesa as aldeias. Parentes próximos lutam uns contra os outros com menos frequência e ajudam uns aos outros nas lutas com mais frequência. Uma aldeia fragmenta-se quando sua população cresce, seus membros tornam-se menos aparentados uns com os outros e cada vez mais se irritam mutuamente. Irrompe uma briga, as lealdades dividem-se ao longo das linhas consanguíneas e uma das partes vai embora furiosa com os parentes mais próximos para formar uma nova aldeia.

Um cônjuge é o exemplo mais conhecido de parente *fictício*: pessoas não relacionadas geneticamente que são consideradas parentes e reivindicam as emoções normalmente dirigidas aos parentes. O biólogo Richard Alexander observou que, se os cônjuges são fiéis, se cada um age no interesse dos filhos da união em vez de no interesse de outros parentes consanguíneos e se o casamento dura toda a vida do marido e da mulher, os interesses genéticos do casal são idênticos. Seus genes estão amarrados no mesmo pacote, os filhos, e o que é bom para um cônjuge é bom para o outro. Sob essas condições idealizadas, o amor conjugal deve ser mais forte do que qualquer outro tipo de amor.

Na realidade, os parentes consanguíneos de uma pessoa demandam dela algumas lealdades, e ninguém jamais pode ter certeza de que um cônjuge é 100% fiel, muito menos de que o cônjuge nunca irá embora ou morrerá.

Em uma espécie simplória, a força do amor conjugal poderia ser estabelecida em algum nível médio ótimo refletindo a probabilidade global de nepotismo, infidelidade, deserção e viuvez. Mas os humanos são sensíveis às particularidades de seu casamento e sintonizam suas emoções com base nelas. Não surpreende a um biólogo o fato de os parentes por afinidade, a infidelidade e os enteados serem as principais causas de discórdia conjugal.

Uma vez que os genes de um casal estão no mesmo barco e que cada cônjuge compartilha genes com seus parentes, estes têm interesse — em ambos os sentidos da palavra — no casamento. Se o seu filho casar com minha filha, nossas fortunas genéticas estarão parcialmente ligadas em nossos netos comuns e, nesse sentido, o que for bom para você será bom para mim. Os casamentos transformam os parentes afins em aliados naturais, sendo essa a razão por que, em todas as culturas, os casamentos são alianças entre clãs, não só entre cônjuges. A outra razão é que, quando os pais têm poder sobre os filhos adultos, como tiveram em todas as culturas até recentemente, os filhos são excelentes bens de troca. Como meus filhos não querem casar uns com os outros, você tem algo de que eu preciso: um cônjuge para meu filho. Por isso os dotes e os preços de noivas são ubíquos nas culturas humanas, embora bens como status e lealdade em conflitos com terceiros também entrem na negociação. Como em todas as transações, a venda ou troca bem-sucedida de um filho comprova a boa-fé das duas partes e aumenta a probabilidade de que confiarão uma na outra futuramente. Portanto, os parentes afins são parceiros tanto genéticos como de negócios.

Para os pais com olhos no futuro, os sogros devem ser escolhidos com atenção. Não só os pais deveriam avaliar os haveres e a fidedignidade dos prováveis sogros, mas também aquilatar se a montanha de boa vontade que vem de graça com um interesse comum nos netos terá o melhor emprego possível. Ela poderia ser desperdiçada com um aliado já seguro ou com um inimigo implacável, mas poderia fazer toda a diferença para um clã cujas simpatias se encontrassem a meio caminho desses dois extremos. Os arranjos estratégicos de casamentos são uma consequência da psicologia do parentesco; outra consequência são as regras sobre quem pode casar com quem. Em muitas culturas, as pessoas são incentivadas a desposar os primos cruzados e proibidas de desposar os primos paralelos. Seu primo cruzado é filho do irmão de sua mãe ou da irmã de seu pai; seu primo paralelo é filho da irmã de sua mãe ou do irmão de seu pai. Por que a distinção? Considere o arranjo mais comum, no qual as filhas são trocadas entre clãs de parentes consanguíneos do sexo masculino, e imagine-se cogitando sobre o casamento com diversos primos (não importa se você é homem ou mulher). Se você desposar seu primo cruzado, estará consumando uma troca com um comprovado parceiro de negócios: um clã com o qual sua família (presidida por seu avô paterno) trocou uma noiva no passado (sua mãe ou sua tia). Se você desposar um primo paralelo, ou estará casando dentro do clã (se o seu pai e o pai de seu cônjuge forem irmãos) sem trazer bens de fora, ou estará desposando alguém de um clã de estranhos (se sua mãe e a mãe de seu noivo ou sua noiva forem irmãs).

Essas intrigas geraram dois dos mitos modernos sobre o parentesco: o de que nas sociedades tradicionais as pessoas não têm direito de escolher quem desposam e o de que o parentesco nada tem a ver com ligação genética. A pontinha de verdade no primeiro mito é que em toda parte os pais usam o máximo possível de seu poder para influenciar a escolha do cônjuge dos filhos. Estes, porém, não aceitam passivamente a escolha dos pais. Em todos os lugares, as pessoas têm emoções intensas no que respeita a quem desejam desposar — ou seja, o amor romântico — e os matrimônios frequentemente são ferozes batalhas de vontade entre pais e filhos. Mesmo quando os pais têm a palavra final, os filhos empenham-se dia e noite para dar a conhecer seus sentimentos, e estes quase sempre influenciam na decisão. A trama de *Tevye's daughters*, de Sholem Aleichem (adaptada para o musical *Fiddler on the roof* [O violinista no telhado]), desenvolve-se nesse campo de batalha, e tramas semelhantes são encontradas no mundo inteiro. Quando os filhos fogem para casar, é uma catástrofe para os pais. A transação de negócios ou a oportunidade estratégica de toda uma vida pode ter ido por água abaixo. Pior ainda: se os pais haviam prometido o filho anos antes — o que frequentemente acontece, pois os filhos nascem em tempos diferentes e a segunda metade da troca tem de esperar até o filho atingir a idade de casar —, os pais agora estão dando um calote, ficando à mercê dos tubarões do empréstimo. Ou os pais podem ter se endividado até o último centavo para comprar um cônjuge para o filho fujão. Calotes em acordos de casamento são uma causa importantíssima de rixas e guerras em sociedades tradicionais. Com tanto em jogo, não admira que a geração dos pais sempre ensine que o amor romântico é fútil ou absolutamente inexistente. Os intelectuais que concluem que o amor romântico é uma invenção recente de trovadores medievais ou de roteiristas de Hollywood interpretaram ao pé da letra essa propaganda do *establishment*.

Os que consideram o parentesco fictício uma prova de que parentesco não tem relação com biologia também engoliram uma doutrina oficial. Um grande problema das regras de casamento, como a que determina o casamento entre primos cruzados, é que a mistura de idades e sexos dentro de um grupo flutua, portanto às vezes não haverá pretendentes qualificados para um filho. Como ocorre com todas as regras, o desafio é contorná-las sem fazer delas uma farsa. Uma solução óbvia é redefinir quem é aparentado com quem. Um pretendente solteiro aceitável poderia ser chamado de primo cruzado mesmo se o diagrama genealógico afirmasse o contrário, livrando uma filha de ficar para titia sem estabelecer o precedente de que os demais filhos podem desposar quem bem entenderem. Porém, lá no fundo, ninguém se deixa enganar por essas medidas salvadoras das aparências. Hipocrisia semelhante aplica-se a outros parentes fictícios. Como as emoções de parentesco são muito potentes, os manipuladores tentam explorá-las para obter solidariedade entre não parentes *chamando-os* de parentes. Essa tática foi redescoberta vezes sem conta, por chefes tribais, pregadores modernos e roqueiros piegas. Porém, mesmo em tribos onde os rótulos de parentesco fictício são publicamente tratados com a máxima seriedade, se você pressionar alguém em particular, ele reconhecerá que fulano de tal não é *realmente* seu irmão ou primo. E quando as pessoas declaram sua verdadeira lealdade em uma disputa, a lealdade vai para seus parentes consanguíneos, não para os fictícios. Muitos pais hoje em dia dizem aos filhos para chamarem de tio e tia os amigos da família. Quando eu era criança, meus amigos e eu nos referíamos a eles como falsos tios e falsas tias. As crianças são ainda mais inflexíveis na resistência à ubíqua pressão para chamar seus novos padrastos ou madrastas de mamãe e papai.

Por milênios, as emoções ligadas ao parentesco têm moldado até mesmo as sociedades maiores. O alcance do amor paterno pode estender-se por gerações, com presentes e herança. O amor paterno é causa do paradoxo fundamental da política: nenhuma sociedade pode ser simultaneamente justa, livre e equitativa. Se for justa, as pessoas que trabalharem mais acumularão mais. Se for livre, as pessoas darão sua riqueza aos filhos. Mas neste caso ela não pode ser equitativa, pois algumas pessoas herdarão riqueza que não trabalharam para ganhar. Desde que Platão chamou a atenção para esses *tradeoffs* em *A república*, a maioria das ideologias políticas pode ser definida segundo a postura que adotam com respeito a qual desses ideais deve ser abandonado.

Outra consequência surpreendente da solidariedade familiar é que a família é uma organização subversiva. Essa conclusão contesta abertamente a visão da direita de que Igreja e Estado sempre foram inabaláveis defensores da família e a visão da esquerda de que a família é uma instituição burguesa e patriarcal destinada a reprimir as mulheres, enfraquecer a solidariedade de classe e fabricar consumidores dóceis. O jornalista Ferdinand Mount comprovou que todos os movimentos políticos e religiosos da história empenharam-se em solapar a família. As razões são óbvias. Não só a família é uma coalizão rival competindo pelas lealdades de uma pessoa, mas é um rival com uma vantagem injusta: os parentes congenitamente zelam uns pelos outros mais do que os camaradas. Concedem benefícios com nepotismo, perdoam os atritos diários que provocam tensão em outras organizações e nada os detêm quando se trata de vingar uma afronta contra um de seus membros. Leninismo, nazismo e outras ideologias totalitárias sempre exigem uma nova lealdade "mais elevada" do que os laços de família e contrária a eles. O mesmo fazem as religiões, do cristianismo em seus primórdios aos seguidores do reverendo Moon (*"Nós* somos sua família agora!"). Em Mateus, 10:34-37, Jesus disse:

> Não penseis que vim trazer paz à terra; não vim trazer paz, mas espada. Pois vim causar divisão entre o homem e seu pai; entre a filha e sua mãe e entre a nora e sua sogra. Assim os inimigos do homem serão os da sua própria casa. Quem ama seu pai ou sua mãe mais do que a mim, não é digno de mim; quem ama seu filho ou sua filha mais do que a mim, não é digno de mim.

Quando Jesus disse "Deixai virem a mim as criancinhas", estava dizendo que elas não deviam ir para seus pais.

As religiões e Estados bem-sucedidos acabam percebendo que têm de coexistir com as famílias, mas fazem o que podem para refreá-las, especialmente as mais ameaçadoras. A antropóloga Nancy Thornhill constatou que as leis sobre o incesto na maioria das culturas não são criadas para lidar com o problema do casamento entre irmão e irmã; para começar, irmãos e irmãs não desejam casar-se. Embora o incesto entre irmãos possa ser incluído na proibição e ajudar a legitimá-la, os verdadeiros alvos dessas leis são os casamentos que ameaçam os interesses dos legisladores. As regras proíbem casamentos entre parentes mais distantes, como primos, sendo promulgadas pelos dirigentes de sociedades estratificadas para impedir que se acumulem riqueza e poder nas famílias que poderiam vir a ser rivais no futuro. A antropóloga Laura Betzig mostrou que as regras da Igreja medieval sobre sexo e casamento também eram armas contra as dinastias familiares. Na Europa feudal, os pais não legavam seus bens em partes iguais a todos os filhos. Extensões de terra não podiam ser subdivididas a cada geração, pois se tornariam inúteis de tão pequenas, e um título só pode ser dado a um herdeiro. Emergiu o costume da primogenitura, segundo o qual tudo era legado ao filho mais velho e os demais filhos saíam pelo mundo em busca de fortuna, muitas vezes entrando para o Exército ou a Igreja. Esta povoou-se de filhos mais novos deserdados, que então manipularam as regras do casamento a fim de dificultar para os proprietários de terras e títulos gerarem herdeiros legítimos. Se eles morressem sem filhos, as propriedades e títulos reverteriam para os irmãos deserdados ou para a Igreja a que eles serviam. Segundo suas leis, um homem não podia divorciar-se de uma esposa sem filhos, casar novamente enquanto ela estivesse viva, adotar um herdeiro, gerar um herdeiro com uma mulher de parentesco mais próximo do que prima em sétimo grau ou ter relações sexuais em vários dias especiais que, somados, tomavam mais da metade do ano. O caso de Henrique VIII lembra-nos de que boa parte da história europeia gira em torno de batalhas entre indivíduos poderosos empenhando-se em servir-se de sentimentos de família para obter vantagem política — casar estrategicamente, esforçar-se para gerar herdeiros — e outros indivíduos poderosos tentando frustrá-los.

PAIS E FILHOS

Para um organismo projetado pela seleção natural, deixar descendentes é sua razão de ser e o objetivo de toda a sua labuta e empenho. O amor do pai pelo filho deveria ser imenso, e é, de fato. Mas não deve ser ilimitado. Robert Trivers descobriu uma implicação sutil, mas profunda, da genética para a psicologia da família.

Na maioria das espécies sexuais, os pais legam 50% de seus genes a cada filho. Uma estratégia para maximizar o número de genes na geração seguinte é produzir o máximo de bebês possível com a maior rapidez possível. Isso é o que faz a maioria dos organismos. Porém, os organismos bebês são mais vulneráveis do que os adultos, pois são menores e menos experientes e, em numerosas espécies, a maioria não chega à idade adulta. Portanto, todos os organismos precisam fazer uma "escolha" na alocação de seu tempo, calorias e risco para cuidar de uma prole já existente e aumentar suas chances de sobreviver ou fabricar mais filhos e deixar que cada um se cuide como puder. Dependendo dos detalhes do ecossistema e plano físico da espécie, qualquer uma das estratégias pode ser geneticamente vantajosa. Aves e mamíferos optaram por cuidar da prole, os mamíferos com a medida extrema de desenvolver órgãos que extraem nutrientes de seu próprio corpo e os preparam para a prole em forma de leite. Aves e mamíferos investem nos filhos calorias, tempo, risco e desgaste físico e são recompensados com aumentos na expectativa de vida da prole.

Teoricamente, o genitor deveria ir até o outro extremo e cuidar do primeiro filho a vida inteira — digamos, amamentando-o até a mãe morrer de velhice. Mas isso não teria sentido, pois em certo momento as calorias transformadas em leite poderiam ser mais bem investidas gerando e amamentando outro filho. À medida que o primeiro filho vai crescendo, cada litro de leite adicional torna-se menos crucial para sua sobrevivência, e o filho passa a estar mais bem equipado para encontrar seu próprio alimento. Um filho mais novo torna-se um investimento melhor, assim a mãe deve desmamar o mais velho.

O genitor deve transferir o investimento de um filho mais velho para um mais novo quando o benefício para o mais novo exceder o custo para o mais velho. O cálculo toma por base o fato de que os dois filhos são igualmente relacionados ao genitor. Mas esses cálculos são do ponto de vista do genitor; o primeiro filho vê a situação de outro modo. Ele compartilha 50% de seus genes com o irmão mais novo, mas compartilha *100% de seus genes consigo mesmo*. Da perspectiva desse primeiro filho, o genitor deve continuar a investir nele até que o benefício para um irmão mais novo supere *o dobro* do custo para o primeiro filho. Os interesses genéticos do genitor e do filho divergem. Cada criança deve desejar mais cuidados paternos do que o genitor está disposto a fornecer, pois os pais querem investir igualmente em toda a prole (relativamente às necessidades de cada filho), ao passo que cada filho deseja mais investimento para si próprio. Essa tensão denomina-se conflito entre pais e filhos. Em essência, é a rivalidade entre irmãos: estes competem entre si pelo investimento dos genitores, enquanto os pais ficariam mais satisfeitos se cada filho aceitasse uma parte proporcional às suas necessidades. Mas a rivalidade entre irmãos pode atuar também junto aos pais. Em termos evolutivos, a única razão por que um genitor nega investimento a um filho é poupar para filhos vindouros. Um conflito de um filho com os pais, na verdade, é uma rivalidade com irmãos ainda não nascidos.

Um exemplo tangível é o conflito do desmame. As calorias que uma mãe converte em leite não estão disponíveis para criar um novo filho, por isso a amamentação suprime a ovulação. Em determinado momento, as mães mamíferas desmamam os filhos a fim de que seu corpo possa preparar-se para gerar um novo filho. Quando isso acontece, o pequeno mamífero faz um escarcéu dos diabos, perseguindo tenazmente sua mãe durante semanas ou meses em busca do acesso às mamas antes de concordar.

Quando mencionei a teoria do conflito entre pais e filhos para consolar um colega cujo filho de dois anos tornara-se um pestinha após o nascimento do irmão mais novo, ele fuzilou: "Tudo o que você está dizendo é que as pessoas são egoístas!". Sem dormir por semanas, ele deve ser perdoado por não entender o argumento. Claramente, os pais não são egoístas; os pais são as entidades menos egoístas de todo o universo conhecido. Mas também não são infinitamente desprendidos, ou cada choramingo e cada ataque de birra seriam música para seus ouvidos. E a teoria prediz que as crianças também não são completamente egoístas. Se fossem, matariam cada irmão recém-nascido a fim de liberar para si próprias todo o investimento dos pais e exigiriam ser amamentadas a vida inteira. A razão de não fazerem isso é elas serem *parcialmente* relacionadas a seus irmãos presentes e futuros. Um gene que fizesse uma criança assassinar sua irmã recém-nascida teria 50% de chances de destruir uma cópia de si mesmo, e na maioria das espécies esse custo supera o benefício de ter para si todo o leite da mãe. (Em algumas espécies, como as hienas pintadas e algumas aves de rapina, os custos não excedem os benefícios, e os irmãos realmente matam uns aos outros.) Um gene que fizesse um garoto de quinze anos querer mamar excluiria a oportunidade de sua mãe fabricar novas cópias daquele gene em irmãos viáveis. Qualquer um dos custos excederia o dobro do benefício, por isso a maioria dos organismos zela pelos interesses dos irmãos, porém descontando os seus próprios. A essência da teoria não é que os filhos querem receber e os pais não querem dar; é que os filhos desejam receber *mais* do que os pais tencionam dar.

O conflito entre pais e filhos começa no útero. Uma mulher com um filho em gestação parece uma visão de harmonia e sustento, mas sob essa esplêndida aparência uma tremenda batalha está em curso dentro da mulher. O feto procura extrair nutrientes do corpo da mãe, em detrimento da capacidade materna para gerar outros filhos. A mãe é conservacionista e procura preservar seu corpo para a posteridade. A placenta humana é um tecido do feto que invade o corpo materno e se alimenta na corrente sanguínea. Por meio dela, o feto secreta um hormônio que retém a insulina materna, elevando os níveis de açúcar do sangue, açúcar este que será então apropriado pelo feto. Mas o diabetes resultante compromete a saúde da mãe; no decorrer do tempo evolutivo, ela reagiu secretando mais insulina, o que levou o feto a secretar mais hormônio que retém a insulina e assim por diante, até que os hormônios atingiram mil vezes sua concentração normal. O biólogo David Haig, o primeiro a notar o conflito pré-natal entre pais e filhos, observa que os altos níveis hormonais são como vozes alteadas: um sinal de conflito. Em um cabo de guerra semelhante, o feto eleva a pressão sanguínea da mãe, atraindo para si mais nutrientes às custas da saúde materna.

A batalha prossegue depois que o bebê nasce. A primeira decisão de uma mãe é deixar ou não a criança morrer. O infanticídio tem sido praticado em todas as culturas do mundo. Na nossa, "matar bebês" é sinônimo de perversidade, um dos crimes mais chocantes imagináveis. Poderíamos pensar que se trata de uma forma de suicídio darwiniano e uma prova de que os valores de outras culturas não são comensuráveis com os nossos. Daly e Wilson demonstraram que não é nenhuma dessas coisas.

Os pais de todas as espécies defrontam-se com a escolha de continuar ou não a investir em um recém-nascido. O investimento paterno é um recurso precioso e, havendo probabilidade de que um recém-nascido venha a morrer, não tem sentido gastar recursos com ele amamentando-o ou levando-lhe alimentos. O tempo e as calorias seriam mais bem gastos com seus irmãos da ninhada, recomeçando com novos filhos ou esperando até que as circunstâncias melhorem. Assim, a maioria dos animais deixa morrer seus filhotes muito miúdos ou doentes. Cálculos semelhantes figuram no infanticídio humano. Nos povos coletores de alimentos, as mulheres têm o primeiro filho no final da adolescência, amamentam-no sempre que ele pede durante quatro anos infecundos e veem muitos morrerem antes de atingir a idade adulta. Se tiver sorte, uma mulher pode criar dois ou três filhos até a maturidade. (As proles numerosas de nossos avós são aberrações históricas resultantes da agricultura, que fornecia substitutos para o leite materno.) Mesmo para criar um número reduzido de filhos até a idade adulta, uma mulher precisa fazer escolhas difíceis. As mulheres nas culturas do mundo todo deixam morrer os recém-nascidos em circunstâncias de pouca probabilidade de sobrevivência: quando a criança é disforme, gêmea, sem pai ou com pai que não é o marido dessa mulher e quando a mãe é jovem (portanto, tem a oportunidade de tentar novamente), não conta com apoio social, tem o recém-nascido logo depois de outro filho, está sobrecarregada com filhos mais velhos ou se encontra em alguma outra situação desesperadora, como em períodos de carestia. O infanticídio no Ocidente atual é semelhante. Estatísticas mostram que as mães que deixam morrer seus bebês são jovens, pobres e solteiras. Há muitas explicações, mas é improvável que seja mera coincidência o paralelo com o resto do mundo.

As mães infanticidas não são cruéis e, mesmo quando a mortalidade infantil é comum, as pessoas nunca menosprezam a vida das crianças. As mães vivenciam o infanticídio como uma tragédia inevitável. Elas choram a perda do filho e lembram dele com tristeza pelo resto da vida. Em muitas culturas, as pessoas procuram distanciar suas emoções de um recém-nascido até terem certeza de que ele sobreviverá. Podem não tocar num bebê, não lhe dar nome nem reconhecê-lo legalmente como pessoa antes de decorrido o período de risco, de um modo muito semelhante aos nossos costumes do batismo e do *bris* (a circuncisão dos meninos judeus aos oito dias de vida).

As emoções das mães de recém-nascidos, que governariam a decisão de manter um bebê ou deixá-lo morrer, podem ter sido moldadas por esses fatos atuariais. A depressão pós-parto tem sido atribuída a um delírio hormonal mas, como ocorre com todas as explicações de emoções complexas, temos de indagar *por que* o cérebro é projetado de modo a permitir que os hormônios produzam seus efeitos. Na maior parte da história evolutiva humana, a mãe de um recém-nascido teve boas razões para fazer uma pausa e avaliar sua situação. Ela se via forçada a decidir entre uma tragédia consumada agora e a chance de uma tragédia ainda maior dentro de alguns anos, escolha essa que não podia ser feita levianamente. Mesmo em nossos dias, a típica ruminação de uma deprimida mãe de recém-nascido — conseguirei dar conta deste fardo? — é um problema genuíno. A depressão apresenta-se no grau mais grave nas circunstâncias que levam as mães de outras partes do mundo a cometer o infanticídio, como pobreza, conflito conjugal e maternidade sem marido.

A reação emocional denominada "ligação" seguramente também é mais complexa do que o estereótipo no qual a mulher é acometida por uma afeição vitalícia pelo bebê se interagir com ele durante uma janela crítica após o nascimento, como as vítimas de Puck em *Sonhos de uma noite de verão*, que se apaixonavam perdidamente pela primeira pessoa que viam depois de acordar. As mães parecem passar de uma fria avaliação do recém-nascido e suas perspectivas presentes para a apreciação do bebê como um indivíduo extraordinariamente maravilhoso após cerca de uma semana, intensificando-se gradualmente o amor ao longo dos anos seguintes.

O bebê é uma parte interessada e luta por seus interesses com a única arma à sua disposição: a graciosidade. Os recém-nascidos são precocemente responsivos à mãe: sorriem, estabelecem contato visual, ficam atentos quando ela fala, chegam a imitar as expressões faciais da mãe. Esses anúncios de um sistema nervoso em funcionamento poderiam derreter o coração materno e fazer pender a balança na decisão iminente de manter ou não o bebê. O etologista Konrad Lorenz observou que a geometria dos bebês — cabeça grande, crânio bulboso, grandes olhos em posição baixa no rosto, bochechas rechonchudas e membros curtos — suscitam ternura e afeição. Essa geometria provém do processo de montagem do bebê. A extremidade da cabeça cresce mais rápido no útero, e o outro extremo equipara-se após o nascimento; os bebês crescem até seu corpo tornar-se mais proporcional ao cérebro e aos olhos. Lorenz demonstrou que os animais possuidores dessa geometria, como patos e coelhos, são considerados bonitinhos pelas pessoas. No ensaio "Uma homenagem biológica a Mickey Mouse", Stephen Jay Gould mostrou que os desenhistas de histórias em quadrinhos e desenhos animados exploram a geometria para tornar seus personagens mais atrativos. É concebível que os genes também a explorem, exagerando as características infantis de um recém-nascido, em especial as que denotam boa saúde, para fazê-lo parecer mais bonitinho para sua mãe.

Assim que é permitido à criança viver, a batalha entre as gerações prossegue. Como a prole pode defender sua posição na batalha? Como disse Trivers, os bebês não podem derrubar a mãe no chão e mamar quando bem entenderem; precisam usar táticas psicológicas. O bebê tem de manipular a genuína preocupação dos pais com seu bem-estar para induzi-los a dar mais do que de outro modo eles se mostrariam dispostos a dar. Como os pais podem aprender a não fazer caso de "alarmes falsos", as táticas têm de ser mais insidiosas. O bebê conhece suas próprias condições melhor do que seus pais, pois seu cérebro está ligado a sensores por todo o corpo. Tanto os pais como o bebê têm interesse em que os pais respondam às necessidades da criança, alimentando-a quando ela tem fome ou aconchegando-a quando ela sente frio, por exemplo. Isso dá ao bebê a possibilidade de extrair mais cuidados do que os pais desejam dar. Ele pode chorar quando não está assim tão faminto e com frio ou deixar de sorrir até conseguir o que quer. O bebê não necessariamente estará fingindo. Como os pais deveriam evoluir até reconhecer o choro fingido, a tática mais eficaz do bebê poderia ser sentir-se verdadeiramente péssimo, mesmo quando não existe necessidade biológica. O autoengano pode começar cedo.

A criança também pode recorrer à extorsão berrando durante a noite ou tendo ataques de birra em público, situações em que os pais são avessos a deixar que o barulho continue e tendem a capitular. Pior: o interesse dos pais pelo bem-estar dos filhos permite às crianças transformar a si próprias em reféns, digamos, debatendo-se em um violento ataque de raiva ou se recusando a fazer alguma coisa que ambas as partes sabem que a criança apreciaria. Thomas Schelling salientou que as crianças estão em excelente posição para empregar táticas paradoxais (capítulo 6). Elas podem tampar os ouvidos, berrar, evitar o olhar dos pais ou regredir, tudo isso impedindo-as de registrar ou entender as ameaças dos pais. Eis a evolução do pestinha.

A teoria do conflito entre pais e filhos é uma alternativa a duas ideias populares. Uma é o freudiano complexo de Édipo, a hipótese de que os meninos têm o desejo inconsciente de ter relações sexuais com a mãe e de matar o pai, temendo, assim, que o pai os castre. (Analogamente, no complexo de Electra, as meninas desejam ter relações sexuais com o pai.) Existe realmente um fato a ser explicado. Em todas as culturas, as crianças pequenas às vezes são possessivas em relação à mãe e frias com o companheiro materno. O conflito entre pais e filhos oferece uma explicação direta e clara. O interesse de Papai por Mamãe desvia de mim a atenção dela — e, pior ainda, ameaça criar um irmãozinho ou irmãzinha. É bem possível que tenham evoluído nas crianças táticas para adiar esse triste dia diminuindo o interesse da mãe pelo sexo e mantendo o pai distante da mãe. Seria uma extensão direta do conflito do desmame. A teoria explica por que os chamados sentimentos edipianos são tão comuns nas meninas quanto nos meninos e evita a absurda ideia de que os meninos desejam copular com a mãe.

Para Daly e Wilson, os proponentes dessa alternativa, o erro de Freud foi juntar dois tipos diferentes de conflito entre pais e filhos. As crianças pequenas entram em conflito com o pai pelo acesso à mãe, mas não se trata de uma rivalidade sexual. E filhos mais velhos podem apresentar um conflito sexual com os genitores, especialmente o pai, porém não se trata de uma rivalidade pela mãe. Em muitas sociedades, os pais competem com os filhos por parceiras sexuais, explícita ou implicitamente. Em sociedades políginas, onde um homem pode ter diversas esposas, pais e filhos podem realmente competir pelas mesmas mulheres. E na maioria das sociedades, políginas ou monogâmicas, o pai tem de subsidiar a busca do filho por uma esposa às custas de seus outros filhos ou das próprias aspirações. O filho pode sentir-se impaciente para que o pai desvie recursos para ele; um pai ainda forte é um bloqueio à sua carreira. Filicidas e parricidas em grande parte do mundo são impelidos por essa competição.

Os pais também arranjam casamentos, sendo este um modo polido de dizer que eles vendem ou negociam os filhos. Neste caso, mais uma vez, pode haver conflito de interesses. Os pais podem labutar para obter uma transação composta na qual um filho ganha um ótimo partido e outro, um cônjuge indesejável. Em sociedades políginas, o pai pode trocar suas filhas por esposas para si mesmo. Quer uma filha seja trocada por uma nora, quer por uma esposa, o valor da filha pode depender de sua virgindade: os homens não querem casar com uma mulher que pode estar esperando um filho de outro homem. (O controle eficaz da natalidade é recente e ainda está longe de ser universal.) Por isso, os pais interessam-se pela sexualidade das filhas, um arremedo do complexo de Electra, porém sem que uma das partes sinta desejo pela outra. Em muitas sociedades, os homens tomam providências horripilantes para assegurar a "pureza" da filha. Podem mantê-la prisioneira, cobri-la dos pés à cabeça e extirpar seu interesse por sexo mediante o pavoroso costume conhecido pelo eufemismo de "circuncisão feminina" (é uma circuncisão no mesmo sentido em que Lorena Bobbit "circuncidou" seu marido). Quando as providências não surtem efeito, eles podem executar a filha impura para preservar o que denominam, ironicamente, a "honra" da família. (Em 1977, uma princesa saudita foi publicamente apedrejada até a morte por trazer desonra a seu avô, o irmão do rei, por ter tido um caso amoroso indiscreto em Londres.) O conflito entre pais e filhas é um caso especial de conflito acerca da "propriedade" da sexualidade feminina, um assunto ao qual retornaremos.

A outra teoria popular subvertida pelo conflito entre pais e filhos é a distinção entre biologia e cultura, segundo a qual os bebês são um montinho de instintos incivilizados que os pais socializam e transformam em membros competentes e bem ajustados da sociedade. A personalidade, nessa sabedoria convencional, é moldada nos anos formativos pelo processo paterno. Tanto os pais como os filhos desejam que as crianças prosperem no meio social e, como as crianças não têm condição de moldar a si próprias, a socialização representa uma confluência de seus interesses.

Trivers argumentou que, segundo a teoria do conflito entre pais e filhos, os pais não necessariamente teriam os interesses dos filhos em mente quando tentam socializá-los. Assim como os pais frequentemente agem contra os interesses de uma criança, podem tentar *treiná-la* para agir contra seu próprio interesse. Os pais querem que cada filho aja em relação aos irmãos com mais altruísmo do que o filho deseja agir. Isso porque compensa, para os pais, que o filho seja altruísta quando o benefício para um irmão exceder o custo para aquele filho, mas só compensa *para o filho* ser altruísta quando o benefício exceder o *dobro* do custo. No caso de parentes mais distantes como meios-irmãos e primos, a diferença entre o interesse dos pais e o da criança é ainda maior, pois o pai é mais estreitamente relacionado ao meio-irmão ou primo do que a criança. Analogamente, os pais podem tentar persuadir o filho de que permanecer em casa para ajudar a família, deixar-se vender para casar e outras providências que são boas para os pais (e, portanto, para os irmãos não nascidos desse filho) são, de fato, boas para o filho. Como ocorre em todas as arenas de conflito, os pais podem recorrer ao logro e, como os filhos não são bobos, ao autoengano. Assim, mesmo quando as crianças concordam com as recompensas, castigos, exemplos e exortações de um pai naquele momento, porque são menores e não têm escolha, elas não deveriam, segundo a teoria, permitir que suas personalidades fossem moldadas por essas táticas.

Trivers viu-se em apuros com essa previsão. A ideia de que os pais moldam os filhos é tão arraigada que a maioria das pessoas nem sequer percebe que ela é uma hipótese que demanda comprovação e não uma verdade manifesta. A hipótese agora foi testada, e o resultado é um dos mais surpreendentes da história da psicologia.

As personalidades diferem pelo menos de cinco modos: se uma pessoa é sociável ou retraída (extroversão-introversão), se vive preocupada ou é calma e satisfeita consigo mesmo (neuroticismo-estabilidade), se é cortês e confiada ou rude e desconfiada (concordância-antagonismo), se é cuidadosa ou descuidada (consciência-desnorteamento) e se é ousada ou acomodada (flexibilidade-inflexibilidade). De onde vêm essas características? Se elas são genéticas, os gêmeos idênticos deveriam compartilhá-las, mesmo se fossem separados ao nascer, e os irmãos biológicos deveriam compartilhá-las em maior grau do que os irmãos adotivos. Se elas são produto da socialização pelos pais, os irmãos adotivos deveriam compartilhá-las, e os gêmeos e irmãos biológicos deveriam compartilhá-las em maior grau quando crescem no mesmo lar do que quando crescem em lares diferentes. Dezenas de estudos testaram esses tipos de previsões em milhares de pessoas de muitos países. Os estudos examinaram não apenas esses traços de personalidade, mas também consequências reais da vida, como divórcio e alcoolismo. Os resultados são claros e reproduzíveis e contêm duas grandes surpresas.

Um resultado tornou-se muito conhecido. Boa parte da variação na personalidade — cerca de 50% — tem causas genéticas. Gêmeos idênticos separados ao nascer são parecidos; irmãos biológicos criados juntos são mais parecidos do que irmãos adotivos. Isso significa que os outros 50% têm de provir dos pais e do lar, certo? Errado! Ser criado em um lar e não em outro responde, no máximo, por 5% das diferenças de personalidade entre as pessoas. Gêmeos idênticos separados ao nascer não são apenas semelhantes; eles são praticamente tão semelhantes quanto gêmeos idênticos criados juntos. Irmãos adotivos no mesmo lar não são apenas diferentes; eles são quase tão diferentes quanto duas crianças escolhidas aleatoriamente na população. A maior influência que os pais têm sobre os filhos é no momento da concepção.

(Apresso-me a acrescentar que os pais são desimportantes somente quando se trata das *diferenças* entre eles próprios e das diferenças entre seus filhos crescidos. As coisas que *todos* os pais normais fazem e que afetam todas as crianças não são medidas nesses estudos. As crianças pequenas seguramente precisam do amor, proteção e orientação de um genitor equilibrado. Como observou a psicóloga Judith Harris, os estudos implicam apenas que as crianças se transformariam nos mesmos tipos de adultos se você as deixasse em seus lares e meios sociais mas trocasse todos os pais.)

Ninguém sabe de onde vêm os outros 45% da variação. Talvez a personalidade seja moldada por eventos únicos que se impõem ao cérebro em crescimento: como o feto se posicionou no útero, quanto sangue materno ele desviou, quanto ele foi comprimido no parto, se ele caiu de cabeça ou se foi infectado por certos vírus na primeira infância. Talvez a personalidade seja moldada por experiências únicas, como ser perseguido por um cachorro ou ser alvo de um ato bondoso de um professor. Talvez as características de personalidade dos pais e as das crianças interajam de modos complicados, de forma que duas crianças crescendo juntas com os mesmos pais na verdade tenham ambientes diferentes. Um tipo de pai pode recompensar uma criança turbulenta e castigar uma criança pacata; outro tipo pode fazer o oposto. Não existem evidências adequadas desses cenários, e a meu ver dois outros são mais plausíveis, ambos considerando a personalidade como uma adaptação fundamentada na divergência de interesses entre pais e filhos. Um deles é o plano de batalha da criança para competir com seus irmãos, que discutirei na próxima seção. O outro é o plano de batalha da criança para competir em seu grupo de iguais.

Judith Harris reuniu evidências de que em todos os lugares as crianças são socializadas por seu grupo de iguais, e não pelos pais. Em todas as idades, as crianças participam de vários grupos de brincadeiras, círculos, gangues, bandos, panelinhas e camarilhas, e manobram para determinar seu status nesses agrupamentos. Cada um desses grupos é uma cultura que absorve alguns costumes de fora e gera muitos costumes próprios. A herança cultural das crianças — as regras de uma brincadeira de roda, a melodia e a letra de uma canção de deboche, a crença de que se você matar alguém será legalmente obrigado a pagar pela lápide do túmulo — é transmitida de criança a criança, às vezes por milhares de anos. À medida que as crianças crescem, vão ingressando em outros grupos, até por fim participarem de grupos de adultos. O prestígio em um nível dá ao indivíduo uma vantagem no nível seguinte; muito significativo é o fato de que os líderes de panelinhas formadas por jovens no início da adolescência são os primeiros a namorar. Em todas as idades, as crianças são impelidas a calcular o que é preciso para ter sucesso entre seus iguais e a dar a essas estratégias precedência sobre qualquer coisa que seus pais lhes impinjam. Pais desanimados sabem que não são capazes de levar a melhor sobre o grupo de iguais de seus filhos e acertadamente vivem obcecados pela melhor vizinhança possível para criar seus rebentos. Muitas pessoas bem-sucedidas imigraram para os Estados Unidos na infância e não foram minimamente prejudicadas por pais culturalmente ineptos que não aprenderam a língua ou os costumes. Como pesquisador do desenvolvimento da linguagem, sempre me admirei com o modo como as crianças aprendem rapidamente a língua (em especial o sotaque) de seus iguais, embora passem mais tempo com os pais.

Por que as crianças não se deixam moldar facilmente pelos pais? Como Trivers e Harris, desconfio que isso acontece porque os interesses genéticos das crianças coincidem apenas parcialmente com os de seus pais. As crianças aceitam as calorias e a proteção dos pais porque estes são as únicas pessoas dispostas a fornecê-las, mas obtêm suas informações das melhores fontes que podem encontrar e forjam suas estratégias para lidar com a vida por conta própria. Seus pais podem não ser os adultos mais sábios e experientes que as cercam e, pior, as regras em casa frequentemente são estipuladas contra a criança e em favor de seus irmãos já nascidos e não nascidos. E, no que respeita à reprodução, o lar é um beco sem saída. A criança terá de competir por parceiros e, antes disso, pelo status necessário para encontrá-los e mantê-los, em outras arenas, que seguem regras diferentes. A criança precisa dominá-las.

O conflito de interesses entre pais e filhos é ignorado em nosso discurso público sobre as crianças. Na maioria das épocas e lugares, a vantagem foi dos pais, e eles usaram seu poder como tiranos cruéis. Neste século, o feitiço virou contra o feiticeiro. Peritos em bem-estar infantil abarrotam as prateleiras das livrarias com manuais sobre criação de filhos e inundam o governo com conselhos sobre políticas. Todos os políticos pintam-se como amigos das crianças e a seus oponentes como inimigos. Os manuais de puericultura antes orientavam as mães sobre os cuidados essenciais com as crianças no dia a dia. Com o dr. Spock*, o enfoque passou para a criança, e a mãe tornou-se um nada, presente ali apenas para proporcionar saúde mental à criança e levar a culpa se esta saísse dos trilhos.

A revolução do bem-estar infantil foi um dos maiores movimentos de libertação de todos os tempos mas, como todos os realinhamentos de poder, ela pode ir longe demais. Críticas sociais feministas afirmaram que os interesses das mães foram extintos pelos gurus da criação de filhos. Discorrendo sobre seu livro *The myths of motherhood*, Shari Thurer observa:

> O mito mais difuso é o da negação da ambivalência materna: na verdade, as mães ao mesmo tempo amam e odeiam os filhos. Existe um verdadeiro silêncio sobre os sentimentos ambivalentes [...] equivale a não ser uma boa mãe. [Em minha prática clínica] a irritação e a cólera são normais. As crianças são infinitamente exigentes, exploram até exaurir. As mulheres não deveriam julgar-se na obrigação de satisfazer toda e qualquer necessidade da criança. Mas o mito é que o amor de mãe é natural e atuante em todos os momentos.

Mesmo os defensores dos direitos maternos muitas vezes pensam que devem estruturar seus argumentos em função dos interesses da criança (a mãe sobrecarregada não é boa mãe) e não dos interesses da mãe (a mãe sobrecarregada é infeliz).

Críticos sociais mais conservadores também começaram a notar que os interesses de pais e filhos podem divergir. Barbara Dafoe Whitehead reexaminou dados indicadores de que a educação sexual não é eficaz em sua fun-

---

(*) Dr. Benjamin McLane Spock. Pediatra e autor de livros de psicologia infantil norte-americano. Nenhuma relação com o Spock de "Jornada nas Estrelas". (N. R. T.)

ção anunciada de reduzir a gravidez de adolescentes. As adolescentes de hoje sabem tudo sobre o sexo e seus riscos, e mesmo assim as garotas acabam engravidando, muito possivelmente porque não lhes incomoda a ideia de ter um bebê. Se os pais da adolescente se incomodam, talvez tenham de zelar pelos seus interesses controlando a garota (com acompanhantes e toque de recolher) e não apenas instruindo-a.

Ao mencionar esses debates não pretendo tomar partido, e sim chamar a atenção para a abrangência do conflito entre pais e filhos. O pensamento evolucionista frequentemente é menosprezado como uma "abordagem reducionista" que pretende redefinir todas as questões sociais e políticas como problemas técnicos da biologia. A crítica tem mão dupla. O discurso que deixa de lado a evolução, prevalecente por décadas, trata a criação dos filhos como um problema tecnológico de determinar que práticas produzem as melhores crianças. Trivers percebeu que as decisões sobre a criação dos filhos inerentemente dizem respeito ao modo de alocar um recurso escasso — o tempo e esforço dos pais — ao qual várias partes têm direito. Neste caso, a criação dos filhos sempre será, em parte, uma questão de ética e política, e não apenas de psicologia e biologia.

IRMÃOS E IRMÃS

Desde que Caim matou Abel, os irmãos vivem enredados em muitas emoções. Como pessoas da mesma geração que se conhecem bem, eles reagem uns aos outros como indivíduos: podem gostar um do outro ou se detestar, competir se forem do mesmo sexo ou sentir atração sexual se forem de sexos opostos. Como parentes próximos, sentem uma grande dose adicional de afeição e solidariedade. Porém, embora os irmãos compartilhem 50% de seus genes, cada indivíduo compartilha 100% de seus genes consigo mesmo, havendo assim um limite para o amor fraterno. Sendo filhos dos mesmos pais, os irmãos competem pelo investimento paterno, do desmame à leitura do testamento. E embora a sobreposição genética faça de um casal de irmãos aliados naturais, também os torna pais antinaturais, e essa alquimia genética modera seus sentimentos sexuais.

Se as pessoas dessem à luz uma única ninhada de filhos, todos nascidos no mesmo dia e todos intercambiáveis, o conflito entre pais e filhos seria uma tosca luta entre irmãos, cada qual exigindo mais do que a sua justa parte. Mas os filhos são diferentes, ainda que não houvesse outra razão além de terem nascido em momentos diferentes. Os pais podem não querer investir um *enésimo* de sua energia em cada um de seus *n* filhos, mas podem, como astutos administradores de uma carteira de ações, tentar detectar os bem-sucedidos e os perdedores e investir com base nessas posições. As decisões de investimento não são previsões conscientes do número de netos esperados de cada filho, e sim respostas emocionais que foram sintonizadas pela seleção natural para produzir resultados maximizadores desse número no meio natural em que evoluímos. Embora os pais esclarecidos façam tudo ao seu alcance para evitar o favoritismo, nem sempre conseguem. Em um estudo, dois terços das mães britânicas e americanas confessaram sentir mais amor por um dos filhos.

Como os pais fazem a Escolha de Sofia, sacrificando um filho quando as circunstâncias exigem? A teoria evolucionista prediz que o principal critério deveria ser a idade. A infância é um campo minado, e quanto mais velha uma criança fica, mais afortunado é o genitor por tê-la viva, e mais insubstituível é esse filho como uma fonte esperada de netos, até a idade da maturidade sexual. (Daí em diante, os anos reprodutivos começam a ser consumidos e o número esperado de filhos desse filho diminui.) Por exemplo, as tabelas atuariais mostram que uma criança de quatro anos em uma sociedade de coletores de alimentos dará em média ao genitor 1,4 vezes mais netos do que um recém-nascido; uma criança de oito anos, 1,5 vezes mais e uma de doze anos, 1,7 vezes mais. Assim, se os pais já tivessem um filho quando chegasse um recém-nascido e não pudessem alimentar ambos, deveriam sacrificar o recém-nascido. Em nenhuma sociedade humana os pais sacrificam um filho mais velho quando lhes nasce outro. Em nossa sociedade, a probabilidade de um genitor matar um filho diminui constantemente conforme aumenta a idade da criança, em especial durante o vulnerável primeiro ano de vida. Quando se pede aos pais para imaginarem a perda de um filho, eles afirmam que sofreriam mais pelo filho mais velho, até os anos da adolescência. O aumento e a diminuição do luto previsto têm uma correlação quase perfeita com as expectativas de vida das crianças de povos caçadores-extrativistas.

Por outro lado, um filho mais novo, por ser menos autossuficiente, precisa mais da ajuda dos pais no dia a dia. Os pais relatam mais sentimentos ternos pelos filhos mais novos, muito embora pareçam valorizar mais os mais velhos. Os cálculos começam a mudar quando os pais avançam em idade e um novo filho provavelmente passa a ser o último que eles terão. Não há mais por que poupar, e o caçula da família tende a ser mimado. Os pais também favorecem os filhos que, com frieza, poderíamos chamar de melhores investimentos: mais vigorosos, mais bem-apessoados, mais talentosos.

Uma vez que os pais são propensos ao favoritismo, a prole deve ser selecionada para manipular em seu favor as decisões de investimento dos pais.

Os filhos são admiravelmente sensíveis ao favoritismo, mesmo na idade adulta e depois da morte dos pais. Eles devem calcular como fazer o melhor uso possível da mão de cartas que a natureza lhes destinou e da dinâmica do jogo de pôquer no qual nasceram. O historiador Frank Sulloway observou que o indefinível componente não genético da personalidade é um conjunto de estratégias para competir com os irmãos pelo investimento paterno, sendo esse o motivo por que as crianças de uma mesma família diferem tanto. Cada criança desenvolve-se em uma diferente ecologia familiar e arquiteta um plano diferente para sair viva da infância. (Essa ideia constitui uma alternativa à hipótese de Harris de que a personalidade é uma estratégia para atuar com êxito em grupos de iguais, embora ambas possam estar corretas.)

Constatou-se que o primeiro filho conta com várias vantagens. O primogênito, meramente por ter sobrevivido até sua presente idade, é mais precioso para os pais e, obviamente, é maior, mais forte e mais conhecedor, assim permanecendo enquanto o mais novo ainda for criança. Tendo ocupado o trono por um ano ou mais, o primogênito vê o recém-chegado como um usurpador. Assim, ele (ou ela) deveria identificar-se com os pais, cujos interesses foram associados aos seus próprios, e deveria resistir a mudanças no *status quo*, que sempre lhe foi conveniente. Ele também deveria aprender o melhor modo de usar o poder que o destino lhe concedeu. Em suma, um primogênito deveria ser conservador e valentão. As crianças que nascem como segundos filhos precisam atuar em um mundo que contém esse obsequioso baluarte da ordem estabelecida. Como não podem conseguir o que desejam com violência e bajulação, são obrigadas a cultivar as estratégias opostas. Deveriam tornar-se apaziguadoras e cooperadoras. E, tendo menos interesse no *status quo*, deveriam ser receptivas à mudança. (Essas dinâmicas dependem, também, dos componentes inatos das personalidades dos irmãos e do sexo, tamanho e diferenças de idade; as vantagens podem variar.)

Os que nascem depois precisam ser flexíveis por outras razões. Os pais investem nos filhos que demonstram mais promessas de êxito no mundo. O primogênito já fincou sua bandeira em quaisquer habilidades pessoais e técnicas nas quais ele seja bom. É inútil um filho mais novo competir nessa arena; qualquer êxito teria de ocorrer em detrimento do irmão mais velho e mais experiente, e ele (ou ela) estaria forçando os pais a escolher um vencedor, sendo tremendas as chances contra si mesmo. Em vez disso, ele deveria procurar um nicho diferente para mostrar seu valor. Isso dá aos pais a oportunidade de diversificar seus investimentos, pois o mais novo complementa as habilidades do mais velho numa competição externa à família. Os irmãos em uma família magnificam suas diferenças pelas mesmas razões que as espécies de um ecossistema evoluem para formas diferentes: cada nicho sustenta um único ocupante.

Os terapeutas de família vêm discutindo essas dinâmicas há décadas, mas existe alguma prova definitiva? Sulloway analisou dados sobre 120 mil pessoas de 196 estudos adequadamente controlados sobre ordem do nascimento e personalidade. Como ele previu, os primogênitos são menos flexíveis (mais afeitos ao *status quo*, tradicionalistas e rigorosamente identificados com os pais), mais conscienciosos (mais responsáveis, orientados para as realizações, sérios e organizados), mais antagônicos (menos cordatos, acessíveis, populares e complacentes) e mais neuróticos (menos bem ajustados, mais ansiosos). Também são mais extrovertidos (mais propensos a fazer valer sua vontade e a liderar), embora as evidências sejam nebulosas porque eles são mais circunspectos, o que os faz parecer mais introvertidos.

A política familiar afeta não só o que as pessoas afirmam em testes escritos mas o modo como agem no mundo quando algo importante está em jogo. Sulloway analisou dados biográficos de 3894 cientistas que haviam opinado sobre revoluções científicas radicais (como a revolução copernicana e o darwinismo), de 893 membros da Convenção Nacional Francesa durante o Terror de 1793-94, de mais de setecentos protagonistas da Reforma Protestante e dos líderes de 62 movimentos reformistas americanos, como a abolição da escravidão. Em cada uma dessas comoções, os filhos não primogênitos mostraram-se mais propensos a apoiar a revolução, e os primogênitos, a ser reacionários. Os efeitos não são subprodutos do tamanho ou das atitudes da família, da classe social ou de outros fatores que poderiam confundir a interpretação dos resultados. Quando a teoria evolucionista foi enunciada pela primeira vez e ainda era incendiária, os filhos não primogênitos foram *dez vezes* mais propensos a apoiá-la do que os primogênitos. Outras causas alegadas do radicalismo, como nacionalidade e classe social, têm apenas efeitos secundários. (O próprio Darwin, por exemplo, era da classe alta, mas não era primogênito.) Os cientistas que não são filhos mais velhos também se especializam menos, atuando em um número maior de áreas científicas.

Se personalidade é uma adaptação, por que as pessoas conservariam até a idade adulta as estratégias que lhes serviram no quarto de brinquedos? Uma possibilidade é a de que os irmãos nunca escapam por completo da órbita de seus pais, competindo a vida inteira. Isso por certo ocorre em sociedades tradicionais, inclusive grupos coletores de alimentos. Outra possibilidade é a de que as táticas como a afirmação da vontade e o conservadorismo são habilidades como qualquer outra. À medida que um jovem investe cada vez mais no aprimoramento delas, torna-se progressivamente mais avesso a retornar na curva de aprendizado a fim de cultivar novas estratégias para lidar com as pessoas.

A descoberta de que os filhos criados na mesma família não são mais semelhantes do que se tivessem sido criados em planetas diferentes demonstra como é reduzida nossa compreensão do desenvolvimento da personalidade. Tudo o que sabemos é que ideias muito acalentadas sobre a influência dos pais estão erradas. A hipótese mais promissora, desconfio, terá origem no reconhecimento de que a infância é uma selva e que o primeiro problema que as crianças enfrentam na vida é defender sua posição em meio a seus irmãos e iguais.

O relacionamento entre irmão e irmã encerra uma peculiaridade adicional: um é homem, a outra, mulher, e esses são os ingredientes de um relacionamento sexual. As pessoas fazem sexo e casam com os indivíduos com quem interagem mais — colegas de trabalho, vizinho ou vizinha — e com quem mais se parece com elas — gente da mesma classe, religião, raça e aparência. As forças da atração sexual deveriam atrair os irmãos um para o outro como ímãs. Mesmo que a familiaridade gere um certo desprezo e que apenas uma fração ínfima dos irmãos se deem bem, deveria haver milhões de irmãos e irmãs desejando ter relações sexuais e casar-se. Praticamente eles não existem. Não em nossa sociedade, não em qualquer sociedade humana adequadamente estudada, não na maioria dos animais silvestres. (As crianças na pré-puberdade às vezes se dedicam a brincadeiras sexuais; estou falando da verdadeira relação sexual entre irmãos em idade madura.)

Irmãos e irmãs evitam copular porque seus pais os desincentivam? Quase certamente não. Os pais procuram socializar os filhos para que demonstrem mais e não menos afeto um pelo outro ("Vamos, dê um beijo na sua irmã!"). E, se de fato eles desencorajassem o sexo, seria esse o único caso em toda a experiência humana no qual uma proibição sexual funciona. Irmãos e irmãs adolescentes não se esgueiram até locais de encontro em parques e bancos traseiros de carros.

O tabu do incesto — uma proibição pública ao sexo ou casamento entre parentes próximos — há um século tem sido uma obsessão da antropologia, mas não explica o que mantém à distância os irmãos. Evitar o incesto é universal; os tabus contra o incesto, não. E a maioria dos tabus contra o incesto não diz respeito ao sexo na família nuclear. Alguns tratam do incesto com parentes fictícios e meramente refletem o ciúme sexual. Por exemplo, homens polígínos podem criar leis para manter os filhos longe de suas esposas mais novas, oficialmente as "madrastas" desses filhos. Como vimos, a maioria dos tabus proíbe o casamento (e não o sexo) entre parentes mais distantes, como primos, e são manobras de que os governantes se servem para impedir a acumulação de riqueza nas famílias rivais. Às vezes, as relações sexuais entre membros da família são reguladas por códigos mais gerais sobre o incesto, porém em parte alguma elas são o alvo.

Irmãos e irmãs absolutamente não se consideram mutuamente atraentes como parceiros sexuais. Essa é uma afirmação atenuada; na verdade, a ideia incomoda-os imensamente ou os enche de repulsa. (Quem cresceu sem irmãos do sexo oposto não entende essa emoção.) Freud declarou que essa emoção acentuada é ela própria a prova de um desejo inconsciente, em especial quando um homem alega ficar chocado com a ideia do coito com a própria mãe. Por esse raciocínio, podemos concluir que as pessoas têm um desejo inconsciente de comer fezes de cachorro e enfiar agulhas nos olhos.

A repugnância pelo sexo com um irmão é tão intensa nos humanos e em outros vertebrados móveis de vida longa que é uma boa candidata a ser uma adaptação. A função seria evitar os custos da endogamia: a redução da aptidão da prole. Existe uma ponta de verdade biológica na crença de que o incesto "engrossa" o sangue e nos estereótipos do matuto deficiente mental e das famílias reais com membros portadores de idiotia. Mutações danosas pingam regularmente no caldeirão genético. Algumas são dominantes, incapacitam seus portadores, e a seleção logo as elimina. Mas a maioria é recessiva e não causa danos até acumular-se na população e encontrar cópias de si mesma quando dois portadores se acasalam. Como os parentes próximos compartilham genes, se eles se acasalarem correrão um risco muito maior de que duas cópias de um gene recessivo danoso combinem-se em seus filhos. Uma vez que todos nós portamos o equivalente a um ou dois genes recessivos letais, quando irmão e irmã acasalam-se é grande a probabilidade de terem uma prole prejudicada, tanto na teoria como nos estudos que mediram esses riscos. O mesmo se aplica ao acasalamento de mãe e filho e pai e filha (e, em menor grau, ao de parentes mais distantes). É compreensível o argumento de que nos humanos (e em muitos outros animais) tenha evoluído uma emoção que provoque repulsa à ideia de ter relações sexuais com um membro da família.

A característica de evitar o incesto evidencia a complexa engenharia do software que regula nossas emoções relativas às outras pessoas. Sentimos laços afetivos mais fortes por membros da família do que por conhecidos ou estranhos. Claramente percebemos a atratividade sexual de membros da família, e até mesmo sentimos prazer em olhar para eles. Mas a afeição e a apreciação da beleza não se traduzem em um desejo de copular, embora se as mesmas emoções houvessem sido despertadas por alguém que não é nosso parente o impulso pudesse ser irresistível. O modo como um único bit de conhecimento pode transformar desejo em horror foi usado com grande efeito dramático nas dezenas de tramas que Polti classifica como "crimes de amor involuntários", das quais *Édipo rei*, de Sófocles, é a mais célebre.

A aversão ao incesto tem duas peculiaridades. Uma é que acasalamentos diferentes no âmbito da família apresentam custos e benefícios diferentes, tanto para os participantes como para os circunstantes. Poderíamos esperar que a repugnância sexual se ajustasse segundo essas linhas. Tanto para os indivíduos do sexo masculino como para os do sexo feminino, o benefício de ter um filho com um membro imediato da família é que o filho contém 75% dos genes de cada um dos pais, em vez dos usuais 50% (os 25% adicionais provêm dos genes compartilhados pelos pais em razão de serem aparentados, genes esses que são transmitidos ao filho). Os custos consistem nos riscos de um filho disforme e na oportunidade perdida de ter um filho com outro. As oportunidades perdidas, porém, diferem para os indivíduos do sexo masculino e do sexo feminino. Além disso, as crianças sempre têm certeza de quem é sua mãe, mas nem sempre de quem é seu pai. Por ambas as razões, o custo do incesto tem de ser avaliado separadamente para cada um dos possíveis acasalamentos em uma família.

Nem mãe nem filho têm vantagem alguma no acasalamento da mãe com o filho em vez de com o pai desse filho, que poderia contrabalançar os riscos genéticos. E como os homens geralmente não sentem atração por mulheres com idade suficiente para serem sua mãe, o resultado líquido é que o incesto de mãe e filho praticamente nunca acontece.

No caso do incesto entre pais e filhas e irmãos e irmãs, os cálculos resultam diferentes dependendo do ponto de vista de cada uma das partes. Uma moça ancestral hipotética engravidada por um irmão ou pelo pai ficaria impedida de ter um filho com um não parente durante os nove meses da gestação e, se ficasse com o bebê, por mais dois a quatro anos do período de amamentação. Ela desperdiçaria uma preciosa oportunidade de reprodução com uma criança que pode ser disforme. O incesto deveria ser absolutamente repugnante. Mas um homem que engravidasse sua irmã ou filha poderia estar aumentando o número de filhos que ele gera, pois a gravidez dessa mulher não o impede de engravidar uma outra. Há o risco de o filho ser deformado, mas, se não for, essa criança será um verdadeiro bônus (mais precisamente, o bônus será a dose extra de genes do pai). A repugnância pelo incesto pode ser menos intensa, aumentando a probabilidade de que esse homem transponha os limites. Esse é um caso especial de custos de reprodução menores para os indivíduos do sexo masculino e de menor discriminação masculina em se tratando do desejo sexual, tema que retomaremos adiante.

Além disso, um pai nunca pode ter certeza de que a filha é dele, portanto o custo genético para ele poderia ser zero. Isso poderia enfraquecer ainda mais a supressão do desejo em comparação com o irmão da moça, que seguramente tem parentesco com ela porque ambos têm a mesma mãe. Para o padrasto e os filhos do padrasto ou da madrasta da moça, não existe custo genético algum. Assim, não surpreende que entre metade e três quartos de todos os casos de incesto informados sejam entre padrastos e enteadas, a maioria deles iniciada pelo padrasto. Quase todos os demais casos são entre pais e filhas, sendo praticamente todos coagidos pelo pai. Alguns ocorrem entre moças e outros parentes do sexo masculino, também a maioria sob coação. A mãe não obtém benefício genético com o acasalamento de seu marido com sua filha (comparado ao acasalamento entre a filha e o genro), mas arca com o custo de netos defeituosos; portanto, seus interesses são afins aos da filha, e ela deve ser uma força contrária ao incesto. A exploração incestuosa de garotas pode ser ainda mais comum se as mães não estiverem por perto. Tais batalhas são movidas por emoções intensas, mas as emoções não são uma alternativa à análise genética; a análise explica por que elas existem. E obviamente, na ciência, como em um trabalho de detetive, tentar descobrir o motivo de um crime não é desculpar o crime.

As pessoas não podem perceber diretamente sua coincidência genética com outra pessoa; como ocorre com o resto da percepção, o cérebro precisa combinar informações dos sentidos com suposições sobre o mundo para fazer uma hipótese inteligente. O capítulo 4 mostrou que, quando o mundo viola as suposições, somos vítimas de uma ilusão, e isso é exatamente o que acontece na percepção do parentesco. O antropólogo oitocentista Edward Westermarck conjeturou que crescer em grande intimidade com outra pessoa nos primeiros anos de vida é a informação principal que o cérebro usa para classificar a pessoa na categoria "irmão". Analogamente, quando um adulto cria uma criança, deve percebê-la como "filho" ou "filha", e ela deve perceber o adulto como "mãe" ou "pai". As classificações, assim, negam o desejo sexual.

Esses algoritmos pressupõem um mundo no qual as crianças que são criadas juntas são irmãos biológicos e vice-versa. Isso certamente se aplica aos povos coletores de alimento. Os filhos de uma mulher crescem ao lado dela e geralmente também do pai. Quando a hipótese fosse falsa, as pessoas deveriam ser vítimas de uma ilusão de parentesco. Se crescessem junto com uma pessoa que não é seu parente, deveriam ser sexualmente indiferentes ou sentir repulsa. Se não crescessem junto com uma pessoa que é parente, não deveriam sentir repulsa. Ficar sabendo que a pessoa com quem você está namorando é, na verdade, seu irmão ou irmã deveria bastar para dissipar o clima romântico, mas um mecanismo de impressão inconsciente atuando durante um período crítico no início da infância é seguramente ainda mais poderoso.

Ambos os tipos de ilusões foram documentados. As povoações comunitárias israelenses denominadas kibutz foram fundadas no início do século XX por planejadores utópicos decididos a desintegrar a família nuclear. Meninos e meninas da mesma idade compartilhavam a moradia, indo para lá pouco depois de nascer e ali vivendo até o final da adolescência, sendo criados juntos por enfermeiras e professores. Quando se tornavam sexualmente maduras, as crianças que haviam crescido juntas raramente se casavam ou mesmo tinham relações sexuais, embora os casamentos não fossem desincentivados. Em algumas partes da China, as noivas costumavam mudar-se para a casa dos sogros, originando atritos que você bem pode imaginar. Os pais tinham a brilhante ideia de adotar uma noiva para o filho quando ela ainda era criança, garantindo assim que ela ficaria para sempre sob o domínio da sogra. O que não percebiam era que esse arranjo imitava as pistas biológicas para a condição de irmãos. Quando os dois cresciam, não sentiam atração sexual mútua e, comparados aos casais convencionais, seu casamento era infeliz e breve, com infidelidade e infecundidade. Em partes do Líbano, primos paternos paralelos crescem juntos como se fossem irmãos. Os pais pressionam os filhos para casarem-se, mas os casais são sexualmente apáticos, relativamente sem filhos e propensos ao divórcio. Descobriu-se que arranjos não convencionais para a criação de filhos têm o mesmo resultado em todos os continentes, e várias explicações alternativas podem ser excluídas.

Inversamente, as pessoas que *de fato* cometem incesto com frequência não cresceram juntas. Um estudo sobre irmãos incestuosos em Chicago constatou que os únicos que haviam cogitado em casamento foram os que haviam sido criados separadamente. Os pais que abusam sexualmente das filhas tendem a ter passado menos tempo com elas quando eram pequenas. Padrastos que tiveram tanto contato com as pequenas enteadas quanto os pais biológicos normalmente não apresentam uma tendência maior a abusar delas. Há quem diga que os adotados que saem à procura de seus pais e irmãos biológicos muitas vezes sentem-se atraídos sexualmente por eles, embora eu não conheça estudos controlados sobre essa questão.

O efeito Westermarck explica o mais célebre de todos os incestuosos: Édipo. Laio, rei de Tebas, foi alertado por um oráculo de que seu filho o mataria. Quando sua esposa, Jocasta, teve um filho, Laio amarrou o bebê e o abandonou em uma montanha. Édipo foi encontrado e criado por um pastor, depois foi adotado pelo rei de Corinto e criado como filho deste. Em uma visita a Delfos, Édipo ficou sabendo que estava destinado a matar seu pai e desposar sua mãe, por isso partiu de Corinto jurando nunca mais voltar. A caminho de Tebas, encontrou Laio e o matou em uma briga. Quando mais tarde ele derrotou astutamente a Esfinge, a recompensa foi o trono de Tebas e a mão da rainha viúva, Jocasta — a mãe biológica junto a quem ele não crescera. O casal teve quatro filhos antes de Édipo receber a má notícia.

Mas o supremo triunfo da teoria de Westermarck foi apontado por John Tooby. A ideia de que os meninos desejam ter relações sexuais com a mãe parece, para a maioria dos homens, a coisa mais estúpida que eles já ouviram. Obviamente não parecia para Freud, o qual escreveu que, quando garoto, teve uma reação erótica ao ver sua mãe vestir-se. Mas Freud teve uma ama de leite, e talvez não tenha vivenciado a intimidade inicial que teria indicado a seu sistema perceptivo que a sra. Freud era sua mãe. A teoria de Westermarck eclipsou Freud.

HOMENS E MULHERES

> *Homens e mulheres. Mulheres e homens. Nunca vai dar certo.*
>
> Erica Jong

Às vezes, é claro, dá certo. Um homem e uma mulher podem apaixonar-se, e o ingrediente básico é uma expressão de compromisso, como vimos no capítulo 6. Um homem e uma mulher precisam do DNA um do outro e, portanto, podem sentir prazer com o sexo. Um homem e uma mulher têm um interesse comum em seus filhos, e seu amor duradouro evoluiu para proteger esse interesse. E marido e esposa podem ser os melhores amigos e desfrutar a segurança e confiança vitalícias que fundamentam a lógica da amizade (retomaremos este assunto adiante). Essas emoções alicerçam-se no fato de que, se um homem e uma mulher são monógamos, permanecem juntos por toda a vida e não são nepotistas com relação às suas respectivas famílias, seus interesses genéticos são idênticos.

Infelizmente, existe um grande "se". Mesmo os casais mais felizes podem brigar como cães e gatos, e hoje em dia 50% dos casamentos americanos terminam em divórcio. George Bernard Shaw escreveu: "Quando queremos ler sobre os atos praticados por amor, onde procuramos? Na coluna dos assassinatos". O conflito entre homens e mulheres, por vezes mortal, é universal, e indica que o sexo não é uma força unificadora nos assuntos humanos, e sim divisora. Mais uma vez, essa banalidade precisa ser dita porque a sabedoria convencional a nega. Um dos ideais utópicos da década de 60, reiterado desde então por gurus do sexo como a dra. Ruth, é a união intensamente erótica, mutuamente agradável, livre de culpa, emocionalmente aberta e vitalícia de um casal. A alternativa da contracultura era a orgia grupal intensamente erótica, mutuamente agradável, livre de culpa e emocionalmente aberta. Ambas foram atribuídas a nossos ancestrais hominídeos, a estágios iniciais da civilização ou a tribos primitivas ainda existentes em algum lugar. Ambas são tão míticas quanto o Jardim do Éden.

A batalha entre os sexos não é apenas uma escaramuça na guerra entre indivíduos não aparentados; ela é travada em um terreno diferente, por motivos explicados pela primeira vez por Donald Symons, que escreveu: "No que respeita à sexualidade humana, existe uma natureza humana feminina e uma natureza humana masculina, e essas naturezas diferem extraordinariamente [...] Homens e mulheres diferem em suas naturezas sexuais porque, no decorrer da imensamente longa fase de caça e extrativismo da história evolutiva humana, os desejos e inclinações sexuais que foram adaptativos para um dos sexos foram, para o outro, a porta para o esquecimento reprodutivo".

Muita gente nega que existem diferenças dignas de nota entre os sexos. Em minha instituição, ensinava-se aos alunos do curso de Psicologia do Gênero que a única diferença bem estabelecida entre homens e mulheres era que os homens gostavam de mulheres e as mulheres gostavam de homens. As duas naturezas humanas de Symons eram descartadas como "estereótipos de gênero", como se isso provasse que elas eram falsas. A crença de que as aranhas tecem teias e os porcos não também é um estereótipo, não sendo por isso menos verdadeira. Como veremos, alguns estereótipos sobre sentimentos sexuais foram comprovados sem sombra de dúvida. De fato, pesquisadores sobre diferenças entre os sexos constataram que muitos estereótipos de gênero *subestimam* as diferenças documentadas entre os sexos.

Para começar, por que existe o sexo? Lorde Chesterfield comentou sobre o sexo que "o prazer é momentâneo, a posição ridícula e o custo assombroso". Biologicamente falando, os custos são de fato assombrosos; então, por que quase todos os organismos complexos reproduzem-se sexualmente? Por que as mulheres não geram, virgens, filhas que são clones delas próprias em vez de desperdiçar metade das suas gestações com filhos que não dispõem do maquinário para produzir netos e não passam de doadores de espermatozoide? Por que as pessoas e outros organismos trocam a metade de seus genes pelos genes de outro membro da espécie, gerando variedade na prole tendo em vista justamente a variedade? Não é para evoluir mais rápido, pois os organismos são selecionados para a aptidão no presente. Não é para adaptar--se à mudança ambiental, pois uma mudança aleatória em um organismo já adaptado mais provavelmente será prejudicial ao invés de vantajosa, uma vez que existem muito mais modos de ser mal adaptado do que bem adaptado. A melhor teoria, proposta por John Tooby, William Hamilton e outros, e atualmente corroborada por vários tipos de evidências, é que o sexo constitui uma defesa contra parasitas e agentes patogênicos (micro-organismos causadores de doença).

Do ponto de vista de um germe, você é uma deliciosa montanha de *cheesecake* esperando para ser devorada. Seu corpo tem um ponto de vista diferente, e uma bateria de defesas, da pele ao sistema imunológico, evoluiu para manter os germes fora de você ou para liquidá-los. Há uma corrida armamentista evolutiva entre hospedeiros e agentes patogênicos, embora uma analogia melhor seria uma disputa cada vez mais acirrada entre arrombadores de fechaduras e chaveiros. Os germes são pequeninos e desenvolvem truques diabólicos para infiltrar-se no mecanismo das células e sequestrá-lo, para apoderar-se das matérias-primas celulares e para fazer-se passar por tecidos do próprio corpo a fim de escapar à vigilância do sistema imune. O corpo reage com sistemas de segurança melhores, mas os germes contam com uma vantagem incorporada: eles são mais numerosos e capazes de reproduzir-se milhões de vezes mais rápido, o que lhes permite evoluir mais depressa. Eles podem evoluir substancialmente no período de vida de um hospedeiro. Sejam quais forem as fechaduras moleculares que tiverem evoluído no corpo, os agentes patogênicos podem desenvolver chaves para abri-las.

Ora, se um organismo é assexual, quando os agentes patogênicos arrombam o cofre de seu corpo, também terão arrombado os cofres dos filhos e irmãos desse organismo. A reprodução sexual é um modo de mudar as fechaduras uma vez a cada geração. Trocando metade dos genes por uma metade diferente, um organismo dá à sua prole uma vantagem inicial na corrida contra os germes locais. Suas fechaduras moleculares têm uma combinação diferente de pinos, e assim os germes precisam começar a desenvolver novas chaves a partir do zero. Um agente patogênico maligno é a única coisa no mundo que compensa a mudança pela mudança.

O sexo apresenta um segundo enigma. Por que existimos em *dois* sexos? Por que produzimos um óvulo grande e numerosos espermatozoides pequeninos, em vez de dois glóbulos iguais que se fundem como mercúrio? É porque a célula que deverá transformar-se no bebê não pode ser apenas uma sacola de genes; ela necessita do maquinário metabólico do restante de uma célula. Parte desse maquinário, as mitocôndrias, possui seus próprios genes, o célebre DNA mitocondrial, tão útil para estabelecermos as datas das rupturas evolutivas. Como todos os genes, os das mitocôndrias são selecionados para replicarem implacavelmente. E é por isso que uma célula formada fundindo-se duas células iguais enfrenta problemas. As mitocôndrias de um genitor e as mitocôndrias do outro travam uma batalha feroz pela sobrevivência no interior da célula. As mitocôndrias de cada genitor assassinarão suas equivalentes vindas do outro genitor, deixando a célula que se fundiu perigosamente enfraquecida. Os genes do restante da célula (os do núcleo) sofrem com o dano causado à célula, por isso desenvolvem um modo de deter a guerra destrutiva. Em cada par de genitores, um "concorda" com o desarmamento unilateral. Contribui com uma célula que não fornece maquinário metabólico, apenas DNA nu para o novo núcleo. A espécie reproduz-se fundindo uma célula grande que contém meio conjunto de genes mais todo o maquinário necessário com uma célula pequena que contém meio conjunto de genes e mais nada. A célula grande chama-se óvulo, e a pequena, espermatozoide.

Depois de o organismo ter dado esse primeiro passo, a especialização de suas células sexuais só pode aumentar progressivamente. Um espermatozoide é pequeno e barato, portanto o organismo pode muito bem produzir muitos deles e dar-lhes um motor de popa para chegarem rapidamente ao óvulo, além de um órgão para lançá-los em sua trajetória. O óvulo é grande e precioso, e por isso o organismo melhor fará dando-lhe uma vantagem inicial, munindo-o de alimento e de um revestimento protetor. Isso torna o óvulo ainda mais caro, e assim, para proteger o investimento, o organismo desenvolve órgãos que permitem ao óvulo fertilizado crescer no interior do corpo e absorver ainda mais alimento, liberando a nova prole só quando ela estiver com tamanho suficiente para sobreviver. Essas estruturas denominam-se órgãos reprodutores masculinos e femininos. Alguns animais, hermafroditas, põem ambos os tipos de órgãos em cada indivíduo, porém a maioria especializa-se ainda mais e se divide em dois tipos, cada qual alocando seu tecido reprodutivo para um ou outro tipo de órgão. Estes se denominam machos e fêmeas.

Trivers concluiu que todas as diferenças notáveis entre machos e fêmeas originam-se da diferença entre o tamanho mínimo de seu investimento na prole. Investimento, lembre-se, é qualquer coisa que um genitor faz que aumenta a chance de sobrevivência de um filho enquanto diminui a capacidade do genitor para produzir outro filho viável. O investimento pode consistir em energia, nutrientes, tempo ou risco. A fêmea, por definição, começa com um investimento maior — a célula sexual maior — e, na maioria das espécies, incumbe-se de mais ainda. O macho contribui com um pacotinho de genes e em geral fica só nisso. Como a prole requer um de cada, a contribuição da fêmea estabelece o limite para o número de filhos que podem ser produzidos: no máximo, um filho para cada óvulo que ela cria e nutre. Duas séries de consequências decorrem dessa diferença.

Primeiro, um único macho pode fertilizar várias fêmeas, o que força outros machos a ficar sem parceira. Isso gera competição entre os machos pelo acesso às fêmeas. Um macho pode surrar outros para impedi-los de alcançar uma fêmea, competir pelos recursos necessários para acasalar-se ou cortejar a fêmea para que ela o escolha. Portanto, os machos variam no êxito reprodutivo. Um vencedor pode gerar muitos filhos; um perdedor, nenhum.

Segundo, o êxito reprodutivo dos machos depende do número de fêmeas com quem eles se acasalam, mas o êxito reprodutivo das fêmeas não depende do número de machos que elas tiverem como parceiros. Isso torna as fêmeas mais discriminadoras. Os machos cortejam as fêmeas e acasalam-se com qualquer fêmea que os aceite. As fêmeas examinam atentamente os machos e se acasalam apenas com os melhores: os que tiverem os melhores genes, os mais dispostos e aptos a proteger a prole que ela irá gerar ou aqueles que outras fêmeas tendem a preferir.

Competição masculina e escolha feminina são ubíquos no reino animal. Darwin chamou a atenção para esses dois espetáculos, que batizou de seleção sexual, mas não conseguiu compreender por que deveriam ser os machos os competidores e as fêmeas as selecionadoras e não vice-versa. A teoria do investimento paterno resolve o enigma. O sexo que investe mais, escolhe; o que investe menos, compete. O investimento relativo, portanto, é a causa das diferenças entre os sexos. Tudo o mais — testosterona, estrogênio, pênis, vagina, cromossomos Y, cromossomos X — é secundário. Os machos competem e as fêmeas escolhem apenas porque o investimento ligeiramente maior em um óvulo — o que *define* ser fêmea — tende a multiplicar-se pelo resto dos hábitos reprodutivos do animal. Em algumas espécies, o animal todo inverte a diferença inicial do investimento entre óvulo e espermatozoide e, nestes casos, as *fêmeas* deveriam competir e os *machos* deveriam escolher. De fato, essas exceções provam a regra. Em alguns peixes, o macho incuba os filhotes numa bolsa. Em certos pássaros, o macho choca os ovos e alimenta os filhotes. Nessas espécies, as fêmeas são agressivas e cortejam os machos, e estes selecionam cuidadosamente as parceiras.

Num mamífero típico, porém, a fêmea é quem faz quase todo o investimento. Os mamíferos optaram por um plano corporal no qual a fêmea carrega o feto dentro do corpo, nutre-o com seu sangue, alimenta e protege os filhos após o nascimento até que eles cresçam o suficiente para sobreviver sozinhos. O macho contribui com alguns segundos de cópula e uma célula de espermatozoide que pesa dez trilionésimos de grama. Não admira que os mamíferos machos devam competir por oportunidades de ter relação sexual com as fêmeas. Os detalhes dependem dos demais aspectos do modo de vida do animal. As fêmeas vivem sozinhas ou em grupos, em grupos pequenos ou grandes, estáveis ou temporários, pautando-se por critérios sensatos como onde se encontra o alimento, onde é mais seguro, onde elas podem parir e criar os filhos com facilidade e se necessitam ou não da força numérica. Os machos vão aonde as fêmeas estão. As fêmeas do elefante-marinho, por exemplo, congregam-se em trechos de praia que um macho pode patrulhar sem dificuldade. Um único macho pode monopolizar o grupo, e os machos travam batalhas sangrentas por esse grande prêmio. Lutadores maiores são lutadores melhores, por isso os machos evoluíram até atingirem quatro vezes o tamanho das fêmeas.

Os macacos apresentam uma grande variedade de arranjos sexuais. Isso, a propósito, significa que inexiste um "legado dos macacos" que determinaria o comportamento dos humanos. Os gorilas vivem na orla de florestas, em pequenos grupos compostos de um macho e várias fêmeas; os machos lutam entre si pelo controle das fêmeas e evoluíram até alcançar o dobro do tamanho destas. As fêmeas do gibão são solitárias e muito dispersas; o macho encontra o território de uma fêmea e age como um esposo fiel. Como outros machos estão longe, em outros territórios, eles não lutam mais do que as fêmeas e não são maiores. As fêmeas do orangotango são solitárias mas vivem próximas o bastante para que um macho possa monopolizar duas ou mais no território; o tamanho dos machos é aproximadamente 70% maior que o das fêmeas. Os chimpanzés vivem em grupos grandes e instáveis que nenhum macho consegue dominar. Grupos de machos vivem com as fêmeas, e os machos competem pela dominância, que proporciona mais oportunidades para a cópula. O tamanho dos machos é aproximadamente 30% maior que o das fêmeas. Com muitos machos por perto, a fêmea tem incentivo para acasalar-se com vários deles, para que um macho nunca possa ter certeza de que um bebê não é seu e, portanto, não venha a matá-lo a fim de tornar a mãe disponível para gerar filhos dele. As fêmeas do bonobo (chimpanzé pigmeu) são quase indiscriminadamente promíscuas; os machos lutam menos e têm mais ou menos o mesmo tamanho das fêmeas. Eles competem de um modo diferente: dentro do corpo das fêmeas.

O espermatozoide pode sobreviver na vagina durante vários dias, portanto uma fêmea promíscua pode ter os espermatozoides de vários machos competindo pela chance de fertilizar o óvulo dentro de seu corpo. Quanto mais espermatozoides o macho produzir, maior a chance de que um deles chegue lá primeiro. Isso explica por que os chimpanzés têm testículos enormes em proporção ao tamanho do corpo. Testículos maiores produzem mais espermatozoides, o que melhora as chances uma vez dentro do corpo de fêmeas promíscuas. Um gorila pesa quatro vezes mais do que um chimpanzé, mas seus testículos são quatro vezes menores. As fêmeas de seu harém não têm chance de copular com nenhum outro macho, por isso seus espermatozoides não precisam competir. Os gibões, que são monógamos, também possuem testículos pequenos.

Em quase todos os primatas (de fato, em quase todos os mamíferos), os machos são papais folgados, contribuindo para a prole tão somente com seu DNA. Outras espécies são mais paternais. A maioria dos pássaros, muitos peixes e insetos e carnívoros sociais como os lobos têm machos que protegem ou alimentam os filhotes. A evolução do investimento paterno dos machos é auxiliada por várias características. Uma delas é a fertilização externa, encontrada na maioria dos peixes, na qual a fêmea põe os ovos e o macho fertiliza-os na água. O macho tem certeza de que os ovos fertilizados contêm seus genes e, como os ovos foram postos antes de os filhotes se desenvolverem, o macho tem oportunidade de ajudar. Mas para a maioria dos mamíferos as cartas estão marcadas contra a dedicação paternal. O óvulo permanece embutido no corpo da mãe, onde algum outro macho pode fertilizá-lo, portanto um macho nunca tem certeza de que um filho é seu. Ele corre o perigo de desperdiçar seu investimento nos genes de outro macho. Além disso, o crescimento do embrião ocorre principalmente no corpo da mãe, onde o pai não pode alcançar para ajudá-lo diretamente. E um pai pode facilmente abandonar a fêmea e tentar acasalar-se com outra, enquanto a fêmea fica com o abacaxi, não podendo livrar-se do feto ou da prole sem ter de passar pelo longo processo de nutrir novamente um embrião para voltar aonde tinha começado. A dedicação paterna também é maior quando o estilo de vida de uma espécie faz com que os benefícios excedam os custos: quando a prole ficaria vulnerável sem o pai, quando este consegue facilmente suprir os filhos com alimentos concentrados, como carne, e quando é fácil defender os filhotes.

Quando os machos tornam-se pais devotados, mudam as regras do jogo do acasalamento. A fêmea pode escolher um macho com base no que ela consegue julgar sobre a capacidade e disposição dele para investir na prole. As fêmeas, e não os machos, competem por parceiros, embora os prêmios sejam diferentes: os machos competem por fêmeas férteis dispostas a copular; as fêmeas, por machos abastados dispostos a investir. A poligamia não é mais uma questão de um macho surrar todos os demais ou de todas as fêmeas desejarem ser inseminadas pelo macho mais feroz ou bonito. Quando os machos investem *mais* do que as fêmeas, como vimos, a espécie pode ser poliândrica, com fêmeas valentonas mantendo haréns de machos. (O plano corporal dos mamíferos excluiu essa opção.) Quando um macho tem muito mais a investir do que outros (porque, digamos, ele controla um território melhor), pode ser mais vantajoso para as fêmeas compartilhá-lo — poliginia — do que cada qual ter seu próprio parceiro, pois uma fração de um recurso grande pode ser melhor do que a totalidade de um recurso diminuto. Quando as contribuições dos machos são mais equitativas, a atenção indivisa de um deles torna-se valiosa, e a espécie decide pela monogamia.

Muitos pássaros parecem ser monógamos. Em *Manhattan*, Woody Allen diz a Diane Keaton: "Acho que as pessoas deveriam acasalar-se para sempre, como os pombos e os católicos". O filme foi exibido antes de os ornitólogos começarem a submeter aves a testes de DNA, que revelaram, para o pasmo dos pesquisadores, que os pombos também não são assim tão fiéis. Em algumas espécies de aves, um terço da prole contém o DNA de um macho que não é o companheiro da fêmea. O macho é adúltero porque tenta criar a prole de uma fêmea e acasalar-se com outras, esperando que a prole destas sobreviva por conta própria ou, melhor ainda, que seja criada por maridos traídos. A fêmea é adúltera porque tem a chance de ficar com o melhor de dois mundos: os genes do macho mais apto e o investimento do macho mais dedicado. O macho vítima da traição terá sido prejudicado se não houver conseguido procriar, pois terá dedicado seus esforços materiais aos genes de um concorrente. Assim, em espécies cujos machos investem, o ciúme do macho é dirigido não aos rivais, mas à fêmea. Ele pode vigiá-la, segui-la, copular repetidamente e evitar as fêmeas que demonstrem sinais de ter se acasalado recentemente.

O sistema de acasalamento humano não se parece com o de nenhum outro animal. Mas isso não significa que ele escapa às leis que governam os sistemas de acasalamento, as quais foram documentadas em centenas de espécies. Qualquer gene que predisponha um macho a ser traído, ou uma fêmea a receber menos ajuda paterna do que suas vizinhas, seria rapidamente eliminado do agregado de genes. Qualquer gene que permitisse a um macho fecundar todas as fêmeas, ou a uma fêmea gerar a mais bem cuidada prole do melhor macho, rapidamente predominaria. Essas pressões seletivas são respeitáveis. Para que a sexualidade humana fosse "socialmente construída" e independente da biologia, como alega a visão acadêmica popular, não só ela precisaria ter escapado milagrosamente dessas pressões poderosas, mas também ter resistido a pressões igualmente poderosas de um tipo diferente. Se uma pessoa agisse conforme um papel socialmente construído, outros indivíduos poderiam moldar o papel a fim de prosperar às custas daquela pessoa. Os homens poderosos poderiam fazer uma lavagem cerebral nos demais para que estes gostassem de ser solteiros ou traídos, deixando as mulheres só para os poderosos. Qualquer disposição para aceitar papéis sexuais socialmente construídos seria eliminada pela seleção natural, e os genes para resistir a esses papéis passariam a predominar.

Que tipo de animal é o *Homo sapiens*? Somos mamíferos, portanto o investimento materno mínimo é muito maior do que o investimento paterno. Ela contribui com nove meses de gravidez e (em um ambiente natural) com dois a quatro anos de amamentação. Ele contribui com alguns minutos de sexo e uma colher de chá de sêmen. Os homens são aproximadamente 1,15 vezes maiores do que as mulheres, o que indica que eles competiram em nossa história evolutiva, com alguns homens acasalando-se com várias mulheres e alguns com nenhuma. Diferentes dos gibões, que são isolados, monógamos e relativamente assexuados, e dos gorilas, que vivem em grupos pequenos, formam haréns e são relativamente assexuados, nós somos gregários, com homens e mulheres vivendo juntos em grandes grupos e constantemente encontrando oportunidades de acasalar-se. Os homens possuem testículos menores do que os dos chimpanzés em proporção ao tamanho do corpo, mas maiores do que os dos gorilas e gibões, sugerindo que as mulheres ancestrais não eram licenciosamente promíscuas mas também não eram monógamas. As crianças nascem totalmente incapazes e indefesas, e permanecem dependentes dos adultos durante uma parte significativa da duração da vida humana, presumivelmente porque os conhecimentos e habilidades são importantíssimos para o modo de vida humano. Assim, as crianças precisam do investimento paterno, e os homens, como podem obter carne com a caça e outros recursos, têm com que investir. Os homens excedem muito o investimento mínimo que sua anatomia lhes permitiria: alimentam, protegem e ensinam os filhos. Isso deveria fazer com que a traição conjugal fosse uma preocupação para os homens e que a disposição e capacidade de um homem para investir nos filhos fosse uma preocupação para as mulheres. Uma vez que homens e mulheres vivem juntos em grupos grandes, como os chimpanzés, mas os machos investem na prole, como as aves, desenvolvemos o casamento, no qual um homem e uma mulher firmam uma aliança reprodutiva destinada a limitar as demandas de terceiros ao acesso sexual e ao investimento paterno.

Esses fatos da vida nunca mudaram, mas outros, sim. Até recentemente, os homens caçavam e as mulheres colhiam. As mulheres casavam-se logo após a puberdade. Não havia contracepção, adoção institucionalizada por não parentes, inseminação artificial. Sexo significava reprodução e vice-versa. Não havia comida feita com plantas ou animais domesticados, portanto nada com que preparar comida de bebê; todas as crianças eram amamentadas. Também não havia creches nem maridos que fizessem tarefas do lar; bebês e crianças pequenas permaneciam junto das mães e das outras mulheres. Essas condições persistiram ao longo de 99% de nossa história evolutiva e moldaram nossa sexualidade. Nossos pensamentos e sentimentos sexuais são adaptados a um mundo no qual o sexo acarretava bebês, independentemente de hoje em dia desejarmos bebês ou não. E são adaptados a um mundo no qual os filhos eram mais problema da mãe do que do pai. Quando emprego os termos "deveria", "melhor" e "ótimo", pretendo expressar sucintamente "estratégias que teriam conduzido ao êxito reprodutivo naquele mundo". Não me refiro ao que é moralmente correto, atingível no mundo atual ou conducente à felicidade, que são questões inteiramente diferentes.

A primeira questão estratégica é quantos parceiros querer. Lembre-se de que, quando o investimento mínimo na prole é maior para as fêmeas, um macho pode ter mais filhos se tiver muitas parceiras, mas uma fêmea não gerará mais filhos se tiver muitos parceiros — um por concepção basta. Suponha que um homem de uma sociedade coletora de alimentos tenha uma esposa e possa esperar dela de dois a cinco filhos. Uma ligação pré-conjugal ou extraconjugal que concebesse um filho poderia aumentar seu número de filhos em 20% a 50%. Obviamente, se a criança morrer de fome ou for morta porque seu pai não está por perto, o pai geneticamente não terá vantagem. A união ótima, portanto, é com uma mulher casada cujo marido se disponha a criar a criança. Em sociedades de coletores de alimentos, as mulheres férteis são quase sempre casadas, portanto ter relações sexuais com uma mulher geralmente significa ter relações sexuais com uma mulher casada. Mesmo se ela não for casada, as crianças sem pai que sobrevivem são mais numerosas do que as que morrem; assim, a união com uma parceira não casada também pode aumentar a reprodução. Nada dessa matemática se aplica às mulheres. Uma parte da mente masculina, portanto, deveria desejar uma variedade de parceiras sexuais com o único propósito de ter uma variedade de parceiras sexuais.

Você acredita que a única diferença entre homens e mulheres é que os homens gostam de mulheres e as mulheres gostam de homens? Se você perguntasse a qualquer avó ou balconista de bar, a resposta seria que os homens são mais chegados à volubilidade, mas talvez esse seja apenas um estereótipo antiquado. O psicólogo David Buss procurou identificar esse estereótipo nas pessoas que mais provavelmente o refutariam — homens e mulheres nas universidades americanas da elite liberal, uma geração após a revolução feminista, no auge das sensibilidades politicamente corretas. Os métodos foram agradavelmente diretos.

Em questionários confidenciais, foram feitas várias perguntas. Quanto você está empenhado(a) em procurar um cônjuge? As respostas foram em média idênticas para homens e mulheres. Quanto você está empenhado(a) em procurar um parceiro sexual para uma relação muito breve? Não muito, responderam as mulheres; muito, informaram os homens. Quantos parceiros sexuais (ou parceiras) você gostaria de ter ao longo do próximo mês? Dos próximos dois anos? Da vida inteira? As mulheres disseram que, no decorrer do próximo mês, oito décimos de um parceiro sexual seria mais ou menos o ideal. Elas gostariam de ter um no decorrer dos dois próximos anos e quatro ou cinco ao longo da vida toda. Os homens queriam duas parceiras no decorrer do próximo mês, oito nos dois anos vindouros e dezoito durante a vida. Você cogitaria em ter relações sexuais com um(a) parceiro(a) desejável que conhecesse há cinco anos? Há dois anos? Há um mês? Há uma semana? As mulheres responderam "provavelmente sim" para um homem que conhecessem há um ano ou mais, "neutro" para um que conhecessem há seis meses e "de jeito nenhum" para alguém que conhecessem há uma semana ou menos. Os homens responderam "provavelmente sim" desde que conhecessem a mulher há uma semana. Quanto tempo no mínimo deve decorrer depois de conhecer uma mulher para ele admitir ter uma relação sexual com ela? Buss nunca descobriu; em sua escala não constava nenhum período menor do que "uma hora". Quando Buss apresentou esses resultados em uma universidade e os explicou em termos do investimento paterno e seleção sexual, uma jovem levantou a mão e comentou: "Professor Buss, tenho uma explicação mais simples para seus dados". "Sim? E qual é?", ele perguntou. "Os homens são vigaristas."

Os homens são mesmo vigaristas ou estão apenas tentando aparentar vigarice? Talvez em questionários os homens tentem pintar-se mais garanhões do que são e as mulheres não queiram parecer fáceis. Os psicólogos R. D. Clark e Elaine Hatfield contrataram homens e mulheres atraentes para abordarem estranhos do sexo oposto em um campus universitário e dizer-lhes: "Tenho notado você aqui no campus. Acho você muito atraente", e em seguida fazer uma dentre três perguntas: (a) "Gostaria de sair comigo esta noite?", (b) "Gostaria de ir a meu apartamento esta noite?" e (c) "Gostaria de ir para a cama comigo esta noite?". Metade das mulheres consentiu em sair à noite. Metade dos homens consentiu em sair à noite. Seis por cento das mulheres concordaram em ir ao apartamento do auxiliar de pesquisa. Sessenta e nove por cento dos homens concordaram em ir ao apartamento da auxiliar de pesquisa. Nenhuma das mulheres consentiu em ter relação sexual. Setenta e cinco por cento dos homens consentiram em ter relações sexuais. Dos vinte e cinco por cento restantes, muitos se desculparam, pedindo uma nova oportunidade ou explicando que não podiam porque sua noiva estava na cidade. Os resultados repetiram-se em diversos estados. Quando esses estudos foram conduzidos, a contracepção era amplamente disponível e havia grande divulgação das práticas de sexo seguro, portanto os resultados não podem ser descartados simplesmente porque as mulheres talvez estivessem sendo mais cautelosas com a possibilidade de gravidez e doenças sexualmente transmissíveis.

O despertar do desejo sexual no homem por uma nova parceira é conhecido como efeito Coolidge, devido a uma célebre anedota. Certo dia, o presidente Calvin Coolidge e sua esposa, visitando uma propriedade agrícola pública, foram conduzidos a passeios separados. Quando mostraram os galinheiros à sra. Coolidge, ela perguntou se os galos copulavam mais do que uma vez por dia. "Dúzias de vezes", respondeu o guia. "Por favor, diga isso ao presidente", pediu a sra. Coolidge. Quando mostraram os galinheiros ao presidente e o informaram sobre o galo, Coolidge indagou: "A mesma galinha todas as vezes?". "Ah, não, senhor Presidente, cada vez com uma diferente." O presidente pediu: "Diga isso à sra. Coolidge". Muitos mamíferos machos são infatigáveis quando uma nova fêmea que o aceite está disponível após cada cópula. O experimentador não consegue enganá-los disfarçando a aparência ou o cheiro de uma parceira anterior. A propósito, isso demonstra que o desejo sexual masculino não é exatamente "indiscriminador". Os machos podem não se importar com que *tipo* de fêmea se acasalam, mas são hipersensíveis no que respeita a com *qual* fêmea se acasalam. É outro exemplo da distinção lógica entre indivíduos e categorias que procurei demonstrar ser tão importante na crítica ao associacionismo, no capítulo 2.

Os homens não possuem a pujança sexual dos galos, mas no decorrer de prazos mais longos eles apresentam uma espécie de efeito Coolidge no seu desejo sexual. Em muitas culturas, inclusive a nossa, os homens informam que seu ardor sexual pela esposa diminui nos primeiros anos de casamento. É a ideia da pessoa individual, não da aparência ou outras qualidades da esposa, que desencadeia o declínio; a propensão a querer novas parceiras não é apenas um exemplo do fato de que a variedade dá sabor à vida, como quando enjoamos de sorvete de morango e queremos provar o de chocolate. Na história "Schlemiel o primeiro", de Bashevis Singer, um simplório da mítica aldeia de Chelm parte em uma viagem mas se perde no caminho e inadvertidamente volta para casa, pensando ter encontrado outra aldeia que, por uma espantosa coincidência, se parece exatamente com a sua. Ele vê uma mulher que é igualzinha à esposa de quem ele se cansara e acha a mulher deslumbrante.

Outra parte da mente sexual masculina é a capacidade de excitar-se facilmente com uma possível parceira sexual — de fato, com a mais débil insinuação de uma possível parceira sexual. Os zoólogos descobriram que os machos de muitas espécies estão dispostos a cortejar uma variedade enorme de objetos que têm uma vaga semelhança com a fêmea: outros machos, fêmeas da espécie errada, fêmeas da espécie certa que foram empalhadas e pregadas numa tábua, partes de fêmeas empalhadas como uma cabeça suspensa no ar, até mesmo partes de fêmeas empalhadas nas quais faltam características importantes como os olhos e a boca. O macho da espécie humana excita-se com a visão de uma mulher nua, não só em carne e osso, mas em filmes, fotografias, desenhos, cartões-postais, bonecas e imagens em tubos de raios catódicos mapeadas por bits. Ele sente prazer nessa identidade equivocada, sustentando uma indústria mundial da pornografia que só nos Estados Unidos fatura 10 bilhões de dólares por ano, quase tanto quanto a arrecadação obtida com os esportes e o cinema juntos. Em culturas de coletores de alimentos, rapazes desenham seios e vulvas com carvão em saliências rochosas, esculpem-nos em troncos de árvores e os rabiscam na areia. A pornografia é semelhante no mundo inteiro, e há um século era bem parecida com o que é hoje. Ela retrata em vívidos detalhes físicos uma sucessão de fêmeas nuas anônimas ávidas por sexo sem compromisso e impessoal.

Não teria sentido uma mulher excitar-se facilmente com a visão de um homem nu. A mulher fértil nunca enfrentou escassez de parceiros sexuais dispostos e, nesse mercado de comprador, ela pode procurar o melhor marido disponível, os melhores genes ou outros retornos para seus favores sexuais. Se ela pudesse ser excitada pela visão de um homem nu, os homens poderiam induzi-la a ter relações sexuais exibindo-se, e a posição de barganha da mulher ficaria prejudicada. As reações dos sexos à nudez são muito diferentes: os homens veem as mulheres nuas como uma espécie de convite; as mulheres veem os homens nus como uma espécie de ameaça. Em 1992, um estudante de Berkeley conhecido pelo campus como Naked Guy [O Pelado] decidiu fazer cooper, assistir às aulas e comer no refeitório nu, em protesto contra as tradições sexuais repressivas da sociedade ocidental. Foi expulso quando algumas estudantes queixaram-se de que seu comportamento podia ser classificado como assédio sexual.

As mulheres não procuram visões de homens estranhos nus ou de encenações de sexo anônimo, e praticamente inexiste um mercado feminino para a pornografia. (A revista *Playgirl*, o suposto contraexemplo, é claramente para homens homossexuais. Não traz anúncio de produto algum que uma mulher compraria, e quando, por piada, uma mulher ganha uma assinatura de presente, ela se vê incluída em malas diretas de pornografia gay masculina e brinquedos sexuais.) No laboratório, alguns experimentos iniciais procuraram demonstrar que homens e mulheres apresentavam idêntica excitação fisiológica diante de uma passagem pornográfica. Os homens, porém, mostraram, à passagem *neutra* da condição de controle, uma resposta *maior* do que as mulheres mostraram à *pornografia*. A chamada passagem neutra, que havia sido escolhida pelas pesquisadoras, descrevia um homem e uma mulher em uma conversa amigável sobre as vantagens de concentrar os créditos escolares na área de antropologia em comparação a fazer o curso pré-médico. Os homens julgaram-na altamente erótica! As mulheres às vezes podem ser excitadas quando concordam em assistir a representações de relações sexuais, mas não as procuram deliberadamente. (Symons ressalta que as mulheres são mais exigentes do que os homens para *consentir* na relação sexual mas, uma vez tendo consentido, não há razão para crer que elas sejam menos responsivas à estimulação sexual.) O equivalente mais próximo da pornografia no mercado de massa para as mulheres são as novelas românticas e os *bodice-rippers*, romances erótico-históricos nos quais o sexo é descrito no contexto de emoções e relacionamentos em vez de ser uma sucessão de corpos aos solavancos.

O desejo de variedade sexual é uma adaptação incomum, pois é insaciável. A maioria dos produtos que proporcionam bem-estar apresenta retornos decrescentes ou um nível ótimo. As pessoas não procuram obter quantidades colossais de ar, alimento e água, e não desejam calor nem frio em demasia, apenas a temperatura certa. Mas quanto maior for o número de mulheres com quem um homem tiver relações sexuais, mais filhos ele terá; demais nunca é suficiente. Isso dá aos homens um apetite ilimitado por parceiras sexuais casuais (e talvez pelos bens que em ambientes ancestrais teriam permitido numerosas parceiras, como poder e riqueza). A vida cotidiana oferece à maioria dos homens poucas oportunidades de explorar seu desejo na totalidade, mas ocasionalmente um homem é rico, famoso, atraente e amoral o bastante para tentar. Georges Simenon e Hugh Hefner alegaram ter tido milhares de parceiras; Wilt Chamberlain calculou ter tido 20 mil. Digamos que se faça um generoso desconto para a fanfarronice e suponhamos que Chamberlain tenha exagerado seus cálculos, por exemplo, em dez vezes. Isso ainda significaria que 1999 parceiras não bastaram.

Symons observa que as relações homossexuais permitem um claro vislumbre dos desejos de cada sexo. Cada relação heterossexual é um compromisso que leva em conta os desejos de um homem e os de uma mulher, portanto as diferenças entre os sexos tendem a ser minimizadas. Mas os homossexuais não precisam firmar um compromisso, e sua vida sexual é uma vitrina da sexualidade humana em forma mais pura (pelo menos na medida em que o resto de seu cérebro sexual não é moldado como o do sexo oposto). Num estudo sobre os homossexuais de San Francisco antes da epidemia de AIDS, 28% dos homens gays informaram ter tido mais de mil parceiros sexuais e 75% relataram ter tido mais de cem. Nenhuma mulher homossexual mencionou ter tido mil parceiras e apenas 2% informaram ter tido mais de cem. Outros desejos dos homens gays, como pornografia, prostitutos e parceiros jovens atraentes também espelham ou exageram os desejos de homens heterossexuais. (A propósito, o fato de que as necessidades sexuais masculinas são iguais sejam elas dirigidas a mulheres ou a outros homens refuta a teoria de que elas são instrumentos para oprimir as mulheres.) Os homens homossexuais não têm necessidades sexuais exageradas; simplesmente seus desejos masculinos vão ao encontro de outros desejos masculinos em vez de femininos. Simons escreveu: "Estou sugerindo que os homens heterossexuais teriam a mesma propensão que os homossexuais a fazer sexo mais frequentemente com estranhos, a participar de orgias anônimas em saunas e a parar em banheiros públicos para cinco minutos de felação na volta de casa para o trabalho se as mulheres estivessem interessadas nessas atividades. Mas as mulheres não estão interessadas".

Entre os heterossexuais, se os homens demandam mais variedade do que as mulheres, Introdução à Economia I nos ensina o que deveria acontecer. A cópula deveria ser concebida como um serviço prestado pela mulher, um favor que ela pode conceder ou negar ao homem. Numerosas metáforas tratam o sexo com uma mulher como um bem precioso, seja da perspectiva feminina (*guardar-se, entregar-se, sentir-se usada*), seja da masculina (*possuir, favores sexuais, faturar*). E as transações sexuais com frequência obedecem a princípios de mercado, como os cínicos de todas as escolas há muito reconheceram. A teórica feminista Andrea Dworkin escreveu: "Um homem quer o que uma mulher tem — sexo. Ele pode roubá-lo (estupro), persuadi-la a entregar-lhe (sedução), alugá-lo (prostituição), fazer um *leasing* de longo prazo (casamento nos Estados Unidos) ou possuí-lo inteiramente (casamento na maioria das sociedades)". Em todas as sociedades, é quase sempre ou invariavelmente o homem que corteja, pede em casamento, seduz, usa magias de amor, presenteia em troca de sexo, paga preços pela noiva (em vez de receber dotes), paga por serviços de prostitutas e estupra.

A economia sexual, obviamente, também depende do quanto cada indivíduo é desejável, e não apenas do desejo médio de cada sexo. Um indivíduo "paga" por sexo — em dinheiro, compromisso ou favores — quando o parceiro é mais desejável do que ele. Como as mulheres discriminam mais do que os homens, o homem médio precisa pagar para fazer sexo com uma mulher média. Um homem médio pode atrair uma esposa de mais alta qualidade do que uma parceira sexual casual (supondo que um compromisso de casamento seja uma espécie de pagamento), ao passo que uma mulher pode atrair um parceiro sexual casual de qualidade mais alta (que não se dispõe a pagar coisa alguma) do que um marido. Os homens da mais alta qualidade, em teoria, deveriam ter um grande número de mulheres dispostas a fazer sexo com eles. Um cartum de Dan Wasserman mostra um casal saindo do cinema após terem assistido a *Proposta indecente*. O marido pergunta: "Você iria para a cama com Robert Redford por um milhão de dólares?". Ela responde: "Sim, mas teriam de esperar algum tempo até eu arranjar o dinheiro".

O humor do cartunista, contudo, explora nosso senso de surpresa. Não esperamos que na vida real seja assim. Os homens que mais atraem as mulheres não se vendem como prostitutos; podem até mesmo pagar pelos serviços de prostitutas. Em 1995, o ator Hugh Grant, questionavelmente o homem mais bonito do mundo, foi preso por praticar sexo oral com uma prostituta no banco dianteiro de seu carro. A análise econômica simples não se aplica a este caso porque dinheiro e sexo não são completamente fungíveis. Como veremos, parte da atração que um homem exerce provém de sua riqueza, portanto os homens mais atraentes não precisam de dinheiro. E o "pagamento" esperado pela maioria das mulheres não é em dinheiro, mas em compromisso de longo prazo, o que constitui um recurso escasso até mesmo para o mais bonito e mais rico dos homens. A economia do caso Hugh Grant é bem sintetizada em um diálogo de outro filme, baseado na história de Heidi Fleiss, a caftina de Hollywood. Uma garota de programa pergunta à amiga por que seus fregueses bonitões precisam pagar por sexo. "Eles não estão pagando pelo sexo", explica a amiga. "Estão pagando para a gente ir embora depois."

Existe a possibilidade de os homens *aprenderem* a desejar variedade sexual? Talvez ela seja um meio conducente a um fim, e esse fim seja status em nossa sociedade. O don-juan é reverenciado como um ousado garanhão; a bela mulher em seus braços representa um troféu. Certamente qualquer coisa que seja desejável e rara pode tornar-se símbolo de status. Mas isso não significa que todas as coisas desejáveis são buscadas *porque* são símbolos de status. Desconfio que, se fosse dada aos homens a escolha hipotética entre o sexo clandestino com muitas mulheres atraentes e a *reputação* de que ele faz sexo com muitas mulheres atraentes, mas sem o sexo, eles prefeririam a primeira opção. Não só porque o sexo é incentivo suficiente, mas porque a reputação de fazer sexo é um *desincentivo*. Os don-juans *não* inspiram admiração, especialmente nas mulheres, embora possam inspirar inveja nos homens, uma reação diferente e nem sempre bem-vinda. Symons observa:

> Os machos humanos parecem ser constituídos de tal modo que resistem a aprender a *não* desejar a variedade, apesar de impedimentos como o cristianismo e a doutrina do pecado, o judaísmo e a doutrina do *mensch*, a ciência social e as doutrinas da homossexualidade reprimida e imaturidade psicológica, as teorias evolucionistas da união conjugal monógama, as tradições culturais e legais que apoiam e glorificam a monogamia, o fato de que o desejo de variedade é praticamente impossível de satisfazer, o tempo, a energia e os inúmeros tipos de riscos — físicos e emocionais — decorrentes da busca da variedade e as óbvias recompensas potenciais de aprender a satisfazer-se sexualmente com uma só mulher.

A volubilidade, seja ou não aprendida, não é o único componente da mente do homem. Embora o desejo com frequência conduza ao comportamento, muitas vezes não o faz, porque outros desejos são mais fortes ou porque foram empregadas táticas de autocontrole (ver capítulo 6). As inclinações sexuais dos homens podem ser calibradas e dominadas dependendo da atratividade do homem, da disponibilidade de parceiras e da avaliação que ele faz dos custos de pular a cerca.

MARIDOS E ESPOSAS

Em termos evolutivos, um homem que tem uma ligação sexual de curto prazo e sem compromisso está apostando que seu filho ilegítimo sobreviverá sem a sua ajuda ou espera que o marido traído crie a criança como se fosse seu filho. Para o homem que tem recursos para tanto, um modo mais seguro de maximizar a progênie é procurar ter várias esposas e investir em todos os filhos. Os homens deveriam desejar muitas esposas, e não apenas muitas parceiras sexuais. E, de fato, os homens poderosos permitiram a poliginia em mais de 80% das culturas humanas. Os judeus praticaram-na até a era cristã, proscrevendo-a somente no século X. Os mórmons incentivaram essa prática até ela ser proibida pelo governo americano em fins do século XIX, mas ainda hoje julga-se que existem dezenas de milhares de casamentos políginos clandestinos em Utah e outros estados do oeste dos EUA. Onde quer que se permita a poliginia, os homens empenham-se em obter esposas adicionais e em conseguir os meios para atraí-las. Homens ricos e influentes têm mais de uma esposa; zés-ninguém não têm nenhuma. Tipicamente, depois de algum tempo de casado, um homem procura uma esposa mais jovem. A esposa mais velha permanece como sua confidente e sócia, dirigindo a casa; a mais jovem torna-se o interesse sexual do homem.

Em sociedades que vivem da coleta de alimentos, não é possível acumular riqueza, mas alguns homens agressivos, líderes hábeis e bons caçadores podem ter de duas a dez esposas. Com a invenção da agricultura e da desigualdade acentuada, a poliginia pode atingir proporções ridículas. Laura Betzig documentou que, em um sem-número de civilizações, déspotas implementaram a suprema fantasia masculina: um harém com centenas de mulheres núbeis, zelosamente guardadas (com frequência por eunucos) para que nenhum outro homem possa tocá-las. Arranjos semelhantes surgiram na Índia, na China, no mundo islâmico, na África subsaariana e nas Américas. O rei Salomão teve mil concubinas. Os imperadores romanos chamavam-nas de escravas; os reis medievais, de criadas.

A poliandria, em comparação, é raríssima, tendendo ao desaparecimento. Ocasionalmente, homens compartilham uma esposa em ambientes tão inóspitos que um homem não pode sobreviver sem uma mulher, mas o arranjo desmorona quando as condições melhoram. Tem havido casamentos poliândricos esporádicos entre os esquimós, mas os comaridos são sempre ciumentos e com frequência um deles mata o outro. Como sempre, o parentesco atenua a inimizade; entre agricultores tibetanos, às vezes dois ou mais irmãos desposam simultaneamente uma mulher, na esperança de formar uma família que consiga sobreviver na árida região. Mas o irmão mais novo anseia por uma esposa só sua.

As disposições matrimoniais em geral são descritas do ponto de vista masculino, não porque os desejos das mulheres são irrelevantes, mas porque os homens poderosos via de regra fazem valer sua vontade. Os homens são maiores e mais fortes porque a seleção natural moldou-os para combater uns aos outros, e eles podem formar clãs poderosos porque nas sociedades tradicionais os filhos permanecem perto da família enquanto as filhas se mudam. Os políginos mais ostentosos são sempre déspotas, homens que podem matar sem temer retaliação. (Segundo o *Guiness book of world records*, o homem com o maior número de filhos registrado na história — 888 — foi um imperador marroquino com o sugestivo nome de Moulay Ismail, o Sanguinário.) O hiperpolígino não só tem de rechaçar as centenas de homens que ele privou de esposas, mas oprimir seu harém. Os casamentos sempre têm ao menos um pouquinho de reciprocidade e, na maioria das sociedades políginas, o homem pode abrir mão de esposas adicionais devido às demandas emocionais e financeiras das mulheres. Um déspota pode mantê-las prisioneiras e aterrorizadas.

Curiosamente, porém, em uma sociedade mais livre a poliginia não é necessariamente ruim para as mulheres. Em termos financeiros e, em última análise, evolutivos, uma mulher pode preferir compartilhar um marido rico a ter a atenção exclusiva de um muito pobre, e pode até mesmo preferir essa condição por um motivo emocional. Laura Betzig resumiu esse motivo: Você preferiria ser a terceira esposa de John F. Kennedy ou a primeira esposa do palhaço Bozo? As coesposas frequentemente se dão bem, dividem seus conhecimentos e os cuidados com as crianças, embora muitas vezes irrompam ciúmes entre as subfamílias, de um modo semelhante ao que ocorre em famílias com enteados, porém com mais facções e participantes adultos. Se o casamento fosse genuinamente um mercado livre, em uma sociedade polígama a maior demanda masculina por uma oferta limitada de parceiras e seu inflexível ciúme sexual dariam a vantagem às mulheres. As leis que determinam a monogamia deixariam as mulheres em desvantagem. O economista Steven Landsburg explica o princípio de mercado, usando o trabalho em vez do dinheiro como exemplo:

> Hoje em dia, quando minha esposa e eu discutimos sobre quem deve lavar a louça, partimos de posições de força aproximadamente iguais. Se a poligamia fosse lícita, minha esposa poderia insinuar que está pensando em me deixar para casar-se com Alan e Cindy da rua de baixo — e eu poderia acabar com as mãos ressecadas de tanto lavar pratos.
>
> [...] As leis antipoligamia são um exemplo típico da teoria dos cartéis. Produtores, inicialmente competitivos, unem-se em uma conspiração contra o público ou, mais especificamente, contra seus clientes. Combinam que cada firma restringirá sua produção na tentativa de manter elevados os preços. Mas um preço alto convida à trapaça, no sentido de que cada firma tenta expandir sua produção além do que ficou combinado no acordo. Por fim, o cartel desmorona, a menos que seja sustentado por sanções legais, e mesmo assim as violações são muito numerosas.

Essa história, contada em todo livro didático de economia, também é a história dos produtores masculinos na indústria amorosa. De início ferozmente competitivos, eles se unem em uma conspiração contra suas "clientes" — as mulheres a quem eles oferecem sua mão em casamento. A conspiração consiste em um acordo no qual cada homem restringe seus empenhos amorosos na tentativa de melhorar a posição de barganha dos homens em geral. Mas a posição melhorada dos homens convida à trapaça, no sentido de que cada homem tenta cortejar mais mulheres do que o permitido pelo acordo. O cartel sobrevive apenas porque é sustentado por sanções legais, e mesmo assim as violações são muito numerosas.

A monogamia legal tem sido historicamente um acordo entre homens mais e menos poderosos, e não entre homens e mulheres. Sua finalidade não é tanto explorar as clientes na indústria do amor (as mulheres) quanto minimizar os custos da competição entre os produtores (os homens). Sob a poliginia, os homens disputam prêmios extraordinariamente darwinianos — muitas esposas contra nenhuma — e a competição é absolutamente implacável. Muitos homicídios e a maioria das guerras tribais têm como causa direta ou indireta a disputa por mulheres. Líderes proibiram a poliginia quando precisaram de homens menos poderosos como aliados e quando necessitaram que seus súditos combatessem um inimigo em vez de combaterem uns aos outros. O cristianismo em seus primórdios atraía os homens pobres em parte porque a promessa de monogamia mantinha-os no jogo do casamento e, em sociedades posteriores, o igualitarismo e a monogamia andam juntos tão naturalmente quanto o despotismo e a poliginia.

Mesmo em nossos dias, a desigualdade permitiu o florescimento de uma espécie de poliginia. Homens ricos sustentam uma esposa e uma amante ou se divorciam da esposa em intervalos de vinte anos, pagando a elas e aos filhos uma pensão enquanto desposam mulheres mais jovens. O jornalista Robert Wright refletiu que a facilidade para divorciar-se e casar-se novamente, como ocorre no caso da poliginia declarada, aumenta a violência. As mulheres em idade fértil são monopolizadas por homens endinheirados, e a carência de potenciais esposas transmite-se gradativamente aos estratos mais pobres, forçando os homens jovens mais pobres a uma competição desesperada.

Todas essas complicações provêm de uma única diferença entre os sexos, o maior desejo masculino por mais de uma parceira. Mas os homens não são completamente indiscriminadores, e as mulheres não são destituídas de opinião exceto nas sociedades mais despóticas. Cada sexo tem critérios para a escolha de parceiros para ligações amorosas sem compromisso e para o casamento. Assim como outras sólidas inclinações humanas, eles parecem ser adaptações.

Ambos os sexos querem cônjuges, e os homens desejam ligações amorosas sem compromisso mais do que as mulheres, mas isso não significa que as mulheres nunca desejem ligações desse tipo. Se elas nunca as desejassem, o impulso masculino para o sexo sem compromisso não poderia ter evoluído porque jamais teria sido gratificado (a menos que o namorador sempre conseguisse enganar sua conquista, fazendo-a pensar que ele a estava cortejando com vistas ao casamento — mas, mesmo assim, uma mulher casada nunca daria suas escapadas nem seria alvo de flertes). Os testículos do homem não teriam evoluído até suas proporções maiores que as do gorila, pois seus espermatozoides jamais correriam o risco de ser superados numericamente. E não existiriam os sentimentos de ter ciúme das esposas; como veremos, eles existem, e são acentuados. Os registros etnográficos mostram que em todas as sociedades ambos os sexos cometem adultério, e as mulheres nem sempre tomam arsênico ou se atiram sob o trem das 5h02m de São Petersburgo.

O que as mulheres ancestrais poderiam ter ganho com ligações sem compromisso para que esse desejo evoluísse? Uma recompensa são os recursos. Se os homens desejam o sexo pelo sexo, as mulheres podem fazer com que eles paguem para obtê-lo. Em sociedades de coletores de alimentos, as mulheres abertamente exigem presentes dos amantes, em geral carne. Você pode sentir-se indignado com a ideia de que nossas mães ancestrais entregavam-se em troca de um filé para o jantar, mas para os coletores de alimentos em épocas de carestia, quando as proteínas de alta qualidade são escassas, a carne é uma obsessão. (Em *Pigmalião*, quando Doolittle tenta vender a filha Eliza a Higgins, Pickering grita: "Você não tem princípios, homem?", Doolittle replica: "Não posso dar-me ao luxo de tê-los, governador. O senhor também não poderia se fosse pobre como eu".) À distância, soa como prostituição, mas para as pessoas envolvidas pode parecer mais a etiqueta comum, exatamente como uma mulher em nossa sociedade poderia sentir-se ofendida se um amante mais abastado nunca a levasse para jantar nem gastasse dinheiro com ela, embora ambas as partes negassem que se trata de um toma lá dá cá. Em questionários, estudantes universitárias informam que um estilo de vida pródigo e a disposição para presentear são qualidades importantes na escolha de um amante de curto prazo, mas não de um marido.

E, como várias aves, uma mulher poderia querer os genes do macho de melhor qualidade e o investimento de seu marido, porque é improvável encontrar os dois quesitos no mesmo homem (especialmente sob a monogamia e quando ela não tem direito a escolha no casamento). As mulheres informam que aparência e força são mais importantes em um amante do que em um marido; como veremos, a aparência é um indicador de qualidade genética. E quando as mulheres têm um caso extraconjugal, geralmente escolhem homens de status mais elevado que o do marido; as qualidades que conduzem ao status são quase seguramente transmissíveis pela hereditariedade (embora uma preferência por amantes influentes também possa ajudar no primeiro motivo, o de obter recursos). Ligações amorosas com homens superiores também podem permitir a uma mulher testar sua habilidade de negociar no mercado do casamento, seja como um prelúdio para a negociação efetiva, seja para melhorar sua posição de barganha no casamento. A síntese de Symons sobre a diferença entre os sexos no adultério é: a mulher tem um caso porque julga que o homem é de algum modo superior ou complementar ao marido, e o homem tem um caso porque a mulher não é sua esposa.

Os homens requerem *alguma coisa* em uma parceira sexual casual além de dois cromossomos X? Às vezes, pode parecer que a resposta é não. O antropólogo Bronislaw Malinowski relatou que algumas mulheres da ilha Trobriand eram consideradas tão repulsivas que eram absolutamente proibidas de ter relações sexuais. Essas mulheres ainda assim conseguiam ter vários filhos, o que era interpretado pelos ilhéus como uma prova conclusiva da concepção virgem. Mas estudos mais sistemáticos demonstraram que os homens, pelo menos os universitários americanos, têm realmente certas preferências quanto às parceiras sexuais de curto prazo. Consideram importante a aparência; como veremos, beleza é sinal de fertilidade e qualidade genética. Promiscuidade e experiência sexual também são consideradas vantagens. Como explicou Mae West: "Os homens apreciam mulheres com um passado porque esperam que a história se repita". Mas essas vantagens transformam-se em desvantagens quando os homens são questionados com respeito a parceiras de longo prazo. Eles seguem a infame doutrina da dicotomia madona-prostituta, que divide o sexo feminino em mulheres licenciosas, que podem ser descartadas como conquistas fáceis, e mulheres recatadas, valorizadas como potenciais esposas. Essa mentalidade frequentemente é apontada como um sintoma de misoginia, mas constitui a estratégia genética ótima para os machos de qualquer espécie que investem na prole: acasale-se com qualquer fêmea que consinta, mas assegure-se de que sua esposa não se acasale com nenhum outro macho.

O que as mulheres deveriam procurar em um marido? Um adesivo de para-choque dos anos 70 dizia: "Uma mulher sem um homem é como um peixe sem uma bicicleta". Porém, ao menos para as mulheres de sociedades coletoras de alimentos, isso seria um exagero. Quando uma mulher dessas sociedades está grávida, amamentando e criando filhos, ela e as crianças ficam vulneráveis a fome, deficiência de proteínas, predadores, estupradores, raptores e assassinos. Qualquer homem que tenha filhos com ela pode ser útil para alimentá-los e protegê-los. Do ponto de vista da mulher, ele não tem nada melhor a fazer, embora do ponto de vista do homem haja uma alternativa: competir por outras mulheres e cortejá-las. Os homens variam na capacidade e disposição de investir nos filhos, portanto a mulher deveria investir sabiamente. Ela deveria julgar importantes a riqueza e o status ou, no caso de homens jovens demais para possuir essas duas qualidades, deveriam impressioná-la os sinais de que eles virão a tê-las, como ambição e diligência. Isso tudo será inútil se o homem não continuar por perto quando a mulher engravidar, e os homens têm interesse em afirmar que permanecerão com as mulheres quer tenham ou não essa intenção. Como escreveu Shakespeare: "Juramentos dos homens são traidores das mulheres". Portanto, a mulher deveria procurar sinais de estabilidade e sinceridade. A aptidão para tarefas de guarda-costas também viria a calhar.

O que os homens deveriam procurar em uma esposa? Além da fidelidade, que lhes garante a paternidade, ela deveria ser capaz de gerar o maior número possível de filhos. (Como sempre, isso seria como nossas preferências foram arquitetadas; o raciocínio não implica que um homem realmente deseja uma porção de bebês.) Ela deveria ser fértil, o que significa que precisaria ser sadia e ter passado da puberdade, mas não ter chegado à menopausa. Mas a fertilidade presente de uma mulher é mais importante para um caso passageiro do que para um casamento vitalício. O que importa é o número de filhos que o homem pode esperar no longo prazo. Como uma mulher precisa de alguns anos para gerar e amamentar um filho e seus anos férteis são finitos, quanto mais jovem a noiva, mais numerosa a futura família. Isso se aplica ainda que as noivas mais jovens, adolescentes, sejam um pouco menos férteis do que as mulheres na primeira metade da casa dos vinte. Ironicamente para a teoria de que "os homens são vigaristas", a inclinação para as mulheres núbeis pode ter evoluído a serviço do casamento e da paternidade e não dos relacionamentos sem compromisso. No caso dos chimpanzés, em que o papel paterno termina na cópula, algumas das fêmeas mais enrugadas e encurvadas são as mais sexy.

Essas previsões são apenas estereótipos obsoletos? Buss elaborou um questionário sobre a importância de dezoito qualidades de um parceiro e o distribuiu para 10 mil pessoas em 37 países de seis continentes e cinco ilhas — monógamos e polígamos, tradicionais e liberais, comunistas e capitalistas. Homens e mulheres de todas as partes atribuem o valor maior à inteligência, bondade e compreensão. Mas, em todos os países, homens e mulheres diferem quanto às demais qualidades. As mulheres valorizam mais do que os homens a capacidade de auferir ganhos; a magnitude da diferença varia de um terço a uma vez e meia a mais, mas existe sempre. Em praticamente todos os países, as mulheres dão mais valor do que os homens a status, ambição e diligência. E, na maioria dos lugares, elas valorizam mais do que os homens a confiabilidade e a estabilidade. Em todos os países, os homens dão mais valor que as mulheres à juventude e à aparência. Em média, os homens querem uma noiva 2,66 anos mais nova; as mulheres, um noivo 3,42 anos mais velho. Esses resultados repetiram-se muitas vezes.

Os atos das pessoas contam a mesma história. Segundo o conteúdo de anúncios classificados pessoais, quem escreve para "Homem Procura Mulher" procura juventude e boa aparência e para "Mulher Procura Homem", segurança financeira, estatura e sinceridade. O dono de uma agência matrimonial observou: "As mulheres realmente leem nossos formulários sobre o perfil do candidato; os homens olham só as fotos". Entre os casados, o marido é 2,99 anos mais velho do que a esposa, como se o casal houvesse dividido a diferença entre suas preferências de idade. Em culturas de coletores de alimentos, todos concordam que algumas pessoas são mais sensuais do que outras, e esses campeões de sex appeal em geral são mulheres jovens e homens de prestígio. Os homens ianomâmi, por exemplo, dizem que as mulheres mais desejáveis são *moko dudei*, uma expressão que, quando aplicada a frutas, significa perfeitamente maduras e, quando aplicada a mulheres, significa entre quinze e dezessete anos de idade. Vendo slides, observadores ocidentais de ambos os sexos concordam com os homens ianomâmi que as mulheres *moko dudei* são as mais atraentes. Em nossa sociedade, o melhor prognosticador da riqueza de um homem é a aparência de sua esposa, e o melhor prognosticador da aparência de uma mulher é a riqueza de seu marido. Secretários de Estado baixinhos e atarracados como Henry Kissinger e John Tower são chamados de símbolos sexuais e mulherengos. Barões do petróleo octogenários como J. Paul Getty e J. Howard Marshall desposam mulheres com idade para serem suas bisnetas, como a modelo Anna Nicole Smith. Astros do rock não exatamente belos como Billy Joel, Rod Stewart, Lyle Lovett, Rick Ocasek, Ringo Starr e Bill Wyman casam com atrizes e supermodelos deslumbrantes. Mas a ex-deputada Patricia Schroeder afirmou ter notado que uma congressista de meia-idade não irradia para o sexo oposto o mesmo magnetismo animal de um congressista de meia-idade.

Uma réplica óbvia é que as mulheres valorizam os homens ricos e poderosos porque são os homens que detêm a riqueza e o poder. Em uma sociedade machista, as mulheres precisam casar-se com alguém de nível econômico mais elevado do que o seu para obter maridos assim. Essa alternativa foi testada e refutada. As mulheres com altos salários, pós-graduação, profissões de prestígio e grande autoestima dão *mais* valor do que as outras mulheres à riqueza e ao status em um marido. O mesmo ocorre com líderes de organizações feministas. Homens pobres não dão mais valor do que os outros homens à riqueza ou capacidade de ganho em uma esposa. Entre os bakweri, de Camarões, as mulheres são mais ricas e poderosas do que os homens e, ainda assim, fazem questão de homens endinheirados.

O humorista Fran Lebowitz comentou certa vez em uma entrevista: "As pessoas que se casam porque estão apaixonadas cometem um erro ridículo. É muito mais sensato casar com sua melhor amiga. Você *gosta* de sua melhor amiga mais do que gosta de qualquer pessoa por quem venha a se apaixonar. Você não escolhe sua melhor amiga porque ela tem um nariz bonitinho, mas é exatamente o que está fazendo quando se casa; você está dizendo: 'Quero passar o resto da minha vida com você por causa de seu lábio inferior' ".

Isso é realmente um mistério, e o lugar óbvio para procurar uma resposta é o fato de não fazermos filhos com nossa melhor amiga mas com nossa esposa. Talvez nos importemos com alguns milímetros de carne aqui ou ali porque esse seja um sinal perceptivo de uma característica mais profunda que não pode ser medida diretamente: o quanto o corpo da pessoa está bem equipado para servir como o outro genitor dos filhos que você terá. A aptidão como reprodutora ou reprodutor é como qualquer outra característica do mundo. Não vem escrita em um rótulo, precisa ser deduzida com base em aparências, usando suposições sobre como o mundo funciona.

Poderíamos mesmo ser equipados com uma percepção inata da beleza? E quanto aos nativos mostrados pela *National Geographic*, que limam os dentes, esticam o pescoço com pilhas de colares, queimam o rosto para forjar cicatrizes e põem pratos nos lábios? E o que dizer das mulheres obesas dos quadros de Rubens e da Twiggy dos anos 60? Eles não indicam que os padrões de beleza são arbitrários e variam caprichosamente? Não. Quem disse que *tudo* o que as pessoas fazem com seu corpo é uma tentativa de parecer sensual? Essa é a suposição tácita do argumento da *National Geographic*, mas é obviamente falsa. As pessoas decoram o corpo por muitas razões: para parecerem ricas, bem relacionadas, ferozes, na moda, para serem aceitas em um grupo de elite porque suportaram uma iniciação dolorosa. A atratividade sexual é diferente. Pessoas não pertencentes a determinada cultura geralmente concordam com membros dessa cultura com respeito a quem é belo e quem não é, e em toda parte as pessoas desejam parceiros com boa aparência. Até os bebês de três meses preferem olhar para um rosto bonito.

Quais os ingredientes da atratividade sexual? Ambos os sexos desejam um cônjuge que teve um desenvolvimento normal e está livre de infecções. Não só o cônjuge sadio é vigoroso, não contagioso e mais fértil, mas também sua resistência hereditária aos parasitas locais será transmitida aos filhos. A evolução não nos equipou com estetoscópios e espátulas de língua, mas a atenção para a beleza tem algumas das aplicações desses instrumentos. Simetria, ausência de deformidades, limpeza, pele sem manchas, olhos límpidos e dentes intactos são atraentes em todas as culturas. Os ortodontistas descobriram que um rosto bonito tem dentes e mandíbulas no alinhamento ótimo para a mastigação. Uma cabeleira exuberante sempre agrada, possivelmente porque indica não só uma boa saúde no presente mas também um histórico de boa saúde nos anos anteriores. Desnutrição e doenças enfraquecem os cabelos conforme eles vão crescendo para fora do couro cabeludo, deixando uma região frágil no pedículo piloso. Cabelos compridos significam um longo período de boa saúde.

Um sinal mais sutil de bons genes é estar na média. Não na média em atratividade, evidentemente, mas na média em termos do tamanho e forma de cada parte do rosto. A medida média de um traço físico em uma população local é uma boa estimativa do design ótimo favorecido pela seleção natural. Se as pessoas formassem uma composição dos rostos do sexo oposto que têm à sua volta, teriam um tipo ideal do parceiro mais apto com o qual qualquer candidato poderia ser comparado. A geometria facial exata da raça ou grupo étnico local não precisaria estar incorporada. De fato, os rostos compostos, sejam eles formados pela sobreposição de negativos em um ampliador, sejam por sofisticados algoritmos de computação gráfica, são mais bonitos ou vistosos do que os rostos individuais cujas partes os formaram.

Os rostos médios são um bom começo, mas alguns rostos são ainda mais atraentes do que o rosto médio. Quando os meninos chegam à puberdade, a testosterona desenvolve os ossos da mandíbula, fronte e região nasal. Os rostos das meninas crescem mais uniformemente. A diferença na geometria tridimensional permite-nos distinguir uma cabeça de homem de uma cabeça de mulher mesmo se ambas estiverem carecas e sem pelos. Se a geometria de um rosto de mulher for semelhante à de um rosto de homem, ela é mais feia; se for menos semelhante, ela é mais bonita. A beleza na mulher provém de uma maxila pequena, delicada, de curvas suaves, de um queixo, nariz e maxilar superior miúdos e uma testa lisa sem supercílios protuberantes. Os "malares salientes" de uma bela mulher não são ossos, mas tecido macio, e contribuem para a beleza porque as demais partes de um rosto bonito (maxila, testa e nariz) são comparativamente pequenas.

Por que as mulheres de aparência masculina são menos atraentes? Se um rosto feminino é masculinizado, essa mulher provavelmente contém muita testosterona no sangue (um sintoma de muitas doenças); se ela tem muita testosterona, provavelmente não é fértil. Uma outra explicação é que os detectores de beleza são, na verdade, detectores de rostos femininos, destinados a identificá-los em meio a todos os demais objetos do mundo e sintonizados para minimizar o risco de um alarme falso com um rosto masculino, que é o objeto mais semelhante a um rosto feminino. Quanto menos masculino o rosto, mais alto soa o bip do detector. Uma engenharia semelhante poderia explicar por que os homens com rostos bem diferentes dos femininos são mais atraentes. Um homem com mandíbulas grandes e angulosas, um queixo vigoroso e testa e supercílios proeminentes é inconfundivelmente um macho adulto com hormônios masculinos normais.

Pelos cálculos impiedosos da seleção natural, as mulheres jovens que ainda não tiveram filhos são as melhores esposas, pois têm pela frente a mais longa carreira reprodutiva e não trazem consigo filhos de outro homem. Sinais de juventude e sinais de nunca ter engravidado deveriam tornar uma mulher mais bonita. As adolescentes têm olhos maiores, lábios mais carnudos e vermelhos, pele mais lisa, hidratada e rija e seios mais firmes, traços esses invariavelmente reconhecidos como ingredientes da formosura. O avanço da idade alonga e torna menos delicados os ossos faciais femininos, e a gravidez produz o mesmo efeito. Portanto, um rosto de maxilas pequenas e ossos delicados é indicativo de virtudes reprodutivas: ser fêmea, ter os hormônios certos, ser jovem, não ter engravidado. A identificação de juventude com beleza muitas vezes é atribuída à obsessão americana pela juventude mas, por esse raciocínio, todas as culturas são obcecadas pela juventude. De fato, os americanos contemporâneos são menos orientados para a juventude. A idade das modelos da *Playboy* na verdade *aumentou* ao longo das décadas ao passo que, na maioria dos lugares e épocas, as mulheres na casa dos vinte já não são mais consideradas jovens. A aparência dos homens não declina tão rapidamente com o passar dos anos, não devido a um duplo critério em nossa sociedade, mas porque a fertilidade masculina não diminui tão rápido com a idade.

Na puberdade, os quadris das meninas alargam-se porque a pelve cresce e a gordura deposita-se nessa região, criando uma reserva de calorias disponível para abastecer o corpo durante a gravidez. A razão entre o tamanho da cintura e o dos quadris diminui na maioria das mulheres férteis para 0,67 a 0,80, ao passo que na maioria dos homens, crianças e mulheres na pós-menopausa essa razão está entre 0,80 e 0,95. Entre as mulheres, constatou-se que uma baixa razão entre cintura e quadris correlaciona-se com juventude, saúde, fertilidade, inexistência de gravidez no presente e no passado. O psicólogo Devendra Singh mostrou fotografias e figuras geradas por computador de corpos femininos de diferentes tamanhos e formas a centenas de pessoas de várias idades, sexos e culturas. Todas elas consideram uma razão de 0,70 ou menos a mais atrativa. Essa razão sintetiza a velha ideia da figura de violão, da cintura de vespa e das medidas ideais 90-60-90. Singh mediu também essa razão nas mulheres que foram capa da *Playboy* e vencedoras de concursos de beleza ao longo de sete décadas. O peso das garotas diminuiu, mas a razão entre cintura e quadris permaneceu igual. Até mesmo a maioria das estatuetas das Vênus do Alto Paleolítico, esculpidas há dezenas de milhares de anos, apresentam as proporções corretas.

A geometria da beleza foi outrora um indicador de juventude, saúde e inexistência de gravidez, mas não precisa ser mais. As mulheres de hoje têm menos bebês, dão à luz mais tarde, são menos expostas aos elementos, mais bem nutridas e menos acometidas por doenças do que suas ancestrais. Podem ter a aparência de uma adolescente ancestral quando já bem entradas na meia-idade. Elas também contam com uma tecnologia para simular e exagerar as indicações de juventude, feminilidade e saúde: maquiagem para aumentar os olhos, batom, depilação de sobrancelhas (para diminuir a aparência de supercílios masculinos), maquiagem (para explorar o mecanismo da forma com base nas sombras descrito no capítulo 4), produtos que intensificam o brilho, a espessura e a cor dos cabelos, sutiãs e roupas que simulam seios jovens, centenas de poções que supostamente mantêm a pele com aparência jovem. Dietas e exercícios podem conservar a cintura mais fina e a razão entre cintura e quadris menor, e pode-se engendrar essa ilusão com corpetes, espartilhos, armações de saias, anáguas de crinolina, anquinhas, cintas, franzidos, pences e cintos largos. A moda feminina nunca adotou faixas abdominais volumosas.

Fora da literatura científica, escreveu-se mais sobre o peso das mulheres do que sobre qualquer outro aspecto da beleza. No Ocidente, as mulheres dos filmes de cinema têm tido peso cada vez menor ao longo das últimas décadas. Isso tem sido apontado como prova da arbitrariedade da beleza e da opressão das mulheres, que devem amoldar-se a esses padrões por menos razoáveis que eles sejam. As modelos esguias frequentemente são acusadas de provocar anorexia nervosa nas adolescentes e um livro recente recebeu o título *Fat is a feminist issue* [A gordura é uma questão feminista]. Mas o peso pode ser o aspecto menos importante da beleza. Singh constatou que as mulheres muito gordas e as muito magras são consideradas menos atraentes (e realmente elas são menos férteis), mas existe uma faixa de pesos considerada atraente, e a forma (razão entre cintura e quadris) é mais importante do que o tamanho. O estardalhaço em torno da magreza aplica-se mais às mulheres que posam para outras mulheres do que às que posam para os homens. Twiggy e Kate Moss são modelos de moda, não *pin-ups*. Marilyn Monroe e Jayne Mansfield eram *pin-ups*, não modelos de moda. O peso é um fator sobretudo na competição por status entre as mulheres, em uma época na qual as abastadas tendem a ser mais esbeltas do que as pobres, uma inversão da relação usual.

Mesmo assim, as mulheres que posam para ambos os sexos hoje em dia são mais esguias do que suas equivalentes do passado, e talvez isso decorra de outras causas que não as mudanças nos sinais de status. Minha suposição é que as capas de *Playboy* e as supermodelos de hoje não teriam tido dificuldade para arranjar um namorado em qualquer época da história porque elas *não* se parecem com as mulheres magérrimas evitadas nos séculos passados. As partes do corpo não variam independentemente. Homens altos tendem a ter pés grandes, pessoas com cintura grossa tendem a ter queixo duplo etc. As mulheres subnutridas podem tender a possuir um corpo mais masculino, e as bem nutridas, um corpo mais feminino, daí talvez a tendência de as mulheres atraentes do passado terem sido mais pesadas. Nenhum desses tipos de mulher apresenta a forma mais bonita concebível — digamos, as formas de Jessica Rabbit — porque os corpos reais não evoluem como as beldades usadas como iscas sexuais nos desenhos animados. Eles são um ajuste entre os requisitos para ser atraente, para correr, erguer pesos, gerar filhos, amamentar e sobreviver nos períodos de carestia. Talvez a tecnologia moderna *tenha* fabricado uma isca sexual, não com o pincel de um desenhista mas com a seleção artificial. Num mundo com 5 bilhões de pessoas, fatalmente há de existir mulheres com pés largos e cabeça pequena, homens com orelhas grandes e pescoço esquelético e qualquer outra combinação de partes do corpo que você deseje especificar. Deve haver alguns milhares de mulheres com combinações aberrantes de cintura fina, abdômen chato, seios grandes e firmes e quadris curvos mas de tamanho médio — ilusões de ótica que mandam para o vermelho o ponteiro do nosso aferidor de fertilidade e inexistência de filhos. Quando corre a notícia de que elas podem explorar seus corpos aberrantes para obter fama e fortuna, elas saem da toca e realçam seus dons com maquiagem, exercícios e fotografias retocadas. Os corpos nos comerciais de cerveja podem não se parecer com coisa alguma já vista na história.

A beleza não é uma conspiração masculina para transformar as mulheres em objeto e oprimi-las, como afirmaram algumas feministas. As sociedades *realmente* machistas cobrem as mulheres dos pés à cabeça com o *chador*. Ao longo da história, os críticos da beleza têm sido homens poderosos, líderes religiosos, às vezes mulheres mais velhas e médicos, que invariavelmente afirmam que a mais recente febre em tratamentos de beleza é perigosa para a saúde da mulher. As entusiastas são as próprias mulheres. A explicação é simplesmente a economia e a política (embora não a análise feminista ortodoxa — muito ofensiva às mulheres, a propósito —, na qual as mulheres são otárias que sofreram lavagem cerebral para empenhar-se por algo que não desejam). As mulheres nas sociedades liberais almejam a boa aparência porque ela confere uma vantagem na competição por maridos, status e atenção dos poderosos. Os homens das sociedades opressivas odeiam a beleza porque ela torna suas esposas e filhas indiscriminadamente atraentes para os outros homens, dando às mulheres um grau de controle sobre os ganhos com sua própria sexualidade e subtraindo esse controle dos homens (e, no caso das filhas, subtraindo-o das mães). Uma economia semelhante leva os homens a também desejar ter boa aparência, mas as forças de mercado são mais fracas ou diferentes, pois a aparência dos homens importa menos para as mulheres do que a das mulheres importa para os homens.

Embora a indústria da beleza não seja uma conspiração contra as mulheres, ela tampouco é inócua. Regulamos nossa percepção da beleza com base nas pessoas que vemos, inclusive nossas ilusórias vizinhas exibidas pela mídia. Uma dieta diária de pessoas virtuais de beleza anômala pode reajustar as escalas e fazer com que as pessoas reais, inclusive nós mesmos, pareçam feias.

Para os humanos, como para as aves, a vida complica-se devido a dois de seus hábitos reprodutivos. Os machos investem na prole, mas a fecundação ocorre fora das vistas, no interior do corpo da fêmea, e portanto o macho nunca sabe qual filho é o seu. A fêmea, em contraste, pode ter certeza de que qualquer ovo ou bebê que sai de seu corpo contém seus genes. Um macho traído é pior do que um celibatário na luta evolutiva, e os machos das aves desenvolveram defesas contra isso. Os humanos também. O ciúme sexual é encontrado em todas as culturas.

Ambos os sexos podem sentir um ciúme intenso diante da ideia de um parceiro infiel, mas suas emoções diferem de dois modos. O ciúme das mulheres parece ser controlado por um software mais sofisticado, e elas são capazes de avaliar as circunstâncias e determinar se o comportamento do homem constitui uma ameaça aos interesses supremos que elas têm. O ciúme dos homens é mais grosseiro e mais facilmente provocado. (Porém, quando desencadeado, o ciúme da mulher parece ser sentido com a mesma intensidade que o do homem.) Na maioria das sociedades, algumas mulheres compartilham um marido sem grande esforço, mas em nenhuma sociedade os homens compartilham uma esposa sem grande esforço. Uma mulher ter relações sexuais com outro homem é *sempre* uma ameaça aos interesses genéticos do homem, pois isso pode lográ-lo, levando-o a trabalhar para os genes de um concorrente; um homem ter relações sexuais com outra mulher não necessariamente constitui uma ameaça aos interesses genéticos da mulher, pois o filho ilegítimo desse homem é problema da outra mulher. Só será uma ameaça se o homem desviar investimento da esposa e dos filhos dela para a outra mulher e seus respectivos filhos, seja temporariamente, seja permanentemente, no caso de abandono.

Portanto, homens e mulheres deveriam ter ciúme de coisas diferentes. Os homens deveriam estremecer com a ideia de suas esposas ou namoradas terem relações sexuais com outro homem; as mulheres, com a ideia de seus maridos ou namorados concederem tempo, recursos, atenção e afeto a outra mulher. Obviamente, ninguém gosta de pensar em seu parceiro oferecendo sexo *ou* afeto a qualquer outra pessoa, mas mesmo neste caso as razões podem diferir: os homens podem preocupar-se com o afeto porque ele pode conduzir ao sexo; as mulheres podem preocupar-se com o sexo porque ele pode conduzir ao afeto. Buss constatou que homens e mulheres sentem tanto ciúme diante da ideia do sexo transferido para terceiros quanto do afeto transferido para terceiros, mas quando solicitados a apontar o que mais os tortura, os homens, em sua maioria, responderam que ficavam mais transtornados com a ideia de sua parceira ser sexualmente infiel do que emocionalmente infiel, a maioria das mulheres teve a reação oposta. (As mesmas diferenças são encontradas quando homens e mulheres imaginam seus parceiros sendo ao mesmo tempo sexual e emocionalmente infiéis e se pergunta a eles qual aspecto da traição os incomoda mais. Isso mostra que a diferença entre os sexos não é só uma questão de homens e mulheres terem expectativas diferentes quanto ao comportamento do parceiro, com os homens receando que a mulher ao ter relações sexuais também deva estar apaixonada e as mulheres temendo que o homem apaixonado também deva estar tendo relações sexuais.) Buss, a seguir, instalou eletrodos nas pessoas e pediu-lhes para imaginar os dois tipos de traição. Os homens suaram, franziram o cenho e tiveram palpitações mais intensamente com as imagens de traição sexual; as mulheres suaram, franziram o cenho e tiveram palpitações mais intensamente com imagens de traição emocional. (Citei esse experimento no capítulo 4 como ilustração do poder das imagens mentais.) Resultados semelhantes foram encontrados em diversos países europeus e asiáticos.

É preciso dois para cometer um adultério, e os homens, sempre o sexo mais violento, têm dirigido a raiva para ambas as partes. A maior causa de maus-tratos e homicídios conjugais é o ciúme sexual, quase sempre por parte do homem. Os homens espancam e matam esposas e namoradas para castigá-las por uma infidelidade real ou imaginada e para impedi-las de se tornarem infiéis ou abandoná-los. As mulheres batem nos maridos e os matam em legítima defesa ou depois de anos de maus-tratos. Críticos do feminismo têm explorado as estatísticas ocasionais nas quais os homens americanos aparecem como vítimas de espancamento e homicídio pelas esposas com frequência quase igual à das mulheres. Mas isso não se aplica à grande maioria das comunidades e, mesmo nas raras nas quais se aplica, as causas quase sempre são o ciúme e a intimidação do marido. Com frequência, um marido morbidamente ciumento aprisiona a esposa em casa e interpreta cada telefonema como prova de que ela é infiel. As mulheres correm o risco máximo quando ameaçam ir embora ou quando vão mesmo. O homem abandonado pode seguir sua pista, apanhá-la e executá-la, sempre com a mesma justificativa: "Se não posso tê-la, ninguém pode". O crime não tem sentido, mas é o resultado indesejado de uma tática paradoxal, uma máquina do fim do mundo. Para cada assassinato de uma esposa ou namorada que se afastou do parceiro, deve haver milhares de ameaças tornadas dignas de crédito por meio de sinais indicadores de que o homem é louco o suficiente para cumpri-las não importa o custo.

Muitos peritos atribuem a violência contra mulheres a esta ou aquela característica da sociedade americana, como circuncisão, brinquedos de guerra, James Bond ou futebol americano. Mas ela ocorre no mundo inteiro, inclusive nas sociedades de coletores de alimentos. Entre os ianomâmi, um homem que suspeita de infidelidade da esposa pode cortá-la com um facão, atravessá-la com uma flecha, encostar nela uma brasa, arrancar-lhe as orelhas ou matá-la. Mesmo entre os idílicos !kung san do deserto do Kalahari, na África meridional, os homens espancam as esposas suspeitas de infidelidade. A propósito, nenhum desses argumentos "justifica" a violência ou implica que "não é culpa do homem", como às vezes se alega. Essas falsas conclusões poderiam ser associadas a *qualquer* explicação, como por exemplo a comum teoria feminista de que os homens sofreram lavagem cerebral com as imagens da mídia que glorificam a violência contra mulheres.

No mundo inteiro, os homens também espancam e matam aqueles que real ou supostamente cometeram adultério com suas companheiras. Lembremos que a rivalidade por mulheres é a principal causa de violência, homicídio e guerra entre povos coletores de alimento. E está escrito em Provérbios, 6:34: "Porque o ciúme excita o furor do marido; e não terá compaixão no dia da vingança".

Diferentemente das aves, porém, os humanos ligam seu ciúme sexual em uma máquina cognitiva gongórica. As pessoas pensam em metáforas, e a metáfora que os homens sempre usaram para as esposas é a da propriedade. Em seu ensaio "O homem que confundiu sua mulher com um bem móvel", Wilson e Daly mostram que os homens não meramente visam controlar suas esposas e afastar rivais; eles afirmam ter um *direito* sobre as esposas, especialmente sobre sua capacidade reprodutiva, idêntico ao direito do proprietário de um bem inanimado. Um proprietário pode vender, trocar ou dispor de seus bens, modificá-los sem interferência e exigir ressarcimento por roubo ou danos. Esses direitos são reconhecidos pelo resto da sociedade e podem ser impostos por retaliações coletivas. Em uma cultura após outra, os homens têm empregado o aparato cognitivo completo da propriedade na concepção de sua relação com as esposas e, até bem recentemente, formalizavam a metáfora em códigos jurídicos.

Na maioria das sociedades, o casamento é uma transferência manifesta da propriedade de uma mulher, que passa do pai para o marido. Em nossa cerimônia de casamento, o pai da noiva ainda a "entrega", porém mais comumente ele a vende. Em 70% das sociedades, alguém paga quando duas pessoas se casam. Em 96% desses casos, o noivo ou sua família paga à família da noiva, às vezes em dinheiro ou com uma filha, às vezes em serviços prestados pelo noivo, que trabalha para o pai da noiva por um período combinado. (Na Bíblia, Jacó trabalhou para Labão durante sete anos pelo direito de casar com a filha deste, Raquel, mas Labão a substituiu por outra filha, Léa, na hora do casamento, e por isso Jacó teve de trabalhar *mais* sete anos para adquirir Raquel como segunda esposa.) Os dotes, que nos são mais familiares, não são uma contrapartida da riqueza representada pela pessoa da noiva, porque vão para os recém-casados e não para os pais da noiva. O marido notifica os outros homens de sua propriedade em costumes conservados por muitos casais modernos. A mulher, e não o homem, usa um anel de noivado, recebe o sobrenome do marido e uma nova forma de tratamento, senhora Fulano de Tal.

As pessoas podem controlar sua propriedade, e os maridos (e, antes deles, pais e irmãos) têm controlado a sexualidade das mulheres. Usaram acompanhantes, véus, perucas, *chadors*, segregação por sexo, confinamento, ataduras nos pés, mutilação e os muitos modelos engenhosos de cinto de castidade. Déspotas não apenas possuíam haréns mas os mantinham vigiados. Em sociedades tradicionais, "proteger uma mulher" era um eufemismo para mantê-la casta. (Mae West observou: "Os homens sempre dizem que estão protegendo você, mas nunca dizem do quê".) Só as mulheres férteis eram controladas desse modo; crianças e mulheres na pós-menopausa tinham mais liberdade.

A palavra *adultério* relaciona-se a *adulterar*, e refere-se a tornar uma mulher impura introduzindo uma substância imprópria. O infame duplo critério pelo qual a escapada de uma mulher casada é punida mais severamente que a de um homem é comum em códigos jurídicos e morais de todos os tipos de sociedades. Seu fundamento lógico foi sucintamente expresso no comentário de James Boswell: "Há uma grande diferença entre a ofensa da infidelidade para um homem e para sua esposa", e Samuel Johnson replicou: "A diferença é imensa. O homem não impinge bastardos à esposa". Tanto a mulher casada como seu amante são comumente sujeitos a punição (muitas vezes a morte), mas a simetria é ilusória, pois é a situação conjugal da mulher, e não do homem, que torna o ato um crime; especificamente, um crime contra o marido dela. Até recentemente, a maioria dos sistemas jurídicos do mundo tratava o adultério como uma violação ou dano à propriedade. O marido tinha direito a ressarcimento, devolução do preço pago pela noiva, divórcio ou vingança violenta. O estupro era uma ofensa contra o marido da mulher estuprada e não contra ela. Fugir para casar era considerado um sequestro que tirava uma filha de um pai. Até bem pouco tempo, o estupro de uma mulher pelo marido não era crime, ou mesmo um conceito coerente: os maridos tinham o direito de ter relação sexual com suas esposas.

Em todos os países de língua inglesa, o direito comum reconhece três circunstâncias que reduzem o homicídio qualificado a homicídio culposo: legítima defesa, defesa de parentes próximos e contato sexual com a esposa do homem que cometeu o homicídio. (Wilson e Daly observam que essas são as três principais ameaças à aptidão darwiniana.) Em vários estados americanos, inclusive no Texas já em 1974, um homem que descobrisse sua esposa em flagrante delito e matasse o amante dela não era considerado criminoso. Mesmo hoje em dia, em muitos lugares os homicídios desse tipo não são sujeitos a ação penal ou o assassino é tratado com clemência. A raiva ciumenta ante a cena do adultério da esposa é citada como um dos modos de agir esperados de "um homem sensato".

Eu bem que gostaria de ter discutido a psicologia evolucionista da sexualidade sem os apartes sobre a teoria feminista, mas no clima intelectual de nossa época isso é impossível. É muito comum tachar de antifeminista a abordagem darwiniana do sexo, porém esse é decididamente um equívoco. Na verdade, essa acusação é claramente desconcertante, em especial para as numerosas feministas que desenvolveram e testaram a teoria. A essência do feminismo seguramente é o objetivo de dar fim à discriminação e exploração sexual, uma posição ética e política que não corre o risco de ser refutada por nenhuma teoria ou descoberta científica previsível. Nem mesmo o espírito das pesquisas constitui uma ameaça aos ideais feministas. As diferenças entre os sexos que foram documentadas dizem respeito à psicologia da reprodução, não ao valor político e econômico, e tendem a causar má impressão sobre os homens, não sobre as mulheres. Essas diferenças deveriam intensificar as atenções sobre o incesto, exploração, assédio, perseguição, espancamento, estupro (inclusive estupro de namoradas e esposas) e códigos jurídicos que discriminam as mulheres. Se elas mostram que há nos homens uma tentação específica para cometer determinados crimes contra as mulheres, a implicação é que os meios de dissuasão deveriam ser mais eficazes e mais severos, não que os crimes são de algum modo menos abomináveis. Nem mesmo as explicações evolucionistas da tradicional divisão do trabalho por sexo implica que ela é imutável, "natural" no sentido de ser benéfica ou algo que deve ser forçado aos indivíduos do sexo feminino ou masculino que não a desejam.

O que a psicologia evolucionista contesta não são os objetivos do feminismo, e sim partes da ortodoxia moderna sobre a mente que foram adotadas pelo *establishment* intelectual do feminismo. Uma ideia é que as pessoas são projetadas para levar a efeito os interesses de sua classe e sexo, e não para agir segundo suas crenças e desejos. A segunda ideia é que a mente das crianças é formada pelos pais, e a mente dos adultos, pela linguagem e imagens da mídia. A terceira é a doutrina romântica de que nossas inclinações naturais são boas e que os motivos ignóbeis provêm da sociedade.

A premissa tácita de que a natureza é boa está por trás de muitas das objeções à teoria darwiniana da sexualidade humana. O sexo sem compromisso é natural e bom, supõe-se; assim, se alguém afirmar que os homens o desejam mais do que as mulheres, isso implicaria que os homens são mentalmente sãos e as mulheres, neuróticas e reprimidas. Tal conclusão é inaceitável, portanto a afirmação de que os homens desejam o sexo sem compromisso mais do que as mulheres não pode ser correta. Analogamente, o desejo sexual é bom, portanto se os homens estupram para obter sexo (e não para expressar raiva pelas mulheres), o estupro não seria uma perversidade. O estupro é uma perversidade; portanto, a afirmação de que os homens estupram visando ao sexo não pode ser correta. De um modo mais geral, aquilo de que as pessoas gostam instintivamente é bom, portanto, se as pessoas gostam da beleza, esta seria um sinal de valor. A beleza não é sinal de valor, portanto a afirmação de que as pessoas gostam da beleza não pode ser correta.

Esses tipos de argumentos combinam má biologia (a natureza é boa), má psicologia (a mente é criada pela sociedade) e má ética (o que as pessoas gostam é bom). O feminismo nada perderia se abrisse mão deles.

RIVAIS

Por toda parte, as pessoas empenham-se pela obtenção de uma substância fantasmagórica chamada autoridade, importância, dignidade, predominância, eminência, estima, preponderância, posição, preeminência, prestígio, distinção, consideração, reputação, respeito, categoria, valor ou status. Passam fome, arriscam a vida e consomem a saúde para ganhar pedaços de fita ou metal. O economista Thorstein Veblen observou que as pessoas sacrificam tantas necessidades da vida para impressionar umas às outras que parecem estar reagindo a uma "necessidade mais elevada, espiritual". Status e virtude são afins na mente das pessoas, como vemos em palavras como *cavalheiresco, de primeira classe, cortês, fidalguia, honroso, nobre* e *principesco*, e em seus opostos, *descortês, de terceira classe, barato, medíocre, pobre, grosseiro, vil* e *humilhante*. Quando se trata das insignificâncias da aparência pessoal, expressamos nossa admiração pelo bom gosto com metáforas éticas como *certo, apropriado, correto* e *impecável*, e censuramos a deselegância com tons geralmente reservados ao pecado — uma atitude que o historiador de arte Quentin Bell batizou de "moralidade indumentária".

Será esse algum modo de formar um organismo inteligente? De onde vêm esses motivos imperiosos?

Muitos animais são impelidos a ornamentações e rituais sem sentido, e as causas seletivas já não constituem um mistério. Eis a ideia básica. As criaturas diferem na capacidade de ferir e ajudar outras. Algumas são mais fortes, mais ferozes ou mais venenosas; algumas têm genes melhores ou mais generosidade. Essas criaturas potentes querem que todos saibam que elas são potentes, e as criaturas a quem elas podem se impor *também* querem saber quem é potente. Mas é impossível cada criatura sondar o DNA, a massa muscular, a composição bioquímica, a ferocidade etc. das outras. Assim, as criaturas importantes anunciam seu valor com um sinal. Infelizmente, as criaturas insignificantes podem falsificar o sinal e colher os benefícios, degradando o valor para todo mundo. Está dada a largada para que as criaturas importantes elaborem um tipo de ostentação que seja difícil de falsificar, para que as menos importantes se tornem melhores falsificadoras e para que as demais aguçem sua capacidade de discriminação. Como no caso do papel-moeda, os sinais são inimitavelmente espalhafatosos e intrinsecamente sem valor, porém são tratados como se fossem valiosos e *são* valiosos porque todo mundo os trata como tal.

A preciosidade por trás das exibições pode ser dividida em dominância — quem pode ferir você — e status — quem pode ajudar você. As duas coisas com frequência andam juntas, pois as pessoas que podem ferir você também podem ajudá-lo com a capacidade que têm para ferir outros. Mas convém examiná-las separadamente.

A maioria das pessoas já ouviu falar em hierarquias de dominância, ordem de bicadas e machos alfas, que são muito comuns no reino animal. Os animais da mesma espécie não lutam até a morte toda vez que disputam algo de valor. Executam uma luta ritual, uma exibição de armas ou uma disputa de olhares, e um deles cede. Konrad Lorenz e outros etologistas pioneiros julgavam que os gestos de rendição ajudavam a preservar a espécie de um derramamento de sangue mutuamente destrutivo e que os humanos corriam perigo porque havíamos perdido esses gestos. Mas essa ideia origina-se da falácia de que os animais evoluem para beneficiar a espécie. Ela não consegue explicar por que um mutante truculento que nunca se rende e que mata os que se rendem não venceria os concorrentes e logo passaria a caracterizar a espécie. Os biólogos John Maynard Smith e Geoffrey Parker apresentaram uma explicação melhor, simulando como as diferentes estratégias agressivas que os animais poderiam adotar prejudicariam tanto o adversário como o próprio animal.

Lutar até a morte em cada disputa é uma estratégia ruim para um animal, pois há chances de que seu adversário tenha evoluído para fazer o mesmo. Uma luta é custosa para o perdedor, pois ele será ferido ou morto e, portanto, ficará pior do que se houvesse aberto mão do prêmio desde o início. Também pode ser custosa para o vencedor, porque ele pode sofrer ferimentos até obter a vitória. Ambas as partes teriam mais vantagem se houvessem avaliado de antemão quem venceria e se o mais fraco simplesmente cedesse. Assim, os animais medem uns aos outros para ver quem é maior, exibem as armas para ver quem é mais perigoso, ou se engalfinham até ficar claro quem é o mais forte. Embora apenas um animal vença, ambos se retiram. O perdedor cede porque pode tentar a sorte em outro lugar ou aguardar até que as circunstâncias sejam mais propícias. Quando os animais se avaliam mutuamente, evoluem modos de exagerar seu tamanho: arrepiam os pelos ou penas do pescoço, inflam, têm jubas ou crinas, eriçam-se, empinam-se e urram; o som grave do urro mostra o tamanho da cavidade ressonante do corpo do animal. Se uma luta for custosa e o vencedor, imprevisível, a contenda pode ser decidida por uma diferença arbitrária, como por exemplo quem chegou primeiro, do mesmo modo que rivais humanos podem decidir rapidamente uma disputa jogando cara ou coroa. Se os animais são páreo um para o outro e a recompensa for grande o bastante (como um harém), pode seguir-se uma luta declarada, às vezes até a morte.

Se ambas as criaturas recuam, podem lembrar-se do resultado, e dali por diante o perdedor cederá diante do vencedor. Quando muitos animais em um grupo lutam ou avaliam uns aos outros em um torneio geral, o resultado é uma ordem de bicadas, correlacionada com a probabilidade de cada animal vencer em um duelo de vida ou morte. Quando mudam as probabilidades — digamos, quando um animal dominante envelhece ou se fere, ou quando um subordinado adquire força ou experiência —, o subordinado pode lançar um desafio, e as classificações podem alterar-se. No caso dos chimpanzés, a dominância depende não só da habilidade para lutar, mas da sagacidade política: um par mancomunado pode depor um animal mais forte que aja sozinho. Muitos primatas que vivem em grupos estabelecem duas hierarquias dominantes, uma para cada sexo. As fêmeas competem por alimentos; os machos, por fêmeas. Os machos dominantes acasalam-se com mais frequência, porque são capazes de rechaçar outros machos e porque as fêmeas preferem acasalar-se com eles, no mínimo pelo fato de que um parceiro sexual de categoria superior tenderá a gerar filhos de categoria superior, que dará mais netos à fêmea do que filhos de baixa categoria.

Os humanos não têm ordens de bicadas rígidas, mas em todas as sociedades as pessoas reconhecem uma espécie de hierarquia de dominância, particularmente entre os homens. Homens bem situados são acatados, têm mais influência em decisões de grupo, geralmente possuem uma fatia maior dos recursos do grupo e sempre têm mais esposas, mais amantes e mais casos amorosos com esposas de outros homens. Os homens empenham-se pela eminência, obtendo-a de alguns modos que são familiares nos livros de zoologia e de outros modos que são exclusivamente humanos. Lutadores melhores têm posição mais elevada, e os homens que *aparentam* ser melhores lutadores têm posição mais elevada. A mera estatura é surpreendentemente poderosa em uma espécie que se intitula animal racional. O termo designativo de "líder" na maioria das sociedades de coletores de alimentos é "homem grande" e, de fato, os líderes geralmente *são* homens grandes. Nos Estados Unidos, os homens mais altos são preferidos quando procuram emprego, são mais promovidos, ganham mais (us$ 600 por polegada em salário anual) e são eleitos presidente em maior número: o candidato mais alto venceu vinte das 24 eleições entre 1904 e 1996. Uma olhada nos classificados pessoais mostra que as mulheres desejam homens mais altos. Como em outras espécies cujos machos competem, o macho humano é maior do que a fêmea e desenvolveu meios de parecer ainda maior, como uma voz grave e a barba (que faz a cabeça parecer maior e evoluiu separadamente em leões e macacos). Leonid Brejnev afirmou ter chegado ao topo devido às suas sobrancelhas! Por toda parte, os homens exageram o tamanho da cabeça (com chapéus, capacetes, penteados e coroas), dos ombros (com ombreiras, enchimentos, dragonas e penas) e, em algumas sociedades, do pênis (com impressionantes enchimentos e revestimentos, às vezes de um metro de comprimento).

Mas os humanos também desenvolveram a linguagem e um novo modo de propagar informações sobre dominância: a reputação. Os sociólogos há muito se perguntam por que a mais ampla categoria de motivos para o homicídio nas cidades americanas não é o roubo, a trapaça no tráfico de drogas ou outros incentivos tangíveis. É uma categoria que eles denominam "altercação de origem relativamente trivial; insulto, palavrões, empurrões etc.". Dois rapazes discutem sobre quem usará a mesa de sinuca num bar. Empurram-se, trocam insultos e obscenidades. O perdedor, humilhado diante dos circunstantes, sai furioso e retorna com uma arma. Esses assassinatos são o epítome da "violência sem sentido", e os homens que os cometem frequentemente são considerados loucos ou animais.

Daly e Wilson argumentam que esses homens comportam-se como se muito mais do que uma mesa de sinuca estivesse em jogo. E *há* muito mais em jogo:

> Os homens são conhecidos por seus colegas como "o tipo que pode ser intimidado" e "o tipo que não leva desaforo para casa", como gente que fala e faz ou como cão que ladra e não morde, como caras cujas namoradas você pode paquerar impunemente ou caras com quem você não quer se meter.
>
> Na maioria dos meios sociais, a reputação de um homem depende em parte da manutenção de uma ameaça de violência digna de crédito. Os conflitos de interesse são endêmicos na sociedade, e os interesses de um indivíduo tendem a ser violados por competidores a menos que estes sejam *intimidados*. A intimidação eficaz depende de convencer nossos rivais de que qualquer tentativa de impor seus interesses às nossas custas acarretará penalidades tão severas que o lance competitivo inicial resultará num prejuízo líquido que nunca deveria ter sido provocado.

A credibilidade da intimidação pode ser desvalorizada por um desafio público que não seja aceito, mesmo se nada tangível estiver em jogo. Ademais, se um desafiante soubesse que seu alvo é um frio calculador de custos e benefícios, poderia extorqui-lo para que ele cedesse com a ameaça de uma luta que fosse perigosa para ambos. Mas é impossível extorquir um desvairado que não se detém diante de nada para preservar sua reputação (uma máquina do fim do mundo).

O membro de uma gangue do gueto que apunhala o sujeito que o ultrajou tem dignos equivalentes em todas as culturas do mundo. O próprio significado da palavra *honra* em muitas línguas (inclusive uma de suas acepções em inglês) é a determinação de vingar-se de insultos, com derramamento de sangue se necessário. Em muitas sociedades de coletores de alimentos, um menino só adquire o status de homem depois de matar. O respeito por um homem aumenta com sua comprovada contagem de cadáveres, o que origina costumes adoráveis como o escalpo e as coleções dos caçadores de cabeças. Os duelos entre "homens de honra" eram tradicionais entre os americanos sulistas, e muitos homens ascenderam à liderança com a ajuda de seu êxito em duelos. O homem da nota de dez dólares, secretário do Tesouro Alexander Hamilton, foi morto em duelo pelo vice-presidente Aaron Burr, e o da nota de vinte, presidente Andrew Jackson, venceu dois duelos e tentou provocar outros.

Por que não vemos periodontistas ou professores universitários duelando por uma vaga no estacionamento? Primeiro, eles vivem num mundo no qual o Estado tem o monopólio do uso legítimo da violência. Em locais fora do alcance do Estado, como os submundos urbanos ou as fronteiras rurais, ou nas épocas em que o Estado não existia, como na época dos bandos de coletores de alimentos em que evoluímos, uma ameaça de violência digna de crédito é a única proteção de uma pessoa. Segundo, os bens de periodontistas e professores, como casas e contas bancárias, são difíceis de roubar. As "culturas da honra" emergem quando é essencial uma resposta rápida a uma ameaça porque a riqueza de um indivíduo pode ser levada por outros. Elas se desenvolvem entre pastores, cujos animais podem ser roubados, com maior frequência do que entre agricultores, cujas terras não saem do lugar. E desenvolvem-se entre pessoas cujas riquezas encontram-se em formas mais líquidas, como papel-moeda ou drogas. Mas talvez a mais forte razão seja que os periodontistas e professores não são homens pobres e jovens.

Ser do sexo masculino é, de longe, o maior fator de risco para a violência. Daly e Wilson apresentaram 35 amostras de estatísticas de homicídios de catorze países, inclusive sociedades de coletores de alimentos e sociedades pré-letradas, além da Inglaterra do século XIII. Em todas elas, homens matam homens com frequência imensamente maior do que mulheres matam mulheres — em média, uma frequência 26 vezes maior.

Além disso, os vingadores de sala de sinuca e suas vítimas são zés-ninguém: sem instrução, sem esposa, pobres e muitas vezes desempregados. Entre mamíferos polígonos como nós, o êxito reprodutivo varia enormemente entre os machos, e a competição mais feroz pode dar-se na base, entre os machos cujas perspectivas oscilam entre o zero e o não zero. Os homens atraem as mulheres com sua riqueza e status, portanto, se um homem não os possui e não tem como obtê-los, está num caminho de mão única para o nada genético. Como as aves que se aventuram em territórios perigosos quando estão à beira da morte por inanição e os treinadores de hóquei que mandam o goleiro partir para o ataque quando falta um minuto para terminar o jogo e seu time está perdendo por um gol, um homem sem esposa e sem futuro deveria estar disposto a correr qualquer risco. Como observou Bob Dylan: "*When you got nothing, you got nothing to lose*" [Quando você não tem nada, não tem nada a perder].

Ser jovem piora ainda mais a situação. O geneticista populacional Alan Rogers calculou, com base em dados atuariais, que os homens jovens deveriam "descontar" acentuadamente o futuro, e é o que eles fazem. Homens jovens cometem crimes, dirigem em alta velocidade, não temem doenças e adotam hobbies perigosos como drogas, esportes radicais e surfe em vagões de trem e elevadores. A combinação de sexo masculino, juventude, penúria, desesperança e anarquia torna os homens jovens infinitamente inconsequentes na defesa de sua reputação.

E não está assim tão claro que os professores (ou os indivíduos em qualquer profissão qualificada competitiva) *não* duelam por mesas de sinuca, figurativamente falando. Os acadêmicos são conhecidos pelos colegas como "o tipo que pode ser intimidado" e "o tipo que não leva desaforo para casa", como gente que fala e faz ou como cão que ladra e não morde, como caras cujo trabalho você pode criticar impunemente ou caras com quem você não quer se meter. Puxar um canivete numa conferência acadêmica não seria de bom-tom, mas sempre existe a pergunta venenosa, a réplica devastadora, o ultraje moralista, a invectiva demolidora, a refutação indignada e os meios de se fazer respeitar com pareceres sobre originais e em comissões para concessão de subvenções. As instituições acadêmicas, naturalmente, procuram minimizar essas lutas de garanhões, mas elas são difíceis de erradicar. O objetivo da argumentação é tornar um argumento tão potente (atenção para a metáfora) que os céticos são *coagidos* a acreditar nele — são impotentes para contestá-lo enquanto afirmarem ser racionais. Em princípio, as próprias ideias é que são, digamos, imperiosas, mas seus defensores nem sempre se mostram avessos a dar um empurrãozinho nessas ideias com táticas de dominação verbal, entre elas a intimidação ("Claramente..."), a ameaça ("Seria anticientífico..."), a autoridade ("Como Popper demonstrou..."), o insulto ("Esse trabalho não apresenta o rigor necessário para...") e o menosprezo ("Poucas pessoas hoje em dia acreditariam seriamente que..."). Talvez por isso H. L. Mencken tenha escrito que "o futebol americano universitário seria mais interessante se os professores jogassem no lugar dos alunos".

Status é o conhecimento público de que você possui haveres que lhe permitiriam ajudar outras pessoas se você desejasse. Os haveres podem incluir beleza, talento ou habilidade insubstituível, atenção e confiança de poderosos e especialmente riqueza. Os haveres que conferem status tendem a ser fungíveis. A riqueza pode trazer contatos e vice-versa. A beleza pode ser explorada para obter riqueza (por meio de presentes ou casamento), pode atrair a atenção de gente importante ou mais pretendentes do que a pessoa bela pode manejar. Os possuidores desses haveres, portanto, não são vistos apenas como possuidores desses haveres. Eles exsudam uma aura ou carisma que faz as pessoas desejarem cair-lhes nas graças. É sempre vantajoso ter pessoas querendo nosso favor, e por isso vale a pena ansiar pelo status em si mesmo. Mas o dia só tem 24 horas, e os sicofantas precisam escolher a quem bajular, portanto o status é um recurso limitado. Se A tem mais, B deve ter menos, e os dois têm de competir.

Mesmo no mundo ferozmente competitivo da liderança tribal, a dominância física não é tudo. Chagnon relatou que alguns líderes ianomâmi são valentões declarados, mas outros atingem sua posição pela astúcia e discernimento. Um homem chamado Kaobawä, embora não fosse nenhum fracote, obteve sua autoridade valendo-se do apoio de seus irmãos e primos e cultivando alianças com os homens com quem ele havia negociado esposas. Conservava sua autoridade dando ordens somente quando tinha a certeza de que todos as cumpririam e a magnificava separando brigas, desarmando maníacos empunhadores de facões e corajosamente vigiando a aldeia quando havia atacantes nos arredores. Sua liderança serena foi recompensada com seis esposas e o mesmo número de amantes. Em sociedades de coletores de alimentos, o status também acompanha os bons caçadores e os exímios conhecedores da natureza. Supondo que nossos ancestrais também praticavam ocasionalmente a meritocracia, a evolução humana nem sempre foi a sobrevivência do mais feroz.

Os antropólogos românticos afirmavam que os povos coletores de alimentos não se impressionavam com a riqueza. Mas isso acontecia porque os coletores de alimentos que eles estudavam não possuíam riqueza alguma. Os caçadores-extrativistas do século xx não são representativos da humanidade em um aspecto. Eles vivem em terras que ninguém mais quer, terras que não podem ser cultivadas. Não necessariamente preferem esses desertos, florestas pluviais e tundras, mas os povos agricultores como nós apoderaram-se do resto. Embora os coletores de alimentos não possam chegar à enorme desigualdade gerada pelo cultivo e armazenamento de alimentos, a desigualdade existe entre eles, tanto em riqueza como em prestígio.

Os kwakiutl, da costa canadense no Pacífico, tinham temporadas anuais de salmão, abundantes mamíferos marinhos e frutas silvestres. Estabeleciam-se em aldeias governadas por chefes abastados que tentavam superar uns aos outros em banquetes competitivos chamados *potlaches*. Os convidados de um *potlach* eram incentivados a empanturrar-se de salmão e frutas silvestres, e o chefe orgulhosamente despejava sobre eles caixas de óleo, cestos de frutas e pilhas de cobertores. Os convidados, humilhados, voltavam discretamente para sua aldeia tramando vingar-se com um banquete ainda maior, no qual não só distribuiriam coisas valiosas mas ostensivamente as destruiriam. O chefe acenderia uma bela fogueira no centro de sua casa e usaria como combustível óleo de peixe, cobertores, peles, remos de canoa e às vezes até a própria casa, um espetáculo de consumo que o mundo não tornaria a ver antes do *bar mitzvah* americano.

Veblen sugeriu que a psicologia do prestígio fundamentava-se em três "princípios pecuniários de preferência": lazer conspícuo, consumo conspícuo e desperdício conspícuo. Os símbolos de status são ostentados e cobiçados não necessariamente por serem úteis ou atrativos (seixos, margaridas e pombos são lindos, como redescobrimos quando eles encantam as crianças pequenas), mas frequentemente porque são tão raros, dissipadores ou inúteis que só os ricos podem dar-se ao luxo de tê-los. Eles incluem roupas demasiado delicadas, volumosas, constringentes ou propensas a manchar para que se possa usá-las no trabalho, objetos frágeis demais para um uso sem cuidados ou feitos com materiais inacessíveis, objetos sem função alguma produzidos com um trabalho prodigioso, decorações que consomem energia, pele pálida em lugares onde os plebeus trabalham no campo e pele bronzeada onde eles trabalham em ambientes fechados. A lógica é: você não pode ver toda a minha riqueza e capacidade de ganho (minha conta bancária, minhas terras, todos os meus aliados e aduladores), mas pode ver meus acessórios de banheiro de ouro. Ninguém poderia possuí-los sem ter riqueza de sobra, portanto você sabe que sou rico.

O consumo conspícuo vai contra a intuição, pois desperdiçar riqueza só faz reduzi-la, rebaixando o dissipador ao nível de seus rivais. Mas funciona quando o apreço das outras pessoas é suficientemente útil para compensar o desperdício e quando *nem toda* a riqueza ou capacidade de ganho é sacrificada. Se eu tenho cem dólares e você tem quarenta, posso abrir mão de cinquenta, mas você não; impressionarei os outros e *ainda* serei mais rico do que você. Esse princípio foi confirmado por uma fonte inesperada, a biologia evolucionista. Os biólogos desde Darwin intrigavam-se com exibições como a cauda do pavão, que impressiona a pavoa mas consome nutrientes, atrapalha os movimentos e atrai predadores. O biólogo Amotz Zahavi afirmou que as ostentações evoluíram *justamente por serem* desvantagens. Só os animais mais sadios poderiam dar-se ao luxo de tê-las, e as fêmeas escolhem as aves mais sadias para acasalar-se. Os biólogos teóricos inicialmente se mostraram céticos, mas um deles, Alan Grafen, provou mais tarde que a teoria tinha sentido.

O consumo conspícuo funciona quando apenas os ricos podem custear o luxo. Quando a estrutura de classes perde a rigidez, ou quando os bens suntuosos (ou as imitações suntuosas) tornam-se amplamente disponíveis, a classe média alta pode emular a classe alta, a classe média pode emular a média alta e assim por diante até a base da escala. A classe mais alta não consegue ficar de braços cruzados quando começa a ter semelhanças com a ralé; vê-se impelida a adotar um *new look*. Mas eis que o *look* é novamente emulado pela classe média alta e passa a transmitir-se ladeira abaixo, incitando a classe mais alta a passar para mais um *look* diferente e assim por diante. O resultado disso é a moda. Os caóticos ciclos de estilo, em que o *look* chique de uma década torna-se deselegante ou desmazelado, cafona ou afetado na seguinte, foi explicado como uma conspiração dos fabricantes de roupas, expressão de nacionalismo, reflexo da economia e muito mais. Mas Quentin Bell, em sua clássica análise da moda, *On human finery*, demonstrou que apenas uma explicação se sustenta: as pessoas seguem a regra "tente parecer-se com quem está acima de você; se estiver no topo, tente parecer diferente dos que estão abaixo".

Mais uma vez, os animais descobriram o truque primeiro. Os outros dândis do reino animal, as borboletas, não desenvolveram suas cores para impressionar as fêmeas. Algumas espécies evoluíram para tornar-se venenosas ou de gosto ruim e alertaram seus predadores com cores vistosas. Outros tipos venenosos copiaram as cores, aproveitando-se do medo já semeado. Mas depois algumas borboletas *não* venenosas também copiaram as cores, desfrutando a proteção enquanto evitavam o custo de tornar-se impalatáveis. Quando a imitação tornou-se demasiado abundante, as cores deixaram de transmitir informações e de intimidar os predadores. As borboletas repugnantes evoluíram com novas cores, que foram, então, imitadas pelas palatáveis etc.

A riqueza não é o único bem que as pessoas ostentam e cobiçam. Em uma sociedade complexa, as pessoas competem em muitas arenas, nem todas dominadas pelos plutocratas. Bell acrescentou um quarto princípio à lista de Veblen: o escândalo conspícuo. A maioria de nós depende de aprovação de outros. Precisamos do favor dos chefes, professores, pais, clientes, usuários ou sogros em perspectiva, e isso requer um certo grau de respeito e discrição. Destoar agressivamente é um anúncio de que a pessoa tem tamanha confiança em sua posição ou habilidades que pode arriscar-se a ser malvista por terceiros sem acabar no ostracismo ou na miséria. Esse indivíduo está dizendo: "Sou tão talentoso, rico, popular ou bem relacionado que posso dar-me ao luxo de escandalizar você". O século XIX teve a baronesa George Sand fumando charuto de calças compridas e Oscar Wilde de calção, cabelos compridos e girassol. Na segunda metade do século XX, o escândalo conspícuo tornou-se a convenção, e fomos brindados com um tedioso desfile de rebeldes, proscritos, doidões, boêmios, viciados, punks, radialistas incendiários, andróginos, mau-maus, *bad boys*, *gangstas*, divas do sexo, deusas intratáveis, vamps, mulheres promíscuas e *material girls*. Ser avançado substituiu ser chique como o motor da moda, mas a psicologia do status é a mesma. Os criadores de tendências são membros de classes mais altas que adotam os estilos de classes mais baixas para se diferenciar das classes médias, que nem mortas se deixariam ver em estilos da classe baixa porque são elas que correm o risco de ser confundidas. O estilo transmite-se gradualmente escala abaixo, pondo a vanguarda em marcha rumo a um novo modo de indignar. À medida que a mídia e os publicitários aprendem a comercializar cada nova onda com mais eficiência, o turbilhão da *avant-garde* move-se mais rápido e com mais fúria. Uma característica habitual dos jornais urbanos é uma matéria favorável sobre um conjunto musical "alternativo" seguida por cartas desdenhosas alertando que a banda era boa quando poucos a ouviam, mas agora traiu seus princípios. Os mordazes comentários sociais de Tom Wolfe (*The painted world, From Bauhaus to our house, Radical chic*) documentam como a sede pelo status sob a forma de pertencer à vanguarda governa os mundos da arte, da arquitetura e a política da elite cultural.

AMIGOS E CONHECIDOS

As pessoas concedem favores umas às outras mesmo quando não são parentes e não têm interesse sexual. É fácil entender por que até mesmo o organismo mais egoísta poderia querer fazer tal coisa. Se há troca de favores, ambas as partes lucram desde que o valor do que obtêm seja maior do que o valor daquilo que dão. Um exemplo claro é um bem cujos benefícios apresentam retornos decrescentes. Se possuo duas porções de carne e nenhuma fruta e você tem duas porções de frutas e nenhuma carne, a segunda porção de carne vale menos para mim do que a primeira (pois há uma quantidade limitada de carne que eu consigo comer de uma vez), e você sente o mesmo com respeito à sua segunda porção de fruta. Ambos teremos vantagem se trocarmos uma porção por outra. Os economistas chamam esse benefício de ganho na troca.

Quando os negociantes trocam bens simultaneamente, a cooperação é fácil. Se o outro não fizer sua parte, você não entrega a carne ou a toma de volta. A maioria dos favores, porém, não pode ser desfeita, como por exemplo compartilhar informações, salvar uma pessoa que está se afogando ou ajudar em uma luta. Além disso, a maioria dos favores não pode trocar de mãos ao mesmo tempo. As necessidades podem mudar; se ajudo você agora em troca de proteção para meu filho que ainda não nasceu, não posso cobrar antes de a criança vir ao mundo. E os excedentes com frequência são alternados; se você e eu acabamos de abater antílopes, não há por que trocar carcaças idênticas. Somente se você abatesse um hoje e eu abatesse outro daqui a um mês teria sentido trocar. O dinheiro é uma solução mas, como invenção recente, não poderia ter figurado em nossa evolução.

Como vimos no capítulo 6, o problema nas trocas *postergadas*, ou retribuição, é a possibilidade de trapacear, de aceitar um favor agora e não o compensar mais tarde. Obviamente, todos levariam vantagem se ninguém trapaceasse. Porém, desde que exista a *possibilidade* de a outra pessoa trapacear (o que é inevitável, uma vez que os indivíduos podem variar), posso sentir-me desencorajado a fazer-lhe um favor que no longo prazo ajudaria a nós dois. Esse problema foi sintetizado em uma parábola intitulada Dilema do Prisioneiro. Comparsas de um crime são presos em celas separadas, e o promotor propõe um trato a cada um. Se você delatar seu parceiro e ele não delatar você, você será libertado e ele pegará dez anos de cadeia. Se ambos não delatarem, os dois pegarão seis meses. Se ambos delatarem, ambos pegam cinco anos. Os comparsas não podem comunicar-se, e nenhum deles sabe o que o outro fará. Cada um pensa: se meu parceiro delatar e eu não, pegarei dez anos; se ele delatar e eu também, pegarei cinco anos. Se ele não delatar e eu também não, pegarei seis meses; se ele não delatar e eu sim, ficarei livre. Portanto, independentemente do que ele fizer, será mais vantajoso para mim traí-lo. Cada prisioneiro é impelido a delatar seu comparsa, e ambos cumprem cinco anos — muito pior do que se cada qual houvesse confiado no outro. Mas nenhum dos dois podia arriscar-se, devido à punição que o esperava se o outro não se arriscasse. Psicólogos sociais, matemáticos, economistas, filósofos morais e estrategistas nucleares há décadas quebram a cabeça com esse paradoxo. Não há solução.

Mas a vida real não é um Dilema do Prisioneiro em um aspecto. Os prisioneiros imaginários são colocados no seu dilema apenas uma vez. As pessoas reais defrontam umas às outras em dilemas de cooperação vezes sem conta e podem recordar traições passadas ou boas ações e agir com base nelas. Podem sentir simpatia e agir com boa vontade, sentir-se lesadas e buscar vingança, sentir-se gratas e retribuir um favor ou sentir remorso e reparar seu erro. Lembre-se de que Trivers sugeriu que as emoções componentes do senso moral poderiam evoluir quando as partes interagissem repetidamente e pudessem recompensar a cooperação presente com a cooperação futura e punir a traição presente com a traição futura. Robert Axelrod e William Hamilton confirmaram essa conjectura em um torneio de computador confrontando diferentes estratégias para um jogo de Dilema do Prisioneiro, comparando cada estratégia com todas as demais. Reduziram o dilema a seus aspectos essenciais e atribuíram pontos para a estratégia que conduzisse ao equivalente a minimizar o tempo de cadeia. Uma estratégia simples denominada toma lá dá cá — cooperar no primeiro movimento e depois fazer o que seu parceiro fez no movimento anterior — derrotou 62 outras estratégias. Em seguida, os dois pesquisadores usaram uma simulação de vida artificial na qual cada estratégia "reproduzia-se" em proporção às suas vitórias, promovendo um novo torneio geral entre as cópias dessas estratégias. Repetiram o processo por muitas gerações e constataram que a estratégia toma lá dá cá dominou a população. A cooperação pode evoluir quando as partes interagem repetidamente, cada qual lembrando o comportamento da outra e retribuindo.

Como vimos nos capítulos 5 e 6, as pessoas são hábeis para detectar trapaceiros e vêm equipadas com emoções moralistas que as impelem a punir os trapaceiros e a recompensar os cooperadores. Isso significa que o toma lá dá cá alicerça a cooperação generalizada que encontramos na espécie humana? Certamente, alicerça boa parte da cooperação que encontramos em nossa sociedade. Fitas de caixa registradora, relógios de ponto, passagens de trem, recibos, livros contábeis e outros equipamentos registradores de transações que não confiam no "sistema da honra" são detectores de trapaça mecânicos. Os trapaceiros, como por exemplo os empregados que furtam, às vezes são processados por crimes, porém com mais frequência são simplesmente excluídos de futura retribuição, ou seja, demitidos. Analogamente, a firma que logra seus clientes logo os perde. Candidatos a emprego sem família nem obrigações, firmas sem solidez comprovada e estranhos que telefonam oferecendo "oportunidades de investimento" geralmente sofrem discriminação por darem a impressão de que estão fazendo um jogo de cooperação de lance único e não repetitivo, ficando assim imunes ao toma lá dá cá. Até os amigos moderadamente chegados discretamente recordam os presentes de Natal mais recentes e os convites para festas e calculam o modo adequado de retribuir.

Esses cálculos todos resultam de nossa alienação e valores burgueses em uma sociedade capitalista? Uma das mais acalentadas crenças de muitos intelectuais é que existem no mundo culturas nas quais todos compartilham livremente. Marx e Engels julgavam que os povos pré-letrados representavam um primeiro estágio da evolução da civilização denominado comunismo primitivo, cuja máxima era "De cada um segundo sua capacidade, a cada um segundo suas necessidades". De fato, as pessoas nas sociedades de coletores de alimentos realmente compartilham alimentos e riscos. Porém, em muitas delas, os indivíduos interagem principalmente com seus parentes; portanto, na concepção do biólogo, eles estão compartilhando com extensões de si mesmos. Muitas culturas também têm um *ideal* de compartilhar, mas isso pouco significa. Obviamente, proclamarei que é maravilhoso *você* compartilhar; a questão é: eu compartilharei quando chegar a *minha* vez?

É bem verdade que os povos coletores de alimentos compartilham com quem não é parente, porém não por generosidade indiscriminada ou por um compromisso com princípios socialistas. Os dados da antropologia mostram que a partilha é governada por análises de custo-benefício e por um meticuloso livro contábil mental de retribuições. As pessoas compartilham quando seria suicídio não fazê-lo. Em geral, as espécies são impelidas a compartilhar quando é grande a *variação* do êxito na obtenção de alimento. Digamos que em algumas semanas eu tenha sorte e consiga mais comida do que sou capaz de comer, mas em outras semanas eu tenha azar e corra o perigo de morrer de fome. Como eu posso armazenar comida nas semanas de vacas gordas e consumi-la nas semanas de vacas magras? A refrigeração não é uma opção. Eu poderia me empanturrar agora e armazená-la em forma de gordura como as baleias, mas isso só funciona até certo ponto; não sou capaz de comer em um dia o bastante para evitar a fome por um mês. Mas *posso* armazenar comida no corpo e na mente de *outras* pessoas, na forma de uma lembrança de minha generosidade que elas se sentirão na obrigação de retribuir quando a sorte se inverter. Quando as perspectivas são de risco, vale a pena reunir os riscos em um fundo comum.

Essa teoria foi confirmada em outras espécies, como os morcegos vampiros, e também em humanos, em dois elegantes estudos com controle para as diferenças entre culturas, contrastando as formas de compartilhar *no âmbito* de cada cultura. Os ache, do Paraguai, caçam e praticam o extrativismo vegetal. A caça, em grande medida, é uma questão de sorte: a cada dia, um caçador ache tem 40% de probabilidade de voltar para casa de mãos vazias. A coleta de vegetais, em grande medida, é uma questão de esforço: quanto mais tempo se trabalha, mais se traz para casa, e um coletor de mãos vazias provavelmente é mais preguiçoso do que azarado. Como previsto, os ache compartilham alimentos vegetais somente no âmbito da família nuclear, mas compartilham carne com todo o grupo.

Os !kung san, do deserto do Kalahari, são talvez o que o mundo tem de mais próximo ao comunismo primitivo. Compartilhar é sagrado; ostentar e entesourar é desprezível. Eles caçam e colhem alimentos em um ecossistema inóspito, propenso a secas, e trocam alimentos e acessos a poços. Os //gana san, um ramo aparentado do mesmo povo, passaram a cultivar melões, que armazenam água, e a pastorear cabras. Eles não oscilam entre períodos de fartura e escassez tanto quanto seus primos e, ao contrário destes, entesouram alimentos e desenvolveram desigualdades de riqueza e status. Tanto entre os ache como entre os san, compartilham-se os alimentos com muita variação e entesouram-se os de pequena variação.

Esses povos não tiram calculadoras do bolso para computar as variações. O que lhes passa pela mente quando decidem compartilhar? Cosmides e Tooby observaram que a psicologia não é exótica; ela equivale ao nosso senso de justiça e compaixão. Considere o que torna as pessoas mais ou menos dispostas a ajudar os sem-teto. Os que apregoam que todos nós devemos compartilhar com os sem-teto enfatizam a dimensão aleatória, sujeita a variações do desabrigo. Os sem-teto merecem ajuda porque estão em maré de azar. São vítimas desafortunadas de circunstâncias como desemprego, discriminação ou doenças mentais. Os defensores dos sem-teto procuram nos induzir a pensar: "Por pura sorte aquele ali não sou eu". Os que se opõem a compartilhar, por sua vez, salientam a previsibilidade das recompensas em nossa sociedade para todos os que se disponham a trabalhar. Os sem-teto não merecem ajuda porque são capazes mas preguiçosos ou ficaram nessa situação porque deliberadamente escolheram beber ou consumir drogas. Os defensores dos sem-teto replicam que o próprio uso de drogas é uma doença que poderia acometer qualquer um.

Mesmo em seus momentos mais munificentes, os povos coletores de alimentos não agem porque têm um coração repleto de amor e bondade. Eles impõem a ética do compartilhamento com recordações obsessivamente minuciosas sobre quem ajudou, uma clara expectativa de retribuição e venenosas fofocas sobre quem não contribuiu com sua parte. E tudo isso, ainda assim, não dissipa os sentimentos de egoísmo. O antropólogo Melvin Konner, que viveu anos com os !kung san e escreveu respeitosamente sobre seus costumes, conta a seus leitores:

> Egoísmo, arrogância, avareza, cupidez, fúria, cobiça, todas essas formas de glutonia são refreadas por sua situação tradicional do mesmo modo que a glutonia simples, ou seja: ela não ocorre porque a situação não permite. Tampouco, como supõem alguns, ela ocorre porque as pessoas de sua cultura sejam de algum modo melhores. Jamais esquecerei a ocasião em que um homem !kung — pai de família, de aproximadamente quarenta anos, muito respeitado na comunidade e um homem bom e valoroso em todos os aspectos — pediu-me que segurasse para ele uma perna do antílope que ele abatera. Ele distribuíra a maior parte do animal, como se devia fazer. Mas viu uma chance de esconder uma parte, para depois, para ele próprio e sua família. Em uma situação normal, obviamente, não haveria lugar em todo o Kalahari para esconder aquilo; ficaria à mercê de animais carniceiros ou de parentes distantes predadores. Mas a presença de estrangeiros proporcionava uma superfície de contato com um outro mundo, e ele queria, sem dar a perceber, ocultar a carne temporariamente numa fenda daquela superfície, o único esconderijo concebível.

* * *

Quando se trata de amizade, o altruísmo recíproco não soa verdadeiro. Não ficaria muito bem o convidado de um jantar pegar a carteira e se oferecer para pagar aos anfitriões pela comida. Convidar os anfitriões logo na noite seguinte também não seria muito melhor. O toma lá dá cá não consolida uma amizade; dificulta-a. Nada pode ser mais constrangedor para bons amigos do que uma transação de negócios entre eles, como a venda de um carro, por exemplo. O mesmo vale para o melhor amigo que se tem na vida, o cônjuge. Os casais que registram atentamente o que um fez pelo outro são os menos felizes.

O amor companheiro, a emoção por trás de uma sólida amizade e o duradouro vínculo afetivo do casamento (o amor que não é romântico nem sexual) têm uma psicologia própria. Amigos ou cônjuges sentem-se como se estivessem em dívida um para com o outro, mas as dívidas não são medidas e a obrigação a saldar não é onerosa, e sim profundamente gratificante. As pessoas sentem um prazer espontâneo em ajudar um amigo ou um cônjuge, sem esperar uma retribuição e sem se arrepender do favor se a retribuição não vier. Obviamente, os favores podem ser catalogados em alguma parte da mente, e se o livro-razão mostrar-se muito desequilibrado, a pessoa pode cobrar a dívida ou cortar futuros créditos, ou seja, terminar a amizade. Mas a linha de crédito é longa, e os termos de quitação, lenientes. Portanto, o amor companheiro não contradiz exatamente a teoria do altruísmo recíproco, mas incorpora uma versão elástica na qual os fiadores emocionais — afeto, simpatia, gratidão e confiança — são esticados até o limite.

Os fatos do amor companheiro são suficientemente claros, mas por que ele evoluiu? Tooby e Cosmides tentaram fazer a engenharia reversa da psicologia da amizade chamando a atenção para um aspecto da lógica da troca que eles denominaram Paradoxo do Banqueiro. Muitos candidatos a empréstimos aprenderam, frustrados, que um banco só empresta a quantia de que você comprovadamente não necessita, e nem um centavo a mais. Nas palavras de Robert Frost: "Banco é um lugar onde emprestam a você um guarda-chuva quando o tempo está bom e o pedem de volta quando começa a chover". Os bancos alegam que têm um montante limitado para investir e que cada empréstimo é um jogo. A carteira de empréstimos tem de dar lucro ou eles fecharão as portas, por isso calculam os riscos dos créditos e descartam os piores.

A mesma lógica cruel aplica-se ao altruísmo entre nossos ancestrais. Uma pessoa matutando sobre conceder ou não um grande favor é como um banco. Deve preocupar-se não só com os trapaceiros (o beneficiário está disposto a retribuir?) mas também com os riscos de crédito (o beneficiário é *capaz* de retribuir?). Se o beneficiário morrer, for incapacitado, tornar-se um pária ou abandonar o grupo, o favor terá sido desperdiçado. Infelizmente, são os grandes riscos de crédito — os doentes, famintos, feridos ou proscritos — que mais *necessitam* de favores. Qualquer um pode sofrer uma reviravolta na sorte, especialmente na dura vida de coletor de alimentos. Se for abandonado, um coletor de alimentos ferido não durará muito neste mundo. Que tipos de pensamentos e sentimentos poderiam evoluir como uma espécie de seguro no qual outras pessoas concederiam "crédito" a alguém mesmo se a má sorte transformasse essa pessoa em um risco?

Uma estratégia é você se tornar insubstituível. Cultivando uma habilidade que ninguém no grupo consegue reproduzir, como a fabricação de utensílios, o conhecimento dos caminhos ou a resolução de conflitos, você pode fazer com que seja difícil abandoná-lo em momentos de necessidade: todo mundo depende demais de você para arriscar-se a deixá-lo morrer. De fato, hoje em dia as pessoas passam boa parte de sua vida social alardeando seus talentos únicos e valiosos ou buscando uma panelinha na qual seus talentos seriam únicos e valiosos. A busca do status é, em parte, um motivo para alguém se fazer insubstituível.

Outra estratégia consiste em associar-se a pessoas que se beneficiam daquilo que beneficia você. Meramente cuidando de sua vida e se empenhando em seus próprios interesses você pode beneficiar os interesses de mais alguém, como efeito colateral. O casamento é o exemplo mais evidente: marido e mulher compartilham um interesse no bem-estar dos filhos. Outro exemplo foi salientado por Mao Tsé-tung em seu livrinho vermelho: "O inimigo de meu inimigo é meu amigo". Um terceiro é possuir habilidades que beneficiem outros ao mesmo tempo que beneficiam você, como a habilidade para encontrar o caminho de casa. Outros exemplos são viver com alguém que gosta da mesma temperatura ambiente ou da mesma música. Em todos os exemplos, o indivíduo concede um benefício a alguém sem ser altruísta no sentido biológico de incorrer em um custo e, consequentemente, precisar de uma retribuição para que o ato valha a pena. O desafio do altruísmo tem atraído tanta atenção que uma forma mais direta de ajudar na natureza tem sido frequentemente menosprezada: a simbiose, na qual dois organismos, como as algas e os fungos que produzem líquen, associam-se porque os efeitos colaterais do estilo de vida de um por acaso beneficiam o outro. Os simbiontes concedem e recebem benefícios, mas nenhum arca com um custo. Colegas de quarto com as mesmas preferências musicais são um tipo de par simbiótico, e cada um pode valorizar o outro sem haver troca de favores.

Assim que você se fez valioso para alguém, essa pessoa torna-se valiosa para você. Isso acontece porque, se algum dia você estiver em dificuldades, essa pessoa tem um interesse — embora um interesse egoísta — em ajudá-lo. Mas agora que você valoriza a pessoa, ela deve valorizá-lo ainda mais. Não só você é valioso graças a seus talentos ou hábitos, mas também por seu interesse em ajudar essa pessoa em tempos difíceis. Quanto mais você valoriza a pessoa, mais ela valoriza você e assim por diante. Esse processo contínuo é o que denominamos amizade. Se você perguntar às pessoas por que são amigas, a tendência é responderem: "Gostamos das mesmas coisas e sabemos que sempre podemos contar um com o outro".

A amizade, como outros tipos de altruísmo, é vulnerável a trapaceiros, e temos um nome especial para eles: amigos das horas boas. Esses falsos amigos colhem os benefícios de associar-se com uma pessoa valiosa e fingem sinais de afeição no esforço de tornarem-se eles próprios valiosos. Porém, na hora de um revés, não há como encontrá-los. As pessoas têm uma reação emocional que parece moldada para afastar falsos amigos. Em nossos momentos de maior necessidade, uma mão estendida nos toca profundamente. Ficamos comovidos, nunca esquecemos a generosidade e nos sentimos compelidos a dizer a esse amigo que nunca o esqueceremos. Os tempos difíceis nos mostram quem são nossos verdadeiros amigos. Isso ocorre porque a finalidade da amizade, em termos evolutivos, é salvar você em tempos difíceis, quando para ninguém mais vale a pena fazê-lo.

Tooby e Cosmides vão além, especulando que o design de nossas emoções de amizade pode explicar a alienação e solidão que tantas pessoas sentem na sociedade atual. Trocas explícitas e reciprocidade imediata são os tipos de altruísmo a que recorremos quando a amizade está ausente e a confiança é reduzida. Mas nas economias de mercado modernas, trocamos favores com estranhos em níveis sem precedentes. Isso pode criar a percepção de que não estamos profundamente comprometidos com nossos semelhantes e que somos vulneráveis ao abandono em tempos difíceis. E, por ironia, o meio confortável que nos torna fisicamente mais seguros nos faz emocionalmente menos seguros, porque minimiza as crises que nos mostram quem são nossos amigos verdadeiros.

ALIADOS E INIMIGOS

Nenhuma dissertação sobre as relações humanas poderia estar completa sem uma discussão sobre a guerra. Esta não é universal, mas em todas as culturas as pessoas sentem-se membros de um grupo (bando, tribo, clã ou nação) e sentem animosidade contra outros grupos. E a guerra é um fato fundamental da vida nas tribos de coletores de alimentos. Muitos intelectuais acreditam que a guerra primitiva é rara, branda e ritualizada, ou que assim foi pelo menos antes de os nobres selvagens serem contaminados pelo contato com os ocidentais. Mas isso é bobagem romântica. A guerra sempre foi um inferno.

As aldeias ianomâmi atacam-se interminavelmente. Setenta por cento dos adultos com mais de quarenta anos perderam um membro da família devido à violência. Trinta por cento dos homens são mortos por outros homens. Quarenta e quatro por cento dos homens já mataram alguém. Os ianomâmi intitulam-se Povo Feroz, mas outras tribos primitivas apresentam estatísticas semelhantes. O arqueólogo Lawrence Keeley documentou que nova-guineenses, aborígines australianos, habitantes das ilhas do Pacífico e nativos americanos foram assolados pela guerra, especialmente nos séculos anteriores à *Pax Brittanica*, que pôs fim a esse incômodo para os administradores coloniais em boa parte do mundo. Na guerra primitiva, a mobilização era mais completa, as batalhas mais frequentes, as baixas mais numerosas, os prisioneiros menos comuns e as armas mais danosas. A guerra, para não dizer coisa pior, é uma importante pressão seletiva e, como parece ter sido um evento recorrente em nossa história evolutiva, deve ter moldado partes da psique humana.

Por que alguém seria tão estúpido a ponto de iniciar uma guerra? Povos tribais podem lutar por qualquer coisa de valor, e as causas das guerras tribais são tão difíceis de deslindar quanto as da Primeira Guerra Mundial. Mas um motivo que surpreende os ocidentais aparece vezes sem conta. Em sociedades coletoras de alimentos, os homens vão à guerra para obter ou manter mulheres — não necessariamente como um objetivo consciente dos guerreiros (embora com frequência seja exatamente isso), mas como a suprema recompensa que permitiu o desenvolvimento da disposição para combater. O acesso a mulheres é o fator limitador do êxito reprodutivo masculino. Ter duas esposas pode duplicar o número de filhos de um homem, três mulheres pode triplicar e assim por diante. Para um homem que não esteja às portas da morte, nenhum outro recurso tem tanto impacto sobre a aptidão evolutiva. Os despojos mais comuns das guerras tribais são as mulheres. Os atacantes matam os homens, raptam as mulheres núbeis, estupram-nas em bando e as alocam como esposas. Chagnon descobriu que os homens ianomâmi que haviam matado um inimigo tinham três vezes mais esposas e três vezes mais filhos do que os que não haviam matado nenhum. Era casada a maioria dos homens jovens que fizera alguma vítima, e não tinha esposa a maioria dos que não haviam matado ninguém. A diferença não decorre de outras diferenças fortuitas entre matadores e não matadores, como tamanho, força e número de parentes. Os matadores têm prestígio nas aldeias ianomâmi; atraem e recebem mais esposas.

Os ianomâmi às vezes planejam ataques unicamente para raptar mulheres. Com mais frequência, planejam para vingar uma morte ou rapto passado, mas procuram sempre raptar mulheres também. Rixas de famílias, nas quais os parentes vingam uma morte com outra morte, seja do matador, seja de um familiar seu, são o maior estímulo para alastrar a violência por toda parte; o motivo que as governa tem uma óbvia função intimidativa, como vimos no capítulo 6. As rixas de família podem prolongar-se por décadas, ou até por mais tempo, pois cada lado faz a contagem das baixas de um modo diferente e assim, a cada momento, cada qual recorda injustiças que têm de ser reparadas. (Imagine como você se sentiria com respeito a um povo vizinho que matou seu marido, seus irmãos e seus filhos ou que estuprou e raptou sua esposa, suas filhas e irmãs.) Mas os rixentos não se contentam com o olho por olho. Se depararem com uma oportunidade de livrar-se de uma dor de cabeça de uma vez por todas massacrando seus oponentes, são capazes de fazê-lo, com as mulheres constituindo um incentivo adicional. O desejo por mulheres não apenas serve de combustível para as rixas familiares, mas também contribui com a primeira fagulha. Em geral, a primeira morte tem por causa uma mulher: um homem seduz ou rapta a esposa de alguém, ou não cumpre um trato de negociar uma filha.

Os povos modernos têm dificuldade para acreditar que as tribos pré-letradas guerreiam por mulheres. Um antropólogo escreveu a Chagnon: "Mulheres? Lutar por mulheres? Ouro e diamantes posso compreender, mas mulheres? Nunca". Biologicamente, é claro, essa é uma reação confusa. Outros antropólogos argumentaram que os ianomâmi sofriam de escassez de proteínas e estavam lutando por caça. Porém, quando medida, sua ingestão de proteínas revelou-se mais do que adequada. Em todo o mundo, os povos coletores de alimentos mais bem alimentados são os *mais* belicosos. Quando Chagnon mencionou a escassez de carne a seus informantes ianomâmi, eles riram incrédulos e comentaram: "Apesar de gostarmos de carne, gostamos muito mais ainda de mulheres". Chagnon salientou que eles não são assim tão diferentes de nós. "Dê uma passada, num sábado à noite, em um bar frequentado por operários da construção civil onde as brigas são frequentes. Qual é geralmente o motivo das brigas? A quantidade de carne no hambúrguer do sujeito ao lado? Ou então estude as letras de uma dúzia de canções *country and western*. Por acaso alguma delas diz 'Não leve sua vaca à cidade'?"

As semelhanças são mais profundas. A guerra entre povos ocidentais difere das guerras primitivas em muitos aspectos, mas assemelha-se em pelo menos um: os invasores estupram ou raptam mulheres. Está codificado na Bíblia:

Pelejaram contra os midianitas, como o SENHOR ordenara a Moisés: e mataram a todo homem feito [...] Porém os filhos de Israel levaram presas as mulheres dos midianitas e as suas crianças; também levaram todos os seus animais, e todo o seu gado, e todos os seus bens [...] Disse-lhes Moisés: Deixastes viver todas as mulheres? [...] Agora, pois, matai de entre as crianças todas as do sexo masculino; e matai toda mulher que coabitou com algum homem, deitando-se com ele. Porém todas as meninas, e as jovens que não coabitaram com algum homem, deitando-se com ele, deixai-as viver, para vós outros. (Números, 31)

Quando te aproximares de alguma cidade para pelejar contra ela, oferecer-lhe-ás a paz [...] Porém, se ela não fizer paz contigo, mas te fizer guerra, então a sitiarás. E o SENHOR teu Deus a dará na tua mão; e todos os do sexo masculino que houver nela passarás ao fio da espada; mas as mulheres, as crianças, e os animais, e tudo o que houver na cidade, todo o seu despojo, tomarás para ti. (Deuteronômio, 20)

Quando saíres à peleja contra os teus inimigos, e o SENHOR teu Deus os entregar nas tuas mãos, e tu deles levares cativos, e vires entre eles uma mulher formosa e te afeiçoares a ela e a queiras tomar por mulher, então a trarás para a tua casa: e ela rapará a cabeça, cortará as unhas, despirá o vestido do seu cativeiro, e ficará na tua casa, e chorará a seu pai e a sua mãe durante um mês. Depois disto a tomarás: tu serás seu marido, e ela tua mulher. (Deuteronômio, 21)

Segundo a *Ilíada*, a Guerra de Troia começou com o rapto de Helena de Troia. Durante a Primeira Cruzada, os soldados cristãos foram estuprando por todo o caminho da Europa até Constantinopla. Shakespeare fez Henrique v ameaçar uma aldeia francesa na Guerra dos Cem Anos de que, se eles não se rendessem, seriam os culpados caso suas "donzelas puras caíssem presa de violações lascivas e violentas":

> *If not, why, in a moment look to see*
> *The blind and bloody soldier with foul hand*
> *Defile the locks of your shrill-shrieking daughters;*
> *Your fathers taken by the silver beards,*
> *And their most reverend heads dashíd to the walls,*
> *Your naked infants spitted upon pikes,*
> *Whiles the mad mothers with their howls confused*
> *Do break the clouds, as did the wives of the Jewry*
> *At Herod's bloody-hunting slaughtermen.**

(*) "Senão, pois bem, em um momento olhai e vede/ O soldado cego e sangrento com a mão torpe/ Profanar as madeixas de vossas filhas em lancinantes gritos;/ Vossos pais agarrados pelas barbas grisalhas,/ E suas veneráveis cabeças atiradas contra a parede,/ Vossas criancinhas despidas espetadas em lanças,/ Enquanto as mães ensandecidas com seus gritos atônitos/ Fendem as nuvens, como fizeram as mulheres dos judeus/ Diante dos matadores sanguinários de Herodes."

A escritora feminista Susan Brownmiller comprovou que o estupro foi sistematicamente praticado pelos ingleses nas Highlands escocesas, pelos alemães que invadiram a Bélgica na Primeira Guerra Mundial e a Europa Oriental na Segunda Guerra, pelos japoneses na China, pelos paquistaneses em Bangladesh, pelos cossacos durante os pogroms, pelos turcos perseguidores de armênios, pela Ku Klux Klan no Sul dos Estados Unidos e, em menor grau, pelos soldados russos em marcha para Berlim e pelos soldados americanos no Vietnã. Recentemente, os sérvios na Bósnia e os hutus em Ruanda entraram para essa lista. A prostituição, que em tempos de guerra é difícil discernir do estupro, é uma ubíqua gratificação adicional para os soldados. Os líderes podem às vezes usar o estupro como tática de terror a fim de atingir outros objetivos, como obviamente fez Henrique V, mas a tática é eficaz precisamente porque os soldados mostram uma tremenda avidez para implementá-la, como Henrique V fez questão de lembrar aos franceses. Na verdade, muitas vezes o tiro sai pela culatra, pois essa ameaça dá aos defensores um incentivo incalculável para prosseguir lutando; provavelmente por essa razão, mais do que por compaixão pelas mulheres inimigas, os exércitos modernos proibiram o estupro. Mesmo quando este não compõe uma parte relevante de nossos conflitos armados, conferimos enorme prestígio aos nossos líderes guerreiros, exatamente como fazem os ianomâmi, e a esta altura você já está a par dos efeitos do prestígio sobre a atratividade sexual de um homem e, até recentemente, sobre seu êxito reprodutivo.

A guerra, ou a agressão por uma coalizão de indivíduos, é rara no reino animal. Você poderia pensar que o segundo, o terceiro e o quarto dentre os elefantes-marinhos machos mais fortes poderiam unir-se, matar o macho dominante e dividir seu harém, mas isso nunca acontece. Com exceção dos insetos sociais, cujo sistema genético singular faz deles um caso especial, apenas os humanos, chimpanzés, golfinhos e talvez os bonobos unem-se em grupos de quatro ou mais indivíduos para atacar outros machos. Essas são algumas das espécies com cérebros maiores, o que sugere que a guerra pode requerer um maquinário cerebral muito complexo. Tooby e Cosmides descobriram a lógica adaptativa da agressão coligada e dos mecanismos cognitivos necessários para sustentá-la. (Isso, evidentemente, não significa que eles consideram a guerra inevitável ou "natural" no sentido de ser "boa".)

As pessoas com frequência são recrutadas para servir exércitos, mas às vezes alistam-se de muito bom grado. É alarmante a facilidade com que se pode evocar o jingoísmo, mesmo na ausência de um recurso escasso pelo qual se precise lutar. Em numerosos experimentos realizados por Henri

Tafjel e outros psicólogos sociais, dividem-se as pessoas em dois grupos, na realidade uma divisão aleatória, porém segundo algum critério ostensivamente trivial, como se elas subestimam ou superestimam o número de pontos numa tela ou se preferem quadros de Klee ou Kandinsky. As pessoas de cada grupo instantaneamente sentem aversão pelo outro grupo e formam uma opinião desfavorável sobre ele; agem de modo a negar-lhe recompensas mesmo que isso seja oneroso para seu próprio grupo. Esse etnocentrismo instantâneo pode ser evocado mesmo se o experimentador puser de lado a farsa dos pontos e quadros e dividir as pessoas em grupos jogando uma moeda diante delas! As consequências para o comportamento não são absolutamente secundárias. Em um experimento clássico, o psicólogo social Muzafer Sherif selecionou cuidadosamente um grupo de meninos americanos bem ajustados da classe média para um acampamento de férias e aleatoriamente os dividiu em dois grupos, que então competiram em esportes e representações teatrais. Em poucos dias, os dois grupos estavam brutalizando e atacando um ao outro com varas, bastões e pedras dentro de meias, obrigando os experimentadores a intervir para garantir a segurança dos meninos.

O enigma da guerra é: por que as pessoas se ofereceriam como voluntárias para uma atividade na qual suas chances de morrer são extraordinárias? Como poderia ter evoluído um desejo de jogar roleta-russa? Tooby e Cosmides explicam isso com o fato de que a seleção natural favorece as características que aumentam a aptidão *em média*. Cada gene contribuinte de uma característica está incorporado em muitos indivíduos em muitas gerações, portanto, se um indivíduo portador do gene morre sem filhos, o êxito de muitos outros portadores do mesmo gene pode compensar essa morte. Imagine um jogo de roleta-russa no qual se você não morrer terá mais um filho. Um gene que induzisse a participar do jogo seria selecionado, pois em cinco sextos do tempo ele deixaria uma cópia adicional no *pool* genético e um sexto do tempo não deixaria cópia alguma. Em média, isso produz 0,83 mais cópias do que ficar fora do jogo. Juntar-se a uma coalizão de cinco outros homens que seguramente capturarão cinco mulheres mas sofrerão uma baixa constitui, efetivamente, uma escolha igual. A ideia básica é que a coalizão, atuando em conjunto, pode obter um benefício que seus membros sozinhos não obterão e que os despojos são distribuídos segundo os riscos corridos. (Existem várias complicações, porém elas não alteram a argumentação.)

De fato, se os despojos são certos e divididos com justiça, o nível de perigo não importa. Digamos que sua coalizão possua onze membros e possa emboscar uma coalizão inimiga de cinco membros, apoderando-se das mulheres deles. Havendo a probabilidade de que um membro de sua coalizão seja morto, você tem dez chances em onze de sobreviver, o que lhe dará uma em duas chances (cinco mulheres cativas, dez homens) de obter uma esposa, um ganho esperado de 0,45 esposas (média de muitas situações com esse desfecho). Se dois membros vierem a ser mortos, você terá uma chance menor de sobreviver (nove em onze), porém se sobreviver terá uma chance maior de obter uma esposa, já que seus aliados mortos não ganharão nenhuma. O ganho médio ($9/11 \cdot 5/9$) é o mesmo, 0,45 esposas. Mesmo que seja provável morrerem *seis* membros, de modo que suas chances de sobrevivência diminuam para menos de 50% (cinco em onze), os despojos são divididos com menos variações (cinco mulheres para cinco vitoriosos), portanto se você sobreviver terá assegurada uma esposa, para um ganho esperado, mais uma vez, de 0,45 esposas.

Tooby e Cosmides supõem, em seus cálculos, que os filhos de um homem podem perfeitamente sobreviver quando ele morre, portanto a perda da aptidão com a morte é zero, e não negativa. Evidentemente, isso não é verdade, mas os pesquisadores argumentam que, se o grupo for relativamente próspero, as chances de sobrevivência das crianças sem pai podem não diminuir demais e ainda compensar o ataque dos homens. Tooby e Cosmides preveem que os homens devem mostrar-se mais dispostos ao combate quando seu grupo tiver a alimentação assegurada do que quando passar fome, contrariamente à hipótese da escassez de proteínas. Os dados corroboram essa hipótese. Outra implicação é que as mulheres nunca teriam interesse em iniciar uma guerra (mesmo se dispusessem de armas ou aliados que compensassem o tamanho menor do corpo feminino). A razão por que nunca evoluiu nas mulheres o apetite para se agruparem e atacarem povoados vizinhos em busca de maridos é que o êxito reprodutivo feminino raramente é limitado pelo número de machos disponíveis, portanto qualquer risco para a vida da mulher na busca de parceiros adicionais é pura perda de aptidão esperada. (Contudo, as mulheres dos povos coletores de alimentos encorajam os homens a lutar em defesa do grupo e a vingar a morte de membros da família.) Essa teoria também explica por que, na guerra moderna, a maioria das pessoas reluta em enviar mulheres para o combate, sentindo-se moralmente indignada quando há baixas entre as mulheres, muito embora nenhum argumento ético torne a vida de uma mulher mais preciosa que a de um homem. É difícil abalar a intuição de que a guerra é um jogo que beneficia os homens (o que foi verdade durante a maior parte de nossa história evolutiva), portanto eles que corram os riscos.

A teoria também prevê que os homens deveriam dispor-se a combater coletivamente apenas se estivessem confiantes na vitória e nenhum deles soubesse de antemão quem seria ferido ou morto. Se a derrota é provável, não há por que continuar lutando. E se você arca com uma parte desproporcional do risco — digamos, se seus companheiros de pelotão estão expondo você ao perigo para defender a própria pele —, também não tem sentido lutar. Esses dois princípios moldam a psicologia da guerra.

Entre os coletores de alimentos, os bandos belicosos em geral são facções do mesmo povo e empregam o mesmo tipo de armamentos; portanto, o prognosticador da vitória em nosso passado evolutivo deve ter sido a força numérica. O lado com mais guerreiros era invencível, e a probabilidade de vitória poderia ser calculada com base no número de homens de cada lado. Os ianomâmi são obcecados pelo tamanho das aldeias justamente por isso e frequentemente formam alianças ou reconsideram as secessões porque sabem que as aldeias menores são impotentes nas guerras. Mesmo nas sociedades modernas, uma multidão de pessoas do seu lado é encorajador, e uma multidão do lado oposto é apavorante. Reunir uma multidão é uma tática comum para incitar o patriotismo, e uma manifestação em massa pode suscitar o pânico até em um governante militarmente seguro. Um princípio básico da estratégia de campo de batalha é cercar uma unidade inimiga, fazer com que a derrota pareça certa e provocar pânico e debandada.

De igual importância é a distribuição equitativa do risco. Um grupo em uma guerra depara com o problema do altruísmo por excelência. Cada membro tem um incentivo para trapacear, mantendo-se fora do alcance do perigo e expondo os demais a um risco maior. Assim como a cooperação benevolente não pode evoluir se quem concede os favores não detectar e punir os trapaceiros, a cooperação agressiva não pode evoluir se os combatentes não detectarem e punirem os covardes ou malandros. Bravura e disciplina são as obsessões dos combatentes. Afetam tudo, de quem o soldado gostaria de ter em sua trincheira à estrutura de comando que obriga os soldados a assumir riscos equitativamente e que recompensa a coragem e pune a deserção. A guerra é rara no reino animal porque para os animais, como para os humanos, convém ser covardes, a menos que possam fazer vigorar um contrato entre as várias partes controlando a divisão dos riscos. Ao contrário dos humanos ancestrais, os animais não possuíam o instrumental cognitivo do qual pudesse evoluir facilmente um mecanismo calculador de cumprimentos de tratos.

Eis outra peculiaridade da lógica e psicologia da guerra. Um homem deveria concordar em permanecer numa coalizão enquanto não *souber* que está prestes a morrer. Ele pode conhecer os riscos, mas não sabe se a bolinha da roleta vai ou não parar na casa dele. Mas em *algum* momento ele pode ver a bolinha parando. Pode vislumbrar um arqueiro que o tem na mira ou detectar uma emboscada iminente, ou ainda notar que foi enviado numa missão suicida. Nesse momento, tudo muda, e a única providência racional é desertar. Obviamente, se a incerteza só se dissipar segundos antes da morte, terá sido tarde demais. Quanto maior a antecedência com que um combatente consegue prever que está para transformar-se em soldado desconhecido, maior a facilidade com que ele pode desertar, e mais provável é o desmanche da coalizão. Em uma coalizão de animais atacando outra coalizão ou um indivíduo, um atacante tem uma certa antevisão de que está sendo escolhido para um contra-ataque e pode fugir antes de ser perseguido. Por esse motivo, uma coalizão de animais seria especialmente propensa a desmanchar-se. Mas os humanos inventaram armas, de lanças e setas a balas e bombas, que impossibilitam conhecer o destino até o derradeiro segundo. Por trás desse véu de ignorância, os homens podem ser motivados a lutar até o fim.

Décadas antes de Tooby e Cosmides esmiuçarem essa lógica, o psicólogo Anatol Rapoport ilustrou-a com um paradoxo da Segunda Guerra Mundial. (Ele acreditava que esse cenário era verdadeiro, mas não conseguiu comprová-lo.) Em uma base de bombardeiros no Pacífico, um piloto tinha apenas 25% de probabilidade de sobreviver à sua cota de missões. Alguém calculou que, se os aviões levassem o dobro de bombas, cada missão poderia ser cumprida com metade do número de voos. Mas o único modo de aumentar a carga útil do avião seria reduzir o combustível, o que significava que os aviões teriam de voar em missões sem retorno. Se os pilotos se dispusessem a tirar a sorte e arriscar uma chance em duas de voar para uma morte certa em vez de se aferrarem às suas três em quatro chances de voar para uma morte imprevisível, *duplicariam* suas chances de sobrevivência: apenas metade deles morreria em vez de três quartos. Nem é preciso dizer que isso nunca foi implementado. Poucos de nós aceitariam tal oferta, embora ela seja inteiramente justa e pudesse salvar muitas vidas, inclusive, possivelmente, a nossa. O paradoxo é uma intrigante demonstração de que nossa mente está equipada para correr voluntariamente um risco de morte em uma coalizão, mas apenas se não soubermos quando a morte virá.

HUMANIDADE

Então devemos todos tomar veneno e acabar com tudo? Há quem pense que a psicologia evolucionista afirma ter descoberto que a natureza humana é egoísta e perversa. Mas essas pessoas estão lisonjeando os pesquisadores e qualquer um que afirmasse ter descoberto o oposto. Ninguém precisa de um cientista para calcular se os humanos são propensos à velhacaria. Essa questão já foi respondida nos livros de história, nos jornais, nos registros etnográficos e nas cartas às colunas de conselhos sentimentais. Mas as pessoas tratam-na como uma questão em aberto, como se algum dia a ciência pudesse descobrir que tudo não passa de um pesadelo e que, ao acordar, descobriremos que é da natureza humana amar uns aos outros. A tarefa da psicologia evolucionista não é atribuir valores à natureza humana, um trabalho que é melhor deixar para outros. É acrescentar o tipo satisfatório de insight que só a ciência pode dar: associar o que sabemos sobre a natureza humana ao resto de nosso conhecimento sobre como o mundo funciona e explicar o maior número de fatos com o menor número de hipóteses. Já se pode demonstrar que grande parte de nossa psicologia social, adequadamente documentada no laboratório e em campo, pode ser deduzida a partir de algumas hipóteses sobre seleção familiar, investimento paterno, altruísmo recíproco e teoria computacional da mente.

Quer dizer que a natureza humana nos condena a um pesadelo de exploração por implacáveis maximizadores de aptidão? Mais uma vez, é tolice esperar essa resposta da ciência. Todos sabem que as pessoas são capazes de bondade e sacrifício monumentais. A mente possui muitos componentes e acomoda não apenas motivos repulsivos mas também amor, amizade, cooperação, senso de justiça e a capacidade de prever as consequências de nossos atos. As diferentes partes da mente lutam para acionar ou soltar o pedal da embreagem do comportamento, e por isso maus pensamentos nem sempre levam a atos maus. Jimmy Carter, em sua célebre entrevista à *Playboy*, declarou: "Olhei para muitas mulheres com desejo. Cometi adultério no coração muitas vezes". Mas a abelhuda imprensa americana não encontrou provas de que ele o tenha cometido uma única vez na vida real.

E no cenário mais amplo, a história viu desaparecerem permanentemente chagas terríveis, algumas vezes só depois de anos de carnificina, outras vezes como num passe de mágica. Escravidão, déspotas possuidores de haréns, conquista colonial, rixas de família, mulheres como propriedade, racismo e antissemitismo institucionalizados, trabalho infantil, apartheid, fascismo, stalinismo, leninismo e guerra desapareceram em regiões do planeta que haviam sido assoladas por esses males durante décadas, séculos ou milênios. Os índices de homicídio nas mais violentas selvas urbanas dos Estados Unidos são vinte vezes menores do que em muitas sociedades de coletores de alimentos. Os britânicos modernos têm uma probabilidade vinte vezes menor de ser assassinados do que seus ancestrais medievais.

Se o cérebro não mudou ao longo dos séculos, como a condição humana pode ter melhorado? Parte da resposta, a meu ver, está no fato de a alfabetização, o conhecimento e a troca de ideias terem solapado alguns tipos de exploração. Não que exista nas pessoas um poço de bondade que pode ser explorado por exortações morais. É que as informações podem ser arranjadas de modo a fazer com que os exploradores pareçam hipócritas ou tolos. Um de nossos instintos mais vis — reivindicar autoridade com o pretexto de beneficência e competência — pode ser astuciosamente usado para manipular os outros. Quando todos veem representações vívidas de sofrimento, não é mais possível alegar que nenhum mal está sendo feito. Quando uma vítima dá pessoalmente um testemunho em palavras que o algoz poderia usar, é difícil provar que a vítima é uma espécie inferior de criatura. Quando se pode mostrar que o sujeito que fala está repetindo as palavras de seu inimigo ou de um orador do passado cujas políticas conduziram ao desastre, sua autoridade pode desmoronar. Quando se descrevem vizinhos pacíficos, é difícil insistir na inevitabilidade de uma guerra. Quando Martin Luther King disse: "Tenho um sonho de que um dia esta nação se erguerá e porá em prática o verdadeiro significado de seu credo: 'Consideramos manifestas essas verdades, que todos os homens são criados iguais' ", ele impossibilitou aos segregacionistas afirmarem ser patriotas sem parecerem charlatães.

E, como mencionei logo de início, embora o conflito seja um universal humano, os esforços para reduzi-lo também são. A mente humana ocasionalmente vislumbra o fato econômico bruto de que muitas vezes ambos os lados podem acabar tendo vantagem dividindo o excedente criado quando param de brigar. Até alguns dos ianomâmi percebem a futilidade de seus costumes e anseiam por um meio de romper o círculo da vingança. Ao longo de toda a história, as pessoas têm inventado engenhosas tecnologias que voltam uma parte da mente contra outra e a duras penas extraem incrementos de civilidade de uma natureza humana que não foi selecionada pela bondade: retórica, revelações públicas de fatos comprometedores, mediação, medidas para salvar as aparências, contratos, intimidação, igualdade de oportunidades, tribunais, leis executáveis, monogamia, limite à desigualdade econômica, renúncia à vingança e muitas outras. Os teóricos utópicos deveriam mostrar humildade em face dessa sabedoria prática. Ela tende a continuar sendo mais eficaz do que propostas "culturais" para reformular a criação dos filhos, a linguagem e a mídia e do que as propostas "biológicas" para sondar o cérebro e os genes dos membros de gangues em busca de marcadores de agressividade e distribuir pílulas antiviolência nos guetos.

Tenzin Gyatso, o dalai-lama do Tibete, foi identificado aos dois anos de idade como a décima quarta reencarnação do Buda da Compaixão, Consagrado Senhor, Glória Benévola, Eloquente, Compassivo, Sábio Defensor da Fé, Oceano de Sabedoria. Foi levado para Lhasa e criado por monges extremosos que lhe ensinaram filosofia, medicina e metafísica. Em 1950 ele se tornou o líder espiritual e secular em exílio do povo tibetano. Apesar de não contar com uma base de poder, é reconhecido como um estadista mundial pela simples força de sua autoridade moral; em 1989, ele recebeu o Prêmio Nobel da Paz. Nenhum ser humano poderia ser mais predisposto, pela criação que teve e pelo papel em que foi colocado, a ter pensamentos puros e nobres.

Em 1993, um entrevistador do *New York Times* fez-lhe perguntas pessoais. Ele contou que, quando menino, adorava brinquedos de guerra, especialmente sua espingarda de ar comprimido. Agora, na vida adulta, relaxa olhando fotografias de campos de batalha e acaba de encomendar a história ilustrada da Segunda Guerra Mundial, obra em trinta volumes da *Time-Life*. Como os homens de todas as partes, gosta de examinar figuras de instrumentos de guerra, como tanques, aviões, navios, submarinos antigos e modernos e especialmente porta-aviões. Tem sonhos eróticos e sente atração por mulheres bonitas, precisando lembrar-se com frequência: "Sou um monge!". Nada disso tem impedido que ele seja um dos grandes pacifistas da história. E, apesar da opressão sofrida por seu povo, continua um otimista e prevê que o século XXI será mais pacífico do que o XX. "Por quê?", perguntou o entrevistador. E ele respondeu: "Porque acredito que no século XX a humanidade aprendeu alguma coisa com muitas e muitas experiências. Algumas positivas, muitas negativas. Quanta miséria, quanta destruição! O maior número de seres humanos foi morto nas duas guerras mundiais deste século. Mas a natureza humana é tal que, quando estamos diante de uma situação tremendamente crítica, a mente humana consegue despertar e descobrir alguma outra alternativa. Essa é uma capacidade humana".

8
O SENTIDO DA VIDA

O homem não vive só de pão, nem de know-how, segurança, filhos ou sexo. As pessoas no mundo inteiro empregam o máximo de tempo que podem em atividades que, na luta para sobreviver e reproduzir-se, parecem sem sentido. Em todas as culturas, as pessoas contam histórias e recitam poesia. Elas gracejam, riem, caçoam. Cantam e dançam. Decoram superfícies. Executam rituais. Refletem sobre as causas da sorte e do azar e têm crenças acerca do sobrenatural que contradizem tudo o mais que conhecem sobre o mundo. Inventam teorias sobre o universo e o lugar que nele ocupam.

Como se isso já não fosse suficientemente intrigante, quanto mais biologicamente frívola e vã é uma atividade, mais as pessoas a exaltam. Arte, literatura, música, sátira, religião e filosofia são consideradas não só deleitantes, mas nobres. São a melhor obra da mente, o que faz a vida digna de ser vivida. Por que nos empenhamos pelo trivial e pelo fútil e os vivenciamos como sublimes? Para muitas pessoas instruídas, essa pergunta parece horrivelmente filistina, até imoral. Mas ela é inevitável para quem quer que se interesse pela constituição biológica do *Homo sapiens*. Membros de nossa espécie cometem atos malucos como fazer votos de celibato, viver para a música, vender seu sangue para comprar entrada de cinema e fazer pós-graduação. Por quê? Como poderíamos compreender a psicologia das artes, o humor, a religião e a filosofia dentro do tema deste livro, ou seja, que a mente é um computador neural naturalmente selecionado?

Toda universidade tem sua faculdade de artes, que geralmente domina a instituição numericamente e aos olhos do público. Mas as dezenas de milhares de acadêmicos e os milhões de páginas de erudição quase não lançaram luz sobre a questão de por que, afinal de contas, as pessoas dedicam-se às artes. A função das artes é quase desafiadoramente obscura, e a meu ver há várias razões para isso.

Uma delas é que as artes envolvem não só a psicologia da estética mas também a psicologia do status. A própria inutilidade da arte que a torna tão incompreensível para a biologia evolucionista torna-a muitíssimo compreensível para a economia e a psicologia social. Que melhor prova de que você tem dinheiro de sobra do que ser capaz de gastá-lo com bugigangas e proezas que não enchem a barriga nem protegem da chuva mas requerem materiais preciosos, anos de prática, domínio de textos obscuros ou intimidade com a elite? As análises de Thorstein Veblen e Quentin Bell sobre o gosto e a moda, nas quais as exibições conspícuas de consumo, lazer e escândalo da elite são emuladas pela ralé, espicaçando a elite a mexer-se à procura de novas exibições inimitáveis, explicam direitinho as singularidades de outro modo inexplicáveis das artes. Os grandiosos estilos de um século tornam-se deselegantes no seguinte, como vemos nas palavras que tanto servem para designar épocas como para depreciar (*gótico, maneirista, gongórico, rococó*). Os inabaláveis patronos das artes são a aristocracia e os que aspiram a pertencer a ela. A maioria das pessoas perderia o gosto por um disco se soubesse que ele está sendo vendido em balcões de supermercado ou em programas baratos de televisão, e mesmo o trabalho de artistas de relativo prestígio, como Pierre Auguste Renoir, suscita críticas zombeteiras quando é mostrado em uma exposição campeã de bilheteria num museu. O valor da arte é amplamente desvinculado da estética: uma obra de arte inestimável perde todo o valor caso se descubra que se trata de uma falsificação; latas de sopa e tiras de história em quadrinhos transformam-se em grande arte quando o mundo das artes assim o decreta e a partir daí atingem preços conspicuamente perdulários. Obras modernas e pós-modernas destinam-se não a dar prazer mas a confirmar ou refutar as teorias de uma guilda de críticos e analistas, a *épater la bourgeoisie* ou a desnortear os que estão por fora.

A afirmação banal de que a psicologia das artes é, em parte, a psicologia do status tem sido repetidamente salientada, não só por cínicos e bárbaros, mas por comentaristas sociais eruditos como Quentin Bell e Tom Wolfe. Porém, na universidade moderna, ela não é mencionada; de fato, é assunto proibido. Acadêmicos e intelectuais são abutres da cultura. Numa reunião da elite atual, é perfeitamente aceitável rir porque você passou raspando em Introdução à Fisiologia e em Física Introdutória na Faculdade de Belas-Artes

547

e tem permanecido ignorante das ciências desde então, apesar da óbvia importância da alfabetização científica para as escolhas bem fundamentadas sobre saúde pessoal e políticas públicas. Mas dizer que nunca ouviu falar em James Joyce ou que você tentou ouvir Mozart uma vez mas prefere Andrew Lloyd Weber é tão chocante quanto assoar o nariz na manga da camisa ou declarar que você emprega crianças em sua fábrica, apesar de suas preferências nas horas de lazer obviamente *não* terem a mínima importância para praticamente coisa nenhuma. A fusão, na mente das pessoas, de arte, status e virtude é uma extensão do princípio da moralidade indumentária de Bell que vimos no capítulo 7: as pessoas veem dignidade nos sinais de uma existência honrosamente fútil, longe de todas as necessidades desprezíveis.

Menciono esses fatos não para desacreditar as artes, mas para esclarecer meu tema. Quero que você examine a psicologia das artes (e, posteriormente, do humor e da religião) com os olhos desinteressados de um biólogo alienígena tentando entender a espécie humana em vez de como um membro da espécie com interesse no modo como as artes são retratadas. *Obviamente* obtemos prazer e nos iluminamos ao contemplar os produtos das artes, e nem tudo deriva do orgulho em compartilhar as preferências do *beautiful people*. Mas, para entender a psicologia das artes que permanece quando subtraímos a psicologia do status, temos de deixar de fora nosso pavor de ser confundidos com o tipo de pessoa que prefere Andrew Lloyd Weber a Mozart. Precisamos começar com canções folclóricas, *pulp fiction* e pintura em veludo preto, e não com Mahler, Eliot e Kandinsky. E isso *não* significa compensar nossa descida apresentando o tema humilde sob um disfarce de "teoria" pernóstica (uma análise semiótica de *Charlie Brown*, uma exegese psicanalítica de Archie Bunker, uma dissecação da *Vogue*). Significa fazer uma simples pergunta: o que existe na mente que leva as pessoas a sentir prazer com formas, cores, sons, piadas, histórias e mitos?

Essa questão talvez seja possível responder, enquanto as questões sobre a arte em geral não são. As teorias da arte contêm as sementes de sua própria destruição. Em uma época na qual qualquer joão-ninguém pode comprar CDs, quadros e romances, os artistas fazem carreira encontrando meios de evitar o trivial, de desafiar preferências cediças, de diferenciar conhecedores de diletantes e de escarnecer da sabedoria corrente quanto ao que é a arte (portanto, das infrutíferas tentativas de definir a arte ao longo das décadas). Qualquer discussão que não reconheça essa dinâmica está fadada à esterilidade. Nunca será capaz de explicar por que a música agrada ao ouvido, uma vez que a "música" será definida de modo a abranger o jazz atonal, as composições cromáticas e outros exercícios intelectuais. Jamais entenderá as gargalhadas obscenas e as caçoadas amigáveis que são tão importantes na vida das pessoas porque definirá humor como a maliciosa agudeza de Oscar Wilde. A excelência e a *avant-garde* foram concebidas para o gosto sofisticado, um produto de anos de imersão em um gênero e da familiaridade com suas convenções e clichês. Dependem de finura e sutileza e de misteriosas alusões e exibições de virtuosismo. Por mais fascinantes e dignas de nosso apoio que sejam, elas tendem a obscurecer a psicologia da estética e não a elucidá-la.

Outra razão de a psicologia das artes ser obscura é as artes não serem adaptativas no sentido biológico da palavra. Examinamos neste livro o design adaptativo dos principais componentes da mente, mas isso não significa que na minha opinião tudo o que a mente faz é biologicamente adaptativo. A mente é um computador neural, equipado pela seleção natural com algoritmos combinatórios para o raciocínio causal e probabilístico sobre plantas, animais, objetos e pessoas. Ela é governada por estados de objetivos que favoreceram a aptidão biológica em meios ancestrais, como por exemplo alimento, sexo, segurança, paternidade, amizade, status e conhecimento. Essa caixa de ferramentas, porém, pode ser usada para executar projetos de domingo à tarde de duvidoso valor adaptativo.

Algumas partes da mente registram a obtenção de incrementos de aptidão dando-nos uma sensação de prazer. Outras partes empregam um conhecimento de causa e efeito para atingir objetivos. Reúna-as e você terá uma mente que está à altura de um desafio biologicamente sem sentido: descobrir como chegar aos circuitos de prazer do cérebro e aplicar diminutos choques de prazer sem a inconveniência de arrancar do mundo cruel genuínos incrementos de aptidão. Quando se dá a um rato o acesso a uma alavanca que envia impulsos elétricos a um elétrodo implantado em seu feixe prosencefálico medial, ele aciona a alavanca freneticamente até cair de exaustão, deixando de lado oportunidades de comer, beber e ter relações sexuais. As pessoas não se submetem a uma neurocirurgia eletiva para implantar eletrodos em seus centros de prazer, mas descobriram modos de estimulá-los por outros meios. Um exemplo óbvio são as drogas recreativas, que penetram nas junções químicas dos circuitos de prazer.

Outra rota para os circuitos de prazer são os sentidos, que estimulam os circuitos quando se encontram em meios que teriam conduzido à aptidão em gerações passadas. Evidentemente, um meio que favorece a aptidão não pode anunciar-se de modo direto. Ele emite padrões de sons, visões, odores, gostos e sensações táteis que os sentidos foram projetados para registrar. Ora, se as faculdades intelectuais pudessem identificar os padrões fornecedores de prazer, purificá-los e concentrá-los, o cérebro poderia estimular-se sem os inconvenientes de eletrodos ou drogas. Poderia conceder-se intensas doses artificiais das visões, sons e odores que comumente são transmitidos por ambientes salutares. Gostamos de *cheesecake* de morango, mas não porque evoluiu em nós o gosto por essa sobremesa. Evoluíram circuitos que nos fornecem gotas de prazer com o gosto adocicado de fruta madura, a sensação cremosa das gorduras e óleos de nozes e carne, a frescura da água doce. O *cheesecake* dá um golpe nos sentidos como só ele consegue fazer no mundo natural, pois é uma mistura de megadoses de estímulos prazerosos que inventamos com a finalidade expressa de acionar nossos botões de prazer. A pornografia é outra tecnologia de prazer. Neste capítulo, procurarei mostrar que uma terceira tecnologia desse tipo é a arte.

Há um outro modo como o design da mente pode produzir atividades fascinantes mas sem funções biológicas. O intelecto evoluiu para vencer as defesas das coisas no mundo natural e social. Ele se compõe de módulos para raciocinar sobre como funcionam objetos, artefatos, seres vivos, animais e outras mentes humanas (capítulo 5). Existem no universo outros problemas além desses: de onde veio o universo, como a carne física pode originar mentes sensíveis, por que coisas ruins acontecem a pessoas boas, o que acontece com nossos pensamentos e sentimentos quando morremos. A mente pode fazer essas indagações mas talvez não seja equipada para respondê-las, mesmo se as questões tiverem resposta. Uma vez que a mente é um produto da seleção natural, ela não deveria possuir uma capacidade milagrosa de comungar com todas as verdades; deveria ter a mera capacidade de resolver problemas que são suficientemente semelhantes aos mundanos desafios de sobrevivência de nossos ancestrais. Como diz o ditado, se você der um martelo a um menino, o mundo inteiro torna-se um prego. Se você der a uma espécie uma compreensão elementar de mecânica, biologia e psicologia, o mundo inteiro torna-se uma máquina, uma selva e uma sociedade. Eu diria que a religião e a filosofia são, em parte, a aplicação de ferramentas mentais a problemas que não fomos projetados para resolver.

Alguns leitores podem surpreender-se ao ver que, após sete capítulos fazendo a engenharia reversa das principais partes da mente, concluirei afirmando que algumas das atividades que consideramos mais profundas são subprodutos não adaptativos. Contudo, ambos os tipos de argumento assentam-se em uma única base, os critérios para a adaptação biológica. Pela mesma razão que é errado considerar a linguagem, a visão estéreo e as emoções meros acidentes evolutivos — ou seja, seu design universal, complexo, de desenvolvimento confiável, bem projetado e promotor da evolução —, é errado inventar funções para atividades desprovidas desse design meramente porque desejamos enobrecê-las com o *imprimatur* da adaptação biológica. Muitos escritores afirmaram que a "função" das artes é unir a comunidade, ajudar-nos a ver o mundo de novas maneiras, proporcionar-nos um senso de harmonia com o cosmo, permitir-nos vivenciar o sublime etc. Todas essas asserções são verdadeiras, porém nenhuma diz respeito à adaptação no sentido técnico que organizou este livro: um mecanismo que produz efeitos que teriam aumentado o número de cópias dos genes construtores desse mecanismo no meio em que evoluímos. Alguns dos aspectos das artes, a meu ver, têm realmente funções nesse sentido, mas a maioria não tem.

ARTES E ENTRETENIMENTO

As artes visuais são um exemplo perfeito de uma tecnologia projetada para violar as travas que salvaguardam nossos botões de prazer e acionar esses botões em várias combinações. Lembre-se de que a visão resolve o insolúvel problema de recuperar uma descrição do mundo a partir de sua projeção na retina fazendo hipóteses sobre como o mundo é montado, como por exemplo um sombreado fosco uniforme, superfícies coesas e alinhamentos imprecisos. Ilusões de ótica — não só as de caixas de cereal, mas aquelas que usam a vidraça de Leonardo, como pinturas, fotografias, filmes de cinema e televisão — astutamente violam essas hipóteses e emitem padrões de luz que logram o sistema visual fazendo-o ver cenas que não estão ali. Essa é a quebra da trava. Os botões de prazer são o conteúdo das ilusões. As fotografias e pinturas usuais (lembre-se: pense em "quarto de hotel barato" e não em "Museu de Arte Moderna") retratam plantas, animais, paisagens e pessoas. Em capítulos anteriores, vimos como a geometria da beleza é o sinal visível de objetos valiosos para a adaptação: hábitats seguros, ricos em alimentos, exploráveis, possíveis de conhecer e parceiros sexuais e bebês férteis e saudáveis.

É menos óbvia a razão de sentirmos prazer com a arte abstrata: os zigue-zagues, xadrezados, sarjados, bolinhas, paralelas, círculos, quadrados, estrelas, espirais e salpicos de cor com que as pessoas decoram seus objetos e corpos no mundo inteiro. Não pode ser coincidência o fato de exatamente esses tipos de padrões terem sido apontados por nossos estudiosos da visão como as características do mundo que nossos analisadores perceptivos enfocam quando procuram entender as superfícies e objetos no mundo (ver capítulo 4). Linhas retas, linhas paralelas, curvas regulares e ângulos retos são algumas das propriedades não acidentais que o sistema visual procura detectar porque constituem pistas sobre partes do mundo que contêm objetos sólidos ou que foram moldadas pelo movimento, tensão, gravidade e coesão.

Uma faixa do campo visual salpicada de repetições de um padrão geralmente provém de uma única superfície no mundo, como um tronco de árvore, um campo, uma face de rocha ou uma massa d'água. Uma fronteira rígida entre duas regiões em geral se origina de uma superfície obstruindo outra. A simetria bilateral quase sempre provém de animais, partes de plantas ou artefatos humanos.

Outros padrões que consideramos bonitos ajudam-nos a reconhecer objetos devido às suas formas tridimensionais. Ajustam-se referenciais a formas alongadas e delimitadas, a formas simétricas e a formas com bordas paralelas ou quase paralelas. Uma vez ajustadas, essas formas são mentalmente esculpidas em géons (cones, cubos e cilindros) antes de serem comparadas com o que há na memória.

Todas as características geométricas ótimas para a análise visual que mencionei nos dois últimos parágrafos são muito usadas nas decorações visuais. Mas como explicar a coincidência? Por que a matéria-prima ótima para o processamento visual é bonita de se olhar?

Primeiro, parece que sentimos prazer ao olhar para versões purificadas, concentradas dos padrões geométricos que, em formas diluídas, nos proporcionam pontadinhas de microssatisfação quando nos orientamos para meios informativos e sintonizamos nossa visão para que ela nos forneça uma imagem clara desses padrões. Pense em como você fica incomodado quando um filme está fora de foco e no alívio que sente quando o projetista acorda e ajusta as lentes. A imagem imprecisa assemelha-se à sua imagem retiniana quando você não está ajustando adequadamente o cristalino de seu olho. A insatisfação é o ímpeto para ajustar; a satisfação avisa quando você conseguiu. Imagens brilhantes, nítidas, contrastantes, sem mistura de cores, venham elas de um televisor caro ou de uma pintura colorida, podem magnificar o estalinho de prazer que sentimos quando ajustamos adequadamente nossos olhos.

E é frustrante, até mesmo assustador, contemplar uma cena em condições de visão ruins — muito distante, à noite, ou através de neblina, água, folhagem — e não conseguir entender patavina daquilo, não saber, por exemplo, se determinada coisa é um buraco ou uma saliência ou se uma superfície termina e outra começa. Um quadro que seja nitidamente dividido em formas sólidas e fundos contínuos pode magnificar a redução de ansiedade que sentimos quando encontramos condições de visão que decifrem o campo visual em superfícies e objetos inconfundíveis.

Finalmente, consideramos algumas partes do mundo vistosas e outras monótonas conforme elas transmitam informações sobre objetos e forças improváveis, ricos em informações, significativos. Imagine que você retira com uma colher toda a cena que vê diante de si, coloca tudo num liquidificador gigante, aperta o botão LIQUEFAZER e depois despeja o conteúdo à sua frente. A cena não contém mais nenhum objeto interessante. Quaisquer comidas, predadores, abrigos, esconderijos, pontos de observação, utensílios e matérias-primas foram moídos até virar lodo. E com o que isso se parece? Não há linhas, formas, simetrias nem repetições. É marrom, exatamente a cor que você, quando criança, obtinha ao misturar todas as suas tintas. Não há nada para olhar ali porque não existe nada ali. Esse experimento mental mostra que a monotonia provém de um meio que nada tem a oferecer, e seu oposto, a excitação visual, decorre de um meio que contém objetos aos quais vale a pena prestar atenção. Portanto, somos projetados para sentir insatisfação ante cenas áridas e indistintas e para nos sentir atraídos por cenas coloridas que apresentem padrões. Acionamos o botão do prazer com cores artificiais vívidas e padrões.

A música é um enigma. Em *Muito barulho por nada*, Benedick pergunta: "Não é estranho que tripas de ovelhas possam compelir as almas em corpos de homens?". Em todas as culturas, determinados sons rítmicos proporcionam aos ouvintes intenso prazer e emoções profundas. Que benefício poderia haver em gastar tempo e energia produzindo ruídos plangentes ou em sentir-se triste quando ninguém morreu? Muitas foram as sugestões apresentadas — a música une o grupo social, coordena a ação, realça o ritual, libera tensões —, mas elas simplesmente contornam o enigma em vez de explicá-lo. *Por que* canções rítmicas unem o grupo, dissipam a tensão etc.? No que respeita a causa e o efeito biológicos, a música é inútil. Não há nada que indique um design para se atingir um objetivo como vida longa, netos, percepção e previsão acuradas do mundo. Comparada à linguagem, visão, raciocínio social e know-how físico, a música poderia desaparecer de nossa espécie e o resto de nosso estilo de vida permaneceria praticamente inalterado. A música parece ser uma pura tecnologia de prazer, um coquetel de drogas recreativas que ingerimos pelo ouvido a fim de estimular de uma só vez toda uma massa de circuitos de prazer.

"A música é a linguagem universal", diz o clichê, mas isso é enganoso. Qualquer um que sobreviveu à febre da música indiana raga depois de George Harrison tê-la transformado em moda na década de 60 tem noção de que os estilos musicais variam de uma cultura para outra e de que as pessoas apreciam mais o estilo com o qual cresceram. (Durante o Concerto para Bangladesh, Harrison ficou vexadíssimo quando a plateia aplaudiu Ravi Shankar depois da afinação de sua cítara.) O refinamento musical também varia entre os povos, culturas e períodos históricos de maneiras não encontradas quando se examina a linguagem. Todas as crianças neurologicamente normais falam e entendem uma língua complexa, e a complexidade dos vernáculos falados varia pouco entre as culturas e os períodos. Em contraste, embora todo mundo goste de ouvir música, muitas pessoas não são capazes de cantar com afinação, menos gente ainda sabe tocar algum instrumento e os que sabem necessitam de treinamento especial e muita prática. A complexidade dos estilos musicais varia bastante conforme a época, as culturas e as subculturas. E a música nada comunica além de emoção sem forma. Mesmo uma trama simples como "rapaz conhece a garota, rapaz perde a garota" não pode ser narrada por uma sequência de tons em nenhum idioma musical. Tudo isso indica que a música é bem diferente da linguagem e que ela é uma tecnologia, não uma adaptação.

Mas existem *alguns* paralelos. Como veremos, a música pode tomar de empréstimo uma parte do software mental empregado na linguagem. E, assim como as línguas do mundo são regidas por uma Gramática Universal abstrata, os estilos musicais são regidos por uma Gramática Musical Universal. Essa ideia foi aventada pela primeira vez pelo compositor e maestro Leonard Bernstein em *The unanswered question*, uma exaltada tentativa de aplicar à música as ideias de Noam Chomsky. A mais rica teoria sobre a gramática musical universal foi elaborada por Ray Jackendoff em colaboração com o teórico musical Fred Lerdahl, incorporando as ideias de muitos musicólogos seus antecessores, em especial Heinrich Schenker. Segundo essa teoria, a música é construída a partir de um estoque de notas e um conjunto de regras. As regras arranjam as notas em uma sequência e as organizam em três estruturas hierárquicas, todas sobrepostas à mesma série de notas. Entender uma composição musical significa montar essas estruturas mentais à medida que ouvimos a composição.

Os blocos de montar de um estilo musical são seu estoque de notas — aproximadamente, os diferentes sons que um instrumento musical é projetado para emitir. As notas são tocadas e ouvidas como eventos separados, com começos e fins e uma altura ou timbre almejado. Isso diferencia a música da maioria das demais séries de sons, que deslizam continuamente para cima e para baixo, como o uivo do vento, o ronco de um motor, a entonação da fala. As notas distinguem-se pelo quanto parecem estáveis ao ouvinte. Algumas dão a sensação de finalidade ou resolução, prestando-se a concluir uma composição. Outras parecem instáveis e, ao serem tocadas, o ouvinte sente uma tensão que se dissipa quando a composição retorna a uma nota mais estável. Em alguns estilos musicais, as notas são toques de tambor com timbres (coloridos ou qualidades) diferentes. Em outras, as notas são tons organizados de agudos a graves mas não tocados em intervalos precisos. Mas, em muitos estilos, as notas são sons com uma altura determinada: denominamos as nossas "do, ré, mi..." ou "C, D, E...". O significado musical de um tom não pode ser definido em termos absolutos, apenas por um intervalo entre ele e um tom de referência, em geral o mais estável no conjunto.

O senso de tom dos humanos é determinado pela frequência de vibração do som. Na maioria das formas de música tonal, as notas do estoque relacionam-se com as frequências de vibração de um modo direto. Quando um objeto é posto em vibração contínua (uma corda é tocada, um objeto oco é percutido, uma coluna de ar reverbera), o objeto vibra simultaneamente em várias frequências. A frequência mais baixa e em geral mais acentuada — a fundamental — normalmente determina o tom que ouvimos, mas o objeto também vibra em uma frequência que é o dobro da fundamental (porém tipicamente não com tanta intensidade), em outra que é o triplo da fundamental (ainda menos intensamente), o quádruplo (menos intensamente ainda) e assim por diante. Essas vibrações denominam-se harmônicos. Elas não são percebidas como tons distintos do tom fundamental, porém quando são todas ouvidas juntas fornecem a uma nota sua riqueza ou timbre.

Mas agora imagine-se desmontando um tom complexo e tocando cada um dos harmônicos separadamente e no mesmo volume. Digamos que a frequência fundamental seja de 64 vibrações por segundo, o segundo dó abaixo do dó central no piano. O primeiro harmônico é uma vibração em 128 ciclos por segundo, duas vezes a frequência do fundamental. Tocado isoladamente, ele soa mais alto do que o fundamental, porém no mesmo tom; no piano, corresponde ao dó seguinte subindo no teclado, o dó abaixo do dó central. O intervalo entre essas duas notas denomina-se oitava, e todas as pessoas — na verdade, todos os mamíferos — percebem sons separados por uma oitava como possuidores da mesma qualidade de tom. O segundo harmônico vibra com uma frequência que é o triplo da do fundamental, 192 vezes por segundo, e corresponde ao sol abaixo do dó central; o intervalo entre esses tons denomina-se quinta perfeita. O terceiro harmônico, quatro vezes a frequência do fundamental (256 vibrações por segundo), está duas oitavas acima, o dó central. O quarto harmônico, cinco vezes a frequência do fundamental (320 vibrações por segundo), é o mi acima do dó central, separado deste por um intervalo chamado terça maior.

Esses três tons são o cerne do estoque de tons na música ocidental e em muitos outros estilos. A nota mais grave e mais estável, o dó em nosso exemplo, denomina-se tônica, e a maioria das melodias tende a retornar a ela e terminar com ela, proporcionando ao ouvinte uma sensação de repouso. A quinta perfeita ou nota sol é chamada dominante, e as melodias tendem a mover-se em sua direção e ali fazer uma pausa em trechos intermediários da melodia. A terça maior, ou nota mi, em muitos casos (porém não todos) dá uma sensação de vivacidade, prazer ou alegria. Por exemplo, a abertura de "Rock around the clock", de Bill Halley, começa com a tônica (*One o'clock, two o'clock, three o'clock, rock*), continua com a terça maior (*Four o'clock, five o'clock, six o'clock, rock*), vai para a dominante (*Seven o'clock, eight o'clock, nine o'clock, rock*) e aí permanece por várias batidas antes de lançar--se nos versos principais, cada qual terminando na tônica.

Estoques de tons mais complexos são completados adicionando-se notas à tônica e à dominante, frequentemente correspondendo em tom aos harmônicos cada vez mais agudos (e cada vez mais suaves) de uma vibração complexa. O sétimo harmônico de nossa nota de referência (448 vibrações por segundo) é próximo do lá central (mas, por motivos complexos, não exatamente nele). O nono (576 vibrações por segundo) é o ré na oitava acima do dó central. Ponha os cinco tons juntos na mesma oitava e você terá a escala de cinco tons, ou pentatônica, comum em sistemas musicais do mundo inteiro. (Pelo menos, essa é uma explicação muito comum da origem das escalas musicais; nem todo mundo concorda.) Adicione os tons dos dois harmônicos distintos seguintes (fá e si) e você terá a escala de sete tons, ou diatônica, que forma o cerne de toda a música ocidental, de Mozart às canções folclóricas, do punk rock a quase todo o jazz. Com harmônicos adicionais você obtém a escala cromática, todas as teclas brancas e pretas do piano. Até mesmo a esotérica música-arte do século xx, incompreensível para os não iniciados, tende a aferrar-se às notas da escala cromática em vez de usar coleções arbitrárias de frequências. Além da sensação de que a maioria das notas "quer" retornar à tônica (dó), existem outras tensões entre as notas. Por exemplo, em muitos contextos musicais, si quer subir para dó, fá quer ser puxado até mi e lá quer ir para sol.

Os estoques de tons também podem conter notas que acrescentam um colorido emocional. Na escala de dó maior, se o mi é diminuído em meio--tom para mi bemol, formando um intervalo em relação a dó denominado terça menor, então em comparação com seu equivalente maior a tendência é evocar uma sensação de tristeza, dor ou *pathos*. A sétima menor é mais uma "nota triste", que evoca uma suave melancolia ou pesar. Outros intervalos transmitem sentimentos que foram descritos como de estoicismo, ânsia, necessidade, dignidade, dissonância, triunfo, horror, defeito e determinação. Esses sentimentos são evocados tanto quando as notas são tocadas em uma sucessão como parte de uma melodia como quando elas são tocadas simultaneamente como parte de um acorde ou harmonia. As conotações emocionais dos intervalos musicais não são exatamente universais, pois as pessoas precisam ter familiaridade com um estilo para senti-las, mas elas também não são arbitrárias. Bebês de quatro meses de vida já preferem música com intervalos consonantes, como uma terça maior, à música com intervalos dissonantes, como uma segunda menor. E, para aprender os coloridos emocionais mais complexos da música, as pessoas não precisam de um condicionamento pavloviano, digamos, ouvindo os intervalos associados a letras alegres ou melancólicas ou ouvindo-os enquanto estiverem num estado de espírito alegre ou melancólico. A pessoa precisa meramente ouvir melodias em determinado estilo ao longo do tempo, absorvendo os padrões e contrastes entre os intervalos, e as conotações emocionais desenvolvem-se automaticamente.

Esses são os tons; como eles são encadeados para formar melodias? Jackendoff e Lerdahl mostram como as melodias formam-se por sequências de tons que são organizados de três modos diferentes, todos ao mesmo tempo. Cada padrão de organização é captado por uma representação mental. Vejamos a abertura de "This land is your land", de Woody Guthrie:

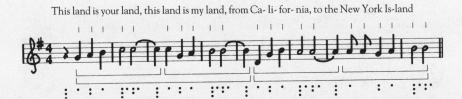

A primeira representação denomina-se estrutura de agrupamento. O ouvinte sente que grupos de notas mantêm-se juntos em motivos que, por sua vez, agrupam-se em frases, as quais se agrupam em linhas ou seções, que se agrupam em estrofes, movimentos e composições. Essa árvore hierárquica assemelha-se à estrutura de frases da sentença e, quando a música tem letra, as duas alinham-se parcialmente. A estrutura de agrupamento é mostrada aqui pelos colchetes embaixo da música. Os fragmentos de melodia em "*This land is your land*" e em "*this land is my land*" são os pedaços menores. Quando os juntamos, eles formam um pedaço maior. Esse pedaço maior junta-se ao pedaço combinado em "*from California to the New York Island*", formando um pedaço ainda maior e assim por diante.

A segunda representação é uma estrutura métrica, a sequência repetida de batidas fortes e fracas que contamos como "um-dois-três-quatro, um-dois-três-quatro". O padrão geral é resumido em notação musical como a indicação de compasso, como por exemplo 4/4, e as principais fronteiras da própria estrutura são demarcadas pelas linhas verticais que separam a música em compassos. Cada compasso contém quatro batidas, alocadas entre as diferentes notas, com a primeira batida ganhando a maior ênfase, a terceira, uma ênfase intermediária e a segunda e a quarta permanecendo fracas. A estrutura métrica desse exemplo é ilustrada pelas colunas de pontos sob as notas. Cada coluna corresponde a um tique do metrônomo. Quanto mais pontos há em uma coluna, mais forte a ênfase nessa nota.

A terceira representação é uma estrutura redutora. Ela disseca a melodia em partes essenciais e ornamentos. Os ornamentos são extirpados e as partes essenciais dissecadas novamente em partes *ainda mais* essenciais e ornamentos. A redução prossegue até a melodia ser reduzida a um mero esqueleto com algumas notas proeminentes. Eis "This land" reduzida primeiro a meios-tons, depois a quatro tons inteiros e, em seguida, a apenas dois tons inteiros.

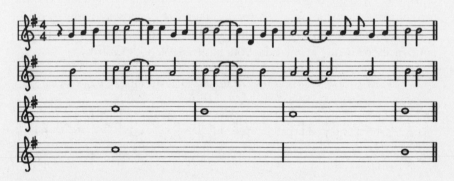

Toda a passagem é basicamente um modo enfeitado de passar de dó a si. Ouvimos a estrutura redutora de uma melodia nos acordes da guitarra de acompanhamento. Também a ouvimos quando o conjunto que acompanha um dançarino de sapateado toca uma das estrofes com pausa, tocando uma só nota no lugar de toda uma linha da música para facilitar que se ouça o sapateado. E a percebemos quando reconhecemos variações de uma composição em música clássica ou jazz. O esqueleto da melodia é conservado enquanto os ornamentos diferem de uma variação para outra.

Jackendoff e Lerdahl sugerem que, na verdade, existem *dois* modos de se dissecarem as melodias em esqueletos cada vez mais simples. Mostrei a você o primeiro modo, a redução a intervalos de tempo, que se alinha às estruturas de agrupamento e métrica e designa alguns dos grupos e batidas como ornamentos para outros. Jackendoff e Lerdahl denominam o segundo modo redução de prolongamento. Ele capta o senso de fluxo musical através das frases, o acúmulo e a liberação de tensão em passagens cada vez mais longas no decorrer da composição, culminando em uma sensação de máximo repouso no final. A tensão acumula-se à medida que a melodia se afasta das notas mais estáveis na direção das menos estáveis e é descarregada quando a melodia retorna às notas estáveis. Os contornos de tensão e liberação também se definem por mudanças de acordes dissonantes para consonantes, de notas não acentuadas para notas acentuadas, de notas mais agudas para notas mais graves e de notas prolongadas para não prolongadas.

O musicólogo Deryck Cooke elaborou uma teoria da semântica emocional da redução de prolongamento. Demonstrou que a música transmite tensão e resolução com transições através de intervalos instáveis e estáveis e que transmite alegria e tristeza com transições através de intervalos maiores e menores. Motivos simples de apenas quatro ou cinco notas, observou Cooke, transmitem sentimentos como "prazer inocente, abençoado", "horror demoníaco", "anseio prazeroso contínuo" e "uma explosão de angústia". Trechos mais longos e passagens com motivos dentro de motivos podem transmitir padrões de sentimento intricados. Uma passagem, analisada por Cooke, expressa "o sentimento de uma explosão arrebatada de dolorosa emoção, que não continua a protestar, recaindo na aceitação — um fluxo e refluxo de pesar. Não sendo inteiramente protesto nem inteiramente aceitação, produz o efeito de uma tristeza inquieta". Cooke corrobora sua análise com uma série de exemplos que têm uma interpretação consensual, muitos com letras que reforçam a comprovação. Alguns musicólogos escarnecem de teorias como as de Cooke, encontrando contraexemplos para cada afirmação. Mas as exceções tendem a provir de refinadas músicas clássicas, que usam versos entremeados, engastados e ambíguos para contestar expectativas simples e cativar o ouvinte requintado. A análise específica de Cooke pode ser discutível, mas sua ideia básica de que existem conexões regidas por leis entre padrões de intervalos e padrões de emoções claramente está no caminho certo.

Eis, pois, o design básico da música. Mas, se a música não proporciona uma vantagem para a sobrevivência, de onde ela vem e por que funciona? Desconfio que a música seja um *cheesecake* auditivo, uma primorosa iguaria elaborada para deliciar os locais sensíveis de pelo menos seis das nossas faculdades mentais. Uma composição típica delicia-os todos de uma vez, mas podemos perceber os ingredientes em vários tipos de "não exatamente música" que deixam de fora um ou mais sentidos.

1. Linguagem. Podemos pôr letra na música, e fazemos careta quando um compositor preguiçoso alinha uma sílaba tônica com uma nota não acentuada ou vice-versa. Isso indica que a música toma emprestada da linguagem uma parte de seu mecanismo mental — em especial, da prosódia, os

contornos de som que abrangem muitas sílabas. A estrutura métrica de batidas fortes e fracas, o contorno modulador de tom ascendente e descendente e o agrupamento hierárquico de frases dentro de frases funcionam, todos, de modos semelhantes na linguagem e na música. Esse paralelo pode explicar a intuição de que uma composição musical transmite uma mensagem complexa, de que faz afirmações introduzindo tópicos e comentando-os e de que enfatiza algumas partes e sussurra outras como se fossem digressões. A música foi descrita como "fala realçada", e de fato pode converter-se gradualmente em fala. Alguns cantores passam gradativamente a "falar no tom" em vez de prosseguir na melodia, como Bob Dylan, Lou Reed e Rex Harrison em *My fair lady*. O que eles cantam parece um meio-termo entre um bom contador de anedotas e um cantor sem ouvido musical. A música rap, a fervorosa oratória dos pregadores e a poesia são outras formas intermediárias.

2. Análise da cena auditiva. Assim como o olho recebe um mosaico desordenado de retalhos e precisa separar as superfícies dos panos de fundo, o ouvido recebe uma desordenada cacofonia de frequências e precisa separar os fluxos de som provenientes de diferentes fontes — o solista de uma orquestra, uma voz em uma sala barulhenta, um chamado de animal em uma floresta chilreante, um vento uivante entre o farfalhar das folhas. A percepção auditiva é uma acústica invertida: o input é uma onda sonora, o output é uma especificação dos emissores de som no mundo que o originaram. O psicólogo Albert Bregman descobriu os princípios da análise da cena auditiva e mostrou como o cérebro reúne em sucessão as notas de uma melodia como se ela fosse um fluxo de som proveniente de uma única fonte emissora.

Um dos truques do cérebro quando identifica os emissores de sons no mundo é atentar para as relações harmônicas. O ouvido interno disseca um clangor em suas frequências componentes, e o cérebro torna a reunir alguns dos componentes, percebendo-os como um tom complexo. Componentes que guardam relações harmônicas — um componente com determinada frequência, outro com o dobro daquela frequência, outro ainda com o triplo e assim por diante — são agrupados e percebidos como um único tom em vez de como tons separados. Presumivelmente, o cérebro os reúne para fazer nossa percepção do som refletir a realidade. Sons simultâneos em relações harmônicas, supõe o cérebro, são provavelmente os harmônicos de um som único proveniente de um único emissor de som no mundo. Essa é uma boa hipótese, pois muitos ressoadores, como cordas ao serem dedilhadas, corpos ocos percutidos e animais quando fazem um chamado, emitem sons compostos de muitos harmônicos.

O que isso tem a ver com melodia? As melodias tonais às vezes são consideradas "harmônicos seriados". Compor uma melodia é como fatiar um som harmônico complexo em seus sons parciais e dispô-los em sucessão específica. Talvez as melodias agradem ao ouvido pela mesma razão que rabiscos simétricos, regulares, paralelos ou repetitivos agradam ao olho. Elas magnificam a experiência de estar em um meio que contém sinais fortes, claros e analisáveis provenientes de objetos potentes e interessantes. Um meio visual que não pode ser visto com nitidez ou que se componha de um lodo homogêneo parece um mar pardo ou cinza indistinto. Um meio auditivo que não pode ser ouvido com nitidez ou que se componha de ruídos homogêneos parece um fluxo indistinto de estática de rádio. Quando ouvimos sons harmonicamente relacionados, nosso sistema auditivo fica satisfeito porque supõe ter esculpido com êxito o mundo auditivo em partes que pertencem a objetos importantes no mundo, ou seja, emissores de sons ressoantes como pessoas, animais e objetos ocos.

Prosseguindo nessa linha de raciocínio, poderíamos observar que as notas mais estáveis em uma escala correspondem aos harmônicos mais graves e tipicamente mais pronunciados que provêm de um único emissor de som e podem seguramente ser agrupados com a frequência fundamental do emissor, a nota de referência. As notas menos estáveis correspondem aos harmônicos mais agudos e tipicamente menos pronunciados e, embora *possam* ter provindo do mesmo emissor da nota de referência, essa suposição é menos certa. Analogamente, notas separadas por um intervalo maior certamente provêm de um único ressoador, mas notas separadas por um intervalo menor poderiam ser harmônicos muito agudos (e, portanto, fracos e incertos), *ou* poderiam provir de um emissor de som com uma forma complexa e material que não emite um tom nítido, *ou ainda* poderiam não provir de um único emissor. Talvez a ambiguidade da origem de um intervalo menor dê ao sistema auditivo uma sensação de indefinição que se traduz como tristeza em outras partes do cérebro. Sinos de vento e de igreja, apitos de trem, buzinas de carros e sirenes com trinado podem evocar uma reação emocional com apenas dois tons harmonicamente relacionados. Lembre-se de que algumas transições entre tons constituem o cerne de uma melodia; todo o resto são camadas sobre camadas de ornamentação.

3. Chamados emocionais. Darwin observou que os chamados de muitos pássaros e primatas compõem-se de notas distintas em relações harmônicas. Aventou que eles teriam evoluído por serem fáceis de reproduzir vezes sem conta. (Se Darwin tivesse vivido um século mais tarde, teria dito que as representações digitais são mais fáceis de repetir do que as analógicas.) Ele sugeriu, não muito plausivelmente, que a música humana desenvolveu-se a partir dos chamados de acasalamento de nossos ancestrais. Mas sua sugestão pode ter sentido se for ampliada para incluir todos os chamados emocionais.

Choramingar, gemer, gritar, chorar, resmungar, lamentar, rosnar, arrulhar, rir, uivar, ladrar, incitar com gritos e outras emissões de som possuem distintivos acústicos. Talvez as melodias evoquem emoções intensas porque seu esqueleto lembra gabaritos digitalizados dos chamados emocionais de nossa espécie. Quando as pessoas tentam descrever passagens de músicas em palavras, usam esses chamados emocionais como metáforas. Os músicos de soul misturam seu canto com grunhidos, gritos, resmungos e lamentos, e os cantores de músicas descabeladamente românticas e de música *country and western* empregam voz embargada, voz rouca, hesitações e outros tiques emocionais. A emoção artificial é um objetivo comum da arte e da recreação; examinarei as razões disso em uma seção posterior.

4. Seleção de hábitat. Atentamos para características do mundo visual que indiquem hábitats seguros, inseguros ou mutáveis, como por exemplo panoramas distantes, folhagens, aglomeração de nuvens e o pôr do sol (ver capítulo 6). Talvez também atentemos para características do mundo auditivo que indiquem hábitats seguros, inseguros ou mutáveis. Trovão, vento, água corrente, canto de pássaro, grunhidos, passadas, batidas de coração e estalidos de ramos produzem, todos, efeitos emocionais, presumivelmente porque são produzidos por eventos no mundo merecedores de atenção. Talvez algumas das figuras e ritmos no cerne de uma melodia sejam gabaritos simplificados de sons ambientais evocativos. No recurso denominado *tone painting* (coloração de tom), os compositores intencionalmente procuram evocar sons ambientais como trovão ou canto de pássaros em uma melodia.

Talvez um exemplo puro do imperativo emocional da música sejam as trilhas sonoras de filmes de cinema. Muitos filmes e programas de televisão realmente orquestram as emoções dos espectadores do começo ao fim com arranjos quase musicais. Esses arranjos não possuem ritmo, melodia ou agrupamento verdadeiros, mas podem jogar o espectador de um sentimento para outro: as escalas ascendentes até um clímax dos filmes mudos, os sons lúgubres de instrumentos de corda nas cenas piegas de filmes antigos em preto e branco (origem do sarcástico gesto de tocar violino que significa "você está tentando manipular minha compaixão"), o ominoso motivo de duas notas de *Tubarão*, os toques de pratos e bateria que marcam o suspense no seriado de televisão *Missão impossível*, a furiosa cacofonia durante cenas de luta e perseguição. Não está claro se essa pseudomúsica destila os contornos de sons ambientais, fala, apelos emocionais ou alguma combinação, mas ela inegavelmente é eficaz.

5. Controle motor. O ritmo é o componente universal da música e, em muitos estilos, é o componente principal ou único. As pessoas dançam, meneiam a cabeça, sacodem-se, balançam-se, marcham, batem palmas e

estalam os dedos acompanhando músicas, e esse é um forte indício de que a música utiliza-se do sistema de controle motor. Ações repetitivas como andar, correr, cortar lenha, raspar e cavar possuem um ritmo ótimo (em geral, um padrão ótimo de ritmos dentro de ritmos), determinado pelas resistências do corpo e das ferramentas ou superfícies com que se trabalha. Um bom exemplo é empurrar uma criança num balanço. Um padrão rítmico constante é um modo ótimo de marcar o tempo desses movimentos, e sentimos um prazer moderado por conseguir mantê-lo, que em inglês os atletas chamam *getting in a groove* [entrar num sulco, ou trilha habitual] ou *feeling the flow* [sentir o fluxo]. A música e a dança podem ser uma dose concentrada desse estímulo ao prazer. O controle muscular também abrange sequências de tensão e relaxamento (por exemplo, ao saltar ou golpear), ações praticadas com urgência, entusiasmo ou lassidão e posturas corporais eretas ou curvadas que refletem confiança, submissão ou depressão. Vários teóricos musicais de orientação psicológica, inclusive Jackendoff, Manfred Clynes e David Epstein, acreditam que a música recria componentes motivacionais e emocionais do movimento.

6. Alguma outra coisa. Uma coisa que explica como o todo é mais do que a soma das partes. Que explica por que observar um slide entrar em foco e sair de foco ou arrastar um arquivo escada acima não compele as almas em corpos de homens. Talvez uma ressonância no cérebro entre neurônios disparando em sincronia com uma onda sonora e uma oscilação natural nos circuitos emocionais? Um equivalente não utilizado no hemisfério direito das áreas da fala no esquerdo? Algum tipo de arco, vão livre, curto-circuito ou acoplamento que surgiu acidentalmente do modo como os circuitos para a audição, emoções, linguagem e movimento são acondicionados juntos no cérebro?

Essa análise da música é especulativa, mas complementa bem as discussões sobre as faculdades mentais do restante do livro. Eu as escolhi como temas porque elas têm os mais claros indícios de serem adaptações. Escolhi a música porque ela tem os mais claros indícios de não ser uma adaptação.

"O fato é que me sinto satisfeitíssimo num filme, mesmo um filme ruim. Outras pessoas, segundo li, guardam como um tesouro na lembrança momentos memoráveis de suas vidas." Pelo menos o narrador do romance *The moviegoer*, de Walker Percy, reconhece a diferença. As emissoras de televisão recebem correspondência de telespectadores de novelas com ameaças de morte para os personagens maus, conselhos para os amantes desprezados e sapatinhos para os bebês. Espectadores mexicanos celebrizaram-se por crivar de balas a tela do cinema. Atores queixam-se de que os fãs os confundem com seus personagens; Leonard Nimoy* escreveu um relato autobiográfico intitulado *I am not Spock* [Não sou Spock], depois capitulou e escreveu outro chamado *I am Spock* [Eu sou Spock]. Essas histórias engraçadas aparecem regularmente nos jornais, em geral para insinuar que as pessoas hoje em dia são trouxas que não conseguem distinguir fantasia de realidade. Desconfio que as pessoas não são exatamente tapeadas, e sim que estejam indo a extremos para intensificar o prazer que todos obtemos perdendo-nos na ficção. De onde vem esse ímpeto, encontrado em todos os povos?

Horácio escreveu que a finalidade da literatura é "deleitar e instruir", uma função novamente mencionada séculos mais tarde por John Dryden ao definir uma peça teatral como "uma imagem justa e vívida da natureza humana, representando suas paixões e humores e as mudanças da fortuna às quais ela está sujeita, para o deleite e instrução da humanidade". É útil distinguir o deleite, talvez produto de uma tecnologia inútil para apertar nossos botões de prazer, da instrução, talvez produto de uma adaptação cognitiva.

A tecnologia da ficção produz uma simulação de vida na qual uma plateia pode ingressar no conforto de sua caverna, sofá ou poltrona de sala de espetáculo. Palavras podem evocar imagens mentais, as quais podem ativar as partes do cérebro que registram o mundo quando realmente o percebemos. Outras tecnologias violam as suposições de nosso aparelho perceptivo e nos logram com ilusões que reproduzem parcialmente a experiência de ver e ouvir eventos reais. Elas incluem trajes, maquiagem, cenários, efeitos sonoros, cinematografia e animação. Talvez no futuro próximo possamos acrescentar a essa lista a realidade virtual e, em futuro mais distante, os produtores de sensações de *Admirável mundo novo*.

Quando as ilusões funcionam, não há mistério para a questão "Por que as pessoas apreciam a ficção?". Ela é idêntica à questão "Por que as pessoas apreciam a vida?". Quando nos absorvemos em um livro ou um filme, conseguimos ver paisagens maravilhosas, ter intimidade com gente importante, apaixonar-nos por homens e mulheres deslumbrantes, proteger pessoas amadas, atingir objetivos impossíveis e derrotar inimigos malvados. Bom negócio, dado o pouco que pagamos pela entrada do cinema ou pelo livro!

Evidentemente, nem todas as histórias têm final feliz. Por que pagaríamos essa quantia por uma simulação de vida que nos deixa tristes? Às vezes, como no caso dos filmes de arte, é para ganhar status por meio do machismo cultural. Suportamos bordoadas nas emoções para nos diferenciar dos grosseiros filisteus que, na verdade, vão ao cinema para se divertir. Às vezes, é o preço que pagamos para satisfazer dois desejos incompatíveis:

(*) Ator e diretor que representou o Sr. Spock no seriado "Jornada nas Estrelas". (N. R. T.)

histórias com final feliz e histórias com fim imprevisível, que mantêm a ilusão de um mundo real. Tem de haver algumas histórias nas quais o assassino realmente alcança a heroína no porão, ou nunca sentiríamos o suspense e o alívio nas histórias em que ela escapa. O economista Steven Landsburg observou que os finais felizes predominam quando nenhum diretor se dispõe a sacrificar a popularidade de seu filme pelo bem maior de mais suspense nos filmes em geral.

Mas então como podemos explicar os *tearjerkers*, filmes piegas destinados ao mercado de espectadores que *gostam* de ser logrados para ficar tristes? O psicólogo Paul Rozin classifica os *tearjerkers* junto com outros exemplos de masoquismo benigno como fumar, andar na montanha-russa, comer comidas apimentadíssimas, sentar-se em saunas. O masoquismo benigno, lembremos, é como o impulso de "testar os limites" dos pilotos de prova de Tom Wolfe. Ele expande a série de opções da vida testando, em pequenos incrementos, o quanto uma pessoa pode chegar à beira do desastre sem cair. Obviamente, a teoria seria vã se oferecesse uma explicação demasiado fácil para cada ato inexplicável e seria falsa se previsse que as pessoas pagariam para ter agulhas enfiadas debaixo das unhas. Mas a ideia é mais sutil. Os masoquistas benignos precisam estar confiantes de que nenhum mal grave os atingirá. Devem receber a dor ou o medo em incrementos ponderados. E precisam ter a oportunidade de controlar e mitigar o dano. A tecnologia dos *tearjerkers* parece prestar-se a isso. Os espectadores de um filme sabem o tempo todo que, ao saírem do cinema, encontrarão ilesos seus entes queridos. A heroína é liquidada por uma doença progressiva, não por um ataque cardíaco ou um pedaço de cachorro-quente entalado na garganta, e por isso podemos preparar nossas emoções para a tragédia. Basta que aceitemos a premissa abstrata de que a heroína morrerá; somos poupados de assistir aos detalhes desagradáveis. (Greta Garbo, Ali MacGraw e Debra Winger estavam lindas enquanto definhavam com tuberculose e câncer.) E o espectador tem de identificar-se com os parentes próximos, sentir empatia com a luta destes para lidar com a situação e ter certeza de que a vida continuará. Os *tearjerkers* simulam um triunfo sobre a tragédia.

Até mesmo acompanhar as fraquezas de pessoas comuns virtuais em sua vida cotidiana pode acionar um botão de prazer, aquele denominado "bisbilhotice". Trata-se de um passatempo muito popular da humanidade, pois conhecimento é poder. Saber quem precisa de um favor e quem está em condições de concedê-lo, quem é confiável e quem é mentiroso, quem está disponível (ou em breve estará) e quem se encontra sob a proteção de um marido ciumento ou da família — tudo isso fornece óbvias vantagens estratégicas nos jogos da vida. Isso se aplica especialmente quando a informação ainda não é de conhecimento geral e o indivíduo pode ser o primeiro a explorar uma oportunidade — o equivalente social de negociar ações na Bolsa aproveitando-se de informações privilegiadas. Nos pequenos bandos em que nossa mente evoluiu, todo mundo conhecia todo mundo, por isso toda bisbilhotice era útil. Hoje em dia, quando perscrutamos a vida particular de personagens fictícios, estamos nos aplicando uma dose do mesmo tipo de prazer.

A literatura, contudo, não só deleita, mas instrui. O cientista da computação Jerry Hobbs tentou fazer a engenharia reversa da narrativa ficcional em um ensaio que foi tentado a intitular de "Os robôs chegarão a ter literatura?". Os romances, concluiu Hobbs, funcionam como experimentos. O autor coloca um personagem fictício numa situação hipotética porém num mundo que em outros aspectos é real, no qual valem os fatos e as leis ordinários, e permite ao leitor explorar as consequências. Podemos imaginar que houve uma pessoa em Dublin chamada Leopold Bloom com a personalidade, a família e a ocupação que lhe atribuiu James Joyce, mas protestaríamos se de repente nos fosse dito que a soberana britânica na época não era a rainha Vitória, e sim o rei Vítor. Mesmo na ficção científica, pedem-nos para deixar de lado a crença em algumas leis da física, digamos, para levar os heróis para a galáxia vizinha, mas em outros aspectos os eventos devem ocorrer conforme causas e efeitos regidos por leis. Uma história surrealista como *A metamorfose*, de Kafka, começa com uma premissa que contraria os fatos — um homem pode transformar-se num inseto — e apresenta as consequências em um mundo onde tudo o mais é igual. O protagonista conserva sua consciência humana, e nós o acompanhamos enquanto ele prossegue em sua vida e as pessoas reagem a ele como pessoas reais reagiriam a um inseto gigante. Só na ficção cujo tema *é* a lógica e a realidade, como *Alice no país das maravilhas*, qualquer coisa estranha pode acontecer.

Uma vez estabelecido o mundo fictício, dá-se um objetivo ao protagonista e nós o observamos enquanto ele procura atingi-lo enfrentando obstáculos. Não é coincidência essa definição clássica de trama ser idêntica à definição de inteligência que propus no capítulo 2. Os personagens de um mundo fictício fazem exatamente o que nossa inteligência nos permite fazer no mundo real. Observamos o que acontece com eles e mentalmente anotamos os resultados das estratégias e táticas que eles usam para atingir seus objetivos.

Que objetivos são esses? Um darwiniano diria que, em última análise, os organismos têm apenas dois: sobreviver e reproduzir-se. E esses são precisamente os objetivos que governam os organismos humanos na ficção. A maioria das 36 tramas mencionadas no catálogo de Georges Polti definem-

-se por amor, sexo ou uma ameaça à segurança do protagonista ou de sua família (por exemplo, "Ciúme equivocado", "Vingança de parente em nome de parente" e "Descoberta da desonra de uma pessoa amada"). A diferença entre a ficção para crianças e a ficção para adultos resume-se comumente em duas palavras: sexo e violência. A homenagem de Woody Allen à literatura russa foi intitulada *Love and death* [*A última noite de Boris Grushenko*]. Pauline Kael buscou o título de um de seus livros de crítica de cinema em um cartaz de filme italiano que, afirmou ela, continha a mais sucinta declaração imaginável do atrativo básico dos filmes: *Kiss kiss bang bang* [Beijo, beijo, bangue, bangue].

Sexo e violência não são obsessões apenas da *pulp fiction* e dos programas de má qualidade da TV. O perito em linguagem Richard Lederer e o programador de computadores Michael Gilleland apresentam as seguintes manchetes de tabloides sensacionalistas:

MOTORISTA DE CHICAGO ASFIXIA FILHA DO CHEFE,
DEPOIS A ESQUARTEJA E JOGA NA FORNALHA

ESPOSA DE MÉDICO E MINISTRO DA CIDADE DESMASCARADOS
POR CONCEBEREM FILHA ILEGÍTIMA

ADOLESCENTES COMETEM DUPLO SUICÍDIO;
FAMÍLIAS JURAM PÔR FIM À *VENDETTA*

ESTUDANTE CONFESSA MATAR USURÁRIA E TESTEMUNHA
A MACHADADAS

DONO DE OFICINA SEGUE HOMEM DE NEGÓCIOS ABASTADO
E O FUZILA NA PISCINA

LOUCA PRESA EM SÓTÃO POR MUITO TEMPO PÕE FOGO NA CASA
E DEPOIS SALTA PARA A MORTE

EX-PROFESSORA PRIMÁRIA, DESMASCARADA COMO PROSTITUTA,
É INTERNADA EM HOSPÍCIO

PRÍNCIPE ABSOLVIDO DE MATAR A MÃE
PARA VINGAR A MORTE DO PAI

Parece familiar? Veja as notas no final do livro.

A ficção é especialmente absorvente quando os obstáculos aos objetivos do protagonista são outras pessoas procurando atingir objetivos incompatíveis com os dele. A vida é como o xadrez, e as tramas são como aqueles livros sobre partidas célebres que os enxadristas aplicados estudam para estarem preparados caso algum dia se vejam em dificuldades semelhantes. Esses livros são úteis porque o xadrez é combinatório; em qualquer estágio existem numerosíssimas sequências possíveis de lances e respostas para que todas sejam executadas mentalmente. Estratégias gerais como "Saia logo com a Rainha" são demasiado vagas para ter alguma utilidade, considerando os trilhões de situações que as regras permitem. Um bom regime de treinamento é formar um catálogo mental com dezenas de milhares de desafios e os movimentos que permitiram aos bons enxadristas saírem-se bem com eles. Em inteligência artificial, isso é chamado raciocínio baseado em casos.

A vida tem ainda mais movimentos do que o xadrez. Em certa medida, as pessoas estão sempre em conflito, e seus lances e respostas multiplicam-se em um conjunto inimaginavelmente vasto de interações. Os parceiros, como os prisioneiros do dilema hipotético, podem cooperar ou trair, no lance presente ou em outros subsequentes. Pais, filhos e irmãos, devido à sua parcial coincidência genética, têm tanto interesses comuns como interesses concorrentes, e qualquer ato que um lado pratique tendo em vista o outro pode ser altruísta, egoísta ou uma mistura dos dois. Quando um rapaz conhece uma moça, um dos dois ou ambos podem ver o outro como um cônjuge, um parceiro sexual eventual ou nenhuma dessas coisas. Cônjuges podem ser fiéis ou adúlteros. Amigos podem ser falsos amigos. Aliados podem assumir menos do que sua parte justa nos riscos, ou desertar quando o dedo do destino apontar para eles. Estranhos podem ser competidores ou inimigos declarados. Esses jogos são levados a dimensões maiores pela possibilidade do logro, o qual permite que palavras e atos sejam verdadeiros ou falsos, e do autoengano, o qual permite que palavras e atos *sinceros* sejam verdadeiros ou falsos. São expandidos para dimensões ainda maiores por rodadas de táticas e reações paradoxais, nas quais os objetivos usuais de uma pessoa — controle, razão e conhecimento — são voluntariamente postos de lado para tornar a pessoa impossível de ser ameaçada, merecedora de confiança ou perigosa demais para ser desafiada.

As tramas das pessoas em conflito podem multiplicar-se de tantas maneiras que ninguém seria capaz de visualizar as consequências de todas as linhas de ação com o olho da mente. As narrativas da ficção fornecem-nos um catálogo mental das charadas fatais que poderemos vir a enfrentar e dos resultados de estratégias que poderíamos empregar nesses casos. Quais seriam as opções caso eu suspeitasse que meu tio matou meu pai, tomou o lugar dele e casou com minha mãe? Se meu desafortunado irmão mais velho não é respeitado na família, existem circunstâncias que poderiam levá-lo a me trair? Qual a pior coisa que poderia acontecer se eu fosse seduzido por uma cliente enquanto minha esposa e minha filha estão fora durante um fim de semana? Qual a pior coisa que poderia acontecer se eu tivesse um caso amoroso para movimentar um pouco minha vida maçante de esposa de médico do interior? Como posso evitar um confronto suicida com atacantes que querem minhas terras hoje sem parecer um covarde e, assim, cedê-la a eles amanhã? As respostas encontram-se em qualquer livraria ou videolocadora. O clichê de que a vida imita a arte é verdadeiro porque a função de alguns tipos de arte é ser imitada pela vida.

Pode-se dizer alguma coisa a respeito da psicologia da *boa* arte? O filósofo Nelson Goodman teve um insight ao examinar a diferença entre a arte e outros símbolos. Suponha que, por coincidência, um eletrocardiograma e um desenho do monte Fuji feito por Hokusai consistam ambos da mesma linha denteada. Ambos os traçados representam alguma coisa, mas a única parte que importa do eletrocardiograma é a posição de cada ponto que a linha atravessa. Sua cor e espessura, o tamanho do traçado e a cor e o matiz do papel são irrelevantes. Se fossem alterados, o diagrama permaneceria o mesmo. Mas no desenho de Hokusai nenhuma das características pode ser deixada de lado ou alterada ao acaso; qualquer uma delas pode ter sido deliberadamente elaborada pelo artista. Goodman denomina "repleção" a essa propriedade da arte.

Um bom artista aproveita-se da repleção e faz bom uso de todos os aspectos de seu veículo de comunicação. Ele pode fazer isso sem problemas. Já conta com a atenção da plateia, e a obra, não possuindo função prática alguma, não precisa atender a exigentes especificações mecânicas de qualquer espécie; cada parte está à disposição para o uso que se queira dar a ela. Heathcliff tem de mostrar sua paixão e fúria em algum lugar. Por que não tendo ao fundo os tempestuosos e sinistros morros de Yorkshire? Uma cena tem de ser pintada com pinceladas; por que não usar torvelinhos chocantes para realçar o impacto de uma noite estrelada ou borrar de verde um rosto para dar a impressão dos reflexos mosqueados que definem o clima de uma cena bucólica? Uma canção precisa de melodia e letra; em "Ev'ry time we say goodbye", de Cole Porter, um verso é cantado em estrofes alternadas num tom maior e num tom menor, com a seguinte letra:

When you're here, there's such an air of spring about it.
I can hear a lark somewhere begin to sing about it.
There's no love song finer,
But how strange the change from major to minor,
Ev'ry time we say goodbye.*

A canção fala da mudança de alegria para tristeza quando acontece a separação da pessoa amada; a melodia muda de alegre para triste; a letra diz que o estado de espírito muda de alegria para tristeza usando a metáfora de uma melodia que muda de alegre para triste. No esforço de moldar uma sequência de sons para evocar a mudança, nada foi desperdiçado.

O uso hábil da repleção nos impressiona não só porque evoca um sentimento agradável por meio de vários canais simultaneamente. Algumas das partes são anômalas a princípio e, ao decifrar essa anomalia, descobrimos por nós mesmos os modos inteligentes como o artista moldou as diferentes partes do veículo de sua arte para fazer a mesma coisa ao mesmo tempo. Nós nos perguntamos: por que surgiu de repente um vento uivante? Por que a mulher tem uma mancha verde na face? Por que uma canção de amor está falando em tons musicais? Ao resolver as charadas, o público é induzido a prestar atenção a uma parte normalmente não saliente do meio de comunicação, reforçando-se o efeito desejado. Essa percepção provém do *tour de force* de Arthur Koestler sobre a criatividade, *The act of creation*, e fundamenta sua engenhosa análise desse outro grande enigma da psicologia humana, o humor.

QUAL É A GRAÇA?

Eis como Koestler apresenta o problema do humor:

Qual é o valor, para a sobrevivência, da contração involuntária e simultânea de quinze músculos faciais associada a certos ruídos frequentemente irreprimíveis? O riso é um reflexo, porém único porque não serve a nenhum propósito biológico manifesto; poderíamos chamá-lo um reflexo de luxo. Sua única função utilitária, pelo que se pode perceber, é proporcionar alívio temporário para as pressões utilitaristas. Na esfera evolucionista onde o riso emerge, um quê de frivolidade parece invadir sorrateiramente um universo sem humor governado pelas leis da termodinâmica e pela sobrevivência dos mais aptos.

(*) "Quando você está aqui, até parece primavera./ Posso ouvir uma cotovia começar a cantar em algum lugar./ Não há canção de amor mais bela./ Mas como é estranha a mudança de tom maior para menor,/ Cada vez que dizemos adeus."

O paradoxo pode ser apresentado de um modo diferente. Parece-nos uma providência razoável que uma luz intensa incidindo no olho faça a pupila contrair-se, ou que um alfinete espetado no pé de alguém cause um afastamento instantâneo — porque tanto o "estímulo" como a "resposta" encontram-se no mesmo nível fisiológico. Mas uma complexa atividade mental como a leitura de uma página de Thurber causar uma resposta motora específica ao nível dos reflexos é um fenômeno assimétrico que vem intrigando filósofos desde a Antiguidade.

Reunamos as pistas da análise de Koestler, com base em ideias mais recentes da psicologia evolucionista e em estudos específicos sobre o humor e o riso.

O riso, observou Koestler, é uma produção involuntária de ruído. Como qualquer professor primário sabe muito bem, ele desvia a atenção da pessoa que está falando e dificulta prosseguir. E o riso é contagiante. O psicólogo Robert Provine, que documentou a etologia do riso em humanos, descobriu que as pessoas, quando estão com outras, riem com frequência trinta vezes maior do que quando estão sozinhas. Mesmo quando riem sozinhas, elas muitas vezes imaginam-se em meio a outras: estão lendo as palavras de outras pessoas, ouvindo vozes no rádio ou vendo-as na televisão. As pessoas riem quando escutam risadas; é por isso que os programas humorísticos de televisão usam gravações de gargalhadas, para compensar a ausência de uma plateia ao vivo. (O estampido ou batida de tambor que pontuava as piadas dos comediantes de vaudeville foi um precursor.)

Tudo isso sugere duas coisas. Primeira, o riso produz ruído não só porque libera energia psíquica reprimida, mas também para que outros possam ouvi-lo; ele é uma forma de comunicação. Segunda, o riso é involuntário pela mesma razão por que outras manifestações emocionais são involuntárias (capítulo 6). O cérebro difunde um anúncio honesto, infalsificável e dispendioso de um estado mental transferindo controle dos sistemas computacionais que fundamentam a ação voluntária para os propulsores de nível inferior da aparelhagem física do corpo. Como ocorre com as manifestações de raiva, compaixão, vergonha e medo, o cérebro está se esforçando para convencer um público de que um estado interno é sincero e não simulado.

O riso parece ter homólogos em outras espécies de primatas. O etologista Irenaus Eibl-Eibesfeldt, estudioso dos humanos, discerne o ruído rítmico do riso no chamado de união dos macacos quando se juntam para ameaçar ou atacar um inimigo comum. Os chimpanzés produzem um ruído diferente que os primatologistas classificam como riso. É um arquejo sussurrado emitido tanto quando o animal expira como quando inspira e lembra mais a serradura de madeira do que o rá-rá-rá expirado da gargalhada humana. (Também podem existir outros tipos de risadas de chimpanzés.) Os chimpanzés "riem" quando fazem cócegas uns nos outros, exatamente como as crianças. As cócegas consistem em tocar partes vulneráveis do corpo durante um ataque simulado. Muitos primatas, e as crianças em todas as sociedades, brincam de lutar como prática para lutas futuras. Essa brincadeira coloca os lutadores num dilema: o corpo a corpo precisa ser suficientemente realista para servir como um ensaio útil de ataque e defesa, mas cada parte deseja que a outra saiba que o ataque é simulado, para que a luta não se intensifique e cause um dano verdadeiro. A risada do chimpanzé e outras expressões faciais de brincadeira nos primatas evoluíram como um sinal de que a agressão é, como dizemos, só de mentirinha. Temos, assim, dois candidatos a precursores do riso: um sinal de agressão coletiva e um sinal de agressão simulada. Eles não são mutuamente exclusivos, e ambos podem lançar uma luz sobre o humor dos humanos.

O humor frequentemente é um tipo de agressão. É desagradável ser o alvo de gargalhadas, dá uma sensação de hostilidade. As comédias muitas vezes são movidas a pancadaria e insultos e, em ambientes menos refinados, inclusive nas sociedades de coletores de alimentos nas quais evoluímos, o humor pode ser descaradamente sádico. É comum as crianças rirem histericamente quando outras se machucam ou sofrem algum infortúnio. Muitos relatos na literatura sobre o humor entre os coletores de alimentos registram aspectos semelhantes. Quando o antropólogo Raymond Hames estava vivendo com os ye'kwana na floresta Amazônica, certa vez bateu com força a cabeça numa viga na entrada de uma choça e caiu no chão, sangrando profusamente e contorcendo-se de dor. Os circunstantes choraram de rir. Não que sejamos muito diferentes. As execuções na Inglaterra costumavam ser ocasiões em que toda a família comparecia e ria do condenado enquanto ele era conduzido ao patíbulo e enforcado. Em *1984*, Orwell descreve uma sátira de entretenimento popular no diário de Winston Smith que incomodamente lembra uma típica noitada nos circuitos de cinema atuais:

> Noite passada no cinema. Só filmes de guerra. Um muito bom de um navio abarrotado de refugiados sendo bombardeado em alguma parte do Mediterrâneo. Plateia achou muita graça em tomadas de um grande imenso homem gordo tentando fugir a nado perseguido por um helicóptero. primeiro o vimos chafurdando na água como uma toninha, depois o vimos através da mira dos helicópteros, depois ele estava cheio de furos e o mar ao redor ficou rosado e ele afundou tão de repente como se os furos tivessem deixado entrar água. plateia deu gargalhadas estridentes quando ele afundou. depois vimos um bote salva-vidas cheio de crianças com um helicóptero sobrevoando logo acima. havia uma mulher de meia-idade talvez uma judia sentada na proa com um garotinho de uns três anos no colo. o menininho gritava de medo e escondia a cabeça

entre os seios dela como se estivesse tentando cavar uma toca no corpo dela e a mulher passava os braços em volta dele e o consolava embora ela própria estivesse lívida de medo. todo o tempo ela o cobria o mais possível como se pensasse que seus braços poderiam manter as balas longe dele. então o helicóptero jogou uma bomba de vinte quilos no meio deles clarão terrível e o barco se espatifou. então veio uma tomada esplêndida de um braço de criança subindo subindo subindo subindo muito nos ares um helicóptero com uma câmera na frente deve ter acompanhado a subida e houve muitos aplausos [...]

Não suporto sequer ler isto mas, por outro lado, não me lembro de ter rido tanto no cinema como quando Indiana Jones sacou a arma e atirou no egípcio de dentes arreganhados que brandia a cimitarra.

O horror que Orwell evoca com essa descrição patética do terror das vítimas mostra que a crueldade em si mesma não desencadeia o humor. O alvo de um gracejo tem de ser visto como alguém que imerecidamente reivindica dignidade e respeito, e o incidente engraçado deve fazê-lo descer do pedestal. O humor é inimigo da pompa e do decoro, especialmente quando estes sustentam a autoridade de um adversário ou superior. Os mais convidativos alvos de ridículo são professores, pregadores, reis, políticos, oficiais militares e outros narizes empinados. (Até a *Schadenfreude* dos ye'kwana não parece tão estranha quando ficamos sabendo que eles são um povo diminuto e que Hames é um americano robusto.) Provavelmente a coisa mais engraçada que presenciei na vida real foi um desfile militar em Cali, Colômbia. À frente do desfile um oficial marchava todo empertigado e na frente *desse oficial* um molequinho de rua de uns sete ou oito anos marchava ainda *mais* empertigado, de nariz para o alto, braços balançando com grandiloquência. O oficial tentava dar bordoadas no pestinha sem perder o ritmo da marcha, mas o garoto sempre conseguia pular alguns passos à frente e se manter fora do alcance enquanto conduzia o desfile pelas ruas.

Um aviltamento da dignidade também fundamenta o apelo universal do humor sexual e escatológico. A maioria das piadas do mundo está mais para o escracho do filme *Animal house* [*Clube dos cafajestes*] do que para as reuniões de intelectuais nova-iorquinos na Távola Redonda do Hotel Algonquin. Quando Chagnon começou a coletar dados genealógicos entre os ianomâmi, precisou contornar o tabu que os impedia de mencionar o nome de pessoas importantes (o que lembra um pouco a sensibilidade que há por trás de nossas formas de tratamento como *senhor* ou *meritíssimo*). Chagnon pedia a seus informantes que murmurassem em seu ouvido os nomes de uma pessoa e dos parentes dela e desajeitadamente os repetia para assegurar-se de que ouvira bem. Quando o indivíduo mencionado olhava furioso para ele e os presentes riam, Chagnon tinha a certeza de ter registrado o verdadeiro nome daquela pessoa. Após meses de trabalho, ele compilara uma elaborada genealogia; durante uma visita a uma aldeia vizinha, tentou exibir-se mencionando casualmente o nome da esposa do chefe.

Fez-se um silêncio estupefato, e então uma explosão incontrolável de gargalhadas, engasgos, arquejos e uivos atroou a aldeia toda. Até parecia que eu estava pensando que o chefe Bisaasi-teri era casado com uma mulher chamada "boceta peluda". Também se revelou que eu estava chamando o chefe de "pau comprido", seu irmão de "bosta de águia", um de seus filhos de "cu" e uma filha de "bafo de peido". O sangue me latejou nas têmporas quando percebi que eu não tinha nada além de besteira para apresentar por meus cinco meses de dedicado esforço genealógico.

É claro que *nós* jamais acharíamos graça de uma coisa tão pueril. O *nosso* humor é "malicioso", "carnal", "dissoluto", "picante", "lascivo", "irreverente" ou "rabelaisiano". Sexo e excreção são lembretes de que a pretensão à dignidade 24 horas por dia é precária para qualquer pessoa. O chamado animal racional sofre um impulso desesperador para acasalar-se, contorcer-se e gemer. E, como escreveu Isak Dinesen: "O que é o homem, se refletirmos a fundo sobre ele, além de uma máquina engenhosa, minuciosamente elaborada para transformar, com infinitos artifícios, o rubro vinho de Shiraz em urina?".

Porém, curiosamente, o humor também é uma tática bem conceituada de retórica e argumentação intelectual. O chiste pode ser um florete temível se esgrimido por um hábil polemista. A popularidade e eficácia de Ronald Reagan como presidente deveu-se em boa parte à sua facilidade para as pilhérias que esmagavam o debate e a crítica, pelo menos momentaneamente; por exemplo, quando contornava perguntas sobre o direito ao aborto, ele dizia: "Vejo que todos os que são a favor do aborto já nasceram". Filósofos deleitam-se com a história verídica do teórico que, em uma conferência acadêmica, afirmou que, embora algumas línguas empreguem uma dupla negativa para significar uma afirmativa, nenhuma língua usa uma dupla afirmativa para significar uma negativa. Um filósofo sentado no fundo da sala entoou cinicamente: "Sim, sim". Embora possa ser verdade, como escreveu Voltaire, que "um dito espirituoso nada prova", o próprio Voltaire era célebre por não se furtar a eles. O chiste perfeito pode dar a um interlocutor uma vitória instantânea, merecida ou não, e deixar os oponentes gaguejando. Muitas vezes sentimos que um aforismo inteligente encerra uma verdade que demandaria páginas para ser defendida de qualquer outro modo.

Chegamos, então, à tentativa de Koestler para fazer a engenharia reversa do humor. Koestler foi um dos primeiros apreciadores da ciência cognitiva, numa época em que imperava o behaviorismo; ele chamou a atenção para o estoque mental de sistemas de regras, modos de interpretar, modos de pensar ou referenciais. O humor, disse ele, começa com uma linha de pensamento em um referencial que se choca com uma anomalia: um evento ou afirmação que não tem sentido no contexto do que veio antes. A anomalia pode ser resolvida mudando para um referencial diferente, no qual o evento tem sentido. E neste *segundo* referencial, a dignidade de alguém foi rebaixada. Koestler denomina "bissociação" a essa mudança. Os exemplos de humor por ele fornecidos não estão ultrapassados, por isso ilustrarei a teoria com alguns que acho engraçados; infelizmente precisarei estragar as piadas explicando-as.

Lady Astor disse a Winston Churchill: "Se o senhor fosse meu marido, eu poria veneno em seu chá". Ele retrucou: "Se a senhora fosse minha esposa, eu o beberia". A resposta é anômala no referencial do assassinato, pois as pessoas resistem a ser assassinadas. A anomalia resolve-se passando para o referencial do suicídio, no qual a morte é bem-vinda como uma fuga da desgraça. Nesse referencial, lady Astor é a causa da desgraça conjugal, um papel ignominioso.

Um alpinista escorrega num precipício e se agarra a uma corda, pendurado sobre um abismo de quinhentos metros. Apavorado e desesperado, ele olha para o céu e grita: "Tem alguém aí em cima que possa me ajudar?". Uma voz lá no alto ressoa: "Você será salvo se provar sua fé largando a corda". O homem olha para baixo, depois para cima, e grita: "Tem *mais alguém* aí em cima que possa me ajudar?". A resposta é incongruente no referencial das histórias religiosas, nas quais Deus concede milagres em troca de sinais de fé e as pessoas agradecem pela transação. A resolução dá-se passando para o referencial da vida cotidiana, no qual as pessoas têm um salutar respeito pelas leis da física e são céticas com qualquer um que alegue desafiar essas leis. Nesse referencial, Deus (e, indiretamente, seus propagandistas do *establishment* religioso) pode ser um artista embusteiro — embora, se isso não for verdade, o bom-senso do homem seja sua perdição.

Perguntou-se a W. C. Fields: "O senhor acredita em *clubs* para os jovens?". Ele respondeu: "Só quando o carinho não funciona". Essa não é uma resposta sensata a uma pergunta sobre grupos recreativos, o significado mais comum da palavra inglesa *club*, mas a anomalia pode ser resolvida mudando para um segundo significado de *club*, "porrete". Os jovens passam de alvo de bondade para alvo de castigo.

Os três ingredientes do humor segundo Koestler — incongruência, resolução e indignidade — foram comprovados em muitos experimentos sobre o que torna uma piada engraçada. O humor das comédias-pastelão tem por base o choque entre um referencial psicológico, no qual uma pessoa é um *locus* de crenças e desejos, e um referencial físico, no qual uma pessoa é um pedaço de matéria que obedece às leis da física. O humor escatológico baseia-se no choque entre o referencial psicológico e o fisiológico, no qual uma pessoa é um produtor de substâncias repulsivas. O humor sexual também se fundamenta em um choque entre o referencial psicológico e o biológico; neste caso, a pessoa é um mamífero com todos os instintos e órgãos necessários à fecundação interna. O humor verbal pauta-se pelo choque entre dois significados de uma palavra, o segundo deles sendo inesperado, sensato e insultante.

O restante da teoria de Koestler foi prejudicado por duas teorias antiquadas: a do modelo hidráulico da mente, no qual a pressão psíquica aumenta e necessita de uma válvula de escape, e a de que um impulso de agressão que provoca a pressão. Para completar a resposta à pergunta "Para que serve o humor, se é que ele serve para alguma coisa?", precisamos de três ideias.

Primeira, dignidade, prestígio e outros balões furados pelo humor fazem parte do complexo de dominância e status discutido no capítulo 7. A dominância e o status beneficiam quem os tem em detrimento de quem não os tem, e assim há sempre motivos para os peões desafiarem os importantes. Nos humanos, a dominância não é só o espólio do vitorioso em lutas, mas uma aura indistinta adquirida mediante o reconhecimento pela eficácia em qualquer uma das áreas nas quais os humanos interagem: intrepidez, perícia, inteligência, habilidade, sabedoria, diplomacia, alianças, beleza ou riqueza. Muitos desses atributos de prestígio estão nos olhos de quem vê e se desintegrariam se esse sujeito que vê mudasse sua ponderação das forças e fraquezas cuja soma resulta no valor da pessoa em questão. Portanto, o humor pode ser uma arma antidominância. Um desafiante chama a atenção para uma das muitas qualidades nada sublimes que qualquer mortal, por mais nariz empinado que seja, carrega como fardo.

Segunda, a dominância frequentemente impõe-se de indivíduo para indivíduo, mas é impotente diante de uma multidão unida. Um homem com uma única bala no revólver consegue manter doze reféns se estes não tiverem um modo de sinalizar um único momento para dominá-lo. Nenhum governo tem poder para controlar uma população inteira, por isso quando os acontecimentos se sucedem rapidamente e as pessoas perdem a confiança na autoridade do regime ao mesmo tempo, elas podem derrubá-lo. Essa pode ser a dinâmica que pôs o riso — o sinal involuntário, solapador e contagiante — a serviço do humor. Quando risadinhas esparsas avolumam-se até explodir num coro de hilaridade como uma reação nuclear em cadeia, as pessoas estão reconhecendo que todas notaram a mesma fraqueza em um alvo nobre. Um ofensor isolado teria corrido o risco da represália do alvo, mas uma multidão de ofensores, inequivocamente mancomunados no reconhecimento dos pontos fracos do alvo, está segura. A história da roupa nova do imperador, de Hans Christian Andersen, é uma boa parábola sobre o poder subversivo do humor coletivo. Obviamente, na vida cotidiana não temos de derrubar tiranos ou humilhar reis, mas precisamos minar as pretensões de incontáveis presumidos, fanfarrões, valentões, tagarelas, santinhos do pau oco, fariseus, metidos, sabe-tudos e prima-donas.

Terceira, a mente reflexivamente interpreta as palavras e os gestos das outras pessoas fazendo o que for preciso para torná-las sensatas e verdadeiras. Se as palavras forem vagas ou incongruentes, caridosamente ela completa as premissas que faltam ou muda para um novo referencial no qual as palavras tenham sentido. Sem esse "princípio da relevância", a própria linguagem seria impossível. Os pensamentos por trás até mesmo da mais simples frase são tão labirínticos que, se os expressássemos por inteiro, nosso discurso soaria como o enrolado palavrório de um documento legal. Digamos que eu dissesse a você: "Jane ouviu a música do caminhão de sorvete. Correu até o armário para pegar o cofrinho e começou a sacudi-lo. Finalmente saiu algum dinheiro". Embora eu não explicasse tudo, você saberia que Jane é uma criança (e não uma mulher de 87 anos), que ela sacudiu o cofrinho (e não o armário), que saíram moedas (e não notas) e que ela queria o dinheiro para comprar sorvete (e não para comer o dinheiro, investi-lo ou subornar o motorista para que ele desligasse a música).

O gracejador manipula esse mecanismo mental para induzir o público a aceitar uma proposição — a que resolve a incongruência — contra a vontade. As pessoas acatam a verdade da proposição depreciativa porque ela não foi afirmada patentemente como uma propaganda que elas poderiam rejeitar; foi uma conclusão a que elas próprias chegaram. A proposição tem de possuir ao menos um pouquinho de fundamento, ou o público não poderia tê-la deduzido de outros fatos e não poderia ter entendido a piada. Isso explica a sensação de que um comentário espirituoso pode encerrar uma verdade demasiado complexa para ser exaustivamente explicada e que ele representa uma arma eficaz que força as pessoas, pelo menos momentaneamente, a concordar com coisas que de outro modo elas negariam. O chiste de Reagan, de que os defensores do direito ao aborto já tinham nascido, é uma verdade tão banal — *todo mundo* já nasceu — que a princípio não tem sentido. Mas tem sentido sob a suposição de que existem dois tipos de indivíduos, os nascidos e os não nascidos. Estes são os termos nos quais os oponentes do aborto desejam que a questão seja proposta, e qualquer pessoa que entenda o gracejo reconhece implicitamente que esse referencial é possível. E, nesse referencial, quem defende o direito ao aborto possui um privilégio mas quer negá-lo a outros; portanto, é hipócrita. O argumento não é necessariamente sensato, mas uma réplica demandaria muito mais palavras do que as poucas que bastaram a Reagan. As formas "superiores" de chistes são casos em que os processos cognitivos dos interlocutores são usados contra estes para que deduzam uma proposição depreciativa a partir de premissas que eles não podem negar.

Nem todo humor é maldoso. Amigos gastam um bom tempo com pilhérias nas quais ninguém sai magoado; de fato, uma noite que passamos rindo com os amigos é um dos maiores prazeres da vida. Obviamente, uma grande parte do prazer vem de desancar pessoas ausentes do círculo, o que reforça a amizade mediante o princípio de que o inimigo de meu inimigo é meu amigo. Mas boa parte também é uma branda autodepreciação e uma caçoada inofensiva que todo mundo parece apreciar.

O humor amigável não só não é particularmente agressivo, como também não é particularmente engraçado. Robert Provine fez uma coisa que ninguém, nos 2 mil anos de história de dissertações sabichonas sobre o humor, jamais havia pensado em fazer: saiu a campo para descobrir o que faz as pessoas rirem. Provine mandou seus assistentes permanecerem no campus da universidade próximos a grupos de pessoas que conversavam e discretamente anotarem o que as fazia rir. O que ele descobriu? Uma típica fala provocadora de risos era: "Até mais tarde, pessoal", ou "Mas que diabos é isso?!". Como se diz, era preciso estar lá para entender. Somente cerca de 10% a 20% dos episódios poderiam ser classificados como engraçados, e mesmo assim apenas segundo critérios bem pouco exigentes. As falas mais engraçadas em 12 mil exemplos foram: "Você não precisa beber; só pague as bebidas para nós"; "Você namora no âmbito de nossa espécie?" e "Você está trabalhando aqui ou só tentando parecer ocupado?". Provine observa: "As risadas frequentes ouvidas em reuniões sociais apinhadas não se devem a um ritmo frenético de piadas contadas pelos convidados. A maior parte do diálogo pré-risadas lembra o roteiro de uma interminável comédia de costumes na televisão escrito por um autor extraordinariamente sem talento".

Como explicar o atrativo das caçoadas quase sem graça que provocam a maior parte de nossas risadas? Se o humor é um veneno antidominância, um dignicida, não precisa ser usado apenas com intuitos danosos. O capítulo 7 procurou mostrar que, quando as pessoas interagem, têm de escolher em um menu de diferentes psicologias sociais, cada qual com uma lógica própria. A lógica da dominância e do status fundamenta-se em ameaças e subornos implícitos e desaparece quando o superior não pode mais valer-se deles. A lógica da amizade baseia-se em um compromisso de ajuda mútua ilimitada, haja o que houver. As pessoas desejam status e dominância, mas também querem amigos, pois o status e a dominância podem declinar, mas um amigo estará presente nas horas boas e más. As duas coisas são incompatíveis, e isso origina um problema de sinalização. Para quaisquer duas pessoas, uma sempre será mais forte, mais inteligente, mais rica, mais bem-apessoada ou mais bem relacionada do que a outra. Os desencadeantes de uma relação dominante-submisso ou celebridade-fã estão sempre presentes, mas nenhum dos lados deseja que o relacionamento enverede por esse caminho. Depreciando as qualidades que você *poderia* usar para impor-se a um amigo ou que um amigo poderia usar para impor-se a você, você dá a entender que a base do relacionamento, pelo menos no que lhe diz respeito, não é o status ou a dominância. Melhor ainda se o sinal for involuntário e, portanto, difícil de simular.

Se essa ideia estiver correta, explicaria a homologia entre o riso humano adulto e a reação à agressão simulada e às cócegas nas crianças e nos chimpanzés. O riso diz: pode parecer que estou tentando machucar você, mas estou fazendo uma coisa que nós dois queremos. Essa ideia também explica por que gracejar é um instrumento de precisão para avaliar o tipo de relacionamento que se tem com uma pessoa. Você não caçoa de um superior ou de um estranho, embora se um de vocês dois lançar experimentalmente uma caçoada que seja bem recebida, saberá que o gelo foi quebrado e que o relacionamento está enveredando para a amizade. E se o gracejo suscitar um risinho forçado ou um silêncio constrangedor, você está sendo informado de que o rabugento não deseja ser seu amigo (e pode até mesmo ter interpretado a piada como um desafio agressivo). As risadinhas recorrentes que acompanham os bons amigos são reafirmações de que a base do relacionamento continua sendo a amizade, apesar das constantes tentações para que uma das partes assuma o domínio.

O INQUISITIVO EM BUSCA DO INCONCEBÍVEL

"A mais comum de todas as tolices é acreditar com fervor no palpavelmente inverídico", escreveu H. L. Mencken. "Essa é a principal ocupação da humanidade." Em cultura após cultura, as pessoas acreditam que a alma continua a viver depois da morte, que rituais podem mudar o mundo físico e profetizar a verdade, que doenças e infortúnios são causados e mitigados por espíritos, fantasmas, santos, fadas, anjos, demônios, querubins, gênios, diabos e deuses. Segundo levantamentos, mais de um quarto dos americanos atualmente acredita em bruxos, quase metade acredita em fantasmas, metade acredita no demônio, metade acredita que o livro do Gênese é literalmente verdadeiro, 69% acreditam em anjos, 87% acreditam que Jesus levantou-se dos mortos e 96% acreditam em um Deus ou espírito universal. Como a religião ajusta-se a uma mente que se poderia pensar ter sido projetada para rejeitar o que é palpavelmente inverídico? A resposta comum — que as pessoas confortam-se com a ideia de um pastor benevolente, um plano universal ou uma vida após a morte — é insatisfatória, pois apenas levanta a questão de *por que* uma mente evoluiria para confortar-se com crenças que pode claramente ver que são falsas. Uma pessoa que está congelando não se consola acreditando que está aquecida; alguém cara a cara com um leão não se tranquiliza com a convicção de que ele é um coelho.

O que é religião? Como a psicologia das artes, a psicologia da religião foi obscurecida pelas tentativas acadêmicas de exaltá-la enquanto procuravam entendê-la. A religião não pode ser igualada aos nossos anseios mais elevados, espirituais, humanos, éticos (embora às vezes coincida com eles). A Bíblia contém instruções para o genocídio, o estupro e a destruição de famílias, e mesmo os Dez Mandamentos, lidos em seu contexto, proíbem o assassinato, a mentira e o roubo apenas no âmbito da tribo e não contra forasteiros. Religiões trouxeram até nós apedrejamentos, incineração de bruxos, cruzadas, inquisições, *jihads*, *fatwas*, bombardeadores suicidas, pistoleiros atacantes de clínicas de aborto e mães que afogam os filhos para que possam reunir-se jubilosamente no céu. Como escreveu Blaise Pascal: "Os homens nunca fazem o mal tão completamente e de bom grado como quando o fazem por convicção religiosa".

A religião não é um tópico indiviso. O que chamamos religião no Ocidente moderno é uma cultura alternativa de leis e costumes que sobreviveu paralelamente à nação-Estado graças a acidentes da história europeia. As religiões, como as outras culturas, produziram arte, filosofia e leis grandiosas, mas seus costumes, como os de outras culturas, muitas vezes servem aos interesses das pessoas que as promulgam. A veneração dos ancestrais pode ser uma ideia atrativa para pessoas que estão prestes a tornar-se ancestrais. À medida que os dias de um indivíduo declinam, a vida começa a mudar de um dilema do prisioneiro iterativo, no qual a traição pode ser punida e a cooperação recompensada, para um dilema do prisioneiro de uma só jogada, no qual é impossível impor sua vontade. Se você conseguir convencer seus filhos de que sua alma continuará viva e vigiando os atos deles, eles terão menos coragem de desertar enquanto você está vivo. Tabus alimentares impedem membros de uma tribo de ganhar intimidade com forasteiros. Ritos de passagem marcam as pessoas com direito aos privilégios de categorias sociais (feto ou membro da família, criança ou adulto, solteiro ou casado) para evitar intermináveis discussões acerca de aspectos obscuros. Iniciações dolorosas eliminam todo aquele que desejar os benefícios de ser membro do grupo sem comprometer-se a arcar com os custos. Bruxas frequentemente são sogras e outras pessoas inconvenientes. Xamãs e sacerdotes são os Mágicos de Oz que usam efeitos especiais, da prestidigitação e ventriloquismo aos templos suntuosos e catedrais, para convencer outros de que eles são íntimos das forças do poder e do sobrenatural.

Enfoquemos a parte verdadeiramente distintiva da psicologia da religião. A antropóloga Ruth Benedict pioneiramente salientou a linha comum da prática religiosa em todas as culturas: a religião é uma técnica para o sucesso. Ambrose Bierce definiu *rezar* como "pedir que as leis do universo sejam anuladas em benefício de um único suplicante, confessadamente indigno". As pessoas de todos os lugares rogam a deuses e espíritos para se recuperarem de doenças, pelo sucesso no amor ou no campo de batalha e por tempo bom. A religião é uma medida desesperada à qual as pessoas recorrem quando o que está em jogo é muito importante e elas esgotaram as técnicas usuais para a causação do sucesso — remédios, estratégias, galanteios e, no caso do clima, técnica nenhuma.

Que tipo de mente faria algo tão inútil quanto inventar fantasmas e suborná-los para conseguir tempo bom? Como isso se encaixa na ideia de que o raciocínio provém de um sistema de módulos destinado a descobrir como o mundo funciona? Os antropólogos Pascal Boyer e Dan Sperber mostraram que se encaixa muito bem. Primeiro, os povos não letrados não sofrem alucinações psicóticas que os incapacitem para distinguir fantasia de realidade. Eles sabem que existe um mundo trivial de pessoas e objetos governados pelas leis usuais e consideram aterradores os fantasmas e espíritos de seu sistema de crença precisamente *porque* violam as intuições ordinárias sobre o mundo.

Segundo, os espíritos, amuletos, videntes e outras entidades sagradas nunca são inventados com todas as características saindo da imaginação. As pessoas servem-se de um construto de um dos módulos cognitivos do capítulo 5 — um objeto, pessoa, animal, substância natural ou artefato — e eliminam uma propriedade ou acrescentam outra, deixando que o construto conserve o resto de suas características regulamentares. Um instrumento, uma arma ou substância será ungido com algum poder causal adicional mas, em outros aspectos, espera-se que ele se comporte como antes. Ele mora em determinado lugar e em determinada época, é incapaz de atravessar objetos sólidos etc. Estipula-se para um espírito que ele está isento de uma ou mais leis da biologia (crescer, envelhecer, morrer), da física (solidez, visibilidade, causação por contato) ou da psicologia (pensamentos e desejos são conhecidos apenas por meio do comportamento). Mas, em outros aspectos, o espírito é reconhecível como uma espécie de pessoa ou animal. Espíritos veem e ouvem, têm memória, crenças e desejos, agem segundo condições que acreditam produtoras de um efeito desejado, tomam decisões, proferem ameaças e propõem tratos. Quando os dignitários difundem crenças religiosas, não se incomodam em explicar detalhadamente esses *defaults*. Ninguém diz: "Se os espíritos nos prometem bom tempo em troca de um sacrifício, e eles sabem que desejamos bom tempo, eles preveem que faremos o sacrifício". Não é preciso dizer, pois sabe-se que a mente dos pupilos automaticamente suprirá essas crenças com base em seus conhecimentos tácitos de psicologia. Os fiéis também evitam deduzir as estranhas consequências lógicas dessas correções fragmentadas das coisas normais. Não param para pensar por que um Deus que conhece nossas intenções precisa ouvir nossas preces ou como um Deus pode ao mesmo tempo divisar o futuro e importar-se com o modo como decidimos agir. Comparadas às ideias assombrosas da ciência moderna, as crenças religiosas primam pela falta de imaginação (Deus é um homem ciumento; Céu e Inferno são lugares; almas são pessoas nas quais brotaram asas). Isso ocorre porque os conceitos religiosos são conceitos humanos com algumas emendas que os tornam prodigiosos e uma lista mais longa de características regulares que os tornam sensatos segundo os nossos modos de conhecer usuais.

Mas onde as pessoas vão buscar essas emendas? Mesmo depois de tudo o mais ter falhado, por que elas perderiam tempo inventando ideias e práticas que são inúteis, até mesmo danosas? Por que não aceitam que o conhecimento e o poder humanos têm limites, conservando seus pensamentos para as esferas nas quais eles possam ter alguma utilidade? Aludi a uma possibilidade: a demanda por milagres cria um mercado no qual competem os aspirantes a sacerdotes, e eles podem ser bem-sucedidos explorando a dependência que as pessoas têm dos peritos. Permito que o dentista perfure meus dentes e que o cirurgião corte meu corpo mesmo não sendo capaz de comprovar pessoalmente as suposições que eles usam para justificar tais mutilações. A mesma confiança teria feito com que eu me submetesse à charlatanice médica um século atrás e aos sortilégios de um curandeiro milênios atrás. Evidentemente, os curandeiros precisam ter um currículo com *alguns* êxitos no passado, ou perderiam toda credibilidade; e eles realmente misturam seus abracadabras com conhecimentos práticos genuínos, por exemplo, conhecimentos sobre ervas medicinais e previsões de eventos (como o tempo) que são mais precisos do que o acaso.

E as crenças em um mundo de espíritos não vêm do nada. São hipóteses destinadas a explicar certos dados que entravam nossas teorias corriqueiras. Edward Tylor, um antropólogo pioneiro, observou que as crenças animistas baseiam-se em experiências universais. Quando as pessoas sonham, o corpo permanece na cama, mas alguma outra parte delas está ativa no mundo. A alma e o corpo também se separam no transe provocado por doença ou alucinógeno. Mesmo quando estamos acordados, vemos sombras e reflexos em água parada que parecem conter a essência de uma pessoa sem possuir massa, volume ou continuidade no tempo e no espaço. E, na morte, o corpo perde alguma força invisível que o anima na vida. Uma teoria que reúne esses fatos é a de que a alma sai do corpo quando dormimos, espreita nas sombras, olha para nós da superfície de um lago e deixa o corpo quando morremos. A ciência moderna apresentou uma teoria melhor sobre as sombras e reflexos. Mas como ela se sai ao explicar o eu senciente que sonha, imagina e governa o corpo?

Alguns problemas continuam a desconcertar a mente moderna. Como observou o filósofo Colin McGinn ao resumi-los: "A cabeça gira em confusão teórica; nenhum modelo explicativo se apresenta; assomam ontologias bizarras. Há um sentimento de intensa confusão, mas nenhuma ideia clara sobre onde a confusão se encontra".

Discorri sobre um desses problemas no capítulo 2: a consciência no sentido de sensibilidade ou experiência subjetiva (não no sentido de acesso a informações ou autorreflexão). Como um evento de processamento neural de informações poderia causar a sensação de uma dor de dente, do gosto de limão ou da cor púrpura? Como eu poderia saber se uma minhoca, um robô, um pedaço do cérebro num recipiente ou *você* são sencientes? Sua sensação de vermelho é igual à minha, ou poderia ser como minha sensação de verde? Como é estar morto?

Outro imponderável é o eu. O que é, ou onde fica, o centro unificado da sensibilidade que surge e se extingue, que muda com o tempo mas permanece a mesma entidade e que tem um valor moral supremo? Por que o "eu" de 1996 colhe as recompensas e sofre as punições pelos atos do "eu" de 1976? Digamos que eu permita a alguém escanear uma fotocópia de meu cérebro e armazená-la no computador, destruir meu corpo e me reconstituir em todos os detalhes, inclusive a memória. Eu teria tirado uma soneca ou cometido suicídio? Se dois eus fossem reconstituídos, eu teria prazer dobrado? Quantos eus existem no crânio de um paciente com cérebro separado? E quanto aos cérebros parcialmente fundidos de irmãos siameses? Quando um zigoto adquire um eu? Quanto do meu tecido cerebral tem de morrer antes que eu morra?

O livre-arbítrio é outro enigma (ver capítulo 1). Como minhas ações podem ser uma escolha pela qual sou responsável se elas são inteiramente causadas por meus genes, pelo modo como me educaram e por meu estado cerebral? Alguns eventos são determinados, outros são aleatórios; como uma escolha pode não ser nenhuma dessas coisas? Quando entrego minha carteira a um homem armado que ameaça matar-me se eu não o fizer, isso é uma escolha? E se eu balear uma criança porque um homem armado ameaça matar-me se eu não o fizer? Se escolho fazer alguma coisa, eu *poderia* ter feito outra — mas o que isso significa em um universo único desenvolvendo-se no tempo segundo leis, pelo qual eu passo uma só vez? Estou diante de uma decisão importantíssima, e um perito em comportamento humano prevê, com 99% de probabilidade de êxito, que escolherei o que neste momento parece ser a pior alternativa. Devo continuar a agonizar ou devo poupar tempo e fazer o que é inevitável?

Um quarto enigma é o significado. Quando falo em planetas, posso referir-me a todos os planetas do universo, passados, presentes e futuros. Mas como poderia eu, neste exato momento, aqui em minha casa, encontrar-me em alguma relação com um planeta que será criado numa galáxia distante daqui a 5 milhões de anos? Se eu sei o que significa "número natural", minha mente comunica-se com um conjunto infinito — mas eu sou um ser finito, que teve contato com uma ínfima amostra dos números naturais.

O conhecimento é igualmente desnorteante. Como eu poderia ter chegado à certeza de que o quadrado da hipotenusa é igual à soma dos quadrados dos outros dois lados, em todo lugar e por toda a eternidade, aqui no conforto de minha poltrona, sem nenhum triângulo ou fita métrica por perto? Como sei que não sou um cérebro num barril, ou que não estou sonhando, ou vivendo uma alucinação programada por um neurologista perverso, ou que o universo não foi criado cinco minutos atrás, inclusive seus fósseis, memórias e registros históricos? Se todas as esmeraldas que vi até hoje são verdes, por que eu deveria concluir que "todas as esmeraldas são verdes" em vez de "todas as esmeraldas são verduis", com *"verduis"* significando "observadas antes do ano 2020 e verdes ou observadas depois de 2020 e azuis"? Todas as esmeraldas que já vi são verdes, mas, por outro lado, todas as esmeraldas que já vi são verduis. As duas conclusões são fundamentadas, mas uma delas prevê que a primeira esmeralda que eu vir no ano 2020 será da cor da grama e a outra prevê que será da cor do céu.

Um último enigma é a moralidade. Se eu secretamente matei a machadadas a infeliz e desprezada usurária, onde está registrada a natureza perversa desse ato? O que significa dizer que eu não "deveria" fazer isso? Como a *obrigação moral* emerge de um universo de partículas e planetas, genes e corpos? Se o objetivo da ética é maximizar a felicidade, deveríamos ser indulgentes com um maluco que obtém mais prazer matando do que suas vítimas obtêm vivendo? Se é para maximizar vidas, deveríamos executar em público um homem incriminado injustamente se isso desencorajasse mil assassinatos? Ou recrutar compulsoriamente algumas cobaias humanas para experimentos fatais que salvariam milhões de indivíduos?

As pessoas têm refletido sobre esses problemas há milênios, mas não se aproximaram das soluções. Eles nos dão uma sensação de perplexidade, de vertigem intelectual. McGinn mostra como pensadores, ao longo das eras, têm gravitado alternadamente para quatro tipos de soluções, nenhuma delas satisfatória.

Os problemas filosóficos têm um quê de divino, e a solução favorita na maioria das épocas e lugares é o misticismo e a religião. A consciência é uma fagulha divina em cada um de nós. O eu é a alma, um espírito imaterial que paira acima dos eventos físicos. As almas simplesmente existem, ou foram criadas por Deus. Ele concedeu a cada alma um valor moral e o poder da escolha. Ele estipulou o que é bom e registra os atos bons e maus de cada alma no livro da vida, recompensando-a ou punindo-a depois que ela deixa o corpo. O conhecimento é concedido por Deus ao profeta ou ao vidente ou garantido a todos nós pela honestidade e onisciência de Deus. A solução é explicada na réplica ao poema humorístico (p. 336) que pergunta por que a árvore continua a existir quando não há ninguém por perto no pátio:

> *Dear Sir, Your astonishment's odd:*
> *I am always about in the quad.*
> *And that's why the tree*
> *will continue to be,*
> *Since observed by Yours Faithfully, God.**

O problema da solução religiosa foi apontado por Mencken, que escreveu: "Teologia é o esforço de explicar o incognoscível em termos do que não vale a pena conhecer". Para qualquer pessoa com uma persistente curiosidade intelectual, não vale a pena conhecer as explicações religiosas porque elas empilham enigmas igualmente desnorteantes por cima dos originais. O que deu *a Deus* uma mente, livre-arbítrio, conhecimento, certeza sobre o

---

(*) "Prezado Senhor, Seu espanto é estranho:/ *Eu* estou sempre por perto no pátio./ E é por isso que a árvore continuará a existir,/ Já que a observa, Atenciosamente, Seu Deus."

certo e o errado? Como Deus os infunde em um universo que parece funcionar muito bem segundo leis físicas? Como Deus faz espíritos imateriais interagirem com matéria sólida? E, o mais desconcertante, se o mundo funciona segundo um plano sábio e misericordioso, por que contém tanto sofrimento? Como se diz em uma expressão iídiche, se Deus vivesse na Terra, as pessoas quebrariam as janelas dele.

Os filósofos modernos tentaram três outras soluções. Uma consiste em dizer que as misteriosas entidades são uma parte irredutível do universo, e pronto. O universo, concluiríamos, contém espaço, tempo, gravidade, eletromagnetismo, forças nucleares, matéria, energia e *consciência* (ou vontade, eus, ética, significado ou tudo isso). A resposta para nossa curiosidade quanto a *por que* o universo tem consciência é: "Deixe para lá, ele tem e acabou-se". Sentimo-nos logrados, pois nenhum insight foi oferecido e porque sabemos que os detalhes da consciência, vontade e conhecimento são minuciosamente relacionados à fisiologia do cérebro. A teoria da irredutibilidade considera isso mera coincidência.

Uma segunda solução é negar que existe um problema. Fomos desencaminhados por pensamento nebuloso ou por expressões da linguagem enganadoras mas vazias, como o pronome *eu*. Afirmações concernentes à consciência, vontade, eu e ética não podem ser conferidas por comprovação matemática ou testes empíricos, portanto não têm sentido. Mas essa resposta deixa-nos incrédulos e não esclarecidos. Como observou Descartes, nossa consciência é a coisa mais indubitável que existe. É um dado a ser explicado; não pode ser definida como inexistente por regulamentações quanto ao que nos é permitido chamar de significativo (sem mencionar as afirmações éticas, como por exemplo a de que a escravidão e o Holocausto foram errados).

Uma terceira solução consiste em domesticar o problema, desdobrando-o em problemas que nós *podemos* resolver. A consciência é a atividade na camada quatro do córtex, ou os conteúdos da memória de curto prazo. O livre-arbítrio encontra-se no sulco do cíngulo anterior ou na sub-rotina executiva. Moralidade é seleção por parentesco e altruísmo recíproco. Cada sugestão desse tipo, no grau em que é correta, realmente resolve *um* problema, mas seguramente também deixa sem solução o problema principal. *Como* a atividade na camada quatro do córtex causa minha específica, pungente, característica sensação de vermelho? Posso imaginar uma criatura cuja camada quatro seja ativa, mas que não tenha a sensação de vermelho ou a sensação de coisa alguma; nenhuma lei da biologia exclui uma criatura assim. Nenhuma exposição sobre os efeitos causais do sulco do cíngulo pode explicar como as escolhas humanas *não são absolutamente causadas*, sendo, portanto, algo pelo qual podemos ser responsabilizados. As teorias sobre a evolução do senso moral podem explicar por que condenamos atos perversos contra nós mesmos e contra nossos parentes e amigos, mas não podem explicar a convicção, tão inabalável quanto nossa compreensão da geometria, de que alguns atos são inerentemente errados mesmo que seus efeitos líquidos sejam neutros ou benéficos para nosso bem-estar geral.

Inclino-me um pouco para uma solução diferente, defendida por McGinn e baseada em reflexões de Noam Chomsky, do biólogo Gunther Stent e, antes deles, de David Hume. Talvez os problemas filosóficos sejam difíceis não porque sejam divinos, irredutíveis, sem sentido ou ciência rotineira, mas porque a mente do *Homo sapiens* não dispõe do equipamento cognitivo para resolvê-los. Somos organismos, e não anjos, e nossa mente é um órgão, e não um conduto para a verdade. Nossa mente evoluiu pela seleção natural para resolver problemas que foram questões de vida ou morte para nossos ancestrais, e não para comungar com o certo ou para responder a qualquer pergunta que sejamos capazes de formular. Não somos capazes de reter 10 mil palavras na memória de curto prazo. Não podemos enxergar com luz ultravioleta. Não podemos fazer uma rotação mental de um objeto na quarta dimensão. E talvez não possamos resolver enigmas como o livre-arbítrio e a sensibilidade.

Podemos perfeitamente imaginar criaturas com *menos* faculdades cognitivas do que as que possuímos: cães para quem nossa língua soa como "Blá-blá-blá-Totó-blá-blá-blá", ratos que não conseguem aprender as características de um labirinto onde há comida nas ramificações marcadas com números primos, autistas incapazes de conceber outras mentes, crianças que não conseguem entender por que tanto estardalhaço em torno de sexo, pacientes neurológicos que veem cada detalhe num rosto exceto o detalhe de a quem ele pertence, pessoas sem visão estereoscópica que são capazes de entender um estereograma como um problema de geometria, mas incapazes de vê-lo salientar-se em profundidade. Se as pessoas sem visão estéreo fossem ignorantes, poderiam considerar a visão tridimensional um milagre, ou afirmar que ela simplesmente *existe* e não requer explicação, ou ainda descartá-la como alguma espécie de truque.

Assim sendo, por que não poderia haver criaturas com *mais* faculdades cognitivas do que as que possuímos, ou com faculdades cognitivas *diferentes*? Elas poderiam entender sem dificuldade como o livre-arbítrio e a consciência emergem de um cérebro e como significado e moralidade encaixam-se no universo e achariam graça nos malabarismos religiosos e filosóficos que fazemos para compensar nossa perplexidade diante desses problemas. Poderiam tentar explicar as soluções para nós, mas nós não entenderíamos as explicações.

Essa hipótese é quase perversamente impossível de provar, embora pudesse ser *refutada* caso alguém um dia resolvesse os antiquíssimos enigmas da filosofia. E há razões indiretas para suspeitar que ela é verdadeira. Uma é que as melhores mentes de nossa espécie atiraram-se aos enigmas por milênios mas não avançaram nas soluções. Outra é que esses enigmas têm um caráter diferente até mesmo dos mais desafiadores problemas da ciência. Problemas como o modo como a criança aprende a língua ou como um óvulo fertilizado torna--se um organismo são formidáveis na prática e podem nunca vir a ser solucionados completamente. Porém, se não forem, serão por motivos práticos mundanos. Os processos causais são demasiado entrelaçados ou caóticos, os fenômenos são confusos demais para serem capturados e dissecados em laboratório, a matemática está além da capacidade dos computadores que podemos divisar. Mas os cientistas são capazes de imaginar os tipos de teorias que *poderiam* ser soluções, certas ou erradas, passíveis ou não de comprovação. A sensibilidade e a vontade são diferentes. Longe de serem complicadas demais, elas são enlouquecedoramente simples — consciência e escolha são inerentes a uma dimensão ou colorido especial que de algum modo adere a eventos neurais sem se enredar nos mecanismos causais desses eventos. O desafio não é descobrir a explicação correta de como isso acontece, mas imaginar uma teoria que *pudesse* explicar como isso acontece, uma teoria que situaria o fenômeno como um efeito de alguma causa, qualquer causa.

É fácil tirar conclusões disparatadas e injustificadas com base na hipótese de que nossas mentes não dispõem do equipamento para resolver os grandes problemas da filosofia. Não se está afirmando que existe algum paradoxo de autorreferência ou regressão infinita em uma mente que tenta entender a si mesma. Os psicólogos e neurocientistas não estudam suas próprias mentes; estudam as de outras pessoas. A hipótese também não implica alguma limitação, estabelecida por princípios, à possibilidade de conhecimento por qualquer conhecedor, como o Princípio da Incerteza ou teorema de Gödel. Ela é uma observação sobre um órgão de uma espécie, equivalente a observar que os gatos são daltônicos e que os macacos não têm capacidade para aprender divisão por números grandes. A hipótese não justifica crenças religiosas ou místicas, mas explica por que elas são vãs. Os filósofos não perderiam o emprego, pois eles esclarecem esses problemas, extraem partes que *podem* ser solucionadas e as resolvem ou as entregam à ciência para que esta as resolva. A hipótese não implica que deparamos com o fim da ciência ou topamos com uma barreira limitadora do quanto poderemos aprender sobre o funcionamento da mente. O aspecto computacional da consciência (que informação está disponível para quais processos), o aspecto neurológico (o que, no cérebro, correlaciona-se com a consciência) e o aspecto evolutivo (quando e por que emergem os aspectos neurocomputacionais) são perfeitamente trabalháveis, e não vejo razão para que não venhamos a ter décadas de progresso e, por fim, uma total compreensão — mesmo que jamais solucionemos desafios intelectuais residuais como o de se o seu vermelho é igual ao meu vermelho ou como é ser um morcego.

Em matemática, dizemos que os números inteiros são *fechados* quanto à adição: somar dois números inteiros resulta em outro número inteiro; nunca pode resultar em fração. Mas isso não significa que o conjunto dos números inteiros seja finito. Os pensamentos humanamente pensáveis são fechados quanto ao funcionamento de nossas faculdades cognitivas e podem nunca abranger as soluções dos mistérios da filosofia. Mas ainda assim o conjunto de pensamentos pensáveis pode ser infinito.

O fechamento cognitivo é uma conclusão pessimista? De modo nenhum! A meu ver, é animador, um sinal de grande progresso em nossa compreensão da mente. E é minha derradeira oportunidade de tentar atingir o objetivo deste livro: fazer você sair de sua mente por um momento e ver seus pensamentos e sentimentos como magníficas invenções do mundo natural em vez de o único modo como as coisas poderiam ser.

Primeiro, se a mente é um sistema de órgãos projetados pela seleção natural, por que deveríamos esperar que ela compreendesse todos os mistérios, descobrisse todas as verdades? Deveríamos ficar satisfeitos pelo fato de os problemas da ciência assemelharem-se em estrutura aos problemas de nossos ancestrais coletores de alimentos o suficiente para que tenhamos feito o progresso que fizemos. Se não existisse *nada* que nos fosse difícil entender, seria preciso questionar a visão de mundo científica que considera a mente um produto da natureza. O fechamento cognitivo *deve* ser verdadeiro se sabemos do que estamos falando. Mesmo assim, poderíamos pensar que a hipótese é meramente um devaneio, uma possibilidade lógica que não poderia ir além das discussões noturnas nos dormitórios universitários. A tentativa de McGinn para identificar os problemas humanamente insolúveis é um avanço.

Melhor ainda, podemos vislumbrar *por que* determinados problemas estão além da nossa compreensão. Um tema recorrente neste livro é o de que a mente deve seu poder às suas habilidades sintáticas, composicionais e combinatórias (capítulo 2). Nossas ideias complexas são construídas a partir de ideias mais simples, e o significado do todo determina-se pelos significados das partes e pelos significados das relações que as conectam: "parte de um todo", "exemplo de uma categoria", "coisa em um lugar", "agente exercendo força", "causa de um efeito", "mente com uma crença". Essas conexões lógicas e semelhantes a leis fornecem os significados das sentenças na fala cotidiana e, por meio de analogias e metáforas, emprestam suas estruturas aos conteúdos esotéricos da ciência e da matemática, nos quais elas são montadas formando edifícios teóricos cada vez maiores (ver capítulo 5). Concebemos a matéria como moléculas, átomos e quarks; a vida como DNA, genes e uma árvore de organismos; a mudança como posição, momento e força; a matemática como símbolos e operações. Todas são montagens de elementos compostas segundo leis, nas quais as propriedades do todo são previsíveis com base nas propriedades das partes e no modo como elas são combinadas. Mesmo quando os cientistas labutam com processos ininterruptos, contínuos e dinâmicos, expressam suas teorias em palavras, equações e simulações por computador, veículos combinatórios engrenados com o funcionamento da mente. Sorte nossa que partes do mundo comportam-se como interações entre elementos mais simples que são regidas por leis.

Mas há nos problemas da filosofia um quê de singularmente holístico, de "em toda parte ao mesmo tempo e em nenhum lugar" e de "tudo ao mesmo tempo". A sensibilidade não é uma combinação de eventos cerebrais ou de estados computacionais: como um neurônio sensível ao vermelho origina a sensação subjetiva do vermelho não é nem um pouquinho menos misterioso do que como o cérebro inteiro origina todo o fluxo de consciência. O "eu" não é uma combinação de partes do corpo, de estados cerebrais ou de bits de informação, mas uma unidade das condições do eu ao longo do tempo, um único *locus* que não se encontra em nenhum lugar específico. O livre-arbítrio não é uma cadeia causal de eventos e estados, por definição. Embora o aspecto combinatório do significado tenha sido descoberto (como as palavras ou ideias combinam-se formando os significados das sentenças ou proposições), a *essência* do significado — o simples ato de referir-se a alguma coisa — permanece um enigma, pois encontra-se estranhamente separada de qualquer conexão causal entre a coisa referida e a pessoa referente. O conhecimento, também, gera o paradoxo de que os conhecedores têm uma noção de coisas que nunca os afetaram. Nossa total perplexidade ante os enigmas da consciência, do eu, da vontade e do conhecimento pode provir de uma incompatibilidade entre a própria natureza desses problemas e o aparato computacional com que a seleção natural nos equipou.

Se essas conjeturas estiverem corretas, nossa psique nos apresentaria a suprema provocação. A coisa mais inegável que existe, nossa própria consciência, estaria para sempre além de nosso entendimento conceitual. Mas se nossa mente é parte da natureza, isso é esperado, e até mesmo bem-vindo. O mundo natural suscita nossa reverência e espanto pelos designs especializados de suas criaturas e das partes que as compõem. Não zombamos da águia por sua deselegância no chão, nem nos preocupamos com o fato de o olho não ser capaz de ouvir, porque sabemos que um design somente pode vencer com excelência um desafio em detrimento de outros. Nossa perplexidade diante dos mistérios de todas as épocas pode ser o preço que pagamos por uma mente combinatória que nos franqueou um mundo de palavras e sentenças, de teorias e equações, de poemas e melodias, de piadas e histórias, das próprias coisas que fazem valer a pena ter uma mente.

POSFÁCIO

Cinquenta anos atrás, o crítico Philip Rieff proclamou o século xx "a era do Homem Psicológico". Essa concepção de quem somos, ele afirmou, era a mais recente em uma série histórica que começou com o Homem Político no período clássico, deu lugar ao Homem Religioso na Idade Média cristã e depois ao Homem Econômico no Iluminismo. Agora, em vez de nos entendermos segundo o nosso lugar na ordem social, a nossa relação com Deus ou a nossa busca racional do autointeresse, baseamo-nos na teoria freudiana da psicanálise e sua concepção de uma psique complexa que procura equilibrar suas origens instintuais com as demandas da civilização.

Rieff pode ter errado ao designar a psicanálise como a teoria oficial do Homem Psicológico (assim poderíamos chamá-la hoje). Mas foi presciente ao salientar que cada vez mais nos entendemos com base no funcionamento íntimo da nossa mente, em sua origem no mundo natural e em sua interação com os conteúdos da cultura e da civilização. Hoje, ideologia política, sentimento religioso e comportamento econômico — mencionando aqui apenas as três esferas da vida que definiram as fases anteriores do nosso autoconceito — são estudados nos laboratórios de psicologia como manifestações da natureza humana. Também ao microscópio estão a moralidade, a estética, o raciocínio, a linguagem, as relações sociais e as outras obsessões humanas.

Como a mente funciona é minha tentativa de sintetizar uma visão emergente da natureza humana que, a meu ver, está suplantando a psicanálise como a ideia por trás do *Humano Psicológico*. Segundo essa teoria, a mente é um sistema complexo de processamento de informações neurais que constrói modelos mentais do mundo físico e social e procura atingir objetivos relacionados, em última análise, à sobrevivência e reprodução em um ambiente pré-moderno. A inspiração para essa síntese foi um conjunto de ideias eloquentes surgidas ao longo das três décadas precedentes: ideias da ciência cognitiva sobre a representação e os processos mentais, e ideias da biologia evolucionária sobre conflitos e confluências de interesse genético entre organismos sociais. A partir dessas bases, tentei montar uma exposição coerente da psicologia humana usando teorias e dados desses campos, e também da genética, neurociência e psicologia social e da personalidade.

Uma síntese tão abrangente poderia parecer banal, mas muitos leitores não pensaram assim. Além de gratificantes resenhas e reconhecimento, o livro suscitou críticas veementes de vários teores. Não me surpreenderam os ataques da esquerda acadêmica, dada a história das apreensões dessa ala em relação às teorias da natureza humana; aliás, quando escrevi o livro analisei parte dessa história e previ novas críticas na seção do capítulo 1 intitulada "Correção psicológica".

O que eu não havia previsto era que a direita religiosa e cultural notaria o livro, e muito menos que o criticaria. Para essa corrente, as pressuposições em meu texto de que a mente é um produto do cérebro e que o cérebro é um produto da evolução — pressuposições que raramente são mencionadas, e muito menos defendidas por psicólogos e neurocientistas praticantes — eram uma proposição radical e incendiária. Tal base biológica representava uma visão sem alma, amoral, materialista que não deixava espaço para o sentido e a moralidade — os quais, na concepção dessa corrente, só podem ser dados por Deus através de seus escritos terrenos e de seus representantes.

Tampouco eu poderia imaginar o tipo de experiência relatado por uma escritora ao *New York Times* em um artigo sobre leituras de férias. O marido dela recomendara *Como a mente funciona*, e o livro, ela escreveu,

> lançou-me em uma crise de fé tão intensa que ao voltar para casa, para recobrar a noção do meu lugar no mundo, tive de começar a me preparar para o bat mitzvah que eu me recusara a ter em 1972, aos 13 anos. Quando me sentei à sombra de um pinheiro e li, todo o meu corpo começou a formigar de ansiedade, como se eu tivesse ingerido uma espécie de Pepsi-Cola existencialista, talvez misturada com solvente de tinta.

Não sei se entendi muito bem o que isso significa, mas certamente entendi que a teoria explicada no livro estava tendo um impacto sobre muitos tipos de leitores. O exame dessas reações filosóficas, morais e emocionais exigiu um novo livro: *Tábula rasa: A negação contemporânea da natureza humana*, publicado em 2002.

Como a mente funciona baseia-se, no mesmo grau, nas ideias fundamentais por trás da ciência cognitiva e nas ideias da psicologia evolucionária. Apesar de todos os meus esforços, ambas as ideias foram mal compreendidas por uma fração significativa dos leitores. A teoria computacional da mente, que está no cerne da ciência cognitiva, é igualada por eles à afirmação de que o cérebro humano funciona como um computador digital. Na verdade, ela só diz que a explicação para o modo como um cérebro pode ser inteligente é a mesma que para o modo como um computador pode ser inteligente (isto é, ambos processam informações em busca de objetivos). A teoria da evolução centrada no replicador, que está no cerne da psicologia evolucionária, é igualada à afirmação de que as pessoas tentam propagar seus genes. Na verdade, ela só diz que as pessoas procuram atingir certas condições que em nosso passado evolucionário correlacionaram-se com a propagação dos genes dos nossos ancestrais.

Das duas ideias fundamentais, a psicologia evolucionária foi, de longe, a que suscitou maior discordância. Na esteira de *Como a mente funciona*, vários livros e artigos atacaram raivosamente a psicologia evolucionista, muitos deles argumentando, ao mesmo tempo, que a teoria não era verificável e que ela fora verificada e refutada por esta ou aquela descoberta. Repliquei algumas dessas críticas em meu site (http://pinker.wjh.harvard.edu), inclusive com uma resenha do livro de Jerry Fodor *The mind doesn't work that way* [A mente não funciona assim] — a propósito, o título da minha resenha não foi "Funciona sim!".

Apesar das alfinetadas, a psicologia evolucionária veio para ficar. Estudos empíricos baseados nessa linha proliferaram, como podemos constatar na profusão de novos periódicos e conferências, e suas ideias arraigaram-se nas discussões contemporâneas de praticamente qualquer tema da psicologia. Hoje a maioria das análises nas áreas de psicologia da religião, política, família, sexualidade, emoção, moralidade, economia e estética incorpora alguma discussão sobre a evolução, tanto na imprensa como nos círculos acadêmicos. Uma razão é que os psicólogos evolucionistas são os que inauguraram o estudo científico moderno desses temas. Mas há outra razão mais básica: nenhuma teoria científica pode pretender ser integralmente explanatória se ficar restrita a questões do tipo "como" e não buscar uma resposta sistemática às do tipo "por quê". E quando se trata do mundo natural, a evolução é a fonte primária de respostas às questões do tipo "por quê" — questões sobre para que serve uma faculdade psicológica, para que ela foi "projetada", por que ela é como a encontramos e não de outros modos possíveis.

Todo autor acaba por se dar conta de que as discussões em um livro que mais atraem os leitores são radicalmente distintas daquelas que trazem mais orgulho ao autor. Minha seção favorita é a explicação dos autoestereogramas de pontos aleatórios, que decidi escrever quando topei com uma ilusão do livro *Olho mágico* em uma livraria. Por mais que tentasse, eu não conseguia descobrir como aquilo funcionava, e naquele momento decidi que se não fosse capaz de explicá-la eu não merecia me intitular psicólogo. Das mais de cem resenhas e mil cartas que o livro ensejou, poucas comentaram essa exposição. Uma deleitante exceção foi Oliver Sacks, também um conhecedor da visão estereoscópica, que inesperadamente me enviou um fac-símile da monografia de 1856 de Sir David Brewster, *The stereoscope: Its history, theory, and construction* [O estereoscópio: sua história, teoria e construção] — sem dúvida uma das mais agradáveis surpresas que tive após a publicação deste livro.

Em vez de tratar dos tópicos que eu achava mais interessantes, uma parcela surpreendentemente grande dos leitores e da mídia escolheu as discussões sobre música e consciência. (Talvez porque elas estivessem no último capítulo: há tempos os psicólogos sabem que as pessoas recordam o começo e o fim de uma série melhor do que o que vem no meio.) Minha ideia de que a música (e a maioria das formas de arte, com exceção da ficção narrativa) não é uma adaptação biológica continua a ser veementemente contestada, e minha expressão *"cheesecake auditivo"* leva a milhares de resultados no Google (a maioria críticas) e provavelmente aparecerá no meu obituário. Autores que se interessam pela psicologia da música (e das artes em geral) asseveram que a música tem de ser uma adaptação biológica, ou que já foi demonstrado que ela é uma adaptação, ou que quem nega que ela seja uma adaptação é filisteu, bronco e imoral. (Muitas vezes esses sentimentos coexistem com os sentimentos igualmente irredutíveis de que nenhum aspecto da psicologia é uma adaptação, que é impossível demonstrar cientificamente que qualquer coisa seja uma adaptação e que quem afirma que alguma coisa é uma adaptação é filisteu, bronco e imoral.)

Acho que praticamente nenhum desses críticos entendeu o significado de *adaptação* no sentido biológico. O termo não se refere a uma característica que é sadia, valiosa, edificante ou alentadora, mas a uma característica que aumentou o número de descendentes vivos na linhagem ancestral de um organismo. Sendo assim, os críticos estão, na verdade, tentando comprovar a importância moral, espiritual, emocional ou científica da música, e não aplicando os critérios científicos para a adaptação. O que deixaram de fazer foi a análise de engenharia necessária para romper o círculo lógico que enfraquece explicações adaptacionistas ruins. ("O que as pessoas fazem tem de ser adaptativo, já que tanta gente faz.") Isso exigiria mostrar que as especificações para a composição de música — independentemente de qualquer coisa que saibamos acerca de seus efeitos sobre os humanos — têm por objetivo promover a reprodução ou sobrevivência em um ecossistema que caracterizou os humanos durante sua história evolucionária. Apesar de toda a insistência na ideia de que música e arte têm de ser adaptações, ninguém jamais fez isso de forma convincente. (Discuto essa questão com mais detalhes em uma resenha publicada na revista *Philosophy and Literature*.)

Minha discussão sobre a consciência também gerou muitos equívocos. Meu endosso à teoria do fechamento cognitivo de Colin McGinn, segundo a qual a mente humana pode não ser capaz de chegar à solução de todos os problemas que ela possa propor a si mesma (uma teoria que considero consequência direta de qualquer abordagem biológica da cognição humana), foi interpretado como uma negação de que a consciência pode ser estudada cientificamente, ou mesmo como uma proibição a estudar cientificamente a consciência! Parte do equívoco deve-se ao fato de os críticos não conseguirem distinguir dois problemas suscitados pelo fenômeno da consciência. David Chalmers chama-os de "o problema difícil" e "o problema fácil". Eu os chamo, respectivamente, de "senciência" e "acesso". Sem exceção, as teorias e estudos da década passada que dizem tentar esclarecer o problema difícil (a senciência) na verdade esclarecem o problema fácil (o acesso). E muitos leitores deixaram de perceber o que a meu ver é a mais interessante lição científica do mistério da senciência: o fato de que a própria sensação de que ele é um mistério é um fenômeno psicológico, que revela algo importante sobre o funcionamento da mente humana. Em particular, sugere que a mente apreende fenômenos complexos em termos de interações governadas por regras entre elementos mais simples, e por isso se frustra quando encontra problemas que têm uma qualidade holística, como a senciência e outros eternos enigmas da filosofia.

Desde a publicação de *Como a mente funciona* aconteceu muita coisa nas ciências cognitivas, biológicas e sociais, com novas descobertas em praticamente todos os tópicos. Atualizar cada seção com esses novos dados exigiria um posfácio mais longo do que todos os capítulos do livro, e sei, por experiência, que ninguém o leria. Mas escrevi *Como a mente funciona* tendo em vista padrões empíricos gerais e bem estabelecidos que eu esperava serem capazes de resistir ao teste do tempo, e são poucas as discussões que hoje eu escreveria de um modo substancialmente diferente.

Na década passada, obviamente, tivemos avanços científicos notáveis. Dentre eles, o mais destacado na ciência cognitiva é o avanço metodológico: surgiu uma avalanche de estudos de neuroimagem, usando ferramentas como a ressonância magnética funcional e a magnetoencefalografia. Embora certamente eu não acredite que especializações psicológicas ocupem trechos separados do córtex, se escrevesse o livro hoje eu incluiria muito mais análises sobre as redes anatômicas que alicerçam os principais subsistemas mentais.

A genética e a biologia evolucionária também tiveram avanços metodológicos impressionantes. A primeira fase do Projeto Genoma Humano foi concluída em 2001, e entre outras coisas possibilitou técnicas que permitem aos biólogos procurar impressões digitais estatísticas da seleção natural darwiniana em genes específicos. Uma boa fração — provavelmente a grande maioria — dos genes do genoma humano parece ter sido moldada pela seleção, e alguns deles (como um gene que causa deficiência na fala e na linguagem) têm efeitos sobre o funcionamento mental. Em princípio, essas técnicas poderiam um dia permitir testes empíricos diretos da ideia central de *Como a mente funciona*, a proposição de que a mente é um sistema de órgãos de computação que evoluíram pela seleção natural. Evidentemente não acredito que os sistemas mentais são instalados por genes únicos, como também não acredito que eles ocupam trechos separados do córtex. Mas predigo que serão descobertos muitos genes com perfis desiguais nos efeitos sobre a mente (isto é, não existem apenas genes que nos tornam mais inteligentes em tudo, e sim genes que afetam alguns tipos de emoções e processos mais do que outros). E, crucialmente, esses genes apresentarão os sinais estatísticos de seleção em seus padrões de variação intraespécie e entre espécies.

Há um avanço científico que poderia requerer modificação em um princípio básico do livro: a suposição de que a psicologia humana é biologicamente adaptada apenas para uma vida como a dos caçadores-coletores, anterior à invenção da agricultura, ocorrida há cerca de 10 mil anos. Estudos recentes dos efeitos da seleção sobre o genoma humano sugerem que nossos genes passaram por uma forte seleção nestes últimos milênios — de fato, uma seleção tão forte quanto a vista no milho (originalmente uma gramínea selvagem, que ficou irreconhecível depois de passar por reprodução seletiva nas mãos humanas). Se for demonstrado que essa seleção recente atua sobre os genes que afetam a mente (e não sobre genes que têm um papel, digamos, na digestão ou na resistência a doenças), isso implicaria que a mente é adaptada a uma mistura de ambientes recentes e antigos. E isso, por sua vez, implicaria que a psicologia evolucionária não foi longe o bastante: nossa espécie mostraria adaptações biológicas tanto a características dos nossos ambientes como a características do estilo de vida mais antigo dos caçadores-coletores.

Ideias profundas sobre a mente humana não surgem com muita frequência, mas há uma nova família de ideias que eu incluiria neste livro se fosse escrevê-lo hoje: as teorias inter-relacionadas de Jonathan Haidt, Philip Tetlock, Alan Fiske, Paul Rozin e Richard Shweder sobre a psicologia da moral. Essas teorias invocam um conjunto de fenômenos psicológicos que incluem a moralização, a perplexidade moral, o tabu e um inventário dos modelos relacionais que definem as normas sociais em todas as sociedades do mundo. (Examinei essas ideias em meu ensaio "The moral instinct", publicado na *New York Times Magazine* em 2008.) Outra nova ideia importante, trazida por Geoffrey Miller e seus colaboradores, é que a variabilidade individual na cognição, emoção e personalidade pode ter surgido de dois processos evolucionários muito diferentes: o balanço entre seleção e mutação, no caso da inteligência e distúrbios psicológicos graves, e a seleção dependente da frequência, no caso da variação na personalidade e caráter. Finalmente, eu incluiria alguns dos fascinantes resultados da teoria dos jogos evolucionária e seus testes experimentais, por exemplo os estudos sobre como as pessoas lidam com os dilemas do Jogo do Ultimato, o Jogo do Ditador e o Jogo dos Bens Públicos.

Outros avanços da biologia sem dúvida mereceriam ser discutidos se eu fosse escrever o livro hoje, mas não demandariam mudanças na abordagem geral. Entre eles estão a chamada evolução do desenvolvimento, ou "evo-devo" (o estudo de como a mudança evolucionária é implementada no desenvolvimento embriônico dos organismos), a epigenética e a plasticidade neural (que analiso em profundidade em *Tábula rasa*). Também vimos recentemente a tentativa de reviver a teoria da seleção de grupos, que na minha opinião é mal orientada em muitos aspectos (por razões que analisei em minha resenha na revista *Philosophy and Literature*).

Apesar das várias contas que procurei acertar aqui, estou feliz por reconhecer que a reação geral ao livro foi imensamente positiva e me trouxe muita satisfação. *Como a mente funciona* é o livro que mais me orgulha ter escrito, e também minha realização profissional favorita. Uma das razões é a pura gratificação por ter concluído um projeto com um objetivo tão audacioso. Durante o ano sabático que reservei para escrever o livro, tive momentos de desespero em que me perguntei: "Como a mente funciona?"; "O que eu estava *pensando*?".

Mas uma satisfação mais profunda veio de um tipo de resposta que recebi. Para cada leitor que achou que ler o livro foi como ingerir uma mistura de Pepsi com solvente de tinta, muitos outros me disseram que *Como a mente funciona* mudou sua vida para melhor: inspirou-os a retomar os estudos, a deixar um emprego sem futuro, a empenhar-se em outra coisa na vida além de ganhar dinheiro. Não significa que tenham concordado com minhas ideias especificamente, ou encontrado uma mensagem inspiradora em uma das teorias ou descobertas que descrevi. Significa, muitos afirmaram, que o livro os expôs a um modo totalmente novo de ver o mundo. Levou-os a perceber que é possível fazer indagações profundas acerca da vida mental e pensar em como respondê-las. Muitos disseram que o livro lhes trouxe a curiosidade com respeito a fenômenos da nossa vida aos quais não prestamos a devida atenção, e os levou a repensar dogmas e a sabedoria convencional. Alguns disseram que despertaram para um mundo de ideias, estudos e ciência mais amplo do que os nossos interesses cotidianos. Proporcionar um vislumbre desse mundo de ideias é o máximo que um autor pode razoavelmente almejar. Espero que, concordando ou não com as ideias deste livro, ele leve você a pensar mais a fundo sobre como a mente funciona.

Steven Pinker, 2009

NOTAS

1. *EQUIPAMENTO PADRÃO* (pp. 13-69)

Página

17   Visão do olho do robô: Poggio, 1984.

17   Construção de um sistema visual: Marr, 1982; Poggio, 1984; Aloimonos & Rosenfeld, 1991; Wandell, 1995; Papathomas et al., 1995.

17   Problemas do tipo "ovo ou galinha" na visão: Adelson & Pentland, 1996; Sinha & Adelson, 1993a, b.

18   Pós-imagem de vários tamanhos ("Lei de Emmert"): Rock, 1983.

19   Comparação com gabarito: Neisser, 1967; figura adaptada de Lindsay & Norman, 1972, pp. 2-6.

21   Locomoção com pernas: Raibert & Sutherland, 1983; Raibert, 1990.

21   Desastre ao andar: French, 1994.

22   Braços e luminária de arquiteto: Hollerbach, 1990; Bizzi & Mussa-Ivaldi, 1990.

22   Galeno sobre as mãos: citado em Williams, 1992, p. 192.

22   Modos de segurar com a mão: Trinkaus, 1992.

23   Solteiros: Winograd, 1976.

24   Senso não tão bom: Lenat & Guha, 1990.

24   Inferências sensíveis: Cherniak, 1983; Dennett, 1987.

25   Problema do modelo: Dennett, 1987; Pylyshyn, 1987.

26   Regras da robótica: Asimov, 1950.

27   Agressão de engenharia: Maynard Smith, 1982; Tooby & Cosmides, 1988.

29   Lógica do amor: Symons, 1979; Buss, 1994; Frank, 1988; Tooby & Cosmides, 1996; Fisher, 1992; Hatfield & Rapson, 1993.

30   Negligência do espaço visual esquerdo: Bisiach & Luzzatti, 1978. Acromatopsia (daltonismo cortical): Sacks & Wasserman, 1987. Cegueira para o movimento: Hess, Baker & Zihl, 1989.

30   Agnosia (dificuldade para reconhecer objetos): Farah, 1990. Prosopagnosia (dificuldade para reconhecer rostos): Etcoff, Freeman & Cave, 1991. Síndrome de Capgrass (inexistência de familiaridade apesar do reconhecimento): Alexander, Stuss & Benson, 1979.

31   Várias áreas cerebrais para a visão: Van Essen & DeYoe, 1995.

31 Separados ao nascer: Lykken et al., 1992; Bouchard et al., 1990; Bouchard, 1994; Plomin, 1989; Plomin, Owen & McGuffin, 1994; L. Wright, 1995.

32 Engenharia reversa: Dennett, 1995. Psicologia como engenharia reversa: Tooby & Cosmides, 1992.

33 Biologia como engenharia reversa: Williams, 1966, 1992; Mayr, 1983.

33 Psicologia sobre um novo alicerce: Darwin, 1859/1964.

34 Psicologia evolucionista: Symons, 1979, 1992; Tooby, 1985; Cosmides, 1985; Tooby & Cosmides, 1992; Barkow, Cosmides & Tooby, 1992; Cosmides & Tooby, 1994; Wright, 1994a; Buss, 1995; Allman, 1994.

34 Revolução cognitiva: Gardner, 1985; Jackendoff, 1987; Dennett, 1978. Revolução da evolução: Williams, 1966; Hamilton, 1996; Dawkins, 1976/1989, 1986; Maynard Smith, 1975/1993, 1982; Tooby, 1988; Wright, 1994a.

35 O que é informação?: Dretske, 1981.

35 Teoria computacional da mente: Turing, 1950; Putnam, 1960; Simon & Newell, 1964; Newell & Simon, 1981; Haugeland, 1981a, b, c; Fodor, 1968a, 1975, 1994; Pylyshyn, 1984.

36 Humanos que falam, formigas que cultivam: Cosmides & Tooby, 1994.

38 Especialização de cima a baixo: Gallistel, 1995.

39 Visão como óptica invertida: Poggio, 1984.

39 Suposições visuais: Marr, 1982; Hoffman, 1983.

42 Módulos segundo Fodor: Fodor, 1983, 1985.

42 Chomsky sobre órgãos mentais: Chomsky, 1988, 1991, 1993.

43 Especialização de sistemas de inteligência artificial: Marr, 1982; Minsky, 1985; Minsky & Papert, 1988b; Pinker & Price, 1988.

43 Crianças precoces: Hirschfeld & Gelman, 1994a, b; Sperber, Premack e Premack, 1995. Universais humanos: Brown, 1991.

44 Mente não é mistura de biologia e cultura: Tooby & Cosmides, 1992. Aprendizado requer mecanismo inato de aprendizagem: Fodor, 1975, 1981; Chomsky, 1975; Pinker, 1984, 1994; Tooby & Cosmides, 1992.

46 Montagem do cérebro: Stryker, 1994; Cramer & Sur, 1995; Rakic, 1995a, b.

47 Forças evolutivas não seletivas: Williams, 1966; Gould & Lewontin, 1979. Seleção natural como engenheira: Darwin, 1859/1964; Dawkins, 1983, 1986, 1995; Williams, 1966, 1992; Dennett, 1995.

48 O olho como ponte cartesiana: Tooby & Cosmides, 1992.

49 Critérios para adaptação: Williams, 1966; Dawkins, 1986; Dennett, 1995.

50 Enjoo na gravidez: Profet, 1992.

52 Evolução como inovadora: Tooby & Cosmides, 1989.

53 Sociobiologia contraposta à psicologia evolucionista: Symons, 1979, 1992; Tooby & Cosmides, 1990a.

53 O comportamento não é adaptativo agora; a mente foi adaptativa: Symons, 1979, 1992; Tooby & Cosmides, 1990a.

54 Não podemos levar conosco: Gould, 1992. Ponto de vista dos genes: Williams, 1966; Dawkins, 1976/1989, 1983, 1995; Sterelny & Kitcher, 1988; Kitcher, 1992; Cronin, 1992; Dennett, 1995. Contra o ponto de vista dos genes: Gould, 1980b, 1983b.

56 O Modelo Clássico da Ciência Social: Tooby & Cosmides, 1992; Symons, 1979; Daly & Wilson, 1988.

56 Histeria em relação à sociobiologia: Wright, 1988, 1994a; Wilson, 1994. Insinuação: Lewontin, Rose & Kamin, 1984, p. 260. Não em seu livro: compare Dawkins, 1976/1989, p. 20, com Lewontin, Rose & Kamin, 1984, p. 287, e com Levins & Lewontin, 1985, p. 88, 128. Difamações em *Scientific American*: Horgan, 1993, 1995a. Perigoso demais para ensinar: Hrdy, 1994.

57 Freeman, Mead e Samoa: Freeman, 1983, 1992.

57 Declaração de Sevilha: Declaração sobre a Violência de Sevilha, 1990.

59 Preferências inautênticas: Sommers, 1994.

602

60	Natureza humana universal: Tooby & Cosmides, 1990b.
61	Feminismo da diferença: Sommers, 1994; Patai & Koertge, 1994.
62	Não tão nobre: Daly & Wilson, 1988; Chagnon, 1992; Keely, 1996.
62	Religião e modularidade: Wright, 1994a.
63	Qualidade que define ser mulher: Gordon, 1996.
64	Parceiros que pulam a cerca não têm culpa: Rose, 1978.
64	A desculpa para infrações e outros fatores extenuantes duvidosos: Dershowitz, 1994.
66	Excusa arrepiante: Dennett, 1984; R. Wright, 1994a, 1995.
66	Responsabilidade moral compatível com causação neuropsicológica e evolutiva: Dennett, 1984; Nozick, 1981, pp. 317-62.
67	Estardalhaço em torno do gene gay: Hamer & Copeland, 1994.
68	Desconstrução do gênero: Lorber, 1994. Desconstrução dos binários: Katz, 1995. Desconstrução do desconstrucionismo: Carroll, 1995; Sommers, 1994; Paglia, 1992; Searle, 1983, 1993; Lehman, 1992.

2. MÁQUINAS PENSANTES (pp. 70-161)

70	*Além da Imaginação*: Zicree, 1989.
71	Louis Armstrong sobre consciência: citado em Block, 1978.
72	Alienígenas bons: entrevista com D. C. Denison, *Boston Globe Magazine*, 18 de junho de 1995.
73	Limalhas idiotas e amantes inteligentes: James, 1890/1950.
73	O que é inteligência?: Dennett, 1978b; Newell & Simon, 1972, 1981; Pollard, 1993.
74	Skinner criticado: Chomsky, 1959; Fodor, 1968a, 1986; Dennett, 1978c.
75	Crenças e desejos: Fodor, 1968a, b, 1975, 1986, 1994; Dennett, 1978d; Newell & Simon, 1981; Pylyshyn, 1980, 1984; Marr, 1982; Haugeland, 1981a, b, c; Johnson-Laird, 1988.
77	O que é informação?: Dretske, 1981.
78	Máquinas de Turing: Moore, 1964.
81	Sistemas de produção: Newell & Simon, 1972, 1981; Newell, 1990; Anderson, 1983, 1993.
88	Definição abrangente de computação: Fodor & Pylyshyn, 1988; Fodor, 1994.
89	O Espírito na Máquina: Ryle, 1949. Espíritos na Máquina da Mente: Kosslyn, 1983.
90	Homúnculos estúpidos: Fodor, 1968b; Dennett, 1978d, pp. 123-4.
91	Significado na mente: Loewer & Rey, 1991; McGinn, 1989a; Block, 1986; Fodor, 1994; Dietrich, 1994.
92	Biologia do significado: Millikan, 1984; Block, 1986; Pinker, 1995; Dennett, 1995; Field, 1977.
93	Inteligência artificial no cotidiano: Crevier, 1993; Hendler, 1994.
93	O que os computadores não podem fazer: Dreyfus, 1979; Weizenbaum, 1976; Crevier, 1993.
93	Falam os peritos: Cerf & Navasky, 1984.
94	Computação natural: termo cunhado por Whitman Richards.
94	O cérebro computacional: Churchland & Sejnowski, 1992.
97	Representação e generalização: Pylyshyn, 1984; Jackendoff, 1987; Fodor & Pylyshyn, 1988; Pinker, 1984a; Pinker & Prince, 1988.
99	Vastidão da linguagem: Pinker, 1994a; Miller, 1967.
100	Melancolia de Mill em razão das melodias: citado em Sowell, 1995.
100	Representações mentais em laboratório: Posner, 1978.
101	Representações múltiplas: Anderson, 1983. Imagens visuais: Kosslyn, 1980, 1994; Pinker, 1984b, c. circuitos na memória de curto prazo: Baddeley, 1986. Pedaços: Miller, 1956; Newell & Simon, 1972. Gramática na cabeça: Chomsky, 1991; Jackendoff, 1987, 1994; Pinker, 1994.
101	Mentalês: Anderson & Bower, 1973; Fodor, 1975; Jackendoff, 1987, 1990, 1994; Pinker, 1989, 1994.
101	Inputs "processados" para o hipocampo: Churchland & Sejnowski, 1992, p. 286. Inputs "processados" para o lobo frontal: Crick & Koch, 1995.

102 Estilo de programação: Kernighan & Plauger, 1978.

103 Arquitetura da complexidade: Simon, 1969.

103 Hora e Tempus: Simon, 1969, p. 188.

104 A Sala Chinesa: Block, 1978; Searle, 1980.

105 Comentário sobre a Sala Chinesa: Searle, 1980; Dietrich, 1994. Atualização da Sala Chinesa: Searle, 1992.

106 Refutações da Sala Chinesa: Churchland & Churchland, 1994; Chomsky, 1993; Dennett, 1995.

107 Eles são feitos de carne: Bisson, 1991.

108 A mente nova do rei: Penrose, 1989, 1990. Atualização: Penrose, 1994.

108 O livro novo do imperador: Penrose, 1989; Wilczek, 1994; Putnam, 1994; Crick, 1994; Dennett, 1995.

109 Tartaruga e Aquiles: Carroll, 1895/1956.

110 Redes neuro-lógicas: McCulloch & Pitts, 1943.

112 Redes neurais: Hinton & Anderson, 1981; Feldman & Ballard, 1982; Rumelhart, McClelland & PDP Research Group, 1986; Grossberg, 1988; Churchland & Sejnowski, 1992; Quinlan, 1992.

118 Rede de Necker: Feldman & Ballard, 1982.

118 Redes associativas de padrões: Hinton, McClelland & Rumelhart, 1986; Rumelhart & McClelland, 1986b.

120 Problemas dos percéptrons: Minsky & Papert, 1988a; Rumelhart, Hinton & Williams, 1986.

122 Redes de camadas ocultas como aproximadoras de funções: Poggio & Girosi, 1990.

124 Conexionismo: Rumelhart, McClelland & PDP Research Group, 1986; McClelland, Rumelhart & PDP Research Group, 1986; Smolensky, 1988; Morris, 1989. Por que os humanos são mais inteligentes do que os ratos: Rumelhart & McClelland, 1986a, p. 143.

124 Debate sobre o pretérito: Rumelhart & McClelland, 1986b; Pinker & Prince, 1988, 1994; Prince & Pinker, 1988; Pinker, 1991; Prasada & Pinker, 1993; Marcus, Brinkmann, Clahsen, Wiese & Pinker, 1995.

124 Problemas do conectoplasma: Pinker & Mehler, 1988; Pinker & Prince, 1988; Prince & Pinker, 1988; Prasada & Pinker, 1993; Marcus, 1997a, b, em preparação; Fodor & Pylyshyn, 1988; Fodor & McClaughlin, 1990; Minsky & Papert, 1988b; Lachter & Bever, 1988; Anderson, 1990, 1993; Newell, 1990; Ling & Marinov, 1993; Hadley, 1994a, b.

125 Hume sobre contiguidade e similaridade: Hume, 1748/1955.

127 Cereja desaparecida: Berkeley, 1713/1929, p. 324.

127 Identificando indivíduos: Bloom, 1996a.

128 Amar um gêmeo: L. Wright, 1995.

128 Qual Blick mordeu?: *Boston Globe*, 1990.

129 Gnus e zebras contrapostos a leões e hienas: comunicação pessoal de Daniel Dennett.

132 Caráter sistemático dos pensamentos: Fodor & Pylyshyn, 1988.

133 Problemas na representação de proposições: Hinton, 1981.

133 Proposições em redes: Hinton, 1981; McClelland & Kawamoto, 1986; Shastri & Ajjanagadde, 1993; Smolensky, 1990, 1995; Pollack, 1990; Hadley & Hayward, 1994.

135 Redes amnésicas: McCloskey & Cohen, 1989; Ratcliff, 1990. Morcego com bastão de beisebol: McClelland & Kawamoto, 1986.

136 Memórias múltiplas: Sherry e Schacter, 1987. Memórias conexionistas múltiplas: McClelland, McNaughton & O'Reilly, 1995.

137 Redes de transição recursivas para compreensão de sentenças: Pinker, 1994, cap. 7.

137 Redes recursivas: Jordan, 1989; Elman, 1990; Giles et al., 1990. Incapacidade das redes recursivas para lidar com proposições: Marcus, 1997a, em preparação. Mastigadores de proposições conexionistas: Pollack, 1990; Berg, 1991; Chalmers, 1990.

138 Categorias nebulosas [*fuzzy*]: Rosch, 1978; Smith & Medin, 1981. Categorias nebulosas no conectoplasma: Whittlesea, 1989; McClelland & Rumelhart, 1985.

139 Problemas das categorias nebulosas: Armstrong, Gleitman & Gleitman, 1983; Rey, 1983; Pinker & Prince, 1996; Marcus, 1997b; Medin, 1989; Smith, Langston & Nisbett, 1992; Keil, 1989.

140 Gorilas e cebolas: Hinton, Rumelhart & McClelland, 1986, p. 82.

140 Dietas de macacos: Glander, 1992.

141 Generalização com base em explicação: Pazzani, 1987, 1993; Pazzani & Dyer, 1987; Pazzani & Kibler, 1993; De Jong & Mooney, 1986.

141 Sorites: Fodor & Pylyshyn, 1988; Poundstone, 1988. Universalidade dos longos encadeamentos de raciocínio: Brown, 1991; Boyd & Silk, 1996.

142 Árvore genealógica conexionista: Rumelhart, Hinton & Williams, 1986.

144 Johnson sobre mente e matéria: citado em Minsky, 1985. Huxley sobre os djin: citado em Humphrey, 1992. Água em vinho: McGinn, 1989b.

145 Surto de consciência: Humphrey, 1992; Dennett, 1991; Crick, 1994; Penrose, 1994; Jackendoff, 1987; Searle, 1992, 1995; Marcel & Bisiach, 1988; Baars, 1988.

145 Gould sobre invenção da consciência: Gould, 1993, pp. 294-5.

145 Espelho, espelho meu: Gallup, 1991; Parker, Mitchell & Boccia, 1994. Espelhos e macacos reexaminados: Hauser et al., 1995. Ancestrais inconscientes: Jaynes, 1976. Consciência contagiante: Dennett, 1991.

146 Arrumando a bagunça da consciência: Jackendoff, 1987; Block, 1995.

148 Consciência entre os neurônios: Crick, 1994; Crick & Koch, 1995.

149 Sistemas de quadros de avisos: Jagannathan, Dodhiawala & Baum, 1989. Consciência como quadro de avisos: Baars, 1988; Newell & Simon, 1972; Navon, 1989; Fehling, Baars & Fisher, 1990.

149 Custos da computação: Minsky & Papert, 1988b; Ullman, 1984; Navon, 1985; Fehling, Baars & Fisher, 1990; Anderson, 1990, 1991.

151 Consciência de nível intermediário: Jackendoff, 1987.

153 Atenção visual: Treisman & Gelade, 1980; Treisman, 1988.

154 Letras flutuantes: Mozer, 1991.

155 Lembranças de notícias chocantes: Brown & Kulik, 1977; McCloskey, Wible & Cohen, 1988; Schacter, 1996.

155 Memória que otimiza: Anderson, 1990, 1991.

156 Função da coloração emocional: Tooby & Cosmides, 1990a, b.

156 Sociedade da mente: Minsky, 1985. Numerosos esboços: Dennett, 1991.

156 Centro da vontade descoberto: Damasio, 1994; Crick, 1994.

157 Lobos frontais: Luria, 1966; Duncan, 1995.

158 Sensibilidade contraposta a acesso: Block, 1995.

159 Paradoxos da sensibilidade: Nagel, 1974; Poundstone, 1988; Dennett, 1991; McGinn, 1989b, 1993; Block, 1995.

160 Detratores dos *qualia*: Dennett, 1991.

3. A VINGANÇA DOS NERDS (pp. 162-226)

162 Os maiores sucessos da Terra: Sullivan, 1993.

163 Homenzinhos verdes: Kerr, 1992. Céticos evolucionistas: Mayr, 1993.

163 Número de civilizações extraterrestres: Sullivan, 1993.

165 Somos apenas os primeiros: Drake, 1993.

166 Chauvinismo humano: Gould, 1989, 1996.

166 Custos e benefícios na evolução: Maynard Smith, 1984.

167 Custos e benefícios de cérebros grandes: Tooby & DeVore, 1987.

168 Darwin e o universo: Dawkins, 1983, 1986; Williams, 1966, 1992; Maynard Smith, 1975/1993; Reeve & Sherman, 1993.

172 Fótons não tornam os olhos transparentes: Dawkins, 1986.

173 Macromutações não podem explicar design complexo: Dawkins, 1986. "Equilíbrios pontuados" não equivalem a macromutações: Dawkins, 1986; Gould, 1987, p. 234.

174   "Mutação adaptativa": Cairns, Overbaugh & Miller, 1988; Shapiro, 1995. Problemas da mutação adaptativa: Lenski & Mittler, 1993; Lenski & Sniegowski; Shapiro, 1995.

174   Teoria da complexidade: Kauffman, 1991; Gell-Mann, 1994.

175   Caia fora, Darwin: James Barham, *New York Times Book Review*, 4 de junho de 1995; também Davies, 1995.

175   Limitações da teoria da complexidade: Maynard Smith, 1995; Horgan, 1995b; Dennett, 1995.

176   Evidências em favor da seleção natural: Dawkins, 1986, 1995; Berra, 1990; Kitcher, 1982; Endler, 1986; Weiner, 1994.

177   Ascensão do homem: Bronowski, 1973, pp. 417-21.

177   Olho em evolução simulada: Nilsson & Pelger, 1994; descrito em Dawkins, 1995.

179   Acadêmicos que odeiam Darwin: Dawkins, 1982; Pinker & Bloom, 1990 (ver comentários e réplica); Dennett, 1995.

179   Adaptacionistas tolos: Lewontin, 1979.

180   Canais seminais serpenteantes: Williams, 1992.

180   Avanços adaptacionistas: Mayr, 1983, p. 328.

181   Excelência da engenharia animal: Tooby & Cosmides, 1992; Dawkins, 1982, 1986; Williams, 1992; Griffin, 1974; Tributsch, 1982; French, 1994; Dennett, 1995; Cain, 1964.

181   O esplêndido camelo: French, 1994, p. 239.

182   Howlers: réplica do autor em Pinker & Bloom, 1990. Simetria: Corballis & Beale, 1976. Simetria sexy: Ridley, 1993.

184   Aves voando: Wilford, 1985.

184   Insetos voando: Kingsolver & Koehl, 1985.

185   Exaptação mal compreendida: Piattelli-Palmarini, 1989, p. 1.

185   Exaptação: Gould & Vrba, 1981. Problemas da exaptação: Reeve & Sherman, 1993; Dennett, 1995. Acrobacias da mosca: Wootton, 1990.

186   Debatendo o design: Pinker & Bloom, 1990, incluindo comentários e réplica; Williams, 1966, 1992; Mayr, 1983; Dennett, 1995; Reeve & Sherman, 1993; Dawkins, 1982, 1986; Tooby & Cosmides, 1990a, b, 1992; Tooby & DeVore, 1987; Sober, 1984a, b; Cummins, 1984; Lewontin, 1984.

186   Chomsky sobre seleção natural: comunicação pessoal, novembro de 1989.

189   Valor da informação: Raiffa, 1968.

190   Melhorando o cérebro na evolução: Killackey, 1995; Rakic, 1995b; Stryker, 1994; Deacon, 1994.

191   Algoritmos genéticos: Mitchell, 1996.

191   Algoritmos genéticos e redes neurais: Belew, 1990; Belew, McInerney & Schraudolph, 1990; Nolfi, Elman & Parisi, 1994; Miller & Todd, 1990.

192   Evolução simultânea e aprendizado: Hinton & Nowlan, 1987.

193   Efeito Baldwin: Dawkins, 1982; Maynard Smith, 1987.

194   Formigas navegadoras: Wehner & Srinivasan, 1981. Navegação estimada: Gallistel, 1995, p. 1258.

194   Esses animais espantosos: Gallistel, 1990, 1995; J. Gould, 1982; Rozin, 1976; Hauser, 1996; Gaulin, 1995; Dawkins, 1986.

196   Condicionamento como análise de série temporal e outras proezas de animais: Gallistel, 1990, 1995.

197   Os cérebros dos mamíferos não são todos iguais: Preuss, 1993, 1995; Gaulin, 1995; Sherry & Schacter, 1987; Deacon, 1992a; Hauser, 1996.

198   Reengenharia do cérebro humano: Deacon, 1992b; Holloway, 1995; Hauser, 1996; Killackey, 1995.

199   Galinha choca: James, 1892/1920, pp. 393-4.

200   Características humanas zoologicamente únicas ou extremas: Tooby & DeVore, 1987; Pilbeam, 1992.

202   Corrida armamentista evolutiva: Dawkins, 1982, 1986; Ridley, 1993. Nicho cognitivo: Tooby & DeVore, 1987.

203 Conceitos científicos e lógicos universais: Brown, 1991.

203 Análise de rastros: Liebenberg, 1990, p. 80, citado em Boyd & Silk, 1996.

204 Caçadores-extrativistas hi-tech: Brown, 1991; Kingdon, 1993.

204 Extinções de "megafauna": Martin & Klein, 1984; Diamond, 1992.

205 Singularidade zoológica e o nicho cognitivo: Tooby & DeVore, 1987; Kingdon, 1993.

205 Visão dos primatas: Deacon, 1992a; Van Essen & DeYoe, 1995; Preuss, 1995.

206 Visão cooptada por conceitos abstratos: Jackendoff, 1983, 1987, 1990; Lakoff, 1987; Talmy, 1988; Pinker, 1989.

206 Planície: Gardner, 1991.

207 Desvantagens na massa: Jones, Martin e Pilbeam, 1992, parte 4; Boyd & Silk, 1996.

208 Mentirosos primatas: Hauser, 1992; Lee, 1992; Boyd & Silk, 1996; Byrne & Whiten, 1988; Premack & Woodruff, 1978.

208 Fofoqueiras primatas: Cheney & Seyfarth, 1990.

208 Corrida armamentista cognitiva: Trivers, 1971; Humphrey, 1976; Alexander, 1987b, 1990; Rose, 1980; Miller, 1993; Problemas da corrida armamentista cognitiva: Ridley, 1993.

208 Crescimento vagaroso do cérebro: Williams, 1992.

209 Mãos e postura do macaco: Jones, Martin & Pilbeam, 1992, parte 2; Boyd & Silk, 1996; Kingdon, 1993; Importância das mãos: Tooby & DeVore, 1987.

210 Reabilitando o Homem Caçador: Tooby & DeVore, 1987; Boyd & Silk, 1996.

212 Carnal pelo carnal em macacos e humanos: Tooby & DeVore, 1987; Ridley, 1993; Symons, 1979; Harris, 1985; Shostak, 1981.

213 Ancestrais hominídeos: Jones, Martin & Pilbeam, 1992; Boyd & Silk, 1996; Kingdon, 1993; Klein, 1989; Leakey et al., 1995; Fischman, 1994; Swisher et al., 1996.

215 Fósseis e o nicho cognitivo: Tooby & DeVore, 1987.

216 Mãos dos Australopithecus: L. Aiello, 1994. Cérebros e utensílios dos Australopithecus: Holloway, 1995; Coppens, 1995. Desafio para a postura vertical do Homo habilis: Lewin, 1987.

217 Eva africana recusa-se a morrer: Gibbons, 1994, 1995a.

217 Grande salto à frente: Diamond, 1992; Marschack, 1989; White, 1989; Boyd & Silk, 1996.

218 Humanos anatomicamente não tão modernos: Boyd & Silk, 1996; Stringer, 1992.

219 Pontiac no sótão de Leonardo: Shreeve, 1992; Yellen et al., 1995; Gutin, 1995.

219 Lógica de Eva: Dawkins, 1995; Dennett, 1995; Ayala, 1995. Equívocos fantásticos: Pinker, 1992.

220 Ancestrais por sexos mistos contrapostos aos de linhagem apenas feminina: Dawkins, 1995.

220 Gargalos recentes: Gibbons, 1995b, c; Harpending, 1994; Cavalli-Sforza, Menozzi & Piazza, 1993. Velocidade da evolução: Jones, 1992.

221 Fim da evolução: Jones, 1992; Cavalli-Sforza, Menozzi & Piazza, 1993.

222 Ciência social darwiniana: Turke & Betzig, 1985, p. 79; Alexander, 1987a; Betzig et al., 1988.

222 Funcionalismo: Bates & MacWhinney, 1990, p. 728; Bates & MacWhinney, 1982.

222 Lamarck sobre necessidade sentida: citado em Mayr, 1982, p. 355.

223 Ratos: comunicação pessoal de B. F. Skinner, 1978. Chimpanzés: Nagell, Olguin & Tomasello, 1993.

223 Adaptação, coisa do passado: Tooby & Cosmides, 1990a; Symons, 1979, 1992.

224 Evolução cultural: Dawkins, 1976/1989; Durham, 1982; Lumsden & Wilson, 1981; Diamond, 1982; Dennett, 1995. Problemas da evolução cultural: Tooby & Cosmides, 1990a, 1992; Symons, 1992; Daly, 1982; Maynard Smith & Warren, 1988; Sperber, 1985.

224 Genes e memes: Dawkins, 1976/1989.

225 Cultura como doença: Cavalli-Sforza & Feldman, 1981; Boyd & Richerson, 1985; Sperber, 1985.

4. O OLHO DA MENTE (pp. 227-317)

227 Autoestereogramas: N. E. Thing Enterprises, 1994; Stereogram, 1994; Superstereogram, 1994.

227 Nascimento do autoestereograma: Tyler, 1983.

228 Percepção como um problema mal proposto; ilusões como violações de suposições: Gregory, 1970; Marr, 1982; Poggio, 1984; Hoffman, 1983.

229 Percepção como descrição: Marr, 1982; Pinker, 1984c; Tarr & Black, 1994a, b.

231 Figuras, perspectiva e percepção: Gregory, 1970; Kubovy, 1986; Solso, 1994; Pirenne, 1970. Figuras na Nova Guiné: Ekman & Friesen, 1975.

232 Adelbert Ames: Ittelson, 1968.

234 Paralaxe binocular e visão estéreo: Gregory, 1970; Julesz, 1971, 1995; Tyler, 1991, 1995; Marr, 1982; Hubel, 1998; Wandell, 1995.

236 Wheatstone: de Wandell, 1995, p. 367.

239 Estereoscópios: Gardner, 1989.

247 Estereogramas de pontos aleatórios: Julesz, 1960, 1971, 1995; Tyler, 1991, 1995.

249 Lêmures e salas de folhas: Tyler, 1991. Penetração de camuflagem: Julesz, 1995.

250 Modelo de olho ciclópico: Marr, 1982; Tyler, 1995; Weinshall & Malik, 1995; Anderson & Nakayama, 1994.

252 Redes estéreo que cooperam e relaxam: Marr & Poggio, 1976. Diagrama adaptado de Johnson-Laird, 1988.

253 Estéreo de Da Vinci: Nakayama, He & Shimojo, 1995; Anderson & Nakayama, 1994.

254 Cegueira estéreo e estereodeficiência: Richards, 1971. Neurônios binoculares: Poggio, 1995. Atualização em agregados estéreo: Cormack, Stevenson & Schor, 1993.

255 Bebês binoculares: Shimojo, 1993; Birch, 1993; Held, 1993; Thorn et al., 1994.

255 Circuitos estéreo pré-instalados: Birch, 1993; Freeman & Ohzawa, 1992.

256 Macacos monoculares: Hubel, 1988; Stryker, 1993. Neurônios que aprimoram: Stryker, 1994; Miller, Keller & Stryker, 1989.

257 Olhos envesgados, olhos preguiçosos: Birch, 1993; Held, 1993; Thorn et al., 1994.

257 Sensibilidade neural e crânios crescentes: Timney, 1990; Pettigrew, 1972, 1974.

259 Sombreado, forma e luminosidade: Adelson & Pentland, 1996.

260 Percepção da avaliação de chances: Knill & Richards, 1996. Propriedades não acidentais: Lowe, 1987; Biederman, 1995.

261 Apostando em um mundo regular: Attneave, 1982; Jepson, Richards & Knill, 1996; Knill & Richards, 1996.

262 Linhas retas na natureza: Sanford, 1994; Montello, 1995.

262 Luminosidade, brilho e iluminação: Marr, 1982; Adelson & Pentland, 1996.

264 Teoria Retinex: Land & McCann, 1971; Marr, 1982; Brainard & Wandell, 1986. Modelos mais recentes: Brainard & Wandell, 1991; Maloney & Wandell, 1986.

265 Forma a partir de sombreado: Marr, 1982; Pentland, 1990; Ramachandran, 1988; Nayar & Oren, 1995.

266 Lua plana: Nayar & Oren, 1995.

266 Enxergando o mundo mais simples: Adelson & Pentland, 1996; Attneave, 1972, 1981, 1982; Beck, 1982; Kubovy & Pomerantz, 1981; Jepson, Knill & Richards, 1996.

272 Forma que muda, fonte de luz que muda: Ramachandran, 1988.

273 Caixa de areia na cabeça: Attneave, 1972. Problemas da caixa de areia: Pinker, 1979, 1980, 1984c, 1988; Pinker & Finke, 1980.

274 Movimentos do olho: Rayner, 1992; Kowler, 1995; Marr, 1982.

275 Caráter bidimensional da visão: French, 1987.

276 Objetos contrapostos à superfícies: Marr, 1982, p. 270; Nakayama, He & Shimojo, 1995.

277 Esboço em 2 1/2 dimensões: Marr, 1982; Pinker, 1984c, 1988. Representação de superfície visível: Jackendoff, 1987; Nakayama, He & Shimojo, 1995.

280 Compensando os movimentos dos olhos: Rayner, 1992.

281 O campo visual e o mundo visual: Gibson, 1950, 1952; Boring, 1952; Attneave, 1972, 1982; Hinton & Parsons, 1981; Pinker, 1979, 1988.

281 Gravidade e visão: Rock, 1973, 1983; Shepard & Cooper, 1982; Pinker, 1984c.

282 Cinesia: Mazel, 1992.

282 Enjoo espacial: Oman, 1982; Oman et al., 1986; Young et al., 1984.

283 Cinesia e neurotoxinas: Treisman, 1977.

283 Qual é a parte de cima na percepção da forma?: Rock, 1973; Shepard & Cooper, 1982; Corballis, 1988.

285 Triângulos dançantes: Attneave, 1968.

287 Reconhecimento de forma como comparação de descrições centralizadas em objetos: Marr & Nishihara, 1978; Marr, 1982; Corballis, 1988; Biederman, 1995; Pinker, 1984c; Hinton & Parsons, 1981; Dickinson, Pentland & Rosenfeld, 1992.

288 Géons: Biederman, 1995.

289 Formas nos hemisférios esquerdo e direito: Kosslyn, 1994; Farah, 1990. Visão interior fragmentada: Farah, 1990.

289 Encontrando partes no esboço em 2 1/2 dimensões: Hoffman & Richards, 1984; Lowe, 1987; Dickinson, Pentland & Rosenfeld, 1992.

290 Psicologia do vestuário: Bell, 1992, pp. 50-1.

290 Rostos: Etcoff, Freeman & Cave, 1991; Landau, 1989; Young & Bruce, 1991; Bruce, 1988; Farah, 1995. Bebês e rostos: Morton & Johnson, 1991.

291 Homem que não conseguia reconhecer rostos: Etcoff, Freeman & Cave, 1990; Farah, 1995.

291 Homem que só conseguia reconhecer rostos: Behrmann, Winocur & Moscovitch, 1992; Moscovitch, Winocur & Behrmann, no prelo.

293 Esfera com um brinquedo mostra que precisamos de todos os ângulos: agradecimentos a Jacob Feldman.

293 Visões múltiplas: Poggio & Edelman, 1991; Bülthoff & Edelman, 1992.

293 Reconhecendo formas pela rotação mental: Shepard & Cooper, 1982; Tarr & Pinker, 1989, 1990; Tarr, 1995; Ullman, 1989.

293 Rotação mental: Cooper & Shepard, 1973; Shepard & Cooper, 1982; Tarr & Pinker, 1989, 1990; Corballis, 1988.

294 Analogia com as mãos e o universo: Gardner, 1990. Psicologia de esquerda e direita: Corballis & Beale, 1976.

295 Desatenção para esquerda e direita: Corballis & Beale, 1976; Corballis, 1988; Hinton & Parsons, 1981; Tarr & Pinker, 1989.

297 Como as pessoas reconhecem formas: Tarr & Pinker, 1989, 1990; Tarr, 1995; Tarr & Bülthoff, 1995; Biederman, 1995; Bülthoff & Edelman, 1992; Sinha, 1995.

303 Imagens mentais: Kosslyn, 1980, 1983, 1994; Paivio, 1971; Finke, 1989; Block, 1981; Pinker, 1984c, 1988; Tye, 1991; Logie, 1995; Denis, Engelkamp & Richardson, 1988; Hebb, 1968.

303 Imagens mentais dos ianomâmi: Chagnon, 1992.

304 Criatividade e imagens mentais: Finke, 1990; Shepard, 1978; Shepard & Cooper, 1982; Kosslyn, 1983.

304 Músculo corrugador: Buss, 1994, p. 128.

305 Figuras contrapostas a proposições: Pylyshyn, 1973, 1984; Block, 1981; Kosslyn, 1980, 1994; Tye, 1991; Pinker, 1984; Kosslyn, Pinker, Smith & Schwartz, 1979. Imagens mentais em computadores: Funt, 1980; Glasgow & Papadias, 1992; Stenning & Oberlander, 1995; Ioerger, 1994.

305 Mapas corticais: Van Essen & DeYoe, 1995.

306 Saciando a fome com a imaginação de um banquete: *Ricardo II*, ato 1, cena 3.

307 Efeito Perky: Perky, 1910; Segal & Fusella, 1970; Craver-Lemley & Reeves, 1992; Farah, 1989.

307 Imagens mentais e coordenação: Brooks, 1968; Logie, 1995.

307 Imagens mentais e ilusões: Wallace, 1984. Imagens mentais e alinhamento: Freyd & Finke, 1984.

307 Confundindo imagens e realidade: Johnson & Raye, 1981.

307 Negligência do espaço imaginário: Bisiach & Luzzatti, 1978.

308 Imagens mentais iluminam o córtex visual: Kosslyn et al., 1993; Kosslyn, 1994.

308 Imagens com e sem ambas as metades do córtex visual: Farah, Soso & Dasheif, 1992.

308 Sonhos e imagens: Symons, 1993. Monitoração da realidade: Johnson & Raye, 1981.

309 O meio que compõe a base das imagens mentais: Pinker, 1984c, 1988; Cave, Pinker et al., 1994; Kosslyn, 1980, 1994.

310 Computando com imagens mentais: Funt, 1980; Glasgow & Papadias, 1992; Stenning & Oberlander, 1995; Ioerger, 1994.

310 Animação mental: Ullman, 1984; Jolicoeur, Ullman & MacKay, 1991.

311 Respondendo perguntas com o uso de imagens mentais: Kosslyn, 1980.

312 Alternando pato e coelho em imagens mentais: Chambers & Reisberg, 1985; Finke, Pinker & Farah, 1989; Peterson et al., 1992; Hyman & Neisser, 1991.

313 Imagens fragmentadas que desaparecem gradativamente: Kosslyn, 1980.

313 Imagens mentais e ponto de observação: Pinker, 1980, 1984c, 1988.

313 Múltipla perspectiva na pintura: Kubovy, 1986; Pirenne, 1970. Perspectiva dos Cro-Magnons: Boyd & Silk, 1996.

313 Arquivando imagens: Pylyshyn, 1973; Kosslyn, 1980.

314 Memória visual nos grandes enxadristas: Chase & Simon, 1973.

314 Memória de um centavo: Nickerson & Adams, 1979.

314 Distorções de mapa mental: Stevens & Coupe, 1978.

315 Imagens não são conceitos: Pylyshyn, 1973; Fodor, 1975; Kosslyn, 1980; Tye, 1991.

316 Imagens mentais enlouquecidas: Titchener, 1909, p. 22.

5. BOAS IDEIAS (pp. 318-82)

318 Darwin contraposto a Wallace: Gould, 1980c; Wright, 1994a.

319 Cérebro como um excesso: Davies, 1995, pp. 85-7.

320 Computador exaptado: Gould, 1980e, p. 57.

320 Selvagens cerebrais: Brown, 1991; Kingdon, 1993.

322 Silogismo da aguardente: Cole et al., 1971, p. 187-8; Neisser, 1976.

322 Lógica e cachorrinhos mancos: Carroll, 1896/1977.

323 Racionalidade ecológica: Tooby & Cosmides, 1997. Dessemelhanças entre pensamento e ciência: Harris, 1994; Tooby & Cosmides, 1997; Neisser, 1976.

324 Xamãs embusteiros: Harris, 1989, pp. 410-2.

325 Ignorantes nas sociedades de castas: Brown, 1988.

326 Conceitos como prognosticadores: Rosch, 1978; Shepard, 1987; Bobick, 1987; Anderson, 1990, 1991; Pinker & Price, 1996.

327 Imprecisão e semelhança contrapostos a regras e teorias: Armstrong, Gleitman & Gleitman, 1983; Pinker & Prince, 1996; Murphy, 1993; Medin, 1989; Kelly, 1992; Smith, Langston & Nisbett, 1992; Rey, 1993; Pazzani, 1987, 1993; Pazzani & Dyer, 1987; Pazzani & Kibler, 1993; Rips, 1989.

330 Espécies segundo os biólogos: Mayr, 1982; Ruse, 1986.

331 Réptil mixuruca: citado em Konner, 1982. Peixe fuzzy: Dawkins, 1986; Gould, 1983c; Ridley, 1986; Pennisi, 1996. Inserção forçada de animais extintos: Gould, 1989.

331 Tudo é fuzzy: Lakoff, 1987.

331 Idealizações bem definidas: Pinker & Prince, 1996.

332 Estereótipos disparatados sobre forasteiros: Brown, 1985.

333 Estereótipos negativos estatisticamente exatos: McCauley & Stitt, 1978; Brown, 1985.

333 Modos de explicar: Dennett, 1978b, 1995, 1990; Hirschfeld & Gelman, 1994a, b; Sperber, Premack & Premack, 1995; Carey, 1985; Carey & Spelke, 1994; Baron-Cohen, 1995; Leslie, 1994; Schwartz, 1979; Keil, 1979.

334 Ave morta, ave viva: Dawkins, 1986, pp. 10-1.

335 Sistemas inatos de inteligência artificial: Lenat & Guha, 1990.

336 Bebês como físicos: Spelke, 1995; Spelke et al., 1992; Spelke, Phillips & Woodward, 1995; Spelke, Vishton & Hofsten, 1995; Baillargeon, 1995; Baillargeon, Kotovsky & Needham, 1995.

339   Teoria do ímpeto intuitivo: McCloskey, Caramazza & Green, 1980; McCloskey, 1983. Física intuitiva: Proffitt & Gilden, 1989.

339   Compreensão de força por estudantes universitários: Redish, 1994.

341   Drama dos pontos: Heider & Simmel, 1944; Michotte, 1963; Premack, 1990.

342   Bebês e movimento: Premack, 1990; Leslie, 1994, 1995a; Mandler, 1992; Gelman, Durgin & Kaufman, 1995; Gergely et al., 1995.

343   Universalidade da biologia popular: Konner, 1982; Brown, 1991; Atran, 1990, 1995; Berlin, Breedlove & Raven, 1973.

343   Leões, tigres e outros tipos naturais: Quine, 1969; Schwartz, 1979; Putnam, 1975; Keil, 1989.

344   Darwin e tipos naturais: Kelly, 1992; Dawkins, 1986.

345   Essencialismo e resistência à evolução: Mayr, 1982.

346   Crianças como essencialistas: Keil, 1989, 1994, 1995; Gelman, Coley & Gottfried, 1994; Gelman & Markman, 1987. Ceticismo quanto às crianças como essencialistas: Carey, 1995.

347   Crianças distinguindo psicologia de biologia: Hatano & Inagaki, 1995; Carey, 1995.

347   Bebês e artefatos: Brown, 1990.

348   Artefatos e tipos naturais armazenados separadamente no cérebro: Hillis & Caramazza, 1991; Farah, 1990.

348   O que é um artefato?: Keil, 1979, 1989; Dennett, 1990; Schwartz, 1979; Putnam, 1975; Chomsky, 1992, 1993; Bloom, 1996b.

349   Psicologia popular e a atitude intencional: Fodor, 1968a, 1986; Dennett, 1978b, c; Baron-Cohen, 1995.

350   Teoria do módulo mental: Leslie, 1994, 1995a, b; Premack & Premack, 1995; Gopnik & Wellman, 1994; Hirschfeld & Gelman, 1994b; Wimmer & Perner, 1983; Baron-Cohen, Leslie & Frith, 1985; Baron-Cohen, 1995.

350   Crianças pequenas e falsas crenças: Leslie, 1994, 1995b.

351   Sacos de pele barulhentos: Gopnik, 1993.

351   Autismo: Baron-Cohen, 1995; Baron-Cohen et al., 1985; Frith, 1995; Gopnik, 1993.

352   Geladeiras, vasos sanitários e autismo: Bettelheim, 1959.

352   Falsas fotografias: Zaitchik, 1990.

353   Cérebro cria mundo: Miller, 1981.

354   Universitários ilógicos: Johnson-Laird, 1988.

354   Lógica e pensamento: Macnamara, 1986, 1994; Macnamara & Reyes, 1994.

354   Defendendo a lógica da mente: Macnamara, 1986; Braine, 1994; Bonatti, 1995; Rips, 1994; Smith, Langston & Nisbett, 1992.

356   Refutação por escolha de cartas: Wason, 1966; Manktelow & Over, 1987.

357   Raciocínio e detecção de trapaceiros: Cosmides, 1985, 1989; Cosmides & Tooby, 1992. Problema empregador/empregado: Gigerenzer & Hug, 1992. Outros efeitos e interpretações alternativas: Cheng & Holyoak, 1985; Sperber, Cara & Girotto, 1995.

358   Psicologia do número: Geary, 1994, 1995; Gelman & Gallistel, 1978; Gallistel, 1990; Dehaene, 1992; Wynn, 1990. Contagem por bebês: Wynn, 1992. Contagem por macacos: Hauser, MacNeilage & Ware, 1996.

359   Matemática e atividades humanas básicas: Mac Lane, 1981; Lakoff, 1987. Criancinhas cegas usam atalhos: Landau, Spelke & Gleitman, 1984.

362   Burros americanos: Geary, 1994, 1995.

362   Por que Joãozinho ainda não sabe somar: Geary, 1995.

363   Por que Joãozinho ainda não sabe ler: Levine, 1994; McGuinness, 1997.

363   *Informatívoros* [*informavore*]: Termo cunhado por George Miller.

364   *Anumeratismo* [*innumeracy*]: Termo cunhado por John Allen Paulos.

364   Cegueira para probabilidades: Tversky & Kahnemann, 1974, 1983; Kahneman, Slovic & Tversky, 1982; Kahneman & Tversky, 1982; Nisbett & Ross, 1980; Sutherland, 1992; Gilovich, 1991; Piatelli-Palmarini, 1994; Lewis, 1990.

366 Pessoas como estatísticas intuitivas: Gigerenzer & Murray, 1987; Gigerenzer, 1991, 1996a; Gigerenzer & Hoffrage, 1995; Cosmides & Tooby, 1996; Lopes & Oden, 1991; Koehler, 1996. Réplica: Kahneman & Tversky, 1996. Abelhas como estatísticas intuitivas: Staddon, 1988.

368 História da probabilidade e estatística: Gigerenzer et al., 1989. Probabilidades deduzidas pela experiência: Gigerenzer & Hoffrage, 1995; Cosmides & Tooby, 1996; Kleiter, 1994.

369 As pessoas são boas estatísticas com informações sobre frequência: Tversky & Kahneman, 1983; Fiedler, 1988; Cosmides & Tooby, 1996; Gigerenzer, 1991, 1996b, 1997; Hertwig & Gigerenzer, 1997.

370 Von Mises e a probabilidade de um único evento: exemplo adaptado por Cosmides & Tooby, 1996.

371 Espancamento e assassinato da esposa de O. J.: Good, 1995.

371 "Falácia da conjunção" (caixa de banco feminista) não é falácia: Hertwig & Gigerenzer, 1997.

373 Metáfora espacial: Gruber, 1965; Jackendoff, 1983, 1987, 1990, 1994; Pinker, 1989.

374 Comunicação como dar: Pinker, 1989.

374 Dinâmica da força na linguagem e no pensamento: Talmy, 1988; Pinker, 1989.

375 Espaço e força na linguagem e no pensamento: Jackendoff, 1983, 1987, 1990, 1994; Pinker, 1989; Levin & Pinker, 1992; Wierzbicka, 1994; Miller & Johnson-Laird, 1976; Schanck & Riesbeck, 1981; Pustejovsky, 1995. Universalidade de espaço e força: Talmy, 1985; Pinker, 1989.

376 Pensamento notável de Leibniz: Leibniz, 1956.

376 Metáfora espacial como vestígio cognitivo: Pinker, 1989.

376 Chimpanzés e causação: Premack, 1976.

377 Universalidade das metáforas de espaço e força: Talmy, 1985; Pinker, 1989.

377 Metáforas espaciais de crianças: Bowerman, 1983; Pinker, 1989.

378 Metáforas básicas na linguagem contrapostas a metáforas poéticas: Jackendoff & Aaron, 1991.

378 Metáforas pelas quais nos orientamos: Lakoff & Johnson, 1980; Lakoff, 1987.

380 Grafos: Pinker, 1990.

380 "Matematização" de intuições sobre física: Carey & Spelke, 1994; Carey, 1986; Proffitt & Gilden, 1989.

381 Mas é uma obra dentária?: Allen, 1983.

382 Gênios e criatividade: Weisberg, 1986; Perkins, 1981.

6. DESVAIRADOS (pp. 383-446)

384 Em estado de amoque: B. B. Burton-Bradley, citado em Daly & Wilson, 1988, p. 281.

385 Universalidade das emoções: Brown, 1991; Lazarus, 1991; Ekman & Davidson, 1994; Ekman, 1993, 1994; Ekman & Friesen, 1975; Etcoff, 1986. Controvérsias sobre a universalidade: Ekman & Davidson, 1994; Russell, 1994.

385 Darwin e expressão das emoções: Darwin, 1872/1965, pp. 15-7.

386 Correção antropológica: Ekman, 1987. Emoção em crianças cegas e surdas: Lazarus, 1991.

388 Dor louca: Lewis, 1980, p. 216.

388 Urina de vaca: Shweder, 1994, p. 36.

388 Inuits mansos: Lazarus, 1991, p. 193. Samoanos mansos: Freeman, 1983.

389 Etnografia e etiqueta: citado em Asimov & Shulman, 1986.

390 Cérebro trino: MacLean, 1990. Refutação: Reiner, 1990.

391 O cérebro emocional: Damasio, 1994; LeDoux, 1991, 1996; Gazzaniga, 1992.

392 Indispensabilidade da emoção: Tooby & Cosmides, 1990a; Nesse & Williams, 1994; Nesse, 1991; Minsky, 1985.

394 Robôs emotivos: Minsky, 1985; Pfeiffer, 1988; Picard, 1995; Crevier, 1993.

394 Lutar ou fugir: Marks & Nesse, 1994.

395 Seleção de hábitat e estética ambiental: Orians & Heerwagen, 1992; Kaplan, 1992; Cosmides, Tooby & Barkow, 1992.

612

395	Acampamento vitalício: Cosmides, Tooby & Barkow, 1992, p. 552.
396	Nativos americanos e imitações de savanas: Christopher, 1995. Aborígines australianos e imitações de savanas: Harris, 1992.
397	Referenciais em terrenos vastos: Subbiah et al., 1996.
398	Nojo: Rozin & Fallon, 1987; Rozin, 1996.
399	Comer insetos: Harris, 1985, p. 159.
401	Provocando nojo nos ianomâmi: Chagnon, 1992.
402	Aprendendo o que é bom para comer: Cashdan, 1994.
402	Mamãe e Papai como provadores de comida: Cashdan, 1994.
403	Contaminação por contato: Tooby & Cosmides, comunicação pessoal.
404	"Animalitos" e otimização da coleta de alimentos: Harris, 1985.
405	Ecologia e tabus alimentares: Harris, 1985.
407	*Fobofobia*: termo cunhado por Richard Lederer.
407	Medos e fobias: Brown, 1991; Marks & Nesse, 1994; Nesse & Williams, 1994; Rachman, 1978; Seligman, 1971; Marks, 1987; Davey, 1995.
408	Fobia de leão em Chicago: Maurer, 1965.
409	Raridade relativa dos faniquitos: Rachman, 1978; Myers & Diener, 1995.
409	Macacos aprendendo fobias de cobra: Mineka & Cook, 1993.
410	Vencendo o medo: Rachman, 1978.
411	Felicidade e comparações sociais: Kahneman & Tversky, 1984; Brown, 1985. Violência e desigualdade: Daly & Wilson, 1988, p. 288.
413	Quem é feliz?: Myers & Diener, 1995. Hereditariedade do nível básico de felicidade: Lykken & Tellegen, 1996.
413	Ganhos e prejuízos: Kahneman & Tversky, 1984; Ketelaar, 1995, 1997.
414	Moinho de passos hedônico: Brickman & Campbell, 1971; Campbell, 1975.
415	Murray e Esther: de Arthur Naiman, *Every goy's guide to Yiddish*.
416	Crime e desconto do futuro: Wilson & Herrnstein, 1985; Daly & Wilson, 1994; Rogers, 1994.
416	Desconto míope: Kirby & Herrnstein, 1995.
417	Autocontrole e consumidores racionais: Schelling, 1984, p. 59.
417	Dois eus: Schelling, 1984, p. 58.
418	O replicador egoísta: Williams, 1966, 1992; Dawkins, 1976/1989, 1982; Dennett, 1995; Sterelny & Kitcher, 1988; Maynard Smith, 1982; Trivers, 1981, 1985; Cosmides & Tooby, 1981; Cronin, 1992.
419	Seleção de replicadores, grupos e ramos: Gould, 1980b; Wilson & Sober, 1994; Dennett, 1995; Williams, 1992; Dawkins, 1976/1989, 1982.
421	Seleção por parentesco: Williams & Williams, 1957; Hamilton, 1963, 1964; Maynard Smith, 1964; Dawkins, 1976/1989; Trivers, 1985.
424	Altruísmo recíproco: Williams, 1966; Trivers, 1971, 1985; Dawkins, 1976/1989; Cosmides & Tooby, 1992; Brown, 1985, p. 93.
425	Altruísmo recíproco e as emoções: Trivers, 1971, 1985; Alexander, 1987a; Axelrod, 1984; Wright, 1994a. O senso moral: Wilson, 1993.
425	Altruísmo recíproco e estudos de psicologia social: Trivers, 1971, 1981.
428	Amizade dentro do grupo = inimizade entre grupos: Dawkins, 1976/1989; Alexander, 1987.
429	Dr. Strangelove: de Peter George, *Dr. Strangelove*, Boston: G. K. Hall, 1963/1979, pp. 98-9.
430	Pensando o impensável: Poundstone, 1992.
431	Táticas paradoxais: Schelling, 1960.
433	As emoções como máquinas do fim do mundo e outras táticas paradoxais: Schelling, 1960; Trivers, 1971, 1985; Frank, 1988; Daly & Wilson, 1988; Hirshleifer, 1987.
434	Justiça e as Falkland: Frank, 1988. Vingança: Daly & Wilson, 1988. Honra: Nisbett & Cohen, 1996.
435	Expressões faciais: Darwin, 1872/1965; Ekman & Friesen, 1975; Fridlund, 1991, 1995. Antidarwinismo de Darwin: Fridlund, 1992.

613

436   Expressões faciais voluntárias e involuntárias, o método de representação e o cérebro: Damasio, 1994.

437   Sinais honestos em animais: Dawkins, 1976/1989; Trivers, 1981; Cronin, 1992; Hauser, 1996; Hamilton, 1996.

438   Emoções e o corpo: Ekman & Davidson, 1994; Lazarus, 1991; Etcoff, 1986.

438   Teoria do amor louco: Frank, 1988.

439   Mercado do casamento: Buss, 1994; Fisher, 1992; Hatfield & Rapson, 1993.

441   Táticas para controlar a si mesmo e os outros: Schelling, 1984.

442   Luto como uma intimidação: Tooby & Cosmides, 1990a.

443   Autoengano: Trivers, 1985; Alexander, 1987a; Wright, 1994a; Lockard & Paulhaus, 1988. Autoengano e mecanismos de defesa freudianos: Nesse & Lloyd, 1992.

444   Cérebros separados: Gazzaniga, 1992.

444   Efeito Lake Wobegon: Gilovich, 1991.

444   Beneficácia: Greenwald, 1988; Brown, 1985. Dissonância cognitiva: Festinger, 1957. Dissonância cognitiva como autoapresentação: Aronson, 1980; Baumeister & Tice, 1984. Beneficácia e dissonância cognitiva como autoengano: Wright, 1994a.

446   Discussão de marido e mulher: Trivers, 1985, p. 420.

446   Explicando Hitler: Rosenbaum, 1995.

7. VALORES FAMILIARES (pp. 447-545)

448   Controvérsia sobre *Greening of America*: Nobile, 1971.

449   Utopias oitocentistas: Klaw, 1993.

449   *Human universals*: Brown, 1991.

449   As 36 situações dramáticas: Polti, 1921/1977.

449   Competidores darwinianos: Williams, 1966; Dawkins, 1976/1989, 1995.

451   Índices de homicídio: Daly & Wilson, 1988. Resolução de conflitos universal: Brown, 1991.

452   Biologia do parentesco: Hamilton, 1964; Wilson, 1975; Dawkins, 1976/1989. Psicologia do parentesco: Daly & Wilson, 1988; Daly, Salmon & Wilson, no prelo; Alexander, 1987a; Fox, 1984; Van den Berghe, 1974; Wright, 1994a.

453   Definição de "lar" de Frost: de "The death of the hired man", em *North Boston*.

454   Tolices sobre o parentesco: Daly, Salmon & Wilson, no prelo; Mount, 1992; Shoumatoff, 1985; Fox, 1984.

455   Padrastos, enteados: Daly & Wilson, 1988, 1995.

456   Histórias de Cinderela: Daly & Wilson, 1988, p. 85.

457   Homicídio como resolução de conflito: Daly & Wilson, 1988, p. ix.

458   Nepotismo: Shoumatoff, 1985; Alexander, 1987a; Daly, Salmon & Wilson, no prelo. Parentesco entre os ianomâmi: Chagnon, 1988, 1992.

459   Casamentos entre primos: Thornhill, 1991.

460   A realidade do amor romântico: Symons, 1978; Fisher, 1992; Buss, 1994; Ridley, 1993; H. Harris, 1995.

460   Parentesco fictício: Daly, Salmon & Wilson, no prelo.

461   A família subversiva: Shoumatoff, 1985; Mount, 1992.

462   Realeza *versus* famílias: Thornhill, 1991. Igreja *versus* famílias: Betzig, 1992.

464   Conflito pais-prole: Trivers, 1985; Dawkins, 1976/1989; Wright, 1994a; Daly & Wilson, 1988, 1995; Haig, 1992, 1993.

464   Rivalidade entre irmãos: Dawkins, 1976/1989; Trivers, 1985; Sulloway, 1996; Mock & Parker, no prelo.

465   Vozes alteadas no útero: Haig, 1993.

465   Infanticídio: Daly & Wilson, 1988, 1995.

466   Depressão pós-parto: Daly & Wilson, 1988.

614

467 Criando laços: Daly & Wilson, 1988.

467 Graciosidade: Gould, 1980d; Eibl-Eibesfeldt, 1989; Konner, 1982; Daly & Wilson, 1988.

468 Táticas psicológicas das crianças: Trivers, 1985; Schelling, 1960.

468 Reexame de Édipo: Daly & Wilson, 1988.

469 Controlando as filhas: Wilson & Daly, 1992.

470 Socializando as crianças contra elas mesmas: Trivers, 1985.

470 Natureza, criação e nenhuma das anteriores na personalidade: Plomin, 1989; Plomin & Daniels, 1987; Bouchard, 1994; Bouchard et al., 1990; J. Harris, 1995; Sulloway, 1995, 1996.

471 Trocando os pais: J. Harris, 1995.

472 Líderes de cliques são os primeiros a namorar: Dunphy, 1963.

472 Socialização pelos iguais: J. Harris, 1995.

473 Ambivalência materna: entrevista com Shari Thurer, por D. C. Denison, *The Boston Globe Magazine*, 14 de maio de 1995; Eyer, 1996.

473 Educação sexual: Whitehead, 1994.

474 Rivalidade entre irmãos: Trivers, 1985; Sulloway, 1995, 1996; Dawkins, 1976/1989; Wright, 1994a.

475 Netos esperados: Daly & Wilson, 1988; Sulloway, 1996; Wright, 1994a. Filicídio: Daly & Wilson, 1988. Luto: Wright, 1994a.

476 Dinâmica familiar: Sulloway, 1995, 1996.

478 A vizinha: Fisher, 1992; Hatfield & Rapson, 1993; Buss, 1994.

479 Aversão ao incesto e tabus alimentares: Tooby, 1976a, b; Brown, 1991; Daly & Wilson, 1988; Thornhill, 1991.

479 Custos da endogamia em mamíferos: Ralls, Ballou & Templeton, 1988.

480 Calculando os custos do incesto: Tooby, 1976a, b.

481 Estatísticas sobre incesto: Buss, 1994; Brown, 1991; Daly & Wilson, 1988.

482 Incesto entre pessoas que não cresceram juntas: Brown, 1991.

484 A batalha entre os sexos: Symons, 1979; Dawkins, 1976/1989; Trivers, 1985. A psicologia da sexualidade: Symons, 1979; Ridley, 1993; Wright, 1994a, b; Buss, 1994.

484 Realidade de alguns estereótipos de gênero: Eagly, 1995.

484 Sexo por quê?: Tooby, 1982, 1988; Tooby & Cosmides, 1990b; Hamilton, Axelrod & Tanese, 1990; Ridley, 1993.

485 Sexos por quê?: Cosmides & Tooby, 1981; Hurst & Hamilton, 1992; Anderson, 1992.

486 Por que tão poucos animais hermafroditas?: Cosmides & Tooby, 1981.

486 Seleção sexual e diferenças no investimento paterno: Trivers, 1985; Cronin, 1992; Dawkins, 1976/1989; Symons, 1979; Ridley, 1993; Wright, 1994a, b.

488 Macacos e sexo: Trivers, 1985; Ridley, 1993; Boyd & Silk, 1996; Mace, 1992; Dunbar, 1992. Infanticídio em primatas: Hrdy, 1981.

488 Competição de espermatozoides: Baker & Bellis, 1996.

490 Aves adúlteras: Ridley, 1993.

491 Humanos e sexo: Ridley, 1993; Wright, 1994a; Mace, 1992; Dunbar, 1992; Boyd & Silk, 1996; Buss, 1994.

492 Meio no qual a mente evoluiu: Symons, 1979.

492 Crianças sem pai em sociedades coletoras de alimentos: Hill & Kaplan, 1988.

492 Desejo de variedade masculino: Symons, 1979; Buss, 1994; Ridley, 1993; Wright, 1994a.

493 *Voulez-vous coucher avec moi ce soir?*: Clark & Hatfield, 1989.

494 Efeito Coolidge em galos e homens: Symons, 1979; Buss, 1994.

495 Pornografia mais popular do que cinema ou esporte: Anthony Flint em *The Boston Globe*, 1º de dezembro de 1996.

496 Pornografia e *bodice-rippers*: Symons, 1979; Ridley, 1993; Buss, 1994.

497 Homossexualidade permite vislumbrar a heterossexualidade: Symons, 1979, p. 300. Número de parceiros homossexuais: Symons, 1980.

497 Economia sexual: Symons, 1979. Dworkin: citado em Wright, 1994b.

499 Monogamia e *mensch*: Symons, 1979, p. 250.

499 Preferências sexuais masculinas moduladas por sua atratividade: Waller, 1994.

500 Poliginia: Symons, 1979; Daly & Wilson, 1988; Shoumatoff, 1985; Altman & Ginat, 1996; Ridley, 1993; Chagnon, 1992.

500 Déspotas e haréns: Betzig, 1986.

500 Poliandria: Symons, 1979; Ridley, 1993.

501 Coesposas: Shoumatoff, 1985. Betzig sobre Bozo: citado em Ridley, 1993. Monogamia como um cartel: Landsburg, 1993, p. 170; Wright, 1994a.

502 Monogamia e competição masculina: Betzig, 1986; Wright, 1994a; Daly & Wilson, 1988; Ridley, 1993.

502 Adúlteras: Buss, 1994; Ridley, 1993; Baker & Bellis, 1996.

503 Carne por sexo: Harris, 1985; Symons, 1979; Hill & Kaplan, 1988. Preferências femininas relativas a amantes por breves períodos: Buss, 1994.

503 Amantes de status elevado: Baker & Bellis, 1996; Buss, 1994; Symons, 1979.

504 Nascimento de mãe virgem nas ilhas Trobriand: Symons, 1979.

504 Homens de curto prazo e homens de longo prazo: Buss, 1994; Ellis, 1992. Dicotomia madona--prostituta: Wright, 1994a.

504 Preferências para maridos e esposas: Buss, 1992a, 1994; Ellis, 1992.

505 Preferências para parceiros sexuais: Buss, 1992a, 1994. Preferências de idade em parceiros: Kenrick & Keefe, 1992.

506 Classificados pessoais, agências matrimoniais, casamentos: Ellis, 1992; Buss, 1992a, 1994.

506 *Moko dudei*: Chagnon, 1992; Symons, 1995.

506 Riqueza do marido e aparência da esposa: Buss, 1994. Schroeder sobre magnetismo animal: citado em Wright, 1995, p. 72.

506 Mulheres de prestígio querem homens de prestígio: Buss, 1994. Líderes feministas querem homens de prestígio: Ellis, 1992.

507 Lebowitz: citado em J. Winokur, 1987, *The portable curmudgeon*. Nova York: New American Library.

507 Decorando o corpo para embelezar em comparação com outras razões: Etcoff, 1998. Universalidade da beleza: Brown, 1991; Etcoff, 1998; Symons, 1979, 1995; Ridley, 1993; Perrett, May & Yoshikawa, 1994.

507 Ingredientes da beleza: Etcoff, 1998; Symons, 1979, 1995.

508 Rostos médios são atraentes: Symons, 1979; Langlois & Roggman, 1990.

509 Juventude e beleza: Symons, 1979, 1995; Etcoff, 1998.

509 Razão entre cintura e quadris: Singh, 1993, 1994, 1995. Figuras de violão no Alto Paleolítico: estudo não publicado de Singh & Kruszynski.

510 Tamanho contraposto à forma: Singh, 1993, 1994, 1995; Symons, 1995; Etcoff, 1998.

511 Beleza e poder: Bell, 1992; Wilson & Daly, 1992; Ellis, 1992; Etcoff, 1998; Paglia, 1990, 1992, 1994.

512 Beleza virtual e vida real: Buss, 1994.

512 Universalidade do ciúme sexual: Brown, 1991.

513 Diferenças entre os sexos no ciúme sexual: Symons, 1979; Buss, 1994; Buunk et al., 1996. Debate sobre diferenças entre os sexos: Harris & Christenfeld, 1996; DeSteno & Salovey, 1996; Buss, Larson & Westen, 1996; Buss et al., 1997.

513 Violência e ciúme sexual masculino: Daly & Wilson, 1988; Wilson & Daly, 1992; Symons, 1979. Mito da simetria sexual na violência conjugal: Dobash et al., 1992.

515 Riqueza da noiva e dotes: Daly & Wilson, 1988.

515 Boswell, Johnson e o duplo critério: Daly & Wilson, 1988, pp. 192-3.

516 Feminismo sem ciência social ortodoxa: Sommers, 1994; Patai & Koertge, 1994; Paglia, 1992; Eagly, 1995; Wright, 1994b; Ridley, 1993; Denfeld, 1995.

518 Status como uma necessidade espiritual: Veblen, 1899/1994. Moralidade indumentária: Bell, 1992.

518 Sinais dos animais: Zahavi, 1975; Dawkins, 1976/1989, 1983; Hauser, 1996; Cronin, 1992.

518   Estratégias agressivas e hierarquias de dominância: Maynard Smith, 1982; Dawkins, 1976/1989; Trivers, 1985.

520   Dominância em humanos: Ellis, 1992; Buss, 1994; Eibl-Eibesfeldt, 1989. Altura e salário: Frieze, Olson & Good, 1990. Altura e eleições presidenciais: Ellis, 1992; Mathews, 1996. Barbas e Brezhnev: Kingdon, 1993. Altura e namoro: Kenrick & Keefe, 1992.

521   Assassinato devido a insultos: Daly & Wilson, 1988; Nisbett & Cohen, 1996.

521   Reputações dos homens: Daly & Wilson, 1988, p. 128.

523   Jovens temerários: Rogers, 1994.

523   Argumentação como coerção: Lakoff & Johnson, 1980; Nozick, 1981.

523   O que é status?: Buss, 1992b; Tooby & Cosmides, 1996; Veblen, 1899/1994; Bell, 1992; Frank, 1985; Harris, 1989; Symons, 1979.

524   Potlach: Harris, 1989.

525   Princípio das desvantagens: Zahavi, 1975; Dawkins, 1976/1989; Cronin, 1992; Hauser, 1996.

526   O que é moda?: Bell, 1992; Etcoff, 1998.

526   Imitação em borboletas: Dawkins, 1976/1989; Cronin, 1992; Hauser, 1996.

527   Lógica da reciprocidade e troca: Cosmides & Tooby, 1992; Axelrod, 1984. Altruísmo recíproco: Trivers, 1985; Dawkins, 1976/1989; Axelrod, 1984; Axelrod & Hamilton, 1981.

528   Dilema do Prisioneiro: Poundstone, 1992; Schelling, 1960; Rapoport, 1964.

528   Dilema do Prisioneiro repetitivo e olho por olho: Axelrod & Hamilton, 1981; Axelrod, 1984.

529   Reciprocidade na vida cotidiana: Cosmides & Tooby, 1992; Fiske, 1992.

529   Comunismo primitivo em grupos familiares: Fiske, 1992.

530   Variação e partilha de alimentos entre coletores: Cashdan, 1989; Kaplan, Hill & Hurtado, 1990.

530   Sorte contraposta à preguiça: Cosmides & Tooby, 1992.

531   Fazendo vigorar a ética da partilha por meio de fofocas: Eibl-Eibesfeldt, 1989, pp. 525-6.!Kung egoísta: Konner, 1982, pp. 375-6.

532   Amizade contraposta à reciprocidade: Fiske, 1992. Casamento feliz contraposto à reciprocidade: Frank, 1988.

532   Lógica da amizade e o Paradoxo do Banqueiro: Tooby & Cosmides, 1996.

534   Guerra entre coletores de alimentos e evolução humana: Chagnon, 1988, 1992, 1996; Keeley, 1996; Diamond, 1992; Daly & Wilson, 1988; Alexander, 1987a, b.

535   Rixas de famílias: Daly & Wilson, 1988.

536   Luta por diamantes, ouro, carne e sexo: Chagnon, 1992, p. 115. Tribos excessivamente populosas ou desnutridas não são mais beligerantes: Chagnon, 1992; Keeley, 1996.

537   Mulheres como despojos de guerra na Bíblia: Hartung, 1992, 1995.

537   Violações lascivas e violentas: *Henrique V*, ato 2, cena 3.

538   Estupro e guerra: Brownmiller, 1975.

538   Êxito reprodutivo de líderes guerreiros: Betzig, 1986.

538   Lógica da guerra: Tooby & Cosmides, 1988.

539   Os fãs de Kandinsky odeiam os fãs de Klee: Tajfel, 1981. Etnocentrismo com cara e coroa: Locksley, Ortiz & Hepburn, 1980. Meninos guerreiam em acampamento de férias: Sherif, 1966. Conflito étnico: Brown, 1985.

540   Grupos mais ricos guerreiam mais: Chagnon, 1992; Keeley, 1996.

541   Lutando sob um véu de ignorância: Tooby & Cosmides, 1993. Exemplo da Segunda Guerra Mundial: Rapoport, 1964, pp. 88-9.

543   Índices de homicídio declinantes: Daly & Wilson, 1988.

545   O Dalai Lama: entrevista a Claudia Dreifus para *New York Times Magazine*, 28 de novembro de 1993.

8. *O SENTIDO DA VIDA* (pp. 546-91)

546   Universalidade da arte, literatura, música, humor, religião, filosofia: Brown, 1991; Eibl-Eibesfeldt, 1989.

546   Viver para a música, vender o sangue para comprar entrada de cinema: Tooby & Cosmides, 1990a.

547   As artes como busca de status: Wolfe, 1975; Bell, 1992.

547   Arte, ciência e a elite: Brockman, 1994. Futilidade honrosa: de Bell, 1992.

551   Arte e ilusão: Gombrich, 1960; Gregory, 1970; Kubovy, 1986. Adaptação e estética visual: Shepard, 1990; Orians & Heerwagen, 1992; Kaplan, 1992.

551   Padrões geométricos, evolução e estética: Shepard, 1990.

553   Música e a mente: Sloboda, 1985; Storr, 1992; R. Aiello, 1994.

554   Gramática musical universal: Bernstein, 1976; Jackendoff, 1977, 1987, 1992; Lerdahl & Jackendoff, 1983.

556   Harmônicos e escalas: Bernstein, 1976; Cooke, 1959; Sloboda, 1985. Dissidentes: Jackendoff, 1977; Storr, 1992.

556   Intervalos e emoções: Bernstein, 1976; Cooke, 1959. Apreciação da música por bebês: Zentner & Kagan, 1996; Schellenberg & Trehub, 1996.

559   Fluxo e refluxo do pesar: Cooke, 1959, pp. 137-8.

559   Semântica emocional da música: Cooke, 1959.

559   Música e linguagem: Lerdahl & Jackendoff, 1987.

560   Análise da cena auditiva: Bregman & Pinker, 1978; Bregman, 1990; McAdams & Bigand, 1993.

561   A estética dos padrões regulares em arte e música: Shepard, 1990.

561   Música e inquietação auditiva: Bernstein, 1976; Cooke, 1959.

561   Darwin sobre a música: Darwin, 1874. Melodia dos chamados emocionais: Fernald, 1992; Hauser, 1996.

562   Seleção de hábitat: Orians & Heerwagen, 1992; Kaplan, 1992.

562   Música e movimento: Jackendoff, 1992; Epstein, 1994; Clynes & Walker, 1982.

564   Horácio: de Hobbs, 1990, p. 5. Dryden: de Carroll, 1995, p. 170.

564   Ilusões de ficção e cinema: Hobbs, 1990; Tan, 1996.

565   Economia dos finais felizes: Landsburg, 1993.

565   Masoquismo benigno: Rozin, 1996.

565   Evolução da fofoqueira: Barkow, 1992.

566   Ficção como experimento: Hobbs, 1990. Literatura e cognição: Hobbs, 1990; Turner, 1991.

566   Tramas como busca de objetivo: Hobbs, 1990. Os objetivos na ficção são os objetivos na seleção natural: Carroll, 1995.

567   Manchetes sensacionalistas: *Filho nativo*, de Richard Wright; *A letra escarlate*, de Nathaniel Hawthorne; *Romeu e Julieta*, de William Shakespeare; *Crime e castigo*, de Fiodor Dostoievski; *O grande Gatsby*, de F. Scott Fitzgerald; *Jane Eyre*, de Charlotte Brontë; *Um bonde chamado desejo*, de Tennessee Williams; *Eumênides*, de Ésquilo. Todos de Lederer & Gilleland, 1994.

568   Raciocínio baseado em casos: Schanck, 1982.

568   Respostas dos enigmas da vida: *Hamlet; O poderoso chefão; Atração fatal; Madame Bovary; Shane*.

569   Repleção da arte: Goodman, 1976; Koestler, 1964.

570   Koestler sobre o humor: Koestler, 1964, p. 31.

571   Evolução do humor: Provine, 1996; Eibl-Eibesfeldt, 1989; Weisfeld, 1993. Estudos sobre o humor: Provine, 1996; Chapman & Foot, 1977; McGhee, 1979; Weisfeld, 1993.

571   Riso: Provine, 1991, 1993, 1996.

571   Riso como um chamado de união: Eibl-Eibesfeldt, 1989. Riso em chimpanzés: Provine, 1996; Weisfeld, 1993. Cócegas e brincadeira: Eibl-Eibesfeldt, 1989; Weisfeld, 1993. Brincadeira como treino de luta: Symons, 1978; Boulton & Smith, 1992.

572   Humor em *1984*: Orwell, 1949/1983, p. 11.

573   Os ianomâmi rabelaisianos: Chagnon, 1992, pp. 24-5.

575   Piada do alpinista: agradeço a Henry Gleitman. W. C. Fields: agradeço a Thomas Shultz.

575   Estudos sobre resolução de incongruências no humor: Shultz, 1977; Rothbart, 1977; McGhee, 1979.

576   Humor como solapamento de dominância: Shultz, 1977.

618

577 Interpolação mental na conversa: Pinker, 1994, cap. 7; Sperber & Wilson, 1986. Psicologia da conversa e humor: Attardo, 1994.

578 Banalidade das caçoadas: Provine, 1993, p. 296.

579 Lógica da amizade: Tooby & Cosmides, 1996.

579 Crenças em coisas falsas: bruxas, fantasmas, diabo: *New York Times*, 26 de julho de 1992. Gênese: Dennett, 1995. Anjos: pesquisa de *Time*, citada por Diane White, *Boston Globe*, 24 de outubro de 1994. Jesus: citado por Kenneth Woodward, *Newsweek*, 8 de abril de 1996. Deus ou espírito: Harris, 1989.

581 Antropologia da religião: Harris, 1989.

581 Psicologia cognitiva da religião: Sperber, 1982; Boyer, 1994a, b; Atran, 1995.

582 Fundamentos empíricos para crenças religiosas: Harris, 1989.

583 Perplexidade filosófica: McGinn, 1993. Paradoxos da consciência, eu, vontade, significado e conhecimento: Pondstone, 1988.

585 Ciclos da filosofia: McGinn, 1993.

587 Perplexidade filosófica como limitação do equipamento conceitual humano: Chomsky, 1975, 1988; McGinn, 1993.

590 Incompatibilidade entre a mente combinatória e os problemas da filosofia: McGinn, 1993.

REFERÊNCIAS BIBLIOGRÁFICAS

ADELSON, E. H., & PENTLAND, A. P. "The perception of shading and reflectance". In KNILL & RICHARDS, 1996.

AIELLO, L. C. "Thumbs up for our early ancestors". *Science*, 1994, 265, 1540-1.

AIELLO, R. (ed.). *Musical perceptions*. Nova York, Oxford University Press, 1994.

ALEXANDER, M., STUSS, M. P., & BENSON, D. F. "Capgras syndrome: a reduplicative phenomenon". *Neurology*, 1979, 29, 334-9.

ALEXANDER, R. D. *The biology of moral systems*. Hawthorne, NY, Aldine de Gruyter, 1987a.

_____. Trabalho apresentado na conferência "The origin and dispersal of modern humans". Corpus Christi College, Cambridge, Inglaterra, 22-26 Mar. Informado em *Science*, 1987b, 236, 668-9.

_____. "How did humans evolve? Reflections on the uniquely unique species". Special Publication n. 1, Museum of Zoology, University of Michigan, 1990.

ALLEN, W. *Without feathers*. Nova York, Ballantine, 1983.

ALLMAN, W. *The stone-age present: how evolution has shaped modern life*. Nova York, Simon & Schuster, 1994.

ALOIMONOS, Y., & ROSENFELD, A. "Computer vision". *Science*, 1991, 13, 1249-54.

ALTMAN, I., & GINAT, J. *Polygyonous families in contemporary society*. Nova York, Cambridge University Press, 1996.

ANDERSON, A. "The evolution of sexes". *Science*, 1992, 257, 324-6.

ANDERSON, B. L., & NAKAYAMA, K. "Toward a general theory of stereopsis: binocular matching, occluding contours, and fusion". *Psychological Review*, 1994, 101, 414-45.

ANDERSON, J. R. *The architecture of cognition*. Cambridge, Mass., Harvard University Press, 1983.

_____. *The adaptive character of thought*. Hillsdale, NJ, Erlbaum, 1990.

_____. *Rules of the mind*. Hillsdale, NJ, Erlbaum, 1993.

ANDERSON, J. R., & BOWER, G. H. *Human associative memory*. Nova York, Wiley, 1973.

ANDERSON, J. R., & comentaristas. "Is human cognition adaptive?". *Behavioral and Brain Sciences*, 1991, 14, 471-517.

ARMSTRONG, S. L., GLEITMAN, L. R., & GLEITMAN, H. "What some concepts might not be". *Cognition*, 1983, 13, 263-308.

ARONSON, E. *The social animal*. San Francisco, W. H. Freeman, 1980.

ASIMOV, I. *I, robot*. Nova York, Bantam Books, 1950.

ASIMOV, I., & SHULMAN, J. A. (eds.). *Isaac Asimov's book of science and nature quotations*. Nova York, Weidenfeld & Nicolson, 1986.

ATRAN, S. *The cognitive foundations of natural history*. Nova York, Cambridge University Press, 1990.

_____. "Causal constraints on categories and categorical constraints on biological reasoning across cultures". In SPERBER, PREMACK & PREMACK, 1995.

ATTARDO, S. *Linguistic theories of humor*. Nova York, Mouton de Gruyter, 1994.

ATTNEAVE, F. "Triangles as ambiguous figures". *American Journal of Psychology*, 1968, 81, 447-53.

_____. "Representation of physical space". In MELTON, A. W., & MARTIN, E. J. (eds.). *Processes in human memory*. Washington, DC, V. H. Winston, 1972.

_____. "Three approaches to perceptual organization: comments on views of Hochberg, Shepard & Shaw". In KUBOVY & POMERANTZ, 1981.

_____. "Prägnanz and soap bubble systems: a theoretical exploration". In BECK, 1982.

AXELROD, R. *The evolution of cooperation*. Nova York, Basic Books, 1984.

AXELROD, R., & HAMILTON, W. D. "The evolution of cooperation". *Science*, 1981, 211, 1390-6.

AYALA, F. J. "The myth of Eve: molecular biology and human origins". *Science*, 1995, 270, 1930-6.

BAARS, B. *A cognitive theory of consciousness*. Nova York, Cambridge University Press, 1988.

BADDELEY, A. D. *Working memory*. Nova York, Oxford University Press, 1986.

BAILLARGEON, R. "Physical reasoning in infancy". In GAZZANIGA, 1995.

BAILLARGEON, R., KOTOVSKY, L., & NEEDHAM, A. "The acquisition of physical knowledge in infancy". In SPERBER, PREMACK & PREMACK, 1995.

BAKER, R. R., & BELLIS, M. A. *Sperm competition: copulation, masturbation, and infidelity*. Londres, Chapman & Hall, 1996.

BARKOW, J. H. "Beneath new culture is old psychology: Gossip and social stratification". In BARKOW, COSMIDES & TOOBY, 1992.

BARKOW, J. H., COSMIDES, L., & TOOBY, J. (eds.). *The adapted mind: evolutionary psychology and the generation of culture*. Nova York, Oxford University Press, 1992.

BARON-COHEN, S. *Mindblindness: an essay on autism and theory of mind*. Cambridge, Mass., MIT Press, 1995.

BARON-COHEN, S., LESLIE, A. M., & FRITH, U. "Does the autistic child have a theory of mind?". *Cognition*, 1985, 21, 37-46.

BATES, E., & MACWHINNEY, B. "Functionalist approaches to grammar". In WANNER, E., & GLEITMAN, L. R. (eds.). *Language acquisition: the state of the art*. Nova York, Cambridge University Press, 1982.

_____ & _____. "Welcome to functionalism". In PINKER & BLOOM, 1990.

BAUMEISTER, R. F., & TICE, D. M. "Role of self-presentation and choice in cognitive dissonance under forced compliance: necessary or sufficient causes?". *Journal of Personality and Social Psychology*, 1984, 16, 5-13.

BECK, J. (ed.). *Organization and representation in perception*. Hillsdale, NJ, Erlbaum, 1982.

BEHRMANN, M., WINOCUR, G., & MOSCOVITCH, M. "Dissociation between mental imagery and object recognition in a brain-damaged patient". *Nature*, 1992, 359, 636-7.

BELEW, R. K. "Evolution, learning, and culture: computational metaphors for adaptive algorithms". *Complex Systems*, 1990, 4, 11-49.

BELEW, R. K., MCINERNEY, J., & SCHRAUDOLPH, N. N. "Evolving networks: using the genetic algorithm with connectionist learning". In *Proceedings of the Second Artificial Life Conference*. Reading, Mass., Addison-Wesley, 1990.

BELL, Q. *On human finery*. Londres, Allison & Busby, 1992.

BERG, G. "Learning recursive phrase structure: combining the strengths of PDP and X-bar syntax". In *Proceedings of the International Joint Conference on Artificial Intelligence Workshop on Natural Language Learning*, 1991.

BERKELEY, G. "Three dialogues between Hylas and Philonous". In CALKINS, M. W. (ed.). *Berkeley selections*. Nova York, Scribner's, 1713/1929.

BERLIN, B., BREEDLOVE, D., & RAVEN, P. "General principles of classification and nomenclature in folk biology". *American Anthropologist*, 1973, 87, 298-315.

BERNSTEIN, L. *The unanswered question: six talks at Harvard*. Cambridge, Mass., Harvard University Press, 1976.

BERRA, T. M. *Evolution and the myth of creationism*. Stanford, Calif., Stanford University Press, 1990.

BETTELHEIM, B. "Joey: a mechanical boy". *Scientific American*, mar. 1959. Reeditado em ATKINSON, R. C. (ed.). *Contemporary psychology*. San Francisco, Freeman, 1971.

BETZIG, L. *Despotism and differential reproduction*. Hawthorne, NY, Aldine de Gruyter, 1986.

_____. "Medieval monogamy". In MITHEN, S., & MASCHNER, H. (eds.). *Darwinian approaches to the past*. Nova York, Plenum, 1992.

BETZIG, L., BORGERHOFF MULDER, M., & TURKE, P. (eds.). *Human reproductive behavior: a Darwinian perspective*. Nova York, Cambridge University Press, 1988.

BIEDERMAN, I. "Visual object recognition". In KOSSLYN & OSHERSON, 1995.

BIRCH, E. E. "Stereopsis in infants and its developmental relation to visual acuity". In SIMONS, 1993.

BISIACH, E., & LUZZATTI, C. "Unilateral neglect of representational space". *Cortex*, 1978, 14, 129-33.

BISSON, T. "They're made out of meat". De uma série de histórias intitulada "Alien/Nation". *Omni*, Abril 1991.

BIZZI, E., & MUSSA-IVALDI, F. A. "Muscle properties and the control of arm movements". In OSHERSON, KOSSLYN & HOLLERBACH, 1990.

BLOCK, N. "Troubles with functionalism". In SAVAGE, C. W. (ed.). *Perception and cognition: issues in the foundations of psychology. Minnesota studies in the Philosophy of Science*, 9. Minneapolis, University of Minnesota, 1978.

_____. (ed.). *Imagery*. Cambridge, Mass., MIT Press, 1981.

_____. "Advertisement for a semantics for psychology". In RENCH, P., UEHLING JR., T., & WETTSTEIN, H. (eds.). *Midwest studies in philosophy*. Minneapolis, University of Minnesota Press, 1986, 10.

BLOCK, N., & comentaristas. "On a confusion about a function of consciousness". *Behavioral and Brain Sciences*, 1995, 18, 227-87.

BLOOM, P. "Possible individuals in language and cognition". *Current Directions in Psychological Science*, 1996a, 5, 90-4.

_____. "Intention, history, and artifact concepts". *Cognition*, 1996b, 60, 1-29.

BOBICK, A. *Natural object categorization*. MIT Artificial Intelligence Laboratory Technical Report 1001, 1987.

BONATTI, L. "Why should we abandon the mental logic hypothesis?". *Cognition*, 1995, 50, 109-31.

BORING, E. G. "The Gibsonian visual field". *Psychological Review*, 1952, 59, 246-7.

BOUCHARD JR., T. J. "Genes, environment, and personality". *Science*, 1994, 264, 1700-1.

BOUCHARD JR., T. J., LYKKEN, D. T., MCGUE, M., SEGAL, N. L., & TELLEGEN, A. "Sources of human psychological differences: the Minnesota Study of Twins Reared Apart". *Science*, 1990, 250, 223-8.

BOULTON, M. J., & SMITH, P. K. "The social nature of play fighting and play chasing: mechanisms and strategies underlying cooperation and compromise". In BARKOW, COSMIDES & TOOBY, 1992.

BOWERMAN, M. "Hidden meanings: the role of covert conceptual structures in children's development of language". In ROGERS, D. R., & SLOBODA, J. A. (eds.). *The acquisition of symbolic skills*. Nova York, Plenum, 1983.

BOYD, R., & RICHERSON, P. *Culture and the evolutionary process*. Chicago, University of Chicago Press, 1985.

BOYD, R., & SILK, J. R. *How humans evolved*. Nova York, Norton, 1996.

BOYER, P. *The naturalness of religious ideas*. Berkeley, University of California Press, 1994a.

_____. 1994b. "Cognitive constraints on cultural representations: natural ontologies and religious ideas". In HIRSCHFELD & GELMAN, 1994a.

BRAINARD, D. H., & WANDELL, B. A. "Analysis of the retinex theory of color vision". *Journal of the Optical Society of America (A)*, 1986, 3, 1651-61.

_____ & _____. "A bilinear model of the illuminant's effect on color appearance". In MOVSHON, J. A., & LANDY, M. S. (eds.). *Computational models of visual processing*. Cambridge, Mass., MIT Press, 1991.

BRAINE, M. D. S. "Mental logic and how to discover it". In MACNAMARA & REYES, 1994.

622

BREGMAN, A. S. *Auditory scene analysis: the perceptual organization of sound*. Cambridge, Mass., MIT Press, 1990.

BREGMAN, A. S., & PINKER, S. "Auditory streaming and the building of timbre". *Canadian Journal of Psychology*, 1978, 32, 19-31.

BRICKMAN, P., & CAMPBELL, D. T. "Hedonic relativism and planning the good society". In APPLEY, M. H. (ed.). *Adaptation-level theory: a symposium*. Nova York, Academic Press, 1971.

BROCKMAN, J. *The third culture: beyond the scientific revolution*. Nova York, Simon & Schuster, 1994.

BRONOWSKI, J. *The ascent of man*. Boston, Little, Brown, 1973.

BROOKS, L. "Spatial and verbal components in the act of recall". *Canadian Journal of Psychology*, 1968, 22, 349-68.

BROWN, A. L. "Domain-specific principles affect learning and transfer in children". *Cognitive Science*, 1990, 14, 107-33.

BROWN, D. E. *Hierarchy, history, and human nature. The social origins of historical consciousness*. Tucson, University of Arizona Press, 1988.

_____. *Human universals*. Nova York, McGraw-Hill, 1991.

BROWN, R. *Social psychology. The second edition*. Nova York, Free Press, 1985.

BROWN, R., & KULIK, J. "Flashbulb memories". *Cognition*, 1977, 5, 73-99.

BROWNMILLER, S. *Against our will: men, women, and rape*. Nova York, Fawcett Columbine, 1975.

BRUCE, V. *Recognizing faces*. Hillsdale, NJ, Erlbaum, 1988.

BÜLTHOFF, H. H., & EDELMAN, S. "Psychological support for a two-dimensional view interpolation theory of object recognition". *Proceedings of the National Academy of Sciences*, 1992, 89, 60-4.

BUSS, D. M. 1992a. "Mate preference mechanisms: consequences for partner choice and intrasexual competition". In BARKOW, COSMIDES & TOOBY, 1992.

_____. "Human prestige criteria". Departamento de Psicologia, University of Texas, Austin, 1992b. Não publicado.

_____. *The evolution of desire*. Nova York, Basic Books, 1994.

_____. "Evolutionary psychology: a new paradigm for psychological science". *Psychological Inquiry*, 1995, 6, 1-30.

BUSS, D. M., LARSEN, R. J., & WESTEN, D. "Sex differences in jealousy: not gone, not forgotten, and not explained by alternative hypotheses". *Psychological Sciences*, 1996, 7, 373-5.

BUSS, D. M., SHACKELFORD, T. K., KIRKPATRICK, L. A., CHOE, J., HASEGAWA, T., HASEGAWA, M., & BENNETT, K. "Jealousy and the nature of beliefs about infidelity: tests of competing hypotheses about sex differences in the United States, Korea, and Japan". University of Texas, Austin, 1997. Não publicado.

BUUNK, B. P., ANGLEITNER, A., OUBAID, V., & BUSS, D. M. "Sex differences in jealousy in evolutionary and cultural perspective: tests from the Netherlands, Germany, and the United States". *Psychological Science*, 1996, 7, 359-63.

BYRNE, R. W., & WHITEN, A. *Machiavellian intelligence*. Nova York, Oxford University Press, 1988.

CAIN, A. J. "The perfection of animals". In MCCARTHY, J. D., & DUDDINGTON, C. L. (eds.). *Viewpoints in biology*. Londres, Butterworth, 3, 1964.

CAIRNS, J., OVERBAUGH, J., & MILLER, S. "The origin of mutants". *Nature*, 1988, 335, 142-6.

CAMPBELL, D. T. "On the conflicts between biological and social evolution and between psychology and moral tradition". *American Psychologist*, 1975, 30, 1103-26.

CAREY, S. *Conceptual change in childhood*. Cambridge, Mass., MIT Press, 1985.

_____. "Cognitive science and science education". *American Psychologist*, 1986, 41, 1123-30.

_____. "On the origin of causal understanding". In SPERBER, PREMACK & PREMACK, 1995.

CAREY, S., & SPELKE, E. "Domain-specific knowledge and conceptual change". In HIRSCHFELD & GELMAN, 1994a.

CARROLL, J. *Evolution and literary theory*. Columbia, University of Missouri Press, 1995.

CARROLL, L. 1895/1956. "What the tortoise said to Achilles and other riddles". In NEWMAN, J. R. (ed.). *The world of mathematics*. Nova York, Simon & Schuster, 4, 1956.

CARROLL, L. 1896/1977. *Symbolic logic*. In BARTLEY, W. W. (ed.). *Lewis Carroll's symbolic logic*. Nova York, Clarkson Potter, 1977.

CASHDAN, E. "Hunters and gatherers: economic behavior in bands". In PLATTNER, S. (ed.). *Economic anthropology*. Stanford, Calif., Stanford University Press, 1989.

_____. "A sensitive period for learning about food". *Human Nature*, 1994, 5, 279-91.

CAVALLI-SFORZA, L. L., MENOZZI, P., & PIAZZA, A. "Demic expansions and human evolution". *Science*, 1993, 259, 639-46.

CAVALLI-SFORZA, L. L., & FELDMAN, M. W. *Cultural transmission and evolution: a quantitative approach*. Princeton, NJ, Princeton University Press, 1981.

CAVE, K. R., PINKER, S., GIORGI, L., THOMAS, C., HELLER, L., WOLFE, J. M., & LIN, H. "The representation of location in visual images". *Cognitive Psychology*, 1994, 26, 1-32.

CERF, C., & NAVASKY, V. *The experts speak*. Nova York, Pantheon, 1984.

CHAGNON, N. A. "Life histories, blood revenge, and warfare in a tribal population". *Science*, 1988, 239, 985-92.

_____. *Yanomamö: the last days of Eden*. Nova York, Harcourt Brace, 1992.

_____. "Chronic problems in understanding tribal violence and warfare". In BOCK, G., & GOODE, J. (eds.). *The genetics of criminal and antisocial behavior*. Nova York, Wiley, 1996.

CHALMERS, D. J. "Syntactic transformations on distributed representations". *Connection Science*, 1990, 2, 53-62.

CHAMBERS, D., & REISBERG, D. "Can mental images be ambiguous?". *Journal of Experimental Psychology: Human Perception and Performance*, 1985, 11, 317-28.

CHANGEUX, J.-P., & CHAVAILLON, J. (eds.). *Origins of the human brain*. Nova York, Oxford University Press, 1995.

CHAPMAN, A. J., & FOOT, H. C. (eds.). *It's a funny thing, humor*. Nova York, Pergamon Press, 1977.

CHASE, W. G., & SIMON, H. A. "'Perception in chess". *Cognitive Psychology*, 1973, 4, 55-81.

CHENEY, D., & SEYFARTH, R. M. *How monkeys see the world*. Chicago, University of Chicago Press, 1990.

CHENG, P., & HOLYOAK, K. "Pragmatic reasoning schemas". *Cognitive Psychology*, 1985, 17, 391-416.

CHERNIAK, C. "Rationality and the structure of memory". *Synthèse*, 1983, 53, 163-86.

CHOMSKY, N. "A review of B. F. Skinner's 'Verbal behavior'". *Language*, 1959, 35, 26-58.

_____. *Reflections on language*. Nova York, Pantheon, 1975.

_____. *Language and problems of knowledge: The Managua Lectures*. Cambridge, Mass., MIT Press, 1988.

_____. "Linguistics and cognitive science: problems and mysteries". In KASHER, A. (ed.). *The Chomskyan turn*. Cambridge, Mass., Blackwell, 1991.

_____. "Explaining language use". *Philosophical Topics*, 1992, 20, 205-31.

_____. *Language and thought*. Wakefield, RI, e Londres, Moyer Bell, 1993.

CHRISTOPHER, T. "In defense of the embattled American lawn". *Nova York Times*, 23 Jul. 1995, The Week in Review, p. 3.

CHURCHLAND, P., & CHURCHLAND, P. S. "Could a machine think?". In DIETRICH, 1994.

CHURCHLAND, P. S., & SEJNOWSKI, T. J. *The computational brain*. Cambridge, Mass., MIT Press, 1992.

CLARK, R. D., & HATFIELD, E. "Gender differences in receptivity to sexual offers". *Journal of Psychology and Human Sexuality*, 1989, 2, 39-55.

CLYNES, M., & WALKER, J. "Neurobiological functions of rhythm, time, and pulse in music". In CLYNES, M. (ed.). *Music, mind, and brain: the neuropsychology of music*. Nova York, Plenum, 1982.

COLE, M., GAY, J., GLICK, J., & SHARP, D. W. "The cultural context of learning and thinking". Nova York, Basic Books, 1971.

COOKE, D. *The language of music*. Nova York, Oxford University Press, 1959.

COOPER, L. A., & SHEPARD, R. N. "Chronometric studies of the rotation of mental images". In CHASE, W. G. (ed.). *Visual information processing*. Nova York, Academic Press, 1973.

COPPENS, Y. "Brain, locomotion, diet, and culture: how a primate, by chance, became a man". In CHANGEUX & CHAVAILLON, 1995.

CORBALLIS, M. C. "Recognition of disoriented shapes". *Psychological Review*, 1988, 95, 115-23.

CORBALLIS, M. C., & BEALE, I. L. *The psychology of left and right*. Hillsdale, NJ, Erlbaum, 1976.

CORMACK, L. K., STEVENSON, S. B., & SCHOR, C. M. "Disparity-tuned channels of the human visual system". *Visual Neuroscience*, 1993, 10, 585-96.

COSMIDES, L. "Deduction or Darwinian algorithms? An explanation of the 'elusive' content effect on the Wason selection task". Departamento de Psicologia, Harvard University, 1985. Dissertação de PhD.

_____. "The logic of social exchange. Has natural selection shaped how humans reason? Studies with the Wason selection task". *Cognition*, 1989, 31, 187-276.

COSMIDES, L., & TOOBY, J. "Cytoplasmic inheritance and intragenomic conflict". *Journal of Theoretical Biology*, 1981, 89, 83-129.

_____ & _____. "Cognitive adaptations for social exchange". In BARKOW, COSMIDES & TOOBY, 1992.

_____ & _____. "Beyond intuition and instinct blindness: toward an evolutionarily rigorous cognitive science". *Cognition*, 1994, 50, 41-77.

_____ & _____. "Are human good intuitive statisticians after all? Rethinking some conclusions from the literature on judgement under uncertainty". *Cognition*, 1996, 58, 1-73.

COSMIDES, L., TOOBY, J., & BARKOW, J. "Environmental aesthetics". In BARKOW, COSMIDES & TOOBY, 1992.

CRAMER, K. S., & SUR, M. "Activity-dependent remodeling of connections in the mammalian visual system". *Current Opinion in Neurobiology*, 1995, 5, 106-11.

CRAVER-LEMLEY, C., & REEVES, A. "How visual imagery interferes with vision". *Psychological Review*, 1992, 98, 633-49.

CREVIER, D. *AI: the tumultuous history of the search for artificial intelligence*. Nova York, Basic Books, 1993.

CRICK, F. *The astonishing hypothesis: the scientific search for the soul*. Nova York, Simon & Schuster, 1994.

CRICK, F., & KOCH, C. "Are we aware of neural activity in primary visual cortex?". *Nature*, 1995, 375, 121-3.

CUMMINS, R. "Functional analysis". In SOBER, 1984a.

DALY, M. "Some caveats about cultural transmission models". *Human Ecology*, 1982, 10, 401-8.

DALY, M., & WILSON, M. *Homicide*. Hawthorne, NY, Aldine de Gruyter, 1988.

_____ & _____. "Evolutionary psychology of male violence". In ARCHER, J. (ed.). *Male violence*. Londres, Routledge, 1994.

_____ & _____. "Discriminative parental solicitude and the relevance of evolutionary models to the analysis of motivational systems". In GAZZANIGA, 1995.

DALY, M., SALMON, C., & WILSON, M. "Kinship: the conceptual hole in psychological studies of social cognition and close relationships". In KENRICK, D., & SIMPSON, J. (eds.). *Evolutionary social psychology*. Hillsdale, NJ, Erlbaum. No prelo.

DAMASIO, A. R. *Descartes' error: emotion, reason, and the human brain*. Nova York, Putnam, 1994.

DARWIN, C. 1859/1964. *On the origin of species*. Cambridge, Mass., Harvard University Press, 1964.

_____. 1872/1965. *The expression of the emotions in man and animals*. Chicago, University of Chicago Press, 1965.

_____. *The descent of man, and selection in relation to sex*. (2ª ed.) Nova York, Hurst & Company, 1874.

DAVEY, G. C. L., & comentaristas. "Preparedness and phobias: specific evolved associations or a generalized expectancy bias?". *Behavioral and Brain Sciences*, 1995, 18, 289-325.

DAVIES, P. *Are we alone? Implications of the discovery of extraterrestrial life*. Nova York, Basic, 1995.

DAWKINS, R. *The selfish gene*. Nova edição. Nova York, Oxford University Press, 1976/1989.

_____. *The extended phenotype*. Nova York, Oxford University Press, 1982.

_____. "Universal Darwinism". In BENDALL, D. S. (ed.). *Evolution from molecules to man*. Nova York, Cambridge University Press, 1983.

_____. *The blind watchmaker. Why the evidence of evolution reveals a universe without design*. Nova York, Norton, 1986.

_____. *River out of Eden: a Darwinian view of life*. Nova York, Basic Books, 1995.

DE JONG, G. F., & MOONEY, R. J. "Explanation-based learning: an alternative view". *Machine Learning*, 1986, 1, 145-76.

DEACON, T. 1992a. "Primate brains and senses". In JONES, MARTIN & PILBEAM, 1992.

DEACON, T. 1992b. "The human brain". In JONES, MARTIN & PILBEAM, 1992.

DEHAENE, S. (ed.). "Numerical cognition". Número especial de *Cognition*, 44. Reeditado. Cambridge, Mass., Blackwell, 1992.

DENFELD, R. *The new Victorians: a young woman's challenge to the old feminist order*. Nova York, Warner Books, 1995.

DENIS, M., ENGELKAMP, J., RICHARDSON, J. T. E. (eds.). *Cognitive and neuropsychological approaches to mental imagery*. Amsterdam, Holanda, Martinus Nijhoff, 1988.

DENNETT, D. C. *Brainstorms: philosophical essays on mind and psychology*. Cambridge, Mass., Bradford Books/MIT Press, 1978a.

_____. 1978b. "Intentional systems". In DENNETT, 1978a.

_____. 1978c. "Skinner skinned". In DENNETT, 1978a.

_____. 1978d. "Artificial intelligence as philosophy and as psychology". In DENNET, 1978a.

_____. *Elbow room: the varieties of free will worth wanting*. Cambridge, Mass., MIT Press, 1984.

_____. "Cognitive wheels: the frame problem of AI". In PYLYSHYN, 1987.

_____. "The interpretation of texts, people, and other artifacts". *Philosophy and Phenomenological Research*, 1990, 50, 177-94.

_____. *Consciousness explained*. Boston, Little, Brown, 1991.

_____. *Darwin's dangerous idea: evolution and the meanings of life*. Nova York, Simon & Schuster, 1995.

DERSHOWITZ, A. M. *The abuse exercise*. Boston, Little, Brown, 1994.

DESTENO, D. A., & SALOVEY, P. "Evolutionary origins of sex diferences in jealousy? Questioning the 'fitness' of the model". *Psychological Science*, 1996, 7, 367-72; 376-7.

DIAMOND, J. *The third chimpanzee. The evolution and future of the human animal*. Nova York, HarperCollins, 1992.

DICKINSON, S. J., PENTLAND, A. P., & ROSENFELD, A. "3-D shape recovery using distributed aspect matching". *IEEE Transactions on Pattern Analysis and Machine Intelligence*, 1992, 14, 174-98.

DIETRICH, E. (ed.). *Thinking computers and virtual persons: essays on intentionality of machines*. Boston, Academic Press, 1994.

DOBASH, R. P., DOBASH, R. E., WILSON, M., & DALY, M. "The myth of sexual symmetry in marital violence". *Social Problems*, 1992, 39, 71-91.

DRAKE, F. "Extraterrestrial intelligence (letter)". *Science*, 1993, 260, 474-5.

DRETSKE, F. I. *Knowledge and the flow of information*. Cambridge, Mass., MIT Press, 1981.

DREYFUS, H. *What computers can't do*. (2ª ed.) Nova York, Harper & Row, 1979.

DUNBAR, R. I. M. "Primate social organization: mating and parental care". In JONES, MARTIN & PILBEAM, 1992.

DUNCAN, J. "Attention, intelligence, and the frontal lobes". In GAZZANIGA, 1995.

DUNPHY, D. "The social structure of early adolescent peer groups". *Sociometry*, 1963, 26, 230-46.

DURHAM, W. H. "Interactions of genetic and cultural evolution: models and examples". *Human Ecology*, 1982, 10, 299-334.

EAGLY, A. H. "The science and politics of comparing women and men". *American Psychologist*, 1995, 50, 145-58.

EIBL-EIBESFELDT, I. *Human ethology*. Hawthorne, NY, Aldine de Gruyter, 1989.

EKMAN, P. "A life's pursuit". In SEBEOK, T. A., & UMIKER-SEBEOK, J. (eds.). *The semiotic web 86: an international yearbook*. Berlim, Mouton de Gruyter, 1987.

_____. "Facial expression and emotion". *American Psychologist*, 1993, 48, 384-92.

_____. "Strong evidence for universals in facial expressions: a reply to Russell's mistaken critique". *Psychological Bulletin*, 1994, 115, 268-87.

EKMAN, P., & DAVIDSON, R. J. (eds.). *The nature of emotion*. Nova York, Oxford University Press, 1994.

EKMAN, P., & FRIESEN, W. V. *Unmasking the face*. Englewood Cliffs, NJ, Prentice-Hall, 1975.

ELLIS, B. J. "The evolution of sexual attraction: evaluative mechanisms in women". In BARKOW, COSMIDES & TOOBY, 1992.

ELMAN, J. L. "Finding structure in time". *Cognitive Science*, 1990, 14, 179-211.

ENDLER, J. A. *Natural selection in the wild*. Princeton, NJ, Princeton University Press, 1986.

EPSTEIN, D. *Shaping time: music, the brain, and performance*. Nova York, Schirmer, 1994.

ETCOFF, N. L. "The neuropsychology of emotional expression". In GOLDSTEIN, G., & TARTER, R. E. (eds.). *Advances in clinical neuropsychology*. Nova York, Plenum, 3, 1986.

_____. *Beauty*. Nova York, Doubleday, 1998.

ETCOFF, N. L., FREEMAN, R., & CAVE, K. R. "Can we lose memories of faces? Content specificity and awareness in a prosopagnosic". *Journal of Cognitive Neuroscience*, 1991, 3, 25-41.

EYER, D. *Motherguilt: how our culture blames mothers for what's wrong with society*. Nova York, Times Books, 1996.

FARAH, M. J. "Mechanisms of imagery-perception interaction". *Journal of Experimental Psychology: Human Perception and Performance*, 1989, 15, 203-11.

_____. *Visual agnosia*. Cambridge, Mass., MIT Press, 1990.

_____. "Dissociable systems for recognition: a cognitive neuropsychology approach". In KOSSLYN & OSHERSON, 1995.

FARAH, M. J., SOSO, M. J., & DASHEIF, R. M. "Visual angle of the mind's eye before and after unilateral occipital lobectomy". *Journal of Experimental Psychology: Human Perception and Performance*, 1992, 18, 241-6.

FEHLING, M. R., BAARS, B. J., & FISCHER, C. "A functional role for repression in an autonomous, resource-constrained agent". *Proceedings of the Twelfth Annual Meeting of the Cognitive Science Society*. Hillsdale, NJ, Erlbaum, 1990.

FELDMAN, J., & BALLARD, D. "Connectionist models and their properties". *Cognitive Science*, 1982, 6, 205-54.

FERNALD, A. "Human maternal vocalizations to infants as biologically relevant signals: an evolutionary perspective". In BARKOW, COSMIDES & TOOBY, 1992.

FESTINGER, L. *A theory of cognitive dissonance*. Stanford, Calif., Stanford University Press, 1957.

FIEDLER, K. "The dependence of the conjunction fallacy on subtle linguistic factors". *Psychological Research*, 1988, 50, 123-9.

FIELD, H. "Logic, meaning and conceptual role". *Journal of Philosophy*, 1977, 69, 379-408.

FINKE, R. A. *Principles of mental imagery*. Cambridge, Mass., MIT Press, 1989.

_____. *Creative imagery: discoveries and inventions in visualization*. Hillsdale, NJ, Erlbaum, 1990.

FINKE, R. A., PINKER, S., & FARAH, M. J. "Reinterpreting visual patterns in mental imagery". *Cognitive Science*, 1989, 13, 51-78.

FISCHMAN, J. "Putting our oldest ancestors in their proper place". *Science*, 1994, 265, 2011-2.

FISCHER, H. E. *Anatomy of love: the natural history of monogamy, adultery, and divorce*. Nova York, Norton, 1992.

FISKE, A. P. "The four elementary forms of sociality: framework for a unified theory of social relations". *Psychological Review*, 1992, 99, 689-723.

FODOR, J. A. *Psychological explanation: an introduction to the philosophy of psychology*. Nova York, Random House, 1968a.

_____. "The appeal to tacit knowledge in psychological explanation". *Journal of Philosophy*, 1968b, 65, 627-40.

_____. *The language of thought*. Nova York, Crowell, 1975.

_____. "The present status of the innateness controversy". In FODOR, J. A. *RePresentations*. Cambridge, Mass., MIT Press, 1981.

_____. *The modularity of mind*. Cambridge, Mass., MIT Press, 1983.

_____. "Why paramecia don't have mental representations". In RENCH, P., UEHLING JR., T., & WETTSTEIN, H. (eds.). *Midwest Studies in Philosophy*. Minneapolis, University of Minnesota Press, 1986. v. 10.

_____. *The elm and the experts: mentalese and its semantics*. Cambridge, Mass., MIT Press, 1994.

FODOR, J. A., & comentaristas. "Précis and multiple book review of 'The modularity of mind'". *Behavioral and Brain Sciences*, 1985, 8, 1-42.

FODOR, J. A., & MCCLAUGHLIN, B. "Connectionism and the problem of systematicity: why Smolensky's solution doesn't work". *Cognition*, 1990, 35, 183-204.

FODOR, J. A., & PYLYSHYN, Z. "Connectionism and cognitive architecture: a critical analysis". *Cognition*, 1988, 28, 3-71. Reeditado em PINKER & MEHLER, 1988.

FOX, R. *Kinship and marriage: an anthropological perspective.* Nova York, Cambridge University Press, 1984.

FRANK, R. H. *Choosing the right pond: human behavior and the quest for status.* Nova York, Oxford University Press, 1985.

_____. *Passions within reason: the strategic role of the emotions.* Nova York, Norton, 1988.

FREEMAN, D. *Margaret Mead and Samoa: the making and unmaking of an anthropological myth.* Cambridge, Mass., Harvard University Press, 1983.

_____. "Paradigms in collision". *Academic Questions*, 1992, 5, 23-33.

FREEMAN, R. D., & OHZAWA, I. "Development of binocular vision in the kitten's striate cortex". *Journal of Neuroscience*, 1992, 12, 4721-36.

FRENCH, M. *Invention and evolution: design in nature and engineering.* (2ª ed.) Nova York, Cambridge University Press, 1994.

FRENCH, R. E. *The geometry of vision and the mind-body problem.* Nova York, Peter Lang, 1987.

FREYD, J. J., & FINKE, R. A. "Facilitation of length discrimination using real and imagined context frames". *American Journal of Psychology*, 1984, 97, 323-41.

FRIDLUND, A. "Evolution and facial action in reflex, social motive, and paralanguage". *Biological Psychology*, 32, 3-100.

_____. "Darwin's anti-Darwinism in 'The expression of the emotions in man and animals'". In STRONGMAN, K. T. (ed.). *International review of studies of emotion.* Nova York, Wiley, 1992. v. 2.

_____. *Human facial expression: an evolutionary view.* Nova York, Academic Press, 1995.

FRIEZE, I. H., OLSON, J. E., & GOOD, D. C. "Perceived and actual discrimination in the salaries of male and female managers". *Journal of Applied Social Psychology*, 1990, 20, 46-67.

FRITH, U. "Autism: beyond 'theory of mind'". *Cognition*, 1995, 50, 13-30.

FUNT, B. V. "Problem-solving with diagrammatic representations". *Artificial Intelligence*, 1980, 13, 210-30.

GALLISTEL, C. R. *The organization of learning.* Cambridge, Mass., MIT Press, 1990.

_____. "The replacement of general-purpose theories with adaptive specializations". In GAZZANIGA, 1995.

GALLUP JR., G. G. "Toward a comparative psychology of self-awareness: species limitations and cognitive consequences". In GOETHALS, G. R., & STRAUSS, J. (eds.). *The self: an interdisciplinary approach.* Nova York, Springer-Verlag, 1991.

GARDNER, H. *The mind's new science: a history of the cognitive revolution.* Nova York, Basic Books, 1985.

GARDNER, M. "Illusions of the third dimension". In GARDNER, M. *Gardner's whys and wherefores.* Chicago, University of Chicago Press, 1989.

_____. *The new ambidextrous universe.* Nova York, W. H. Freeman, 1990.

_____. "Flatlands". In GARDNER, M. *The unexpected hanging and other mathematical diversions.* Chicago, University of Chicago Press, 1991.

GAULIN, S. J. C. "Does evolutionary theory predict sex differences in the brain?". In GAZZANIGA, 1995.

GAZZANIGA, M. S. *Nature's mind: the biological roots of thinking, emotion, sexuality, language, and intelligence.* Nova York, Basic Books, 1992.

GAZZANIGA, M. S. (ed.). *The cognitive neurosciences.* Cambridge, Mass., MIT Press, 1995.

GEARY, D. C. *Children's mathematical development.* Washington, DC, American Psychological Association, 1994.

_____. "Reflections on evolution and culture in children's cognition". *American Psychologist*, 1995, 50, 24-37.

GELL-MANN, M. *The quark and the jaguar: adventures in the simple and the complex.* Nova York, W. H. Freeman, 1994.

GELMAN, R., DURGIN, F., & KAUFMAN, L. "Distinguishing between animates and inanimates: not by motion alone". In SPERBER, PREMACK & PREMACK, 1995.

GELMAN, R., & GALLISTEL, C. R. *The child's understanding of number*. Cambridge, Mass., Harvard University Press, 1978.

GELMAN, S. A., COLEY, J. D., & GOTTFRIED, G. M. 1994. "Essentialist beliefs in children: the acquisition of concepts and theories". In HIRSCHFELD & GELMAN, 1994a.

GELMAN, S. A., & MARKMAN, E. "Young children's inductions from natural kinds: the role of categories and appearances". *Child's Development*, 1987, 58, 1532-40.

GERGELY, G., NÁDASDY, Z., CSIBRA, G., & BÍRÓ, S. "Taking the intentional stance at 12 months of age". *Cognition*, 1995, 56, 165-93.

GIBBONS, A. "African origins theory goes nuclear". *Science*, 1994, 264, 350-1.

_____. "Out of Africa — at last?". *Science*, 1995a, 267, 1272-3.

_____. "The mystery of humanity's missing mutations". *Science*, 1995b, 267, 35-6.

_____. "Pleistocene population explosions". *Science*, 1995c, 267, 27-8.

GIBSON, J. J. *The perception of the visual world*. Boston, Houghton Mifflin, 1950.

_____. "The visual field and the visual world: a reply to Professor Boring". *Psychological Review*, 1952, 59, 149-51.

GIGERENZER, G. "How to make cognitive illusions disappear: beyond heuristics and biases". *European Review of Social Psychology*, 1991, 2, 83-115.

_____. "On narrow norms and vague heuristics: a reply to Kahneman and Tversky 1996". *Psychological Review*, 1996a, 103, 592-6.

_____. "The psychology of good judgement: frequency formats and simple algorithms". *Journal of Medical Decision Making*, 1996b, 16, 273-80.

_____. "Ecological intelligence: an adaptation for frequencies". In CUMMINS, D., & ALLEN, C. (eds.). *The evolution of mind*. Nova York, Oxford University Press, 1997.

GIGERENZER, G., & HOFFRAGE, U. "How to improve Bayesian reasoning withou instruction: frequency formats". *Psychological Review*, 1995, 102, 684-704.

GIGERENZER, G., & HUG, K. "Domain specific reasoning: social contracts, cheating and perspective change". *Cognition*, 1992, 43, 127-71.

GIGERENZER, G., & MURRAY, D. J. *Cognition and intuitive statistics*. Hillsdale, NJ, Erlbaum, 1987.

GIGERENZER, G., SWIJTINK, Z., PORTER, T., DASTON, L., BEATTY, J., & KRÜGER, L. *The empire of chance: how probability changed science and everyday life*. Nova York, Cambridge University Press, 1989.

GILES, C. L., SUN, G. Z., CHEN, H. H., LEE, Y. C., & CHEN, D. "Higher order recurrent networks and grammatical inference". In TOURETZKY, D. S. (ed.). *Advances in neural information processing systems*, 2. San Mateo, Calif., Morgan Kaufmann, 1990.

GILOVICH, T. *How we know what isn't so: the fallibility of human reason in everyday life*. Nova York, Free Press, 1991.

GLANDER, K. E. "Selecting and processing food". In JONES, MARTIN & PILBEAM, 1992.

GLASGOW, J., & PAPADIAS, D. "Computational imagery". *Cognitive Science*, 1992, 16, 355-94.

GOMBRICH, E. *Art and illusion: a study in the psychology of pictorial representation*. Princeton, NJ, Princeton University Press, 1960.

GOOD, I. J. "When batterer turns murderer". *Nature*, 1995, 375, 541.

GOODMAN, N. *Languages of art: an approach to a theory of symbols*. Indianapolis, Hackett, 1976.

GOPNICK, A. "Mindblindness". University of California, Berkeley, 1993. Não publicado.

GOPNIK, A., & WELLMAN, H. M. "The theory theory". In HIRSCHFELD & GELMAN, 1994a.

GORDON, M. "What makes a woman a woman?". (Resenha de FOX-GENOVESE, E. "Feminism is not the story of my life".) *Nova York Times Book Review*, 14 Jan. 1996, p. 9.

GOULD, J. L. *Ethology*. Nova York, Norton, 1982.

GOULD, S. J. *The panda's thumb*. Nova York, Norton, 1980a.

_____. 1980b. "Caring groups and selfish genes". In GOULD, 1980a.

_____. 1980c. "Natural selection and the human brain: Darwin vs. Wallace". In GOULD, 1980a.

_____. 1980d. "A biological homage to Mickey Mouse". In GOULD, 1980a.

_____. *Hen's teeth and horse's toes*. Nova York, Norton, 1983a.

_____. 1983b. "What happens to bodies if genes act for themselves?". In GOULD, 1983a.

GOULD, S. J. 1983c. "What, if anything, is a zebra?". In GOULD, 1983a.

_____. *An urchin in the storm: essays about books and ideas*. Nova York, Norton, 1987.

_____. *Wonderful life: the Burgess Shale and the nature of history*. Nova York, Norton, 1989.

_____. "The confusion over evolution". *Nova York Review of Books*, 19 Nov. 1992.

_____. *Eight little piggies*. Nova York, Norton, 1993.

_____. *Full house: the spread of excellence from Plato to Darwin*. Nova York, Harmony Books, 1996.

GOULD, S. J., & LEWONTIN, R. C. "The spandrels of San Marco and the Panglossian program: a critique of the adaptationist programme". *Proceedings of the Royal Society of London*, 1979, 205, 281-8.

GOULD, S. J., & VRBA, E. "Exaptation: a missing term in the science of form". *Paleobiology*, 1981, 8, 14-5.

GREENWALD, A. "Self-knowledge and self-deception". In LOCKARD & PAULHAUS, 1988.

GREGORY, R. L. *The intelligent eye*. Londres, Weidenfeld & Nicolson, 1970.

GRIFFIN, D. R. (ed.). *Animal engineering*. San Francisco, W. H. Freeman, 1974.

GROSSBERG, S. (ed.). *Neural networks and natural intelligence*. Cambridge, Mass., MIT Press, 1988.

GRUBER, J. "Studies in lexical relations". MIT, 1965. Reeditado em 1976 como *Lexical structures in syntax and semantics*. Amsterdã, North-Holland. Dissertação de PhD.

GUTIN, J. "Do Kenya tools root birth of modern thought in Africa?". *Science*, 1995, 270, 1118-9.

HADLEY, R. F. "Systematicity in connectionist language learning". *Mind and language*, 1994a, 9, 247-72.

_____. "Systematicity revisited: reply to Christiansen and Charter and Niklasson and Van Gelder". *Mind and Language*, 1994b, 9, 431-44.

HADLEY, R. F., & HAYWARD, M. "Strong semantic systematicity from unsupervised connectionist learning". Technical Report CSS-IS TR94-02, School of Computing Science, Simon Fraser University, Burnaby, BC, 1994.

HAIG, D. "Genetic imprinting and the theory of parent-offspring conflict". *Developmental Biology*, 1992, 3, 153-60.

_____. "Genetic conflicts in human pregnancy". *Quarterly Review of Biology*, 1993, 68, 495-532.

HAMER, D., & COPELAND, P. *The science of desire: the search for the gay gene and the biology of behavior*. Nova York, Simon & Schuster, 1994.

HAMILTON, W. D. "The evolution of altruistic behavior". *American Naturalist*, 1963, 97, 354-6. Reeditado em Hamilton, 1996.

_____. "The genetical evolution of social behaviour (I e II)". *Journal of Theoretical Biology*, 1964, 7, 1-16; 17-52. Reeditado em Hamilton, 1996.

_____. *Narrow roads of gene land: the collected papers of W. D. Hamilton. V. 1: Evolution of social behavior*. Nova York, W. H. Freeman, 1996.

HAMILTON, W. D., AXELROD, R., & TANESE, R. "Sexual reproduction as an adaptation to resist parasites (a review)". *Proceedings of the National Academy of Sciences*, 1990, 87, 3566-73.

HARPENDING, H. "Gene frequencies, DNA sequences, and human origins". *Perspectives in Biology and Medicine*, 1994, 37, 384-95.

HARRIS, C. R., & CHRISTENFELD, N. "Gender, jealousy, and reason". *Psychological Science*, 1996, 7, 364-6; 378-9.

HARRIS, D. R. "Human diet and subsistence". In JONES, MARTIN & PILBEAM, 1992.

HARRIS, H. Y. "Human nature and the nature of romantic love". Department of Anthropology, University of California, Santa Barbara, 1995. Dissertação de PhD.

HARRIS, J. R. "Where is the child's environment? A group socialization theory of development". *Psychological Review*, 1995, 102, 458-89.

HARRIS, M. *Good to eat: riddles of food and culture*. Nova York, Simon & Schuster, 1985.

_____. *Our kind: the evolution of human life and culture*. Nova York, Harper-Collins, 1989.

HARRIS, P. L. "Thinking by children and scientists: false analogies and neglected similarities". In HIRSCHFELD & GELMAN, 1994a.

HARTUNG, J. "Getting real about rape". *Behavioral and Brain Sciences*, 1992, 15, 390-2.

_____. "Love thy neighbor: the evolution of in-group morality". *Skeptic*, 1995, 3, 86-100.

HATANO, G., & INAGAKI, K. "Young children's naive theory of biology". *Cognition*, 1995, 50, 153-70.

HATFIELD, E., & RAPSON, R. L. *Love, sex, and intimacy: their psychology, biology, and history*. Nova York, HarperCollins, 1993.

HAUGELAND, J. (ed.). *Mind design: philosophy, psychology, artificial intelligence*. Cambridge, Mass., Bradford Books/MIT Press, 1981a.

_____. 1981b. "Semantic engines: an introduction to mind design". In HAUGELAND, 1981a.

_____. 1981c. "The nature and plausibility of cognitivism". In HAUGELAND, 1981a.

HAUSER, M. D. "Costs of deception: cheaters are punished in rhesus monkeys". *Proceedings of the National Academy of Sciences USA*, 1992, 89, 12 137-39.

_____. *The evolution of communication*. Cambridge, Mass., MIT Press, 1996.

HAUSER, M. D., KRALIK, J., BOTTO-MAHAN, C., GARRETT, M., & OSER, J. "Self-recognition in primates: phylogeny and the salience of special-typical features". *Proceedings of the National Academy of Sciences USA*, 1995, 92, 10 811-4.

HAUSER, M. D., MACNEILAGE, P., & WARE, M. "Numerical representations in primates: perceptual or arithmetic?". *Proceedings of the National Academy of Sciences USA*, 1996, 93, 1 514-7.

HEBB, D. O. "Concerning imagery". *Psychological Review*, 1968, 75, 466-77.

HEIDER, F., & SIMMEL, M. "An experimental study of apparent behavior". *American Journal of Psychology*, 1944, 57, 243-59.

HELD, R. "Two stages in the development of binocular vision and eye alignment". In SIMONS, 1993.

HENDLER, J. "High-performance artificial intelligence". *Science*, 1994, 265, 891-2.

HERTWIG, R., & GIGERENZER, G. "The 'conjunction fallacy' revisited: how intelligent inferences look like reasoning errors". Max Planck Institute for Psychological Research, Munique, 1997. Não publicado.

HESS, R. H., BAKER, C. L., & ZIHL, J. "The 'motion-blind' patient: low level spatial and temporary filters". *Journal of Neuroscience*, 1989, 9, 1628-40.

HILL, K., & KAPLAN, H. "Tradeoffs in male and female reproductive strategies among the Ache" (partes 1 e 2). In BETZIG, BORGENHOFF MULDER & TURKE, 1988.

HILLIS, A. E., & CARAMAZZA, A. "Category-specific naming and comprehension impairment: a double dissociation". *Brain*, 1991, 114, 2081-94.

HINTON, G. E. "Implementing semantic networks in parallel hardware". In HINTON & ANDERSON, 1981.

HINTON, G. E., & ANDERSON, J. A. *Parallel models of associative memory*. Hillsdale, NJ, Erlbaum, 1981.

HILTON, G. E., & NOWLAN, S. J. "How learning can guide evolution". *Complex Systems*, 1987, 1, 495-502.

HINTON, G. E., MCCLELLAND, J. L., & RUMELHART, D. E. "Distributed representations". In RUMELHART, MCCLELLAND & PDP Research Group, 1986.

HINTON, G. E., & PARSONS, L. M. "Frames of reference and mental imagery". In LONG, J., & BADDELEY, A. (eds.). *Attention and performance*, Hillsdale, NJ, Erlbaum, 9, 1981.

HIRSCHFELD, L. A., & GELMAN, S. A. (eds.). *Mapping the mind: domain specificity in cognition and culture*. Nova York, Cambridge University Press, 1994a.

_____ & _____. 1994b. "Toward a topography of mind: an introduction to domain specificity". In HIRSCHFELD & GELMAN, 1994a.

HIRSHLEIFER, J. "On the emotions as guarantors of threats and promises". In DUPRÉ, J. (ed.). *The latest on the best: essays on evolution and optimality*. Cambridge, Mass., MIT Press, 1987.

HOBBS, J. R. *Literature and cognition*. Stanford, Calif., Center for the Study of Language and Information, 1990.

HOFFMAN, D. D. "The interpretation of visual illusions". *Scientific American*, Dez. 1983.

HOFFMAN, D. D., & RICHARDS, W. A. "Parts of recognition". *Cognition*, 1984, 18, 65-96. Reeditado em PINKER, 1984b.

HOLLERBACH, J. M. "Planning of arm movements". In OSHERSON, KOSSLYN & HOLLERBACH, 1990.

HOLLOWAY, R. L. "Toward a synthetic theory of human brain evolution". In CHANGEUX & CHAVAILLON, 1995.

HORGAN, J. "Eugenics revisited". *Scientific American*, Jun. 1993.

_____. "The new Social Darwinists". *Scientific American*, Out. 1995a.

HORGAN, J. "A theory of almost everything". (Resenha de livros de HOLLAND, J., KAUFFMAN, S., DAVIES, P., COVENEY, P., & HIGHFIELD, R.) *Nova York Times Book Review*, 1 Out. 1995b, 30-1.

HRDY, S. B. *The woman that never evolved*. Cambridge, Mass., Harvard University Press, 1981.

_____. "Interview". In BASS, T. A. *Reinventing the future: conversations with the world's leading scientists*. Reading, Mass., Addison Wesley, 1994.

HUBEL, D. H. *Eye, brain, and vision*. Nova York, Scientific American, 1988.

HUME, D. *Inquiry concerning human understanding*. Indianapolis, Bobbs-Merrill, 1748/1955.

HUMPHREY, N. K. "The social function of the intellect". In BATESON, P. P. G., & HINDE, R. A. (eds.). *Growing points in ethology*. Nova York, Cambridge University Press, 1976.

_____. *A history of the mind: evolution and the birth of consciousness*. Nova York, Simon & Schuster, 1992.

HURST, L., & HAMILTON, W. D. "Cytoplasmic fusion and the nature of the sexes". *Proceedings of the Royal Society of London*, B, 1992, 247, 189-94.

HYMAN, I. E., & NEISSER, U. "Reconstruing mental images: problems of method". *Emory Cognition Project Technical Report Number 19*. Atlanta, Emory University, 1991.

IOERGER, T. R. "The manipulation of images to handle indeterminacy in spatial reasoning". *Cognitive Science*, 1994, 18, 551-93.

ITTELSON, W. H. *The Ames demonstrations in perception*. Nova York, Hafner, 1968.

JACKENDOFF, R. "Review of Leonard Bernstein's 'The unanswered question'". *Language*, 1977, 53, 883-94.

_____. *Semantics and cognition*. Cambridge, Mass., MIT Press, 1983.

_____. *Consciousness and the computational mind*. Cambridge, Mass., MIT Press, 1987.

_____. *Semantic structures*. Cambridge, Mass., MIT Press, 1990.

_____. "Musical parsing and musical affect". In JACKENDOFF, R. *Languages of the mind: essays on mental representations*. Cambridge, Mass., MIT Press, 1992.

_____. *Patterns in the mind: language and human nature*. Nova York, Basic Books, 1994.

JACKENDOFF, R., & AARON, D. "More than cool reason: a field guide to poetic metaphor". (Resenha de LAKOFF & TURNER.) *Language*, 1991, 67, 320-39.

JAGANNATHAN, V., DODHIAWALA, R., & BAUM, L. S. (eds.). *Blackboard architectures and applications*. Nova York, Academic Press, 1989.

JAMES, W. *The principles of psychology*. Nova York, Dover, 1890/1950.

_____. *Psychology: briefer course*. Nova York, Henry Holt, 1892/1920.

JAYNES, J. *The origin of consciousness in the breakdown of the bicameral mind*. Boston, Houghton Mifflin, 1976.

JEPSON, A., RICHARDS, W., & KNILL, D. "Modal structure and reliable inference". In KNILL & RICHARDS, 1996.

JOHNSON, M. K., & RAYE, C. L. "Reality monitoring". *Psychological Review*, 1981, 88, 67-85.

JOHNSON-LAIRD, P. *The computer and the mind*. Cambridge, Mass., Harvard University Press, 1988.

JOLICOEUR, P., ULLMAN, S., & MACKAY, M. "Visual curve tracing properties". *Journal of Experimental Psychology: Human Perception and Performance*, 1991, 17, 997-1022.

JONES, S. "The evolutionary future of humankind". In JONES, MARTIN & PILBEAM, 1992.

JONES, S., MARTIN, R., & PILBEAM, D. (eds.). *The Cambridge encyclopedia of human evolution*. Nova York, Cambridge University Press, 1992.

JORDAN, M. I. "Serial order: a parallel distributed processing approach". In ELMAN, J. L., & RUMMELHART, D. E. (eds.). *Advances in connectionist theory*. Hillsdale, NJ, Erlbaum, 1989.

JULESZ, B. "Binocular depth perception of computer-generated patterns". *Bell System Technical Journal*, 1960, 39, 1125-62.

_____. *Foundations of cyclopean perception*. Chicago, University of Chicago Press, 1971.

_____. *Dialogues on perception*. Cambridge, Mass., MIT Press, 1995.

KAHNEMAN, D., & TVERSKY, A. "On the study of statistical intuitions". *Cognition*, 1982, 11, 123-41.

_____ & _____. "Choices, values, and frames". *American Psychologist*, 1984, 39, 341-50.

_____ & _____. "On the reality of cognitive illusions: a reply to Gigerenzer's critique". *Psychological Review*, 1996, 103, 582-91.

KAHNEMAN, D., SLOVIC, P., & TVERSKY, A. (eds.). *Judgement under uncertainty: heuristics and biases*. Nova York, Cambridge University Press, 1982.

KAPLAN, H., HILL, K., & HURTADO, A. M. "Risk, foraging, and food sharing among the Ache". In CASHDAN, E. (ed.). *Risk and uncertainty in tribal and peasant economies*. Boulder, Colo., Westview Press, 1990.

KAPLAN, S. "Environmental preference in a knowledge-seeking, knowledge-using organism". In BARKOW, COSMIDES & TOOBY, 1992.

KATZ, J. N. *The invention of homosexuality*. Nova York, Dutton, 1995.

KAUFFMAN, S. A. "Antichaos and adaptation". *Scientific American*, Ago. 1991.

KEELEY, L. H. *War before civilization: the myth of the peaceful savage*. Nova York, Oxford University Press, 1996.

KEIL, F. C. *Semantic and conceptual development*. Cambridge, Mass., Harvard University Press, 1979.

_____. "Concepts, kinds, and cognitive development". Cambridge, Mass., MIT Press, 1989.

_____. "The birth and nurturance of concepts by domains: the origins of concepts of living things". In HIRSCHFELD & GELMAN, 1994a.

_____. "The growth of causal understanding of natural kinds". In SPERBER, PREMACK & PREMACK, 1995.

KELLY, M. H. "Darwin and psychological theories of classification". *Evolution and Cognition*, 1992, 2, 79-97.

KENRICK, D. T., KEEFE, R. C., & comentaristas. "Age preferences in mates reflect sex differences in human reproductive strategies". *Behavioral and Brain Sciences*, 1992, 15, 75-133.

KERNINGHAN, B. W., & PLAUGER, P. J. *The elements of programming style*. (2ª ed.) Nova York, McGraw-Hill, 1978.

KERR, R. A. "SETI faces uncertainty on earth and in the stars". *Science*, 1992, 258, 27.

KETELAAR, P. "Emotion as mental representations of fitness affordances I: Evidence supporting the claim that negative and positive emotions map onto fitness costs and benefits". (Trabalho apresentado na reunião anual da Human Behavior and Evolution Society) Santa Barbara, 28 Jun.-2 Jul. 1995.

_____. "Affect as mental representations of value: translating the value function for gains and losses into positive and negative affect". Max Planck Institute, Munique, 1997. Não publicado.

KILLACKEY, H. "Evolution of the human brain: a neuroanatomical perspective". In GAZZANIGA, 1995.

KINGDON, J. *Self-made man: human evolution from Eden to extinction?* Nova York, Wiley, 1993.

KINGSOLVER, J. G., & KOEHL, M. A. R. "Aerodynamics, thermoregulation, and the evolution of insect wings: differential scaling and evolutionary change". *Evolution*, 1985, 39, 488-504.

KIRBY, K. N., & HERRNSTEIN, R. J. "Preference reversals due to myopic discounting of delayed reward". *Psychological Science*, 1995, 6, 83-9.

KITCHER, P. *Abusing Science: the case against creationism*. Cambridge, Mass., MIT Press, 1982.

_____. "Gene: current usages". In KELLER, E. F., & LLOYD, E. A. (eds.). *Keywords in evolutionary biology*. Cambridge, Mass., Harvard University Press, 1992.

KLAW, S. *Without sin: the life and death of the Oneida community*. Nova York, Penguin, 1993.

KLEIN, R. G. *The human career: human biological and cultural origins*. Chicago, University of Chicago Press, 1989.

KLEITER, G. "Natural sampling: rationality without base rates". In FISCHER, G. H., & LAMING, D. (eds.). *Contributions to mathematical psychology, psychometrics, and methodology*. Nova York, Springer-Verlag, 1994.

KNILL, D., & RICHARDS, W. (eds.). *Perception as Bayesian inference*. Nova York, Cambridge University Press, 1996.

KOEHLER, J. J., & comentaristas. "The base rate fallacy reconsidered: descriptive, normative, and methodological challenges". *Behavioral and Brain Sciences*, 1996, 19, 1-53.

KOESTLER, A. *The act of creation*. Nova York, Dell, 1964.

KONNER, M. *The tangled wing: biological constraints on the human spirit*. Nova York, Harper and Row, 1982.

KOSSLYN, S. M. *Image and mind*. Cambridge, Mass., Harvard University Press, 1980.

_____. *Ghosts in the mind's machine: creating and using images in the brain*. Nova York, Norton, 1983.

_____. *Image and brain: the resolution of the imagery debate*. Cambridge, Mass., MIT Press, 1994.

KOSSLYN, S. M., ALPERT, N. M., THOMPSON, W. L., MALJKOVIC, V., WEISE, S. B., CHABRIS, C. F., HAMILTON, S. E., RAUCH, S. L., & BUONANNO, F. S. "Visual mental imagery activates topographically organized visual cortex: PET investigations". *Journal of Cognitive Neuroscience*, 1993, 5, 263-87.

KOSSLYN, S. M., & OSHERSON, D. N. (eds.). *An invitation to cognitive science*. V. 2: *Visual cognition*. (2ª ed.) Cambridge, Mass., MIT Press, 1995.

KOSSLYN, S. M., PINKER, S., SMITH, G. E., SCHWARTZ, S. P., & comentaristas. "On the demystification of mental imagery". *Behavioral and Brain Sciences*, 1979, 2, 535-81. Reeditado em BLOCK, 1981.

KOWLER, E. "Eye movements". In KOSSLYN & OSHERSON, 1995.

KUBOVY, M. *The psychology of perspective and Renaissance art*. Nova York, Cambridge University Press, 1986.

KUBOVY, M., & POMERANTZ, J. R. (eds.). *Perceptual organization*. Hillsdale, NJ, Erlbaum, 1981.

LACHTER, J., & BEVER, T. G. "The relation between linguistic structure and associative theories of language learning — a constructive critique of some connectionist learning models". *Cognition*, 1988, 28, 195-247. Reeditado em PINKER & MEHLER, 1988.

LAKOFF, G. *Women, fire, and dangerous things. What categories reveal about the mind*. Chicago, University of Chicago Press, 1987.

LAKOFF, G., & JOHNSON, M. *Metaphors we live by*. Chicago, University of Chicago Press, 1980.

LAND, E. H., & MCCANN, J. J. "Lightness and retinex theory". *Journal of the Optical Society of America*, 1971, 61, 1-11.

LANDAU, B., SPELKE, E. S., & GLEITMAN, H. "Spatial knowledge in a young blind child". *Cognition*, 1984, 16, 225-60.

LANDAU, T. *About faces: the evolution of the human face*. Nova York, Anchor, 1989.

LANDSBURG, S. E. *The armchair economist: economics and everyday life*. Nova York, Free Press, 1993.

LANGLOIS, J. H., & ROGGMAN, L. A. "Attractive faces are only average". *Psychological Science*, 1, 115-21.

LANGLOIS, J. H., ROGGMAN, L. A., CASEY, R. J., & RITTER, J. M. "Infant preferences for attractive faces: rudiments of a stereotype?". *Developmental Psychology*, 1987, 23, 363-9.

LAZARUS, R. S. *Emotion and adaptation*. Nova York, Oxford University Press, 1991.

LEAKEY, M. G., FEIBEL, C. S., MCDOUGALL, I., & WALKER, A. "New four-million-year-old hominid species from Kanapoi and Allia Bay, Kenya". *Nature*, 1995, 376, 565-72.

LEDERER, R., GILLELAND, M. *Literary trivia: fun and games for book lovers*. Nova York, Vintage, 1994.

LE DOUX, J. E. "Emotion and the limbic system concept". *Concepts in Neuroscience*, 1991, 2, 169-99.

_____. *The emotional brain: the mysterious underpinnings of emotional life*. Nova York, Simon & Schuster, 1996.

LEE, P. C. "Testing the intelligence of apes". In JONES, MARTIN & PILBEAM, 1992.

LEHMAN, D. *Signs of the times: deconstructionism and the fall of Paul de Man*. Nova York, Simon & Schuster, 1992.

LEIBNIZ, G. W. *Philosophical papers and letters*. Chicago, University of Chicago Press, 1956.

LENAT, D. B., & GUHA, D. V. *Building large knowledge-based systems*. Reading, Mass., Addison-Wesley, 1990.

LENSKI, R. E., & MITTLER, J. E. "The directed mutation controversy and neo-Darwinism". *Science*, 1993, 259, 188-94.

LENSKI, R. E., SNIEGOWSKI, P. D., & SHAPIRO, J. A. "'Adaptive mutation': the debate goes on (letters)". *Science*, 1995, 269, 285-7.

LERDAHL, F., & JACKENDOFF, R. *A generative theory of tonal music*. Cambridge, Mass., MIT Press, 1983.

LESLIE, A. M. "TOMM, TOBY, and agency: core architecture and domain specificity". In HIRSCHFELD & GELMAN, 1994a.

_____. 1995a. "A theory of agency". In SPERBER, PREMACK & PREMACK, 1995.

_____. "Pretending and believing: issues in the theory of TOMM". *Cognition*, 1995b, 50, 193-220.

LEVIN, B., & PINKER, S. (eds.). *Lexical and conceptual semantics*. Cambridge, Mass., Blackwell, 1992.

LEVINE, A. "Education: the great debate revisited". *Atlantic Monthly*, Dez. 1994.

LEVINS, R., & LEWONTIN, R. C. *The dialectical biologist*. Cambridge, Mass., Harvard University Press, 1985.

LEWIN, R. "The earliest 'humans' were more like apes". *Science*, 1987, 236, 1061-3.

LEWIS, D. "Mad pain and Martian pain". In BLOCK, N. (ed.). *Readings in philosophy of psychology*. Cambridge, Mass., Harvard University Press, 1980. v. 1.

LEWIS, H. W. *Technological risk*. Nova York, Norton, 1990.

LEWONTIN, R. C. "Sociobiology as an adaptationist program". *Behavioral Science*, 1979, 24, 5-14.

_____. "Adaptation". In SOBER, 1984a.

LEWONTIN, R. C., ROSE, S., & KAMIN, L. J. *Not in our genes*. Nova York, Pantheon, 1984.

LIEBENBERG, L. *The art of tracking*. Cape Town, David Philip, 1990.

LINDSAY, P. H., & NORMAN, D. A. *Human information processing*. Nova York, Academic Press, 1972.

LING, C., & MARINOV, M. "Answering the connectionist challenge: a symbolic model of learning the past tenses of English verbs". *Cognition*, 1993, 49, 235-90.

LOCKARD, J. S., & PAULHAUS, D. L. (eds.). *Self-deception: an adaptive mechanism*. Englewood Cliffs, NJ, Prentice Hall, 1988.

LOCKSLEY, A., ORTIZ, V., & HEPBURN, C. "Social categorization and discriminatory behavior: extinguishing the minimal group discrimination effect". *Journal of Personality and Social Psychology*, 1980, 39, 773-83.

LOEW, D. "The viewpoint consistency constraint". *International Journal of Computer Vision*, 1987, 1, 52-72.

LOEWER, B., & REY, B. (eds.). *Meaning in mind: Fodor and his critics*. Cambridge, Mass., Blackwell, 1991.

LOGIE, R. H. *Visuo-spatial working memory*. Hillsdale, NJ, Erlbaum, 1995.

LOPES, L. L., & ODEN, G. C. "The rationality of intelligence". In: EELLS, E., & MARUSZEWSKI, T. (eds.). *Rationality and reasoning*. Amsterdã, Rodopi, 1991.

LORBER, J. *Paradoxes of gender*. New Haven, Yale University Press, 1994.

LUMSDEN, C., & WILSON, E. O. *Genes, mind, and culture*. Cambridge, Mass., Harvard University Press, 1981.

LURIA, A. R. *Higher cortical functions in man*. Londres, Tavistock, 1966.

LYKKEN, D. T., & TELLEGEN, A. "Happiness is a stochastic phenomenon". *Psychological Science*, 1996, 7, 186-9.

LYKKEN, D. T., MCGUE, M., TELLEGEN, A., & BOUCHARD JR., T. J. "Emergenesis: genetic traits that may not run in families". *American Psychologist*, 1992, 47, 1565-77.

MACE, G. "The life of primates: differences between the sexes". In JONES, MARTIN & PILBEAM, 1992.

MACLANE, S. "Mathematical models: a sketch for the philosophy of mathematics". *American Mathematical Monthly*, 1981, 88, 462-72.

MACLEAN, P. D. *The triune brain in evolution*. Nova York, Plenum, 1990.

MACNAMARA, J. *A border dispute: the place of logic in psychology*. Cambridge, Mass., MIT Press, 1986.

_____. "Logic and cognition". In MACNAMARA & REYES, 1994.

MACNAMARA, J., & REYES, G. E. (eds.). *The logical foundations of cognition*. Nova York, Oxford University Press, 1994.

MALONEY, L. T., & WANDELL, B. "Color constancy: a method for recovering surface spectral reflectance". *Journal of the Optical Society of America (A)*, 1986, 1, 29-33.

MANDLER, J. "How to build a baby, II: conceptual primitives". *Psychological Review*, 1992, 99, 587-604.

MANKTELOW, K. I., & OVER, D. E. "Reasoning and rationality". *Mind and Language*, 1987, 2, 199-219.

MARCEL, A., & BISIACH, E. (eds.). *Consciousness in contemporary science*. Nova York, Oxford University Press, 1988.

MARCUS, G. F. "Rethinking eliminative connectionism". University of Massachusetts, Amherst, 1997a. Não publicado.

_____. "Concepts, features, and variables". University of Massachusetts, Amherst, 1997b. Não publicado.

_____. *The algebraic mind*. (Em preparação) Cambridge, Mass., MIT Press.

MARCUS, G. F., BRINKMAN, U., CLAHSEN, H., WIESE, R., & PINKER, S. "German inflection: the exception that proves the rule". *Cognitive Psychology*, 1995, 29, 189-256.

MARKS, I. M. "Fears, phobias, and rituals". Nova York, Oxford University Press, 1987.

MARKS, I. M., & NESSE, R. M. "Fear and fitness: an evolutionary analysis of anxiety disorders". *Ethology and Sociobiology*, 1994, 15, 247-61.

MARR, D. *Vision*. San Francisco, W. H. Freeman, 1982.

MARR, D., & NISHIHARA, H. K. "Representation and recognition of the spatial organization of three--dimensional shapes". *Proceedings of the Royal Society of London*, B, 1978, 200, 269-94.

MARR, D., & POGGIO, T. "Cooperative computation of stereo disparity". *Science*, 1976, 194, 283-7.

MARSHACK, A. "Evolution of the human capacity: the symbolic evidence". *Yearbook of Physical Anthropology*, 1989, 32, 1-34.

MARTIN, P., & KLEIN, R. *Quaternary extinctions*. Tucson, University of Arizona Press, 1984.

MASSON, J. M., & MCCARTHY, S. *When elephants weep: the emotional lives of animals*. Nova York, Delacorte Press, 1995.

MATHEWS, J. "A tall order for president: picking a candidate of towering stature". *Washington Post*, 10 Maio 1996, D01.

MAURER, A. "What children fear". *Journal of Genetic Psychology*, 1965, 106, 265-77.

MAYNARD SMITH, J. "Group selection and kin selection". *Nature*, 1964, 201, 1145-7.

_____. *The theory of evolution*. Nova York, Cambridge University Press, 1975/1993.

_____. *Evolution and the theory of games*. Nova York, Cambridge University Press, 1982.

_____. 1984. "Optimization theory in evolution". In SOBER, 1984a.

_____. "When learning guides evolution". *Nature*, 1987, 329, 762.

_____. "Life at the edge of chaos?". (Resenha de D. DEPEW & B. H. WEBER, "Darwinism evolving".) *New York Review of Books*, 2 Março 1995, 28-30.

MAYNARD SMITH, J., & WARREN, N. "Models of cultural and genetic change". In MAYNARD SMITH, J. *Games, sex and evolution*. Nova York, Harvester-Wheatsheaf, 1988.

MAYR, E. *The growth of biological thought*. Cambridge, Mass., Harvard University Press, 1982.

_____. "How to carry out the adaptationist program". *The American Naturalist*, 1983, 121, 324-34.

_____. "The search for intelligence (carta)". *Science*, 1993, 259, 1522-3.

MAZEL, C. *Heave ho! My little green book of seasickness*. Camden, Maine, International Marine, 1992.

MCADAMS, S., & BIGAND, E. (eds.). "Thinking in sound: the cognitive psychology of human audition". Nova York, Oxford University Press, 1993.

MCCAULEY, C., & STITT, C. L. "An individual and quantitative measure of stereotypes". *Journal of Personality and Social Psychology*, 1978, 36, 929-40.

MCCLELLAND, J. L., & KAWAMOTO, A. H. "Mechanisms of sentence processing: assigning roles to constituents of sentences". In MCCLELLAND, RUMELHART & PDP Research Group, 1986.

MCCLELLAND, J. L., MCNAUGHTON, B. L., & O'REILLY, R. C. "Why there are complementary learning systems in the hippocampus and neocortex: insights from the successes and failures of connectionist models of learning and memory". *Psychological Review*, 1995, 102, 419-57.

MCCLELLAND, J. L., & RUMELHART, D. E. "Distributed memory and the representation of general and specific information". *Journal of Experimental Psychology: General*, 1985, 114, 159-88.

MCCLELLAND, J. L., RUMMELHART, D. E., & PDP Research Group. *Parallel distributed processing: explorations in the microsctructure of cognition*. V. 2: *Psychological and biological models*. Cambridge, Mass., MIT Press, 1986.

MCCLOSKEY, M. "Intuitive physics". *Scientific American*, 1983, 248, 122-30.

MCCLOSKEY, M., CARAMAZZA, A., & GREEN, B. "Curvilinear motion in the absence of external forces: naive beliefs about the motion of objects". *Science*, 1980, 210, 1139-41.

MCCLOSKEY, M., & COHEN, N. J. "Catastrophic interference in connectionist networks: the sequential learning problem". In BOWER, G. H. (ed.). *The psychology of learning and motivation*. Nova York, Academic Press, 1989. v. 23.

MCCLOSKEY, M., WIBLE, C. G., & COHEN, N. J. "Is there a special flashbulb-memory mechanism?". *Journal of Experimental Psychology: General*, 1988, 117, 171-81.

MCCULLOCH, W. S., & PITTS, W. "A logical calculus of the ideas immanent in nervous activity". *Bulletin of Mathematical Biophysics*, 1943, 5, 115-33.

MCGHEE, P. E. *Humor: its origins and development*. San Francisco, W. H. Freeman, 1979.

McGINN, C. *Mental content*. Cambridge, Mass., Blackwell, 1989a.

_____. "Can we solve the mind-body problem?". *Mind*, 1989b, 98, 349-66.

_____. *Problems in philosophy: the limits of inquiry*. Cambridge, Mass., Blackwell, 1993.

McGUINNESS, D. *Why our children can't read and what we can do about it*. Nova York, Free Press, 1997.

MEDIN, D. L. "Concepts and conceptual structure". *American Psychologist*, 1989, 44, 1469-81.

MICHOTTE, A. "The perception of causality". Londres, Methuen, 1963.

MILLER, G. *The psychology of communication*. Londres, Penguin, 1967.

MILLER, G. A. "The magical number seven, plus or minus two: some limits on our capacity for processing information". *Psychological Review*, 1956, 63, 81-96.

_____. "Trends and debates in cognitive psychology". *Cognition*, 1981, 10, 215-26.

MILLER, G. A., & JOHNSON-LAIRD, P. N. *Language and perception*. Cambridge, Mass., Harvard University Press, 1976.

MILLER, G. F. "Evolution of the human brain through runaway sexual selection: the mind as a protean courtship device". Departamento de Psicologia, Stanford University, 1993. Dissertação de PhD.

MILLER, G. F., & TODD, P. M. "Exploring adaptive agency. i: Theory and methods for stimulating the evolution of learning". In TOURETZKY, D. S., ELMAN, J. L., SEJNOWSKI, T., & HINTON, G. E. (eds.). *Proceedings of the 1990 Connectionist Models Summer School*. San Mateo, Calif., Morgan Kaufmann, 1990.

MILLER, K. D., KELLER, J. B., & STRYKER, M. P. "Ocular dominance column development: analysis and simulation". *Science*, 1989, 245, 605-15.

MILLIKAN, R. *Language, thought, and other biological categories*. Cambridge, Mass., MIT Press, 1984.

MINEKA, S., & COOK, M. "Mechanisms involved in the observational conditioning of fear". *Journal of Experimental Psychology: General*, 1993, 122, 23-38.

MINSKY, M. *The society of mind*. Nova York, Simon & Schuster, 1985.

MINSKY, M., & PAPERT, S. *Perceptrons: expanded editions*. Cambridge, Mass., MIT Press, 1988a.

_____ & _____. 1988b. "Epilogue: the new connectionism". In MINSKY & PAPERT, 1988a.

MITCHELL, M. *An introduction to genetic algorithms*. Cambridge, Mass., MIT Press, 1996.

MOCK, D. W., & PARKER, G. A. *The evolution of sibling rivalry*. Nova York, Oxford University Press. No prelo.

MONTELLO, D. R. "How significant are cultural differences in spatial cognition?". In FRANK, A. U., & KUHN, W. (eds.). *Spatial information theory: a theoretical basis for gis*. Berlim, Springer-Verlag, 1995.

MOORE, E. F. (ed.). *Sequential machines: selected papers*. Reading, Mass., Addison-Wesley, 1964.

MORRIS, R. G. M. (ed.). *Parallel distributed processing: implications for psychology and neurobiology*. Nova York, Oxford University Press, 1989.

MORTON, J., & JOHNSON, M. H. "CONSPEC and CONLERN: a two-process theory of infant face recognition". *Psychological Review*, 1991, 98, 164-81.

MOSCOVITCH, M., WINOCUR, G., & BEHRMANN, M. "Two mechanisms of face recognition: evidence from a patient with visual object agnosia". *Journal of Cognitive Neuroscience*. No prelo.

MOUNT, F. *The subversive family: an alternative history of love and marriage*. Nova York, Free Press, 1992.

MOZER, M. *The perception of multiple objects: a connectionist approach*. Cambridge, Mass., MIT Press, 1991.

MURPHY, G. L. "A rational theory of concepts". In BOWER, G. H. (ed.). *The psychology of learning and motivation*. Nova York, Academic Press, 1993. v. 29.

MYERS, D. G., & DIENER, E. "Who is happy?". *Psychological Science*, 1995, 6, 10-19.

N. E. THING ENTERPRISES. *Magic Eye III: visions: a new dimension in art*. Kansas City, Andrews and McMeel, 1994.

NAGEL, T. "What is it like to be a bat?". *Philosophical Review*, 1974, 83, 435-50.

NAGELL, K., OLGUIN, R., & TOMASELLO, M. "Processes of social learning in the tool use of chimpanzes (*Pan troglodytes*) and human children (*Homo sapiens*)". *Journal of Comparative Psychology*, 1993, 107, 174-86.

NAKAYAMA, K., HE, Z. J., & SHIMOJO, S. "Visual surface representation: a critical link between lower--level and higher-level vision". In KOSSLYN & OSHERSON, 1995.

NAVON, D. "Attention division or attention sharing?". In POSNER, M. I., & MARIN, O. (eds.). *Attention and performance XI*. Hillsdale, NJ, Erlbaum, 1985.

_____. "The importance of being visible: on the role of attention in a mind viewed as an anarchic intelligence system. I: Basic tenets". *European Journal of Cognitive Psychology*, 1989, 1, 191-213.

NAYAR, S. K., & OREN, M. "Visual appearance of matte surfaces". *Science*, 1995, 267, 1153-6.

NEISSER, U. *Cognitive psychology*. Englewood Cliffs, NJ, Prentice Hall, 1967.

_____. "General, academic, and artificial intelligence: comments on the papers by Simon and by Klahr". In RESNICK, L. (ed.). *The nature of intelligence*. Hillsdale, NJ, Erlbaum, 1976.

NESSE, R. M. "What good is feeling bad?". *The Sciences*, Nov./Dez. 1991, 30-7.

NESSE, R. M., & LLOYD, A. T. "The evolution of psychodynamic mechanisms". In BARKOW, COSMIDES & TOOBY, 1992.

NESSE, R. M., & WILLIAMS, G. C. *Why we get sick: the new science of Darwinian medicine*. Nova York, Times Books, 1994.

NEWELL, A. *Unified theories of cognition*. Cambridge, Mass., Harvard University Press, 1990.

NEWELL, A., & SIMON, H. A. *Human problem solving*. Englewood Cliffs, NJ, Prentice-Hall, 1972.

_____ & _____. "Computer science as empirical inquiry: symbols and search". In HAUGELAND, 1981a.

NICKERSON, R. A., & ADAMS, M. J. "Long-term memory for a common object". *Cognitive Psychology*, 1979, 11, 287-307.

NILSSON, D. E., & PELGER, S. "A pessimistic estimate of the time required for an eye to evolve". *Proceedings of the Royal Society of London*, B, 1994, 256, 53-8.

NISBETT, R. E., & COHEN, D. *Culture of honor: the psychology of violence in the South*. Nova York, HarperCollins, 1996.

NISBETT, R. E., & ROSS, L. R. *Human inference: strategies and shortcomings of social judgement*. Englewood Cliffs, NJ, Prentice-Hall, 1980.

NOBILE, P. (ed.) *The Con III controversy: the critics look at "The greening of America"*. Nova York, Pocket Books, 1971.

NOLFI, S., ELMAN, J. L., & PARISI, D. "Learning and evolution in neural networks". *Adaptive Behavior*, 1994, 3, 5-28.

NOZICK, R. *Philosophical explanations*. Cambridge, Mass., Harvard University Press, 1981.

OMAN, C. M. "Space motion sickness and vestibular experiments in Spacelab". *Society of Automotive Engineers Technical Paper Series 820833*. Warrendale, Penn., SAE, 1982.

OMAN, C. M., LICHTENBERG, B. K., MONEY, K. E., & MCCOY, R. K. "M.I.T./Canadian vestibular experiments on the Spacelab-1 mission: 4. Space motion sickness: symptoms, stimuli, predictability". *Experimental Brain Research*, 1986, 64, 316-34.

ORIANS, G. H., & HEERWAGEN, J. H. "Evolved responses to landscapes". In BARKOW, COSMIDES & TOOBY, 1992.

ORWELL, G. *1984*. Nova York, Harcourt Brace Jovanovich, 1949/1983.

OSHERSON, D. I., KOSSLYN, S. M., & HOLLERBACH, J. M. (eds.). *An invitation to cognitive science*. V. 2: *Visual cognition and action*. Cambridge, Mass., MIT Press, 1990.

PAGLIA, C. *Sexual personae: art and decadence from Nefertiti to Emily Dickinson*. New Haven, Yale University Press, 1990.

_____. *Sex, art and american culture*. Nova York, Vintage, 1992.

_____. *Vamps and tramps*. Nova York, Vintage, 1994.

PAIVIO, A. *Imagery and verbal processes*. Hillsdale, NJ, Erlbaum, 1971.

PAPATHOMAS, T. V., CHUBB, C., GOREA, A., & KOWLER, E. (eds.). *Early vision and beyond*. Cambridge, Mass., MIT Press, 1995.

PARKER, S. T., MITCHELL, R. W., & BOCCIA, M. L. (eds.). *Self awareness in animals and humans*. Nova York, Cambridge University Press, 1994.

PATAI, D., & KOERTGE, N. *Professing feminism: cautionary tales from the strange world of women's studies*. Nova York, Basic Books, 1994.

PAZZANI, M. "Explanation-based learning for knowledge-based systems". *International Journal of Man-Machine Studies*, 1987, 26, 413-33.

PAZZANI, M. "Learning causal patterns: making a transition for data-driven to theory-driven learning". *Machine Learning*, 1993, 11, 173-94.

PAZZANI, M.; DYER, M. "A comparison of concept identification in human learning and network learning with the Generalized Delta Rule". In: *Proceedings of the 10th International Joint Conference on Artificial Intelligence (IJCAI-87)*. Los Altos, Calif., Morgan Kaufmann, 1987.

PAZZANI, M., & KIBLER, D. "The utility of knowledge in inductive learning". *Machine Learning*, 1993, 9, 57-94.

PENNISI, E. "Biologists urged to retire Linnaeus". *Science*, 1996, 273, 181.

PENROSE, R. *The emperor's new mind: concerning computers, minds, and the laws of physics*. Nova York, Oxford University Press, 1989.

PENROSE, R. *Shadows of the mind: a search for the missing science of consciousness*. Nova York, Oxford University Press, 1994.

PENROSE, R., & comentaristas. "Précis and multiple book reviews of 'The emperor's new mind'". *Behavioral and Brain Sciences*, 1990, 13, 643-705.

PENTLAND, A. P. "Linear shape from shading". *International Journal of Computer Vision*, 1990, 4, 153-62.

PERKINS, D. N. *The mind's best work*. Cambridge, Mass., Harvard University Press, 1981.

PERKY, C. W. "An experimental study of imagination". *American Journal of Psychology*, 1910, 21, 422-52.

PERRETT, D. I.; MAY, K. A.; YOSHIKAWA, S. "Facial shape and judgements of female attractiveness: preferences for non-average". *Nature*, 1994, 368, 239-42.

PETERSON, M. A., KIHLSTROM, J. F., ROSE, P. M., & KLISKY, M. L. "Mental images can be ambiguous: reconstruals and reference-frame reversals". *Memory and Cognition*, 1992, 20, 107-23.

PETTIGREW, J. D. "The effect of visual experience on the development of stimulus specificity by kitten cortical neurons". *Journal of Physiology*, 1974, 237, 49-74.

_____. "The neurophysiology of binocular vision". *Scientific American*, Ago. 1972. Reeditado em HELD, R., & RICHARDS, W. (eds.). *Recent progress in perception*. San Francisco, W. H. Freeman, 1976.

PFEIFFER, R. "Artificial intelligence models of emotion". In HAMILTON, V., BOWER, G. H., & FRIJDA, N. H. (eds.). *Cognitive perspectives on emotion and motivation*. Holanda, Kluwer, 1998.

PIATELLI-PALMARINI, M. "Evolution, selection, and cognition: from 'learning' to parameter setting in biology and the study of language". *Cognition*, 1989, 31, 1-44.

_____. *Inevitable illusions: how mistakes of reason rule our minds*. Nova York, Wiley, 1994.

PICARD, R. W. "Affective computing". MIT Media Laboratory Perceptual Computing Section Technical Report nº 321, 1995.

PILBEAM, D. "What makes us human?". In JONES, MARTIN & PILBEAM, 1992.

PINKER, S. "The representation of three-dimensional space in mental images". Harvard University, 1979. Dissertação de PhD, não publicada.

_____. "Mental imagery and the third dimension". *Journal of Experimental Psychology: General*, 1980, 109, 254-371.

_____. *Language learnability and language development*. Cambridge, Mass., Harvard University Press, 1984a.

_____. (ed.). *Visual cognition*. Cambridge, Mass., MIT Press, 1984b.

_____. "Visual cognition: an introduction". *Cognition*, 1984c, 18, 1-63.

_____. "A computational theory of the mental imagery medium". In DENIS, ENGELKAMP & RICHARDSON, 1988.

_____. *Learnability and cognition: the acquisition of argument structure*. Cambridge, Mass., MIT Press, 1989.

_____. "A theory of graph comprehension". In FRIEDLE, R. (ed.). *Artificial intelligence and the future of testing*. Hillsdale, NJ, Erlbaum, 1990.

_____. "Rules of language". *Science*, 1991, 253, 530-5.

_____. Resenha de "Language and species", de BICKERTON. *Language*, 1992, 68, 375-82.

_____. *The language instinct*. Nova York, HarperCollins, 1994.

_____. "Beyond folk psychology". (Resenha de "The elm and the expert", de J. A. FODOR.) *Nature*, 1995, 373, 205.

PINKER, S., BLOOM, P., & comentaristas. "Natural language and natural selection". *Behavioral and Brain Sciences*, 1990, 13, 707-84.

PINKER, S., & FINKE, R. A. "Emergent two-dimensional patterns in images rotated in depth". *Journal of Experimental Psychology: Human Perception and Performance*, 1980, 6, 244-64.

PINKER, S., & MEHLER, J. (eds.). *Connections and symbols*. Cambridge, Mass., MIT Press, 1988.

PINKER, S., & PRINCE, A. "On language and connectionism: analysis of a parallel distributed processing model of language acquisition". *Cognition*, 1988, 28, 73-193. Reeditado em PINKER & MEHLER, 1988.

_____ & _____. "Regular and irregular morphology and the psychological status of rules of grammar". In LIMA, S. D., CORRIGAN, R. L., & IVERSON, G. K. (eds.). *The reality of linguistic rules*. Philadelphia, John Benjamins, 1994.

_____ & _____. "The nature of human concepts: evidence from an unusual source". *Communication and Cognition*, 1996, 29, 307-61.

PIRENNE, M. H. *Optics, painting, and photography*. Nova York, Cambridge University Press, 1970.

PLOMIN, R. "Environment and genes: determinants of behavior". *American Psychologist*, 1989, 44, 105-11.

PLOMIN, R., DANIELS, D., & comentaristas. "Why are children in the same family so different from one another?". *Behavioral and Brain Sciences*, 1987, 10, 1-60.

PLOMIN, R., OWEN, M. J., & MCGUFFIN, P. "The genetic basis of complex human behaviors". *Science*, 1994, 264, 1 733-9.

POGGIO, G. F. "Stereoscopic processing in monkey visual cortex: a review". In PAPATHOMAS et al., 1995.

POGGIO, T. "Vision by man and machine". *Scientific American*, Abril 1984.

POGGIO, T., & EDELMAN, S. "A network that learns to recognize three-dimensional objects". *Nature*, 1991, 343, 263-6.

POGGIO, T., & GIROSI, F. "Regularization algorithms for learning that are equivalent to multilayer networks". *Science*, 1990, 247, 978-82.

POLLACK, J. B. "Recursive distributed representations". *Artificial Intelligence*, 1990, 46, 77-105.

POLLARD, J. L. "The phylogeny of rationality". *Cognitive Science*, 1993, 17, 563-88.

POLTI, G. *The thirty-six dramatic situations*. Boston, The Writer, Inc., 1921/1977.

POSNER, M. I. *Chronometric explorations of mind*. Hillsdale, NJ, Erlbaum, 1978.

POUNDSTONE, W. *Labyrinths of reason: John von Neumann, game theory, and the puzzle of the bomb*. Nova York, Anchor, 1988.

_____. *Prisoner's dilemma: paradox, puzzles, and the frailty of knowledge*. Nova York, Anchor, 1992.

PRASADA, S., & PINKER, S. "Generalization of regular and irregular morphological patterns". *Language and Cognitive Process*, 1993, 8, 1-56.

PREMACK, D. "Intelligence in ape and man". Hillsdale, NJ, Erlbaum, 1976.

_____. "Do infants have a theory of self-propelled objects?". *Cognition*, 1990, 36, 1-16.

PREMACK, D., & PREMACK, A. J. "Intention as psychological cause". In SPERBER, PREMACK & PREMACK, 1995.

PREMACK, D., & WOODRUFF, G. "Does a chimpanzee have a theory of mind?". *Behavioral and Brain Sciences*, 1978, 1, 512-26.

PREUSS, T. "The role of neurosciences in primate evolutionary biology. Historical commentary and prospectus". In MACPHEE, R. D. E. (ed.). *Primates and their relatives in phylogenetic perspective*. Nova York, Plenum, 1993.

_____. "The argument from animals to humans in cognitive neuroscience". In GAZZANIGA, 1995.

PRINCE, A., & PINKER, S. "Rules and connections in human language". *Trends in Neuroscience*, 1988, 11, 195-202. Reimpresso em MORRIS, 1989.

PROFET, M. "Pregnancy sickness as adaptation: a deterrent to maternal ingestion of teratogens". In BARKOW, COSMIDES & TOOBY, 1992.

PROFFITT, D. L., & GILDEN, D. L. "Understanding natural dynamics". *Journal of Experimental Psychology: Human Perception & Performance*, 1989, 15, 384-93.

PROVINE, R. R. "Laughter: a stereotyped human vocalization". *Ethology*, 1991, 89, 115-24.

PROVINE, R. R. "Laughter punctuates speech: linguistic, social and gender contexts of laughter". *Ethology*, 1993, 95, 291-8.

_____. "Laughter". *American Scientist*, Jan./Fev. 1996, 84, 38-45.

PUSTEJOVSKY, J. *The generative lexicon*. Cambridge, Mass., MIT Press, 1995.

PUTNAM, H. "Minds and machines". In HOOK, S. (ed.). *Dimensions of mind: a symposium*. Nova York, New York University Press, 1960.

_____. "The meaning of 'meaning'". In GUNDERSON, K. (ed.). *Language, mind, and knowledge*. Minneapolis, University of Minnesota Press, 1975.

_____. "The best of all possible brains?". (Resenha de PENROSE, R. "Shadows of the mind".) *New York Times Book Review*, 20 Nov. 1994, p. 7.

PYLYSHYN, Z. "What the mind's eye tells the mind's brain: a critique of mental imagery". *Psychological Bulletin*, 1973, 80, 1-24.

PYLYSHYN, Z. W., & comentaristas. "Computation and cognition: issues in the foundations of cognitive science". *Behavioral and Brain Sciences*, 1980, 3, 111-69.

PYLYSHYN, Z. W. *Computation and cognition: toward a foundation for cognitive science*. Cambridge, Mass., MIT Press, 1984.

_____. (ed.). *The robot's dilemma: the frame problem in artificial intelligence*. Norwood, NJ, Ablex, 1987.

QUINE, W. V. O. "Natural kinds". In QUINE, W. V. O. *Ontological relativity and other essays*. Nova York, Columbia University Press, 1969.

QUINLAN, P. *An introduction to connectionist modelling*. Hillsdale, NJ, Erlbaum, 1992.

RACHMAN, S. *Fear and courage*. San Francisco, W. H. Freeman, 1978.

RAIBERT, M. H. "Legged robots". In WINSTON, P. H., & SHELLARD, S. A. (eds.). *Artificial intelligence at MIT: expanding frontiers*. Cambridge, Mass., MIT Press, v. 2, 1990.

RAIBERT, M. H., & SUTHERLAND, I. E. "Machines that walk". *Scientific American*, Jan. 1983.

RAIFFA, H. *Decision analysis*. Reading, Mass., Addison-Wesley, 1968.

RAKIC, P. 1995a. "Corticogenesis in human and nonhuman primates". In GAZZANIGA, 1995.

_____. 1995b. "Evolution of neocortical parcellation: the perspective from experimental neuroembryology". In CHANGEUX & CHAVAILLON, 1995.

RALLS, K., BALLOU, J., & TEMPLETON, A. "Estimates of the cost of inbreeding in mammals". *Conservation Biology*, 1998, 2, 185-93.

RAMACHANDRAN, V. S. "Perceiving shape from shading". *Scientific American*, Ago. 1988.

RAPOPORT, A. *Strategy and conscience*. Nova York, Harper & Row, 1964.

RATCLIFF, R. "Connectionist models of recognition memory: constraints imposed by learning and forgetting functions". *Psychological Review*, 1990, 97, 285-308.

RAYNER, K. (ed.). *Eye movements and visual cognition*. Nova York, Springer-Verlag, 1992.

REDISH, E. "The implications of cognitive studies for teaching physics". *American Journal of Physics*, 1994, 62, 796-803.

REEVE, H. K., & SHERMAN, P. W. "Adaptation and the goals of evolutionary research". *Quarterly Review of Biology*, 1993, 68, 1-32.

REINER, A. "An explanation of behavior". (Resenha de MACLEAN, 1990.) *Science*, 1990, 250, 303-5.

REY, G. "Concepts and stereotypes". *Cognition*, 1983, 15, 237-62.

RICHARDS, W. "Analogous stereoscopic depth perception". *Journal of the Optical Society of America*, 1971, 61, 410-4.

RIDLEY, Matt. *The problems of evolution*. Nova York, Oxford University Press, 1986.

_____. *The red queen: sex and the evolution of human nature*. Nova York, Macmillan, 1993.

RIPS, L. J. "Similarity, typicality, and categorization". In VOSNIADOU, S., & ORTONY, A. (eds.). *Similarity and analogical reasoning*. Nova York, Cambridge University Press, 1989.

_____. *The psychology of proof*. Cambridge, Mass., MIT Press, 1994.

ROCK, I. *Orientation and form*. Nova York, Academic Press, 1973.

_____. *The logic of perception*. Cambridge, Mass., MIT Press, 1983.

ROGERS, A. R. "Evolution of time preference by natural selection". *American Economic Review*, 1994, 84, 460-81.

ROSCH, E. "Principles of categorization". In ROSCH, E., & LLOYD, B. B. (eds.). *Cognition and categorization.* Hillsdale, NJ, Erlbaum, 1978.

ROSE, M. "The mental arms race amplifier". *Human Ecology*, 1980, 8, 285-93.

ROSE, S. "Pre-Copernican sociobiology?". *New Scientist*, 1978, 80, 45-6.

ROSENBAUM, R. "Explaining Hitler". *New Yorker*, 1 Maio 1995, 50-70.

ROTHBART, M. K. "Psychological approaches to the study of humor". In CHAPMAN & FOOT, 1977.

ROZIN, P. "The evolution of intelligence and access to the cognitive unconscious". In SPRAGUE, J. M., & EPSTEIN, A. N. (eds.). *Progress in psychobiology and physiological psychology.* Nova York, Academic Press, 1976.

_____. "Towards a psychology of food and eating: from motivation to module to model to marker, morality, meaning, and metaphor". *Current Directions in Psychological Science*, 1996, 5, 18-24.

ROZIN, P., & FALLON, A. "A perspective on disgust". *Psychological Review*, 1987, 94, 23-41.

RUMELHART, D. E., HINTON, G. E., & WILLIAMS, R. J. "Learning representations by back-propagating errors". *Nature*, 1986, 323, 533-6.

RUMELHART, D. E., & MCCLELLAND, J. L. 1986a. "PDP models and general issues in cognitive science". In RUMELHART, MCCLELLAND & the PDP Research Group, 1986.

_____ & _____. 1986b. "On learning the past tenses of English verbs. Implicit rules or parallel distributed processing?". In RUMELHART, MCCLELLAND & the PDP Research Group, 1986.

RUMELHART, D., MCCLELLAND, J. & the PDP Research Group. *Parallel distributed processing: explorations in the microstructure of cognition.* V. 1: *Foundations.* Cambridge, Mass., MIT Press, 1986.

RUSE, M. "Biological species: natural kinds, individuals, or what?". *British Journal of the Philosophy of Science*, 1986, 38, 225-42.

RUSSELL, J. A. "Is there universal recognition of emotion from facial expression? A review of cross-cultural studies". *Psychological Bulletin*, 1994, 115, 102-41.

RYLE, G. *The concept of mind.* Londres, Penguin, 1949.

SACKS, O., & WASSERMAN, R. "The case of the colorblind painter". *New York Review of Books*, 1987, 34, 25-34.

SANFORD, G. J. "Straight lines in nature". *Valley Voice*, 2 Nov. 1994. Reeditado como "Nature's straight lines". *Harpers*, Fev. 1995, 289, 25.

SCHACTER, D. L. *Searching for memory: the brain, the mind, and the past.* Nova York, Basic Books, 1996.

SCHANCK, R. C. *Dynamic memory.* Nova York, Cambridge University Press, 1982.

SCHANCK, R. C., & RIESBECK, C. K. *Inside computer understanding: five programs plus miniatures.* Hillsdale, NJ, Erlbaum, 1981.

SCHELLENBERG, E. G., & TREHUB, S. E. "Natural musical intervals: evidence from infant listeners". *Psychological Science*, 1996, 7, 272-7.

SCHELLING, T. C. *The strategy of conflict.* Cambridge, Mass., Harvard University Press, 1960.

_____. "The intimate contest for self-command". In SCHELLING, T. C. *Choice and consequence: perspectives of an errant economist.* Cambridge, Mass., Harvard University Press, 1984.

SCHUTZ, C. E. "The psycho-logic of political humor". In CHAPMAN & FOOT, 1977.

SCHWARTZ, S. P. "Natural kind terms". *Cognition*, 1979, 7, 301-15.

SEARLE, J. R. "The word turned upside down". *New York Review of Books*, 27 Out. 1983, 74-9.

_____. "Rationality and realism: what is at stake?". *Daedalus*, 1993, 122, 55-83.

_____. "The mystery of consciousness". *New York Review of Books*, 2 Nov./16 Nov. 1995, 60-6; 54-61.

SEARLE, J. R., & comentaristas. "Minds, brains, and programs". *The Behavioral and Brain Sciences*, 1980, 3, 417-57.

_____. "Consciousness, explanatory inversion, and cognitive science". *Behavioral and Brain Sciences*, 1992, 13, 585-642.

SEGAL, S., & FUSELLA, V. "Influence of imaged pictures and sounds on detection of visual and auditory signals". *Journal of Experimental Psychology*, 1970, 83, 458-64.

SELIGMAN, M. E. P. "Phobias and preparedness". *Behavior Therapy*, 1970, 2, 307-20.

THE SEVILLE STATEMENT ON VIOLENCE. *American Psychologist*, 1990, 45, 1167-8.

SHAPIRO, J. A. "Adaptive mutation: who's really in the garden?". *Science*, 1995, 268, 373-4.

SHASTRI, L., AJJANAGADDE, V., & comentaristas. "From simple associations to systematic reasoning: a connectionist representation of rules, variables, and dynamic bindings using temporal synchrony". *Behavioral and Brain Sciences*, 1993, 16, 417-94.

SHEPARD, R. N. "The mental image". *American Psychologist*, 1978, 33, 125-37.

_____. "Toward a universal law of generalization for psychological science". *Science*, 1987, 237, 1317-23.

_____. *Mind sights: original visual illusions, ambiguities, and other anomalies*. Nova York, W. H. Freeman, 1990.

SHEPARD, R. N., & COOPER, L. A. *Mental images and their transformations*. Cambridge, Mass., MIT Press, 1982.

SHERIF, M. *Group conflict and cooperation: their social psychology*. Londres, Routledge & Kegan Paul, 1966.

SHERRY, D. F., & SCHACTER, D. L. "The evolution of multiple memory systems". *Psychological Review*, 1987, 94, 439-54.

SHIMOJO, S. "Development of interocular vision in infants". In SIMONS, 1993.

SHOSTAK, M. *Nisa: the life and words of a !Kung woman*. Nova York, Vintage, 1981.

SHOUMATOFF, A. *The mountain of names: a history of the human family*. Nova York, Simon & Schuster, 1985.

SHREEVE, J. "The dating game". *Discover*, Set. 1992.

SHULTZ, T. R. "A cross-cultural study of the structure of humor". In CHAPMAN & FOOT, 1977.

SHWEDER, R. A. "'You're not sick, you're just in love': emotion as an interpretive system". In EKMAN & DAVIDSON, 1994.

SIMON, H. A. "The architecture of complexity". In SIMON, H. A. *The sciences of the artificial*. Cambridge, Mass., MIT Press, 1969.

SIMON, H. A., & NEWELL, A. "Information processing in computer and man". *American Scientist*, 1964, 52, 281-300.

SIMONS, K. (ed.). *Early visual development: normal and abnormal*. Nova York, Oxford University Press, 1993.

SINGH, D. "Adaptive significance of female physical attractiveness: role of waist-to-hip ratio". *Journal of Personality and Social Psychology*, 1993, 65, 293-307.

_____. "Ideal female body shape: role of body weight and waist-to-hip ratio". *International Journal of Eating Disorders*, 1994, 16, 283-8.

_____. "Ethnic and gender consensus for the effect of waist-to-hip ratio on judgement of women's attractiveness". *Human Nature*, 1995, 6, 51-65.

SINHA, P. "Perceiving and recognizing three-dimensional forms". Department of Electrical Engineering and Computer Science, MIT, 1995. Dissertação de PhD.

SINHA, P., & ADELSON, E. H. "Verifying the 'consistency' of shading patterns and 3D structures". *Proceedings of the IEEE Workshop on Qualitative Vision, Nova York*. Los Alamitos, Calif., IEEE Computer Society Press, 1993a.

_____ & _____. "Recovering reflectance and illumination in a world of painted polyhedra". *Proceedings of the Fourth International Conference on Computer Vision, Berlin*. Los Alamitos, Calif., IEEE Computer Society Press, 1993b.

SLOBODA, J. A. *The musical mind: the cognitive psychology of music*. Nova York, Oxford University Press, 1985.

SMITH, E. E., & MEDIN, D. L. *Categories and concepts*. Cambridge, Mass., Harvard University Press, 1981.

SMITH, E. E., LANGSTON, C., & NISBETT, R. "The case for rules in reasoning". *Cognitive Science*, 1992, 16, 1-40.

SMOLENSKY, P. "Tensor product variable binding and the representation of symbolic structures in connectionist systems". *Artificial Intelligence*, 1990, 46, 159-216.

_____. "Reply: constituent structure and explanation in an integrated connectionist/symbolic cognitive architecture". In MACDONALD, C., & MACDONALD, G. (eds.). *Connectionism: debates on psychological explanations*. Cambridge, Mass., Blackwell, 1995, v. 2.

SMOLENSKY, P., & comentaristas. "On the proper treatment of connectionism". *Behavioral and Brain Sciences*, 1988, 11, 1-74.

SOBER, E. (ed.). *Conceptual issues in evolutionary biology*. Cambridge, Mass., MIT Press, 1984a.

_____. *The nature of selection: evolutionary theory in philosophical focus*. Cambridge, Mass., MIT Press, 1984b.

SOLSO, R. *Cognition and the visual arts*. Cambridge, Mass., MIT Press, 1994.

SOMMERS, C. H. *Who stole feminism?* Nova York, Simon & Schuster, 1994.

SOWELL, T. *The vision of the anointed: self-congratulation as a basis for social policy*. Nova York, Basic Books, 1995.

SPELKE, E. "Initial knowledge: six suggestions". *Cognition*, 1995, 50, 433-47.

SPELKE, E., VISHTON, P., & VON HOFSTEN, C. "Object perception, object-directed action, and physical knowledge in infancy". In GAZZANIGA, 1995.

SPELKE, E. S., BREINLINGER, K., MACOMBER, J., & JACOBSON, K. "Origins of knowledge". *Psychological Review*, 1992, 99, 605-32.

SPELKE, E. S., PHILLIPS, A., WOODWARD, A. L. "Infant's knowledge of object motion and human action". In SPERBER, PREMACK & PREMACK, 1995.

SPERBER, D. "Apparently irrational beliefs". In HOLLIS, M., & LUKES, S. (eds.). *Rationality and relativism*. Cambridge, Mass., Blackwell, 1982.

_____. "Anthropology and psychology: towards an epidemiology of representations". *Man*, 1985, 20, 73-89.

SPERBER, D., CARA, F., & GIROTTO, V. "Relevance theory explains the selection task". *Cognition*, 1995, 57, 31-95.

SPERBER, D., PREMACK, D., & PREMACK, A. J. (eds.). *Causal cognition*. Nova York, Oxford University Press, 1995.

SPERBER, D., & WILSON, D. *Relevance: communication and cognition*. Cambridge, Mass., Harvard University Press, 1986.

STADDON, J. E. R. "Learning as inference". In BOLLES, R. C., & BEECHER, M. D. (eds.). *Evolution and learning*. Hillsdale, NJ, Erlbaum, 1988.

STENNING, K., & OBERLANDER, J. "A cognitive theory of graphical and linguistic reasoning: logic and implementation". *Cognitive Science*, 1995, 19, 97-140.

STERELNY, K., & KITCHER, P. "The return of the gene". *Journal of Philosophy*, 1988, 85, 339-61.

Stereogram. San Francisco, Cadence Books, 1994.

STEVENS, A., & COUPE, P. "Distortions in judged spatial relations". *Cognitive Psychology*, 1978, 10, 422-37.

STORR, A. *Music and the mind*. Nova York, HarperCollins, 1992.

STRINGER, C. "Evolution of early humans". In JONES, MARTIN & PILBEAM, 1992.

STRYKER, M. P. "Retinal cortical development: introduction". In SIMONS, 1993.

_____. "Precise development from imprecise rules". *Science*, 1994, 263, 1244-5.

SUBBIAH, I., VELTRI, L., LIU, A., & PENTLAND, A. "Paths, landmarks, and edges as reference frames in mental maps of simulated environments". CBR Technical Report 96-4, Cambridge Basic Research, Nissan Research & Development, Inc., 1996.

SULLIVAN, W. *We are not alone: the continuing search for extraterrestrial intelligence*. Ed. revista. Nova York, Penguin, 1993.

SULLOWAY, F. J. "Birth order and evolutionary psychology: a meta-analytic overview". *Psychological Inquiry*, 1995, 6, 75-80.

_____. *Born to be rebel: family conflict and radical genius*. Nova York, Pantheon, 1996.

Superstereogram. San Francisco, Cadence Books, 1994.

SUTHERLAND, S. *Irrationality: the enemy within*. Londres, Penguin, 1992.

SWISHER III, C. C., RINK, W. J., ANTÓN, S. C., SCHWARCZ, H. P., CURTIS, G. H., SURPIJO, A., & WIDIASMORO. "Latest *Homo erectus* of Java: potential contemporaneity with *Homo sapiens* in Southeast Asia". *Science*, 1996, 274, 1870-4.

SYMONS, D. *Play and aggression: a study of rhesus monkeys*. Nova York, Columbia University Press, 1978.

_____. *The evolution of human sexuality*. Nova York, Oxford University Press, 1979.

SYMONS, D. "On the use and misuse of Darwinism in the study of human behavior". In BARKOW, COSMIDES & TOOBY, 1992.

_____. "The stuff that dreams aren't made of: why wake-state and dream-state sensory experiences differ". *Cognition*, 1993, 47, 181-217.

_____. "Beauty is in the adaptations of the beholder: the evolutionary psychology of human female sexual attractiveness". In ABRAMSON, P. R., & PINKERTON, S. D. (eds.). *Sexual nature, sexual culture*. Chicago, University of Chicago Press, 1995.

SYMONS, D., & comentaristas. "Précis of 'The evolution of human sexuality'". *Behavioral and Brain Sciences*, 1980, 3, 171-214.

TAJFEL, H. *Human groups and social categories*. Nova York, Cambridge University Press, 1981.

TALMY, L. "Lexicalization patterns: semantic structure in lexical forms". In SHOPEN, T. (ed.). *Language typology and syntactic descriptions*. V. 3: *Grammatical categories and the lexicon*. Nova York, Cambridge University Press, 1985.

_____. "Force dynamics in language and cognition". *Cognitive Science*, 1988, 12, 49-100.

TAN, E. S. *Emotion and the structure of narrative film*. Hillsdale, NJ, Erlbaum, 1996.

TARR, M. J. "Rotating objects to recognize them: a case study on the role of viewpoint dependency in the recognition of three-dimensional shapes". *Psychonomic Bulletin and Review*, 1995, 2, 55-82.

TARR, M. J., & BLACK, M. J. "A computational and evolutionary perspective on the role of representation in vision". *Computer Vision, Graphics, and Image Processing: Image Understanding*, 1994a, 60, 65--73.

_____ & _____. "Reconstruction and purpose". *Computer Vision, Graphics, and Image Processing: Image Understanding*, 1994b, 60, 113-8.

TARR, M. J., & BÜLTHOFF, H. H. "Is human object recognition better described by geon-structural--descriptions or by multiple views?". *Journal of Experimental Psychology: Human Perception and Performance*, 1995, 21, 1 494-505.

TARR, M. J., & PINKER, S. "Mental rotation and orientation-dependence in shape recognition". *Cognitive Psychology*, 1989, 21, 233-82.

_____ & _____. "When does human object recognition use a viewer-centered reference frame?". *Psychological Science*, 1990, 1, 253-6.

THORN, F., GWIAZDA, J., CRUZ, A. A. V., BAUER, J. A., & HELD, R. "The development of eye alignment, convergence, and sensory binocularity in young infants". *Investigative Ophthalmology and Visual Science*, 1994, 33, 544-53.

THORNHILL, N., & comentaristas. "An evolutionary analysis of rules regulating human inbreeding and marriage". *Behavioral and Brain Sciences*, 1991, 14, 247-93.

TIMNEY, B. N. "Effects of brief monocular occlusion on binocular depth perception in the cat: a sensitive period for the loss of stereopsis". *Visual Neuroscience*, 1990, 5, 273-80.

TITCHENER, E. B. *Lectures on the experimental psychology of the thought processes*. Nova York, Macmillan, 1909.

TOOBY, J. "The evolutionary regulation of inbreeding". University of California, Santa Barbara, Institute for Evolutionary Studies Technical Report 76 (1), 1-87, 1976a.

_____. "The evolutionary psychology of incest avoidance". University of California, Santa Barbara, Institute for Evolutionary Studies Technical Report 76 (2), 1-92, 1976b.

_____. "Pathogens, polymorphism, and the evolution of sex". *Journal of Theoretical Biology*, 1982, 97, 557-76.

_____. "The emergence of evolutionary psychology". In PINES, D. (ed.). *Emerging syntheses in science*. Santa Fe, NM, Santa Fe Institute, 1985.

_____. "The evolution of sex and its sequelae". Harvard University, 1988. Dissertação de PhD.

TOOBY, J., & COSMIDES, L. "The evolution of war and its cognitive foundations". Trabalho apresentado na conferência anual da Human Behavior and Evolution Society, Ann Harbor, Mich., University of California, Santa Barbara, Institute for Evolutionary Studies Technical Report 88-1, 1988.

_____. "Adaptation versus phylogeny: the role of animal psychology in the study of human behavior". *International Journal of Comparative Psychology*, 1989, 2, 105-18.

TOOBY, J., & COSMIDES, L. "The past explains the present: emotional adaptations and the structure of ancestral environments". *Ethology and Sociobiology*, 1990a, 11, 375-424.

_____ & _____. "On the universality of human nature and the uniqueness of the individual: the role of genetics and adaptation". *Journal of Personality*, 1990b, 58, 17-67.

_____ & _____. "Psychological foundations of culture". In BARKOW, COSMIDES & TOOBY, 1992.

_____ & _____. "Cognitive adaptations for threat, cooperation, and war". Plenary address, Annual Meeting of the Human Behavior and Evolution Society. Binghamton, Nova York, 6 Ago. 1993.

_____ & _____. "Friendship and the Banker's Paradox: other pathways to the evolution of adaptations for altruism". In MAYNARD SMITH, J. (ed.). *Proceedings of the British Academy: evolution of social behavior patterns in primates and man.* Londres, British Academy, 1996.

_____ & _____. "Ecological rationality and the multimodular mind: grounding normative theories in adaptive problems". University of California, Santa Barbara, 1997. Não publicado.

TOOBY, J., & DEVORE, I. "The reconstruction of hominid evolution through strategic modeling". In KINZEY, W. G. (ed.). *The evolution of human behavior: primate models.* Albany, NY, SUNY Press, 1987.

TREISMAN, A. "Features and objects". *Quarterly Journal of Experimental Psychology*, 1988, 40A, 201-37.

TREISMAN, A., & GELADE, G. "A feature-integration theory of attention". *Cognitive Psychology*, 1980, 12, 97-136.

TREISMAN, M. "Motion sickness: an evolutionary hypothesis". *Science*, 1977, 197, 493-5.

TRIBUTSCH, H. *How life learned to live: adaptation in nature.* Cambridge, Mass., MIT Press, 1982.

TRINKAUS, E. "Evolution of human manipulation". In JONES, MARTIN & PILBEAM, 1992.

TRIVERS, R. "The evolution of reciprocal altruism". *Quarterly Review of Biology*, 1971, 46, 35-57.

_____. "Sociobiology and politics". In WHITE, E. (ed.). *Sociobiology and human politics.* Lexington, Mass., D. C. Health, 1981.

_____. *Social evolution.* Reading, Mass., Benjamin/Cummings, 1985.

_____ & TURING, A. M. "Computing machinery and intelligence". *Mind*, 1950, 59, 433-60.

TURKE, P. W., & BETZIG, L. L. "Those who can do: wealth, status, and reproductive success on Ifaluk". *Ethology and Sociobiology*, 1985, 6, 79-87.

TURNER, M. *Reading minds: the study of English in the age of cognitive science.* Princeton, Princeton University Press, 1991.

TVERSKY, A., & KAHNEMAN, D. "Judgement under uncertainty: heuristics and biases". *Science*, 1974, 185, 1124-31.

_____ & _____. "Extensions versus intuitive reasoning: the conjunction fallacy in probability judgements". *Psychological Review*, 1983, 90, 293-315.

TYE, M. *The imagery debate.* Cambridge, Mass., MIT Press, 1991.

TYLER, C. W. "Sensory processing of binocular disparity". In SCHOR, C. M., & CIUFFREDA, K. J. (eds.). *Vergence eye movements: basic and clinical aspects.* Londres, Butterworths, 1983.

_____. "Cyclopean vision". In REGAN, D. (ed.). *Vision and visual dysfunction. V. 9: Binocular vision.* Nova York, Macmillan, 1991.

_____. "Cyclopean riches: cooperativity, neurontropy, hysteresis, stereoattention, hyperglobability, and hypercyclopean processes in random-dot stereopsis". In PAPATHOMAS et al., 1995.

ULLMAN, S. "Visual routines". *Cognition*, 1984, 18, 97-159. Reeditado em PINKER, 1984b.

_____. "Aligning pictorial descriptions: an approach to object recognition". *Cognition*, 1989, 32, 193--254.

VAN DEN BERGHE, P. F. *Human family systems: an evolutionary view.* Amsterdã, Elsevier, 1974.

VAN ESSEN, D. C. & DEYOE, E. A. "Concurrent processing in the primate visual cortex". In GAZZANIGA, 1995.

VEBLEN, T. *The theory of the leisure class.* Nova York, Penguin, 1899/1994.

WALLACE, B. "Apparent equivalence between perception and imagery in the prodution of various visual illusions". *Memory and Cognition*, 1984, 12, 156-62.

WALLER, N. G. "Individual differences in age preferences in mates". *Behavioral and Brain Sciences*, 1994, 17, 578-81.

WANDELL, B. A. "Foundations of vision". Sunderland, Mass., Sinauer, 1995.

WASON, P. "Reasoning". In FOSS, B. M. (ed.). *New horizons in psychology*. Londres, Penguin, 1966.

WEHNER, R., & SRINIVASAN, M. V. "Searching behavior of desert ants, genus *Cataglyphis* (*Formicidae, Hymenoptera*)". *Journal of Comparative Physiology*, 1981, 142, 315-38.

WEINER, J. *The beak of the finch*. Nova York, Vintage, 1994.

WEINSHALL, D., & MALIK, J. "Review of computational models of stereopsis". In PAPATHOMAS et al., 1995.

WEISBERG, R. *Creativity: genius and other myths*. Nova York, Freeman, 1986.

WEISFELD, G. E. "The adaptive value of humor and laughter". *Ethology and Sociobiology*, 1993, 14, 141-69.

WEIZENBAUM, J. *Computer power and human reason*. San Francisco, W. H. Freeman, 1976.

WHITE, R. "Visual thinking in the Ice Age". *Scientific American*, Jul. 1989.

WHITEHEAD, B. D. "The failure of sex education". *Atlantic Monthly*, 1994, 274, 55-61.

WHITTLESEA, B. W. A. "Selective attention, variable processing, and distributed representation: preserving particular experiences of general structures". In MORRIS, 1989.

WIERZBICKA, A. "Cognitive domains and the structure of the lexicon: the case of the emotions". In HIRSCHFELD & GELMAN, 1994a.

WILCZEK, F. "A call for a new physics". (Resenha de PENROSE, R. *The emperor's new mind*.) *Science*, 1994, 266, 1737-8.

WILFORD, J. N. *The riddle of the dinosaur*. Nova York, Random House, 1985.

WILLIAMS, G. C. *Adaptation and natural selection: a critique of some current evolutionary thought*. Princeton, NJ, Princeton University Press, 1966.

_____. *Natural selection: domains, levels, and challenges*. Nova York, Oxford University Press, 1992.

WILLIAMS, G. C., & WILLIAMS, D. C. "Natural selection of individually harmful social adaptations among sibs with special reference to social insects". *Evolution*, 1957, 11, 32-9.

WILSON, D. S., SOBER, E., & comentaristas. "Re-introducing group selection to the human behavior sciences". *Behavioral and Brain Sciences*, 1994, 17, 585-608.

WILSON, E. O. *Sociobiology: the new synthesis*. Cambridge, Mass., Harvard University Press, 1975.

_____. *Naturalist*. Washington, DC, Island Press, 1994.

WILSON, J. Q. *The moral sense*. Nova York, Free Press, 1993.

WILSON, J. Q. & HERRNSTEIN, R. J. *Crime and human nature*. Nova York, Simon & Schuster, 1985.

WILSON, M., & DALY, M. "The man who mistook his wife for a chattel". In BARKOW, COSMIDES & TOOBY, 1992.

WIMMER, H., & PERNER, J. "Beliefs about beliefs: representation and constraining function of wrong beliefs in young children's understanding of deception". *Cognition*, 1983, 13, 103-28.

WINOGRAD, T. "Towards a procedural understanding of semantics". *Revue Internationale of Philosophie*, 1976, 117 e 118, 262-82.

WOLFE, T. *The painted word*. Nova York, Bantam Books, 1975.

WOOTTON, R. J. "The mechanical design of insect wings". *Scientific American*, Nov. 1990.

WRIGHT, L. "Double mystery". *New Yorker*, 7 Ago. 1995, 45-62.

WRIGHT, R. *Three scientists and their gods: looking for meaning in an age of information*. Nova York, Harper-Collins, 1988.

_____. *The moral animal: evolutionary psychology and everyday life*. Nova York, Pantheon, 1994a.

_____. "Feminists, meet Mr. Darwin". *New Republic*, 28 Nov. 1994b.

_____. "The biology of violence". *New Yorker*, 13 Mar. 1995, 67-77.

WYNN, K. "Children's understanding of counting". *Cognition*, 1990, 36, 155-93.

_____. "Addition and subtraction in human infants". *Nature*, 1992, 358, 749-50.

YELLEN, J. E., BROOKS, A. S., CORNELISSEN E., MEHLMAN, M. J., & STEWARD, K. "A Middle Stone Age worked bone industry from Katanda, Upper Semliki Valley, Zaire". *Science*, 1995, 268, 553-6.

YOUNG, A. W., & BRUCE, V. "Perceptual categories and the computation of 'grandmother'". *European Journal of Cognitive Psychology*, 1991, 3, 5-49.

YOUNG, L. R., OMAN, C. M., WATT, D. G. D., MONEY, K. E., & LICHTENBERG, B. K. "Spatial orientation in weightlessness and readaptation to earth's gravity". *Science*, 1984, 225, 205-8.

ZAHAVI, A. "Mate selection — a selection for a handicap". *Journal of Theoretical Biology*, 1975, 53, 205-14.

ZAITCHIK, D. "When representations conflict with reality: the preschooler's problem with false beliefs and 'false' photographs". *Cognition*, 1990, 35, 41-68.

ZENTNER, M. R., & KAGAN, J. "Perception of music by infants". *Nature*, 1996, 383, 29.

ZICREE, M. S. *The Twilight Zone companion.* (2ª ed.) Hollywood, Silman-James Press, 1989.

CRÉDITOS

"The marvelous toy", de Tom Paxton. Copyright © 1961; renovado em 1969 por Cherry Lane Music Publishing Company, Inc. (ASCAP)/Dream Works Songs (ASCAP). Direitos mundiais de Dream Works Songs administrados por Cherry Lane Music Publishing Company, Inc. Copyright internacional garantido. Todos os direitos reservados. Usado sob permissão de Cherry Lane Music Publishing Company, Inc.

"Automation", de Allen Sherman e Lou Busch. © WB Music Corp. (ASCAP) & Burning Bush Music (ASCAP). Todos os direitos reservados. Usado sob permissão. Warner Bros. Publications U.S. Inc., Miami, FL 33014.

"They're made of meat", de Terry Bisson. Excerto reproduzido cortesia de Terry Bisson.

"The hunter", de Ogden Nash. De Ogden Nash, *Verses from 1929 on*. Copyright 1949 de Ogden Nash. Sob permissão de Little, Brown and Company.

"This land is your land", letra e música de Woody Guthrie. TRO © Copyright 1956 (renovado), 1958 (renovado), 1970. Ludlow Music, Inc., Nova York, NY. Usado sob permissão.

"Get together", de Chet Powers. © 1963 (renovado) Irving Music, Inc. (BMI). Todos os direitos reservados. Usado sob permissão. Warner Bros. Publications U.S. Inc., Miami, FL 33014.

"Aquarius", música de Galt MacDermot, letra de James Rado e Gerome Ragni. Copyright © 1967, 1968. Renovado 1995, 1996. United Artist Music Co. Inc. e Channel H Productions. Direitos consignados à EMI Catalogue Partnership. Todos os direitos controlados e administrados por EMI U Catalog Inc. (ASCAP). Todos os direitos reservados. Copyright internacional garantido. Usado sob permissão.

"Imagine", de John Lennon. Copyright © 1971 de Lenono Music. Todos os direitos administrados por Sony/ATV Music Publishing, 8 Music Square West, Nashville, TN 37203. Todos os direitos reservados. Usado sob permissão.

"Ev'ry time we say goodbye", de Cole Porter. © 1944 (renovado) Chappell & Co. Todos os direitos reservados. Usado sob permissão. Warner Bros. Publications U. S. Inc., Miami, FL 33014.

ÍNDICE REMISSIVO

As páginas em itálico indicam uma seção dedicada ao assunto

Abbott, Edwin, 206
Abdul-Jabbar, Kareem, 14, 380
aborígines australianos, 218, 385, 396, 535
abuso conjugal, 455, 513
abuso de crianças, 455-7
 ver também incesto
acessos de raiva, 61, 76, 385, 386, 388, 394, 418, 426, 434, 436, 438, 468, 513, 516, 517, 571
ache, 530
acromatopsia, 30
acústica invertida, 560
Adams, Cecil, 48
Adams, Marilyn, 314, 602
adaptação, *179-89*
 cria categorias, 224-6
 da mente humana, 34, 564
 estabelecimento, 48-51
 limites, 34, 51-2, 549-51
 passada e presente, 221-4
 ver também design complexo, exaptação, seleção natural, subprodutos da adaptação
Adelson, Edward, 16, 259, 264, 267, 270-2, 593, 600
adiamento da gratificação, *ver* autocontrole
Adler, Mortimer, 345
adoção, 31, 32, 53, 56, 453, 455, 471, 482, 492
adolescência, 69, 71, 389, 428, 432, 466, 472, 474, 475, 478, 482, 505, 508-10

adultério, 53, 55, 503, 504, 513, 514, 515, 516
 no coração, 543
África, 51, 217, 284, 293, 330, 343, 396, 407, 500, 514
 evolução humana na, 214-5, 216, 217, 219-20
 povos modernos, *ver* bakweri, kpelle, !kung san, !xõ, //gana san
agentes, 90, 132, 133, 149, 150, 156, 157, 200, 342, 375, 390, 441, 442
agnosia, 30, 289-92
agressão, 27, 38, 50, 57, 58, 62, 64-5, 129, 204, 426, 450, 457, 487, 500, 519-23, 526, 538, 541, 544
 e humor, 572-4, 576, 579
 ver também dominância, guerra
agricultura, 53, 500, 524, 530
AIDS, 174, 177, 368, 497
Aiello, Leslie, 599, 610
alcoolismo, 45, 471
Aleichem, Sholom, 460
Além da imaginação, 70-1, 93
Alexander, Richard, 425, 458, 593, 599, 605, 606, 609
algoritmos genéticos, 191, 598
alimento, 10, 32, 49, 50-1, 140, 156, 189, 191, 194, 196, 201, 202, 203, 207, 223, 226, 348, 355, 366, 378, 379, 395, 399-409, 419, 424, 441, 466
Allen, Woody, 116, 146, 148, 381, 428, 490, 567, 604

Allman, William, 594
alma, 75, 318, 387, 579, 581-3, 585
altruísmo, 27, 55, 357, 358, *418-28*, 421, 446, 452, 457, 568
    entre irmãos, 470, 474
    na guerra, 541-2
    ver também altruísmo recíproco, seleção por parentesco
altruísmo de família, *ver* seleção por parentesco
altruísmo recíproco, 357, *423-7*, *527-34*, 543, 586
altura, 125, 520
Alzheimer, mal de, 45
ambliopia, 257
ameaças, *ver* intimidação
Ames, Adelbert, 232, 233, 245, 249, 260, 261, 600
amígdala, 392
amizade, 42, 335, 426, 453, 483, 529, 532-4, 543, 549
    e humor, 578-9
amoque, síndrome de, 65, 384, 434
amor, 29, 42, 59, 125, 128, 144, 161, 243, 332, 335, 367, 378, 384, 388, 397, 418, 434, 443, 446, 448, 480, 501, 502, 531, 543, 567, 581
    companheiro, 483, *532-4*
    conjugal, 29, 414, 458, 483, 532-4
    de família, 41, *421-3*, 454-5, 461, 463, 467, 473, 474, 475
    romântico, 29, 128, 379, 394, *438-41*, 446, 454, 460, 482, 483
análise combinatória
    características visuais, 154, 231, 244-54, 257, 259, 263
    demandas sobre computação, 131, 149-51
    e redes neurais, 130-4
    interações sociais, 481, 549, 590
    linguagem, 99, 149, 203, 289, 375, 591
    música, 100, 591
    partes de objetos, 288-9
    pensamentos, 99, 130-4, 136-7, 149, 203, 334-6, 375, 380, 382, 589-91
    raciocínio, 141, 324, 326, 329, 360, 380, 382, 549, 589-1
    xadrez, 150, 568
analogia com a mão, *222*, *294-7*, *297-303*
andar bípede, 209-10, 213-5
Andersen, Hans Christian, 577
Anderson, Barton, 254, 600
Anderson, John, 155-6, 595, 596, 597, 602, 607
antropologia
    cultural, 56-7, 203, 218, 224, 231, 327, 345, *384-9*, 404, 449, 454, 458, 462, 478, 481, 504, 530, 531, 536, 572, 581, 583

física, *ver* evolução: humana
    ver também coletores de alimentos, cultura, evolução cultural, parentesco, religião
Appleton, Jay, 397
aprendizado,
    alimentos, 398-404, 406, 409, 605
    beleza, 508, 511
    contraste com caráter inato, *42-7*, 60, 142-4, 183, 258, 337, 339
    e evolução, 192-4, 221-3, 598
    em redes neurais, 120-3, 123-6, 191-4
    leitura, 363
    matemática, 362-3
    música, 557
    objetos, 341
    sexualidade, 491, 498, 499
    temores, 408-10
aptidão inclusiva, *ver* seleção por parentesco
aranhas, 36, 37, 53, 181, 187, 204, 262, 304, 400, 407, 409, 418, 484
Ardipithecus ramidus, 214-5
área de Broca, 198
Aristóteles, 128, 331, 341
armênios, 538
Armstrong, Louis, 71, 162, 595
Armstrong, Sharon, 139, 596, 602
Aronson, Eliot, 445, 606
Arquimedes, 235, 340
artefatos, 334, 342, 343, 344, 346, *347-9*, 373, 379, 550, 552, 581, 603
    ver também utensílios
artes, 188, 199, 234, 313, 349, 389, 527
artes, *546-51*
    ver também fotografia, literatura, música, pintura, representar
asas, evolução das, 183-6
Ásia, evolução humana na, 214-5, 216, 220
Asimov, Isaac, 13, 25-7, 593, 604
assimetrias hemisféricas, *ver* cérebro: hemisfério esquerdo em comparação com o direito
associacionismo, 125-6, 127, 128, 130, 138, 140, 195, 494
    ver também behaviorismo, conexionismo
associativas de padrões, 118-20, 123, 128, 293, 328, 596
atenção visual, 29, 152-5, 307-8
    ver também síndrome de negligência
Atração fatal, 610
atração sexual, 474, 478, 482, 484-512
Atran, Scott, 345, 348, 603, 611
Attardo, S., 611
Attneave, Fred, 285, 287, 600, 601

Austen, Jane, 380
Australopithecus, 214-5, 216, 217
autismo, 41, 59, 351-2, 587
autoassociativas, redes, 115-9, 132, 138
autoconceito, *ver* autoengano, consciência: auto-conhecimento
autocontrole, 414-8, 442, 446, 499
autoengano, 290, 390, *443-6*, 468, 470, 568
   ver também consciência: autoconhecimento
aves, 96, 138, 141, 182, 183, 184, 195, 196, 204, 262, 330, 331, 334, 345, 396, 404, 423, 424, 463, 490, 491, 503, 512, 514, 522, 525
Axelrod, Robert, 528, 605, 607, 609
Ayala, Francisco, 599

Baars, Bernard, 597
Baddeley, Alan, 595
Baillargeon, Renée, 336, 338, 602
Baker, Robin, 593, 607, 608
bakweri (Camarões), 506
Baldwin, James Mark, 193, 598
Ballard, Dana, 596
Bangladesh, 413, 538, 553
Barham, James, 598
Barkow, Jerome, 594, 604, 610
Baron-Cohen, Simon, 349, 351, 352, 602, 603
Bates, Elizabeth, 222, 599
Baumeister, Roy, 606
Beale, Ivan, 294, 598, 601
behaviorismo, 69, 73-5, 89, 95, 125, 305, 349, 408-9, 424, 575
Behrmann, Marlene, 291, 601
Belew, Rick, 598
beleza
   e status, 523
   padrões geométricos, *551-3*
   paisagens e arredores, *395-8*, 551
   rosto e corpo, 414, *507-12*, 517, 551
Bell, Quentin, 289, 518, 526, 547, 548, 601, 608, 609, 610
Bellis, Mark, 607, 608
Benchley, Robert, 325
Benedict, Ruth, 581
beneficência, 452, 544, 606
Bentham, Jeremy, 410
Bergman, Ingrid, 283
Berkeley, George, 124, 127, 315, 336
Berlin, Brent, 345, 603
Bernstein, Leonard, 554, 610
Berra, Yogy, 363
Bettelheim, Bruno, 352, 603

Betzig, Laura, 222, 462, 500, 501, 599, 606, 608, 609
Bever, Tom, 596
Bíblia, 43, 62, 178, 515, 536, 580
Biederman, Irv, 288-9, 292, 600, 601
Bierce, Ambrose, 200, 411, 581
biologia intuitiva, 139, 203, 321, 328, 329, 334, 335, 343-7, 349, 359, 363, 367, 371, 373, 380, 389, 397, 403
   e religião, 581-3
biologia molecular, 38, 46, 60, 92, 160, 179, 180, 182, 294, 590
Birch, E., 600
Bisiach, Edoardo, 307, 593, 597, 601
Bisson, Terry, 107, 596
Bizzi, Emilio, 593
Black, M., 600
Block, Ned, 104, 105, 146, 158, 595, 597, 601
Bloom county, 138
Bloom, Leopold, 566, 596, 598, 603
Bobick, Aaron, 602
Bonatti, Luca, 603
bonde chamado desejo, Um, 610
bonobos, 391, 488, 538
borboletas, 329, 344, 526
Borges, Jorge Luis, 326, 335
Boring, E. G., 601
Bósnia, 174, 175, 538
Boswell, James, 515
Bouchard, Thomas, 594, 607
Bower, Gordon, 595
Bowerman, Melissa, 377, 604
Boyd, Robert, 597, 599, 602, 607
Boyer, Pascal, 581, 611
Brainard, Davis, 600
Braine, Martin, 354, 603
Brando, Marlon, 455
Bregman, Albert, 560, 610
Brejnev, Leonid, 520
Brewster, David, 241, 242
brincadeira (infância), 350, 472, 478
Broadbent, Donald, 95
Brockman, John, 610
Bronowski, Jacob, 177, 598
Brontë, Charlotte, 610
Brooks, Lee, 601, 27
Brown, Ann, 603
Brown, Donald, 325, 449, 594, 597, 599, 602, 604, 605, 606, 607, 608, 609
Brown, Roger, 424, 603, 606
Brownmiller, Susan, 538, 609
Bruce, Vicki, 601

Bülthoff, Heinrich, 601
Burgess, Anthony, 390
Burns, Robert, 445
Burr, Aaron, 522
Buss, David, 493, 505, 513, 593, 594, 601, 606, 607, 608, 609
Byrne, R. W., 599

cabelos, 328, 449, 508, 510
caçar, 32, 150, 201, 207, 210-2, 213, 396, 404, 419, 491, 492, 530
caçadores-coletores, *ver* coletores de alimentos
Callas, Maria, 411
camelos, 181-2
Campbell, Donald, 414, 605
camuflagem, 246, 250, 265
caos, 66
Caramazza, Alfonso, 339, 340, 603
caráter inato, 42-7, 58, 142, 183, 258, 337, 339
das diferenças, 60-1
ver também caráter modular, cognição do bebê, robôs: dificuldade de construir
caráter modular da mente, 32, 34, 38-42, 151, 258, 272, 291, 334-6, 352, 361, 362, 550, 581
conotações enganosas, 41-2, 334
e complexidade, 102-4
e motivos concorrentes, 53, 62, 155-7, 417, 441-3
Carey, Susan, 380, 602, 603, 604
carne, 201, 210-2, 213, 215, 353, 357, 396, 399, 401, 402-5, 489, 491, 503, 527, 530, 536
pensante, 107, 108, 550, 596
Carroll, J., 595, 610
Carroll, Lewis, 109, 322, 596, 602, 610
Carter, Jimmy, 543
casamento
arranjado, 454, 459-61, 469-70
atrito, 459, 483-4
base evolutiva do, 484, 490-2, 499
como transferência da noiva, 515
declínio do interesse sexual, 494
entre pessoas de culturas diferentes, 454, 455
mercado, 439-40, 498
raridade alegada do, 454
ver também amor: companheiro, amor: romântico, poligamia, seleção de parceiro
Cashdan, Elizabeth, 402, 605, 609
categorias nebulosas ou difusas [*fuzzy*], 113, 138-42, 139, 328-32
categorização, 23-4, 113-6, *138-42*, 325-36, 344-7, 348, 379, 387, 388, 494, 589
Cavalli-Sforza, Luca, 599

Cave, Kyle, 291, 593, 601
celibato, 53-4
cena, análise da, *ver* percepção auditiva, percepção visual: de superfícies
cérebro
áreas da linguagem, 198, 289, 444
córtex cerebral, 36-7, 41-2, 46, 148, 149, 392, 436, 586
desenvolvimento, 46-7, 191, 254-8
e consciência, 148, 586, 590
e imagens mentais, 306
e mente, 32, 34, 35, 76, 82
e música, 563
evolução, 165-8, 191, 198-9, 207-9, 213, 427
hemisfério esquerdo em comparação com o direito, 289, 297, 390, 444
ver também amígdala, área de Broca, gânglios da base, hipocampo, lobos frontais, lobos parietais, lobos temporais, mapas corticais, neurônios, redes neurais, sistema auditivo, sistema límbico, tálamo
tecido neural
cérebro trino, 390, 438
Cerf, Christopher, 93, 595
Chagnon, Napoleon, 303, 401, 458, 524, 535-6, 573, 595, 601, 605, 606, 608, 609, 610
Chalmers, David, 596
chamados emocionais, 561, 562
Chamberlain, Wilt, 497
Chase, William, 602
Cheney, Dorothy, 599
Cheng, Patricia, 603
Cherniak, Christopher, 593
Chesterfield, lorde, 484
Chesterton, G. K., 387
chimpanzés
agressão e dominância, 391, 520, 538
alimentação, 140
caça por, 210
e evolução humana, 51-2, 202, 213, 214-5, 216
grupos, 207
imitação, 223
luto, 442
raciocínio, 376, 378
riso, 571, 579, 610
sexualidade, 391, 488, 491, 505
ver também bonobos
China, 59, 158, 482, 500, 538
Chomsky, Noam, 9, 42, 186, 348, 350, 554, 587, 594, 595, 596, 598, 603, 611
Church, Alonzo, 79

Churchill, Winston, 93, 410, 575
Churchland, Paul, 106, 595, 596
ciclopes, 234, 237, 245
ciência cognitiva, 15, 34, 71, 147, 202, 226, 575
  ver também desenvolvimento: da cognição,
    filosofia, inteligência artificial, linguagem,
    percepção,
  psicologia cognitiva
ciência social darwiniana, *ver* darwinismo social
cinemática invertida, 40
cinesia, 282-3
cingulado anterior, 157, 586, 34
ciúme, 128, 385, 389, 449, 454, 478, 490, 501,
    503, 512-6
civilização, 53, 145, 165, 321, 322, 325, 361, 362,
    389, 390, 392, 484, 500, 529
  ver também meio ancestral
Clark, R., 136, 196, 493, 607
clima, 38, 160, 182, 203, 329, 396, 581
Clynes, Manfred, 563, 610
cobras, medo de, 208, 304, 407, 408, 409-10
cócegas, 572, 579
cognição animal, 36, 96, 129-30, 136, 194-7, 358,
    366, 376, 587
cognição do bebê, 43, 336, 339, 342, 350, 358
cognição espacial
  animal, 194-7, 376
  humana, 278-85, 312-6, 360, 373-6, 397
  ver também imagens mentais, mapas mentais
Cohen, Neal, 135, 596, 597, 605, 609
Cole, Michael, 322, 602
coleta de alimentos, 53, 62, 207, 208, 319, 357,
    359, 404, 500, 605
coletores de alimentos
  agressão e guerra, 62, 521, 535-6, 541, 543
  compartilhamento em comparação com egoís-
    mo, 529-45
  conflito entre, 396
  desigualdade, 524
  dominância, 520, 524
  engenhosidade, 203-5, 303-4, 319
  expressões faciais, 385
  humor, 572-3
  infanticídio, 465-7
  mortalidade infantil, 475-6
  nomadismo, 395-6
  percepção, 231
  raciocínio lógico, 357
  religião, 581
  representativos dos ancestrais humanos, 32
  sexualidade, 212, 492, 503
  síndrome de amoque, 384

  ver também aborígenes australianos, ache, es-
    quimós, //gana san, ianomâmi,!kung san,
    kwakiutl,
  nativos americanos, shiwiar, wari,!xô, ye'k-
    -wana
comer, 45, 50-1, 69, 140, 211, 222-3, 398-406, 550
comer carniça, 202, 211, 400, 402
compaixão, *ver* simpatia
comparação social, 412-3
competição de espermatozoides, 487-9, 491, 503
complexidade, 30, 33, 69, 104, 108, 164, 166, 167,
    174-6, 178, 180, 319, 446
  ver também design complexo
complexidade adaptativa, *ver* design complexo
complexo de Electra, 468, 469
Complexo de Portnoy, 406
compositividade, 130-4
  ver também análise combinatória
computação, 47, 77-80, 80-8
computação analógica, 310
computadores, 26, 27, 28, 34, 35, 37, 43, 44, 78,
    80-2, 88, 89, 93, 94, 96, 103, 108, 112, 115,
    116, 126, 135, 145, 148, 149, 155, 185, 236,
    241, 249, 273, 278, 280, 311, 320, 335, 379,
    588, 595
conceito de tempo, 373-6
conceitos
  contrapostos a imagens mentais, 316-7
  ver também categorização, indivíduos
concordância, 471, 477
condicionamento, 68-9, 73-5, 194, 196, 304, 390,
    408, 557
conexionismo, 109-23, *123-44*
confiança, 114, 367-70, 427, 453, 454, 483, 532,
    534, 563, 568, 576, 582
conflito entre pais e filhos, 460, *463-74*, 568
Confúcio, 23
conhecimento, problema do, 584, 585, 590
Connors, Jimmy, 413
consciência, 29, 62, 71, 108, *144-61*, 195, 236,
    253, 258, 448, 471
  acesso a informações, 147-57, 160, 443-4, 588
  autoconhecimento, 146-7
  benefícios evolutivos da falta de acesso, 426,
    443-6
  benefícios evolutivos do acesso, 152-7, 589
  correlativos neurais do acesso, 149, 586, 588
  sensibilidade, 71, 90, 105, 157-61, 394, 583,
    586, 588, 590-1
construtivismo social, 57, 59, 68-9, 231, 327, 385,
    490, 516-7

ver também desconstrutivismo, Modelo Clássico da Ciência Social, pós-modernismo

consumo conspícuo, 416, 437, 518, 525-7, 547-8

contracepção, 53, 223, 393, 492, 494

controle motor, 20-2, 40, 45, 98, 157, 230, 237-8, 280, 307, 336, 337
   e música, 562-3
   ver também movimentos oculares

Cooke, Deryck, 559, 610

Coolidge, Calvin, 494

Cooper, Lynn, 293-4, 297-300, 601

cooperação, 49, 204, 207, 355, 393, 406, 427, 450, 476, 541, 543, *527-31*, 568, 580

cópia eferente, 281

Coppens, Yves, 217, 599

coragem, 409, 541, 581

Corballis, Michael, 294, 598, 601

corrida armamentista cognitiva, 208-9, 427

Corry, James, 70

Cosmides, Leda, 10, 34, 36, 48, 56, 60, 323, 357-8, 366, 368, 395, 425, 531, 532, 534, 538, 539, 540, 542, 593, 594, 595, 597, 598, 599, 602, 603, 604, 605, 606, 607, 609, 610, 611

Costello, Elvis, 449

crânio, 46, 96, 158, 213, 214-5, 224, 235, 258, 467, 584

Craver-Lemley, C., 601

Crevier, Daniel, 595, 604

criacionismo, 51, 176, 184, 319, 345, 436

criatividade, 380-2

Crick, Francis, 148, 149, 157, 304, 595, 596, 597

cristianismo, 462, 499, 502, 537
   ver também religião

Cro-Magnon, 214-5, 218, 313
   ver também Paleolítico, alto

Cronin, Helena, 594, 605, 606, 607, 608, 609

cubismo, 313

cubo de Necker, 118, 251, 259, 272

culpa, 385, 426, 427, 448, 449, 484

cultura, 28, 29, 38, 43, 44, 56-8, 63, 69, 145, 164, 205, 224, 226, 352, 386, 544, 547, 594, 599
   de crianças, 470-3

Cummings, Robert, 26

Dalai Lama, 544

Dali, Salvador, 227

Daly, Martin, 416, 434, 455-7, 465, 469, 514, 516, 521, 522, 594, 599, 604, 605, 606, 607, 608, 609

Damasio, Antonio, 156, 597, 604, 606

dança, 546, 562-3

Daniels, D., 607

Darrow, Clarence, 400

Darwin, Charles, 175, 176, 177, 180, 183, 184, 185, 186, 187, 188, 192, 199, 210, 224, 525, 594, 597, 598, 602, 603, 604, 605, 610
   sobre adaptação, 52, 54
   sobre classificação, 344-5
   sobre design complexo, 33-4, 170-1
   sobre emoções, 385-6, 435, 436, 437
   sobre evolução do olho, 172-3
   sobre mente e cérebro, 76
   sobre mente humana, 318, 320
   sobre música, 561-2
   sobre natureza, 62
   sobre seleção individual, 418
   sobre seleção sexual, 487
   temperamento revolucionário, 477

darwinismo, *ver* adaptação, seleção natural

darwinismo social, 56, 222-3

Davidson, Richard, 604, 606

Davies, Paul, 319, 598, 602

Dawkins, Richard, 47, 55, 56, 145, 168, 172, 174, 224, 334, 419, 423, 594, 597, 598, 599, 602, 605, 606, 607, 608, 609

De Jong, Gerald, 597

Deacon, Terence, 598, 599

Declaração sobre a Violência de Sevilha, 57, 62, 594

DeGeneres, Ellen, 227, 244

Dehaene, Stanislaus, 603

Demons (na computação), 81-8, 91, 103, 110, 112, 118, 121, 122, 123, 143, 153, 156, 270, 274, 393

Denis, Michel, 601

Denison, D. C., 595, 607

Dennett, Daniel, 25, 66, 90, 109, 145, 156, 159, 161, 179, 349, 593, 594, 595, 596, 597, 598, 599, 602, 603, 605, 611

dentes, 169, 175, 213, 214-5, 219
   bonitos, 507-8

depressão pós-parto, 466

Dershowitz, Alan, 371, 595

desabrigados, sentimento pelos, 530-1

Descartes, René, 89, 586

desconstrutivismo, 59, 68, 327
   ver também pós-modernismo, construtivismo social

desconto do futuro, 414-8

desenvolvimento
   da cognição, 43, 336-40, 341, 346, 347, 350, 358-60, 379
   da percepção, 255-8, 290, 337
   de preferências alimentares, 401-6

do cérebro, 46-7, 191, 254-8
do medo, 408-10
ver também aprendizado, infância, percepção do bebê, primeira infância, cognição do bebê
design complexo, 42, 169-70, 185-9, 172, 174, 175, 225, 390
desmame, 464, 469, 474
despotismo, 500, 502, 515, 543
desvio genético, 47, 173, 216
detectores de trapaceiros, 357-8, 424-7, 529, 532, 541
determinismo, 345
Deus, 14, 33, 134, 170, 187, 260, 295, 363, 381, 436, 452, 537, 575, 580, 582, 585, 611
DeVore, Irven, 202, 210, 407, 597, 598, 599
Diamond, Jared, 599, 609
dicotomia madona-prostituta, 504
Diener, Ed, 413, 605
Dietrich, E., 595, 596
diferenças entre os sexos, 60-1, 61-3, 483, 516
agressão, 521-3, 540
ciúme, 512-5
corpos, 213, 484-9, 491
critérios de atratividade, 507-12
divisão do trabalho, 201, 212
investimento paterno, 486-90, 491, 492
poligamia, 499-502
santidade durante a guerra, 536
seleção de parceiros, 502-6
sexualidade, 490, 492-9
diferenças individuais, 45, 60
dilema do prisioneiro, 528-9, 568, 580, 609
dinâmica invertida, 40
Dinesen, Isak, 574
dinheiro, 413, 528
discriminação sexual, *ver* mulheres, exploração das
discurso, 81, 577
dislexia, 45
dissonância cognitiva, 444-5
distúrbio maníaco-depressivo, 45
distúrbios do apetite, 30, 50, 401
divisão do trabalho, 201, 212, 322, 449, 517
divórcio, 471, 482, 483, 516
DNA mitocôndrico, 217, 486
Dobzhansky, Theodosius, 226
doença, adaptações contra, 403, 485, 507-10
2001: Uma odisseia no espaço, 26, 224
Dole, Robert, 370
dominância, 62, 335, 488, 518-23, 535
e humor, 576, 578-9

Dostoievski, Fiodor, 610
dotes e preços de noivas, 459, 498, 515, 516
Dr. Strangelove, 429, 430, 432, 434, 435, 605
Dr. Who, 13
Drake, Frank, 163, 164, 165, 597
Dretske, Fred, 594, 595
Dreyfus, Hubert, 595
drogas, 204, 324, 343, 387, 407, 440, 448, 521, 522, 531, 549
Dryden, John, 564, 610
duelo, 519, 521, 522
Dunbar, Robin, 607
Duncan, John, 597
Durham, William, 599
Dworkin, Andrea, 497, 607
Dyer, Michael, 597, 602
Dylan, Bob, 522, 560

Eagly, Alice, 607, 608
economia
da beleza, 509-10, 512
da cooperação, 49, 424, 427, 527, 529
da felicidade, 414-8
da negociação, 431-2
da sexualidade, 498
da troca, 527-31
das ameaças, 432-3
das promessas, 431, 438
do amor, 439-40
do casamento, 501-2
do risco, 522, 530
do status, 522, 523-7
dos finais felizes, 565
dos riscos de crédito, 532-4
ecossistemas, 51, 52, 62, 174, 179, 188, 202, 204, 395-8, 418, 463, 477, 530
Edelman, Shimon, 601
Édipo, 91, 468, 480, 482, 483, 607
educação, 63, 322, 325, 362-3, 380
efeito Baldwin, 193, 598
efeito Lake Wobegon, 444, 606
Eibl-Eibesfeldt, Irenaus, 571, 607, 609, 610
Einstein, Albert, 14, 45, 260, 280, 291, 304, 363, 380
Ekman, Paul, 231, 385, 386, 389, 600, 604, 605, 606
Ellis, Bruce, 608, 609
Elman, Jeffrey, 137, 596, 598
emoção, 34, 156, 334, 383-446
e imagens mentais, 304
expressões faciais, 291, 385-6, 389, 394, 400, 436-8, 572

filogenia, 390-2

função adaptativa, 156, 389-95

modelo hidráulico, 69, 76, 576

na música, 553, 556-7, 559

neuroanatomia, 390-2

universalidade, 384-9

ver também afeição, amor, autocontrole, beleza, ciúme, confiança, culpa, desejo sexual, exaltação,

felicidade, gratidão, honra, medo, nojo, paixão, luto, raiva, simpatia, vergonha, vingança

emoções nos animais, 55

emoções simuladas, 426-7, 438, 443-6

Endler, John, 598

Engels, Friedrich, 529

engenharia intuitiva, *ver* artefatos

engenharia reversa, 32-4, 48, 50, 54, 129, 155, 179, 188, 202, 229, 321, 390, 392, 425, 438, 532, 550, 566, 575

enjoo no espaço, 282-3

enredos na ficção mundial, 449, 480, 566-9

enteados, 455-7, 459, 481, 482, 501

Epstein, David, 563, 610

Epstein, Robert, 145

esboço em 2 dimensões e meia, 273-82, 286, 287, 289, 292-3, 305, 309

escrúpulo, 323, 481

espécies, 36, 165, 197, 204, 213, 214, 215, 216, 218, 330-2, 344

esportes, 305, 367, 410, 495, 523, 539

Ésquilo, 610

esquimós, 211, 222, 385, 455, 500

esquizofrenia, 45, 59, 64

essência certa, 410

essencialismo, 343-7

Estado, *ver* governo

estatística, para psicologia, 322

ver também probabilidade

estereogramas, 69, 227, 230, 236-50, 251, 252, 253, 254, 255, 258, 587, 599

estereótipos, 68, 106, 138, 139, 328, 329, 330, 332, 333, 365, 409, 467, 479, 484, 493, 505

ver também categorização, etnocentrismo, racismo

estética, *ver* artes, beleza

estímulo-resposta, psicologia do, *ver* behavorismo, Skinner, B. F.

estratégia toma lá dá cá, 503, 529, 532

estupro, 58, 62, 65, 389, 449, 497, 516, 517

na guerra, 535, 538

Etcoff, Nancy, 291, 593, 601, 604, 606, 608, 609

ética

comparada à adaptabilidade evolutiva, 63, 422-3, 428, 450-1, 481, 492, 516, 538

conflito entre pais e filhos, 473

e causação de comportamento, 64-8, 584-5

e crença na natureza humana, 58-60, 61-3

e discriminação, 61, 332

e religião, 580, 585

e retribuição, 434-5

e sensibilidade, 161, 586

etnocentrismo, 332-3, 396, 405, 539

etologia, *ver* aves, cognição animal, dominância, emoções animais, insetos, instinto, investimento paterno, primatas, seleção sexual: em animais

eu, 583

Euclides, 235

eugenia, 56, 58

Eumênides, 610

Europa, evolução humana na, 214, 215, 218, 219

Eva mitocôndrica, 219, 220-1, 323

evolução

conservadorismo da, 52

da mente humana, 37, 48, 51, 52-4, *200-12*, 215, 318-21, 376-80

de mentes e cérebros, *189-200*

dos humanos, 34, 51-2, *214-21*

futura, 204

ver também cérebro, evolução, seleção natural

evolução cultural, 56, 145, 218, 221, *224-6*, 599

evolução lamarckiana, 172-3, 174, 193, 222-3, 225, 435

exaltação, 410

exaptação, 47-8, 185-6, 320

experimentos mentais, 70, 91, 107, 346

expressões faciais, *ver* emoção: expressões faciais

extinção, 204, 343, 423, 599

extroversão, 470, 477

Eyer, Diane, 607

fala, 22, 38, 81, 82, 93, 152, 157, 198, 251, 560, 562, 563, 594

falácia do jogador, 366-8

falácia naturalista, 57

falácia naturalista c, 61

falácia naturalista f, 63

falcão maltês, O, 434

Falkland, ilhas, 434, 435, 605

família, 453, 454-65

ver também parentesco

Faraday, Michael, 304

Farah, Martha, 308, 312, 593, 601, 602, 603

Fausto, 26

favoritismo de grupo, *ver* etnocentrismo, psicologia da coalizão, racismo

feixe prosencefálico medial, 549

Feldman, Jacob, 601

Feldman, Jerome, 596, 599

felicidade, 48, 410-4, 446, 492

feminismo
  acadêmico, 61, 454, 493, 516-7
  compatibilidade com psicologia evolucionista, 516
  e conflito entre pais e filhos, 473
  e Modelo Clássico da Ciência Social, 516-7
  e romantismo, 516-7
  oposição à psicologia evolucionista, 63, 516
  sobre beleza, 510, 511
  sobre sexualidade, 497, 506
  sobre violência contra as mulheres, 65, 513-4, 516-7, 538
  ver também mulheres, exploração de

Ferguson, Colin, 65

Fernald, Ann, 610

Festinger, Leon, 445, 606

Feynman, Richard, 295, 382

ficção científica, 13, 15, 25-6, 27, 41, 70-1, 71-3, 76, 107, 164, 221, 228, 449, 480, 564, 566

Fiedler, Klaus, 368, 604

Field, Hartrey, 595

Fields, W. C., 575, 610

Filho nativo, 610

filmes, 15, 69, 116, 157, 223, 224, 231, 240, 341-2, 403, 409, 410, 429, 446, 495, 498, 510, 551, 562, 563-9, 572

filosofia, 25, 546, 550, 574, *583-91*
  associacionista, 124, 127
  categorias, 138, 328
  cética, 228
  consciência c, 144-8, 157-61
  estética, 569-70
  imagens mentais, 305, 311-2
  livre-arbítrio, 66-8, 583-5
  probabilidade, 368-72
  problema da mente-corpo, 89-91
  realidade, 336
  significado, 91-3, 324, 343, 349-50
  ver também ética, lógica

filosofia moral, *ver* ética

fingir, 350, 352

Finke, Ronald, 312, 600, 601, 602

Fisher, Helen, 593, 597, 606, 607

física, 38, 39, 73, 77, 104, 107, 108, 109, 110, 171, 172, 175, 178, 180, 205, 294, 295, 327, 329, 334, 336, 338-41, 340, 547, 566, 575, 576, 582

física intuitiva, 334, *336-41*, 342, 362, 375, 378, 379

fisiologia, 33, 38, 42

Fiske, Alan, 609

Fitzgerald, F. Scott, 610

Fleiss, Heidi, 498

flexibilidade, 104, 199, 202, 471

fobias, 304, 366, 406-10

Fodor, Jerry, 35, 42, 89, 90, 594, 595, 596, 602, 603

fofoca, 531, 565-70

fotografia, 17, 39, 90, 162, 223, 231, 239, 246, 263, 264, 265, 296, 313, 386, 495, 551

Foucault, Michel, 59

Fox, Robin, 606

Frank, Robert, 434, 438, 439, 593, 605, 609

Frankenstein, 26

Frayn, Michael, 27

Freeman, Derek, 57, 389, 593, 594, 601, 604

Freeman, Roy, 291, 600

French, Michael, 181, 593, 598

French, Robert, 600

Freud, Sigmund, 69, 76, 147, 175, 222, 339, 412, 469, 479, 483

Freyd, Jennifer, 601

Fridlund, Alan, 605

Frith, Uta, 351, 352, 603

Frost, Robert, 453, 532, 606

Fuller, Buckminster, 353

funcionalismo, na linguística, 222-3

Galbraith, John Kenneth, 448

Galeno, 22, 593

Galileu, 325, 380

Gallistel, C. Randy, 194, 594, 598, 603

//gana san, 530

gânglios da base, 391

Garbo, Greta, 63, 565

Gardner, Howard, 594

Gardner, Martin, 294, 599, 600, 601

Garn, Jake, 282

Gaulin, Steven, 598

Gazzaniga, Michael, 444, 604, 606

Geary, David, 339, 360, 362, 603

Gell-Mann, Murray, 175, 598

Gelman, Rochel, 602, 603

Gelman, Susan, 346, 347, 594, 603

gêmeos, 31-2, 43, 56, 128-9, 197, 424, 440, 471

generalização, 23, 96-100, 138-42
  em redes neurais, 118-20, 125, 142

ver também biologia intuitiva, categorização

gênero, *ver* diferenças entre os sexos

genes

    determinismo, 57-8, 64-6

    e mente, 31-2, 34, 64, 352

    e visão estéreo, 255

    em comum com chimpanzés, 51-2

    para características mentais, 45-6

    recombinação sexual, 60

    ver também seleção genética

genes egoístas, 55, 418-23, 427, 442, 446

    ver também altruísmo, seleção genética, seleção por parentesco

genética do comportamento, 31-2, 43, 56, 352, 471-2

genética mendeliana, 49, 177, 332, 420-1, 452, 479, 480

    molecular, 60, 175, 182, 186, 296, 590

    população, 177, 217, 220-1

gênio, 380-2

geometria, 40, 66, 234, 284, 300, 301, 310, 323, 353, 360, 467, 508, 587

géons, 288-90, 292, 293, 297, 298, 299, 305, 309, 552

Gergely, G., 603

Getty, J. Paul, 506

gibões, 36, 489, 491

Gibson, J. J., 281, 601

Gigerenzer, Gerd, 366, 368, 369, 371, 372, 603, 604

Gilbert, W. S., e Sullivan, A., 52

Gilden, David, 340, 603, 604

Gilleland, Michael, 567, 610

Gilovich, Tom, 603, 606

Glasgow, Janet, 601, 602

Gleitman, Henry, 139, 596, 602, 603, 610

Gleitman, Lila, 139, 596, 602

Golem, 14, 26

golfinhos, 164, 207, 538

Gombrich, E., 610

Goodall, Jane, 442

Goodman, Nelson, 569, 610

Gopnik, Alison, 351, 603

Gordon, Mary, 63, 595

Gore, Tipper, 440

gorilas, 36, 140, 145, 207, 209, 220, 319, 488, 489, 491, 503

gostar, 425, 532

Gould, James, 196, 598

Gould, Stephen Jay, 47, 54, 145, 146, 166, 178, 182, 185, 320, 331, 365, 467, 594, 597, 598, 602, 605, 607

governo, 435, 461-3

graciosidade, 467

Grafen, Alan, 525

grafos, 379

gramática, 79, 117, 140, 288, 350, 353, 387, 554, 595

Grande Cadeia da Existência, 164, 197, 320

grande Gatsby, O, 610

grandes macacos

    corpo dos, 209

    dominância, 520

    e humanos, 34, 51-2, 201, 205, 488

    grupos, 207-8

    paternidade, 489

    sexualidade, 488

    ver também Australopithecus, bonobos, chimpanzés, gibões, gorilas, *Homo*, orangotangos

Grant, Hugh, 498

Grant, Peter, 176

Grant, Rosemary, 176

gratidão, 394, 418, 426, 427, 532

gravidade, 108, 175, 262, 281-3, 285, 293, 339, 340, 551, 586

gravidez, 50-1, 55, 59, 388, 474, 480, 491, 494, 509, 510, 594

Greenwald, Anthony, 606

Gregory, Richard, 600, 610

Grossberg, Stephen, 596

Gruber, Jeffrey, 604

grupo mínimo, 538

guerra, 57, 58, 62, 67, 201, 250, 352, 378, 391, 409, 428, 442, 460, 486, 502, 514, 534-42, 543, 545

Guerra da Bósnia, 174

Guerra do Vietnã, 59, 538

Guerra dos Cem Anos, 537

Guerra dos Seis Dias, 92

Guerra Fria, 69

Guerra Mundial, I, 538

Guerra Mundial, II, 163, 399, 538, 545

Guerra nas estrelas, 13

Guthrie, Woody, 557

Hadley, Robert, 596

Haig, David, 465, 606

Haldane, J. B. S., 421

Haley, Bill, 556

Hamer, Dean, 67, 595

Hames, Raymond, 572, 573

Hamilton, Alexander, 522

Hamilton, Thomas, 383

Hamilton, William, 421, 485, 528, 594, 605, 606, 607, 609

Hamlet, 14, 145, 610
haréns
    animais, 489-90, 491, 519, 538
    humanos, 500, 515, 543
Harpending, H., 599
Harris, H. Yoni, 606
Harris, Judith, 471-3, 476, 599, 602, 607
Harris, Marvin, 404-6, 605, 608, 609, 611
Harrison, George, 553
Harrison, Rex, 560
Hartley, David, 125
Hartung, John, 609
Harvey, William, 33, 180
Hatano, Giyoo, 347, 603
Hatfield, Elaine, 493, 593, 606, 607
Hauser, Marc, 407, 597, 598, 599, 603, 606, 608, 609, 610
Hawthorne, Nathaniel, 610
Hebb, D. O., 304, 407, 601
Heerwagen, Judith, 396, 397, 398, 604, 610
Hefner, Hugh, 496
Heider, Fritz, 341, 603
Held, Richard, 255, 257, 600
Helena de Troia, 537
Hemingway, Ernest, 304
Hendler, James, 595
Henrique v, 537, 538, 609
Henrique viii, 463
Herrnstein, Richard, 416, 605
Hill, Kim, 607, 608, 609
Hillis, Argye, 603
Hinckley, John, 64
hindus, 325, 404
Hinton, Geoffrey, 122, 133, 140, 142, 143, 192, 193, 596, 597, 598, 601
hipocampo, 101, 198
Hirschfeld, Lawrence, 594, 602, 603
Hitchcock, Alfred, 240, 283
Hitler, Adolf, 291, 406, 446, 606
Hobbs, Jerry, 566, 610
Hoffman, Donald, 594, 600, 601
Hoffman, Dustin, 352
Hofsten, C. von, 602
Holloway, R., 598, 599
Holyoak, Keith, 603
Homero, 145
homicídio, 65, 384, 449, 451, 456, 457-8, 502, 513, 514, 516, 521, 522, 543
Homo erectus, 214-5
Homo habilis, 211, 214-5, 216, 217
Homo sapiens, 34, 49, 62, 145, 371, 393, 395, 453, 491, 546, 587

arcaico, 214-5
evolução do, 52, 200-2, 214-5, 216-21
propriedades do, 52, 200-2, 395-6
homossexualidade, 59, 63, 67, 68, 496, 497, 499
homúnculo, 90, 91, 96, 103, 156, 164, 270, 274
honra, 384, 435, 469, 521, 522, 529
Horácio, 564, 610
Horgan, John, 594, 598
Hrdy, Sarah Blaffer, 57, 594, 607
Hubel, David, 256, 257, 600
humanidades, 68, 345
    ver também artes
Hume, David, 124, 125, 587, 596
humor, 48, 104, 146, 162, 185, 325, 334, 336, 385, 398, 444, 498, 507, 546, 548, 549, 570-9, 585
    sexual e escatológico, 573-6
Humphrey, Nicholas, 597, 599
Hurst, Lawrence, 607
Huxley, Thomas, 144, 597

ianomâmi, 303, 401, 456, 458, 506, 514, 524, 535-6, 538, 541, 544, 573, 601, 605, 606, 610
idealização, 66-8, 108, 234, 289, 290, 331-2, 340, 458, 602
igualitarismo, 57, 157, 447-51, 502, 530, 544
Ilíada, 537
Iluminismo, 228
ilusões, 14, 18, 29, 40, 76, 159, 170, 223, 227-30, 511, 516, 551
    conjunções, 154
    contornos (Kanisza), 276
    de parentesco, 481-3
    e arte, 551
    e narrativa, 564, 565
    estereogramas c, 235
    estereogramas f, 250
    forma e sombreado, 16, 40, 259-60, 264, 266, 268, 272
    induzidas por imagens mentais, 307
    orientação e forma, 284-5
    tamanho e profundidade, 18, 232
    vaso-rosto (Ruben), 277
imagem retiniana, 15-20, 18, 39, 95, 169, 228-30, 231-2, 235, 236, 237, 241, 242, 244, 250, 257, 259-60, 273, 274, 277, 279-83, 551
imagens mentais, 100, 222, 289, 303-17, 359, 361, 379, 513, 552, 564
    ver também rotação mental
imagens no espelho, ver analogia com a mão
imigrantes, 406, 419
imperativo territorial, 38, 450
incesto, 462, 478-83, 516

inconsciente, *ver* consciência

indivíduo, conceito de, 126-30, 325, 424, 440, 494

infância, 205, 208, 256, 258, 350, 403, 453, 454, 471, 472-5, 475-8, 482, 491

infanticídio, 207, 409, 457, 465-8

inferência bayesiana
    crueldade de, 62
    na percepção, 260-2, 268-70, 272
    no raciocínio, 364, 368, 369

informação, 34, 35, 77, 95, 148-50, 155, 189-90, 205

insetos, 168, 177, 345, 376
    altruísmo de grupo, 428, 452
    camuflagem, 250
    como alimento, 399-400, 404
    evolução das asas, 184-6
    guerra, 428, 538
    locomoção, 21
    navegação, 194-6
    paternidade, 489

instintos, 37, 57, 62, 104, 194-7, 199-200, 363, 368, 372, 391, 404, 410, 446, 450, 470, 544, 576

inteligência, 24, 25, 26, 37, 38, 44, 52, 71, 88, 108, 124, 146, 166, 167, 168, 188, 193-213, 566
    definição de, 71-3, 393-5
    evolução da, *197-213*
    explicação da, 73-80
    ver também teoria computacional da mente

inteligência artificial, 15, 43, 90, 93-4, 105, 115, 126, 156, 393
    busca de objetivos, 25-9, 80-8, 393-5
    e literatura, 566-9
    emoções, 394-5
    raciocínio, 73-5, 93, 141, 305, 335
    robótica, 20-240, 394
    visão, 15-20, 39-40, 48
    ver também computação, conexionismo, redes neurais, robôs: desafio de construir, teoria computacional da mente

inteligência extraterrestre, 72, 163-4, 393

inteligência maquiavélica, 208-9
    ver também autoengano, detectores de trapaceiros

intencionalidade, 35, 91-3, 105

intimidação, 428, 430, 431-5, 436, 443, 514, 521-2, 523, 526, 536, 544

investimento
    feminino, 486-7
    masculino, 487, 490
    materno, 454, 463, 473, 491

paterno, 454, 461-3, 463-70, 466, 474-8, 487, 489, 491, 493, 503, 504, 512, 543
    por homens, 201, 205, 212, 213, 492, 499, 504, 512

irmãos, 463-5, 470, 471, 474-83

Islã, 405, 500

Jackendoff, Ray, 146, 151, 373, 378, 554, 557, 558, 563, 594, 595, 597, 599, 600, 604, 610

Jackson, Andrew, 522

Jackson, Michael, 130, 369

Jacó, 515

James, William, 73, 199, 239, 307, 336, 339, 438, 443, 595, 598

Jane Eyre, 610

Jaynes, Julian, 145, 597

Jepson, Alan, 600

Jerome, Jerome K., 443

Jesus, 462, 580, 611

Joel, Billy, 506

jogo, 66, 129, 138, 173, 187, 319, 320, 328, 329, 363, 379, 416, 425, 432, 439, 444, 476, 521, 522, 528, 529, 539, 540, 565, 568

Johnson, Marcia, 601

Johnson, Mark, 378, 604, 608, 609

Johnson, Mark H., 601

Johnson, Samuel, 144, 209, 392, 515, 597

Johnson-Laird, Philip, 595, 600, 601, 603, 604

Jolicoeur, Pierre, 602

Jones, Indiana, 407, 573

Jones, Steven, 599

Jong, Erica, 483

Jordan, Michael, 137, 596

Jornada nas estrelas, 13, 159, 164, 236, 335, 354, 392, 564

Joyce, James, 518, 566

judeus
    circuncisão, 172, 466
    leis *kosher*, 404-5, 406
    monogamia, 499
    naches, 385
    perseguição de, 163, 415, 572

Julesz, Bela, 246-7, 250, 600

Kael, Pauline, 567

Kafka, Franz, 566

Kagan, Jerome, 610

Kahn, Herman, 430

Kahneman, Daniel, 363-6, 411, 603, 604, 605

Kamin, Leon, 56, 64, 594

Kanisza, triângulo de, 276

Kaplan, H., 607, 608, 609

661

Kaplan, Rachel, 396, 397
Kaplan, Stephen, 396, 397, 604, 610
Kasparov, Gary, 93
Kauffman, Stuart, 174, 175, 598
Kawamoto, Alan, 135, 596
Keeley, Lawrence, 535, 609
Keil, Frank, 346, 348, 596, 602, 603
Keillor, Garrison, 444
Kekulé, Friedrich, 304
Kelly, Grace, 240
Kelly, Michael, 602, 603
Kelman, Philip, 337-8
Kelvin, lorde, 94
Kenrick, D., 608, 609
Kepler, Johannes, 245, 259
Kernighan, Brian, 102, 596
Ketelaar, Timothy, 413, 605
kibbutz, 482
King, Martin Luther, 30, 544
Kingdon, Jonathan, 599, 602, 609
Kingsolver, Joel, 184-5, 598
Kissinger, Henry, 430, 506
Kitcher, P., 594, 598, 605
Knill, David, 600
Koch, Christof, 148, 149, 595, 597
Koehl, Mimi, 184-5, 598
Koehler, J., 604
Koestler, Arthur, 89, 570, 571, 575, 576, 610
Konner, Melvin, 531, 602, 603, 607, 609
Kosslyn, Stephen, 89, 308, 311, 595, 601, 602
Kowler, Eileen, 600
kpelle (Libéria), 322, 323
Kubovy, Michael, 600, 602, 610
!kung san, 62, 514, 530, 531
Kunstler, William, 65
kwakiutl, 524

La Rochefoucauld, François, 445
Lachter, Joel, 596
laços (maternos), 467
Lakoff, George, 331, 378, 599, 602, 603, 604, 609
Lamarck, Jean Baptiste, 172, 222, 225, 599
Land, Edwin, 263-5, 600
Landau, Barbara, 601, 603
Landsburg, Steven, 501, 565, 608, 610
Langlois, Judith, 608
Larson, Gary, 116, 608
Lazarus, Richard, 604, 606
Leakey, Meave, 599
Lebowitz, Fran, 507, 608
Lederer, Richard, 567, 605, 610
LeDoux, Joseph, 604

lei de Emmert, 18
Leibniz, Gottfried, 376, 604
leitura, 97, 101, 116, 154, 227, 314, 363, 571
Lenat, Douglas, 593, 602
leninismo, 462, 543
Lennon, John, 452
Leonardo da Vinci, 219, 233, 234, 235, 236, 253, 259, 313, 551, 599, 600
Lerdahl, Fred, 554, 557, 558, 610
Leslie, Alan, 351-2, 602, 603
letra escarlate, A, 610
Levant, Oscar, 412
Levin, Beth, 604
Lewis, David, 603, 604
Lewontin, Richard, 56, 64, 179, 594, 598
ligações sexuais (de curto prazo), 502-4
Lincoln, Abraham, 134, 314
Ling, Charles, 596
linguagem
    caráter combinatório, 99
    e conexionismo, 97, 124, 130-4, 137
    e emoção, 386-8
    e evolução, 179, 198, 201, 205, 424
    e forma, 288-9
    e música, 553-4, 559-60, 563
    e pensamento, 81-2, 97, 99, 517
    e psicologia intuitiva, 350
    em crianças, 377, 472
    representações mentais para, 100-2, 151
    ver também discurso, fala, gramática, leitura, palavras, representações mentais
literatura, 144, 262, 389, 449, 510, 546, 564-9, 572
livre-arbítrio, 64-8, 200, 584, 585, 586, 587, 590
lobos frontais, 101, 149, 157, 197, 392, 597
lobos parietais, 198, 307
lobos temporais, 198, 392
Locke, John, 124, 125, 315, 318
lógica, 79-80, 109-10, 111, 122, 134-5, 141, 143, 159, 195, 203, 295, 322, 324, 329, 335, 353, 354-8, 360, 363, 373, 415, 566
    ver também raciocínio: lógico
Lopes, Lola, 604
Lorenz, Konrad, 467, 519
Love and death [A última noite de Boris Grushenko], 567
Lovett, Lyle, 506
Lowe, David, 600, 601
lua, percepção da, 251, 262, 266
Lumsden, Charles, 599
Luria, A. R., 597
luto, 442-3, 443, 446, 475

Lykken, David, 594, 605

Mac Lane, Saunders, 360-1, 603
macacos
    cérebros de, 197, 198, 205
    chamados de reunião, 571, 579
    dominância, 520
    fofoqueiros, 208
    paternidade, 489
    sistema visual, 255-6, 305
    vida em grupo, 207
    visão estéreo, 250
MacGraw, Ali, 565
MacLean, Paul, 390, 604
Macnamara, John, 354, 603
MacWhinney, Brian, 222, 599
Madame Bovary, 610
mães, 59, 129, 220, 332, 352, 385, 402, 454, 456, 465-8, 473, 503, 512
Maimônides, 405
Malinowski, Bronislau, 504
Maloney, Lawrence, 600
mamíferos, 47, 51, 180, 184, 197, 198, 206-7, 209, 210, 211, 327, 332, 391, 463, 487, 489, 494, 522, 555
Mandler, Jean, 603
Mansfield, Jane, 510
Mao Tsé-Tung, 533
mãos, 22, 205, 209, 213, 214-5, 216, 217
mapas corticais, 305-6, 309
mapas mentais, 194-7, 203, 312-7, 396, 397
maquiagem, 265, 449, 510, 511, 564
máquina de Turing, 79-80, 80, 112
Máquina do Fim do Mundo, 428-9, 430, 432, 434, 438, 443, 514, 521
Marcel, Anthony, 597
Marcus, Gary, 596
Marinov, Marin, 596
Markman, Ellen, 603
Marks, Isaac, 407, 409, 604, 605
Marr, David, 229, 230, 250-3, 276, 277, 287, 288, 292, 593, 594, 595, 600, 601
Marschack, A., 599
Marshall, J. Howard, 506
Martin, Judith, *ver* miss Manners
Martin, Steve, 157
Marx, Groucho, 175, 227, 441
Marx, Karl, 529
marxismo, 58, 454, 529
masoquismo, 49, 565

matemática, 78-80, 108, 168, 174, 175, 177, 206, 275, 320, 321, 327, 329, 358-63, 368, 379, 380, 588, 589, 590
Maxwell, James Clerk, 106, 304
Maynard Smith, John, 519, 593, 594, 597, 598, 599, 605, 609
Mayr, Ernst, 164, 180, 594, 597, 598, 599, 602, 603
Mazel, C., 601
McClelland, James, 124, 135, 140, 596
McCloskey, Michael, 135, 339, 596, 597, 603
McCulloch, Warren, 110, 111, 122, 596
McGinn, Colin, 144, 583, 585, 587, 589, 595, 597, 611
McNaughton, Bruce, 596
Mead, Margaret, 57, 388, 449, 594
mecanismos de defesa do ego, 444
Medin, Douglas, 596, 602
medo, 364, 385, 386, 394, 406-10, 413, 436, 571, 605
Mehler, Jacques, 596
meio ancestral, 29, 32, 41, 47, 48, 51, 53, 57, 63, 205, 229
    alimento, 403-4
    parentesco, 454, 478, 481
    percepção, 228-9, 260-5, 265-6, 272
    perigo, 407-10
    previsibilidade, 416, 418
    raciocínio, 323, 361, 365-8
    sexualidade, 491, 510
meio ancestral c, 395-8, 549-51
memes, 145, 224-6
memória
    com conteúdo endereçável, 115, 123
    de curto prazo, 83-8, 101, 112, 137, 147, 149, 151
    de longo prazo, 81, 83-8, 101, 137, 149, 152
    em modelos de computador, 83, 112, 115, 137
    episódica em contraste com semântica, 136
    sistemas múltiplos, 136
    ver também imagens mentais
Mencken, H. L., 426, 523, 579, 585
Mendel, Gregor, 177
Menendez, Lyle e Erik, 65
mentalês, 82, 97-100, 101-2, 103, 123, 124, 134, 135, 229, 288, 305, 309, 375, 376
    e redes neurais, 130-7
    ver também representações proposicionais
mentir, 323, 443-6, 580
mercado de ações, 174, 364
metáfora, 55, 155, 156, 372-9, 387, 451, 590
    altruísmo como parentesco, 452

argumentação como guerra, 378, 523

emoção como hidráulica, 69, 76, 576

mulheres como propriedade, 514-6, 543

sexo com mulheres como um bem precioso, 497

status como virtude, 518

metáfora do computador, 34, 37-8, 42, 44, 67, 117, 126, 334

método Stanislavsky, 437, 443

Mill, John Stuart, 100, 125, 323, 595

Miller, George, 95, 353, 595, 598, 599, 600, 603, 604

Millikan, Ruth, 595

mímica, 138

Mineka, Susan, 605

Minsky, Marvin, 35, 156, 594, 596, 597, 604

miss Manners (srta. Boas Maneiras), 212

Mitford, Nancy, 456

moda, 145, 227, 289, 379, 507, 510, 526, 527, 547, 553

ver também vestuário

Modelo Clássico da Ciência Social, 56-8, 60, 63, 68, 125, 594

Mondrian, Piet, 264

Monk, Thelonius, 380

Monroe, Marilyn, 510

Montello, Daniel, 600

Morris, Richard, 596

Morton, John, 601

Moscone, George, 65

Moscovitch, Morris, 291, 601

Mosher, Terry, 139

Moss, Kate, 510

motivação, 25-9, 57, 388, 392-5

Mount, Ferdinand, 461, 606

movimentos oculares, 237-9, 241, 243, 274, 279-81, 311

Mozart, Wolfgang Amadeus, 14, 162, 380, 381, 382, 548, 556

Mozer, Michael, 597

MRI (Magnetic Resonance Imaging), *ver* neuroimagem

mulheres, exploração de, 59, 61, 65, 69, 449, 455, 456, 461, 473, 483, 496, 500, 502, 511, 514, 515, 516, 517, 535, 536, 537, 538, 543

Murphy, Gregory, 602

música, 48, 76, 100, 144, 162, 188, 353, 448, 546, 548, *553-63*, 591

e emoção, 553, 556-7, 559-61, 561-3, 570

e linguagem, 553-4, 559-60, 563

Myers, David, 413, 605

Nagel, Thomas, 597, 599

Nakayama, Ken, 253, 254, 600

namoro, 392, 439, 441

ver também seleção de parceiro

narrativa, *ver* literatura

NASA, 163, 282, 283

Nash, Ogden, 204

National Geographic, 507

nativos americanos, 396, 406, 535

náusea e vômito, 50-1, 282-3, 399, 594

Navasky, Victor, 93, 595

navegação, 194-7, 202, 598

Navon, David, 597

nazismo, 163, 430, 462

Neanderthals, 216, 217, 218

Needham, Amy, 602

negociação, 76, 431-3, 459, 504

Neisser, Ulric, 322, 593, 602

nepotismo, 58, 458, 459, 462

ver também parentesco

Nesse, Randolph, 409, 604, 605, 606

neurociência, 88, 94, 95, 109, 159, 160

ver também cérebro

neuroimagem, 150, 273, 308

neurônios, 34, 35-7, 46, 82, 94, 95, 108, 110

neuropsicologia, 30-1, 197, 289-92, 307-8, 347

neuroticismo, 31, 471

Newell, Alan, 35, 73, 95, 149, 594, 595, 596, 597

Newton, Isaac, 55, 167, 235, 280, 332, 339, 340, 341

nicho cognitivo, 200-5, 213, 216, 343, 394

Nickerson, Raymond, 314, 602

Nimoy, Leonard, 564

Nisbett, Richard, 596, 602, 603, 605, 609

nojo, 386, 388, 389, 398-406, 400

Norman, Donald, 593

Nowlan, Steven, 193, 598

Nowlan, Steven c, 192

Nowlan, Steven f, 193

Nozick, Robert, 595, 609

nudez, 289, 495

objetivos, 43, 48, 53, 54, 55, 68, 72-3, 392-5

Ocasek, Rick, 506

Oden, Greg, 604

olfato, 51, 198, 206, 453

Olguin, Rachel, 599

Olho Mágico, *ver* estereogramas

olhos, 18, 47, 154, 157, 167, 169, 173, 184, 205, 227, 234, 235, 236-9, 240, 241, 243, 244, 273, 281, 552

bonitos, 507-9

evolução dos, 169-73, 178, 184
observação de olhos de outras pessoas, 350
Olivier, Laurence, 437
Oman, Charles, 601
óptica invertida, 39-40
orangotangos, 145, 207, 488
ordem de nascimento, 463-5, 475-8
Orians, George, 396, 397, 398, 604, 610
Orwell, George, 444, 572, 573, 610
ouvido interno, 184, 281-3

Paglia, Camille, 595, 608
pais, 440, 449, 451, 453, 454, 455, 456, 459, 460, 462, 463-74, 489-90, 515
   ver também investimento paterno: masculino
paisagens, 395-8
Paivio, Alan, 601
paixão, 438-41
palavras
   conceitos universais, 203
   para amor, 378
   para argumentação, 378
   para dar, 374
   para emoções, 384-6, 386-7
   para espaço, 295, 373-4
   para estados mentais, 350, 375
   para fobias, 406
   para força, 340, 375
   para formas, 284, 285
   para ideias, 378
   para interações sociais, 374
   para números, 359
   para tempo, 373-4
   para virtude, 378
Paleolítico, alto, 217-21, 510
Paley, William, 187
Pandora, 26
papagaios, 119, 207
Papert, Seymour, 594, 596, 597
Papua-Nova Guiné, nativos de, 231, 384, 386
Paradoxo do Banqueiro, 532, 609
paradoxos, 109-10, 147, 200, 223, 294, 313, 319, 321, 372, 379, 417, 430, 431, 461, 528, 542, 571, 588, 590
parentesco, 80-8, 91, 139, 141, 142, 143, 201, 205, 220, 329, 421, 422, 427, 452-4, 455, 458, 461, 463, 481, 500, 586
parentesco fictício, 458-61
Parker, Geoffrey, 519, 597, 606
Parsons, Lawrence, 601
Pascal, Blaise, 580
pastagens, *ver* savana

paternidade, 63, 401, 452, 454, 455, 456, 461, 463-74, 476, 489, 505, 549
   ver também enteados, infância, investimento paterno, mães, pais, primeira infância
Pauli, Wolfgang, 295
Paulos, John Allen, 603
Paxton, Tom, 34
Pazzani, Michael, 597, 602
Pelger, Susanne, 177, 178, 598
Penrose, Roger, 108, 109, 596, 597
Pentland, Alex, 267, 270-2, 593, 600, 601
percepção
   da beleza, 507-12
   de parentesco, 481-3
   problema da, 15-20, 39-40, 227-30
   ver também percepção auditiva, percepção visual, sistema vestibular
percepção auditiva, 198, 225, 559, 560, 561, 562, 563
   ver também fala, música
percepção de parte de cima e parte de baixo, 118, 122, 252, 282, 283-5, 288, 293, 294, 295, 296
percepção do bebê, 255-8
   beleza, 507
   música, 557
   rostos, 290
percepção visual, 15-20, 39-40, *227-303*
   cor, 153, 154, 159, 197, 205-6, 213, 229, 233, 262-5, 274, 278
   estéreo, 230-59
   evolução da, 48, 169-73, 178
   figura, 20, 231-4
   forma, 19
   forma e tamanho, 19, 231-3, 259-73, 292, 293, 293-306
   luminosidade, 18, 117, 152, 233, 259-65, 262, 267-73
   movimento, 152, 230, 237, 250, 262, 273, 279, 281, 282, 311
   profundidade, 18, 169, 197, 205, 206, 227, 230-7, 238, 254, 255, 259-62, 270, 271, 275, 277
   reconhecimento de objetos, 18-20, 30, 45, 97, 151, 152, 245, 276, 285-303, 336-9, 551
   rostos, 20, 30, 152, 290-2, 342
   superfícies, 18, 30, 39, 40, 152, 229, 233, 260, 265-79, 306, 313, 353, 551
percéptrons, 120, 121, 122, 124, 596
Percy, Walker, 563
períodos críticos
   linguagem, 258
   visão, 256-8

Perkins, David, 604
Perky, Cheves, 307, 601
Perner, J., 603
personalidade, 31, 43, 95, 470-3, 476, 477
perspectiva, 232-4, 260-2, 266-73, 274, 275, 313
peso (corporal), 21, 510-1
pestinhas, 464, 468, 573
PET (Tomografia por Emissão de Pósitrons), *ver* neuroimagem
Peterson, Mary, 602
Pettigrew, J., 600
Phillips, A., 602
Piaget, Jean, 222, 321, 336, 339, 362
Piatelli-Palmarini, Massimo, 363, 365, 603
Picard, Roź, 604
Pigmalião, 14, 503
Pilbeam, David, 598, 599
pinguins, 138, 181, 330
Pinker, S., 63, 81, 101, 146, 159, 199, 297-303, 258, 350, 386, 453, 594, 595, 596, 598, 599, 600, 601, 602, 604, 610, 611
Pinóquio, 14, 26, 76
pintura, 218, 219, 233-4, 236, 259, 265, 271, 313, 349, 449, 548, 551-3
Pitts, Walter, 110, 111, 122, 596
Platão, 95, 155, 318, 461
Plauger, P., 102, 596
Playboy, 509, 511, 543
Playgirl, 496
Plomin, Robert, 594, 607
poderoso chefão, O, 434, 450, 455, 610
Poggio, Tomaso, 252, 253, 593, 594, 596, 600, 601
pogroms, 538
Poincaré, Henri, 275
poliandria, 36, 500-2, 608
poligamia, 64, 469, 489, 499-512
poliginia, 36, 469, 478, 490, 499-502, 505, 522
Pollack, Jordan, 596
Pollard, J., 595
Polti, Georges, 449, 480, 566, 606
Pomerantz, James, 600
Popper, Karl, 356, 523
pornografia, 65, 223, 403, 495-7, 550
Porter, Cole, 240, 569
positivismo lógico, 159
pós-modernismo, 68, 327, 362, 547
Posner, Michael, 100, 595
Post, Wiley, 236
potlach, 524, 609
Poundstone, William, 597, 605, 609
Prasada, Sandeep, 596

preferências de hábitat, 202, 205, 213, 331, 395-8, 551, 562, 604
Premack, David, 376, 594, 599, 602, 603, 604
Preuss, Todd, 598, 599
primatas, *ver* grandes macacos, *Homo*, macacos, prossímios
primeira infância, 336, 337, 338, 339, 350, 378, 403, 454, 463-5, 465-8, 471, 475, 476, 482, 491
primogenitura, 462
Prince, Alan, 595, 596, 602
princípio da desvantagem, 167, 173, 201, 207, 341, 402, 430, 432-3, 501, 504, 525-7
probabilidade, 88, 369-72
problema da mente-corpo, 35-6, 89-91
problema do modelo [*frame problem*], 25, 355, 593
processamento de símbolos, 77-88, 91, 104-8
    ver também computação, informação
processamento serial contrastado com paralelo, 154-5
Profet, Margie, 50-1, 594
Proffitt, Denis, 340, 603, 604
progresso, 164-8, 224-6
promessas, 431, 434, 436, 438
Prometeu, 26
promiscuidade, 492-5, 496-9, 504
    ver também adultério
propagação retroativa, 122, 124
prosopagnosia, 30-1, 290-2
prossímios, 250
prostituição, 497, 497-8, 503, 504, 538, 567
Proust, Marcel, 151
Provine, Robert, 571, 578, 610, 611
psicologia, 33-4, 37, 75, 95, 226, 319
psicologia cognitiva, 95-102, 138, 224
psicologia da coalizão, 333, 538-42
psicologia da Gestalt, 76
psicologia das crenças e desejos, 35-6, 40, 73-5, 89, 90, 203, 334, 342, 349, 517, 576, 582
psicologia evolucionista, 34, 53, 56-68, 362, 414, 516, 517, 542, 571
psicologia intuitiva, 40, 74-5, 123, 141, 334, 349-53, 362
    e religião, 581-2
psicologia popular, 73-5, 390, 456
psicologia social, 425, 444, 447-545, 547
puberdade, 69, 388, 389, 466, 472, 474, 475, 505, 508, 509
Puf, ursinho, 295
Pustejovsky, James, 604
Putnam, Hilary, 35, 324, 594, 596, 603

Pylyshyn, Zenon, 72, 593, 594, 595, 596, 597, 601, 602

QI, 31, 45, 56, 72, 95, 168, 197, 440
quadro de avisos mental, 81, 85, 130, 149
qualia, *ver* consciência, sensibilidade
Quayle, Dan, 67
Quine, W. V. O., 603

raça, 61, 68, 478, 508
Rachman, Stanley, 605
raciocínio, *318-82*
  bom-senso, 23-5, 27, 29, 40, 42, 75, 126-42, 199-200
  com imagens mentais, 310
  indutivo, 113-6, 326, 351
  lógico (dedutivo), 80-8, 141, 149, 195, 228, 229, 230, 310, 328, *353-8*
  matemático, 320, 322-3, 329, 354, *358-63*, 379-80
  probabilístico, 323, 353, *363-72*
raciocínio baseado em casos, 568
raciocínio científico, 321-5, 328-9, 379-80
  em crianças, 321, 358
  ver também biologia intuitiva, física intuitiva, psicologia intuitiva, teorias intuitivas
racismo, 56, 65, 332-3, 386, 543
Raibert, Mark, 593
Raiffa, Howard, 598
raiva, 61, 76, 385, 386, 388, 394, 418, 426, 434, 436, 438, 468, 513, 516, 517, 571
Rakic, Pasko, 594, 598
Ramachandran, V. S., 600
Rapoport, Anatol, 542, 609
Ratcliff, Roger, 596
Rayburn, Sam, 46
Rayner, Keith, 600
razão entre cintura e quadril, 509-10
Reagan, Ronald, 64, 113, 574, 577, 578
realidade virtual, 39, 43, 241, 283, 564
recursividade, 136-7, 350, 380, 596
redes neurais, *110-23*
  evolução das, 191-4, 252-3
Redford, Robert, 498
Reed, Lou, 560
referenciais visuais, 279-85, 285-8, 293, 296, 312, 397, 552, 576
Reforma Protestante, 477
Reich, Charles, 448, 451
Reisberg, Daniel, 602
relativismo, *ver* contrutivismo social, desconstrutivismo, Modelo Clássico da Ciência Social

religião, 31, 53, 62, 164, 188, 334, 388, 414, 452, 462, 478, 546, 575, 580-3, 585, 587
remédios, 343, 581
remorso, *ver* culpa, vergonha
representações digitais, 561
representações mentais, *95-104*, 359
  e consciência, 149, 151-3
  em redes conexionistas, 130-7
  ver também mentalês, representações proposicionais
representações proposicionais, 97-100, 137, 309, 313
  e redes neurais, 130-7
  para imagens mentais, 309-14
representar, 437, 443
reputação, 383, 427, 442, 499, 517, 520, 521, 523
resolução dos conflitos, 450-1, 544-5
retropropagação, 122, 124
revolução agrícola, *ver* civilização
Revolução Francesa, 368
Rey, Georges, 160, 595, 596, 602
Richards, Whitman, 254, 595, 600, 601
Ridley, Mark, 602
Ridley, Matt, 598, 599, 606, 607, 608
Riesbeck, C. K., 604
Rips, Lance, 602, 603
riso, 570-4, 577, 578, 579, 610
ritos de passagem, 139, 141, 581
rivalidade entre irmãos, 177, 474-8, 568
Robinson, E. A., 412
robôs
  desafio de construir, 15-30, 39, 42, 197, 228
  na ficção, 13-5, 26-9, 70-1,
  na vida real, 13, 25
robótica, *ver* inteligência artificial: robótica
rock (música), 89, 100, 364, 390, 506, 556
Rock, Irving, 284, 593, 601
Rogers, Alan, 523, 605, 609
romantismo, 390, 516
Romeu e Julieta, 73, 610
Rosaldo, Renato, 389
Rosch, Eleanor, 327, 596, 602
Rose, Steven, 56, 64, 594, 595, 599
Ross, Lee, 603
rostos, 213, 214-5
  atraentes, 507-10
  reconhecimento de, 290-2
rotação mental, 293, 294, 297-303, 310, 587
Rozin, Paul, 400-2, 403, 565, 598, 605, 610
Ruanda, 538
Rubens, Peter Paul, 507
Rubin, Jerry, 110, 276

667

Rumelhart, David, 122, 124, 140, 596, 597
Ruse, Michael, 602
Russell, J., 604
Ryle, Gilbert, 89, 595

Sacks, Oliver, 290, 593
Sagan, Carl, 162
Sala Chinesa, 104-7, 596
Salomão, rei, 500
Samoa, 57, 388, 389, 449, 594
Sand, George, 526
Sanford, Gail Jensen, 262, 600
Sartre, Jean Paul, 207
satisfação de restrições, 117, 251, 252, 253
savana, 53, 209, 210, 380, 395-8
Schacter, Dan, 596, 597, 598
Schelling, Thomas, 417, 431-4, 442, 468, 605, 606, 607, 609
Schenker, Heinrich, 554
Schroeder, Patricia, 506, 608
Schwartz, S., 601, 602, 603
Searle, John, 76, 104-7, 109, 595, 596, 597
Segal, S., 601
Sejnowski, Terence, 595, 596
seleção artificial, 176, 511
seleção de grupo, 418-9
seleção de parceiros, 502-12, 568
seleção genética
    comparada a empenho para propagar os genes, 34, 54-5, 452
    e altruísmo familiar, 55, 420-3, 452
    e amor conjugal, 458, 483
    e conflito entre pais e filhos, 463-5
    e evolução do sexo, 487
    e incesto, 479
    e psicologia da coalisão, 538
    na teoria evolucionista, 34, 54
seleção natural, 168-89
    alternativas, 47, 172-6, 179-81
    contraposta a progresso, 163-8, 221, 224-6
    contraposta à exaptação, 184-7
    de memes, 224-6
    explica complexidade adaptativa, 32, 53-4, 168-72, 175, 327
    homogeniza, 60
    hostilidade à, 47, 48, 52, 178-88
    moldada, 177-8, 191-4, 450
    na teoria evolucionista, 418-9
    níveis da, 418-23
    observada, 176-7
    para competição e cooperação, 450-1
    restrições sobre, 181-4

tempo necessário, 176, 177
seleção por parentesco, 420-3, 453
    conflito entre pais e filhos, 463-5
    e casamento, 458
    e incesto, 479
    e rivalidade entre irmãos, 474
seleção sexual, 487-90, 525
    em humanos, 490-516
Seligman, Martin, 408, 605
Sellers, Peter, 429, 430
senso moral, 425, 528, 587
sensualidade, ver beleza, de rostos e corpos
Serling, Rod, 70
SETI (Busca de Inteligência Extraterrestre), 163-8
sexo, evolução do, 484-90
sexualidade, 55, 67, 212, 335, 469, 483-517
Seyfarth, Robert, 599
Shakespeare, William, 14, 44, 378, 380, 411, 505, 537, 610
Shane, 610
Shankar, Ravi, 553
Shastri, Lokandra, 596
Shaw, George Bernard, 483
Shepard, Roger, 293, 294, 297, 300, 301, 601, 602, 610
Sherif, Muzafer, 539, 609
Sherman, Allan, 28, 597, 598
Sherry, David, 136, 596, 598
Shimojo, Shinsuke, 254, 600
shiwiar, 357
Shostak, Marjorie, 599
Shoumatoff, Alex, 606, 608
Shultz, Thomas, 610
Shweder, Richard, 388, 604
Silk, Joan, 597, 599, 602, 607
simbiose, 533
Simenon, Georges, 496
simetria, 182, 262, 285, 287, 296, 310, 507, 516, 552
Simon e Garfunkel, 412
Simon, Herbert, 35, 73, 95, 103, 149, 594, 595, 596, 597, 602
simpatia, 143, 418, 426, 427, 453, 455, 528, 532
Simpson, O. J., 371
síndrome de Capgras, 593
síndrome de negligência, 307
Singer, Isaac Bashevis, 495
Singh, Devendra, 509, 510, 608
Sinha, Pawan, 16, 593, 601
sistema auditivo, 561
sistema límbico, 390-2, 436
sistema vestibular, 281-2

668

sistemas de produção, 80-8

Skinner, B. F., 73, 74, 95, 145, 194, 424, 595, 599

Sloboda, J. A., 610

Smith, Adam, 417

Smith, Anna Nicole, 506

Smith, Carol, 380

Smith, David Alexander, 72

Smith, Edward, 596

Smith, Winston, 572

Smolensky, Paul, 596

Sober, Elliot, 598, 605

sobrenomes, 455, 515

socialização, 14, 470-2, 478, 607

sociedade de castas, 325, 602

sociobiologia, 53, 56, 57, 594

Solso, Robert, 600

Sommers, Christina Hoff, 594, 608

sonhos, 188, 241, 308, 545, 601

Sowell, Thomas, 595

Spelke, Elizabeth, 602, 603, 604

Spelke, Elizabeth c, 336

Spelke, Elizabeth f, 338

Sperber, Dan, 581, 594, 599, 602, 603, 611

Spielberg, Steven, 163

Spock, Benjamin, 473

Staddon, J., 604

Stalin, Josef, 59

Stanislavsky, Konstantin, 437

Starr, Ringo, 506

status, 35, 58, 156, 169, 223, 279, 335, 407, 448, 449, 453, 459, 473, 498, 503, 504, 505, 506, 510, 511, 517, 518, 521, 522, 523-7

 ver também dominância

Steinem, Gloria, 61

Stenning, Keith, 601, 602

Stent, Gunther, 587

Sterelny, Kim, 594, 605

Stevens, A., 602

Stewart, Rod, 506

Stich, Stephen, 149

Stringer, Christopher, 599

Stryker, Michael, 594, 598, 600

Subbiah, Ilavenil, 12, 242, 605

subprodutos da adaptação, 47, 180, 188, 550

Sulloway, Frank, 476, 477, 606, 607

Sur, Mriganka, 594

surrealismo, 313, 566

Sutherland, Stuart, 593, 603

Swisher, C., 599

Symons, Donald, 53, 56, 308, 484, 496, 497, 499, 504, 593, 594, 599, 601, 606, 607, 608, 609, 610

tabus

  alimentares, 398-406

  incesto, 462, 478-83, 516

Tajfel, Henri, 539, 609

tálamo, 149

Talmy, Leonard, 340, 374, 599, 604

Tarr, Michael, 297-303, 600, 601

táticas paradoxais, 428-43, 431, 468, 605

taxonomia, 140, 330, 345, 348

Taylor, Elizabeth, 139

tearjerkers, 565

tecido neural, 36, 46, 76, 106, 167

televisão, 18, 39, 40, 70, 92, 93, 105, 152, 188, 231, 236, 239, 246, 282, 291, 312, 333, 341, 349, 371, 409, 413, 417, 547, 551, 562, 563, 571, 578

Teller, Edward, 430

teorema de Bayes, 260, 364

teorema de Gödel, 108, 588

teoria computacional da mente, 35, 36, 37, 75-80, 81, 88, 90, 93, 94, 95, 104, 106, 108, 109, 125, 144, 159, 169, 229, 305, 390, 543

teoria do ímpeto, 340, 341, 375

teoria dos jogos, 430-3

teoria Retinex, 264-5

teorias intuitivas, 139, 141, 203, 321, 328, 329, 334, 335, 373

  ver também biologia intuitiva, física intuitiva, psicologia intuitiva

terceira dimensão, 231, 239, 259-62, 265-79, 296, 301

testículos, 174, 180, 489, 491, 503

Thornhill, Nancy, 462, 606

Thurer, Shari, 473, 607

tipos naturais, 343-7, 373, 603

Titchener, Edward, 315, 316, 602

Todd, Peter, 598

tomada de decisões, 101, 151, 156, 392

  ver também lobos frontais

Tomasello, Michael, 599

Tomlin, Lily, 71, 157, 426

Tooby, John, 36, 48, 56, 60, 202-5, 210, 323, 366, 368, 395, 483, 485, 531, 532, 534, 538, 539, 540, 542, 593, 594, 595, 597, 598, 599, 602, 603, 604, 605, 606, 607, 609, 610, 611

Trehub, S., 610

Treisman, Anne, 153, 154, 597

Treisman, Michel, 283, 601

Trinkaus, E., 593

tristeza, *ver* luto

Trivers, Robert, 358, 423, 424, 425, 426, 427, 434, 443, 445, 446, 463, 468, 470, 472, 474, 486, 528, 599, 605, 606, 607, 609
Trobriand, habitantes de, 608
troca social, 191, 201, 207, 208, 212, 329, 357, 358, 415, 424, 425, 459
tromba do elefante, 52, 165
Tucker, Sophie, 413
Tulving, Endel, 136
Turing, Alan, 35, 78, 79, 80, 594, 595
Turke, Paul, 222, 599
Turner, M., 610
Turner, Tina, 139
Tversky, Amos, 365, 411, 603, 604, 605
Tversky, Amos c, 363
Tversky, Amos f, 365
Twain, Mark, 445
Twiggy, 507, 510
Twinkie, defesa, 65
Tye, M., 601, 602
Tyler, Christopher, 227, 243, 247, 249, 600
Tyler, Edward, 583, 599

Ulisses, 234, 417, 442
Ullman, Shimon, 597, 601, 602
utensílios, 47, 201, 202, 204, 205, 209, 213, 214, 215-22, 347, 424, 533, 553
 ver também artefatos
utopias, 449, 451, 482, 484, 544

Van den Berghe, P., 606
Van Essen, David, 593, 599, 601
Van Gogh, Vincent, 380, 381
vanguarda, 449, 527
Veblen, Thorstein, 518, 525, 526, 547, 608, 609
vergonha, 365, 371, 385, 394, 426, 571
vestuário, 69, 510, 525, 526, 577
 ver também moda
vida artificial, 177, 529
Vidal, Gore, 411
vidraça de Leonardo, 234, 235, 313, 551
Vietnã, 59, 409, 538
vingança, 201, 383, 388, 392, 434, 435-6, 462, 514, 516, 521, 522, 524, 528, 536, 540, 544, 567
violência, *ver* agressão
virgindade, 389, 469
visão cega, 158
visão estéreo, 230-59, 337, 450
 evolução da, 249
viver em grupo, 207-8, 450
vodu, 401

Voltaire, 574
Von Frish, Karl, 196
Von Mises, Richard, 370, 604
Von Newmann, John, 430
vontade, 156
Voyager, sonda espacial, 162, 163
Vrba, Elizabeth, 598

Waldheim, Kurt, 162
Wallace, Alfred Russel, 318-21, 372, 379, 381, 382, 601, 602
Wandell, Brian, 593, 600
Wason, Peter, 356, 603
Wasserman, Dan, 498, 593
Watson, James, 304
Watson, John B., 408
Webber, Andrew Lloyd, 548
Wehner, Rudiger, 194, 598
Weinshall, Daphna, 600
Weisberg, Peter, 604
Weisfeld, Glen, 610
Weizenbaum, Joseph, 79, 595
Wellman, Henry, 346, 603
Wells, H. G., 164, 302
West, Mae, 504, 515
Westermarck, Edward, 481, 482, 483
Westheimer, dra. Ruth, 484
Wheatstone, Charles, 236-9, 259, 600
Whistler, James, 295
White, Dan, 65
White, Randall, 102, 599
Whitehead, Barbara Dafoe, 473, 607
Wierzbicka, Anna, 604
Wiesel, Torsten, 256, 257
Wilczek, F., 596
Wilde, Oscar, 526, 549
Wilford, J. N., 598
Williams, George, 47, 419, 423, 593, 594, 596, 597, 598, 599, 604, 605, 606
Williams, Ronald, 122
Williams, Tenessee, 610
Wilson, E. O., 56, 64, 605
Wilson, James Q., 416, 606
Wilson, Margo, 416, 434, 455-7, 465, 469, 514, 516, 521, 522, 594, 595, 599, 604, 605, 606, 607, 608, 609, 611
Wimmer, H., 603
Winger, Debra, 565
Winocur, Gordon, 291, 601
Winograd, Terry, 24, 593
Winokur, J., 608
Wittgenstein, Ludwig, 138, 445

Wolfe, Tom, 410, 527, 547, 565, 610
Woodruff, G., 599
Woodward, Amanda, 602, 611
Wright, Lawrence, 596
Wright, Richard, 610
Wright, Robert, 502, 594, 595, 602, 605, 606, 607, 608
Wright, Stephen, 127
Wyman, Bill, 506
Wynn, Karen, 358, 603

xadrez, 92, 131, 150, 265, 314, 319, 320, 326, 363, 372, 394, 568
!xõ, 203

ye'kwana, 572, 573
Young, Andrew, 601

Zahavi, Amotz, 525, 608, 609
Zaitchik, Debra, 603
Zentner, M., 610

1ª EDIÇÃO [1998] 1 reimpressão
2ª EDIÇÃO [1999] 8 reimpressões
3ª EDIÇÃO [2012] 9 reimpressões

ESTA OBRA FOI COMPOSTA PELA PÁGINA VIVA EM GOUDY E
IMPRESSA PELA GEOGRÁFICA EM OFSETE SOBRE PAPEL PÓLEN
DA SUZANO S.A. PARA A EDITORA SCHWARCZ EM ABRIL DE 2024

A marca FSC® é a garantia de que a madeira utilizada na fabricação do papel deste livro provém de florestas que foram gerenciadas de maneira ambientalmente correta, socialmente justa e economicamente viável, além de outras fontes de origem controlada.